Laacher Messbuch 2012

Lesejahr B

DIE OFFIZIELLEN MESSTEXTE
FÜR SONN- UND FESTTAGE
UND ALLE HERRENFESTE

nach der
authentischen Ausgabe
für die Bistümer des deutschen Sprachgebietes.

Mit spirituellen Impulsen zu den Schriftlesungen
und Anregungen für die liturgische Gestaltung

Herausgegeben
von der
Benediktinerabtei Maria Laach
und dem
Verlag Katholisches Bibelwerk

ARS LITURGICA BUCH- & KUNSTVERLAG, MARIA LAACH
VERLAG KATHOLISCHES BIBELWERK, STUTTGART

Mitarbeiterinnen und Mitarbeiter an dieser Ausgabe

P. Dr. Albert Sieger OSB (verantwortlich)

Dr. Stephanie Abgottspon · Jessica Bohn · Pfr. Roland Breitenbach · Sr. Charis Doepgen OSB · Gaby Faber-Jodocy · Sr. Angela Gamon OSB · Guido Groß · Pfr. Friedhelm Meudt · P. Petrus Nowack OSB · Sr. Renate Rautenbach SCC · Dr. Wolfgang Steffel

Anschrift für Anregungen und Fragen

ars liturgica Buch- & Kunstverlag
Redaktion Laacher Messbuch
Benediktinerabtei
D-56653 Maria Laach
E-Mail: Redaktion@maria-laach.de

Umschlaggestaltung: Finken & Bumiller, Stuttgart

Umschlagsmotiv kartonierte Ausgabe:
Paul Klee, Städtische Komposition mit gelben Fenstern, 1919 ·
Ulmer Museum (Stiftung Sammlung Kurt Fried)
Satz und Layout: Olschewski Medien GmbH, Stuttgart

Druck: Druckerei C.H. Beck, Nördlingen

Kartonierte Ausgabe

ISBN 978-3-86534-110-5 (ars liturgica Buch- & Kunstverlag Maria Laach)
ISBN 978-3-460-32294-3 (Verlag Katholisches Bibelwerk)

Gebundene Ausgabe

ISBN 978-3-86534-111-2 (ars liturgica Buch- & Kunstverlag Maria Laach)
ISBN 978-3-460-32293-6 (Verlag Katholisches Bibelwerk)

Inhalt

Fastenzeit

Heilige Woche – Karwoche

Osterzeit

Jahreskreis

Texte des 2. Vatikanischen Konzils

Anhang

Abkürzungen

P: Priester
D: Diakon
K: Kantor(in)
L: Lektor(in)
V: Vorbeter(in)
G: Gemeinde
A: Alle
GL: Gotteslob
(g) nicht gebotener Gedenktag
(G) gebotener Feiertag
(F) Fest
(H) Hochfest
MB: Messbuch
Kf: Kurzfassung
|E: Ende des Schrifttextes
|R: Antwortvers
KG: Kath. Gesangbuch der deutschsprachigen Schweiz

Hinweis zur Rechtschreibung

Die neue Rechtschreibung der Texte aus den Lektionaren entspricht der von der Deutschen Bischofskonferenz genehmigten Weise. Für die aus dem Messbuch entnommenen Texte lag bis zur Drucklegung keine Fassung in neuer Rechtschreibung vor.

Ein Wort zuvor

Die vorliegende Ausgabe für das Lesejahr B (2011/12) mit dem biblischen Schwerpunkt beim Markusevangelium setzt den dritten Lesejahrzyklus des Laacher Messbuchs zur Gestaltung und zum Mitvollzug des sonntäglichen Gottesdienstes fort.

Beide herausgebenden Institutionen, die Abtei Maria Laach und der Verlag Katholisches Bibelwerk, knüpfen mit dem jährlich neu erscheinenden Laacher Messbuch an die liturgische Bewegung und an die katholische Bibelbewegung in der ersten Hälfte des 20. Jahrhunderts an. Im Mittelpunkt dieser Bewegungen stand das Anliegen, die Texte der Heiligen Schrift und der Liturgie tiefer zu erfassen und für den gläubigen Menschen fruchtbar zu machen. Dieses spirituelle Grundanliegen greift das Laacher Messbuch auf und führt es im 21. Jahrhundert zeitgemäß weiter.

Dass diese Umsetzung gelingt, zeigt die breite Aufnahme, die die bisher erschienenen Ausgaben des Laacher Messbuchs gefunden haben – sei es bei Lektoren und Lektorinnen, Kommunionhelfern und Kommunionhelferinnen, Priestern und Diakonen oder allen, die Gottesdienste vorbereiten und mitfeiern. Stellvertretend für zahlreiche Rückmeldungen steht die Einschätzung des Freiburger Erzbischofs und Vorsitzenden der Deutschen Bischofskonferenz, Dr. Robert Zollitsch: »Ich bin ein begeisterter und regelmäßiger Nutzer des Laacher Messbuchs. In ansprechend aufbereiteter Form finde ich hier nicht nur die Messtexte aller Sonn- und Feiertage eines Jahreskreises, sondern zusätzlich vielfältige fundierte Informationen sowie anregende spirituelle Impulse. Das Laacher Messbuch ist mir nicht zuletzt gerade auch aufgrund seiner zuverlässigen Hinweise, seinem kompakten und handlichen Format sowie seiner übersichtlichen Register zu einem wichtigen Begleiter, vor allem auch auf meinen Reisen, geworden.«

Das Laacher Messbuch zum Lesejahr B enthält folgende Elemente: die Feier der Gemeindemesse (deutsch-lateinisch), **alle** offiziellen Messtexte für alle Sonntage, Hochfeste, Herrenfeste sowie die Feste der Weihnachtsoktav und das Formular für Wort-Gottes-Feiern. Jede Einheit bietet eine thematische Einführung in den Sonntag bzw. in den Festtag, Kyrie-Rufe mit Gesangsvorschlägen aus dem Gotteslob, existenzielle Erschließungen aller Schrifttexte, singbare Antwortpsalmen (inkl. Psalmton), Fürbitten, individuelle Einladungstexte zum Vaterunser und zum Friedensgebet, eine inhaltlich abgestimmte Meditation, eine ausgewählte Präfation und einen ausgewählten Schlusssegen. Hinzu kommen zahlreiche praktische Register sowie Verzeichnisse der Namenstage und der Schriftlesungen für die Wochentage im Kirchenjahr 2011/12. Aus Anlass der 50. Wiederkehr des Beginns des 2. Vatikanischen Konzils im Jahr 1962 bietet das aktuelle Laacher Messbuch als Anregung zur Relecture Auszüge aus zwei Konzilsdokumenten an.

Damit die Kraft aus der Feier des Glaubens in das alltägliche Leben hineinleuchten kann, erscheint für das Jahr 2012 eine Sonntagskerze mit dem Stern-Motiv des Laacher Messbuchs von Paul Klee.

Möge die neue Ausgabe des Laacher Messbuchs der Gestaltung und dem Mitvollzug des sonntäglichen Gottesdienstes als dem Zentrum christlichen Glaubens und seiner spirituellen Vertiefung dienen.

Maria Laach / Stuttgart am Pfingstfest 2011

Abt Benedikt Müntnich OSB

Dr. Stefan Ohnesorge
Ars liturgica Buch- & Kunstverlag

Jürgen M. Schymura
Verlag Katholisches Bibelwerk

Bildmeditation* »Gottes Stern steht auf meinem Dach«

Zum Titelbild von Paul Klee

Wo uns Begriffe fehlen, suchen wir Bilder, um uns verständlich zu machen. Worte lassen sie entstehen aus dem unerschöpflichen Vorrat, den unsere Augen täglich einsammeln. Die Sprache der Bibel und der Liturgie ist bilderreich. Das ist ihre Stärke. Damit geht sie zu Herzen – nicht mit abstrakten Formulierungen.

Auch ein abstraktes Kunstwerk lebt von Bildzeichen, die Zusammenhänge entstehen lassen, die das Werk des Künstlers im Betrachter ständig verändern und erweitern. Paul Klees »Städtische Komposition mit den gelben Fenstern« (1919) ist zunächst eine Fläche, vielfach unterteilt durch Quadrate, Rechtecke, Dreiecke. Klar wie diese geometrischen Grundformen sind die Farben. Da ist Schwarz und Weiß, da sind die Primärfarben Rot, Gelb, Blau und die Sekundärfarben Grün, Orange Violett. Mit diesen Elementen baut der Künstler eine Bildarchitektur auf, die mit den Worten *Stadt* und *Fenster* eine inhaltliche Bestimmung bekommt. »Gelbe Fenster«, das sind erleuchtete Fenster am Abend. Hinter ihnen spielt sich das Leben ab. Als Betrachter des Bildes stehen wir außen vor. Wer auf dem Weg nach Hause ist, versteht das warme Licht wie einen Zuruf: »Gleich bist du daheim! Du wirst erwartet!« Wer einsam ist, dem mag ein erhelltes Fenster Sehnsucht wachrufen – nach Gemeinschaft, nach Dazugehören. Wer sich vor dem Nachhausekommen fürchtet, wird die Fensterkreuze nicht übersehen; sie erinnern, dass Leben auch unter dem Kreuz steht. Die ziemlich gleichmäßige Verteilung von Schwarz und Weiß macht in der bunten Vielfalt dieser »Stadt« deutlich, dass es Hell und Dunkel, Licht und Schatten gibt wo Menschen leben. Tröstlich steht aber inmitten dieser dichten »Wohnblöcke« ein roter Stern. Gehört er zu einer Kirche? Links neben ihm könnte man eine Apsis und einen Turm entdecken. Nur an dieser Stelle ist das Bildgefüge durch die hingetupfte Farbe etwas aufgelockert. Solche Partien fin-

---

* Titelbild bei kartonierter Ausgabe; Gebetsbildchen bei gebundener Ausgabe.

den sich in Klees Stadtansichten aus Tunesien und bedeuten dort Gärten, Natur innerhalb der Architektur.

Entscheidende Anregungen für seine Bildmotive hat Klee auf seiner Tunesienreise 1914 empfangen. Hier liegt ein Schlüssel für die geometrische Struktur vieler späterer Kompositionen, die sich im Titel auf städtische Motive beziehen. Er schreibt am 8.4. in sein Tagebuch: »Tunis ... Kunst – Natur – Ich. Sofort ans Werk gegangen und im Araberviertel Aquarell gemalt. Die Synthese Städtebauarchitektur – Bildarchitektur in Angriff genommen.«

Noch einmal zu unserem Titelbild: Rätselhaft erscheint im Bildgefüge unten das schwarze Oval. Wie der Stern liegt es in der Mittelachse und steht mit ihm in kompositorischer Spannung. Der Stern im warmen Rot mit den ausgreifenden Strahlen – ein positives Signal in dem Himmel mitschwingt. Das Oval schwarz, hermetisch, fremd zwischen all den Formen, die sich aus dem Rechten Winkel herleiten – ein schweigsames Gebilde. Die Position lässt an etwas Hängendes denken – ein dunkler Tropfen, eine große Träne ...? Ein biblisches Bildwort stellt sich ein, mit dem das Bild in eine neue Ebene transponiert wird: »Seht, die Wohnung Gottes unter den Menschen! Er wird in ihrer Mitte wohnen, und sie werden sein Volk sein; und er, Gott, wird bei ihnen sein. Er wird alle Tränen von ihrem Augen abwischen« (Offb 21,3b.4a). – Der Künstler Klee soll nicht für eine biblische Deutung vereinnahmt werden, aber seine Motive sind nie eindimensional. Er schreibt 1919 über sich: »Diesseitig bin ich gar nicht fassbar. Denn ich wohne grad so bei den Toten, wie bei den Ungeborenen. Etwas näher am Herzen der Schöpfung als üblich. Und noch lange nicht nahe genug.«

In einem Gedicht von Werner Bergengruen mündet der sieghafte Glaube: »Gott ist mein Geselle gegen die Furcht vor der Zukunft« in die Aussage: »Gottes Stern steht auf meinem Dach«. – Das Zeichen des Sterns macht das Licht in den gelben Fenstern zu einem Signal göttlicher Nähe in einer dunklen, abendlichen Welt.

Sr. Charis Doepgen OSB

Einführung in das Markusevangelium

1. Verfasserfrage

Bei dem Lesejahr B zugrunde liegenden Evangelium handelt es sich um das älteste der uns überlieferten vier Evangelien. Es ist in griechischer Sprache verfasst und wird seit dem 1. Viertel des 2. Jahrhunderts Markus zugeschrieben. Bischof Papias von Hierapolis (um 130) berichtet nämlich im Vorwort seiner »Erklärungen von Herrenworten«:

»Auch dies hat der Älteste (d. h. Johannes) gesagt: Markus, zum Interpreten des Petrus geworden, schrieb alles, woran er sich erinnerte, sorgfältig auf, freilich nicht der Reihe nach, sowohl Worte als Taten des Herrn.

Denn er hatte weder den Herrn gehört noch war er ihm nachgefolgt, sondern erst später dem Petrus, wie ich bereits sagte. Dieser richtete seine Lehrvorträge nach den Bedürfnissen (der Hörer) ein, jedoch nicht so, als wollte er eine Zusammenstellung der Herrenworte geben. Daher fehlte auch Markus nicht darin, dass er einiges so aufschrieb, wie er es im Gedächtnis hatte. Denn er war darauf bedacht, nichts von dem, was er gehört hatte, wegzulassen oder falsch wiederzugeben.« (Nach: Eusebius, Kirchengeschichte III, 39,15)

Mit diesem Markus ist ohne Zweifel jener Johannes Markus gemeint, der im Neuen Testament erstmals in Apg 12,12 erwähnt wird. Danach stammte Markus aus Jerusalem, wo das Haus seiner Mutter einen Treffpunkt der christlichen Gemeinde bildete. Hier lernte er den Barnabas und Paulus kennen, die er einige Zeit auf ihren Reisen begleitete (Apg 12,25; 13,5). Auf der ersten gemeinsamen Missionsreise trennte er sich jedoch von Paulus und Barnabas, weshalb Paulus sich später weigerte, Markus nochmals auf eine Missionsreise mitzunehmen (Apg 15,37f.). Nach Kol 4,10 und Phlm 24 (vgl. 2 Tim 4,11) scheinen sich Paulus und Markus allerdings wieder ausgesöhnt zu haben.

In 1 Petr 5,13 begegnet Markus schließlich in der Gemeinschaft des Petrus – und eben das setzt auch die oben zitierte Papiasnotiz voraus. Da es nun kaum erklärbar ist, weshalb das Evangelium einem Nichtjünger und Nichtapostel hätte zugeschrieben werden sollen, wird man der Nachricht des Papias trauen und somit an der Abfassung unseres Evangeliums durch Johannes Markus festhalten können.

2. Abfassungsort und -zeit

In Übereinstimmung der sicher bis auf Klemens von Alexandrien zurückgehenden Tradition gilt bei der Mehrzahl der Exegeten Rom als Abfassungsort des Markusevangeliums.

Abgefasst wurde das Evangelium wohl vor 70, da sich noch keine Anspielung auf die Zerstörung des Jerusalemer Tempels findet. Mk 13 lässt jedoch im gesamten an die Nähe des jüdischen Krieges denken.

3. Adressaten

Das Markusevangelium wendet sich primär an Heidenchristen; denn jüdische Sitten und Einrichtungen müssen ebenso erklärt werden wie aramäische Wörter und Sätze (vgl. 7,3f.; 14,12; 15,42 – 3,17; 5,41; 7,11 u.ö.). Es fehlen die für Juden und Judenchristen wichtigen Fragen (vgl. dagegen Mt 5!), während andererseits Mk 10,12 die Geltung des heidnischen (Scheidungs-)Rechts voraussetzt.

4. Literarische Eigenart

Das Markusevangelium berichtet vor allem Taten und weniger Reden Jesu. Inwieweit Markus hierzu bereits vorgeformte, zusammenhängende Erzählungsstücke übernahm (etwa 2,1–3,6 die Streitgespräche oder 4,1–32 die Gleichnisse), lässt sich nicht eindeutig klären. Am sichersten kann man für die Leidensgeschichte (14,1 - 16,8) eine im wesentlichen schon verfestigte Überlieferung annehmen.

Sprache und Stil des Markusevangeliums sind einfach. Da die alttestamentlichen Zitate auf der Textvorlage des griechischen Alten Testaments beruhen (Mk 7,6f.10; 10,7b; 12,11), gilt es als sicher, dass das Evangelium von Anfang an in griechischer Sprache abgefasst war.

5. Theologische Eigenart

Markus gibt gleich zu Beginn seines Evangeliums dessen Inhalt und Ziel an: »Die frohe Botschaft von Jesus Christus, dem Sohn Gottes« (1,1). Trotz der historisierenden Darstellung des Wirkens Jesu will Markus freilich nicht einfach das vergangene Wirken Jesu schildern, da auch für ihn von Anfang an das Wort des »jungen Mannes« an die Frauen im Grab gilt: »Ihr sucht Jesus von Nazaret, den Gekreuzigten. Er ist auferstanden!« (16,6). Wenn Markus von Jesus spricht, dann spricht er immer von Jesus als dem geliebten Sohn Gottes (1,11; 9,7), in dem das Reich Gottes in unsere Welt gekommen ist (1,14f.).

Aus diesem Grund zeigt Markus gleich im ersten großen Abschnitt seines Evangeliums (1,16–3,12), wie sehr Neues für den Menschen durch Jesu Kommen Wirklichkeit wurde: Jesu Wort, mächtiger als alles Bisherige (1,22.27; 2,12), mächtiger aber auch als alles Böse (1,23f.31–34.41; 2,5.11; 3,5.11) schafft dem Menschen das Heil (1,25f.31–34.39.40–50; 2,1–12; 3,1–12), dessen letztes Ziel die neue, sündenlose Gemeinschaft des Menschen mit Gott ist, am deutlichsten sichtbar geworden in Jesu Mahl mit den Sündern und Zöllnern (2,14–17; vgl. auch 2,1–12; 1,16–20).

Gott und sein Reich wurde in Jesus und Jesu Wirken gegenwärtig. Was das bedeutet, kann der Mensch allerdings erst erkennen und verstehen, wenn er auf den gekreuzigten, von allen verlassenen und verspotteten Jesus sieht, dem nur noch einige Frauen die Treue halten (15,20b–41). In dieser ohnmächtigen Verlorenheit offenbart sich Gott,der seinen Sohn gesandt hat, da er in der Welt nichts anderes als die einfache Liebe und Hingabe des Menschen erwartet (12,1–44). Erst im Blick auf den Gekreuzigten kann in der Welt von Jesus offen verkündigt werden: »Wahrhaftig, dieser Mensch war Gottes Sohn« (15,39).

Um dies seiner Gemeinde bewusst zu machen, entwickelt Markus ein eigenes Stilmittel – das sogenannte »Messiasgeheimnis«:

Nach ihm verbietet Jesus den Dämonen (1,24.34; 3,11f.), den Geheilten (1,44; 5,43; 7,36; 8,26), aber auch seinen Jüngern (8,30; 9,9) ausdrücklich, ihn als den »Heiligen Gottes« und den Messias bekanntzumachen – obgleich diese seine Wahrheit nie völlig übersehen werden konnte, sondern immer wieder durchbrach und entdeckt wurde (1,45; 3,11; 7,36f.). Das aber bedeutet: Sobald nicht mehr gesehen wird, dass Jesus als der Ohnmächtige und Gekreuzigte der Sohn Gottes ist, besteht nach Markus sowohl für die Welt als auch für die Gemeinde die Gefahr, die Bekenntnisformel »Jesus ist der Sohn Gottes« misszuverstehen!

Dieser Sachverhalt ist für Markus auch seiner Gemeinde wegen von großer Bedeutung; denn er hat auch auf den Lebensstil der Gemeinde eine wesentliche Auswirkung. Davon handelt Markus vor allem in jenem Teil seines Evangeliums, in dem er von dem »Weg des Messias« (8,27–10,52) spricht:

In diesem Teil des Evangeliums geht es Markus nicht primär darum, Jesu Leiden, Sterben und Auferstehen als gottgewollt zu zeigen (wie Lk 24,26.44.46), sondern die neuen, radikalen Forderungen an den Glaubenden (9,23.35.42–50; 10,9.21.43f.) vom Kreuzweg Jesu als des Messias her verständlich zu machen. Denn da Jesus als Messias in seinem Gehen ans Kreuz Gottes Gedanken auslegt (8,31–33; 9,30–32; 10,32–34), muss der Glaubende verstehen, dass es auch für ihn keinen anderen Weg zu Jesus Christus in Gottes Herrlichkeit gibt (8,34–9,1; 10,39). Dass Gott in seinem Sohn nahegekommen ist (9,2–13), bedeutet keine Verkürzung des Weges durch die Welt (9,5f.), auf dem die Macht des Bösen durch die Macht des Glaubenden gebrochen werden soll (9,14–29). Diese Entmachtung des Bösen geschieht nämlich konkret im selbstlosen Dienst des Glaubenden (9,33–42; 10,1–12.41–45), der auch die oft schmerzhafte Trennung von allem Anstößigen im eigenen Leben um des anderen willen (9,42–50) in sich schließt. Diese Konsequenz bleibt freilich jedem unverständlich, der nicht begreift, dass man nicht anders als wie ein Kind in die Gemeinschaft mit Jesus kommt, da man Gott nur ganz angehören kann (10,13–31) – eine Einsicht, die selbst wiederum Gottes Geschenk ist (10,46–52a), zugleich aber auch nochmaliger Ruf, diesen Weg nachzugehen (10,52b).

Von hier aus wird auch das erstaunliche Ende des Markusevangeliums (16,1–8) verständlich: Ostern stellt für Markus kein »Happy End« dar. Ostern bedeutet nicht, dass das Dunkle und Beängstigende in Jesu Leben und Sterben endgültig aus seinem Weg gelöscht wäre. Ostern macht den Weg der Nachfolge – »er geht euch voraus« (16,7) – nicht einfacher.

6. Gliederung

Die Gliederung des Markusevangeliums ist durch theologische Schwerpunkte bedingt, die der Evangelist durch bestimmte Jüngerszenen markiert (1,16–20; 3,13–19; 6,7–13; 8,27–33). Mit ihnen beginnt jeweils ein neuer Abschnitt, wobei sich die folgenden Abschnitte und die vorausgehenden Jüngerperikopen je gegenseitig interpretieren. So zeigt das Evangelium folgende Gliederung:

1,1-13	Der Anfang Der Horizont: In Jesu Weg ereignet sich der Einbruch des Reiches Gottes in die Welt des Menschen.
1,14 – 3,12	Das Himmelreich ist da! Die neue Situation des Menschen, begründet in der Vollmacht des rufenden und erlösenden Wortes Jesu.
3,13 – 6,6a	Kehrt um! Das Geheimnis des Reiches Gottes und das Unverständnis des Menschen.
6,6b – 8,26	Glaubt an das Evangelium! Das Heil des Menschen als Ziel des Wirkens Gottes.

8,27 – 10,52	Der Weg des Messias Die Form glaubender Nachfolge ist der Kreuzweg.
11,1 – 13,37	Klarstellungen Gott sucht in der Sendung seines Sohnes die Liebe des Menschen. – Da die Geschichte dem »Tag der Ernte« entgegengeht, ist vom Glaubenden große Wachsamkeit gefordert.
14,1 – 15,47	Die Vollendung Jesus bezeugt durch die Annahme des Todesbeschlusses seiner Gegner die Wahrheit seines Evangeliums, das im Bekenntnis des Hauptmanns seine Antwort findet.
16,1-8	Ausblick: Durch Jesu Auferweckung sind alle Glaubenden zur lebendigen Nachfolge gerufen.

Meinrad Limbeck

Entnommen aus der aktuellen Sonderedition »Stuttgarter Kommentar zu den vier Evangelien«, erschienen im Verlag Katholisches Bibelwerk, 2. Auflage 2011 (ISBN 978-3-460-15400-1).

1. Adventssonntag
27. November 2011

Zu dir, Herr, erhebe ich meine Seele.
Mein Gott, dir vertraue ich.
Lass mich nicht scheitern,
lass meine Feinde nicht triumphieren!
Denn niemand, der auf dich hofft, wird zuschanden.
Ps 25,1–3

Am Ende des Neuen Testaments, im vorletzten Satz des letzten Buches, der Offenbarung des Johannes, steht die Bitte: Maranatha – Komm, Herr! Wir Christen sind Menschen, die auf die Ankunft unseres Herrn warten, auf Christus, der am Ende der Zeiten wiederkommt. Durch die Einführung des Advents soll gerade dieser Charakter unseres Glaubens unterstrichen werden: wir sind wartende und hoffende Menschen. Zugleich mit diesem Ausblick auf die Endzeit verbindet sich das Gedenken der ersten Ankunft Jesu im Fleisch, in der Geburt in Betlehem. Der erste Sonntag des Advents betont die endzeitliche Erwartung von uns Christen. Der erste Blick geht nicht nach Betlehem, sondern an das Ende der Zeiten.

Kyrie-Rufe

Oder: GL 103 · KG 296

Herr Jesus Christus, du bist das Licht in aller Finsternis, Herr, erbarme dich.
Du schenkst uns Hoffnung in aller Traurigkeit, Christus, erbarme dich.
Du stärkst uns in deinem Frieden, Herr, erbarme dich.

Tagesgebet

Herr, unser Gott, alles steht in deiner Macht; du schenkst das Wollen und das Vollbringen. Hilf uns, daß wir auf dem Weg der Gerechtigkeit Christus entgegengehen und uns durch Taten der

Liebe auf seine Ankunft vorbereiten, damit wir den Platz zu seiner Rechten erhalten, wenn er wiederkommt in Herrlichkeit. Er, der in der Einheit des Heiligen Geistes mit dir lebt und herrscht in alle Ewigkeit.

ERSTE LESUNG

Jes 63,16b–17.19b; 64,3–7

Lesung aus dem Buch Jesaja.

Du, Herr, bist unser Vater, »Unser Erlöser von jeher« wirst du genannt. Warum lässt du uns, Herr, von deinen Wegen abirren und machst unser Herz hart, sodass wir dich nicht mehr fürchten? Kehre zurück um deiner Knechte willen, um der Stämme willen, die dein Eigentum sind. Reiß doch den Himmel auf und komm herab, sodass die Berge zittern vor dir.

Seit Menschengedenken hat man noch nie vernommen, kein Ohr hat gehört, kein Auge gesehen, dass es einen Gott gibt außer dir, der denen Gutes tut, die auf ihn hoffen. Ach, kämst du doch denen entgegen, die tun, was recht ist, und nachdenken über deine Wege.

Ja, du warst zornig; denn wir haben gegen dich gesündigt, von Urzeit an sind wir treulos geworden. Wie unreine Menschen sind wir alle geworden, unsere ganze Gerechtigkeit ist wie ein schmutziges Kleid. Wie Laub sind wir alle verwelkt, unsere Schuld trägt uns fort wie der Wind.

Niemand ruft deinen Namen an, keiner rafft sich dazu auf, fest zu halten an dir. Denn du hast dein Angesicht vor uns verborgen und hast uns der Gewalt unserer Schuld überlassen. Und doch bist du, Herr, unser Vater. Wir sind der Ton und du bist unser Töpfer, wir alle sind das Werk deiner Hände. IF

Der Text der Lesung (Vers 19b) hat viele Texte der Adventszeit inspiriert: So die Antiphon »Rorate coeli desuper – Tauet, ihr Himmel, von oben« und das bekannte Adventslied: »O Heiland, reiß die Himmel auf«. Die Lesung selber ist eine Klage des Volkes in schwerer Not und Anfechtung. Unsere adventliche Zeit beginnt mit einer Art Gottesfinsternis. Die rettende Nähe ist in weite Ferne gerückt. Die Einsamkeit erstickt alle tröstenden Gefühle des Glaubens. Vertrauen findet der Beter in der Anrede Gottes als Vater. Die Texte der Bibel bezeugen ihn als Schöpfer und Erlöser. Dass sich Gott auch heute in der Weise zu erkennen geben wird, darauf vertraut der Beter. Die Tage des Advents werden damit auch zu einer Einladung, neu darüber nachzudenken, wie Gott sich heute zeigt und wie wir unseren Glauben ausdrücken, wenn wir ihn als einen fernen Gott erfahren.

Antwortpsalm

Ps 80,2ac.3bc.15–16.18–19 (℟: vgl. 4)

℟: Richte uns wieder auf, o Gott, lass dein Angesicht leuchten, dann sind wir gerettet.

II. Ton – GL 529,1

Du Hirte Israels, höre! *
Der du auf den Kerubim thronst, erscheine!
Biete deine gewaltige Macht auf *
und komm uns zu Hilfe! – ℟

Gott der Heerscharen, wende dich uns wieder zu! *
Blick vom Himmel herab und sieh auf uns!
Sorge für diesen Weinstock *
und für den Garten, den deine Rechte gepflanzt hat. – ℟

Deine Hand schütze den Mann zu deiner Rechten, *
den Menschensohn, den du für dich groß und stark gemacht.
Erhalt uns am Leben! *
Dann wollen wir deinen Namen anrufen und nicht von dir weichen. – ℟

Zweite Lesung

1 Kor 1,3–9

Lesung aus dem ersten Korintherbrief.

Gnade sei mit euch und Friede von Gott, unserem Vater, und dem Herrn Jesus Christus.

Ich danke Gott jederzeit euretwegen für die Gnade Gottes, die euch in Christus Jesus geschenkt wurde, dass ihr an allem reich geworden seid in ihm, an aller Rede und aller Erkenntnis. Denn das Zeugnis über Christus wurde bei euch gefestigt, sodass euch keine Gnadengabe fehlt, während ihr auf die Offenbarung Jesu Christi, unseres Herrn, wartet.

Er wird euch auch festigen bis ans Ende, sodass ihr schuldlos dasteht am Tag Jesu, unseres Herrn. Treu ist Gott, durch den ihr berufen worden seid zur Gemeinschaft mit seinem Sohn Jesus Christus, unserem Herrn. IF

Wie in den anderen Briefen beginnt Paulus seinen ersten Brief an die Gemeinde von Korinth mit einem Dank. Er dankt Gott für die Begabungen, die er in dieser Gemeinde vorfindet. Paulus kann sich darüber freuen. Er nimmt sich selber zurück und sieht den Reichtum der Kirche von Korinth als das Ergebnis des Wirkens Gottes. Zugleich erinnert er daran, dass diese Gaben nicht Selbstzweck sind. Sie wollen nicht zum Ruhm und zur Anerkennung unter den anderen Kirchen beitragen. Sie stärken vielmehr jeden Einzelnen im Warten auf das Wiederkommen Christi. Was jetzt geschieht am Aufbau des Leibes Christi, soll sich als tragfähig erweisen im Warten auf das Ende. Es sind Gedanken, die jeden, Paulus als Apostel und die einzelnen Christen als Mitglieder der Gemeinde, auf Christus verweisen, der das Leben ist. Nicht die Anerkennung der eigenen Leistung wird zum Motiv des Handelns, sondern das Warten auf die Begegnung mit dem Auferstandenen.

RUF VOR DEM EVANGELIUM — Ps 85,8

Halleluja. Halleluja.
Erweise uns, Herr, deine Huld und gewähre uns dein Heil!
Halleluja.

EVANGELIUM — Mk 13,24–37 (Kf: 13,33–37)

Aus dem heiligen Evangelium nach Markus.

Jesus sprach zu seinen Jüngern: In jenen Tagen, nach der großen Not, wird sich die Sonne verfinstern und der Mond wird nicht mehr scheinen; die Sterne werden vom Himmel fallen und die Kräfte des Himmels werden erschüttert werden.

Dann wird man den Menschensohn mit großer Macht und Herrlichkeit auf den Wolken kommen sehen. Und er wird die Engel aussenden und die von ihm Auserwählten aus allen vier Windrichtungen zusammenführen, vom Ende der Erde bis zum Ende des Himmels.

Lernt etwas aus dem Vergleich mit dem Feigenbaum! Sobald seine Zweige saftig werden und Blätter treiben, wisst ihr, dass der Sommer nahe ist. Genauso sollt ihr erkennen, wenn ihr all das geschehen seht, dass das Ende vor der Tür steht.

Amen, ich sage euch: Diese Generation wird nicht vergehen, bis das alles eintrifft. Himmel und Erde werden vergehen, aber meine Worte werden nicht vergehen. Doch jenen Tag und jene Stunde kennt niemand, auch nicht die Engel im Himmel, nicht einmal der Sohn, sondern nur der Vater.

[➡In jener Zeit sprach Jesus zu seinen Jüngern:] Seht euch (also) vor und bleibt wach! Denn ihr wisst nicht, wann die Zeit da ist. Es ist wie mit einem Mann, der sein Haus verließ, um auf Reisen zu gehen: Er übertrug alle Verantwortung seinen Dienern, jedem eine bestimmte Aufgabe; dem Türhüter befahl er, wachsam zu sein.

Seid also wachsam! Denn ihr wisst nicht, wann der Hausherr kommt, ob am Abend oder um Mitternacht, ob beim Hahnenschrei oder erst am Morgen. Er soll euch, wenn er plötzlich kommt, nicht schlafend antreffen.

Was ich aber euch sage, das sage ich allen: Seid wachsam! ⬅IF

In der Tradition des kirchlichen Gebets gab es einen Namen für eine Gebetszeit, der ausdrücklich auf die Wachsamkeit hinwies: die Vigilien. Man wachte in der Nacht zum Gebet und drückte so das Warten auf den Herrn aus. Die mahnenden Worte Jesu haben heute ihren Schrecken eingebüßt. Aus den ersten Christen, die in der nahen Erwartung des kommenden Herrn lebten, sind wir Christen geworden, die sich in der Welt eingerichtet haben. Heute schrecken uns eher Katastrophennachrichten auf und lassen uns an einer friedlichen Zukunft zweifeln. Wer aufgerüttelt wird, überdenkt sein Leben neu. Er kann erkennen, was im Leben beständig ist, und was vergeht und untergehen kann. Jesus erinnert in aller Unbeständigkeit an sein Wort, das bleibt. Er ist es selber, das Wort der Liebe, das uns anspricht. Diese nicht sichtbare und greifbare Weise des Angesprochenseins durch das Evangelium soll uns mehr Halt und Vertrauen geben als die sichtbaren Stützen unserer Welt. Welchen Wert haben für mich Worte, die ich höre und die ich im Herzen bewahre?

CREDO (siehe Seite 512)

FÜRBITTEN

Lasset uns beten zu unserem Herrn Jesus Christus, der uns sein Wort des Lebens schenkt:

V: Christus, höre uns. A: Christus, erhöre uns.

- Für die Kirche: um die Gaben des Heiligen Geistes für alle Frauen und Männer, die das Evangelium verkünden.
- Für alle, die in unserem Staat leben: um die innere Einheit und den sozialen Frieden.
- Für jene, die mit ihrem Leben unzufrieden sind: um Zuversicht aus dem Glauben an Gott, der kommt, um uns zu trösten.
- Für die Hungernden, denen das Lebensnotwendige fehlt: um das tägliche Brot und um eine gerechte Verteilung der Güter dieser Welt.
- Für die Familien, aus denen Angehörige bei den Auslandseinsätzen der Bundeswehr beteiligt sind: um menschlichen Beistand in ihren Ängsten und Sorgen.

Gütiger Gott, in dir sind wir geborgen. Wende dich uns zu und höre unser Gebet durch Christus, unseren Herrn.

GABENGEBET

Allmächtiger Gott, alles, was wir haben, kommt von dir. Nimm die Gaben an, die wir darbringen. Mache sie für uns in diesem

Leben zum Sakrament der Erlösung und rufe uns an deinen Tisch im kommenden Reich. Darum bitten wir durch Christus, unseren Herrn.

Präfation — Advent I

In Wahrheit ist es würdig und recht, dir, allmächtiger Vater, zu danken durch unseren Herrn Jesus Christus. Denn in seinem ersten Kommen hat er sich entäußert und ist Mensch geworden. So hat er die alte Verheißung erfüllt und den Weg des Heiles erschlossen. Wenn er wiederkommt im Glanz seiner Herrlichkeit werden wir sichtbar empfangen, was wir jetzt mit wachem Herzen gläubig erwarten. Darum preisen wir dich mit allen Engeln und Heiligen und singen vereint mit ihnen das Lob deiner Herrlichkeit.

Einladung zum Vaterunser

Gott hat uns als seine geliebten Söhne und Töchter angenommen. Wir beten zu ihm, wie der Herr Jesus Christus uns zu beten gelehrt hat: Vater unser im Himmel …

Einladung zum Friedensgebet

Das Evangelium Jesu Christi ist treu und verlässlich. Im Vertrauen darauf bitten wir in den Wirrungen unserer Zeit: Herr Jesus Christus …

Kommunionvers — Ps 85,13

Der Herr wird seinen Segen spenden, und unsere Erde bringt ihre Frucht hervor.

Schlussgebet

Herr, unser Gott, du hast uns an deinem Tisch mit neuer Kraft gestärkt. Zeige uns den rechten Weg durch diese vergängliche Welt und lenke unseren Blick auf das Unvergängliche, damit wir in allem dein Reich suchen. Darum bitten wir durch Christus, unseren Herrn.

Schlusssegen

Im Advent

Der barmherzige Gott hat uns den Glauben an das Kommen seines Sohnes geschenkt; er segne und heilige euch durch das Licht seiner Gnade.

Er mache euch standhaft im Glauben, froh in der Hoffnung und eifrig in Werken der Liebe.

Die erste Ankunft des Erlösers sei euch Unterpfand der ewigen Herrlichkeit, die er uns schenken wird, wenn er wiederkommt auf den Wolken des Himmels.

Das gewähre euch der dreieinige Gott, der Vater und der Sohn ✝ und der Heilige Geist.

Dem Herrn gehört unsere Erde,
was sie erfüllt zu Meer und Land,
die Menschen und Geschöpfe alle.
Gott rief der Welt, dass sie werde,
über der Flut gab er ihr Stand
und hielt sie fest, dass sie nicht falle.

Wer hat das Recht, ihn zu schauen?
Wer zieht hinauf zum Berg des Herrn?
Wer darf an heilger Stätte stehen?
Die reinen Herzens ihm trauen,
von Lug und Trug sich halten fern,
werden den Segen Gottes sehen.

Empfangt den König mit Ehren!
Es kommt der Herr der Herrlichkeit,
in seinem Hause uns zu segnen.
Wer will den Zutritt ihm wehren?
Macht eure Tor und Türen weit,
dem Herrn der Erde zu begegnen.

Hans Bernoulli (1988)

2. Adventssonntag
4. Dezember 2011

Der Herr wird kommen, um die Welt zu erlösen.
Volk Gottes, mach dich bereit.
Höre auf ihn, und dein Herz wird sich freuen.
Vgl. Jes 30,19.30

Die Zeit des Advents bringt ein Vorbild aus der Bibel: Johannes den Täufer. Die Evangelien des zweiten und dritten Sonntags sind jeweils Texte, in denen von diesem Propheten die Rede ist. Er wird beschrieben als der Vorläufer des Herrn. Johannes tritt am 2. Adventssonntag auf als der Prediger der Buße und der Umkehr. Der Auftakt dieser Vorbereitungszeit auf Weihnachten ist viel weniger geprägt durch Bilder der Wärme und Geborgenheit. Am Anfang stehen Worte, die verunsichern und aufrütteln. Begegnung mit dem Wort, das Mensch geworden ist, führt über die Umkehr. Auch dieses Bild der Begegnung mit dem Herrn wird zu einem Weg, auf dem wir zurücklassen, was uns vertraut und lieb geworden ist, um neu zu hören und bereit zu werden. Erschütterungen kommen nicht nur durch Katastrophen und Ängste. Gerade der Glaube wird menschlich, weil es Menschen sind, die Propheten, die uns einladen, uns immer wieder neu zu orientieren.

Kyrie-Rufe GL 415 · 168

Herr Jesus Christus, du bist der Anwalt der Bedrückten und Leidenden, Herr, erbarme dich.
Du lässt uns nicht alleine, sondern stärkst uns durch dein Wort, Christus, erbarme dich.
Du kommst wieder, um uns zu erlösen, Herr, erbarme dich.

Tagesgebet

Allmächtiger und barmherziger Gott, deine Weisheit allein zeigt uns den rechten Weg. Laß nicht zu, daß irdische Aufgaben und

Sorgen uns hindern, deinem Sohn entgegenzugehen. Führe uns durch dein Wort und deine Gnade zur Gemeinschaft mit ihm, der in der Einheit des Heiligen Geistes mit dir lebt und herrscht in alle Ewigkeit.

ERSTE LESUNG

Jes 40,1–5.9–11

Lesung aus dem Buch Jesaja.

Tröstet, tröstet mein Volk, spricht euer Gott. Redet Jerusalem zu Herzen und verkündet der Stadt, dass ihr Frondienst zu Ende geht, dass ihre Schuld beglichen ist; denn sie hat die volle Strafe erlitten von der Hand des Herrn für all ihre Sünden.

Eine Stimme ruft: Bahnt für den Herrn einen Weg durch die Wüste! Baut in der Steppe eine ebene Straße für unseren Gott! Jedes Tal soll sich heben, jeder Berg und Hügel sich senken. Was krumm ist, soll gerade werden, und was hüglig ist, werde eben. Dann offenbart sich die Herrlichkeit des Herrn, alle Sterblichen werden sie sehen. Ja, der Mund des Herrn hat gesprochen.

Steig auf einen hohen Berg, Zion, du Botin der Freude! Erheb deine Stimme mit Macht, Jerusalem, du Botin der Freude! Erheb deine Stimme, fürchte dich nicht! Sag den Städten in Juda: Seht, da ist euer Gott. Seht, Gott der Herr, kommt mit Macht, er herrscht mit starkem Arm. Seht, er bringt seinen Siegespreis mit: Alle, die er gewonnen hat, gehen vor ihm her. Wie ein Hirt führt er seine Herde zur Weide, er sammelt sie mit starker Hand. Die Lämmer trägt er auf dem Arm, die Mutterschafe führt er behutsam. IF

Der zweite Teil des Jesajabuchs beginnt mit dem alten Wegmotiv. In der Zeit des Exils im 6. Jahrhundert wird dem Volk Israel eine neue Zukunft verheißen. Einst zog Israel aus der Knechtschaft Ägyptens durch die Wüste in das verheißene Land. Jetzt wird ein neuer Weg verheißen, von Ost nach West, vom babylonischen Exil durch die Wüste nach Jerusalem. Es ist der Weg, auf dem Gott selber geht. Der siegreiche Gott führt sein Volk mit und geleitet es sicher aus der Fremde und Unterdrückung in die Heimat und die Freiheit. Der Trost des Propheten ist nicht die Vertröstung, sondern die Ermutigung zu einem neuen Leben. Gott vergibt die Schuld und Gott nimmt als der gute Hirte sein Volk mit auf dem Weg des Lebens. Auch der Advent möchte uns neu die Augen öffnen für das, was uns geschenkt wird. Ein adventliches Leben ist ein beschenktes Leben, beschenkt durch die reiche Zuwendung und Liebe unseres Gottes.

ANTWORTPSALM Ps 85,9–14 (℟: 8)

℟: Erweise uns, Herr, deine Huld und gewähre uns dein Heil!
VI. Ton – GL 118,4 · KG 135,1

Ich will hören, was Gott redet: /
Frieden verkündet der Herr seinem Volk *
und seinen Frommen, den Menschen mit redlichem Herzen.
Sein Heil ist denen nahe, die ihn fürchten. *
Seine Herrlichkeit wohne in unserm Land. – ℟

Es begegnen einander Huld und Treue; *
Gerechtigkeit und Friede küssen sich.
Treue sprosst aus der Erde hervor; *
Gerechtigkeit blickt vom Himmel hernieder. – ℟

Auch spendet der Herr dann Segen *
und unser Land gibt seinen Ertrag.
Gerechtigkeit geht vor ihm her *
und Heil folgt der Spur seiner Schritte. – ℟

ZWEITE LESUNG 2 Petr 3,8–14

Lesung aus dem zweiten Petrusbrief.

Das eine, liebe Brüder, dürft ihr nicht übersehen: dass beim Herrn ein Tag wie tausend Jahre und tausend Jahre wie ein Tag sind. Der Herr zögert nicht mit der Erfüllung der Verheißung, wie einige meinen, die von Verzögerung reden; er ist nur geduldig mit euch, weil er nicht will, dass jemand zugrunde geht, sondern dass alle sich bekehren.

Der Tag des Herrn wird aber kommen wie ein Dieb. Dann wird der Himmel prasselnd vergehen, die Elemente werden verbrannt und aufgelöst, die Erde und alles, was auf ihr ist, werden nicht mehr gefunden.

Wenn sich das alles in dieser Weise auflöst: wie heilig und fromm müsst ihr dann leben, den Tag Gottes erwarten und seine Ankunft beschleunigen! An jenem Tag wird sich der Himmel im Feuer auflösen und die Elemente werden im Brand zerschmelzen. Dann erwarten wir, seiner Verheißung gemäß, einen neuen Himmel und eine neue Erde, in denen die Gerechtigkeit wohnt.

Weil ihr das erwartet, liebe Brüder, bemüht euch darum, von ihm ohne Makel und Fehler und in Frieden angetroffen zu werden. IF

In immer wieder neuen Bildern heißt es zu lernen, im Advent zu leben, die Ankunft Gottes zu erwarten. Auch in diesen Bildern lernen wir, wie Gott der unverfügbare Gott bleibt. Wir haben die Verantwortung, unser Leben zu gestalten. Wir müssen Vorsorge treffen für unser Leben und für die Menschen, die uns anvertraut sind. Wir müssen die Zeichen der Zeit erkennen und darauf eingehen. Aber es bleibt ein Rest, den wir nicht bestimmen und planen können. Der Verfasser des Petrusbriefes nennt dies das Ende des Lebens, das kommt wie ein Dieb in der Nacht. Man weiß von der Existenz der Diebe, aber nicht von den Zeiten, in denen sie auftreten. Hier gibt es keine Versicherung und Absicherung, sondern nur die innere Einstellung, für diesen Moment bereit zu sein. Aber die letzte Stunde ist nicht die Stunde der Verteidigung und der Abwehr, sondern der Begegnung. Hier wird offenbar, was unser Leben ist. Ein Blick, der den Verfasser sogar veranlasst, das Kommen des letzten Tages zu beschleunigen. Während unsere Zeit immer schnelllebiger wird, weil es mehr zu tun, mehr zu erreichen und zu erleben gilt, wird hier die Zeit schnelllebig, um dem Ende entgegenzugehen, um sie aufzulösen in die Begegnung Gottes.

Ruf vor dem Evangelium Lk 3,4.6

Halleluja. Halleluja.
Bereitet dem Herrn den Weg! Ebnet ihm die Straßen! Und alle Menschen werden das Heil sehen, das von Gott kommt.
Halleluja.

Evangelium Mk 1,1–8

Aus dem heiligen Evangelium nach Markus.

Anfang des Evangeliums von Jesus Christus, dem Sohn Gottes: Es begann, wie es bei dem Propheten Jesaja steht:

Ich sende meinen Boten vor dir her; er soll den Weg für dich bahnen. Eine Stimme ruft in der Wüste: Bereitet dem Herrn den Weg! Ebnet ihm die Straßen!

So trat Johannes der Täufer in der Wüste auf und verkündigte Umkehr und Taufe zur Vergebung der Sünden.

Ganz Judäa und alle Einwohner Jerusalems zogen zu ihm hinaus; sie bekannten ihre Sünden und ließen sich im Jordan von ihm taufen. Johannes trug ein Gewand aus Kamelhaaren und einen ledernen Gürtel um seine Hüften und er lebte von Heuschrecken und wildem Honig.

Er verkündete: Nach mir kommt einer, der ist stärker als ich; ich bin es nicht wert, mich zu bücken, um ihm die Schuhe aufzuschnüren. Ich habe euch nur mit Wasser getauft, er aber wird euch mit dem Heiligen Geist taufen.

Das Evangelium bezieht den Bau einer Straße für Gott, für den neuen Exodus bei Jesaja, auf Johannes den Täufer. Er ist der Vorläufer, der den Weg für das Erscheinen, für die Ankunft Jesu bereitet. Der Auftakt der Biografie Jesu beginnt mit einem Blick auf das prophetische Leben. Jesus wird gesehen als der größere Prophet, der Johannes folgt. Später wird das Bild des Propheten verblassen. Jesus wird mehr in Erscheinung treten als der Rabbi, als der Lehrer, der mit seinen Jüngern durch die Ortschaften zieht und das Kommen von Gottes Reich verkündet. Der Anfang des Evangeliums knüpft noch einmal an die lange Geschichte Israels an, an das

Auftreten der Propheten, die Gottes aktuelles Wort verkünden. Es ist der Anfang, der uns neu bewusst macht, Jesus im Licht der Botschaft der Propheten zu lesen. Zum Verständnis eines Menschen, auch des Lebens Jesu, gehört es, seine Herkunft und seine Wurzeln zu kennen. Der Advent, der Blick nach vorne in der Erwartung, wird damit auch zu einem Blick, der zurück geht und Gottes Geschichte mit Israel neu lesen lässt.

CREDO (siehe Seite 512)

FÜRBITTEN

Lasset uns beten zu unserem Herrn Jesus Christus, dem Erlöser und Heiland der Welt:

- Für die Gemeinden und Gemeinschaften in der Kirche, dass in ihr die Gaben des Heiligen Geistes wachsen und zur Entfaltung gelangen, lasst uns zum Herrn beten – A: Herr, erbarme dich!
- Für die Regierungen in den Staaten Europas, dass sie ihre Verantwortung für den Frieden und das Gemeinwohl wahrnehmen, lasst uns zum Herrn beten – A: Herr, erbarme dich!
- Für die vielen, die am Rande der Gesellschaft leben, dass sie ausreichende Hilfe erfahren, lasst uns zum Herrn beten – A: Herr, erbarme dich!
- Für alle, die unter den Folgen von Naturkatastrophen leiden und obdachlos geworden sind: dass sie Anteilnahme und menschliches Mitgefühl erfahren, lasst uns zum Herrn beten – A: Herr, erbarme dich!

Gütiger Gott, dein Heil ist denen nahe, die dich suchen und deinen Namen anrufen. Blicke auf uns und gewähre uns, worum wir zu dir rufen durch Christus, unseren Herrn.

GABENGEBET

Barmherziger Gott, wir bekennen, daß wir immer wieder versagen und uns nicht auf unsere Verdienste berufen können.

Komm uns zu Hilfe, ersetze, was uns fehlt, und nimm unsere Gebete und Gaben gnädig an. Darum bitten wir durch Christus, unseren Herrn.

PRÄFATION

Advent III

Wir danken dir, Vater im Himmel, und rühmen dich durch unseren Herrn Jesus Christus. Ihn hast du der verlorenen Menschheit als Erlöser verheißen. Seine Wahrheit leuchtet den Suchenden, seine Kraft stärkt die Schwachen, seine Heiligkeit bringt den Sündern Vergebung. Denn er ist der Heiland der Welt, den du gesandt hast, weil du getreu bist. Darum preisen wir dich mit den Kerubim und Serafim und singen mit allen Chören der Engel das Lob deiner Herrlichkeit.

EINLADUNG ZUM VATERUNSER

Jesus ist der Weg zum Vater im Himmel. Wir vertrauen auf sein Wort und beten, wie er uns zu beten gelehrt hat: Vater unser im Himmel …

EINLADUNG ZUM FRIEDENSGEBET

Wenn wir einander lieben, ist Gottes Liebe in uns vollendet. So beten wir: Herr Jesus Christus …

KOMMUNIONVERS

Bar 5,5; 4,36

Jerusalem, erhebe dich, steig auf den Berg und schau die Freude, die von deinem Gott zu dir kommt.

SCHLUSSGEBET

Herr, unser Gott, im heiligen Mahl hast du uns mit deinem Geist erfüllt. Lehre uns durch die Teilnahme an diesem Geheimnis, die Welt im Licht deiner Weisheit zu sehen und das Unvergängliche mehr zu lieben als das Vergängliche. Darum bitten wir durch Christus, unseren Herrn.

SCHLUSSSEGEN

Im Advent

Der barmherzige Gott hat uns den Glauben an das Kommen seines Sohnes geschenkt; er segne und heilige euch durch das Licht seiner Gnade.

Er mache euch standhaft im Glauben, froh in der Hoffnung und eifrig in Werken der Liebe.

Die erste Ankunft des Erlösers sei euch Unterpfand der ewigen Herrlichkeit, die er uns schenken wird, wenn er wiederkommt auf den Wolken des Himmels.

Das gewähre euch der dreieinige Gott, der Vater und der Sohn ✝ und der Heilige Geist.

Zugegeben,
wir sind auf dem
Holzweg,
wenn wir ihm folgen:

Auf diesem mühsamen Weg
vom Holz der Krippe
im ärmlichen Stall
zum Holz des Kreuzes,
dem Marterpfahl,
an dem er litt.

Dazwischen
der harte Alltag des
Zimmermanns: Holz,
Balken und Latten ringsum.
Bretter, die die Welt
bedeuten. Das war
seine Welt. Holzgeruch
über Jahre hin.

Und nun also ich:
mit dem Brett
vor dem Kopf und dem
Balken im Auge.
Und ich (lacht nur),
ich will ihm nachgehn.

Lothar Zenetti

Hochfest der ohne Erbsünde empfangenen Jungfrau und Gottesmutter Maria

8. Dezember 2011

Von Herzen will ich mich freuen über den Herrn.
Meine Seele soll jubeln über meinen Gott.
Denn er kleidet mich in Gewänder des Heils,
er hüllt mich in den Mantel der Rettung
und schmückt mich köstlich wie eine Braut.

Jes 61,10

Das heutige Fest erinnert an den Glauben, dass Maria ohne Erbsünde im Schoß ihrer Mutter Anna empfangen wurde. 1854 wurde dieser Glaube als Dogma formuliert. Der Blick geht an den Beginn des Lebens von Maria. Im Hinblick auf die Verdienste Jesu Christi bekennt die Kirche, dass Maria vom ersten Augenblick an von der Erbschuld befreit war. Sie gilt somit als der ersterlöste Mensch durch Christus. Nach Christus wird Maria zum Vorbild des erlösten Menschen erhoben. Ihr ganzes Leben – vom ersten Augenblick an – war frei von jeder Schuld und Sünde. Das Dogma spielt heute wohl keine große Rolle im Leben und selten ist ein Fest so vielen Missverständnissen ausgesetzt wie das heutige. Aber es drückt eine hohe Wertschätzung des menschlichen Lebens aus, weil es die Hoffnung auf ein erlöstes Leben konkret werden lässt. Gerade in der Frau Maria wird die Würde des menschlichen Lebens gezeigt. Sie kommt nicht aus eigener Leistung, durch eigenen Verdienst, sondern ist allein Geschenk Gottes.

KYRIE-RUFE

Oder: GL 495,3 · KG 60,2

Herr Jesus Christus, du hast jene selig gepriesen, die dein Wort hören und es befolgen, Herr, erbarme dich.
Du bist das Wort, das im Schoß der Jungfrau Maria Mensch geworden ist, Christus, erbarme dich.
Du bist das Leben, das im Tod alles an sich zieht, Herr, erbarme dich.

GLORIA (siehe Seite 508)

TAGESGEBET

Großer und heiliger Gott, im Hinblick auf den Erlösertod Christi hast du die selige Jungfrau Maria schon im ersten Augenblick ihres Daseins vor jeder Sünde bewahrt, um deinem Sohn eine würdige Wohnung zu bereiten. Höre auf ihre Fürsprache: Mache uns frei von Sünden und erhalte uns in deiner Gnade, damit wir mit reinem Herzen zu dir gelangen. Darum bitten wir durch Jesus Christus.

ERSTE LESUNG

Gen 3,9–15.20

Lesung aus dem Buch Genesis.

Nachdem Adam vom Baum gegessen hatte, rief Gott, der Herr, ihm zu und sprach: Wo bist du? Er antwortete: Ich habe dich im Garten kommen hören; da geriet ich in Furcht, weil ich nackt bin, und versteckte mich.

Darauf fragte er: Wer hat dir gesagt, dass du nackt bist? Hast du von dem Baum gegessen, von dem zu essen ich dir verboten habe?

Adam antwortete: Die Frau, die du mir beigesellt hast, sie hat mir von dem Baum gegeben und so habe ich gegessen.

Gott, der Herr, sprach zu der Frau: Was hast du da getan? Die Frau antwortete: Die Schlange hat mich verführt und so habe ich gegessen.

Da sprach Gott, der Herr, zur Schlange: Weil du das getan hast, bist du verflucht unter allem Vieh und allen Tieren des Feldes. Auf dem Bauch sollst du kriechen und Staub fressen alle Tage deines Lebens. Feindschaft setze ich zwischen dich und die Frau, zwischen deinen Nachwuchs und ihren Nachwuchs. Er trifft dich am Kopf und du triffst ihn an der Ferse.

Adam nannte seine Frau Eva – Leben –, denn sie wurde die Mutter aller Lebendigen. IF

Dieser Text ist in der Bibel – in der Reihenfolge der biblischen Bücher – die erste Verheißung des Sieges des Lebens über den Tod. So wurde diese Hoffnung auf Erlösung und Befreiung von aller Schuld schon früh als das »Protoevangelium« bezeichnet. Die lateinische Übersetzung sprach von einer Frau, die den Kopf der Schlange zertreten wird. In ihr wurde Maria gesehen. Die heutige Übersetzung hält sich an den hebräischen Urtext, der von dem männlichen Nachkommen spricht. In ihm wird Christus gesehen, der den Feind des Lebens durch sein Sterben am Kreuz besiegte. Der Garten Eden beschreibt das ideale Leben, wie das Leben des Menschen sein soll. Das folgende 3. Kapitel im Buch Genesis spricht in einem Kontrastbild von der gegenwärtigen Wirklichkeit, der Entzweiung des Lebens. Die Beziehungen der Menschen zueinander wie auch zur Natur sind zerstört. Aber die Beschreibung klingt aus in der Hoffnung, dass einst die lebensfeindliche Macht der Sünde überwunden wird. Der Glaube sieht in Maria, als der sündelosen Frau, das gelingende neue Leben, das nicht mehr gefangen ist in die Verstrickung des Bösen. Sie verkörpert das neue Leben, zu dem wir alle berufen sind.

Antwortpsalm

Ps 98,1–4 (IR: 1ab)

IR: Singet dem Herrn ein neues Lied; denn er hat wunderbare Taten vollbracht.

I. Ton – GL 600,1 · KG 770

Singet dem Herrn ein neues Lied; *
denn er hat wunderbare Taten vollbracht.
Er hat mit seiner Rechten geholfen *
und mit seinem heiligen Arm. – IR

Der Herr hat sein Heil bekannt gemacht *
und sein gerechtes Wirken enthüllt vor den Augen der Völker.
Er dachte an seine Huld *
und an seine Treue zum Hause Israel. – ℟

Alle Enden der Erde *
sahen das Heil unsres Gottes.
Jauchzt vor dem Herrn, alle Länder der Erde, *
freut euch, jubelt und singt! – ℟

ZWEITE LESUNG Eph 1,3–6.11–12

Lesung aus dem Epheserbrief.

Gepriesen sei der Gott und Vater unseres Herrn Jesus Christus: Er hat uns mit allem Segen seines Geistes gesegnet durch unsere Gemeinschaft mit Christus im Himmel.

Denn in ihm hat er uns erwählt vor der Erschaffung der Welt, damit wir heilig und untadelig leben vor Gott; er hat uns aus Liebe im Voraus dazu bestimmt, seine Söhne zu werden durch Jesus Christus und nach seinem gnädigen Willen zu ihm zu gelangen, zum Lob seiner herrlichen Gnade. Er hat sie uns geschenkt in seinem geliebten Sohn.

Durch ihn sind wir auch als Erben vorherbestimmt und eingesetzt nach dem Plan dessen, der alles so verwirklicht, wie er es in seinem Willen beschließt; wir sind zum Lob seiner Herrlichkeit bestimmt, die wir schon früher auf Christus gehofft haben. ℣

Das heutige Fest können wir auch als die Erwählung Mariens beschreiben. Gott erwählt Maria als den sündelosen Menschen zur Mutter unseres Erlösers. In dem gleichen Bild sieht der Epheserbrief jeden Menschen. Maria geht nach Christus, den Weg, auf den Gott auch uns beruft: teilzuhaben an dem neuen befreiten Leben. Wie das Dogma der unbefleckten Empfängnis so betont auch der Epheserbrief, wie das neue Leben nur als Verheißung empfangen werden kann. Die Schuld eines Menschen belastet nicht nur den einzelnen Menschen, sondern greift über auf das menschliche Miteinander. In gleicher Weise wirkt die Tat der Liebe. Weil wir als Menschen zusammengehören und damit auch zum Menschen Jesus Christus, empfangen auch wir das neue Leben von Gott. In einer Zeit, in der so oft der Wert des Menschen von der Leistung her gesehen wird, in einer Zeit, in der so viel davon geredet wird, was wir aus unserem Leben machen müssen, hören wir heute die frohe Botschaft, dass unser Leben anders wird, weil ein anderer – weil Gott – uns liebt und in seine Gemeinschaft ruft.

RUF VOR DEM EVANGELIUM — Vgl. Lk 1,28.42b

Halleluja. Halleluja.
Gegrüßet seist du, Maria, voll der Gnade, der Herr ist mit dir, du bist gebenedeit unter den Frauen.
Halleluja.

EVANGELIUM — Lk 1,26–38

Aus dem heiligen Evangelium nach Lukas.

In jener Zeit wurde der Engel Gabriel von Gott in eine Stadt in Galiläa namens Nazaret zu einer Jungfrau gesandt. Sie war mit einem Mann namens Josef verlobt, der aus dem Haus David stammte. Der Name der Jungfrau war Maria.

Der Engel trat bei ihr ein und sagte: Sei gegrüßt, du Begnadete, der Herr ist mit dir. Sie erschrak über die Anrede und überlegte, was dieser Gruß zu bedeuten habe.

Da sagte der Engel zu ihr: Fürchte dich nicht, Maria; denn du hast bei Gott Gnade gefunden. Du wirst ein Kind empfangen, einen Sohn wirst du gebären: dem sollst du den Namen Jesus geben. Er wird groß sein und Sohn des Höchsten genannt werden. Gott, der Herr, wird ihm den Thron seines Vaters David geben. Er wird über das Haus Jakob in Ewigkeit herrschen und seine Herrschaft wird kein Ende haben.

Maria sagte zu dem Engel: Wie soll das geschehen, da ich keinen Mann erkenne?

Der Engel antwortete ihr: Der Heilige Geist wird über dich kommen und die Kraft des Höchsten wird dich überschatten. Deshalb wird auch das Kind heilig und Sohn Gottes genannt werden.

Auch Elisabet, deine Verwandte, hat noch in ihrem Alter einen Sohn empfangen; obwohl sie als unfruchtbar galt, ist sie jetzt schon im sechsten Monat. Denn für Gott ist nichts unmöglich.

Da sagte Maria: Ich bin die Magd des Herrn; mir geschehe, wie du es gesagt hast.

Danach verließ sie der Engel. IF

In unseren Gottesdiensten grüßt der Priester immer wieder die Gemeinde mit den Worten: Der Herr sei mit euch. Der Gruß kann auch als Bekenntnis gesprochen werden: Der Herr ist mit euch: Christus, der Auferstandene ist in unserer Mitte. Die Verkündigungsszene bekennt dies von Maria. Sie ist der Mensch, der in voller Gemeinschaft mit Gott lebt. Zugleich wird sie die »Begnadete« genannt. In ihr ist Gottes Gegenwart, seine Huld und liebende Zuwendung, präsent. Wenn auch dem Evangelium die Gedanken des heutigen Festes noch fremd waren, so sah man in diesem Titel schon früh einen Beleg für das heutige Festgeheimnis. Maria ist als die Begnadete der neue Mensch, der in unzerstörter Gemeinschaft mit Gott lebt, einer Gemeinschaft, die nicht mehr beeinträchtigt wird durch menschliche Schuld und scheitern kann. Der Text gibt eine Antwort auf die Frage, wem wir gehören. Wer hat letztlich Macht und Verfügungsgewalt über unser Leben. Wer bestimmt letztlich, wer wir sind, und wozu ist unser Leben gut. Nicht der Erfolg oder die Anerkennung bestätigen letztlich unser Leben, sondern das freie Jawort Gottes zu einem jeden von uns. So führt der Glaube des heutigen Festes zurück an den Anfang der Schöpfung, zum Bekenntnis Gottes über die Schöpfung, dass sie sehr gut ist, sein soll.

Credo (siehe Seite 512)

FÜRBITTEN

Lasset uns beten zu Gott, unserem Vater, der die selige Jungfrau Maria zur Mutter unseres Erlösers erwählte:

V: Vater im Himmel: A: Wir bitten dich, erhöre uns.

- Für die Kirche mit ihren Aufgaben auf dem Weg durch diese Zeit, um das Vertrauen in die Gegenwart Gottes
- Für die Völker, die von Krieg und Terror heimgesucht sind, um Versöhnung und Frieden
- Für alle, um deren Not niemand weiß, um Trost aus dem Glauben an Gott, der keinen in seiner Liebe vergisst
- Für jene, die ihren Arbeitsplatz verloren haben, um eine neue Chance in ihrem Berufsleben und um den wirksamen Schutz der Arbeitsplätze

Gott, unser Vater, du hast dein Heil der Welt verheißen. Lass uns deine Macht und Größe preisen und höre unser Gebet durch Christus, unseren Herrn.

GABENGEBET

Herr, unser Gott, in deiner Gnade hast du die selige Jungfrau Maria auserwählt und vor jeder Sünde bewahrt. An ihrem Fest feiern wir das Opfer, das alle Schuld der Menschen tilgt. Befreie uns auf ihre Fürsprache aus der Verstrickung in das Böse, damit auch wir heilig und makellos vor dir stehen. Darum bitten wir durch Christus, unseren Herrn.

PRÄFATION

Vom Tag

In Wahrheit ist es würdig und recht, dir, Vater im Himmel, zu danken und das Werk deiner Liebe zu rühmen. Denn du hast Maria vor der Erbschuld bewahrt, du hast sie mit der Fülle der Gnade beschenkt, da sie erwählt war, die Mutter deines Sohnes zu werden. In unversehrter Jungfräulichkeit hat sie Christus geboren, der als schuldloses Lamm die Sünde der Welt hinwegnimmt. Sie ist Urbild und Anfang der Kirche, der makellosen

Braut deines Sohnes. Vor allen Heiligen ist sie ein Vorbild der Heiligkeit, ihre Fürsprache erfleht uns deine Gnade durch unseren Herrn Jesus Christus. Durch ihn preisen dich Himmel und Erde, Engel und Menschen und singen wie aus einem Munde das Lob deiner Herrlichkeit.

Einladung zum Vaterunser

Jesus Christus zeigt uns die Freiheit aus dem Glauben an den barmherzigen Vater. So beten wir, wie er uns zu beten gelehrt hat: Vater unser im Himmel …

Einladung zum Friedensgebet

Die Gerechtigkeit Gottes ist uns offenbart worden für uns alle, die wir glauben. So beten wir: Herr Jesus Christus …

Kommunionvers

Großes hat man von dir gesagt, Maria, denn aus dir ging hervor die Sonne der Gerechtigkeit, Christus, unser Gott.

Schlussgebet

Herr und Gott, das Sakrament, das wir empfangen haben, heile in uns die Wunden jener Schuld, vor der du die allerseligste Jungfrau Maria vom ersten Augenblick ihres Daseins an auf einzigartige Weise bewahrt hast. Darum bitten wir durch Christus, unseren Herrn.

Schlusssegen — Von der seligen Jungfrau Maria

Gott, der allmächtige Vater, segne euch durch den Erlöser der Welt, unseren Herrn Jesus Christus, den Sohn der jungfräulichen Mutter Maria.

Sie hat den Urheber des Lebens geboren; ihre mütterliche Fürsprache erwirke euch Gottes Hilfe.

Euch und allen, die heute das Fest der ohne Erbsünde empfangenen Jungfrau Maria begehen, schenke Gott die wahre Freude und den ewigen Lohn.

Das gewähre euch der dreieinige Gott, der Vater und der Sohn ☩ und der Heilige Geist. Amen.

Das Wunder

es ist ein wunder
was ist ein wunder?
gezeugt zu werden
zu zeugen
geboren zu werden
zu gebären
gelebt zu werden
zu leben
geschaffen zu werden
zu schaffen
geträumt zu werden
zu träumen
geliebt zu werden
zu lieben
gebraucht zu werden
zu brauchen
gedacht zu werden
zu denken
gefühlt zu werden
zu fühlen
gestorben zu werden
zu sterben
es ist ein wunder
ist es ein wunder?
es ist

Kurt Marti

3. ADVENTSSONNTAG
11. Dezember 2011

Freut euch im Herrn zu jeder Zeit!
Noch einmal sage ich: Freut euch!
Denn der Herr ist nahe.
Phil 4,4–5

»Gaudete – Freut euch!« – so wird der 3. Adventssonntag genannt. Er steht im Zeichen der Begegnung von Jesus und Johannes. Im Evangelium lässt sich die Verkündigung Jesu nicht auf eine Darstellungsweise reduzieren. Es gibt die eindringlichen Worte, die von seinem plötzlichen, unvorbereiteten Kommen sprechen. Aber da ist auch Johannes, der den Weg für Jesus bereitet. Jesus kommt vorbereitet. Die Hörer und Hörerinnen werden eingestimmt auf die Botschaft von der Erlösung. Das Auftreten des Johannes erscheint gleichsam als die Ouvertüre, die uns den Geschmack vermittelt für die Gegenwart Jesu. Der Blick auf den Vorläufer lässt auch uns immer wieder fragen, als Einzelne wie auch als Kirche insgesamt, inwieweit wir in der Lage sind zurückzutreten, uns selbst nicht zu sehr in den Mittelpunkt zu stellen, sondern fähig werden, in unserer Zeit andere Menschen einzuweisen in die Spur Jesu.

KYRIE-RUFE — GL 454 · KG 51

Herr Jesus Christus, du bist das Ziel unseres Suchens und Fragens, Herr, erbarme dich.
Du bist der Weg, wenn wir fragen nach dem Leben, Christus, erbarme dich.
Du bist die Kraft, die uns nie verlässt, Herr, erbarme dich.

TAGESGEBET

Allmächtiger Gott, sieh gütig auf dein Volk, das mit gläubigem Verlangen das Fest der Geburt Christi erwartet. Mache unser

Herz bereit für das Geschenk der Erlösung, damit Weihnachten für uns alle ein Tag der Freude und der Zuversicht werde. Darum bitten wir durch Jesus Christus.

ERSTE LESUNG Jes 61,1–2a.10–11

Lesung aus dem Buch Jesaja.

Der Geist Gottes, des Herrn, ruht auf mir; denn der Herr hat mich gesalbt. Er hat mich gesandt, damit ich den Armen eine frohe Botschaft bringe und alle heile, deren Herz zerbrochen ist, damit ich den Gefangenen die Entlassung verkünde und den Gefesselten die Befreiung, damit ich ein Gnadenjahr des Herrn ausrufe.

Von Herzen will ich mich freuen über den Herrn. Meine Seele soll jubeln über meinen Gott. Denn er kleidet mich in Gewänder des Heils, er hüllt mich in den Mantel der Gerechtigkeit, wie ein Bräutigam sich festlich schmückt und wie eine Braut ihr Geschmeide anlegt. Denn wie die Erde die Saat wachsen lässt und der Garten die Pflanzen hervorbringt, so bringt Gott, der Herr, Gerechtigkeit hervor und Ruhm vor allen Völkern. IF

In seiner Primizpredigt in Nazaret zitiert Jesus nach dem Lukasevangelium diese Stelle aus dem Buch des Propheten Jesaja. Lukas lässt das öffentliche Wirken Jesu mit diesem Text beginnen. Er spricht von einem Jubiläumsjahr. Das Jobeljahr, unser Jubiläum, das Gnadenjahr des Herrn, das 50. Jahr, war ein Jahr, in dem jeder wieder eine Chance des Neuanfangs bekam. Die alten Schulden wurden aufgehoben. Jeder bekam wieder die gleichen Anteile am Grund und Boden. In Israel gab es nicht nur eine Grenze nach unten, den Schutz, der davor bewahrte, um in absolute Hilflosigkeit zu fallen. Es gab auch eine Grenze nach oben. Ein grenzenloses Wachstum war ausgeschlossen, weil das Jahr kam, in dem wieder die Güter der Erde neu verteilt wurden. Dieser Gedanke gehört in die Adventszeit, in das Warten auf den Erlöser. Der Blick auf den kommenden Herrn öffnet uns den Blick für den anderen Menschen, öffnet den Blick auf die ungerechten Seiten unserer Welt.

Wenn es den Blick auf den Herrn nur über den Blick auf die zu kurz Gekommenen gibt, dann will die Erwartung auf den Herrn ein Advent sein, der uns im Miteinander geschenkt wird.

Antwortpsalm Lk 1,46b–50.53–54 (℟: vgl. Jes 61,10b)

℟: Meine Seele soll jubeln über Gott, meinen Retter.
VI. Ton – KG 768,1

Meine Seele preist die Größe des Herrn, *
und mein Geist jubelt über Gott, meinen Retter.
Denn auf die Niedrigkeit seiner Magd hat er geschaut. *
Siehe, von nun an preisen mich selig alle Geschlechter. – ℟

Denn der Mächtige hat Großes an mir getan *
und sein Name ist heilig.
Er erbarmt sich von Geschlecht zu Geschlecht *
über alle, die ihn fürchten. – ℟

Die Hungernden beschenkt er mit seinen Gaben *
und lässt die Reichen leer ausgehen.
Er nimmt sich seines Knechtes Israel an *
und denkt an sein Erbarmen. – ℟

Zweite Lesung 1 Thess 5,16–24

Lesung aus dem ersten Thessalonicherbrief.

Schwestern und Brüder! Freut euch zu jeder Zeit! Betet ohne Unterlass! Dankt für alles; denn das will Gott von euch, die ihr Christus Jesus gehört.

Löscht den Geist nicht aus! Verachtet prophetisches Reden nicht! Prüft alles und behaltet das Gute! Meidet das Böse in jeder Gestalt!

Der Gott des Friedens heilige euch ganz und gar und bewahre euren Geist, eure Seele und euren Leib unversehrt, damit ihr ohne Tadel seid, wenn Jesus Christus, unser Herr, kommt. Gott, der euch beruft, ist treu; er wird es tun. ℣

Die Lesung ist wohl ausgewählt worden, weil sie an die traditionelle Lesung aus dem Philipperbrief erinnert, die zur Freude aufruft. Die Erwartung, der Blick auf den Kommenden ist nicht nur ein Blick der Sehnsucht und der Erwartung. Durch die Erinnerung an das zweimalige Kommen des Herrn – in Betlehem und am Ende der Zeiten – wissen wir, wer am Ende kommt. Dies bringt in den Advent eine Zeit der Freude. Zugleich mahnt der Text daran, das prophetische Wort nicht zu vernachlässigen. Die Vorgeschichte Jesu beginnt mit einer prophetischen Botschaft. In unserem Leben sollte etwas von der kritischen Sicht der Welt durchscheinen, die uns geschenkt wird durch das Wort Jesu.

Ruf vor dem Evangelium — Vgl. Jes 61,1 (Lk 4,18)

Halleluja. Halleluja.
Der Geist des Herrn ruht auf mir. Der Herr hat mich gesandt, den Armen die Frohe Botschaft zu bringen.
Halleluja.

Evangelium — Joh 1,6–8.19–28

Aus dem heiligen Evangelium nach Johannes.

Es trat ein Mensch auf, der von Gott gesandt war; sein Name war Johannes. Er kam als Zeuge, um Zeugnis abzulegen für das Licht, damit alle durch ihn zum Glauben kommen. Er war nicht selbst das Licht, er sollte nur Zeugnis ablegen für das Licht.

Dies ist das Zeugnis des Johannes: Als die Juden von Jerusalem aus Priester und Leviten zu ihm sandten mit der Frage: Wer bist du?, bekannte er und leugnete nicht; er bekannte: Ich bin nicht der Messias. Sie fragten ihn: Was bist du dann? Bist du Elija? Und er sagte: Ich bin es nicht. Bist du der Prophet? Er antwortete: Nein.

Da fragten sie ihn: Wer bist du? Wir müssen denen, die uns gesandt haben, Auskunft geben. Was sagst du über dich selbst? Er sagte: Ich bin die Stimme, die in der Wüste ruft: Ebnet den Weg für den Herrn!, wie der Prophet Jesaja gesagt hat.

Unter den Abgesandten waren auch Pharisäer. Sie fragten Johannes: Warum taufst du dann, wenn du nicht der Messias bist, nicht Elija und nicht der Prophet?

Er antwortete ihnen: Ich taufe mit Wasser. Mitten unter euch steht der, den ihr nicht kennt und der nach mir kommt; ich bin es nicht wert, ihm die Schuhe aufzuschnüren.

Dies geschah in Betanien, auf der anderen Seite des Jordan, wo Johannes taufte. IF

Das Evangelium bringt die Begegnung von Jesus und Johannes. Sie reden nicht direkt miteinander. Es sind Abgesandte aus Jerusalem, die mit Johannes diskutieren und fragen, wer er sei. Er findet sich wieder in der Stimme in der Wüste, die auf den kommenden Herrn hinweist. Die Wüste war der Ort des Lernens und der Anfechtung. In der Wüste lernte Israel die Thora. In der Wüste wurde Israel immer wieder versucht, umzukehren nach Ägypten. In gleicher Weise wird Jesus in der Wüste versucht und er lernt in der Wüste wie Israel die Thora. Es ist das Amt des Propheten, in der Anfechtung und Verunsicherung hinzuweisen, wo der Weg lang geht. Gott erscheint gerade nicht in den Palästen und Tempeln, sondern in der Wüste. In den Regionen, die dem Menschen feindlich gesinnt sind, wird ausgerechnet das Heil und das Leben verkündet. Der Ort des Zeugnisses für Gott, der Ort des Hoffens und des Wartens auf Gottes Nähe sind die trostlosen Zeiten und Wege unserer Zeit. Johannes hat sich nicht gescheut, gerade dorthin zu gehen.

CREDO (siehe Seite 512)

FÜRBITTEN

Lasset uns beten zu Gott, der uns aus aller Not in seine Freiheit führen will:

V: Gott, unser Vater: A: Wir bitten dich, erhöre uns.

- Für die Kirche, dass sie die Erinnerung an Jesu heilendes und tröstendes Wort in der Welt und die Sehnsucht auf sein endgültiges Kommen wach halte.
- Für die Politiker in unserem Land, dass sie ihre Verantwortung erkennen und mit Gottes Hilfe die rechte Entscheidung treffen.
- Für alle, die sich für den Schutz der Umwelt einsetzen, dass sie ein offenes Ohr für ihre Anliegen finden und die Verantwortlichen in Politik und Wirtschaft zu wirksamen Entscheidungen gelangen.
- Für alle Familien, in denen Kranke gepflegt werden, dass sie Kraft empfangen für ihren Dienst, die Leidenden zu trösten und zu stärken.

Barmherziger Gott, du bist der Fels unseres Heiles, dem wir vertrauen. Lass dein Angesicht über uns leuchten und höre unser Gebet durch Christus, unseren Herrn.

Gabengebet

Herr, unser Gott, in dieser Feier erfüllen wir den Auftrag deines Sohnes. Nimm unsere Gaben an und gib deiner Kirche die Gnade, immer und überall sein Opfer zu feiern. Schenke uns durch dieses Geheimnis dein Heil, das du der Welt bereitet hast. Darum bitten wir durch Christus, unseren Herrn.

Präfation — Advent II

In Wahrheit ist es würdig und recht, dir, Herr, heiliger Vater, allmächtiger, ewiger Gott, immer und überall zu danken durch unseren Herrn Jesus Christus. Von ihm redet die Botschaft aller Propheten, die jungfräuliche Mutter trug ihn voll Liebe in ihrem Schoß, seine Ankunft verkündete Johannes der Täufer und zeigte auf ihn, der unerkannt mitten unter den Menschen war. Er schenkt uns in diesen Tagen die Freude, uns für das Fest seiner Geburt zu bereiten, damit wir ihn wachend und betend erwarten und bei seinem Kommen mit Liedern des Lobes empfangen. Darum singen wir mit den Engeln und Erzengeln, den Thronen und Mächten und mit all den Scharen des himmlischen Heeres den Hochgesang von deiner göttlichen Herrlichkeit.

Einladung zum Vaterunser

Gottes Gnade ist erschienen, um alle Menschen zu retten. Im Glauben daran beten wir, wie uns Jesus Christus zu beten gelehrt hat: Vater unser im Himmel …

Einladung zum Friedensgebet

Jesus Christus hat sich hingegeben, um uns von aller Schuld zu erlösen. Zu ihm beten wir: Herr Jesus Christus …

Kommunionvers

Jes 35,4

Sagt den Verzagten: Habt Mut, fürchtet euch nicht! Seht, hier ist euer Gott! Er selbst wird kommen und euch erretten.

Schlussgebet

Barmherziger Gott, komm durch dieses heilige Mahl uns schwachen Menschen zu Hilfe. Reinige uns von Schuld und mache uns bereit für das kommende Fest. Darum bitten wir durch Christus, unseren Herrn.

Schlusssegen

Im Advent

Der barmherzige Gott hat uns den Glauben an das Kommen seines Sohnes geschenkt; er segne und heilige euch durch das Licht seiner Gnade.

Er mache euch standhaft im Glauben, froh in der Hoffnung und eifrig in Werken der Liebe.

Die erste Ankunft des Erlösers sei euch Unterpfand der ewigen Herrlichkeit, die er uns schenken wird, wenn er wiederkommt auf den Wolken des Himmels.

Das gewähre euch der dreieinige Gott, der Vater und der Sohn ✝ und der Heilige Geist.

Gedanken zum Weihnachtsfest

Ich bin Deine Freude –
fürchte Dich also nicht,
froh zu sein!

Ich bin in Deiner Not;
denn ich habe sie selbst erlitten.
Ich bin in Deinem Tod;
denn heute, als ich geboren wurde,
begann ich mit Dir zu sterben.

Ich gehe nicht mehr weg von Dir.
Was immer Dir geschieht,
durch welches Dunkel Dein Weg
Dich auch führen mag –
glaube, dass ich da bin!
Glaube,
dass meine Liebe unbesiegbar ist!
Dann ist auch Deine Nacht
Heilige Nacht.
Dann zünde getrost die Kerzen an –
sie haben mehr recht
als alle Finsternis.

Karl Rahner

4. Adventssonntag

18. Dezember 2011

Tauet, ihr Himmel, von oben!
Ihr Wolken, regnet herab den Gerechten!
Tu dich auf, o Erde, und sprosse den Heiland hervor!
Vgl. Jes 45,8

Als einziger der 4 Adventssonntage ist der heutige Sonntag vorweihnachtlich gestimmt. Das Geheimnis von Weihnachten tritt am Ende hervor. Es will gleichsam erst erfasst werden, wenn wir uns einstimmen lassen umzukehren, zu warten und zu hoffen. Die Bedeutung der Geburt Jesu erschließt sich erst, wenn wir auf sein Wiederkommen warten. Gott ist nicht in Händen festzuhalten. Auch Gott, der Mensch geworden ist, der uns gleich geworden ist außer der Sünde, er bleibt der Unverfügbare. Dass der Menschgewordene der uns Entzogene bleibt, das bekennen wir, wenn wir auf sein Kommen hoffen und auf diesen Tag warten.

Kyrie-Rufe

Oder: GL 103 · KG 296

Herr Jesus Christus, du rufst uns in deine Nachfolge, Herr, erbarme dich.
Du schenkst uns in Schuld und Sünde deine erbarmende Liebe, Christus, erbarme dich.
Du bleibst bei uns bis ans Ende der Welt, Herr, erbarme dich.

Tagesgebet

Allmächtiger Gott, gieße deine Gnade in unsere Herzen ein. Durch die Botschaft des Engels haben wir die Menschwerdung Christi, deines Sohnes, erkannt. Führe uns durch sein Leiden und Kreuz zur Herrlichkeit der Auferstehung. Darum bitten wir durch ihn, Jesus Christus.

ERSTE LESUNG 2 Sam 7,1–5.8b–12.14a.16

Lesung aus dem zweiten Buch Samuel.

In jenen Tagen, als König David in seinem Haus wohnte und der Herr ihm Ruhe vor allen seinen Feinden ringsum verschafft hatte, sagte er zu dem Propheten Natan: Ich wohne in einem Haus aus Zedernholz, die Lade Gottes aber wohnt in einem Zelt. Natan antwortete dem König: Geh nur und tu alles, was du im Sinn hast; denn der Herr ist mit dir.

Aber in jener Nacht erging das Wort des Herrn an Natan: Geh zu meinem Knecht David und sag zu ihm: So spricht der Herr: Du willst mir ein Haus bauen, damit ich darin wohne?

Ich habe dich von der Weide und von der Herde weggeholt, damit du Fürst über mein Volk Israel wirst, und ich bin überall mit dir gewesen, wohin du auch gegangen bist. Ich habe alle deine Feinde vor deinen Augen vernichtet und ich will dir einen großen Namen machen, der dem Namen der Großen auf der Erde gleich ist. Ich will meinem Volk Israel einen Platz zuweisen und es einpflanzen, damit es an seinem Ort sicher wohnen kann und sich nicht mehr ängstigen muss und schlechte Menschen es nicht mehr unterdrücken wie früher und auch von dem Tag an, an dem ich Richter in meinem Volk Israel eingesetzt habe. Ich verschaffe dir Ruhe vor allen deinen Feinden. Nun verkündet dir der Herr, dass der Herr dir ein Haus bauen wird. Wenn deine Tage erfüllt sind und du dich zu deinen Vätern legst, werde ich deinen leiblichen Sohn als deinen Nachfolger einsetzen und seinem Königtum Bestand verleihen. Ich will für ihn Vater sein und er wird für mich Sohn sein. Dein Haus und dein Königtum sollen durch mich auf ewig bestehen bleiben; dein Thron soll auf ewig Bestand haben. IF

Der Text ist aus der sogenannten Natanverheißung an den König David entnommen. David möchte als Regent wie die anderen Könige der anderen Völker für Gott ein Haus bauen. Es wird ihm verwehrt. Erst sein Nachfolger Salomo wird das Projekt ausführen können. Aber David geht nicht leer aus. Sondern Gott baut umgekehrt David ein Haus. Damit ist die Gründung eines dynastischen Königtums gemeint. Jeweils ein Nachfolger aus der Familie des David wird in Jerusalem herrschen. Das hört David als Versprechen. Es ist gleichsam ein Bund zwischen Gott und David, so wie es den Bund bei Abraham und Mose zwischen Gott und dem Volk gab. Das Neue Testament liest diese Verkündigung als Verheißung auf den Messias. In Jesus ist diese Hoffnung in Erfüllung gegangen. Als Sohn Davids wird er das einlösen und verwirklichen, was seinen Vorgängern verwehrt blieb.

ANTWORTPSALM Ps 89,2–3.20a.4–5.27.29 (℟: 2a)

℟: Von den Taten deiner Huld, o Herr, will ich ewig singen.
VI. Ton – KG 527,2 · KG 612

Von den Taten deiner Huld, Herr, will ich ewig singen, *
bis zum fernsten Geschlecht laut deine Treue verkünden.
Denn ich bekenne: Deine Huld besteht für immer und ewig; *
deine Treue steht fest im Himmel. – ℟

Einst hast du in einer Vision zu deinen Frommen gesprochen: /
»Ich habe einen Bund geschlossen mit meinem Erwählten *
und David, meinem Knecht, geschworen:
Deinem Haus gebe ich auf ewig Bestand *
und von Geschlecht zu Geschlecht richte ich deinen Thron auf.«
– ℟

Er wird zu mir rufen: Mein Vater bist du, *
mein Gott, der Fels meines Heiles.
Auf ewig werde ich ihm meine Huld bewahren, *
mein Bund mit ihm bleibt allzeit bestehen. – ℟

ZWEITE LESUNG Röm 16,25–27

Lesung aus dem Römerbrief.

Ehre sei dem, der die Macht hat, euch Kraft zu geben – gemäß meinem Evangelium und der Botschaft von Jesus Christus, gemäß der Offenbarung jenes Geheimnisses, das seit ewigen Zeiten unausgesprochen war, jetzt aber nach dem Willen des ewigen Gottes offenbart und durch prophetische Schriften kundgemacht wurde, um alle Heiden zum Gehorsam des Glaubens zu führen. Ihm, dem einen, weisen Gott, sei Ehre durch Jesus Christus in alle Ewigkeit! Amen. IF

Die Lesung stammt aus den Schlussversen des Römerbriefes. Für diesen Sonntag ist sie ausgewählt worden, weil Paulus vom Evangelium spricht, dass jetzt in dieser Zeit offenbart wurde. Es ist das Evangelium von Christus, das bisher verhüllt und verborgen blieb, jetzt aber öffentlich wurde, durch die Geburt und das Auftreten Jesu. Der Sinn der Geschichte zeigt sich im Heil für alle Menschen. Nur eine Botschaft, die offenbart und verkündet wird, kann gehört und angenommen werden. Es geht nicht um eine exklusive, innere Schau, sondern der Heilsweg Gottes führt Menschen aus der Finsternis und Unwissenheit auf einen Weg des Lebens, von dem keiner ausgeschlossen ist. Eine adventliche Kirche blickt nicht zuerst auf sich selbst und kreist um sich selbst, sondern öffnet die Augen für die Not der Menschen, wird selber zu einem Tor, durch das Menschen eintreten dürfen, um Gott zu begegnen.

RUF VOR DEM EVANGELIUM — Vgl. Lk 1,38

Halleluja. Halleluja.
Maria sagte: Siehe, ich bin die Magd des Herrn; mir geschehe nach deinem Wort.
Halleluja.

EVANGELIUM — Lk 1,26–38

Aus dem heiligen Evangelium nach Lukas.

In jener Zeit wurde der Engel Gabriel von Gott in eine Stadt in Galiläa namens Nazaret zu einer Jungfrau gesandt. Sie war mit einem Mann namens Josef verlobt, der aus dem Haus David stammte. Der Name der Jungfrau war Maria.

Der Engel trat bei ihr ein und sagte: Sei gegrüßt, du Begnadete, der Herr ist mit dir.

Sie erschrak über die Anrede und überlegte, was dieser Gruß zu bedeuten habe.

Da sagte der Engel zu ihr: Fürchte dich nicht, Maria; denn du hast bei Gott Gnade gefunden. Du wirst ein Kind empfangen, einen Sohn wirst du gebären: dem sollst du den Namen Jesus geben. Er wird groß sein und Sohn des Höchsten genannt werden. Gott, der Herr, wird ihm den Thron seines Vaters David geben. Er wird über das Haus Jakob in Ewigkeit herrschen und seine Herrschaft wird kein Ende haben.

Maria sagte zu dem Engel: Wie soll das geschehen, da ich keinen Mann erkenne?

Der Engel antwortete ihr: Der Heilige Geist wird über dich kommen, und die Kraft des Höchsten wird dich überschatten. Deshalb wird auch das Kind heilig und Sohn Gottes genannt werden.

Auch Elisabet, deine Verwandte, hat noch in ihrem Alter einen Sohn empfangen; obwohl sie als unfruchtbar galt, ist sie jetzt schon im sechsten Monat. Denn für Gott ist nichts unmöglich.

Da sagte Maria: Ich bin die Magd des Herrn; mir geschehe, wie du es gesagt hast.

Danach verließ sie der Engel. IF

Zu den weihnachtlichen Texten gehören das Staunen und das Wundern der Menschen. Bevor die Hirten staunen, ist es Maria, die Mutter, selbst, die vor dem unbegreiflichen Wirken Gottes steht: »Wie soll das geschehen …« Auch das Evangelium als frohe Botschaft bleibt eine Zumutung für den Menschen. In dieser Zumutung wird Gott als der ganz Andere erfahren, Gott, der eben nicht eine Projektion eigener Wünsche und Erwartungen ist. Die biblischen Texte sehen gerade in den Provokationen des Lebens einen Anruf Gottes. Über die sichtbaren menschlichen Situationen hinaus, die spüren lassen, was alles im Leben als unmöglich erscheint, will der Glaube zum Wagnis einladen, sich einer Verheißung anzuvertrauen und die Verheißung im Leben bewähren zu lassen. Der Glaube, wie ihn Maria uns zeigt, hat weniger mit einer naiven Lebenseinstellung zu tun, sondern wird zu einem Zeichen, der schöpferischen Kraft des Wortes Gottes zu vertrauen und sich darauf einzulassen.

CREDO (siehe Seite 512)

FÜRBITTEN

Lasset uns beten zu Gott, unserem Vater, der uns seinen Frieden schenkt:

V: Vater im Himmel – A: Wir bitten dich, erhöre uns.

- Für die Kirche mit ihrer Sendung, dem Frieden in der Welt zu dienen: um die Gaben des Heiligen Geistes.
- Für die Vereinten Nationen und für alle Politiker, die sich für den Schutz des Klimas auf unserer Erde einsetzen: um Mut, auch unbequeme Wahrheiten auszusprechen und zu vertreten.
- Für alle, die unter der Härte des Winters leiden: um Hilfe und Zuwendung in ihrer Not.
- Für die Bedrückten und Traurigen: um Freude und Hoffnung in ihrem Leben.
- Für die Kinder in der Vorfreude auf das Weihnachtsfest: um Verständnis und Geborgenheit in den Familien.

Gott, du erbarmst dich von Geschlecht zu Geschlecht und nimmst dich deines Volkes an. Höre unser Gebet durch Christus, unseren Herrn.

GABENGEBET

Herr, unser Gott, wir legen die Gaben auf den Altar. Heilige sie durch deinen Geist, der mit seiner Kraft die Jungfrau Maria überschattet hat. Darum bitten wir durch Christus, unseren Herrn.

PRÄFATION

Advent V

In Wahrheit ist es würdig und recht, dir, Vater im Himmel, zu danken und dein Erbarmen zu preisen. Denn schon leuchtet auf der Tag der Erlösung, und nahe ist die Zeit unsres Heiles, da der Retter kommt, unser Herr Jesus Christus. Durch ihn rühmen wir das Werk deiner Liebe und vereinen uns mit den Chören der Engel zum Hochgesang von deiner göttlichen Herrlichkeit.

EINLADUNG ZUM VATERUNSER

Gott ist gnädig und barmherzig, reich an Huld und Treue. Zu ihm beten wir voll Vertrauen, wie unser Herr Jesus Christus uns zu beten gelehrt hat: Vater unser im Himmel …

EINLADUNG ZUM FRIEDENSGEBET

Christus ist unsere Hoffnung auf Herrlichkeit. Zu ihm beten wir: Herr Jesus Christus …

KOMMUNIONVERS

Jes 7,14

Seht, die Jungfrau wird empfangen und einen Sohn gebären. Sein Name ist Immanuel, Gott mit uns.

SCHLUSSGEBET

Allmächtiger Gott, du hast uns in diesem Mahl das Heil zugesagt und uns schon jetzt Anteil daran gegeben. Laß uns das Kommen deines Sohnes in Freude erwarten und mache uns um so eifriger in deinem Dienst, je näher das Fest seiner Geburt heranrückt. Darum bitten wir durch Christus, unseren Herrn.

SCHLUSSSEGEN

Im Advent

Der barmherzige Gott hat uns den Glauben an das Kommen seines Sohnes geschenkt; er segne und heilige euch durch das Licht seiner Gnade.

Er mache euch standhaft im Glauben, froh in der Hoffnung und eifrig in Werken der Liebe.

Die erste Ankunft des Erlösers sei euch Unterpfand der ewigen Herrlichkeit, die er uns schenken wird, wenn er wiederkommt auf den Wolken des Himmels.

Das gewähre euch der dreieinige Gott, der Vater und der Sohn † und der Heilige Geist.

Vielleicht war es ein Engel

Gelegentlich
so ab und an
werden meine Pläne
durchkreuzt
wird meine Welt
auf den Kopf gestellt
ist nichts mehr so
wie es einmal war

dann möchte ich
ja sagen können
voller Angst
voller Ungewissheit
ohne zu wissen
was auf mich zukommt

aber doch
ja
sagen

Andrea Schwarz

Hochfest der Geburt des Herrn

Weihnachten ist ein Fest, das nicht nur wir Christen feiern. So sehr wir seine Vermarktung ablehnen mögen, wir müssen zugestehen, dass es nicht nur für Christen mit vielen Gefühlen verbunden ist und Sehnsucht weckt. Hinter dem, worüber manche als falsche Sentimentalität und Kitsch mit den Achseln zucken, verbirgt sich oft die Sehnsucht nach Geborgenheit, Liebe, Sinn … – nach dem ganz anderen, eine Sehnsucht, die weder durch den Schein einer Kerze noch durch ein Weihnachtslied gestillt werden kann.

Sehnsucht, wenn sie nur tief genug reicht, führt zur Suche. Die Sehnsucht und die daraus entspringende Suche stehen aber überhaupt am Beginn eines geistigen Lebens. Sie sind auch tief mit Weihnachten verbundene Motive. Sowohl die Hirten wie auch die Weisen aus dem Morgenland suchen das neugeborene Kind, suchen Gott.

Nicht jede geistige Suche zielt schon auf Gott. Entscheidend ist es aber, den ersten Schritt zu tun, zur Suche aufzubrechen. Auch ohne dass uns Engel oder der Stern den Weg weisen, unternehmen wir unsere Suche nämlich nicht ohne Hilfe und nicht allein. Bevor wir ihn suchen, sucht Gott immer uns. Den Höhepunkt seiner Suche feiern wir an Weihnachten in seiner Menschwerdung.

Uns Christen ist es aufgegeben, selbst zu der Suche nach Gott aufzubrechen – und anderen dabei zu helfen, dass auch aus ihrer oft noch so unbestimmten Sehnsucht eine Suche wird. Gerade an Weihnachten dürfen wir dabei feiern, dass Gott zu uns kommt, dass er uns zuerst sucht, damit wir zu ihm aufbrechen können.

Hochfest der Geburt des Herrn

Am Heiligen Abend

24. Dezember 2011

Heute sollt ihr es erfahren:
Der Herr kommt, um uns zu erlösen,
und morgen werdet ihr seine Herrlichkeit schauen.
Vgl. Ex 16,6–7

Heute ist es soweit, heute erfüllt es sich – wirklich? Wir warten nicht nur die Tage des Advents, wir warten schon viel länger. Und Warten ist nicht leicht, zumal, wenn man immer wieder konfrontiert wird mit dem Unheil dieser Welt. Da ist nichts in Ordnung. Friede und Gerechtigkeit sind Worte, die noch lange keine Wirklichkeit geworden sind. Wo hat sich denn die uralte Heilsverheißung erfüllt? Damals im Kind von Betlehem, im Mann aus Nazaret, der heilend und die frohe Botschaft verkündigend in diesem kleinen Landstrich Palästina umherzog und der sein Leben aus Liebe am Kreuz hingab. Damals als Gott Mensch wurde! Was hindert uns eigentlich daran, Mensch zu werden?

Kyrie-Rufe

Oder: GL 129 · KG 330

Herr Jesus Christus, du wurdest für uns in Betlehem geboren. Herr, erbarme dich.
In dir erfüllt Gott seine Verheißungen. Christus, erbarme dich.
Du bringst Gottes Frieden in unsere Welt. Herr, erbarme dich.

Gloria (siehe Seite 508)

Tagesgebet

Gütiger Gott, Jahr für Jahr erwarten wir voll Freude das Fest unserer Erlösung. Gib, daß wir deinen Sohn von ganzem Herzen als unseren Retter und Heiland aufnehmen, damit wir ihm voll Zuversicht entgegengehen können, wenn er am Ende der Zeiten als Richter wiederkommt. Er, der in der Einheit des Heiligen Geistes mit dir lebt und herrscht in alle Ewigkeit.

Erste Lesung
Jes 62,1–5

Lesung aus dem Buch Jesaja.

Um Zions willen kann ich nicht schweigen, um Jerusalems willen nicht still sein, bis das Recht in ihm aufstrahlt wie ein helles Licht und sein Heil aufleuchtet wie eine brennende Fackel.

Dann sehen die Völker deine Gerechtigkeit und alle Könige deine strahlende Pracht. Man ruft dich mit einem neuen Namen, den der Mund des Herrn für dich bestimmt. Du wirst zu einer prächtigen Krone in der Hand des Herrn, zu einem königlichen Diadem in der Rechten deines Gottes.

Nicht länger nennt man dich »Die Verlassene« und dein Land nicht mehr »Das Ödland«, sondern man nennt dich »Meine Wonne« und dein Land »Die Vermählte«. Denn der Herr hat an dir seine Freude und dein Land wird mit ihm vermählt.

Wie der junge Mann sich mit der Jungfrau vermählt, so vermählt sich mit dir dein Erbauer. Wie der Bräutigam sich freut über die Braut, so freut sich dein Gott über dich. IF

Da mahnt einer, ruft, bringt immer wieder neu ins Wort, was sonst verloren geht. Er kann nicht den Mund halten, weil das Heil noch nicht da ist. Es reicht eben nicht, aus dem Exil heimgekehrt zu sein, den Tempel erbaut zu haben und Jerusalem wieder mit Mauern umgeben zu sehen. Recht und Heil müssen die innere Ordnung von Zion beherrschen. Der Prophet erinnert nicht nur seine Mitmenschen an das noch ausstehende Kommen Gottes, sondern ruft Gott selbst auf, diese Zusage zu erfüllen. Denn nur er kann eine neue Ordnung des Lebens und der Welt bringen. Die Lichtmetaphern weisen auf dieses für alle Völker sichtbare Erscheinen der Herrlichkeit Gottes hin, das eben noch aussteht.

Mahner, Rufer, Wächter bedarf es immer wieder. Sie müssen die Erinnerung an die uralte Sehnsucht nach Recht, Gerechtigkeit und Frieden im Menschen wach halten. Ihre Aufgabe ist es, genau dann, wenn alles gut und rund zu verlaufen scheint, bewusst zu machen, dass der Mensch zu einem »Mehr« gerufen ist, dass Heil für alle noch aussteht – und dass dieses unabdingbar mit Gottes »Adventus« verbunden ist.

Ein neuer Name wird der Stadt von Gott gegeben. Damit beginnt eine neue Daseinsweise, die bestimmt ist durch die enge, intime Verbindung zu Gott. Die Bilder der Vermählung und der Gottesfreude sprechen den Menschen im Tiefsten an.

Heil sein oder werden, ist nicht allein ein äußerer Gesundungsprozess, sondern vor allem ein innerer Vorgang, der die Gegensätze im Menschen ordnet, zusammenfügt, ähnlich wie in der Hochzeit Mann und Frau sich miteinander verbinden. Gottgeschenktes Heil bedeutet, herausgeholt zu werden aus dem Verkrümmtsein in sich selbst, dem Verlassensein, der Ödnis hinein in die Liebesbeziehung mit Gott. Eben in dieser Beziehung gewinnt der Mensch Einzigartigkeit und unendlichen Wert.

An Weihnachten kann man dieses verheißene Heil im Kind von Betlehem sozusagen in die Arme schließen – und sich von ihm umarmen lassen.

ANTWORTPSALM

Ps 89,20a.4–5.16–17.27.29 (℟: 2a)

℟: Von den Taten deiner Huld, o Herr, will ich ewig singen.
VIII. Ton – GL 527,2 · KG 612

Einst hast du in einer Vision zu deinen Frommen gesprochen: /
»Ich habe einen Bund geschlossen mit meinem Erwählten *
und David, meinem Knecht, geschworen:
Deinem Haus gebe ich auf ewig Bestand *
und von Geschlecht zu Geschlecht richte ich deinen Thron auf.«
– ℟

Wohl dem Volk, das dich als König zu feiern weiß! *
Herr, sie gehen im Licht deines Angesichts.

Sie freuen sich über deinen Namen zu jeder Zeit, *
über deine Gerechtigkeit jubeln sie. – ℟

Er wird zu mir rufen: Mein Vater bist du, *
mein Gott, der Fels meines Heiles.
Auf ewig werde ich ihm meine Huld bewahren, *
mein Bund mit ihm bleibt allzeit bestehen. – ℟

ZWEITE LESUNG — Apg 13,16–17.22–25

Lesung aus der Apostelgeschichte.

In der Synagoge von Antiochia in Pisidien stand Paulus auf, gab mit der Hand ein Zeichen und sagte:

Ihr Israeliten und ihr Gottesfürchtigen, hört! Der Gott dieses Volkes Israel hat unsere Väter erwählt und das Volk in der Fremde erhöht, in Ägypten; er hat sie mit hoch erhobenem Arm von dort herausgeführt.

Dann erhob er David zu ihrem König, von dem er bezeugte: Ich habe David, den Sohn des Isai, als einen Mann nach meinem Herzen gefunden, der alles, was ich will, vollbringen wird.

Aus seinem Geschlecht hat Gott dem Volk Israel, der Verheißung gemäß, Jesus als Retter geschickt. Vor dessen Auftreten hat Johannes dem ganzen Volk Israel Umkehr und Taufe verkündigt.

Als Johannes aber seinen Lauf vollendet hatte, sagte er: Ich bin nicht der, für den ihr mich haltet; aber seht, nach mir kommt einer, dem die Sandalen von den Füßen zu lösen ich nicht wert bin. ℟F

Der Text ist der großen Predigt des Paulus auf seiner ersten Missionsreise entnommen. Paulus und Barnabas besuchen am Sabbat die Synagoge im pisidischen Antiochien.

Nach der Lesung aus dem Gesetz und den Propheten folgt im Synagogengottesdienst deren Erklärung. Jeder männliche Erwachsene kann sich daran beteiligen. Paulus wird vom Vorsteher gebeten, den Versammelten einen geistlichen Zuspruch zu geben, wohl in der Art eines charismatischen Zeugnisses oder eines zukunftweisenden Zuspruchs.

Und genau dem kommt Paulus nach. Gekonnt und überzeugend legt er die Geschichte Israels hin auf Jesus, den Retter, aus, in dem sich die an die Väter ergangene Verheißung erfüllt hat.

Paulus erzählt von Gottes geschichtsmächtigem Handeln, bringt Gottes Taten und seine Führung in Vergangenheit und Gegenwart ins passende Wort und lässt damit »historische« Geschehnisse im Glauben Bedeutung gewinnen für die Gegenwart.

Wir brauchen die Sprache, mit der wir uns gegenseitig diese Geschichte Gottes mit uns mitten in unserer Jetztzeit erschließen.

»Hört!« – so fordert Paulus gemäß des Schema Israel die Anwesenden auf. »Der Herr, dein Gott, ist einzig«, und das, was er tut, so kann man fortsetzen, ist einzigartig. Nur der, der seine Ohren auftut, sein Herz öffnet und den Blick weitet, kann diese frohe Botschaft vom erfahrbaren Heilshandeln Gottes in allen Zeiten aufnehmen.

Zentral ist dabei die Erwählung, die Ausdruck gewinnt im Exodus aus Fremde und Unfreiheit, sowie die an David »den Sohn des Isai« ergangene messianische Verheißung. Gemäß dieser Verheißung ist Jesus, den Paulus mit seinem Leben bezeugt, der Retter. Mit Johannes, dem Täufer, endet die Zeit der Propheten. Die große Verheißungs-Erfüllungsgeschichte läuft auf Jesus hin. In ihm, dem Christus, beginnt nun die Vollendung.

Gottes verheißenes Heil kommt uns im Menschenantlitz entgegen. Das feiern wir an Weihnachten. Und wir müssen es jedes Jahr erneut ins Wort bringen – damit Gottes Handeln in unserer Welt zur Sprache kommt.

RUF VOR DEM EVANGELIUM

Halleluja. Halleluja.
Morgen wird die Sünde der Erde getilgt,
und über uns herrscht der Retter der Welt.
Halleluja.

Evangelium

Mt 1,1–25 (Kf: 1,18–25)

Aus dem heiligen Evangelium nach Matthäus.

Stammbaum Jesu Christi, des Sohnes Davids, des Sohnes Abrahams: Abraham war der Vater von Isaak, Isaak von Jakob, Jakob von Juda und seinen Brüdern. Juda war der Vater von Perez und Serach; ihre Mutter war Tamar. Perez war der Vater von Hezron, Hezron von Aram, Aram von Amminadab, Amminadab von Nachschon, Nachschon von Salmon. Salmon war der Vater von Boas; dessen Mutter war Rahab. Boas war der Vater von Obed; dessen Mutter war Rut. Obed war der Vater von Isai, Isai der Vater des Königs David.

David war der Vater von Salomo, dessen Mutter die Frau des Urija war. Salomo war der Vater von Rehabeam, Rehabeam von Abija, Abija von Asa, Asa von Joschafat, Joschafat von Joram, Joram von Usija. Usija war der Vater von Jotam, Jotam von Ahas, Ahas von Hiskija, Hiskija von Manasse, Manasse von Amos, Amos von Joschija. Joschija war der Vater von Jojachin und seinen Brüdern; das war zur Zeit der Babylonischen Gefangenschaft.

Nach der Babylonischen Gefangenschaft war Jojachin der Vater von Schealtiël, Schealtiël von Serubbabel, Serubbabel von Abihud, Abihud von Eljakim, Eljakim von Azor. Azor war der Vater von Zadok, Zadok von Achim, Achim von Eliud, Eliud von Eleasar, Eleasar von Mattan, Mattan von Jakob.

Jakob war der Vater von Josef, dem Mann Marias; von ihr wurde Jesus geboren, der der Christus – der Messias – genannt wird.

Im Ganzen sind es also von Abraham bis David vierzehn Generationen, von David bis zur Babylonischen Gefangenschaft vierzehn Generationen und von der Babylonischen Gefangenschaft bis zu Christus vierzehn Generationen.

➧Mit der Geburt Jesu Christi war es so: Maria, seine Mutter, war mit Josef verlobt; noch bevor sie zusammengekommen waren, zeigte sich, dass sie ein Kind erwartete – durch das Wirken des Heiligen Geistes. Josef, ihr Mann, der gerecht war und sie nicht bloßstellen wollte, beschloss, sich in aller Stille von ihr zu trennen.

Während er noch darüber nachdachte, erschien ihm ein Engel des Herrn im Traum und sagte: Josef, Sohn Davids, fürchte dich nicht, Maria als deine Frau zu dir zu nehmen; denn das Kind, das sie erwartet, ist vom Heiligen Geist. Sie wird einen Sohn gebären; ihm sollst du den Namen Jesus geben; denn er wird sein Volk von seinen Sünden erlösen.

Dies alles ist geschehen, damit sich erfüllte, was der Herr durch den Propheten gesagt hat:

Seht, die Jungfrau wird ein Kind empfangen, einen Sohn wird sie gebären, und man wird ihm den Namen Immanuel geben, das heißt übersetzt: Gott ist mit uns.

Als Josef erwachte, tat er, was der Engel des Herrn ihm befohlen hatte, und nahm seine Frau zu sich. Er erkannte sie aber nicht, bis sie ihren Sohn gebar. Und er gab ihm den Namen Jesus.← IF

Stammbäume sind uns bekannt. Sie bezeugen die eigene Ahnenreihe und werden vielfach nur dann bekannt gemacht, wenn daraus Bedeutung für den lebenden Spross dieser Geschlechterfolge erwächst. Jemandem, der seine Familie weit in die Geschichte zurückverfolgen und möglicherweise auf berühmte Personen verweisen kann, wird automatisch Respekt gezollt – zumal wenn alles noch beurkundet vorliegt. Man mag darüber den Kopf schütteln, doch zeigt sich darin vielleicht auch die menschliche Frage nach dem eigenen »Woher«. Das Wissen um den eigenen Ursprung macht es leichter, nach dem Wohin und dem Sinn des Lebens zu fragen.

Der matthäische Stammbaum setzt anders an. Hier erlangt die Ahnenreihe Bedeutung durch den, auf den hin sie ausgerichtet ist. Sie ist sozusagen vom Ende her geschrieben. Die Erfahrung des Ostergeschehens öffnete den Jüngern die Augen für die wahre Identität Jesu. Damit ist die biblische Genealogie keine Urkunde, die etwas nachweist, sondern eine Entstehungsgeschichte (biblos geneseos), die analog zu Gen 2,4 (»Dies ist die Geschichte des Himmels und der Erde«) und Gen 5,1 (»Dies ist die Geschichte der Abstammung des Menschen«) von einer Neuschöpfung erzählt, in der die Verheißungen Jahwes in Jesus Christus Erfüllung finden. Gottes Geschichte mit allen Menschen und insbesondere mit Israel läuft auf Jesus zu. Er ist sowohl der Sohn Davids, damit Träger der messianischen Verheißung für Israel als auch der Sohn Abrahams. Mit diesem Namen verbindet sich die Verheißung des Segens Gottes an alle Geschlechter der Erde. Jesus Christus ist damit der Heilsbringer für Israel und für alle Völker. Die Genealogie, die Matthäus vorlegt, ist sorgfältig »komponiert« und hat die Intention aufzuzeigen, dass die mit Abraham beginnende Geschichte Israels in all ihren Höhen und Tiefen kein planloses und zufälliges Geschehen ist, sondern eine kunstvoll geführte Geschichte, deren Ziel Jesus, der Messias, ist. Dieser erkennende Blick zurück eröffnet sich aus der Erfahrung der Auferstehung.

Auch die himmlische Abstammung, wie sie im zweiten Teil der Lesung erzählt wird, wird nur von Ostern her einsichtig. Die Empfängnis Jesu ist Neuschöpfung durch Gott. Jesus verdankt seine Existenz ganz dem schöpferischen Wirken von Gottes Geist.

Dass Gott ein Gott mit uns ist, wird in Jesus, dieser Name bedeutet Gott ist Hilfe, Rettung, von Anfang an anschauliche Wirklichkeit. In ihm wird Gottes Heil erfahren.

Und nichts von alldem geht ohne den Menschen, ohne seine Zustimmung und sein Mittun. Erst Josef, der auf den Traum hört, ermöglicht das Zur-Welt-kommen des Gottessohnes und wird ihm gerade darin zum Vater.

So kommt Gott zur Welt – damals einmalig – heute erneut in und mit uns.

Credo (siehe Seite 512)

Fürbitten

Gott, du bist ein Gott mit uns. Daher bitten wir dich heute für Menschen, die deinen Segen und deine Hilfe benötigen:

A: Wir bitten dich, erhöre uns.

- Für die Kinder, die heute geboren werden und für ihre Eltern.
- Für all diejenigen, die in diesen Tagen einsam und allein sind, und diejenigen, die kein Dach über dem Kopf haben.
- Für die Menschen, die an Weihnachten mit einer schweren Krankheit ringen.
- Für alle, die aus ihrer Heimat fliehen mussten und nun in Notunterkünften leben.
- Für alle, die in Krisengebieten ihren Einsatz zum Wohle der Bedrängten tun.
- Für alle, die in diesen Tagen um einen lieben Menschen trauern.

Gott, zeige uns dein Heil und erweise dich als Immanuel für uns.

GABENGEBET

Herr, unser Gott, mit der Menschwerdung deines Sohnes hat unsere Rettung begonnen. Nimm diese Gaben an und mache uns durch diese Opferfeier bereit für das Geheimnis der Heiligen Nacht, in der wir den Ursprung unserer Erlösung festlich begehen. Darum bitten wir durch Christus, unseren Herrn.

PRÄFATION

Weihnachten III

In Wahrheit ist es würdig und recht, dir, allmächtiger Vater, zu danken und dein Erbarmen zu rühmen durch unseren Herrn Jesus Christus. Durch ihn schaffst du den Menschen neu und schenkst ihm ewige Ehre. Denn einen wunderbaren Tausch hast du vollzogen: Dein göttliches Wort wurde ein sterblicher Mensch, und wir sterbliche Menschen empfangen in Christus dein göttliches Leben. Darum preisen wir dich mit allen Chören der Engel und singen vereint mit ihnen das Lob deiner Herrlichkeit.

EINLADUNG ZUM VATERUNSER

Gottes Sohn ist Mensch geworden, so können wir Gott unseren Vater nennen. Wir beten, wie es uns Jesus Christus gelehrt hat: Vater unser im Himmel …

EINLADUNG ZUM FRIEDENSGEBET

Gott bietet uns in seinem Sohn seinen Frieden an. Deshalb bitten wir: Herr Jesus Christus …

KOMMUNIONVERS

Vgl. Jes 40,5

Die Herrlichkeit des Herrn wird offenbar,
und alle Menschen erfahren Gottes Heil.

SCHLUSSGEBET

Allmächtiger Gott, gib uns Anteil am göttlichen Leben durch die Menschwerdung deines Sohnes, dessen Fleisch und Blut wir im Sakrament empfangen haben. Darum bitten wir durch ihn, Christus, unseren Herrn.

SCHLUSSSEGEN

An Weihnachten

Der barmherzige Gott hat durch die Geburt seines Sohnes die Finsternis vertrieben und diese Nacht erleuchtet mit dem Glanz seines Lichtes; er mache eure Herzen hell mit dem Licht seiner Gnade.

Den Hirten ließ er durch den Engel die große Freude verkünden; mit dieser Freude erfülle er euer ganzes Leben.

In Christus hat Gott Himmel und Erde verbunden; durch ihn schenke er allen Menschen guten Willens seinen Frieden, durch ihn vereine er euch mit der Kirche des Himmels.

Das gewähre euch der dreieinige Gott, der Vater und der Sohn ✝ und der Heilige Geist.

Führ mich, Kind, nach Betlehem!
Dich mein Gott, Dich will ich sehn.
Wem geläng es, wem
Ohne Dich zu Dir zu gehen!
Rüttle mich, dass ich erwache,
rufe mich, so will ich schreiten;
Gib die Hand mir, mich zu leiten,
Dass ich auf den Weg mich mache,
Dass ich schaue Betlehem,
Dorten meinen Gott zu sehn.
Wem geläng es, wem
Ohne Dich zu Dir zu gehen!
Von der Sünde schwerem Kranken
Bin ich träg und dumpf beklommen.
Willst Du nicht zu Hilfe kommen,
Muss ich straucheln, muss ich schwanken.
Leite mich nach Betlehem.
Dich, mein Gott, Dich will ich sehn.
Wem geläng es, wem,
Ohne Dich zu Dir zu gehen!

Spanischer Anonymus

Hochfest der Geburt des Herrn

In der Heiligen Nacht

25. Dezember 2011

Der Herr sprach zu mir:
Mein Sohn bist du, heute habe ich dich gezeugt.
Ps 2,7

Oder:

Freut euch im Herrn,
heute ist uns der Heiland geboren.
Heute ist der wahre Friede vom Himmel herabgestiegen.

Das Wort Weihnachten stammt wohl von dem mittelhochdeutschen »ze wihen nachten«, was soviel heißt wie »in den heiligen Nächten«. Es geht – folgt man dieser Bedeutung – also nicht nur um eine einzige Heilige Nacht, sondern um mehrere. Das Geheimnis der Menschwerdung lässt sich nicht begrenzen.

Dazu mag auch passen, dass das Datum des historischen Geburtstags Jesu unbekannt ist. Seit dem vierten Jahrhundert wird das Fest der Geburt Christi am 25. Dezember gefeiert. Es ersetzt das alte römische Fest der Wintersonnenwende, an dem der unbesiegbare Sonnengott gefeiert wurde. Für Christen war dies eindeutig Jesus, der Christus. »Ich bin das Licht der Welt«, so sagt er von sich im Johannesevangelium.

Obwohl sich die Feier der Geburt geschichtlich erst im sechsten Jahrhundert als Hochfest neben Ostern durchsetzte, ist Weihnachten das Fest, das uns gefühlsmäßig am intensivsten anspricht. Unsere Sehnsucht nach Frieden, Glück, Gemeinschaft verdichtet sich in diesen Tagen. Gleichzeitig fürchten wir die Enttäuschung unserer vielfach zu hohen und emotional aufgeladenen Erwartungen. Schreckensnachrichten aus aller Welt machen uns betroffener als sonst; Zwiste in Familie und Freundeskreis schmerzen uns mehr, Unstimmigkeiten und Konfrontationen im Gespräch erscheinen uns an diesem Fest oftmals unpassend. Weihnachtliche Stimmung scheint offenbar sehr störanfällig zu sein.

Dabei erzählen die biblischen Texte unumwunden von Dunkelheiten des Lebens, von Ängsten und Bedrängnissen, von Hoffnung und Gefährdung, von Annahme und Ablehnung des Mensch gewordenen Gottessohnes. In ihnen geht nichts glatt – aber allen wird Heil zuteil.

In der Mitte der Nacht liegt der Anfang eines neuen Tages. Dieser Beginn eines recht bekannten Liedes formuliert das spannungsreiche Geschehen der Heiligen Nacht. In einem Winkel der Erde unter politischer Fremdherrschaft wird auf dem Weg in einer simplen Behausung Gott Mensch. Er kommt mitten in unser von vielen Dunkelheiten und Bedrängnissen geplagtes Leben hinein. Er wird ganz Mensch. Vielleicht darf man auch sagen, er pflanzt den Himmel in unsere zerrissene Welt ein, auf dass Heil werde.

Grund genug also, sich erfüllen zu lassen von weihnachtlicher Freude, die Hoffnung gibt – ein ganzes Jahr lang.

KYRIE-RUFE

Oder: GL 130 · KG 331

Herr Jesus Christus, du bist für uns Mensch geworden. Herr, erbarme dich.
Du kommst als Licht in unsere Dunkelheit. Christus, erbarme dich.
Du bringst uns Heil und Leben in Fülle. Herr, erbarme dich.

GLORIA (siehe Seite 508)

TAGESGEBET

Herr, unser Gott, in dieser hochheiligen Nacht ist uns das wahre Licht aufgestrahlt. Laß uns dieses Geheimnis im Glauben erfassen und bewahren, bis wir im Himmel den unverhüllten Glanz deiner Herrlichkeit schauen. Darum bitten wir durch Jesus Christus.

ERSTE LESUNG

Jes 9,1–6

Lesung aus dem Buch Jesaja.

Das Volk, das im Dunkel lebt, sieht ein helles Licht; über denen, die im Land der Finsternis wohnen, strahlt ein Licht auf. Du erregst lauten Jubel und schenkst große Freude. Man freut sich in deiner Nähe, wie man sich freut bei der Ernte, wie man jubelt, wenn Beute verteilt wird. Denn wie am Tag von Midian zerbrichst du das drückende Joch, das Tragholz auf unserer Schulter und den Stock des Treibers. Jeder Stiefel, der dröhnend daherstampft, jeder Mantel, der mit Blut befleckt ist, wird verbrannt, wird ein Fraß des Feuers.

Denn uns ist ein Kind geboren, ein Sohn ist uns geschenkt. Die Herrschaft liegt auf seiner Schulter; man nennt ihn: Wunderbarer Ratgeber, Starker Gott, Vater in Ewigkeit, Fürst des Friedens. Seine Herrschaft ist groß und der Friede hat kein Ende. Auf dem Thron Davids herrscht er über sein Reich; er festigt und stützt es durch Recht und Gerechtigkeit, jetzt und für alle Zeiten. Der leidenschaftliche Eifer des Herrn der Heere wird das vollbringen. IF

Die Prophetie des Jesaja kann in einem dreifachen Sinn verstanden werden. Zum einen erfährt das Volk Israel in politischer Bedrückung Frieden und Heil in und durch die sich erfüllende Zusage der Geburt des Friedensfürsten. Die Verhältnisse, unter denen die Menschen leiden und in die hinein Rettung zugesprochen wird, unterscheiden sich zum anderen nicht grundlegend von denen, die wir in unserer Welt kennen.

Das Volk, das im Dunkeln lebt, im Land der Finsternis, erfährt Unfreiheit. Menschen werden in ihrer Würde missachtet und von Mächtigen ausgenutzt; sie müssen die Folgen von finanzpolitischen Eskapaden und ökonomischen Krisen erleiden, werden Opfer von Ausgrenzung und Gewalt, verlieren in politischen Wirren und kriegerischen Auseinandersetzungen ihr Hab und Gut, werden zu Taten gezwungen, die ihnen zuwider sind. Kurzum, sie sind zu einem Leben in Dunkelheit »verdammt«. Licht zu sehen, bedeutet in solchen Verhältnissen aufleben zu dürfen, Hoffnung zu bekommen. Das löst Freude aus, befähigt zum Widerstand gegen Versklavung und schenkt innere und äußere Freiheit. Das Joch der Unterdrückung, die lastenden Forderungen und die drückenden Ängste fallen ab. Der Stock des Treibers wird zerbrochen. Machtgebaren und kriegerisches Tun hören für immer auf, sind ausgemerzt.

Der Wunsch nach einem solchen Frieden, der weltumspannend ist, lebt wohl in jedem – und gleichzeitig wohl auch vage die Vorstellung von einem Mächtigen, der dies irgendwann »herstellen« wird.

Falsch gedacht – sagt uns die heutige Lesung in ihrem zweiten Teil. Der alleinige Grund für die Befreiung ist die Geburt eines Kindes. Dieses trägt die Herrschaft, ermöglicht den Frieden, richtet Recht und Gerechtigkeit auf. Das verheißene Kind ist ein Gegenbild zu unserer gängigen Vorstellung eines Herrschers und es verweist alle menschlichen Allmachtfantasien in ihre Grenzen. Macht wird nicht mit Macht gebrochen – das hat nur Sieger und Verlierer zur Folge, die miteinander ringen werden. Wahrer Friede ist da weit entfernt. Ein Kind fordert uns zur Liebe heraus. So kann Heil unter uns wachsen.

Die Worte des Propheten sprechen uns auch ganz persönlich an. Dunkelheiten und Finsternisse existieren ebenfalls in uns. Sie engen uns ein, legen uns Zwänge auf und lösen Ängste aus. Alte Verletzungen machen sich immer wieder bemerkbar, Angewohnheiten werden wir nicht los, eine innere fordernde Erwartung treibt uns und vieles mehr drückt uns.

Licht bedeutet da Erlösung – und die geschieht, ereignet sich durch liebende Annahme.

Zu schön, um wahr zu sein? So mag es scheinen. Dennoch – Israel hat damals seinen Gott als Retter, der Frieden bringt, erfahren. Warum sollte uns dieser Friedensfürst nicht auch heute – und das an Weihnachten – begegnen?

Ja – !

Der leidenschaftliche Eifer des Herrn der Heere wird das vollbringen.

ANTWORTPSALM

Ps 96,1–3.11–13a (℟: vgl. Lk 2,11)

℟: Heute ist uns der Heiland geboren: Christus, der Herr.
V. Ton – GL 149,2

Singt dem Herrn ein neues Lied, *
singt dem Herrn, alle Länder der Erde!
Singt dem Herrn und preist seinen Namen, *
verkündet sein Heil von Tag zu Tag! – ℟

Erzählt bei den Völkern von seiner Herrlichkeit, *
bei allen Nationen von seinen Wundern!
Der Himmel freue sich, die Erde frohlocke, *
es brause das Meer und alles, was es erfüllt. – ℟

Es jauchze die Flur und was auf ihr wächst. *
Jubeln sollen alle Bäume des Waldes
vor dem Herrn, wenn er kommt, *
wenn er kommt, um die Erde zu richten. – ℟

ZWEITE LESUNG

Tit 2,11–14

Lesung aus dem Titusbrief.

Die Gnade Gottes ist erschienen, um alle Menschen zu retten.

Sie erzieht uns dazu, uns von der Gottlosigkeit und den irdischen Begierden loszusagen und besonnen, gerecht und fromm in dieser Welt zu leben, während wir auf die selige Erfüllung unserer Hoffnung warten: auf das Erscheinen der Herrlichkeit unseres großen Gottes und Retters Christus Jesus.

Er hat sich für uns hingegeben, um uns von aller Schuld zu erlösen und sich ein reines Volk zu schaffen, das ihm als sein besonderes Eigentum gehört und voll Eifer danach strebt, das Gute zu tun. ℣

Gott wird Mensch – seine Gnade ist erschienen. Sie wird fassbar im Kind von Betlehem, in Jesus Christus.

Gnade bedeutet in diesem Fall nicht einen Hulderweis eines mächtigen Herrschers gegenüber seinen Untertanen; sie ist nicht in eins zu setzen mit der Gunst, die ein Höhergestellter einem Untergeordneten zukommen lässt. Es ist nicht einfach gemeint, Gnade vor Recht ergehen zu lassen, wenn jemand seiner Schuldigkeit nicht nachgekommen ist, oder »mal gnädig zu sein« im Sinne von, ein Auge zuzudrücken und etwas durchgehen zu lassen. Die Gnade, von der der Titusbrief spricht, ist viel mehr. Sie ist die Liebe Gottes, die einfach so, ohne Vorleistung, ungeschuldet auf jeden Einzelnen von uns zukommt. Sie ist die Zuneigung Gottes, sie wird deutlich in Wort und Tat Jesu; sie lässt Gottes Liebreiz, seinen Charme, seine Freundlichkeit im Kind von Betlehem aufscheinen.

Gleichzeitig ruft sie uns dazu auf, wohlwollend, voller Achtung und Güte, in barmherziger Gerechtheit sowie im Aufmerken auf Gott und den anderen zu leben, beseelt von der Hoffnung auf das endgültige Erscheinen Gottes.

Diese Gnade ist nicht nur Berufung zum Gutsein, sondern auch Befähigung dazu.

Wenn schon unsere natürlichen Talente und Fähigkeiten sich ausprägen, wenn wir sie erproben und ausbilden, um wie viel mehr mag das nicht auch für die »Gottesgabe« gelten.

RUF VOR DEM EVANGELIUM — Vgl. Lk 2,10–11

Halleluja. Halleluja.
Ich verkünde euch eine große Freude: Heute ist uns der Retter geboren; er ist der Messias, der Herr.
Halleluja.

EVANGELIUM — Lk 2,1–14

Aus dem heiligen Evangelium nach Lukas.

In jenen Tagen erließ Kaiser Augustus den Befehl, alle Bewohner des Reiches in Steuerlisten einzutragen. Dies geschah zum ersten Mal; damals war Quirinius Statthalter von Syrien. Da ging jeder in seine Stadt, um sich eintragen zu lassen.

So zog auch Josef von der Stadt Nazaret in Galiläa hinauf nach Judäa in die Stadt Davids, die Betlehem heißt; denn er war aus dem Haus und Geschlecht Davids. Er wollte sich eintragen lassen mit Maria, seiner Verlobten, die ein Kind erwartete.

Als sie dort waren, kam für Maria die Zeit ihrer Niederkunft, und sie gebar ihren Sohn, den Erstgeborenen. Sie wickelte ihn in Windeln und legte ihn in eine Krippe, weil in der Herberge kein Platz für sie war.

In jener Gegend lagerten Hirten auf freiem Feld und hielten Nachtwache bei ihrer Herde.

Da trat der Engel des Herrn zu ihnen und der Glanz des Herrn umstrahlte sie. Sie fürchteten sich sehr, der Engel aber sagte zu ihnen: Fürchtet euch nicht, denn ich verkünde euch eine große Freude, die dem ganzen Volk zuteil werden soll: Heute ist euch in der Stadt Davids der Retter geboren; er ist der Messias, der Herr.

Und das soll euch als Zeichen dienen: Ihr werdet ein Kind finden, das, in Windeln gewickelt, in einer Krippe liegt.

Und plötzlich war bei dem Engel ein großes himmlisches Heer, das Gott lobte und sprach: Verherrlicht ist Gott in der Höhe und auf Erden ist Friede bei den Menschen seiner Gnade. IF

Sachlich berichtend beginnt die Geburtsgeschichte mit einer Datierung. Lukas betont die Geschichtlichkeit des Heils. Nachdem der universale Horizont des Imperium Romanum eröffnet worden ist, wird sozusagen die filmische Einstellungsgröße »Weit« über die »Totale« – Josef mit Maria auf dem Weg – hin zum »Close up« verändert. Der Blick wird auf das Einzelobjekt – das Neugeborene in der Krippe – gelenkt. Dem überragenden und zu verehrenden Augustus ist damit ein unscheinbares Kind entgegengesetzt. Dieses ist der wahre Weltenherrscher, der Kyrios.

Dem kaiserlichen Erlass, der Josef dazu zwingt, den weiten Weg nach Betlehem zu gehen, ist parallel im zweiten Teil der Perikope die Engelbotschaft gegenübergestellt. Auch sie bringt Menschen in Bewegung, aber mit einer anderen Zielsetzung.

Nüchtern und in Kürze wird zuvor die Geburt festgehalten. Mehr bedarf es nicht. Der Fokus liegt auf dem in Windeln gewickelten »Kind in einer Krippe«. Nicht einmal vom göttlichen Glanz, den unsere Weihnachtslieder besingen, ist die Rede; der kommt erst ins Spiel mit der Botschaft der Engel an die Hirten.

Ihnen widerfährt unvorhersehbar mitten in ihrem Wächterdienst die Erscheinung der Engel. Es mag mit der Auswahl dieser Adressatengruppe nicht nur angedeutet sein, dass Gott sich den armen, einfachen Menschen offenbart, sondern vielleicht auch, dass Gott selbst der gute Hirt ist, der über sein Volk wacht.

Die Herrlichkeit Gottes umstrahlt die Hirten auf dem Feld. Wie in der ersten Lesung (Jes 9,1ff.) werden Finsternis und Licht miteinander verknüpft. Mitten in der Nacht, mitten im Land der Finsternis erstrahlt das Licht, umstrahlt der Glanz des Herrn Menschen. Was heißt das anderes, als dass die Hirten in Gottes Herrlichkeit hineingenommen werden. Der Himmel öffnet sich ihnen und sie stehen sozusagen mitten drin. Dazu passt dann auch der Lobgesang der himmlischen Heerscharen, der wiederum Himmel und Erde miteinander verknüpft.

Die Verkündigung der Geburt schlüsselt die für die Hirten »umwerfende« Erfahrung auf: Der Retter, der Christus, der Kyrios ist geboren, und zwar »heute« und »für euch«. Das verheißene Heil ist da. Sehr eigenartig und direkt ernüchternd nach so viel »Herrlichkeit« ist das Zeichen, das den Hirten genannt wird: »ein Kind, das, in Windeln gewickelt, in einer Krippe liegt«.

In der Antike verbindet sich der Ort Gottes immer mit Größe und Glanz. Hier aber ist er das Alltägliche und Gewöhnliche. Der Himmel erscheint, offenbart sich im Irdischen.

Geheimnis der Weihnacht – Geheimnis des Glaubens.

CREDO (siehe Seite 512)

FÜRBITTEN

Herr, unser Gott, in Jesus Christus bist du Mensch geworden. Du weißt um das, was uns bewegt oder bedrückt. Darum tragen wir voll Vertrauen unsere Bitten vor dich:

A: Herr, erhöre uns.

– Wir bitten dich für alle, die heute Abend den Klang der Glocken von Weitem hören, aber in unserem Kreis fehlen, weil sie krank sind oder den Weg nicht mehr gehen können. Wir bitten für alle, die unterwegs sind, auf Bahnhöfen oder Flughäfen auf Anschlüsse warten müssen oder sich in einem fremden Land aufhalten.

– Wir bitten dich für alle, die den Klang der Glocken nicht mehr hören mögen, weil sie schlechte Erfahrungen mit der Kirche gemacht haben oder nicht mehr glauben können. Wir bitten dich für alle, die sich nicht trauen zu kommen, weil sie sich schuldig fühlen oder nicht angemessen gekleidet sein können.

– Wir bitten dich für alle, die den Klang der Glocken hier auf Erden nicht mehr hören. Lass sie Frieden, Erfüllung bei dir finden.

– Wir bitten dich für uns, die wir allsonntäglich den Klang der Glocken hören. Lass uns die Erfahrung von Weihnachten nicht während des Jahres abhanden kommen.

Herr, unser Gott, öffne unsere Sinne und unseren Geist, lass uns immer wieder deiner Botschaft in unserem Leben begegnen, so dass wir auf dem Weg zu dir bleiben.
Darum bitten wir durch Jesus Christus, unseren Herrn.
Amen.

GABENGEBET

Allmächtiger Gott, in dieser heiligen Nacht bringen wir dir unsere Gaben dar. Nimm sie an und gib, daß wir durch den wunderbaren Tausch deinem Sohn gleichgestaltet werden, in dem unsere menschliche Natur mit deinem göttlichen Wesen vereint ist. Darum bitten wir durch ihn, Christus, unseren Herrn.

PRÄFATION — Weihnachten III

In Wahrheit ist es würdig und recht, dir, allmächtiger Vater, zu danken und dein Erbarmen zu rühmen durch unseren Herrn Jesus Christus. Durch ihn schaffst du den Menschen neu und schenkst ihm ewige Ehre. Denn einen wunderbaren Tausch hast du vollzogen: Dein göttliches Wort wurde ein sterblicher Mensch, und wir sterbliche Menschen empfangen in Christus dein göttliches Leben. Darum preisen wir dich mit allen Chören der Engel und singen vereint mit ihnen das Lob deiner Herrlichkeit.

EINLADUNG ZUM VATERUNSER

Gott kommt zu uns und wird Mensch. Er führt uns in die Herrlichkeit seines Reiches. Wir beten, wie es uns Jesus Christus gelehrt hat: Vater unser im Himmel …

EINLADUNG ZUM FRIEDENSGEBET

Jesus ist der Fürst des Friedens. Durch ihn schenkt uns Gott den Frieden mit ihm und untereinander. Deshalb bitten wir: Herr Jesus Christus …

KOMMUNIONVERS

Joh 1,14

Das Wort ist Fleisch geworden,
und wir haben seine Herrlichkeit geschaut.

SCHLUSSGEBET

Herr, unser Gott, in der Freude über die Geburt unseres Erlösers bitten wir dich: Gib uns die Gnade, ihm unser ganzes Leben zu weihen, damit wir einst Anteil erhalten an der ewigen Herrlichkeit deines Sohnes, der mit dir lebt und herrscht in alle Ewigkeit.

SCHLUSSSEGEN

An Weihnachten

Der barmherzige Gott hat durch die Geburt seines Sohnes die Finsternis vertrieben und diese Nacht erleuchtet mit dem Glanz seines Lichtes; er mache eure Herzen hell mit dem Licht seiner Gnade.

Den Hirten ließ er durch den Engel die große Freude verkünden; mit dieser Freude erfülle er euer ganzes Leben.

In Christus hat Gott Himmel und Erde verbunden; durch ihn schenke er allen Menschen guten Willens seinen Frieden, durch ihn vereine er euch mit der Kirche des Himmels.

Das gewähre euch der dreieinige Gott, der Vater und der Sohn ✝ und der Heilige Geist.

Gekommen
in unsere Welt
in unsere Geschichte
in unser endliches Leben

gekommen
hinein in Werden und Vergehen
hinein in Versagen und Verzeihen
hinein in Freude und Leid

angewiesen auf
schützende Hände und nährende Liebe
lächelnde Augen und wärmende Sprache
hörende Herzen und verstehendes Tun

machst du Kind – Immanuel
anschaulich
schaubar
Gottes Angesicht
hier und jetzt
zwischen uns.

Ja – erschienen –
auferschienen
ist die Güte und
Menschenfreundlichkeit
unseres Retter – Gottes.

Renate Rautenbach

Hochfest der Geburt des Herrn

Am Morgen

25. Dezember 2011

Ein Licht strahlt heute über uns auf,
denn geboren ist uns der Herr.
Und man nennt ihn: Starker Gott, Friedensfürst,
Vater der kommenden Welt.
Seine Herrschaft wird kein Ende haben.
Vgl. Jes 9,1.5; Lk 1,33

Die Hirtenmesse am Morgen faltet das Geheimnis der Weihnacht weiter auf. Nach der Verkündigung durch die Engel kommen die Hirten nun beim Kind an. Diese ersten Ankommenden gehören selbstverständlich zu unseren traditionellen Krippendarstellungen dazu. Vielfach bringen sie einige ihrer Schafe mit. Mensch und Tier sind um das Neugeborene versammelt.

Immer wieder haben sich Menschen mit diesen Hirten identifiziert. Vielerorts gehen daher in den aufgebauten Krippenlandschaften Menschen damaliger und heutiger Zeit zum Stall nach Betlehem. Das tiefe Glaubenswissen, dass jeder gerufen ist, dass das Heil für alle da ist, wird in solchen Darstellungen anschaulich. Auch die zahlreichen Weihnachtserzählungen lassen Menschen aller Art mit ihren Hoffnungen, Bedürfnissen, Grenzen und Leiden dem Jesuskind begegnen. Alle kehren verwandelt zurück.

Die Hirtenmesse lädt uns ein, uns mit all diesen Menschen auf den Weg zu machen. Gott will uns heute neu begegnen. Er schaut uns mit den Augen des Kindes in der Krippe liebevoll an.

Kyrie-Rufe

Oder: GL 131 · KG 331

Herr Jesus Christus, du bist für uns Mensch geworden. Herr, erbarme dich.

Du rufst uns in die Gemeinschaft mit dir. Christus, erbarme dich.
Du machst uns zu neuen Menschen nach Gottes Bild. Herr, erbarme dich.

GLORIA (siehe Seite 508)

TAGESGEBET

Allmächtiger Gott, dein ewiges Wort ist Fleisch geworden, um uns mit dem Glanz deines Lichtes zu erfüllen. Gib, daß in unseren Werken widerstrahlt, was durch den Glauben in unserem Herzen leuchtet. Darum bitten wir durch Jesus Christus.

ERSTE LESUNG Jes 62,11–12

Lesung aus dem Buch Jesaja.

Hört, was der Herr bis ans Ende der Erde bekannt macht: Sagt der Tochter Zion: Sieh her, jetzt kommt deine Rettung. Siehe, er bringt seinen Siegespreis mit: Alle, die er gewonnen hat, gehen vor ihm her. Dann nennt man sie »Das heilige Volk«, »Die Erlösten des Herrn«. Und dich nennt man »Die begehrte, die nicht mehr verlassene Stadt«. IF

Die letzten Verse aus dem Kernteil von Tritojesaja bringen die Zusage von Gottes kommendem Heil für alle auf den Punkt. Ohne Zweifel wird der Herr kommen, zurückkehren in seine Stadt. Wann das ist, sagt die Verheißung nicht. Dennoch bleibt das »Dass« unangetastet. Hören, sprechen und hersehen sind Bedingungen für das Erfahren der göttlichen Herrlichkeit. Der Text geht offenbar davon aus, dass allgemein Bekanntgemachtes nicht mehr vernommen bzw. in seiner Bedeutung nicht wirklich aufgenommen wird. Heutige Werbestrategien wissen um dieses Überhören. Daher wiederholen sie schlagwortartig und im Slogan gut einprägsam ihre Botschaft, die auf den Kauf des Produktes zielt. Das göttliche Werben um das Ohr des Menschen vollzieht sich manchmal ganz ähnlich. Allerdings werden dabei nicht Bedürf-

nisse geweckt, sondern Gott will die Ursehnsucht nach »Schalom« erfüllen.
Der Aufruf, zu hören und sich Heil zusprechen zu lassen, erfolgt an vielen Stellen in der Bibel. Offensichtlich ist es notwendig, immer wieder an die göttliche Verheißung erinnert zu werden, die unser Leben trägt. Das Heilswort, so zeigt unsere Erfahrung, kann sprachlos, leer für uns werden und die gläubige Erwartungshaltung sich im Alltagsgetümmel auflösen. Man erschafft sich seine eigene, mehr oder minder gut organisierte Welt, in der es sich einigermaßen leben lässt. Man arrangiert sich um den Preis des eigenen Profils, der eigenen Berufung. Und genau darum ist das je neue Hinhören auf das, was unseren, meinen Glauben ausmacht, unabdingbar. Glauben kommt vom Hören – auf Gottes Stimme, die sich zeigt in Um- und Mitwelt und in den Regungen des Herzens.
Im biblischen Text wird die Tochter Zion sozusagen von außen mit der Nase darauf gestoßen, dass Gottes verheißenes Heil jetzt kommt. Es gilt nicht mehr nur zu hören, sondern auch zu sehen und tiefere Zusammenhänge zu erkennen. Gott bringt alle, die er aus der Völkerwelt gewonnen hat, mit. Er schafft eine universale Gemeinschaft des Heils. Der Name »das heilige Volk« bringt die gemeinsame Identität zum Ausdruck und Zion wird zum Ort der Gottesbegegnung.
An Weihnachten erinnert uns die Kirche jedes Jahr neu, dass Gott Mensch wurde in Jesus von Nazaret. Der Stall von Betlehem und das Kreuz von Golgota sind zentrale Orte, an denen Gott offenbar wird. Das Geheimnis von Geburt und Tod, von Anfang und Ende jedes menschlichen Lebens ist in Gott verortet. In der Menschwerdung Gottes wird der Mensch selbst zur »begehrte(n), … nicht mehr verlassene(n) Stadt«, zum Ort der Gottesbegegnung.

ANTWORTPSALM Ps 97,1.6.11–12

℟: Ein Licht strahlt heute über uns auf; geboren ist Christus, der Herr.

V. Ton – GL 149,3

Der Herr ist König. Die Erde frohlocke. *
Freuen sollen sich die vielen Inseln.
Seine Gerechtigkeit verkünden die Himmel, *
seine Herrlichkeit schauen alle Völker. – ℞

Ein Licht erstrahlt den Gerechten *
und Freude den Menschen mit redlichem Herzen.
Ihr Gerechten, freut euch am Herrn *
und lobt seinen heiligen Namen! – ℞

ZWEITE LESUNG

Tit 3,4–7

Lesung aus dem Titusbrief.

Als die Güte und Menschenliebe Gottes, unseres Retters, erschien, hat er uns gerettet – nicht weil wir Werke vollbracht hätten, die uns gerecht machen können, sondern aufgrund seines Erbarmens – durch das Bad der Wiedergeburt und der Erneuerung im Heiligen Geist.

Ihn hat er in reichem Maß über uns ausgegossen durch Jesus Christus, unseren Retter, damit wir durch seine Gnade gerecht gemacht werden und das ewige Leben erben, das wir erhoffen. ℱ

Gott, so definiert der Duden, ist das höchste übernatürliche Wesen, die Ursache allen Seins. Weit weg, unerreichbar, zumindest ganz anders erscheint Gott in dieser Bestimmung. Im Gegensatz zu uns Menschen werden ihm die Attribute unsterblich, ewig, allmächtig und allwissend zugeschrieben. Endlichkeit, Begrenztheit, Ohnmacht und Leiden gehören demnach nicht zu einem solchen höchsten Wesen. Das, was uns abgeht, scheint er zu haben. Bedrohlich und die menschliche Freiheit eingrenzend, so mag er auf einige wirken. Andere sehen in ihm einen strengen Richter, der mit vielen Überwachungskameras das menschliche Leben kontrolliert und das sittliche Verhalten am Ende beurteilen und folglich ewiges Glück oder Verderben zuteilen wird. Wieder andere lassen Gott einen guten Mann sein, weit weg und ohne Relevanz für unsere moderne Welt. Bedeutungslos ist er geworden.

Der Titusbrief zeichnet ein radikal anderes Bild. Güte, die freundlich-nachsichtige Einstellung einem anderen gegenüber und die Liebe zum Menschen zeichnen Gott aus. Er ist ein Gott der Zuwendung und er ist Retter. Unsere Erfahrungen der Ohnmacht, der Begrenztheit und des Leidens sind in Jesus Christus Teil Gottes selbst. Wir sind »gerecht« gemacht, denn die Erfahrung der uns entgegenkommenden Güte Gottes lässt uns »gut« werden. Seine uns umfangende Liebe ist einfach geschenkt – ohne Vorleistungen, Vorbedingungen oder an sie geknüpfte Bedingungen. Wir brauchen nicht mehr die »Macher«, die Manager des eigenen Glücks oder Lebenssinnes zu sein. Das ist uns schon längst alles gegeben im Heiligen Geist. Durch die Taufe sind wir hineingenommen in eine neue Welt, in Gottes Welt, die in und durch uns weiter Gestalt annehmen, sich verleiblichen will.

RUF VOR DEM EVANGELIUM — Lk 2,14

Halleluja. Halleluja.
Verherrlicht ist Gott in der Höhe,
und auf Erden ist Friede bei den Menschen seiner Gnade.
Halleluja.

EVANGELIUM — Lk 2,15–20

Aus dem heiligen Evangelium nach Lukas.

Als die Engel die Hirten verlassen hatten und in den Himmel zurückgekehrt waren, sagten die Hirten zueinander: Kommt, wir gehen nach Betlehem, um das Ereignis zu sehen, das uns der Herr verkünden ließ.

So eilten sie hin und fanden Maria und Josef und das Kind, das in der Krippe lag. Als sie es sahen, erzählten sie, was ihnen über dieses Kind gesagt worden war. Und alle, die es hörten, staunten über die Worte der Hirten.

Maria aber bewahrte alles, was geschehen war, in ihrem Herzen und dachte darüber nach.

Die Hirten kehrten zurück, rühmten Gott und priesen ihn für das, was sie gehört und gesehen hatten; denn alles war so gewesen, wie es ihnen gesagt worden war. |F

Die liturgische Lesung am Morgen setzt das Evangelium der Nacht fort. Es ist, als ob den Hirten Zeit zur Entscheidung gelassen wird und der Weg zum Kind einkalkuliert wird. Auch wenn der neutestamentliche Text nahelegt, dass ein sofortiger Aufbruch erfolgt, so erscheint die weihnachtliche Leseordnung wirklichkeitsnäher. Schließlich musste das Erfahrene verarbeitet und verstanden werden. Und die Frage, wo denn dieser »Ort Gottes« zu finden sei, galt es auch zu beantworten. Dennoch – die Aufforderung »Kommt!« und der Wunsch »zu sehen« bleibt. So »eilen« sie. Instinktsicher finden sie ein Paar mit einem Kind und erkennen in ihm das Antlitz Gottes. Sie selbst werden zu Kündern der Heilsbotschaft. Die Hirten deuten Maria und Josef das Geschehen und die Zuhörer staunen. Es scheint so, als sei die Botschaft des Engels Gabriel nicht erfolgt. Oder ist sie vielleicht im alltäglichen Tun und Sorgen in den Hintergrund getreten, so dass sie erneut vor Augen geführt werden muss? Und wird hier nicht bereits deutlich, dass Gott zu jeder Zeit und überall Künder seiner Heilsbotschaft ruft?

Maria jedenfalls bewahrte alles in ihrem Herzen. Sie birgt es in ihrem Empfinden und Fühlen; der Verstand hilft ihr, diese tiefe Glaubenserfahrung zu verstehen und zu deuten.

Genau darin ist sie Vorbild aller Gläubigen. Aufnehmen, Bewahren, nachdenken, um zu begreifen und darin Gott immer mehr zu schauen. Das ist Glaube in Aktion.

Die Hirten kehren zurück in ihren Alltag mit der glaubenden Gewissheit, dass in diesem Kind der Welt Heil widerfährt, ja sie heil werden wird.

Schalom – es ist Weihnachten!

CREDO (siehe Seite 512)

FÜRBITTEN

Herr, unser Gott, im Kind von Betlehem willst du uns allen begegnen.

A: Wir bitten dich, erhöre uns.

- Für alle jungen Menschen, die ihren Weg suchen und Orientierung für ihr Leben brauchen.
- Für alle Menschen, deren Vorstellungen vom Leben gescheitert sind und die zu resignieren drohen.
- Für alle, die Schuld auf sich geladen haben und damit nicht fertig werden können.
- Für alle, die sich im Einsatz für andere aufzureiben drohen oder durch vielfältige Anforderungen ausgebrannt sind.
- Für alle, die am Rande unserer Gesellschaft leben, vielfach ausgegrenzt oder abgeurteilt werden.
- Für alle, die sich immer neu auf dein Wort einlassen und es zu leben suchen.

Du, Gott, schenkst uns Heil – hier, jetzt und immerdar. Amen.

GABENGEBET

Himmlischer Vater, erfülle die Gaben dieser Erde mit deinem Segen, damit sie das Geheimnis dieses Tages darstellen: Wie Christus als neugeborener Mensch und als wahrer Gott vor uns aufleuchtet, so laß uns durch diese irdische Speise das göttliche Leben empfangen. Darum bitten wir durch ihn, Christus, unseren Herrn.

PRÄFATION

Weihnachten II

In Wahrheit ist es würdig und recht, dir, Vater im Himmel, zu danken durch unseren Herrn Jesus Christus. Denn groß ist das Geheimnis seiner Geburt. Er, der unsichtbare Gott, ist heute sichtbar als Mensch erschienen. Vor aller Zeit aus dir geboren, hat er sich den Gesetzen der Zeit unterworfen. In ihm ist alles neu geschaffen. Er heilt die Wunden der ganzen Schöpfung, richtet auf, was darniederliegt, und ruft den verlorenen Menschen ins Reich deines Friedens. Darum rühmen dich Himmel und Erde, Engel und Menschen und singen das Lob deiner Herrlichkeit.

EINLADUNG ZUM VATERUNSER

In Jesus Christus finden wir den Vater. Wir wollen zu ihm gehen und beten, wie er es uns gelehrt hat: Vater unser im Himmel ...

EINLADUNG ZUM FRIEDENSGEBET

Die Hirten sind der Botschaft der Engel gefolgt. Wer zu Jesus geht, am dem erfüllt sich die Friedensbotschaft der Engel. Deshalb bitten wir: Herr Jesus Christus ...

KOMMUNIONVERS Vgl. Sach 9,9

Juble laut, Tochter Zion, jauchze, Tochter Jerusalem, siehe, dein König kommt zu dir, der Heilige, der Heiland der Welt.

SCHLUSSGEBET

Herr, unser Gott, die Menschwerdung deines Sohnes erfülle uns mit Freude und Dank. Laß uns dieses unergründliche Geheimnis im Glauben erfassen und in tätiger Liebe bekennen. Darum bitten wir durch Christus, unseren Herrn.

SCHLUSSSEGEN An Weihnachten

Der barmherzige Gott hat durch die Geburt seines Sohnes die Finsternis vertrieben und diesen Tag erleuchtet mit dem Glanz seines Lichtes; er mache eure Herzen hell mit dem Licht seiner Gnade.

Den Hirten ließ er durch den Engel die große Freude verkünden; mit dieser Freude erfülle er euer ganzes Leben.

In Christus hat Gott Himmel und Erde verbunden; durch ihn schenke er allen Menschen guten Willens seinen Frieden, durch ihn vereine er euch mit der Kirche des Himmels.

Das gewähre euch der dreieinige Gott, der Vater und der Sohn ✝ und der Heilige Geist.

Bethlehem II

Ich sah

den Stern fallen
jenseits der Nacht
auf meinen Steinacker

Poesie des Ackers:
Unter den Steinen schlafen
die Quellen

Ich ging mit den Hirten
auf's Feld
die Quellen auszugraben

Jetzt schützen Gebete
meinen Brunnen

Wilhelm Bruners

Hochfest der Geburt des Herrn

Am Tag

25. Dezember 2011

Ein Kind ist uns geboren, ein Sohn ist uns geschenkt.
Auf seinen Schultern ruht die Herrschaft.
Vgl. Jes 9,5

Der zur Weihnacht geboren wurde, hat nicht auf Probe mit uns gelebt, ist nicht auf Probe für uns gestorben, hat nicht auf Probe geliebt. Er ist das Ja und sagt das Ja, ein ganzes, unwiderrufliches göttliches Ja zu uns, zur Menschheit, zur Welt (Bischof Klaus Hemmerle). Gott selbst glaubt an uns, seine Schöpfung. Er hat sein unbedingtes Liebeswort in die Welt hineingesprochen, er verbindet sich im Fleisch gewordenen Logos mit seiner Schöpfung. Nicht etwas von sich schenkt er, sondern sich selbst, indem er einer von uns wird. Das macht uns unendlich wertvoll. Von Anfang an sind wir Erlöste und Berufene. In uns soll sich das göttliche Wort spirituell immer wieder neu verleiblichen. Das ist kein einmaliger Akt, sondern ein Lebensprogramm, ein Prozess, ein Geschehen, das erst im Tod, in der Anschauung Gottes seine Vollendung finden wird. Wir dürfen heute Christi Geburt feiern – den Beginn einer Neuschöpfung, das Hereinbrechen der Herrlichkeit Gottes in unsere Welt – ja die Vermählung von Himmel und Erde.

Kyrie-Rufe GL 405 · KG 164

Herr Jesus Christus, du bist Gottes Wort, das für uns Fleisch geworden ist: Herr, erbarme dich.
Du bist das Licht, das uns der Finsternis entreißt. Christus, erbarme dich.
Du bringst uns die Gemeinschaft mit dem Vater. Herr, erbarme dich.

GLORIA (siehe Seite 508)

TAGESGEBET

Allmächtiger Gott, du hast den Menschen in seiner Würde wunderbar erschaffen und noch wunderbarer wiederhergestellt. Laß uns teilhaben an der Gottheit deines Sohnes, der unsere Menschennatur angenommen hat. Er, der in der Einheit des Heiligen Geistes mit dir lebt und herrscht in alle Ewigkeit.

ERSTE LESUNG Jes 52,7–10

Lesung aus dem Buch Jesaja.

Wie willkommen sind auf den Bergen die Schritte des Freudenboten, der Frieden ankündigt, der eine frohe Botschaft bringt und Rettung verheißt, der zu Zion sagt: Dein Gott ist König.

Horch, deine Wächter erheben die Stimme, sie beginnen alle zu jubeln. Denn sie sehen mit eigenen Augen, wie der Herr nach Zion zurückkehrt.

Brecht in Jubel aus, jauchzt alle zusammen, ihr Trümmer Jerusalems! Denn der Herr tröstet sein Volk, er erlöst Jerusalem. Der Herr macht seinen heiligen Arm frei vor den Augen aller Völker. Alle Enden der Erde sehen das Heil unseres Gottes. IF

Monarchien sind seit alters her Herrschaftsformen mit absoluter Machtfülle. Erst in neuerer Zeit gelten Könige als Repräsentanten eines Volkes, nicht aber als deren Herrscher. Dennoch gibt es auch heute genügend Machthaber, die absolut über die Geschicke eines Volkes verfügen und dies bei Weitem nicht immer zu dessen Wohlergehen. Korruption, Armut weiter Bevölkerungsteile, Gewalt und Folter, fehlende Meinungsfreiheit sowie Missachtung grundlegender Menschenrechte zeugen von solch diktatorischen Verhältnissen. Revolutionen, Aufstände, Widerstand sind dann verzweifelte und zornige Antworten der Unterdrückten, denen vonseiten der Herrschenden oftmals mit massiver Gewalt begegnet wird.

Auch die Bibel kennt die Gefahren des Machtmissbrauchs durch den König, wie die warnenden Worte des Propheten Samuel gleich zu Beginn der israelitischen Monarchie verdeutlichen (vgl. 1 Sam 8,11ff.).

Der Prophet Jesaja stellt diesen Erfahrungen mit menschlichen Herrschern das Königtum Gottes gegenüber, dessen Ankündigung Freude auslöst. Der Herrschaftswechsel bringt Frieden, Heil und Rettung.

Dort, wo Menschen vor den Scherben ihres Lebens stehen, wo eine Welt in Trümmer gelegt worden ist, wird Trost, Erlösung geschehen. Menschen atmen wieder auf. Eine neue, gerechte und friedvolle Ordnung kann aufgebaut werden und eine Gemeinschaft wachsen, in deren Mitte Gott lebt.

Jerusalem, die bis heute immer wieder umstrittene Stadt, ist trotz allen Unfriedens verbunden mit der göttlichen Heilsverheißung. Dieser Ort kann gerade in seiner Ambivalenz zum Bild für unser Leben werden.

In allen Widerfahrnissen ersehnen wir den Freudenboten, der Heil, Licht, Rettung in unsere Verhältnisse bringt. Wir erhoffen den Friedensfürsten, der nicht nur individuell, sondern global Gerechtigkeit und Frieden werden lässt.

Dieses messianische Friedensreich ist in Jesus Christus auf uns zugekommen, hat Gestalt angenommen in seiner Geburt, seinem Leben und Wirken, in seinem Tod und seiner Auferweckung. Gottes Heil hat sich in unsere Handlungspotenziale sozusagen eingestiftet.

»Ich bin gekommen, damit sie das Leben haben und es in Fülle haben« (Joh 10,10b). Das wird uns an Weihnachten jedes Jahr erinnernd vor Augen geführt.

ANTWORTPSALM Ps 98,1–6 (IR: vgl. 3cd)

IR: Alle Enden der Erde sehen das Heil unsres Gottes.

VIII. Ton – L 149,1

Singt dem Herrn ein neues Lied; *
denn er hat wunderbare Taten vollbracht.

Er hat mit seiner Rechten geholfen *
und mit seinem heiligen Arm. – ℟

Der Herr hat sein Heil bekannt gemacht *
und sein gerechtes Wirken enthüllt vor den Augen der Völker.
Er dachte an seine Huld *
und an seine Treue zum Hause Israel. – ℟

Alle Enden der Erde *
sahen das Heil unsres Gottes.
Jauchzt vor dem Herrn, alle Länder der Erde, *
freut euch, jubelt und singt! – ℟

Spielt dem Herrn auf der Harfe, *
auf der Harfe zu lautem Gesang!
Zum Schall der Trompeten und Hörner *
jauchzt vor dem Herrn, dem König! – ℟

ZWEITE LESUNG Hebr 1,1–6

Lesung aus dem Hebräerbrief.

Viele Male und auf vielerlei Weise hat Gott einst zu den Vätern gesprochen durch die Propheten; in dieser Endzeit aber hat er zu uns gesprochen durch den Sohn, den er zum Erben des Alls eingesetzt und durch den er auch die Welt erschaffen hat; er ist der Abglanz seiner Herrlichkeit und das Abbild seines Wesens; er trägt das All durch sein machtvolles Wort, hat die Reinigung von den Sünden bewirkt und sich dann zur Rechten der Majestät in der Höhe gesetzt; er ist um so viel erhabener geworden als die Engel, wie der Name, den er geerbt hat, ihren Namen überragt.

Denn zu welchem Engel hat er jemals gesagt:
Mein Sohn bist du, heute habe ich dich gezeugt,
und weiter:
Ich will für ihn Vater sein, und er wird für mich Sohn sein?

Wenn er aber den Erstgeborenen wieder in die Welt einführt, sagt er: Alle Engel Gottes sollen sich vor ihm niederwerfen. ℣

Die Gemeinde aus Juden- und Heidenchristen, an die sich der Hebräerbrief richtet, befindet sich in einer Umbruchsituation. Der Elan, die Begeisterung des Anfangs hat sich verflüchtigt und geblieben sind die Fragen nach der eigenen, christlichen Identität inmitten einer antiken Gesellschaft mit ihrer religiösen Praxis.

Was liegt in einer solchen Situation näher, als zurückzublicke auf den Anfang und das Charakteristische der christlichen Gemeinde, um daraus das eigene Profil wiederzufinden und zu stärken.

Der Beginn des Hebräerbriefes, der einer antiken Redeeinleitung gleicht, verweist auf den Sohn, in dem Gott geredet hat. Er ist Ziel und Angelpunkt christlichen Glaubens und damit das entscheidende Identitätstiftende Merkmal. In ihm redet Gott und durch ihn darf man sich das Heil gesagt sein lassen.

Der Hebräerbrief weist gleich am Anfang auf den Erfahrungsreichtum der christlichen Gemeinschaft hin: Im Wort wendet Gott sich seiner Gemeinde zu und schafft eine neue Wirklichkeit. Der Verfasser macht ganz klar: Unüberbietbar ist das, was jetzt geschehen ist. Rückblickend hatte Gott sich einst bereits immer wieder vielfältig durch die Propheten kundgetan, jetzt aber hat er in dieser Endzeit durch den Sohn sein absolut gültiges Wort des Heils gesprochen. Die Gemeinde ist in dieses Vollendungsgeschehen hineingenommen. Mehr kann es nicht geben, Größeres nicht geschehen. Das Alte ist vorüber, neue Schöpfung hat begonnen. Mit dem Sohn, der vor den Engeln eingesetzt, inthronisiert worden ist, beginnt eine heilvolle Zeit. Die Zeugenschaft der Engel beurkundet sozusagen Gottes unwiderrufliche Zusage.

In der Feier des Weihnachtsfestes lassen wir heute uns im Hören des Wortes Gottes unsere Identität zusagen, ja einstiften. Wir gewinnen Profil in und durch die Menschwerdung Gottes.

»Und das Wort ist Fleisch geworden und hat unter uns gewohnt« (Joh 1,14).

RUF VOR DEM EVANGELIUM

Halleluja. Halleluja.
Aufgeleuchtet ist uns aufs Neue der Tag der Erlösung: Ein großes Licht ist heute auf Erden erschienen. Kommt, ihr Völker, und betet an den Herrn, unseren Gott!
Halleluja.

EVANGELIUM

Joh 1,1–18 (Kf: 1,1–5.9–14)

Aus dem heiligen Evangelium nach Johannes.

Im Anfang war das Wort und das Wort war bei Gott und das Wort war Gott. Im Anfang war es bei Gott. Alles ist durch das Wort geworden und ohne das Wort wurde nichts, was geworden ist. In ihm war das Leben und das Leben war das Licht der Menschen. Und das Licht leuchtet in der Finsternis und die Finsternis hat es nicht erfasst.⬅

Es trat ein Mensch auf, der von Gott gesandt war; sein Name war Johannes. Er kam als Zeuge, um Zeugnis abzulegen für das Licht, damit alle durch ihn zum Glauben kommen. Er war nicht selbst das Licht, er sollte nur Zeugnis ablegen für das Licht.

➡Das wahre Licht, das jeden Menschen erleuchtet, kam in die Welt. Er war in der Welt und die Welt ist durch ihn geworden, aber die Welt erkannte ihn nicht. Er kam in sein Eigentum, aber die Seinen nahmen ihn nicht auf.

Allen aber, die ihn aufnahmen, gab er Macht, Kinder Gottes zu werden, allen, die an seinen Namen glauben, die nicht aus dem Blut, nicht aus dem Willen des Fleisches, nicht aus dem Willen des Mannes, sondern aus Gott geboren sind.

Und das Wort ist Fleisch geworden und hat unter uns gewohnt und wir haben seine Herrlichkeit gesehen, die Herrlichkeit des einzigen Sohnes vom Vater, voll Gnade und Wahrheit.⬅

Johannes legte Zeugnis für ihn ab und rief: Dieser war es, über den ich gesagt habe: Er, der nach mir kommt, ist mir voraus, weil er vor mir war. Aus seiner Fülle haben wir alle empfangen, Gnade über Gnade.

Denn das Gesetz wurde durch Mose gegeben, die Gnade und die Wahrheit kamen durch Jesus Christus. Niemand hat Gott je gesehen. Der Einzige, der Gott ist und am Herzen des Vaters ruht, er hat Kunde gebracht. IF

Wer ist dieser Jesus? Auf diese Frage gibt der Prolog des Johannesevangeliums eine Antwort. – In poetisch erhabener Sprache sucht der Hymnus die Bedeutung des zu Weihnachten Geborenen ins Wort zu bringen. Da stehen die Bilder von Licht und Finsternis für Heil und Unheil, Leben und Tod. Zentral und wirkmächtig aber ist das Wort, das vom Uranfang an das Leben begründet und in dem Sinn, Glück, Zuversicht – eben Licht für die Menschen – gegründet sind.

Im Wort, im Sprachgeschehen, zeigt sich Gott. Der Text selbst greift zurück auf die jüdische Vorstellung von der Weisheit und verwendet auch gnostisches Gedankengut. Er legt damit das Christusgeschehen in der Sprache der damaligen Zeit aus.

Heute könnte man vielleicht einen Bezug zu den Kommunikationstheorien herstellen. Besonders bekannt sind die vier Seiten einer Botschaft: Sachinformation wird gegeben, die Beziehung zum Gesprächspartner zeigt sich, ein Appell an das Gegenüber oder eine Aussage über den Sprechenden selbst kann die Nachricht beinhalten. Unser Sprechen und Verstandenwerden ist ein komplexes Geschehen, das vielen Bedingungen unterliegt. Manchmal erscheint es wie ein Wunder, wenn wir uns trotz der Möglichkeit so vieler Missverständnisse, dennoch verstehen.

Unsere Worte sind vieldeutig, können Wirklichkeiten erschließen, aber auch verheimlichen, Menschen aufbauen oder verletzen. Worte – gut gesetzt – vermögen auf Dauer machtvoller zu sein als gewalttätige Waffen.

Oftmals aber auch reichen unsere sprachlichen Möglichkeiten nicht aus, um Erfahrungen und Gefühle zu verdeutlichen. Unsere Worte sind begrenzt, unvollkommen. Sie sind immer nur Zeichen für eine Wirklichkeit.

Das Wort, von dem das Johannesevangelium spricht, ist der letzte Urgrund aller Wirklichkeit, ist Sinn und Wahrheit in eins. Hier gibt es nichts zu deuteln – es ist, was es zeigt. Man kann dieses Wort nur annehmen oder ablehnen. In der Begegnung mit ihm entscheidet sich das eigene Leben.

Dieses göttliche Wort ist mit den Menschen unterwegs, wohnt, zeltet unter ihnen. Es ist damit durch alle Zeiten erfahrbar. Greifbar, menschlich fassbar wird es in Jesus Christus, hörbar im Zeugnis des Täufers Johannes und in allen, die in der Nachfolge des Mensch gewordenen Sohnes Gottes zu Zeugen werden. In unserem Sprechen kann dann je anders das einmalige Geheimnis der Weihnacht in unserer Welt ansprechende Wirklichkeit werden. – Und das Wort ist Fleisch geworden…

CREDO (siehe Seite 512)

FÜRBITTEN

Gott, in deinem Sohn Jesus Christus bist du Mensch geworden
– einer von uns.
An diesem Weihnachtsfest willst du uns spürbar nah sein.
Wir kommen zu dir und bitten dich in den Anliegen dieser Welt:

A: Gott, sei du uns Menschen nah.

- Wir beten für alle Menschen auf der Welt, die sich nach Frieden sehnen.
  Für Völker und Nationen, für die verschiedenen Religionsgemeinschaften, für Familien, Ordensgemeinschaften und für uns selbst.
- Wir beten für die Kirche, die rund um den Erdkreis das Fest der Geburt Christi feiert.
  Für die Christen aller Konfessionen und Bekenntnisse, für alle, die zusammenführen, was getrennt ist.
- Wir beten für die Familien, die Weihnachten zusammen gestalten, und für Familien, die nicht zusammenkommen können.

Für alle, die obdachlos sind, und für die, die sich um sie kümmern.

- Wir beten für alle, die in den weihnachtlichen Tagen zum Wohle anderer arbeiten.
  Für die UNO-Friedenssoldaten, die in diesen Tagen in Krisengebieten ihren Dienst tun.
  Für alle die Menschen, denen ein Unglück die Freude zerstört hat.
- Wir beten für unsere Verstorbenen und für die, die um einen lieben Menschen trauern.

In deinem Sohn Jesus Christus bist du uns nah. Seine Geburt schenkt uns Hoffnung, Licht und Zuversicht.
Dafür danken wir dir heute und alle Tage. Amen.

GABENGEBET

Gott, unser Vater, in diesen Gaben willst du uns Versöhnung schenken und uns wieder mit dir verbinden. Nimm sie an und gib durch sie unserem heiligen Dienst die höchste Vollendung. Darum bitten wir durch Christus, unseren Herrn.

PRÄFATION — Weihnachten I

In Wahrheit ist es würdig und recht, dir, Herr, heiliger Vater, allmächtiger, ewiger Gott, immer und überall zu danken. Denn Fleisch geworden ist das Wort, und in diesem Geheimnis erstrahlt dem Auge unseres Geistes das neue Licht deiner Herrlichkeit. In der sichtbaren Gestalt des Erlösers läßt du uns den unsichtbaren Gott erkennen, um in uns die Liebe zu entflammen zu dem, was kein Auge geschaut hat. Darum singen wir mit den Engeln und Erzengeln, den Thronen und Mächten und mit all den Scharen des himmlischen Heeres den Hochgesang von deiner göttlichen Herrlichkeit.

EINLADUNG ZUM VATERUNSER

Jesus Christus hat uns Kunde vom Vater gebracht. Wir beten, wie er es uns gelehrt hat: Vater unser im Himmel …

EINLADUNG ZUM FRIEDENSGEBET

Aus der Fülle von Jesu Herrlichkeit empfangen wir Gnade über Gnade. Deshalb beten wir: Herr Jesus Christus …

KOMMUNIONVERS

Vgl. Ps 98,3

Alle Enden der Erde sahen die rettende Tat unseres Gottes.

SCHLUSSGEBET

Barmherziger Gott, in dieser heiligen Feier hast du uns deinen Sohn geschenkt, der heute als Heiland der Welt geboren wurde. Durch ihn sind wir wiedergeboren zum göttlichen Leben, führe uns auch zur ewigen Herrlichkeit durch ihn, der mit dir lebt und herrscht in alle Ewigkeit.

SCHLUSSSEGEN

An Weihnachten

Der barmherzige Gott hat durch die Geburt seines Sohnes die Finsternis vertrieben und diesen Tag erleuchtet mit dem Glanz seines Lichtes; er mache eure Herzen hell mit dem Licht seiner Gnade.

Den Hirten ließ er durch den Engel die große Freude verkünden; mit dieser Freude erfülle er euer ganzes Leben.

In Christus hat Gott Himmel und Erde verbunden; durch ihn schenke er allen Menschen guten Willens seinen Frieden, durch ihn vereine er euch mit der Kirche des Himmels.

Das gewähre euch der dreieinige Gott, der Vater und der Sohn ✝ und der Heilige Geist.

Und das Wort
mitten in umschwirrenden,
umwerbenden, umschmeichelnden
Wörtern, Wortfetzen
Wortfragmenten, Worthülsen
– Wortfluten

war im Uranfang
inmitten der An-sprüche
An-forderungen
An-reden

In ihm war das Leben
auch im Wortverstummen
Im Schweigen des Wortes

Das wahre Licht
das treffende Wort
im Wort-Sinn – ja

kam
war in der Welt
hat sich eingenistet
pulsiert im Lebensherzschlag
gewinnt Gestalt
wird Liebeswort

ist Fleisch geworden
        schreiendes Bündel der Hoffnung
        provozierende Botschaft der Liebe
        heilende Zusage
        lächelnde Menschenliebe Gottes

        verletzbar von Anfang an
        verfolgt seit Anbeginn
        verwundbar bis in den Tod hinein

leuchtet es in der Finsternis
und die Finsternis hat es
nicht erfasst.

Renate Rautenbach

Heiliger Stephanus
26. Dezember 2011

Das Tor des Himmels öffnete sich für Stephanus.
Er zog als erster der Blutzeugen ein
und empfing die Krone der Herrlichkeit.

Der zweite Weihnachtstag ist im allgemeinen Empfinden eine angenehme Erweiterung des Festes. Besuche bei Bekannten und Freunden oder einfach nur das Genießen eines weiteren freien Tages stehen auf dem Programm.

Die Liturgie mit ihren Texten widerspricht dieser Stimmung radikal. Das Fest des ersten Märtyrers scheint so gar nicht zu passen. Die Texte thematisieren Bedrohung, Gewalt und Tod; sie provozieren uns in ihrer Schärfe. Wenn jemand zu Christus steht, dann muss er mit all dem rechnen. Christsein bedeutet Farbe bekennen und die muss anderen nicht unbedingt passen. Weihnachten zu feiern, heißt auch immer, sein Leben für diesen Christus zu wagen.

In den ersten zwei Jahrhunderten der Kirche war es zeitweise lebensgefährlich zur Christengemeinde zu zählen. Dennoch hat gerade das Zeugnis dieser mit dem Leben bekennenden Menschen viele andere angezogen und begeistert, so dass Kirche wachsen konnte.

Wir bauen auf diesem Zeugnis auf. Heute ist es in unserer westeuropäischen Welt ungefährlich getauft zu sein und als Christ zu leben. Das ist aber bei Weitem nicht überall so. Christenverfolgung ist keine Erscheinung der Vergangenheit.

Wir brauchen uns keine Sorgen zu machen – höchstens darum, dass unser persönlicher Glaube nicht alltäglich und gewöhnlich wird und damit an Überzeugungskraft verliert.

Der Märtyrer Stephanus erinnert uns daran, dass Christsein Bekenntnis ist. Das liebreiche Kind in der Krippe ist auch der Gekreuzigte.

KYRIE-RUFE

Oder: GL 495,7 · KG 60,6

Herr Jesus Christus, du schenkst uns die Kraft, dich zu lieben. Herr, erbarme dich.
Du rufst uns zur Entscheidung für dich. Christus, erbarme dich.
Du bist uns nahe in deinen Zeugen. Herr, erbarme dich.

GLORIA (siehe Seite 508)

TAGESGEBET

Allmächtiger Gott, wir ehren am heutigen Fest den ersten Märtyrer deiner Kirche. Gib, daß auch wir unsere Feinde lieben und so das Beispiel des heiligen Stephanus nachahmen, der sterbend für seine Verfolger gebetet hat. Darum bitten wir durch Jesus Christus.

ERSTE LESUNG

Apg 6,8–10; 7,54–60

Lesung aus der Apostelgeschichte.

In jenen Tagen tat Stephanus, voll Gnade und Kraft, Wunder und große Zeichen unter dem Volk. Doch einige von der so genannten Synagoge der Libertiner und Zyrenäer und Alexandriner und Leute aus Zilizien und der Provinz Asien erhoben sich, um mit Stephanus zu streiten; aber sie konnten der Weisheit und dem Geist, mit dem er sprach, nicht widerstehen.

Als sie seine Rede hörten, waren sie aufs Äußerste über ihn empört und knirschten mit den Zähnen.

Er aber, erfüllt vom Heiligen Geist, blickte zum Himmel empor, sah die Herrlichkeit Gottes und Jesus zur Rechten Gottes stehen und rief: Ich sehe den Himmel offen und den Menschensohn zur Rechten Gottes stehen.

Da erhoben sie ein lautes Geschrei, hielten sich die Ohren zu, stürmten gemeinsam auf ihn los, trieben ihn zur Stadt hinaus und steinigten ihn. Die Zeugen legten ihre Kleider zu Füßen eines jungen Mannes nieder, der Saulus hieß.

So steinigten sie Stephanus; er aber betete und rief: Herr Jesus, nimm meinen Geist auf! Dann sank er in die Knie und schrie laut: Herr, rechne ihnen diese Sünde nicht an!

Nach diesen Worten starb er. |F

Die heutige Lesung beinhaltet die zentralen Szenen aus einem größeren Handlungskomplex. Stephanus – Mitglied des Siebenerkreises – wirkt mit apostolischer Wundervollmacht. Ihm widersetzen sich die Mitglieder der judenhellenistischen Synagogen, die eine enge Beziehung zum religiös-jüdischen Zentrum Jerusalem haben. Der vom Geist erfüllte Stephanus setzt sich nicht nur engagiert für die Familien der Hellenisten ein, sondern stellt, theologisch geschult und mit Inspiration der allgemein üblichen Vorstellung, einen neuen provokanten Weg vor. Seine im Judentum fest verankerten Gegner sind ihm argumentativ nicht gewachsen. Hier beginnt nun das, was auch wir aus unserer Welt kennen: Da, wo Menschen provokant mit Wissen und Überzeugung, mit Leidenschaft und Einsatz für eine gute Sache eintreten, geraten sie in Widerspruch zu gängigen Auffassungen. Sind diese mit Ideologien verbunden, stützen sie sich auf Machtsysteme oder haben sie einen traditionell anerkannten und nicht zu hinterfragenden Verhaltenskodex hinter sich, so kann es dem »Protestierer« passieren, dass er kaltgestellt oder mundtot gemacht wird. Die Mittel dazu sind alles andere als rechtmäßig, aber umso wirksamer.

Bei Stephanus wendet man aus Neid eine hässliche Intrige an. Die Gegner greifen in dem Wettstreit um die religiösen Wege zum schärfsten, unfairsten Mittel überhaupt: der Verleumdung durch Falschaussage vor Gericht. Der Lesungstext spart diesen Passus und die Verteidigungsrede des Angeklagten aus. Am Ende gelingt es Stephanus, die Anklage auf seine Gegner zurückzuwenden. Die stehen auf einmal als die Gottlosen da, was verständlicherweise Grimm und Zorn auslöst. Er jedoch wird vom Heiligen Geist erfüllt, erhält eine Himmelsvision – wie Jesus bei der Taufe – und teilt diese seinen Gegnern mit. Im Mittelpunkt dieses Bekenntnisses steht die Auferweckung, Erhöhung und Verherrlichung Jesu Christi. In der Folge steigert sich die Ablehnung der Gegner bis zur blinden Wut. Wie dämonisiert und fast wahnhaft stürmen sie als Masse los – und vollziehen die Tötung. Stephanus hingegen erweist sich mit seiner Feindesliebe als echter Jünger Jesu.

Historisch ist die Verfolgung der frühen judenhellenistischen Christen zwischen 32 und 36 anzusiedeln. Ihre neuen radikalen Auffassungen beinhalten eine Absage an den Tempel, das religiöse Zentrum der Juden. Das Zeugnis des Stephanus, seine Himmelsvision widerspricht radikal dem damaligen jüdischen Glauben und war als Blasphemie zu werten. Gott hat sich mit seiner Herrlichkeit besonders im Jerusalemer Tempel niedergelassen. Dort ist sie für besondere einzelne Menschen erfahrbar. Nie jedoch kann sie exklusiv von einem Menschen beansprucht werden. Die Position des Charismatikers Stephanus war zu radikal für seine Zeit. Nach seinem Tod milderte die sich gerade bildende Kirche diese berechtigterweise ab. Dennoch setzte sie sich dann allmählich und kontinuierlich in den Folgejahren durch. Paulus, der zuvor noch Gegner der neuen Auffassung war, sorgt dafür, dass der neue Weg eingeschlagen werden kann.

ANTWORTPSALM

Ps 31,3b–4.6.8.16–17 (℟: vgl. 6a)

℟: Herr, in deine Hände lege ich meinen Geist.

IV. Ton – GL 203,1 · KG 423

Sei mir ein schützender Fels, *
eine feste Burg, die mich rettet.
Denn du bist mein Fels und meine Burg; *
um deines Namens willen wirst du mich führen und leiten. – ℟

In deine Hände lege ich voll Vertrauen meinen Geist; *
du hast mich erlöst, Herr, du treuer Gott.
Ich will jubeln und über deine Huld mich freuen; /
denn du hast mein Elend angesehn, *
du bist mit meiner Not vertraut. – ℟

In deiner Hand liegt mein Geschick; *
entreiß mich der Hand meiner Feinde und Verfolger! *

Lass dein Angesicht leuchten über deinem Knecht, *
hilf mir in deiner Güte! – ℟

Ruf vor dem Evangelium Ps 118,26a.27a

Halleluja. Halleluja.
Gesegnet sei, der kommt im Namen des Herrn. Gott, der Herr, erleuchte uns.
Halleluja.

Evangelium Mt 10,17–22

Aus dem heiligen Evangelium nach Matthäus.

In jener Zeit sprach Jesus zu seinen Jüngern: Nehmt euch vor den Menschen in Acht! Denn sie werden euch vor die Gerichte bringen und in ihren Synagogen auspeitschen. Ihr werdet um meinetwillen vor Statthalter und Könige geführt, damit ihr vor ihnen und den Heiden Zeugnis ablegt. Wenn man euch vor Gericht stellt, macht euch keine Sorgen, wie und was ihr reden sollt; denn es wird euch in jener Stunde eingegeben, was ihr sagen sollt. Nicht ihr werdet dann reden, sondern der Geist eures Vaters wird durch euch reden.

Brüder werden einander dem Tod ausliefern und Väter ihre Kinder, und die Kinder werden sich gegen ihre Eltern auflehnen und sie in den Tod schicken.

Und ihr werdet um meines Namens willen von allen gehasst werden; wer aber bis zum Ende standhaft bleibt, der wird gerettet. ℣

Das Evangelium ist der sogenannten Aussendungsrede an die zwölf Apostel entnommen. Als Matthäus die Rede Jesu gestaltete, hatte er wohl das missionarische Wirken der urchristlichen Gemeinden vor Augen – und das aus einem tiefen theologischen Grund. Das Handeln der Apostel stellt für Matthäus einerseits eine Parallele zu Jesu Wirken dar, andererseits ist es dessen reale Vergegenwärtigung. Daher bekommen die Apostel auch zu Beginn die Macht – Jesu ureigene Macht – »unreine Geister auszutreiben und alle Krankheiten und Leiden zu heilen« (9,2). Dass der Missionsauftrag mit Konflikt verbunden ist, machen die Worte des heutigen Evangeliums deutlich. Allerdings folgt auf die klare Ansage der Bedrohung die Zusage des Trostes. Der Jünger weiß also, woran er ist und was er an Gott hat. Vielleicht ist es nur in dieser Eindeutigkeit möglich, in Treue Zeugnis zu geben, ohne zu verzweifeln. Vielleicht ist erst durch das unbedingte Vertrauen auf die zugesagte göttliche Hilfe der gewaltlose, liebende Einsatz für das Evangelium möglich. Vielleicht ist nur im Glauben an den rettenden und liebenden Gott das sorglose Handeln in der Nachfolge Jesu möglich. Auch wenn die Grundfesten der gesellschaftlichen Ordnung zerrüttet sind, die Familie zerrissen ist, Hass und Verleumdung dem Jünger entgegenschlagen, so ist das kein Grund zu routieren, zu taktieren oder besondere Sicherheitsvorkehrungen zu treffen. In allen fast apokalyptisch anmutenden Übeln wird sich die Stärke Gottes erweisen. Das heißt nicht, die Augen vor der Realität zu verschließen – ganz im Gegenteil. Nur demjenigen, der sich zur Verfügung stellt, kann auch eingegeben werden, was zu sagen, was zu tun ist.

FÜRBITTEN

Gott, du bist treu und du berufst Menschen in die Gemeinschaft mit deinem Sohn Jesus Christus. Heute bitten wir dich voll Vertrauen:

A: Wir bitten dich, erhöre uns.

- Für die Christen, die wegen ihres Glaubens Nachteile erfahren oder verfolgt werden.
- Für die Menschen, die ihren Glauben alltäglich treu umzusetzen suchen.
- Für all diejenigen, die sich aus Überzeugung für andere einsetzen und ihnen in Notsituationen zur Seite stehen.
- Für jene, die sich zum Diakon weihen lassen und sich von dir in der Kirche in Dienst nehmen lassen.

- Für alle, die in der Gaubenverkündigung stehen, für die Katecheten, Religionspädagogen und Erzieher.
- Für unsern Papst, die Bischöfe und Priester.
- Für unsere Verstorbenen.

Gott, du siehst und kennst uns. Du begleitest uns auf unserem Weg und gibst dich in vielen Zeichen immer wieder zu erkennen. Wir danken dir, durch Christus, unseren Herrn.

GABENGEBET

Herr, unser Gott, schau gütig auf dein Volk, das mit Freude und Hingabe den Festtag des heiligen Stephanus feiert, und nimm unsere Gaben an. Darum bitten wir durch Christus, unseren Herrn.

PRÄFATION

Weihnachten III

In Wahrheit ist es würdig und recht, dir, allmächtiger Vater, zu danken und dein Erbarmen zu rühmen durch unseren Herrn Jesus Christus. Durch ihn schaffst du den Menschen neu und schenkst ihm ewige Ehre. Denn einen wunderbaren Tausch hast du vollzogen: dein göttliches Wort wurde ein sterblicher Mensch, und wir sterbliche Menschen empfangen in Christus dein göttliches Leben. Darum preisen wir dich mit allen Chören der Engel und singen vereint mit ihnen das Lob deiner Herrlichkeit.

EINLADUNG ZUM VATERUNSER

Gott hat uns seinen Geist geschenkt. Aus diesem Geist können wir ihn bekennen und zu ihm beten, wie es uns Jesus Christus gelehrt hat: Vater unser im Himmel …

EINLADUNG ZUM FRIEDENSGEBET

Wie Jesus Christus hat Stephanus im Tod für seine Verfolger gebetet. In Jesus finden wir Versöhnung und Frieden. Deshalb bitten wir: Herr Jesus Christus …

Kommunionvers

Apg 7,59

Die Menge steinigte den Stephanus. Er aber betete und rief: Herr Jesus, nimm meinen Geist auf!

Schlussgebet

Herr, unser Gott, wir danken dir für die Gnade dieser festlichen Tage. In der Geburt deines Sohnes schenkst du uns das Heil; im Sterben des heiligen Stephanus zeigst du uns das Beispiel eines unerschrockenen Glaubenszeugen. Wir bitten dich: Stärke unsere Bereitschaft, deinen Sohn, unseren Herrn Jesus Christus, standhaft zu bekennen, der mit dir lebt und herrscht in alle Ewigkeit.

Schlusssegen

Von allen Heiligen

Der gütige Gott, der die Heiligen zur Vollendung geführt hat, segne euch und bewahre euch vor allem Unheil.

Das Vorbild des heiligen Stephanus lehre euch, und seine Fürsprache helfe euch, Gott und den Menschen zu dienen.

Das gewähre euch der dreieinige Gott, der Vater und der Sohn ☩ und der Heilige Geist.

Bekenntnis

Halte
die Schale,
den Kelch,
das Glas,
den Becher
deines Lebens
zärtlich, behutsam
doch fest!
– wisse die Schale ist zerbrechlich
und kostbar der Inhalt.

Halte sie hoch,
schätze wert,
was du in Händen hältst,
erhebe
voller Gegenwart
in Andacht
den Kelch deines Lebens.

Lass funkeln
im geschliffenen Glas
den Wein
tiefrot
dein Leben,
nimm wahr
den Duft der Blume
voller Verheißung.

Und halte auch
den Becher
mit Wasser zum Leben
so wichtig für dich
und so viele
hin

einfach so
und lass wandeln…

Ströme des Heils brechen hervor,
ergießen sich
in das ohne Leben Seiende,
um zu wandeln
die Wüste zum blühenden Garten,
das Totgemachte zum kostbaren Leben,
das einfache Wasser
zum Wein der Vermählung.

Renate Rautenbach

Heiliger Johannes
27. Dezember 2011

Johannes ruhte beim Abendmahl an der Brust des Herrn.
Ihm wurden die Geheimnisse des Himmels enthüllt.
Die Worte des Lebens hat er dem ganzen Erdkreis verkündet.

Oder:

Inmitten der Gemeinde öffnete der Herr ihm den Mund
und erfüllte ihn mit dem Geist der Weisheit und der Einsicht.
Das Kleid der Herrlichkeit zog er ihm an.

Vgl. Sir 15,5

Die Kirche feiert heute das Fest des heiligen Johannes. Er gehörte dem Zwölferkreis um Jesus an. Wie sein Bruder Jakobus war er ursprünglich Fischer. In der Tradition gilt er als der Lieblingsjünger Jesu. Dass er aber keineswegs ein »lieber und netter« Typ war, zeigt schon die Bezeichnung »Donnersohn«. Offenbar konnte er sehr aufbrausend und heftig reagieren. Zusammen mit Petrus gehörten Jakobus und er zum engsten Kreis um Jesus. Sie waren mit ihm auf dem Tabor und sie begleiteten ihn in den Garten Getsemani. Der Lieblingsjünger ist auch unter dem Kreuz zu finden. Ihm vertraut Christus seine Mutter an. Nach Ostern hat er eine Zeit lang bei der Leitung der Kirche in Jerusalem eine Rolle gespielt. Von daher gilt er als eine der drei »Säulen« der Urkirche. Nach einer späteren Überlieferung soll er hochbetagt in Ephesus das Johannesevangelium sowie auch als Verbannter auf Patmos die Offenbarung geschrieben haben. Vieles spricht aber dafür, dass er schon relativ früh in Palästina das Martyrium erlitten hat. Sowohl das Johannesevangelium wie die Offenbarung gehen auf andere Schreiber zurück.

Er gilt als der Jünger, der in Liebe dem Herrn beisteht. In Klöstern wird vielerorts an diesem Tag der sogenannte Johanniswein gesegnet. Er ist ein Sinnbild dieser Liebe und Freude, die die Begegnung mit dem menschgewordenen Gottessohn in uns bewirkt. Gemeinschaft in Christus – darauf kommt es an.

Kyrie-Rufe

GL 425 · KG 52

Herr Jesus Christus, du bringst uns das Leben in Fülle. Herr, erbarme dich.
Du weckst in uns die Freude an Gott. Christus, erbarme dich.
Durch dich haben wir Gemeinschaft mit dem Vater. Herr, erbarme dich.

Gloria (siehe Seite 508)

Tagesgebet

Allmächtiger Gott, du hast uns durch den Evangelisten Johannes einen Zugang eröffnet zum Geheimnis deines ewigen Wortes. Laß uns mit erleuchtetem Verstand und liebendem Herzen erfassen, was er in gewaltiger Sprache verkündet hat. Darum bitten wir durch Jesus Christus.

Erste Lesung

1 Joh 1,1–4

Lesung aus dem ersten Johannesbrief.

Schwestern und Brüder! Was von Anfang an war, was wir gehört haben, was wir mit unseren Augen gesehen, was wir geschaut und was unsere Hände angefasst haben, das verkünden wir: das Wort des Lebens.

Denn das Leben wurde offenbart; wir haben gesehen und bezeugen und verkünden euch das ewige Leben, das beim Vater war und uns offenbart wurde.

Was wir gesehen und gehört haben, das verkünden wir auch euch, damit auch ihr Gemeinschaft mit uns habt. Wir aber haben Gemeinschaft mit dem Vater und mit seinem Sohn Jesus Christus.

Wir schreiben dies, damit unsere Freude vollkommen ist. |F

Der Anfang des Briefes erinnert stark an den Prolog des Johannesevangeliums, der mit den Worten »Im Anfang war das Wort« beginnt. Dieses Wort, das Gestalt geworden ist, bezeugen die Apostel. Sie sind ihm leibhaftig begegnet. Hören, sehen, schauen, anfassen verweisen auf den konkreten Kontakt zur Person Jesu. Johannes wendet sich gegen die »Idealisten« der damaligen Zeit. Sie redeten von einer ewigen Idee und einem neuplatonisch verstandenen Logos, der eben nur im Geist eines Menschen mit Namen Jesus aufgeleuchtet ist und ihn dann im Tod wieder verlassen hat, sozusagen zurückgekehrt ist zu seinem Ursprung.

Gegen diese Lehre opponiert der Schreiber des Briefes massiv, indem er die ganze Menschwerdung des Wortes betont.

Der leibhaftige Jesus und der erhöhte Herr gehören zusammen. Auch der Auferstandene kann geschaut und betastet werden, und er ist zugleich der, der von Anfang an beim Vater war und offenbart wurde. Das göttliche Leben – Gott selbst – wird leibhaftige, sinnlich erfahrbare Gestalt.

Wie das zusammengeht, darüber haben die Kirchenväter in den großen christologischen Konzilien der ersten Jahrhunderte gerungen. Für den Schreiber des Briefes steht fest, dass die beiden Pole nicht auseinandergerissen werden dürfen, sondern eine dynamische Einheit bilden.

Die Begegnung mit Jesus geschieht auch im zeitlichen Abstand immer noch konkret im Wort, das vom Leben handelt und Leben schafft. Die Verkündigung der Jünger schafft Gemeinschaft mit Jesus und durch ihn mit Gott.

Dadurch verwirklicht sich die Verheißung Jesu aus den Abschiedsreden: »Dies habe ich euch gesagt, damit meine Freude in euch ist und damit eure Freude vollkommen wird (Joh 15,11).

ANTWORTPSALM Ps 97,1–2.5–6.11–12 (IR: 12a)

IR: Ihr Gerechten, freut euch am Herrn!

V. Ton – GL 149,3

Der Herr ist König. Die Erde frohlocke. *
Freuen sollen sich die vielen Inseln.

Rings um ihn her sind Wolken und Dunkel, *
Gerechtigkeit und Recht sind die Stützen seines Throns. – ℟

Berge schmelzen wie Wachs vor dem Herrn, *
vor dem Antlitz des Herrschers aller Welt.
Seine Gerechtigkeit verkünden die Himmel, *
seine Herrlichkeit schauen alle Völker. – ℟

Ein Licht erstrahlt den Gerechten *
und Freude den Menschen mit redlichem Herzen.
Ihr Gerechten, freut euch am Herrn *
und lobt seinen heiligen Namen! – ℟

RUF VOR DEM EVANGELIUM

Halleluja. Halleluja.
Dich, Gott, loben wir, dich, Herr, preisen wir.
Dich preist der glorreiche Chor der Apostel.
Halleluja.

EVANGELIUM

Joh 20,2–8

Aus dem heiligen Evangelium nach Johannes.

Am ersten Tag der Woche lief Maria von Magdala schnell zu Simon Petrus und dem Jünger, den Jesus liebte, und sagte zu ihnen: Man hat den Herrn aus dem Grab weggenommen, und wir wissen nicht, wohin man ihn gelegt hat.

Da gingen Petrus und der andere Jünger hinaus und kamen zum Grab; sie liefen beide zusammen dorthin, aber weil der andere Jünger schneller war als Petrus, kam er als Erster ans Grab. Er beugte sich vor und sah die Leinenbinden liegen, ging aber nicht hinein.

Da kam auch Simon Petrus, der ihm gefolgt war, und ging in das Grab hinein. Er sah die Leinenbinden liegen und das Schweißtuch, das auf dem Kopf Jesu gelegen hatte; es lag aber nicht bei den Leinenbinden, sondern zusammengebunden daneben an einer besonderen Stelle.

Da ging auch der andere Jünger, der zuerst an das Grab gekommen war, hinein; er sah und glaubte. IF

Drei Personen stehen im Mittelpunkt des Evangeliums: Maria von Magdala, die sich frühmorgens aufgemacht hat und das leere Grab entdeckt. Sie vermutet sofort das Schlimmste – den Raub des Leichnams. Man kann ihren Schrecken gut nachvollziehen und begreifen, dass sie, ohne einen Blick in das Innere zu werfen, sofort losläuft, um die Jünger zu informieren.

Mit Petrus und dem anderen Jünger machen sich dann die zwei herausragenden Persönlichkeiten der Urkirche auf den Weg. Die Art und Weise, wie Johannes von dem Wettlauf erzählt, lässt darauf schließen, dass die Leitenden zweier verschiedener Gemeinden oder Gruppen, die sich in ihren Theologien unterscheiden, auf dem Weg zum Grab sind. Allerdings sticht keiner den anderen aus. Der Repräsentant der johanneischen Gemeinde lässt trotz seines Sieges Petrus, dem anerkannten Haupt der ersten Jünger, den Vorrang beim Betreten des Grabes. Petrus sieht die Leinenbinden und das Schweißtuch geordnet hingelegt und schließt daraus wohl, dass ein Leichenraub ausgeschlossen werden kann. Petrus sieht – eine Glaubensreaktion, ist nicht geschildert. Dazu braucht es noch Zeit. Der Auferstehungsglaube kommt erst später. Das Sehen ist die Voraussetzung dafür. In der Begegnung mit dem Auferstandenen lernt Petrus verstehend zu glauben. Der andere Jünger hingegen sieht und glaubt. Intuitiv erfasst er das Unbegreifbare. Beide Zugangswege zum Glauben ergänzen sich gegenseitig und können fruchtbar füreinander werden, wenn sie im Wettstreit miteinander um das Verstehen des Ostergeschehens ringen.

FÜRBITTEN

Gott, du bist ein Gott der Liebe. Du zeigst uns im Wort des Evangeliums und den vielen Worten und Gesten, mit denen Menschen uns wohlwollend entgegenkommen, deine Zuwendung. Du willst, dass wir handeln nach dem Gebot der Liebe.

Wir bitten dich:

A: Herr, erhöre uns.

- Für alle, die von unermesslichen Unglück und Leid heimgesucht werden, und für die, die ihnen zu helfen suchen.
- Für alle, die in kriegerischen Auseinandersetzungen Opfer von Gewalt und Terror werden und für alle die sich für ein friedliches Zusammenleben der Völker einsetzen.
- Für alle, die sich für den Klimaschutz engagieren, und für die, die entscheiden, wie die Energievorräte der Erde verantwortlich genutzt werden.
- Für alle, die politische Verantwortung tragen, und die, die sich öffentlich engagieren für das Allgemeinwohl.
- Für alle, die ein kirchliches Leitungsamt innehaben, für den Papst, die Bischöfe und Priester, und für alle, die in Gremien und Räten mitwirken.
- Für unsere Verstorbenen, für die Menschen, die wir in unserer Familie verloren haben und um die wir trauern, und für die vielen, die einsam sterben oder in kriegerischen Auseinandersetzungen Opfer geworden sind.

Liebender Gott, unsere Welt ist zerrissen und viel Unheil ist in ihr. Hilf uns, deine Liebe zu verkünden, sie umzusetzen in Tat und Wort. Darum bitten wir durch Christus, unseren Herrn.

GABENGEBET

Allmächtiger Gott, heilige die Gaben, die wir darbringen, und laß uns im heiligen Mahl das Geheimnis deines ewigen Wortes erfassen, das du dem Evangelisten Johannes in dieser Feier erschlossen hast. Darum bitten wir durch Christus, unseren Herrn.

PRÄFATION

Weihnachten I

In Wahrheit ist es würdig und recht, dir, Herr, heiliger Vater, allmächtiger, ewiger Gott, immer und überall zu danken. Denn

Fleisch geworden ist das Wort, und in diesem Geheimnis erstrahlt dem Auge unseres Geistes das neue Licht deiner Herrlichkeit. In der sichtbaren Gestalt des Erlösers läßt du uns den unsichtbaren Gott erkennen, um in uns die Liebe zu entflammen zu dem, was kein Auge geschaut hat. Darum singen wir mit den Engeln und Erzengeln, den Thronen und Mächten und mit all den Scharen des himmlischen Heeres den Hochgesang von deiner göttlichen Herrlichkeit.

EINLADUNG ZUM VATERUNSER

Gott ist die Liebe. Er schenkt uns seine Liebe, so dass wir ihn und den Nächsten lieben können. Wir beten, wie es uns Jesus Christus gelehrt hat: Vater unser im Himmel …

EINLADUNG ZUM FRIEDENSGEBET

Durch Jesus Christus haben wir Gemeinschaft mit dem Vater. Er macht uns offen für die Gemeinschaft mit allen, die Gott suchen. Deshalb bitten wir: Herr Jesus Christus …

KOMMUNIONVERS Joh 1,14.16

Das Wort ist Fleisch geworden und hat unter uns gewohnt. Aus seiner Fülle haben wir alle empfangen.

SCHLUSSGEBET

Allmächtiger Gott, der heilige Apostel Johannes hat deinen Sohn verkündet als das Wort, das Fleisch geworden ist. Gib, daß Christus durch diese Feier immer unter uns wohne, damit wir die Fülle deiner Gnade empfangen. Darum bitten wir durch Christus, unseren Herrn.

SCHLUSSSEGEN Von den Aposteln

Der allmächtige Gott segne euch durch unseren Herrn Jesus Christus, der seine Kirche auf das Fundament der Apostel gegründet hat.

Der heilige Apostel Johannes hat mit Freimut das Evangelium Christi verkündet; Gott stärke euch durch seine Botschaft zum Zeugnis für die Wahrheit.

Das Beispiel der Apostel festige euch im Glauben, ihre Fürsprache geleite euch zur ewigen Heimat.

Das gewähre euch der dreieinige Gott, der Vater und der Sohn ✝ und der Heilige Geist.

Tiefe

Das Geheimnis besitzt Tiefe, das Rätsel bleibt an der Oberfläche. Das Rätsel ist nur interessant, solange es nicht gelöst ist. Ist die Lösung gefunden, hat es seinen Reiz verloren. Gelöste Kreuzworträtsel aufzubewahren, ist genauso unsinnig, wie die Schalen geknackter Nüsse aufzubewahren.

Ganz anders das Geheimnis. Je mehr ich von ihm verstehe, desto größer wird es. Wenn der Radius des Erkennens wächst, wird der Umfang größer, der an das Unbekannte stößt. Das Geheimnis fürchtet nicht das Denken, es scheut nicht das Fühlen. Es lädt uns vielmehr ein, seine Größe und Tiefe zu bestaunen. Es lockt uns zu erkennen, mit allen Sinnen wahrzunehmen, und doch kommen wir damit nie zu Ende. Es kann bewohnbar werden, und doch bleibt es ein fremdes Land.

So bleibt die Liebe ein Geheimnis wie auch der Mensch, der keinen Wert, sondern Würde hat. Wenn sich sein Wert bemessen ließe, wäre das Geheimnis vertrieben. Die Liebe bleibt ein großes Geheimnis, das tiefste Geheimnis aber bleibt Gott selbst.

Rolf-Dieter Seemann

Unschuldige Kinder
28. Dezember 2011

Die Unschuldigen Kinder erlitten für Christus den Tod.
Nun folgen sie dem Lamm und singen sein Lob.

Unschuld ist kein Konzept, das heute aktuell wäre. In Verbindung mit Kindern können wir es uns noch am ehesten vorstellen. Eine Idylle der Unschuld wird an dem heutigen Fest aber nicht gezeichnet. Wieder einmal sind die Unschuldigen die ersten Opfer und damit Vorläufer Jesu, der ohne Sünde war und sich daher in seinem Tod als unschuldiges Opfer erwies.

Die unschuldigen Kinder, von denen wir heute im Evangelium hören, sind Vorwurf an eine Welt, in der immer noch die Unschuldigen am leichtesten zu Opfern werden, und sind ein Aufruf an uns Christen, für die einzustehen, die sich selbst nicht helfen können.

Wir preisen unseren Herrn, der für uns unschuldig den Tod erlitten hat.

Kyrie-Rufe GL 429 · KG 53

Herr Jesus Christus, du bist allen nahe, die um deinetwillen leiden. Herr, erbarme dich.
Du stehst denen bei, die auf dich vertrauen. Christus, erbarme dich.
Du bist die Hilfe derer, die keinen Helfer haben. Herr, erbarme dich.

Gloria (siehe Seite 508)

Tagesgebet

Vater im Himmel, nicht mit Worten haben die Unschuldigen Kinder dich gepriesen, sie haben dich verherrlicht durch ihr Sterben. Gib uns die Gnade, daß wir in Worten und Taten unseren Glauben an dich bekennen. Darum bitten wir durch Jesus Christus.

ERSTE LESUNG 1 Joh 1,5 – 2,2

Lesung aus dem ersten Johannesbrief.

Schwestern und Brüder! Das ist die Botschaft, die wir von Jesus Christus gehört haben und euch verkünden: Gott ist Licht und keine Finsternis ist in ihm. Wenn wir sagen, dass wir Gemeinschaft mit ihm haben, und doch in der Finsternis leben, lügen wir und tun nicht die Wahrheit. Wenn wir aber im Licht leben, wie er im Licht ist, haben wir Gemeinschaft miteinander und das Blut seines Sohnes Jesus reinigt uns von aller Sünde. Wenn wir sagen, dass wir keine Sünde haben, führen wir uns selbst in die Irre und die Wahrheit ist nicht in uns. Wenn wir unsere Sünden bekennen, ist er treu und gerecht; er vergibt uns die Sünden und reinigt uns von allem Unrecht. Wenn wir sagen, dass wir nicht gesündigt haben, machen wir ihn zum Lügner und sein Wort ist nicht in uns.

Meine Kinder, ich schreibe euch dies, damit ihr nicht sündigt. Wenn aber einer sündigt, haben wir einen Beistand beim Vater: Jesus Christus, den Gerechten. Er ist die Sühne für unsere Sünden, aber nicht nur für unsere Sünden, sondern auch für die der ganzen Welt. IF

Die Rede von der Sünde soll nicht beschämen und bedrücken, ganz im Gegenteil soll sie befreien. Sie soll uns ins Licht führen, uns deutlich sehen lassen, wie wir sind, und gerade dadurch heilen und verändern. Dieses Licht, das uns sehen und uns selbst erkennen lässt, ist nämlich das Licht Gottes. In diesem Licht leben, heißt in der Gemeinschaft mit Gott leben.

Die Lesung spricht nicht nur ganz selbstverständlich von den Sünden jedes Einzelnen, sondern genauso von der ungebrochenen, vertrauensvollen und so auch kindlichen Gemeinschaft mit dem Vater, indem wir uns seinem Licht überlassen.

Licht in der Dunkelheit ist eine der grundlegenden Erfahrungen der Weihnachtszeit. Sich diesem Licht zu überlassen, führt uns mit Jesus Christus zum Vater.

ANTWORTPSALM

Ps 124,2–5.7–8 (℟: 7a)

℟: Unsre Seele ist wie ein Vogel dem Netz des Jägers entkommen.

IV. Ton – GL 528,2 · KG 385,7

Hätte sich nicht der Herr für uns eingesetzt, *
als sich gegen uns Menschen erhoben,
dann hätten sie uns lebendig verschlungen, *
als gegen uns ihr Zorn entbrannt war. – ℟

Dann hätten die Wasser uns weggespült, *
hätte sich über uns ein Wildbach ergossen.
Dann hätten sich über uns die Wasser ergossen, *
die wilden und wogenden Wasser. – ℟

Unsre Seele ist wie ein Vogel dem Netz des Jägers entkommen; *
das Netz ist zerrissen und wir sind frei.
Unsre Hilfe steht im Namen des Herrn, *
der Himmel und Erde gemacht hat. – ℟

RUF VOR DEM EVANGELIUM

Halleluja. Halleluja.
Dich, Gott, loben wir, dich, Herr, preisen wir.
Dich preist der Märtyrer leuchtendes Heer.
Halleluja.

EVANGELIUM

Mt 2,13–18

Aus dem heiligen Evangelium nach Matthäus.

Als die Sterndeuter wieder gegangen waren, erschien dem Josef im Traum ein Engel des Herrn und sagte: Steh auf, nimm das Kind und seine Mutter und flieh nach Ägypten; dort bleibe, bis ich dir etwas anderes auftrage; denn Herodes wird das Kind suchen, um es zu töten.

Da stand Josef in der Nacht auf und floh mit dem Kind und dessen Mutter nach Ägypten. Dort blieb er bis zum Tod des Herodes. Denn es sollte sich erfüllen, was der Herr durch den Propheten gesagt hat: Aus Ägypten habe ich meinen Sohn gerufen.

Als Herodes merkte, dass ihn die Sterndeuter getäuscht hatten, wurde er sehr zornig und er ließ in Betlehem und der ganzen Umgebung alle Knaben bis zum Alter von zwei Jahren töten, genau der Zeit entsprechend, die er von den Sterndeutern erfahren hatte.

Damals erfüllte sich, was durch den Propheten Jeremia gesagt worden ist:

Ein Geschrei war in Rama zu hören, lautes Weinen und Klagen: Rahel weinte um ihre Kinder und wollte sich nicht trösten lassen, denn sie waren dahin. IF

Das Geschrei einer leidenden Menschheit, die Völkermord, Pogrome, Massenmord und Hunderttausende von Opfern nach Naturkatastrophen kennt, gehört mitten in die Weihnachtsgeschichte. In Jesus Christus hat Gott die gesamte menschliche Wirklichkeit angenommen, auch das Todesstöhnen und das Klagegeschrei; denn beides finden wir im Leben Jesu und bei seinem Tod. Das Leiden des Menschen, das bereits mit dem Leiden und dem Tod der Kinder (und bereits der ungeborenen Kinder) beginnt, gehört in die Geschichte des Menschen und so auch der Menschwerdung Gottes.

Gott heilt, indem er annimmt. Die Wunden und das Leid der Menschen werden bei Gott nicht versteckt und verdeckt, sie haben bei ihm ihren Raum und finden Heilung. Selbst der Tod findet bei Gott seine Heilung und wird aus dem Abbruch und dem Ende zum Durchgang zu dem neuen Leben bei Gott.

Zu der Geschichte der Geburt Jesu Christi, zu der Geschichte der Geburt des neuen Lebens, gehört auch der Tod, damit auch der Tod zu dem neuen Leben findet und führt.

FÜRBITTEN

Wir beten zu Jesus Christus, der für uns Mensch geworden ist und dem Vater gehorsam war bis zum Tod am Kreuz:

V: Christus, höre uns. A: Christus, erhöre uns.

– Für alle Christen, die um ihres Glaubens willen verfolgt werden.

- Für die Staaten, in denen Gewalt und Unterdrückung herrschen.
- Für die Kinder und Jugendlichen, die schwer arbeiten müssen und nicht zur Schule gehen können.
- Für die Kinder, die Opfer von Gewalt und sexuellem Missbrauch geworden sind.
- Für die Kinder, die abgetrieben worden sind, und für ihre Eltern.

Barmherziger Gott, du siehst das Leid und die Not der Welt. Bleibe uns nahe und stehe uns bei durch Christus, unseren Herrn. Amen.

Gabengebet

Herr, unser Gott, nimm diese Gaben an und heilige uns durch die Erlösungstat deines Sohnes, der auch die Unschuldigen Kinder gerechtfertigt und zu seinen Zeugen erwählt hat, der mit dir lebt und herrscht in alle Ewigkeit.

Präfation

Weihnachten II

In Wahrheit ist es würdig und recht, dir, Vater im Himmel, zu danken durch unseren Herrn Jesus Christus. Denn groß ist das Geheimnis seiner Geburt. Er, der unsichtbare Gott, ist heute sichtbar als Mensch erschienen. Vor aller Zeit aus dir geboren, hat er sich den Gesetzen der Zeit unterworfen. In ihm ist alles neu geschaffen. Er heilt die Wunden der ganzen Schöpfung, richtet auf, was darniederliegt, und ruft den verlorenen Menschen ins Reich deines Friedens. Darum rühmen dich Himmel und Erde, Engel und Menschen und singen das Lob deiner Herrlichkeit.

Einladung zum Vaterunser

Gott ist unser guter Vater, der uns Leben schenkt und bei dem alle Menschen ihren Platz finden können. Zu ihm beten wir voll Vertrauen: Vater unser im Himmel …

EINLADUNG ZUM FRIEDENSGEBET

Gott hat uns in einer Welt der Gewalt und des Hasses das Angebot der Versöhnung gemacht. In Jesus Christus schenkt er uns Frieden. Deshalb bitten wir: Herr Jesus Christus …

KOMMUNIONVERS

Offb 14,4

Sie sind es, die aus den Menschen losgekauft wurden als Weihegabe für Gott und das Lamm.
Sie folgen dem Lamm, wohin immer es geht.

SCHLUSSGEBET

Herr, unser Gott, du hast den Unschuldigen Kindern die Krone der Märtyrer geschenkt, obwohl sie noch nicht fähig waren, deinen Sohn mit dem Munde zu bekennen. Christus, für den sie gestorben sind, schenke auch uns im Sakrament die Fülle des Heiles. Er, der mit dir lebt und herrscht in alle Ewigkeit.

SCHLUSSSEGEN

An Weihnachten

Der barmherzige Gott hat durch die Geburt seines Sohnes die Finsternis vertrieben und diese Tage erleuchtet mit dem Glanz seines Lichtes; er mache eure Herzen hell mit dem Licht seiner Gnade.

Den Hirten ließ er durch den Engel die große Freude verkünden; mit dieser Freude erfülle er euer ganzes Leben.

In Christus hat Gott Himmel und Erde verbunden; durch ihn schenke er allen Menschen guten Willens seinen Frieden, durch ihn vereine er euch mit der Kirche des Himmels.

Das gewähre euch der dreieinige Gott, der Vater und der Sohn ✝ und der Heilige Geist.

Gott, wie oft bin ich mir selbst ein Rätsel.

Ich spüre dich und fühle mich mit dir verbunden.
Ich verlange nach deiner Liebe und will sie leben.
Ich hasse meinen Nächsten und möchte ihm schaden.
Ich gebe der Grausamkeit nach, die in mir aufsteigt.

Ich suche das Gute und entdecke seine Spuren.
Ich wünsche es mir für mich und meine Nächsten.
Ich bin abgestumpft gegen das Böse und lasse es zu.
Ich beziehe es in meine Pläne ein und gebe ihm Raum.

Gott, dein Sohn war eins mit dir und nicht in sich gespalten.
Er bringt uns deine Liebe, er überwinde auch in mir das Böse.

Albert Sieger

Fest der Heiligen Familie
30. Dezember 2011

Die Hirten eilten hin und fanden Maria und Josef
und das Kind, das in einer Krippe lag.
Lk 2,16

Jesus Christus als der Sohn Gottes ist auch wahrer Mensch, und so musste er – so wie wir alle – in die menschliche Gemeinschaft hineinwachsen, musste wie jeder Jude in die Geschichte Gottes mit seinem Volk eingeführt werden und lernen zu beten. In Maria und Josef fand er die Vorbilder und die Hilfe, die er als Mensch brauchte.

Wir können dankbar sein, wenn auch wir immer die Menschen finden und haben, die uns Vorbild und Hilfe sind, damit wir als Menschen in Gemeinschaft miteinander und mit Gott leben können.

Wir preisen unseren Herrn Jesus Christus, in dem uns Gott nahegekommen ist:

Kyrie-Rufe — GL 405 · KG 164

Herr Jesus Christus, du bist wahrhaft Mensch geworden. Herr, erbarme dich.
Du hast in einer menschlichen Familie gelebt. Christus, erbarme dich.
Du hast in deiner Menschwerdung unsere menschliche Wirklichkeit geheiligt. Herr, erbarme dich.

Gloria (siehe Seite 508)

Tagesgebet

Herr, unser Gott, in der Heiligen Familie hast du uns ein leuchtendes Vorbild geschenkt. Gib unseren Familien die Gnade, daß auch sie in Frömmigkeit und Eintracht leben und einander in der Liebe verbunden bleiben. Führe uns alle zur ewigen Gemeinschaft in deinem Vaterhaus. Darum bitten wir durch Jesus Christus.

Es kann auch die Lesungen (mit Antwortpsalm und Ruf vor dem Evangelium) vom Lesejahr A genommen werden.

ERSTE LESUNG Gen 15,1–6; 21,1–3

Lesung aus dem Buch Genesis.

In jenen Tagen erging das Wort des Herrn in einer Vision an Abram: Fürchte dich nicht, Abram, ich bin dein Schild; dein Lohn wird sehr groß sein.

Abram antwortete: Herr, mein Herr, was willst du mir schon geben? Ich gehe doch kinderlos dahin und Erbe meines Hauses ist Eliëser aus Damaskus. Und Abram sagte: Du hast mir ja keine Nachkommen gegeben; also wird mich mein Hausklave beerben.

Da erging das Wort des Herrn an ihn: Nicht er wird dich beerben, sondern dein leiblicher Sohn wird dein Erbe sein. Er führte ihn hinaus und sprach: Sieh doch zum Himmel hinauf und zähl die Sterne, wenn du sie zählen kannst. Und er sprach zu ihm: So zahlreich werden deine Nachkommen sein.

Abram glaubte dem Herrn und der Herr rechnete es ihm als Gerechtigkeit an.

Der Herr nahm sich Saras an, wie er gesagt hatte, und er tat Sara so, wie er versprochen hatte. Sara wurde schwanger und gebar dem Abraham noch in seinem Alter einen Sohn zu der Zeit, die Gott angegeben hatte. Abraham nannte den Sohn, den ihm Sara gebar, Isaak. IF

»Abram glaubte dem Herrn und der Herr rechnete es ihm als Gerechtigkeit an.« Diesen Satz aus der Lesung greift Paulus im Römerbrief auf (Röm 4,3). Paulus geht es dabei um die Rechtfertigung des Menschen aus dem Glauben und nicht aus seinen Werken.

Das Problem der Rechtfertigung aus dem Glauben mag uns fern liegen, aber geht es dabei im Letzten darum, was unserem Leben Bestand gibt, was auch im Tod und dann, wenn wir vor Gott hintreten, noch hält. Zur Zeit Abrahams war es ganz klar, was allein Zukunft und Bestand verheißen konnte: Nachkommen, wie sie Gott Abraham verheißt. Bis zu der Frage der Absicherung im Alter gilt das noch heute für viele Länder.

Für das Alter sorgen wir heute eher mit Versicherungen und eigenem Kapital vor, und die Zahl der Singles, für die Familie und Kinder keinen Platz in der Lebensplanung haben, ist nicht nur in den Großstädten hoch. Aber auch bei ihnen gibt es den Wunsch nach emotionaler Absicherung, dem Gefühl der Zugehörigkeit und nach einer Heimat. Der Freundeskreis rückt dann an die Stelle der Familie und soll Halt in Krisen geben und vor Einsamkeit bewahren.

Es ist noch heute kühn, sein Leben ohne eine solche emotionale Absicherung zu planen, und es ist wohl auch kaum möglich; denn wir sind als Menschen Gemeinschaftswesen.

Die heutige Lesung erinnert aber daran, dass das Fundament unseres Lebens, das, woran wir uns festhalten und worauf wir uns verlassen können, letztlich nicht die Menschen sein können, mit denen wir verbunden sind. Abraham fand in seinem Glauben Rechtfertigung, den letzten Halt, den ihm auch seine Frau und sein Sohn nicht geben konnten.

Dass wir aber solche Menschen haben, die mit uns verbunden sind und uns Halt geben, ist ein Geschenk Gottes und keine natürliche Selbstverständlichkeit. Gerade die Heilige Familie erweist sich als heilig, weil Gott sie zusammengeführt hat und weil die Mitglieder der Heiligen Familie wussten, dass sie ihr Fundament und ihren Halt allein in Gott haben.

ANTWORTPSALM

Ps 105,1–6.8–9 (℟: 7a.8a)

℟: Der Herr ist unser Gott; ewig denkt er an seinen Bund.

IV. Ton – GL 528,2 · 385,7

Dankt dem Herrn! Ruft seinen Namen an! *
Macht unter den Völkern seine Taten bekannt!
Singt ihm und spielt ihm, *
sinnt nach über all seine Wunder! – ℟

Rühmt euch seines heiligen Namens! *
Alle, die den Herrn suchen, sollen sich von Herzen freuen.
Fragt nach dem Herrn und seiner Macht; *
sucht sein Antlitz allezeit! – ℟

Denkt an die Wunder, die er getan hat, *
an seine Zeichen und die Beschlüsse aus seinem Mund.
Bedenkt es, ihr Nachkommen seines Knechtes Abraham, *
ihr Kinder Jakobs, die er erwählt hat. – ℟

Ewig denkt er an seinen Bund, *
an das Wort, das er gegeben hat für tausend Geschlechter,
an den Bund, den er mit Abraham geschlossen, *
an den Eid, den er Isaak geschworen hat. – ℟

ZWEITE LESUNG Hebr 11,8.11–12.17–19

Lesung aus dem Hebräerbrief.

Aufgrund des Glaubens gehorchte Abraham dem Ruf, wegzuziehen in ein Land, das er zum Erbe erhalten sollte; und er zog weg, ohne zu wissen, wohin er kommen würde.

Aufgrund des Glaubens empfing selbst Sara die Kraft, trotz ihres Alters noch Mutter zu werden; denn sie hielt den für treu, der die Verheißung gegeben hatte. So stammen denn auch von einem einzigen Menschen, dessen Kraft bereits erstorben war, viele ab: zahlreich wie die Sterne am Himmel und der Sand am Meeresstrand, den man nicht zählen kann.

Aufgrund des Glaubens brachte Abraham den Isaak dar, als er auf die Probe gestellt wurde, und gab den einzigen Sohn dahin, er, der die Verheißungen empfangen hatte und zu dem gesagt worden war: Durch Isaak wirst du Nachkommen haben. Er verließ sich darauf, dass Gott sogar die Macht hat, Tote zum Leben zu erwecken; darum erhielt er Isaak auch zurück. Das ist ein Sinnbild. IF

Gott führt ins Unbekannte, er schenkt das Neue und nicht Erwartete, das, was unserer Erfahrung sogar widerspricht. Unsere Antwort auf Gott ist der Glaube, mit dem wir den Gang ins Unbekannte wagen, und das Vertrauen auf Gott, den wir in unserem Leben zwar hin und wieder spüren, aber nicht sehen können, an den wir glauben und den wir nicht zwingen können.

In der Lesung hören wir von der Verheißung von Land, Nachkommen und Leben über den Tod hinaus, hören wir also von einer Hoffnung, die sich nicht in dieser Welt erschöpft, sondern sogar den Tod überwindet. Auch die Familie steht in dieser Reihe von Verheißungen, sie ist nicht einfach natürlich und selbstverständlich gegeben. Sie ist in dieser Lesung und auch bei uns Frucht eines Aufbruchs, des Vertrauens und des Segens Gottes.

Ruf vor dem Evangelium — Vgl. Hebr 1,1–2

Halleluja. Halleluja.
Einst hat Gott zu den Vätern gesprochen durch die Propheten;
heute aber hat er zu uns gesprochen durch den Sohn.
Halleluja.

Evangelium — Lk 2,22–40 (Kf: 2,22.39–40)

Aus dem heiligen Evangelium nach Lukas.

Es kam für sie der Tag der vom Gesetz des Mose vorgeschriebenen Reinigung. Sie brachten das Kind nach Jerusalem hinauf, um es dem Herrn zu weihen, ⬅ gemäß dem Gesetz des Herrn, in dem es heißt: Jede männliche Erstgeburt soll dem Herrn geweiht sein. Auch wollten sie ihr Opfer darbringen, wie es das Gesetz des Herrn vorschreibt: ein Paar Turteltauben oder zwei junge Tauben.

In Jerusalem lebte damals ein Mann namens Simeon. Er war gerecht und fromm und wartete auf die Rettung Israels und der Heilige Geist ruhte auf ihm. Vom Heiligen Geist war ihm offenbart worden, er werde den Tod nicht schauen, ehe er den Messias des Herrn gesehen habe.

Jetzt wurde er vom Geist in den Tempel geführt; und als die Eltern Jesus hereinbrachten, um zu erfüllen, was nach dem Gesetz üblich war, nahm Simeon das Kind in seine Arme und pries Gott mit den Worten:

Nun lässt du, Herr, deinen Knecht,
wie du gesagt hast, in Frieden scheiden.
Denn meine Augen haben das Heil gesehen,
das du vor allen Völkern bereitet hast,
ein Licht, das die Heiden erleuchtet,
und Herrlichkeit für dein Volk Israel.

Sein Vater und seine Mutter staunten über die Worte, die über Jesus gesagt wurden. Und Simeon segnete sie und sagte zu Maria, der Mutter Jesu: Dieser ist dazu bestimmt, dass in Israel viele durch ihn zu Fall kommen und viele aufgerichtet werden, und er wird ein Zeichen sein, dem widersprochen wird. Dadurch sollen die Gedanken vieler Menschen offenbar werden. Dir selbst aber wird ein Schwert durch die Seele dringen.

Damals lebte auch eine Prophetin namens Hanna, eine Tochter Penuëls, aus dem Stamm Ascher. Sie war schon hochbetagt. Als junges Mädchen hatte sie geheiratet und sieben Jahre mit ihrem Mann gelebt; nun war sie eine Witwe von vierundachtzig Jahren. Sie hielt sich ständig im Tempel auf und diente Gott Tag und Nacht mit Fasten und Beten.

In diesem Augenblick nun trat sie hinzu, pries Gott und sprach über das Kind zu allen, die auf die Erlösung Jerusalems warteten.

➡Als seine Eltern alles getan hatten, was das Gesetz des Herrn vorschreibt, kehrten sie nach Galiläa in ihre Stadt Nazaret zurück. Das Kind wuchs heran und wurde kräftig; Gott erfüllte es mit Weisheit und seine Gnade ruhte auf ihm.⬅ IF

Dieses Evangelium erzählt nicht eigentlich von der Heiligen Familie, Maria und Josef stehen eher im Hintergrund. Erzählt wird von der Begegnung des Jesuskindes, des neuen Lebens, mit zwei alten Menschen, Simeon und Hanna.

Diese alten Menschen schauen nicht traurig oder resigniert oder auch verklärend auf ihre Vergangenheit zurück, sie sehen in die Zukunft, sie sprechen von der Zukunft zu allen, die auf die Erlösung warten. Sie erwarten also etwas. Gerade diese beiden alten Menschen haben die Hoffnung in ihrem ganzen Leben durch- und hochgehalten.

In der Begegnung mit Jesus, dem neuen Leben, finden auch wir, ob wir nun alt oder jung sind, neues Leben und Hoffnung. Was die Heilige Familie betrifft, so steht sie in diesem Evangelium zwar im Hintergrund, aber sie schafft den Raum, in dem diese Begegnung Simeons und Hannas mit dem Leben und der Hoffnung möglich wird.

Maria und Josef behalten Jesus nicht eifersüchtig für sich selbst, sie geben Jesus her. Sie sind als Familie keine in sich abgeschlossene Gemeinschaft. Sie öffnen sich auch für Außenstehende und geben diesen dadurch Zugang zu Gott, der Leben und Hoffnung schenkt. Eine solche Familie erweist sich als christliche und als heilige Familie.

FÜRBITTEN

Wir beten zu Jesus Christus, der in einer menschlichen Familie geboren werden wollte:

V: Christus, höre uns. A: Christus, erhöre uns.

- Für alle Paare, die sich auf ihre kirchliche Hochzeit vorbereiten, dass sie sich immer besser kennenlernen und in ihrer Liebe zueinander wachsen.
- Für die Familienberatungsstellen, dass ihre Arbeit durch die Hochschätzung der ehelichen Liebe und dem Respekt vor dem Wert des menschlichen Lebens geprägt wird.
- Für alle Frauen, die schwanger sind, dass sie ihr Kind voll Freude und Zuversicht erwarten.
- Für die alten Menschen, dass sie sich nicht ausgeschlossen fühlen und voll Dankbarkeit auf ihr Leben zurückschauen können.
- Für unsere Verstorbenen, dass Gott ihre Hoffnungen erfüllt und sie in das Leben ohne Ende ruft.

Gütiger Gott, du schenkst uns die Liebe, die uns untereinander verbindet. Sieh gnädig auf uns und höre unsere Bitten durch Christus, unseren Herrn. Amen.

GABENGEBET

Herr, unser Gott, am Fest der Heiligen Familie bringen wir das Opfer der Versöhnung dar. Höre auf die Fürsprache der jungfräulichen Gottesmutter und des heiligen Josef. Erhalte unsere Familien in deiner Gnade und in deinem Frieden. Darum bitten wir durch Christus, unseren Herrn.

PRÄFATION

Weihnachten II

In Wahrheit ist es würdig und recht, dir, Vater im Himmel, zu danken durch unseren Herrn Jesus Christus. Denn groß ist das Geheimnis seiner Geburt. Er, der unsichtbare Gott, ist heute sichtbar als Mensch erschienen. Vor aller Zeit aus dir geboren, hat er sich den Gesetzen der Zeit unterworfen. In ihm ist alles neu geschaffen. Er heilt die Wunden der ganzen Schöpfung, richtet auf, was darniederliegt, und ruft den verlorenen Menschen ins Reich deines Friedens. Darum rühmen dich Himmel und Erde, Engel und Menschen und singen das Lob deiner Herrlichkeit.

EINLADUNG ZUM VATERUNSER

Gott hat durch Jesus Christus die menschliche Familie geheiligt. Er selber ist der gute Vater, zu dem wir voll Vertrauen kommen können. Wir beten mit den Worten Jesu: Vater unser im Himmel …

EINLADUNG ZUM FRIEDENSGEBET

Gott streckt uns seine Hand entgegen und lädt uns zum Frieden und zur Gemeinschaft mit ihm ein. Er will auch uns im Frieden miteinander verbinden. Deshalb bitten wir: Herr Jesus Christus …

KOMMUNIONVERS

Bar 3,38

Unser Gott ist auf der Erde erschienen als Mensch unter den Menschen.

SCHLUSSGEBET

Gott, unser Vater, du hast uns mit dem Brot des Himmels gestärkt. Bleibe bei uns mit deiner Gnade, damit wir das Vorbild der Heiligen Familie nachahmen und nach der Mühsal dieses Lebens in ihrer Gemeinschaft das Erbe erlangen, das du deinen Kindern bereitet hast. Darum bitten wir durch Christus, unseren Herrn.

SCHLUSSSEGEN

An Weihnachten

Der barmherzige Gott hat durch die Geburt seines Sohnes die Finsternis vertrieben und diesen Tag erleuchtet mit dem Glanz seines Lichtes; er mache eure Herzen hell mit dem Licht seiner Gnade.

Den Hirten ließ er durch den Engel die große Freude verkünden; mit dieser Freude erfülle er euer ganzes Leben.

In Christus hat Gott Himmel und Erde verbunden; durch ihn schenke er allen Menschen guten Willens seinen Frieden, durch ihn vereine er euch mit der Kirche des Himmels.

Das gewähre euch der dreieinige Gott, der Vater und der Sohn ✝ und der Heilige Geist.

Seit Adam und Eva sind wir Menschen eine Familie.
Seit Kain und Abel herrschen in dieser Familie Hass und Gewalt.

Arm und Reich, Weiß und Schwarz,
Alt und Jung, Mann und Frau ziehen Gräben zwischen sich.

Und doch finden immer wieder Mann und Frau,
Eltern und Kinder, Brüder und Schwestern in Liebe zusammen.

In diesen goldenen Faden der Hoffnung und der Liebe
sind Jesus, Maria und Josef eingeknüpft.

Jesus ist mein Bruder, Gott steht mitten in der Familie der Menschen.
So können wir zu der heiligen Familie aller Menschen werden.

Albert Sieger

Hochfest der Gottesmutter Maria
1. Januar 2012

Gruß dir, heilige Mutter, du hast den König geboren,
der in Ewigkeit herrscht über Himmel und Erde.

Sedulius

Oder:

Ein Licht strahlt heute über uns auf,
denn geboren ist uns der Herr.
Und man nennt ihn: Starker Gott, Friedensfürst,
Vater der kommenden Welt.
Seine Herrschaft wird kein Ende haben.

Vgl. Jes 9,1.5; Lk 1,33

Gott spricht auch in diesem neuen Jahr an jedem Tag sein Ja zu uns. Wir antworten darauf in dieser Messe zu Beginn des Jahres mit unserem Ja.

Wir können das am besten in Verbindung mit Maria tun, die auf Gottes unwiderrufliches und unüberbietbares Ja an uns in Jesus Christus als erste mit ihrem Ja geantwortet hat.

Wir rufen zu unserem Herrn Jesus Christus, dem Sohn der Jungfrau Maria:

Kyrie — Oder: GL 130 · KG 331

Herr Jesus Christus, du bist wahrer Gott und wahrer Mensch. Herr, erbarme dich.
Du bist Mensch geworden aus der Jungfrau Maria. Christus, erbarme dich.
Du hast uns mit Gott verbunden. Herr, erbarme dich.

Gloria (siehe Seite 508)

TAGESGEBET

Barmherziger Gott, durch die Geburt deines Sohnes aus der Jungfrau Maria hast du der Menschheit das ewige Heil geschenkt. Laß uns auch im neuen Jahr immer und überall die Fürbitte der gnadenvollen Mutter erfahren, die uns den Urheber des Lebens geboren hat, Jesus Christus, deinen Sohn, unseren Herrn und Gott, der in der Einheit des Heiligen Geistes mit dir lebt und herrscht in alle Ewigkeit.

ERSTE LESUNG Num 6,22–27

Lesung aus dem Buch Numeri.

Der Herr sprach zu Mose: Sag zu Aaron und seinen Söhnen: So sollt ihr die Israeliten segnen; sprecht zu ihnen:

Der Herr segne dich und behüte dich. Der Herr lasse sein Angesicht über dich leuchten und sei dir gnädig. Der Herr wende sein Angesicht dir zu und schenke dir Heil.

So sollen sie meinen Namen auf die Israeliten legen und ich werde sie segnen. |F

Der Segen Gottes, wie er uns in dieser Lesung begegnet, bedeutet nicht, etwas zu haben oder etwas zu tun, sondern er liegt bereits in der Gottesbeziehung selbst – und zwar nicht darin, dass und wie wir uns vor Gott hinstellen oder auch darstellen. Segen ist, dass Gott auf uns schaut.

Gottes wachsames Auge ist nicht das eines Polizisten, der uns überwacht und bestraft. Es ist das Auge eines Vaters, der seine Liebe zu uns nie verleugnen kann und will.

Gott sieht in uns sein Ebenbild, so sehr es auch beschmutzt und verdeckt sein mag, so wenig wir selbst und die Menschen um uns es auch erkennen. Wenn wir vor Gottes Angesicht stehen, von seinem Licht erleuchtet werden, tritt bei uns, in unserem Leben, stärker hervor, dass wir durch unsere Schöpfung als Gottes Ebenbild angelegt sind. Die charakteristischen Züge zeigen sich deutlicher und die hoffnungsvollen Keime können in diesem Licht wachsen.

Vor Gottes Angesicht stehen, ist wie ein Sonnenbad ohne die Gefahr des Sonnenbrands. Es ist wie ein Blick in einen Spiegel, der uns nicht nur zeigt, was wir sind, sondern auch als welche Menschen wir von Gott geschaffen sind, und es begegnet uns dann ein Blick, der zu uns zurückkommt und uns diesem Urbild immer ähnlicher macht. Wir dürfen uns diesem Blick Gottes, seinem Lebenslicht voll Vertrauen stellen.

ANTWORTPSALM

Ps 67,2–3.5–6.8 (℟: 2a)

℟: Gott sei uns gnädig und segne uns!
VIII. Ton – GL 149,4 · KG 367

Gott sei uns gnädig und segne uns. *
Er lasse über uns sein Angesicht leuchten,
damit auf Erden sein Weg erkannt wird *
und unter allen Völkern sein Heil. – ℟

Die Nationen sollen sich freuen und jubeln. *
Denn du richtest den Erdkreis gerecht.
Du richtest die Völker nach Recht *
und regierst die Nationen auf Erden. – ℟

Die Völker sollen dir danken, o Gott, *
danken sollen dir die Völker alle.
Es segne uns Gott. *
Alle Welt fürchte und ehre ihn. – ℟

ZWEITE LESUNG

Gal 4,4–7

Lesung aus dem Galaterbrief.

Schwestern und Brüder! Als die Zeit erfüllt war, sandte Gott seinen Sohn, geboren von einer Frau und dem Gesetz unterstellt, damit er die freikaufe, die unter dem Gesetz stehen, und damit wir die Sohnschaft erlangen.

Weil ihr aber Söhne seid, sandte Gott den Geist seines Sohnes in unser Herz, den Geist, der ruft: Abba, Vater.

Daher bist du nicht mehr Sklave, sondern Sohn; bist du aber Sohn, dann auch Erbe, Erbe durch Gott. ℟F

Gott hat seinen Sohn gesandt, damit wir seine Kinder werden. Er überbrückt die Kluft, die uns von ihm getrennt hat, und er allein kann das tun.

Auf der einen Seite überbrückt Gott die Kluft, indem er zu uns kommt in der Menschwerdung Jesu Christi. Er nimmt die ganze menschliche Wirklichkeit an, zu der auch die Erfahrung des Bösen und die verschiedenen Zwänge und Unfreiheiten gehören, denen wir unterliegen. Paulus betont das durch den Hinweis auf die wirkliche Geburt Jesu, »geboren von einer Frau«, und durch den Hinweis, dass auch Jesus, obwohl er der Sohn Gottes war, unter dem Gesetz stand.

Dass Gott zu uns gekommen ist in der Menschwerdung ist aber nur die eine Hälfte dieses Brückenschlags. Auch wir sollen unseren Schritt auf Gott hin tun. Aber auch das können wir nicht aus eigener Kraft. Ermöglicht wird uns das durch den Geist Gottes, der uns neu macht, der uns zu Kindern Gottes macht, so dass wir Gott als unseren Vater ansprechen können und so auch von unserer Seite aus die Brücke zu ihm schlagen. Maria ist uns dabei als Erste vorausgegangen. Aus der Kraft des Heiligen Geistes und geführt von ihrem Sohn hat sie als Erste von unserer Seite aus die Brücke überquert, die Gott selbst für uns zu sich geschlagen hat.

In den Zwängen, der Unfreiheit und der Todverfallenheit dieser Welt, die Jesus Christus in seiner Menschwerdung angenommen hat und die wir oft genug, vielleicht sogar täglich, erleben, hat Gott uns seinen Geist gegeben. Es ist ein Geist der Freiheit; denn er macht uns aus Sklaven zu Kindern und es ist ein Geist der Liebe, der Vater und Kinder zusammenführt.

In diesem Geist sind wir jetzt schon Erben, haben wir Anteil an Gottes Reich. In diesem Geist sind wir jetzt schon Freie, haben wir Anteil an der Erlösung und der Freiheit von der Sklaverei der Sünde und des Todes. In diesem Geist sind wir Kinder Gottes, haben wir Anteil an allem, was Gott uns schenken will. Und wie sollte er in seiner Liebe seinen Kindern etwas vorenthalten? Aus der Kraft dieses Geistes können wir daher wie Maria die Brücke schlagen überqueren, um dann ganz bei Gott zu sein.

RUF VOR DEM EVANGELIUM Vgl. Hebr 1,1–2

Halleluja. Halleluja.
Einst hat Gott zu den Vätern gesprochen durch die Propheten;
heute aber hat er zu uns gesprochen durch den Sohn.
Halleluja.

EVANGELIUM Lk 2,16–21

Aus dem heiligen Evangelium nach Lukas.

In jener Zeit eilten die Hirten nach Betlehem und fanden Maria und Josef und das Kind, das in der Krippe lag. Als sie es sahen, erzählten sie, was ihnen über dieses Kind gesagt worden war. Und alle, die es hörten, staunten über die Worte der Hirten.

Maria aber bewahrte alles, was geschehen war, in ihrem Herzen und dachte darüber nach.

Die Hirten kehrten zurück, rühmten Gott und priesen ihn für das, was sie gehört und gesehen hatten; denn alles war so gewesen, wie es ihnen gesagt worden war.

Als acht Tage vorüber waren und das Kind beschnitten werden sollte, gab man ihm den Namen Jesus, den der Engel genannt hatte, noch ehe das Kind im Schoß seiner Mutter empfangen wurde.

»Maria aber bewahrte alles, was geschehen war, in ihrem Herzen und dachte darüber nach.« Eine alte Übersetzung spricht davon, dass Maria das alles in ihrem Herzen bewegte. Sie betrachtete es von allen Seiten.

Es war eine harte Nuss, die Maria da erhalten hat, eine harte Nuss zu verstehen, aber auch eine harte Nuss, das alles zu tragen, zu tragen bis unter das Kreuz. Wenn Maria die Worte an sie bewahrt und darüber nachdenkt, dann dreht und wendet sie diese Nuss von allen Seiten und sucht nach dem Spalt, um durch die Schale zum Kern vorzudringen. Maria ahnt, wie köstlich dieser Kern sein muss, wie köstlich die Verheißungen und die Geschenke Gottes sind, aber noch hindert sie die Schale, an diesen Kern heranzukommen.

Dass auch sie ihren Sohn nicht im Letzten begreifen kann, davon werden die Evangelien berichten, aber auch von ihrer Treue, die sie bis unter das Kreuz führt und sie bei ihrem Sohn bis zuletzt ausharren lässt, und von ihrer Ahnung, aus der heraus sie das tiefe Wort spricht: Was er euch sagt, das tut! (Joh 2,5). Aber erst in Kreuz und Auferstehung wird die harte Schale aufgesprengt, wird der Kern der harten Nuss freigelegt, werden die Verheißungen verständlich. Nicht nur Maria, wir alle können diesen Kern nun genießen, weil wir in unserer Taufe Anteil bekommen haben an dem Tod und der Auferstehung Jesu Christi.

Credo (siehe Seite 512)

Fürbitten

Wir beten zu Gott, unserem Schöpfer, der uns auch bei sich vollenden will:

V: Vater im Himmel. A: Wir bitten dich, erhöre uns.

- Für unseren Papst und die Bischöfe, dass sie sich den heutigen Herausforderungen stellen und aus der Kraft des Geistes nach guten Wegen für die Kirche suchen.
- Für die Arbeit der Vereinten Nationen, dass sie Erfolg in ihren Bemühungen um den Frieden in der Welt haben.
- Für die Soldaten unseres Landes, die an einem Auslandseinsatz beteiligt sind, dass sie gesund zu ihren Familien zurückkehren.
- Für die Menschen, die einen neuen Anfang in ihrem Leben versuchen wollen, dass sie fest bei ihren guten Vorsätzen bleiben.
- Für alle, die in diesem Jahr sterben werden, dass Gott ihnen das ewige Leben bei sich schenken möge.

Allmächtiger Gott, in deiner Hand liegen Anfang und Ende. Höre gnädig unsere Bitten und segne dieses neue Jahr durch Christus, unseren Herrn.

GABENGEBET

Barmherziger Gott, von dir kommt alles Gute, und du führst es zum Ziel. Wir danken dir für den Anfang des Heiles, das du uns in der Geburt deines Sohnes aus der Jungfrau Maria eröffnet hast. Höre auf ihre Fürsprache und führe uns in diesem Jahr näher zu dir. Darum bitten wir durch Christus, unseren Herrn.

PRÄFATION

Von der seligen Jungfrau Maria I

In Wahrheit ist es würdig und recht, dir, Herr, heiliger Vater, immer und überall zu danken, weil du Großes getan hast an der seligen Jungfrau Maria. Vom Heiligen Geist überschattet, hat sie deinen eingeborenen Sohn empfangen und im Glanz unversehrter Jungfräulichkeit der Welt das ewige Licht geboren, unseren Herrn Jesus Christus. Durch ihn loben die Engel deine Herrlichkeit, beten dich an die Mächte, erbeben die Gewalten. Die Himmel und die himmlischen Kräfte und die seligen Serafim feiern dich jubelnd im Chore. Mit ihrem Lobgesang laß auch unsere Stimmen sich vereinen und voll Ehrfurcht rufen.

EINLADUNG ZUM VATERUNSER

Wir haben den Geist empfangen, der uns zu Kindern Gottes macht, den Geist, aus dem heraus wir zu Gott als unserem Vater sprechen können. So beten wir: Vater unser im Himmel …

EINLADUNG ZUM FRIEDENSGEBET

Wir beginnen dieses neue Jahr in der Hoffnung auf Frieden und wenden uns daher an Jesus Christus, durch den Gott für uns Frieden geschaffen hat. Deshalb bitten wir: Herr Jesus Christus …

KOMMUNIONVERS

Hebr 13,8

Jesus Christus ist derselbe gestern und heute und in Ewigkeit.

SCHLUSSGEBET

Herr, unser Gott, am Fest der seligen Jungfrau Maria, die wir als Mutter deines Sohnes und Mutter der Kirche bekennen, haben wir voll Freude das heilige Sakrament empfangen. Laß es uns eine Hilfe sein, die uns zum ewigen Leben führt. Darum bitten wir durch Christus, unseren Herrn.

SCHLUSSSEGEN

An Neujahr

Gott, unser Vater, der Quell und Ursprung alles Guten, gewähre euch seinen Segen und erhalte euch im neuen Jahr unversehrt an Leib und Seele.

Er bewahre euch im rechten Glauben, in unerschütterlicher Hoffnung und in der Geduld unbeirrbarer Liebe.

Eure Tage ordne er in seinem Frieden, eure Bitten erhöre er heute und immerdar; am Ende eurer Jahre schenke er euch das ewige Leben.

Das gewähre euch der dreieinige Gott, der Vater und der Sohn ✝ und der Heilige Geist.

Gott, du bist der Gott des Anfangs, der Schöpfer aller Dinge.
Du gibst den Anfang und öffnest uns den Weg zu dir.
Du rufst uns ins Leben und schenkst ihm sein Maß,
schenke uns reichlich und segne uns im neuen Jahr.

Du bist der Gott des Weges, der sein Volk geführt hat.
Du gibst die Sehnsucht, aus der wir Kraft gewinnen.
Du bist der Ruheplatz, an dem wir rasten können,
sei unser Begleiter auch im neuen Jahr.

Du bist der Gott der Vollendung, in dem wir uns einst finden.
Du bist das Ziel des Weges, auf das wir hoffen.
Du führst das neue Jahr mit seinen Hoffnungen herauf,
nimm auch das alte mit seinem Glück und seinen Enttäuschungen an.

Gott, du hältst den Anfang und das Ende,
wie unser Anfang sei auch unser Ende in dir.

Albert Sieger

Erscheinung des Herrn

6. Januar 2012

Seht, gekommen ist der Herrscher, der Herr.
In seiner Hand ist die Macht und das Reich.
Vgl. Mal 3,1; 1 Chr 19,12

Zum Weihnachtsschmuck gehört wesentlich der Stern. Er ist aus der Festsymbolik nicht wegzudenken. Biblisch spielt der Stern bei der Anbetung der Magier eine entscheidende Rolle. Immer wieder ist gerätselt worden, ob es diesen Stern historisch gab. Entscheidend ist das nicht. Der Stern, der den Magiern aufgegangen ist, steht für das Kommen des Messias, zeigt seine Epiphanie.

Die Kirchenväter haben Christus in Verbindung gebracht mit einem anderen Stern, mit dem Morgenstern, der zugleich auch der Abendstern ist. Schon der 2. Petrusbrief (2 Petr 1,19) hat Christus als Morgenstern verstanden, der in unserem Herzen aufgehen wird, wenn der Tag des Herrn anbricht. Christus, so Hieronymus, werde deshalb Morgenstern genannt, weil er, aus der Höhe kommend, uns in Finsternis und Todesschatten Sitzenden das Licht brachte. Das helle Licht des Morgen- und Abendsterns hat seit je her die Menschen fasziniert. Das Alpha, der Anbeginn allen Werdens, und das Omega, die Vollendung des Seins, sind in Christus lichtvoll verbunden. An Epiphanie, im Weihnachtsgeschehen leuchtet uns in Christus ein Stern am nächtlichen Himmel auf, der uns auf Gottes heilvolle Liebe verweist. Dieser Weihnachtsstern ist auch Bild unserer Sehnsucht nach dem ganz Anderen. Was wir am Himmel sehen, das ist immer auch eine Wirklichkeit in uns. Wir sprechen ja auch von dem Stern, der am Horizont unseres Herzens aufgeht, wenn wir mit unserer Sehnsucht in Berührung kommen, und wir spüren, dass unser Herz weit über alles Alltägliche hinausreicht, bis in die Welt Gottes, in der wir wahrhaft daheim sind.

KYRIE-RUFE

Oder: GL 131 · KG 330

Herr Jesus Christus, du bist das Licht in unserer Finsternis. Herr, erbarme dich.
Durch dich erkennen wir Gottes Liebe. Christus, erbarme dich.
Du offenbarst uns deine Herrlichkeit. Herr, erbarme dich.

GLORIA (siehe Seite 508)

TAGESGEBET

Allherrschender Gott, durch den Stern, dem die Weisen gefolgt sind, hast du am heutigen Tag den Heidenvölkern deinen Sohn geoffenbart. Auch wir haben dich schon im Glauben erkannt. Führe uns vom Glauben zur unverhüllten Anschauung deiner Herrlichkeit. Darum bitten wir durch Jesus Christus.

ERSTE LESUNG

Jes 60,1–6

Lesung aus dem Buch Jesaja.

Auf, werde licht, Jerusalem, denn es kommt dein Licht und die Herrlichkeit des Herrn geht leuchtend auf über dir.

Denn siehe, Finsternis bedeckt die Erde und Dunkel die Völker, doch über dir geht leuchtend der Herr auf, seine Herrlichkeit erscheint über dir. Völker wandern zu deinem Licht und Könige zu deinem strahlenden Glanz.

Blick auf und schau umher: Sie alle versammeln sich und kommen zu dir. Deine Söhne kommen von fern, deine Töchter trägt man auf den Armen herbei. Du wirst es sehen und du wirst strahlen, dein Herz bebt vor Freude und öffnet sich weit.

Denn der Reichtum des Meeres strömt dir zu, die Schätze der Völker kommen zu dir. Zahllose Kamele bedecken dein Land, Dromedare aus Midian und Efa. Alle kommen von Saba, bringen Weihrauch und Gold und verkünden die ruhmreichen Taten des Herrn. IF

Zion wird das bevorstehende Heil angekündigt. Dieses bringt Veränderung mit sich. Im Text ist die Bewegung vorherrschend.

Zunächst ist vom Aufgehen des Lichts im Kommen Jahwes die Rede. Dann kommen die Völker nach Jerusalem. Sie werden sozusagen vom Licht angezogen, das über Zion erstrahlt. Jerusalem selbst wird aufgerufen, hell zu werden und den Blick zu heben, weil Gottes Herrlichkeit kommt. Wie das Aufgehen der Sonne, die alle Dunkelheit verbannt, es licht werden lässt, so wird die Epiphanie des Herrn alle Finsternis, alle Dunkelheiten erhellen. Im Vorstellungsbild des Textes ist offensichtlich die übrige Welt noch im Dunkeln, so dass der Aufgang des Lichts weithin sichtbar ist und wie ein Anziehungspunkt für die Völker wirkt. Diese machen sich auf und kommen nach Jerusalem. Erneut erfolgt an Zion die Aufforderung zu sehen, den Zug der Herankommenden wirklich wahrzunehmen. Wer lange niedergedrückt war, den Blick angstvoll oder verunsichert gesenkt hat, wer geplagt war von Unterdrückung und Leid, der muss das Aufblicken und den freudigen, zuversichtlichen Blick erst wieder lernen. Die Ersten, die als Herankommende genannt werden, sind die vermissten Söhne und Töchter, die nun aus der Fremde heimkehren. Einzig und allein auf Gott geht diese Zusammenführung zurück. Nicht nur ergriffene Freude, auch Offenheit und Weite des eigenen Herzens bewirkt dieses Gotteswunder bei Zion. Damit nicht genug: Die Völker bringen unzählige Kostbarkeiten. Eine Fülle des Reichtums bewegt sich auf Jerusalem zu. Doch diese Schätze dienen nicht der »persönlichen« Bereicherung Jerusalems, sondern ganz allein der Verherrlichung Gottes. Gottes Heilszusage an sein Volk verwirklicht sich im Zug der Völker mit ihren vielfältigen Gaben. So geschieht universale Gemeinschaft.

Auch auf der ganz persönlichen Ebene kann diese »alte« Zusage Gottes heute Wirklichkeit werden. Auch wir machen die Erfahrung, dass es in uns niederdrückenden und aussichtslos erscheinenden Situationen licht werden kann, sich uns Sichtweisen eröffnen, scheinbar verlorene Möglichkeiten und Talente erneut zutage treten, Neues auf uns zukommt und wir beschenkt werden im Dialog mit anderen. Diese uns geschenkten Lichtblicke widerfahren uns, kommen auf uns zu und lassen unser Herz sich freudig weiten. So geschehen Epiphanie und Heil oft ganz unscheinbar im profanen Alltag.

ANTWORTPSALM Ps 72,1–2.7–8.10–13 (℟: 11)

℟: Alle Könige müssen ihm huldigen, alle Völker ihm dienen.
VI. Ton – GL 153,1 KG 365

Verleih dein Richteramt, o Gott, dem König, *
dem Königssohn gib dein gerechtes Walten!
Er regiere dein Volk in Gerechtigkeit *
und deine Armen durch rechtes Urteil. – ℟

Die Gerechtigkeit blühe auf in seinen Tagen *
und großer Friede, bis der Mond nicht mehr da ist.
Er herrsche von Meer zu Meer, *
vom Strom bis an die Enden der Erde. – ℟

Die Könige von Tarschisch und von den Inseln bringen
Geschenke, *
die Könige von Saba und Seba kommen mit Gaben.
Alle Könige müssen ihm huldigen, *
alle Völker ihm dienen. – ℟

Er rettet den Gebeugten, der um Hilfe schreit, *
den Armen und den, der keinen Helfer hat.
Er erbarmt sich des Gebeugten und Schwachen, *
er rettet das Leben der Armen. – ℟

ZWEITE LESUNG Eph 3,2–3a.5–6

Lesung aus dem Epheserbrief.

Schwestern und Brüder! Ihr habt gehört, welches Amt die Gnade Gottes mir für euch verliehen hat. Durch eine Offenbarung wurde mir das Geheimnis mitgeteilt. Den Menschen früherer Generationen war es nicht bekannt; jetzt aber ist es seinen heiligen Aposteln und Propheten durch den Geist offenbart worden: dass nämlich die Heiden Miterben sind, zu demselben

Leib gehören und an derselben Verheißung in Christus Jesus teilhaben durch das Evangelium. IF

Der Verfasser des Epheserbriefes lässt Paulus sich vorstellen als berufenen Verkündiger des Gotteswortes. Dieses Amt, seine Aufgabe, wurde ihm verliehen für andere. Sein Wirken ist damit Teil des großen göttlichen Heilsplanes.

Entsprechend erfolgt die Einsicht in das Christusmysterium durch geschenkte Offenbarung. Es klingt das Damaskus-Geschehen an, das den radikalen Verfechter der Thora zum Apostel Christi für die Heiden umwandelte. Der göttliche Heilsplan ist unlösbar mit der Person Christi verbunden. Genau das ist gegenüber früheren Generationen ein völlig neues Ereignis, das sich in menschlichem Nachsinnen allein nicht erschließt, sondern nur von Gott offenbart werden kann.

Inhaltlich geht es darum, dass die Heiden in die Einheit mit Christus hineingehören. Jeder Separatismus, jede elitäre, andere ausschließende Haltung wird darin abgelehnt. Kirche, wie sie hier entworfen wird, ist eben keine exklusive Runde, sondern eine inklusive Gemeinschaft, die offen ist, einlädt und darin Bereicherung, ja Vollendung erfährt. Die Heiden, die Fremden oder Andersartigen sind nämlich »Miterben«, gehören »zu demselben Leib« und haben teil an »derselben Verheißung«. Sie gehören damit von vorneherein in diese Christusgemeinschaft hinein und erst durch sie wird der »Leib« vollständig. Da, wo Christus sich zeigt, eröffnet sich ein universaler Heilsraum. In der Verkündigung des Evangeliums tragen wir dazu bei, dass Gottes Heil offenkundig werden kann.

RUF VOR DEM EVANGELIUM Vgl. Mt 2,2

Halleluja. Halleluja.
Wir haben seinen Stern gesehen
und sind gekommen, dem Herrn zu huldigen.
Halleluja.

EVANGELIUM Mt 2,1-12

Aus dem heiligen Evangelium nach Matthäus.

Als Jesus zur Zeit des Königs Herodes in Betlehem in Judäa geboren worden war, kamen Sterndeuter aus dem Osten nach Jerusalem und fragten: Wo ist der neugeborene König der Juden? Wir haben seinen Stern aufgehen sehen und sind gekommen, um ihm zu huldigen.

Als König Herodes das hörte, erschrak er und mit ihm ganz Jerusalem. Er ließ alle Hohenpriester und Schriftgelehrten des Volkes zusammenkommen und erkundigte sich bei ihnen, wo der Messias geboren werden solle.

Sie antworteten ihm: In Betlehem in Judäa; denn so steht es bei dem Propheten:

Du, Betlehem im Gebiet von Juda, bist keineswegs die unbedeutendste unter den führenden Städten von Juda; denn aus dir wird ein Fürst hervorgehen, der Hirt meines Volkes Israel.

Danach rief Herodes die Sterndeuter heimlich zu sich und ließ sich von ihnen genau sagen, wann der Stern erschienen war. Dann schickte er sie nach Betlehem und sagte: Geht und forscht sorgfältig nach, wo das Kind ist; und wenn ihr es gefunden habt, berichtet mir, damit auch ich hingehe und ihm huldige. Nach diesen Worten des Königs machten sie sich auf den Weg.

Und der Stern, den sie hatten aufgehen sehen, zog vor ihnen her bis zu dem Ort, wo das Kind war; dort blieb er stehen. Als sie den Stern sahen, wurden sie von sehr großer Freude erfüllt. Sie gingen in das Haus und sahen das Kind und Maria, seine Mutter; da fielen sie nieder und huldigten ihm. Dann holten sie ihre Schätze hervor und brachten ihm Gold, Weihrauch und Myrrhe als Gaben dar.

Weil ihnen aber im Traum geboten wurde, nicht zu Herodes zurückzukehren, zogen sie auf einem anderen Weg heim in ihr Land. IF

Die Geburt Jesu ist der Grund, warum Sterndeuter in Jerusalem ankommen. Diese gebildeten Männer besaßen ein reiches philosophisches, theologisches und naturwissenschaftliches Wissen und waren bewandert in Astrologie, einem in jüdischen Augen wohl eher fragwürdigen Bereich, der mit Geheimwissen und Zauberei in Verbindung gebracht wurde. Das Land ihrer Herkunft ist ungenau bezeichnet – »aus dem Osten«. Denkt man von Jerusalem aus, so ist damit Persien und Babylonien, also das Gebiet des heutigen Iran, Irak bis zum Persischen Golf bezeichnet. Dem Text kommt es nicht darauf an, die Magier zu identifizieren. Zentral ist, dass die geistige Elite des Heidentums unterwegs ist zu Christus, dem König. Auslöser dieser Suche war der Aufgang eines neuen Sterns, den die Gelehrten auf den Messias hin deuten konnten. Das Ziel Jerusalem steht von Anfang an fest. Hier klingt die alttestamentliche Vorstellung der Völkerwallfahrt nach Zion an, wie sie z. B. der Prophet Jesaja und die Psalmen formulieren. Die eigentliche Handlung beginnt erst in der Stadt. Die Frage der Suchenden nach dem neugeborenen König der Juden löst Erschrecken beim König und in der Folge in ganz Jerusalem aus. Gerade diese Übertreibung macht die Bedeutungsschwere der Geburt klar und blamiert zudem die Unwissenden, an die die messianische Verheißung als erste ergangen ist. Voraus verwiesen ist hier auch schon auf den Tod Jesu am Kreuz, das die Inschrift »König der Juden« trägt und damit die Begründung der Strafe angibt. Das Zusammenkommen der Hohenpriester und Schriftgelehrten erinnert an die Sitzung des Hohen Rates im Rahmen der Passionsgeschichte. In beiden Fällen ist das Ergebnis der Beratungen der Tötungsbeschluss. Der prophezeite König widerspricht in seinem selbstlos sorgenden Verhalten, das einem guten Hirten entspricht, ganz offensichtlich dem Machtgebaren des weltlichen Herrschers. Dieser erweist sich nämlich als heimtückisch, verlogen und grausam. Auch die fremden Sterndeuter sind mit ihren guten Absichten und in ihrer arglosen Art eindeutig Kontrastfiguren zu Herodes, dem Stellvertreter profaner Mächtigkeiten.

Im zweiten Teil des Textes geleitet der Stern »zum Ort, wo das Kind war«. Wie die Feuersäule dem wandernden Volk Israel nachts in der Wüste voranging, so führt nun das Gestirn die Heiden zum Gottessohn. Die Fremden erkennen aus der Naturerscheinung die Ankunft des Messias, merken, was es geschlagen hat, und nehmen das im »Christ-Kind« von Gott geschenkte Heil an. Ihr anbetender Gestus des Niederwerfens verweist auf die Hoheit des Christus-Königs, des Sohnes Davids, des Gottessohnes und des verheißenen Immanuel. Die aus einem fremden Land Kommenden erweisen sich als wahre Jünger Jesu.

Aber die Magier sind nicht nur Menschen, die auf ihrer Suche nach Sinn und Heil gelernt haben, die Zeichen der Zeit und der Natur zu begreifen, sie verstehen sich auch auf die Deutung von Träumen, hören damit auf ihre innere Stimme und spüren im Tiefsten, wo der richtige und wahre Weg zu finden ist. Der böse Plan des machtgierigen Herodes wird dadurch vereitelt und das göttliche Kind geschützt.

Und genau darauf kommt es an: Die Achtsamkeit oder – wie Jesus später formulierte – das Wachsamsein und – wie die mystische Tradition des Christentums anregt – das Gebet der liebenden Aufmerksamkeit lassen Gottes Führung erkennen und das Heiligste schützen.

CREDO (siehe Seite 512)

FÜRBITTEN

Gott, du führst Menschen auf den unterschiedlichsten Wegen zu dir. Wir bitten dich:

A: Herr, erhöre uns.

- Für alle, die sich einsetzen, die Vision einer gerechten und friedvollen Welt Wirklichkeit werden zu lassen.
- Für alle, die mit Leidenschaft nach der Wahrheit suchen.
- Für alle, die auf der Suche nach Sinn und Orientierung in ihrem Leben sind.
- Für alle, die ihren Lebensstern und ihre Hoffnung verloren haben.
- Für alle, denen in Kirche und Welt Machtpositionen anvertraut sind.

– Für alle, die sich für den Dialog der Religionen stark machen.

Gott, du bist mit uns unterwegs und gibst uns Geleit. Dir vertrauen wir uns an. Amen.

Gabengebet

Allmächtiger Gott, nimm die Gaben deiner Kirche an. Sie bringt nicht mehr Gold, Weihrauch und Myrrhe dar, sondern er, den diese Gaben bezeichnen, wird für uns geopfert und uns zur Speise gegeben, unser Herr Jesus Christus, der mit dir lebt und herrscht in alle Ewigkeit.

Präfation

Vom Tag

In Wahrheit ist es würdig und recht, dir, Herr, heiliger Vater, allmächtiger, ewiger Gott, immer und überall zu danken. Denn heute enthüllst du das Geheimnis unseres Heiles, heute offenbarst du das Licht der Völker, deinen Sohn Jesus Christus. Er ist als sterblicher Mensch auf Erden erschienen und hat uns neu geschaffen im Glanz seines göttlichen Lebens. Darum singen wir mit den Engeln und Erzengeln, den Thronen und Mächten und mit all den Scharen des himmlischen Heeres den Hochgesang von deiner göttlichen Herrlichkeit.

Einladung zum Vaterunser

Jesus Christus will alle Menschen zum Vater führen. So beten wir, wie er es uns gelehrt hat: Vater unser im Himmel …

Einladung zum Friedensgebet

Jesus Christus offenbart seine Herrlichkeit allen Völkern. In ihm finden alle Menschen Gottes Frieden. Deshalb bitten wir: Herr Jesus Christus …

Kommunionvers

Vgl. Mt 2,2

Wir haben seinen Stern aufgehen sehen und sind gekommen, dem Herrn mit Geschenken zu huldigen.

SCHLUSSGEBET

Wir danken dir, allmächtiger Gott, für die heiligen Gaben und bitten dich: Erhelle unsere Wege mit dem Licht deiner Gnade, damit wir in Glauben und Liebe erfassen, was du uns im Geheimnis der Eucharistie geschenkt hast. Darum bitten wir durch Christus, unseren Herrn.

SCHLUSSSEGEN Vom Tag

Gott, unser Vater, hat uns aus der Finsternis in sein wunderbares Licht gerufen; er segne euch und stärke euch im Glauben, in der Hoffnung und in der Liebe.

Und Christus, der heute der Welt erschienen ist als Licht in der Finsternis, leuchte auf in euren Herzen und mache euer Leben zum Licht für eure Brüder.

Die Weisen sind dem Stern gefolgt und haben Christus gefunden; Gott führe auch euch auf dem Weg der irdischen Pilgerschaft zur Anschauung seiner Herrlichkeit.

Das gewähre euch der dreieinige Gott, der Vater und der Sohn ✝ und der Heilige Geist.

Die Magier folgten dem Stern, der ihnen aufgegangen war.

Welchem Stern folge ich?
Welche Hoffnungen, Träume, Visionen bewegen mich?
Welche Einsichten sind mir aufgegangen und welche Werte prägen mein Leben?

In der Tradition werden die drei Sterndeuter mit den Lebensaltern Jüngling, Erwachsener und alter weiser Mensch verbunden. Immer, zu jeder Zeit sind wir Suchende nach Gottes Heil und zugleich Findende.

An welchen Stern habe ich mein Leben gebunden?
Wohin war / bin ich unterwegs als junger Mensch, als Erwachsener, als älterer Mensch?
Welche Zeichen haben mich auf meinem Lebens- und Berufungsweg begleitet?
Wo habe ich während meiner verschiedenen Lebensabschnitte überall Gott gefunden?

Sie holten ihre Schätze hervor.

Welche Gaben sind mir mitgegeben?
Welche Fähigkeiten habe ich ausgeprägt, welche Talente schlummern noch oder sind vernachlässigt?
Welche schmerzhaften Erfahrungen musste ich machen?
Sind diese Scherben meines Lebens vielleicht kostbarer als die Erfolge und Leistungen?

Darbringen – alles: Gold, Weihrauch und Myrrhe.
Und dann heimkehren auf einem anderen Weg.

Renate Rautenbach

Taufe des Herrn

8. Januar 2012

Als Jesus getauft war, öffnete sich der Himmel,
und er sah den Geist Gottes wie eine Taube
auf sich herabkommen.
Und die Stimme des Vaters aus dem Himmel sprach:
Das ist mein geliebter Sohn, an dem ich Gefallen habe.

Vgl. Mt 3,16–17

Übergänge und Umbrüche kennzeichnen das menschliche Leben. Das eine wird beendet, etwas anderes beginnt. Nicht immer geht das ohne Krisen ab. Umstellungen und Neuorientierung sind notwendig. Vielfach sind diese Übergänge auch markiert durch besondere Riten oder zeichenhafte Handlungen. Besonders anschaulich wird das am Ende einer Schullaufbahn oder nach Erreichen einer beruflichen Qualifikation. Ein Zertifikat oder ein Zeugnis gibt Auskunft über die Kompetenzen und berechtigt zur Ausübung einer Tätigkeit, eines Berufs oder zum Aufnehmen weiterer Bildungsgänge. Ob jemand in seinem Bereich gut ist und wird, das erweist sich erst im praktischen und immer wieder reflektierten Tun. Der Übergang in eine andere Lebensform wird ebenso in Zeichen bezeugt. Brautleute beispielsweise stecken einander den Ring an. In Klöstern erhalten Menschen, die der Gemeinschaft beitreten, in einer offiziellen Aufnahmefeier vielerorts einen neuen Namen.

Die Taufe bildet für Jesus einen ebensolchen Übergang. Der Vater bezeugt: Du bist mein geliebter Sohn. Ausgestattet mit der Kraft des Geistes beginnt der neue Abschnitt des öffentlichen Wirkens.

Das Kirchenjahr markiert diesen Übergang mit einer Farbänderung: Statt Weiß ist nun Grün die liturgische Farbe. Der Weihnachtsfestkreis ist beendet, nun kann die Menschwerdung weiter Gestalt im Alltag gewinnen.

KYRIE-RUFE GL 429 · KG 52

Herr Jesus Christus, in deiner Taufe wurdest du als Sohn Gottes geoffenbart. Herr, erbarme dich.
Du hast uns durch unsere Taufe in deine Kirche gerufen. Christus, erbarme dich.
Du stehst uns bei und führst uns auf dem Weg zu Gott. Herr, erbarme dich.

GLORIA (siehe Seite 508)

TAGESGEBET

Allmächtiger, ewiger Gott, bei der Taufe im Jordan kam der Heilige Geist auf unseren Herrn Jesus Christus herab, und du hast ihn als deinen geliebten Sohn geoffenbart. Gib, daß auch wir, die aus dem Wasser und dem Heiligen Geist wiedergeboren sind, in deinem Wohlgefallen stehen und als deine Kinder aus der Fülle dieses Geistes leben. Darum bitten wir durch Jesus Christus.

Oder:

Allmächtiger Gott, dein einziger Sohn, vor aller Zeit aus dir geboren, ist in unserem Fleisch sichtbar erschienen. Wie er uns gleichgeworden ist in der menschlichen Gestalt, so werde unser Inneres neu geschaffen nach seinem Bild. Darum bitten wir durch ihn, der in der Einheit des Heiligen Geistes mit dir lebt und herrscht in alle Ewigkeit.

Es kann auch die Lesungen (mit Antwortpsalm und Ruf vor dem Evangelium) vom Lesejahr A genommen werden.

ERSTE LESUNG Jes 55,1–11

Lesung aus dem Buch Jesaja.

So spricht der Herr: Auf, ihr Durstigen, kommt alle zum Wasser! Auch wer kein Geld hat, soll kommen. Kauft Getreide und esst, kommt und kauft ohne Geld, kauft Wein und Milch ohne Bezahlung! Warum bezahlt ihr mit Geld, was euch nicht nährt, und mit dem Lohn eurer Mühen, was euch nicht satt macht? Hört auf mich, dann bekommt ihr das Beste zu essen und könnt euch laben an fetten Speisen. Neigt euer Ohr mir zu und kommt zu mir, hört, dann werdet ihr leben. Ich will einen ewigen Bund mit euch schließen gemäß der beständigen Huld, die ich David erwies.

Seht her: Ich habe ihn zum Zeugen für die Völker gemacht, zum Fürsten und Gebieter der Nationen. Völker, die du nicht kennst, wirst du rufen; Völker, die dich nicht kennen, eilen zu dir, um des Herrn, deines Gottes, des Heiligen Israels willen, weil er dich herrlich gemacht hat.

Sucht den Herrn, solange er sich finden lässt, ruft ihn an, solange er nahe ist. Der Ruchlose soll seinen Weg verlassen, der Frevler seine Pläne. Er kehre um zum Herrn, damit er Erbarmen hat mit ihm, und zu unserem Gott; denn er ist groß im Verzeihen. Meine Gedanken sind nicht eure Gedanken und eure Wege sind nicht meine Wege – Spruch des Herrn. So hoch der Himmel über der Erde ist, so hoch erhaben sind meine Wege über eure Wege und meine Gedanken über eure Gedanken.

Denn wie der Regen und der Schnee vom Himmel fällt und nicht dorthin zurückkehrt, sondern die Erde tränkt und sie zum Keimen und Sprossen bringt, wie er dem Sämann Samen gibt und Brot zum Essen, so ist es auch mit dem Wort, das meinen Mund verlässt: Es kehrt nicht leer zu mir zurück, sondern bewirkt, was ich will, und erreicht all das, wozu ich es ausgesandt habe. IF

Wie ein Marktschreier bietet der Prophet seine Lebensmittel an – sowohl die Grundnahrungsmittel Wasser und Getreide wie auch Wein und Milch, die Bestandteile des Freudenmahles.

Fast schon aufdringlich klingt seine sich immer wiederholende Aufforderung zu kommen und zu kaufen. Keiner soll leer ausgehen – der Erwerb der Güter ist kostenlos. Dennoch sind diese von höchster Qualität – ganz im Gegensatz zu dem, was man für viel

Geld und Mühe so alles erstehen kann. Dieses nährt nämlich nicht, macht nicht satt. Bei Gott gilt nicht der Grundsatz, was nichts kostet, ist auch nichts wert. Hier bekommt man etwas von Wert geschenkt und wird nicht mit leeren Versprechungen abgespeist. In unseren Ohren klingt die Aufforderung, sich mit Gutem beschenken zu lassen – ganz ohne Gegenleistung – recht ungewohnt und löst ungläubige Skepsis aus. Zu sehr sind wir durch Werbeslogans, Gratisangebote und Schnäppchenkampagnen geprägt. Wir wittern hinter diesen Präsenten einen Werbetrick, der uns einfangen und uns letztlich das Geld aus der Tasche ziehen soll. Der biblische Text stellt unsere Erfahrung auf den Kopf und wirft unser Preis-Leistungs-Denken über den Haufen. Gott schenkt – einfach so, und das auch noch im Überfluss. Es kommt alles darauf an, auf ihn zu hören, ihm das Ohr zu neigen. Das wirklich wahrzunehmen, was mein Leben ausmacht, und das aufzunehmen, was an Liebe mir geschenkt wird, macht Leben sinnvoll, nährt und sättigt.

Gottes Stimme im eigenen Leben zu erlauschen, wahrzunehmen, bedeutet letztlich auch ihm in gläubigem Vertrauen für das eigene Dasein zu danken. Vielfach liegt darin eine Zumutung, denn Leid, Schmerz, Enttäuschungen und widrige Lebensbedingungen stehen dem entgegen und das Hadern mit dem eigenen Schicksal liegt näher als Danken. Dennoch: Nur im dankbaren Sich-Einlassen kann die Bitternis vergehen und Erlösung sich ereignen.

Mit Gottes Verheißung werden wir nicht übers Ohr gehauen, sondern mit Heil beschenkt. Gottes Wort ist keine leere Floskel, sondern eine Wirkmacht, die blühendes und fruchtbringendes Leben ermöglicht. Gottes Wort erreicht all das, wozu er es aussendet.

ANTWORTPSALM

Jes 12,2–3.4bcd–6 (℟: 3)

℟: Ihr werdet Wasser schöpfen voll Freude aus den Quellen des Heils.

VII. Ton – GL 209,2

Gott ist meine Rettung; *
ihm will ich vertrauen und niemals verzagen.
Denn meine Stärke und mein Lied ist der Herr. *
Er ist für mich zum Retter geworden. – ℟

Ihr werdet Wasser schöpfen voll Freude *
aus den Quellen des Heils.
Dankt dem Herrn! Ruft seinen Namen an! /
acht seine Taten unter den Völkern bekannt, *
verkündet: Sein Name ist groß und erhaben! – ℟

Preist den Herrn; denn herrliche Taten hat er vollbracht; *
auf der ganzen Erde soll man es wissen.
Jauchzt und jubelt, ihr Bewohner von Zion; *
denn groß ist in eurer Mitte der Heilige Israels. – ℟

ZWEITE LESUNG 1 Joh 5,1–9

Lesung aus dem ersten Johannesbrief.

Schwestern und Brüder! Jeder, der glaubt, dass Jesus der Christus ist, stammt von Gott und jeder, der den Vater liebt, liebt auch den, der von ihm stammt. Wir erkennen, dass wir die Kinder Gottes lieben, wenn wir Gott lieben und seine Gebote erfüllen.

Denn die Liebe zu Gott besteht darin, dass wir seine Gebote halten. Seine Gebote sind nicht schwer. Denn alles, was von Gott stammt, besiegt die Welt. Und das ist der Sieg, der die Welt besiegt hat: unser Glaube. Wer sonst besiegt die Welt, außer dem, der glaubt, dass Jesus der Sohn Gottes ist?

Dieser ist es, der durch Wasser und Blut gekommen ist: Jesus Christus. Er ist nicht nur im Wasser gekommen, sondern im Wasser und im Blut. Und der Geist ist es, der Zeugnis ablegt; denn der Geist ist die Wahrheit. Drei sind es, die Zeugnis ablegen: der Geist, das Wasser und das Blut; und diese drei sind eins.

Wenn wir von Menschen ein Zeugnis annehmen, so ist das Zeugnis Gottes gewichtiger; denn das ist das Zeugnis Gottes: Er hat Zeugnis abgelegt für seinen Sohn. ℣

Eine kurze Erzählung lässt jemanden zu einem anderen sagen: Ich liebe dich. Die Antwort darauf lautet: Warum siehst du dann nicht, was ich brauche.

Bekenntnis und Tun, sich an Gott bindender Glaube und Handeln aus der achtsamen Zuwendung gehören zusammen. Laut Johannesbrief ist dieses Ineinander beider das Typische der Kinder Gottes, die aus Gottes Ursprung sind. Der Glaube an Jesus Christus ist sozusagen die anlagemäßige Voraussetzung für die Überwindung der Welt, sprich der zahlreichen Antipathien, die sich u. a. in Abwertung, Diskriminierung, Vorurteilen, Hass zeigen, der ichbezogenen Neigungen, die ihren Ausdruck in Neid, Habsucht, Ausnutzung anderer und Missbrauch von Macht finden, von Passivität und Gleichgültigkeit und vielem anderen.

Der Glaube an Jesus Christus, der durch Wasser und Blut gekommen ist und den der Geist bezeugt, ermöglicht den Sieg über alle todbringenden Mächte der Welt. Jesus war Mensch wie wir. Wasser und Blut stehen für seine irdische Existenz und sein Sterben am Kreuz. Aus seiner geöffneten Seite flossen Blut und Wasser.

Jesu öffentlichem Auftreten geht die Taufe voran. Es lässt sich von Johannes in das Wasser des Jordan untertauchen. Dieser bezeugt im Geist den Gottessohn. Wer Jesus letztlich ist, zeigt sein Leben und offenbart der Geist.

Wie anders sonst sollten Menschen heute die Identität der Person Jesu erkennen als durch das glaubende Zeugnis von Menschen.

RUF VOR DEM EVANGELIUM Vgl. Joh 1,29

Halleluja. Halleluja.
Johannes sah Jesus auf sich zukommen und sagte: Seht das Lamm Gottes, das die Sünde der Welt hinwegnimmt.
Halleluja.

EVANGELIUM Mk 1,7–11

Aus dem heiligen Evangelium nach Markus.

In jener Zeit trat Johannes in der Wüste auf und verkündete: Nach mir kommt einer, der ist stärker als ich; ich bin es nicht wert, mich zu bücken, um ihm die Schuhe aufzuschnüren. Ich habe euch nur mit Wasser getauft, er aber wird euch mit dem Heiligen Geist taufen.

In jenen Tagen kam Jesus aus Nazaret in Galiläa und ließ sich von Johannes im Jordan taufen. Und als er aus dem Wasser stieg, sah er, dass der Himmel sich öffnete und der Geist wie eine Taube auf ihn herabkam. Und eine Stimme aus dem Himmel sprach: Du bist mein geliebter Sohn, an dir habe ich Gefallen gefunden. IF

Im Palästina der damaligen Zeit brodelte es. Nicht nur die politische Fremdherrschaft der Römer war bedrückend und löste Gegenreaktionen aus. Auch die Frage, wie der Wille Gottes zu befolgen sei, wie der rechte Glaube auszusehen habe, bewegte die verschiedenen Gruppierungen im Volk. Der Täufer fand daher offene Ohren und Herzen für seine Botschaft der radikalen Umkehr. Johannes selbst muss jemand gewesen sein, der von charismatischem Eifer beseelt war und dessen Ernsthaftigkeit und Authentizität viele Menschen angesprochen haben – so sicherlich auch den jungen Mann Jesus aus Nazaret.

Die Taufe Jesu zählt zu den historisch gesicherten Daten. Die Heilsbotschaft Gottes wird in diesem Ereignis erneut geschichtlich anschaulich. Die Bedeutung des Geschehens aber erschließt sich erst in der Rückschau – nämlich aus der Perspektive von Ostern. Für Markus steht daher am Anfang des Evangeliums der Vorläufer Johannes. Er kündigt den Stärkeren an, der nicht mit Wasser, sondern mit Heiligem Geist taufen wird. Dieser angekündigte und erwartete Messias ist bereits da. Für die Urchristenheit bestand kein Zweifel daran, dass Jesus, der Heil bringend durchs Land gezogen war, am Kreuz starb und auferweckt wurde, Sohn Gottes ist.

Diese Zugehörigkeit zu Gott macht das Evangelium ganz deutlich. Wie jeder andere lässt Jesus sich taufen. Als er aus dem Wasser aufsteigt, steigt der Geist in der Gegenbewegung auf ihn herab. Es ist ein inneres Geschehen, das sich nur zwischen Jesus und seinem Vater abspielt. Dennoch wird dem Leser und Hörer der Frohen Botschaft klar, dass die Zeit des Wartens beendet ist, menschliche Sehnsucht auf Heil ihre Erfüllung finden wird. Der Himmel steht offen. Der Geist, der laut erstem Schöpfungsbericht im Anfang über den chaotischen Urwassern brütete, wird erneut real erfahrbar. Neue Schöpfung geschieht. In der Kraft dieses Geistes wirkt Jesus Heil. Er ist Gottes geliebter Sohn – das bezeugt der Evangelist uns, seinen Lesern und Hörern. »Wer Ohren hat zum Hören, der höre!« (Mk 4,9).

CREDO (siehe Seite 512)

FÜRBITTEN

Gott unseres Lebens, wir bitten dich:

A: Wir bitten dich, erhöre uns.

- Für alle, die in diesem Jahr getauft und gefirmt werden.
- Für alle, die dieses Jahr den Bund der Ehe schließen.
- Für alle, die in der Entscheidung für einen geistlichen Beruf stehen.
- Für alle, die aus der Kirche ausgetreten sind.
- Für alle, die sich in unseren Gemeinden ehrenamtlich für andere einsetzen.
- Für alle, deren Lebensweg zu Ende geht.

Denn dein ist die Kraft, die uns bewegt, und der Geist, der uns beseelt. Bleibe du in uns.

GABENGEBET

Gott, unser Vater, wir feiern den Tag, an dem du Jesus als deinen geliebten Sohn geoffenbart hast. Nimm unsere Gaben an und mache sie zum Opfer Christi, der die Sünden der ganzen Welt abgewaschen hat. Er, der mit dir lebt und herrscht in alle Ewigkeit.

PRÄFATION Vom Tag

In Wahrheit ist es würdig und recht, dir, allmächtiger Vater, zu danken und deine Größe zu preisen. Denn bei der Taufe im Jordan offenbarst du das Geheimnis deines Sohnes durch wunderbare Zeichen: Die Stimme vom Himmel verkündet ihn als deinen geliebten Sohn, der auf Erden erschienen ist, als dein ewiges Wort, das unter uns Menschen wohnt. Der Geist schwebt über ihm in Gestalt einer Taube und bezeugt ihn als deinen Knecht, den du gesalbt hast, den Armen die Botschaft der Freude zu bringen. Darum singen wir mit den Engeln und Erzengeln, den Thronen und Mächten und mit all den Scharen des himmlischen Heeres den Hochgesang von deiner göttlichen Herrlichkeit.

EINLADUNG ZUM VATERUNSER

In der Taufe sind wir zu Kindern Gottes geworden. So beten wir mit den Worten Jesu zu unserem Vater: Vater unser im Himmel …

EINLADUNG ZUM FRIEDENSGEBET

Gott ruft in Jesus Christus die Völker zusammen und macht sie zu dem einen Volk. Deshalb bitten wir: Herr Jesus Christus …

KOMMUNIONVERS Joh 1,30.34

Dieser ist es, über den Johannes gesagt hat: Ich habe es gesehen und lege Zeugnis ab: Dieser ist der Sohn Gottes.

SCHLUSSGEBET

Gütiger Gott, du hast uns mit deinem Wort und dem Brot des Lebens genährt. Gib, daß wir gläubig auf deinen Sohn hören, damit wir deine Kinder heißen und es in Wahrheit sind. Darum bitten wir durch Christus, unseren Herrn.

SCHLUSSSEGEN Im Jahreskreis III

Der allmächtige Gott gewähre euch Segen und Heil; er offenbare euch die Wege seiner Weisheit.

Er stärke euren Glauben durch sein Wort und schenke euch die Gnade, nach seinen Geboten zu leben, damit in allem sein Wille geschehe.

Er lenke eure Schritte auf den Weg des Friedens; er mache euch beharrlich im Guten und vollende euch in der Liebe.

Das gewähre euch der allmächtige Gott, der Vater und der Sohn ✝ und der Heilige Geist.

Die geistliche Tradition kennt bei der Meditation biblischer Texte die Methode, sich in Orte und Situationen einzufühlen und mit allen Sinnen in der biblischen Szene zu sein. Ebenso regt sie an, vorhandene Leerstellen mit der eigenen Vorstellung zu ergänzen. Beides kann mitten hinein in die Begegnung mit dem lebendigen Gott führen.

Mir wurde während meiner Exerzitien vom geistlichen Begleiter einmal mitgegeben, Jesu Weg von seiner Familie weg hin zu Johannes am Jordan zu meditieren – und das in der Form, dass ich mich tatsächlich auf den Weg begeben sollte.

Ich machte mich buchstäblich auf – wie damals Jesus. Mein einsamer Weg führte mich bergauf und -ab durch Felder, kleine Waldstücke und Wiesen in praller Sonne. Unterwegssein mit oder eher wie Jesus. Sein Weg hin zu Johannes an den Jordan, um sich taufen zu lassen, setzte eine Lebensentscheidung voraus. Jesus folgte der inneren Stimme seines Herzens. Wenn man dem nachgeht, was einen zutiefst bewegt, begeistert, was man zuinnerst als richtig und gut erkannt hat, dann heißt das auch Abschied und Trennung. Dem ureigenen Ruf nachzukommen, bedeutet, Vertrautes zurückzulassen und sich auf Neues einzulassen – kurzum sich aufzumachen.

Der Weg hin zum Jordan, von dem die Bibel schweigt, mag für Jesus ein schrittweises Hineingehen in seine Bestimmung gewesen sein. Wie viel mag ihm nachgehangen haben? Welche Worte seiner Mutter, seiner Freunde oder Bekannten haben ihn unterwegs begleitet, vielleicht auch bedrängt?

Jeder Schritt jedenfalls, den er und den auch ich damals auf meinem Weg tat, führte weiter weg vom alten, bekannten Domizil hinein in eine neue Gegend. Nicht immer war klar, ob der Weg wirklich der richtige war. Unsicherheit und Zweifel stiegen auf. Und zwischendurch – immer wieder Ausblicke, Zeichen, die richtungsweisend waren! Der Jordan, »mein Jordan« zog mich unwiderstehlich an.

Wege haben ihre eigene Dynamik, sie wollen gegangen, erlebt werden. Nur dann führen sie zum Ziel, erfüllt sich der Ruf des Anfangs und wird zugleich zu einer weiterführenden Verheißung.

Ich kam nach Stunden wieder an – »getauft« mit einer Erfahrung, die ich nicht missen möchte.

Renate Rautenbach

2. Sonntag im Jahreskreis
15. Januar 2012

Alle Welt bete dich an, o Gott, und singe dein Lob,
sie lobsinge deinem Namen, du Allerhöchster.
Ps 66,4

Weihnachten klingt in unseren Gedanken noch nach, da begegnet uns schon der erwachsene Jesus, der seine Jünger beruft, um sie für die Verbreitung der Frohen Botschaft zu gewinnen. Der Herr gewinnt seine Jünger dadurch, dass er ihnen Anteil gibt an seinem eigenen Leben. Am Anfang stehen keine Ausschreibung und keine Anzeige, wie es heute üblich ist, wenn neue Leute für eine Aufgabe oder einen Beruf gewonnen werden sollen. Am Anfang steht die persönliche Begegnung von Mensch zu Mensch. »Kommt und seht«, eine Einladung in sein Haus, das ist der Beginn des gemeinsamen Weges. Wir spüren: das Christentum ist nicht einfach nur eine Lehre, eine Sammlung von Worten oder Weisheiten, es ist eine Person, ein menschliches Leben und Handeln, es ist in Jesus Christus erlebbar, erfahrbar, greifbar geworden. Die jungen Männer lernen zuerst ihn selbst kennen, dann erst nach und nach seine Botschaft. Heißt das nicht für uns heute auch zuerst bei Jesus sein, ihn kennenlernen, ihm nahe sein? Erst dann entsteht daraus Aufbruch, Verkündigung, Weitergabe von Glauben.

Kyrie-Rufe

Oder: GL 495,7 · KG 60,6

Herr Jesus Christus, du berufst Menschen in deine Nachfolge und verheißt ihnen ein Leben in Fülle. Herr, erbarme dich.

Du sendest Boten in diese Welt, die deinem Evangelium Hand und Fuß verleihen. Christus, erbarme dich.

Unsere Begabungen und Talente willst du fruchtbar machen für deine ganze Kirche. Herr, erbarme dich.

Gloria (siehe Seite 508)

Tagesgebet

Allmächtiger Gott, du gebietest über Himmel und Erde, du hast Macht über die Herzen der Menschen. Darum kommen wir voll Vertrauen zu dir; stärke alle, die sich um die Gerechtigkeit mühen, und schenke unserer Zeit deinen Frieden. Darum bitten wir durch Jesus Christus.

Erste Lesung 1 Sam 3,3b–10.19

Lesung aus dem ersten Buch Samuel.

In jenen Tagen schlief der junge Samuel im Tempel des Herrn, wo die Lade Gottes stand. Da rief der Herr den Samuel und Samuel antwortete: Hier bin ich. Dann lief er zu Eli und sagte: Hier bin ich, du hast mich gerufen. Eli erwiderte: Ich habe dich nicht gerufen. Geh wieder schlafen! Da ging er und legte sich wieder schlafen.

Der Herr rief noch einmal: Samuel! Samuel stand auf und ging zu Eli und sagte: Hier bin ich, du hast mich gerufen. Eli erwiderte: Ich habe dich nicht gerufen, mein Sohn. Geh wieder schlafen! Samuel kannte den Herrn noch nicht und das Wort des Herrn war ihm noch nicht offenbart worden.

Da rief der Herr den Samuel wieder, zum dritten Mal. Er stand auf und ging zu Eli und sagte: Hier bin ich, du hast mich gerufen. Da merkte Eli, dass der Herr den Knaben gerufen hatte. Eli sagte zu Samuel: Geh, leg dich schlafen! Wenn er dich wieder ruft, dann antworte: Rede, Herr; denn dein Diener hört. Samuel ging und legte sich an seinem Platz nieder.

Da kam der Herr, trat zu ihm heran und rief wie die vorigen Male: Samuel, Samuel! Und Samuel antwortete: Rede, denn dein Diener hört.

Samuel wuchs heran und der Herr war mit ihm und ließ keines von all seinen Worten unerfüllt. IF

Sind Berufungen heute seltener geworden als in vergangenen Jahrhunderten? Ein Blick auf die Berufungen zum Priesteramt scheinen – zumindest hier in unseren Breiten – diese Vermutung nahe zu legen. Es könnte aber auch sein, dass wir weniger hellhörig sind, dass es schlicht zu viele andere Stimmen gibt, die rufen – oder dass diejenigen, die einen solchen Ruf in sich spüren, nicht Menschen wie Eli begegnen, die sie zur Nachfolge ermutigen. Es gibt viele, die eher abraten, warnen, Bedenken äußern und bremsen. Und es könnte sein, dass wir uns einfach nicht mehr die Zeit nehmen, beim Herrn zu sein: im Gebet, im Gottesdienst, in der Stille, im Lesen der Heiligen Schrift. Denn wo die offenen Ohren fehlen, da kann Gott noch so laut rufen – er wird nicht gehört oder einfach überhört. Gibt es in unseren Gemeinden Menschen, die wie Eli sind, oder ist in unserer Kirche dieser wichtige Dienst kaum noch zu finden? Es braucht eben nicht nur die Berufenen – sondern auch die, welche Berufungen deuten können.

ANTWORTPSALM — Ps 40,2.4ab.7–10 (℞: vgl. 8a.9a)

℞: Mein Gott, ich komme; deinen Willen zu tun macht mir Freude.

III. Ton – GL 170,1

Ich hoffte, ja ich hoffte auf den Herrn. *
Da neigte er sich mir zu und hörte mein Schreien.
Er legte mir ein neues Lied in den Mund, *
einen Lobgesang auf ihn, unsern Gott. – ℞

An Schlacht- und Speiseopfern hast du kein Gefallen, *
Brand- und Sündopfer forderst du nicht.
Doch das Gehör hast du mir eingepflanzt; /
darum sage ich: Ja, ich komme. *
In dieser Schriftrolle steht, was an mir geschehen ist. – ℞

Deinen Willen zu tun, mein Gott, macht mir Freude, *
deine Weisung trag ich im Herzen.
Gerechtigkeit verkünde ich in großer Gemeinde, *
meine Lippen verschließe ich nicht; Herr, du weißt es. – ℞

Zweite Lesung 1 Kor 6,13c–15a.17–20

Lesung aus dem ersten Korintherbrief.

Schwestern und Brüder! Der Leib ist nicht für die Unzucht da, sondern für den Herrn, und der Herr für den Leib. Gott hat den Herrn auferweckt; er wird durch seine Macht auch uns auferwecken.

Wisst ihr nicht, dass eure Leiber Glieder Christi sind? Wer sich an den Herrn bindet, ist e i n Geist mit ihm.

Hütet euch vor der Unzucht! Jede andere Sünde, die der Mensch tut, bleibt außerhalb des Leibes. Wer aber Unzucht treibt, versündigt sich gegen den eigenen Leib.

Oder wisst ihr nicht, dass euer Leib ein Tempel des Heiligen Geistes ist, der in euch wohnt und den ihr von Gott habt? Ihr gehört nicht euch selbst; denn um einen teuren Preis seid ihr erkauft worden. Verherrlicht also Gott in eurem Leib! IF

Unseren Leib, uns selbst, als Tempel des Heiligen Geistes zu verstehen, das ist für viele eine ganz ungewohnte Sicht. Wir reden meist in anderen Kategorien: wir sind Mitglieder in einem Verein (manche nennen auch die Kirche »Verein«), wir begreifen uns als Bürger mit Rechten und Pflichten, wir betrachten andere als Vertreter und Sachwalter bestimmter Organisationen. Paulus legt uns eine ganz andere Sicht nahe: wir selbst, unser Leib, ist wie ein Gefäß, ein Tempel, ein Raum, in dem Gottes Heiliger Geist wohnen kann und will. Wer diesen Blick ernst nimmt, der sieht in dem anderen und in sich selbst nicht einfach einen Funktionsträger, sondern ein Geschöpf, in dem Gott (sein Geist) selbst erfahrbar wird. Und das bedeutet dann sowohl im Umgang mit dem eigenen Leib wie auch mit anderen eine große Achtsamkeit und Sorgsamkeit.

Ruf vor dem Evangelium Vgl. Joh 1,41.17b

Halleluja. Halleluja.
Wir haben den Messias gefunden, den Gesalbten des Herrn.
Die Gnade und die Wahrheit sind durch ihn gekommen.
Halleluja.

EVANGELIUM Joh 1,35–42

Aus dem heiligen Evangelium nach Johannes.

In jener Zeit stand Johannes am Jordan, wo er taufte, und zwei seiner Jünger standen bei ihm. Als Jesus vorüberging, richtete Johannes seinen Blick auf ihn und sagte: Seht, das Lamm Gottes! Die beiden Jünger hörten, was er sagte, und folgten Jesus. Jesus aber wandte sich um, und als er sah, dass sie ihm folgten, fragte er sie: Was wollt ihr? Sie sagten zu ihm: Rabbi – das heißt übersetzt: Meister –, wo wohnst du? Er antwortete: Kommt und seht! Da gingen sie mit und sahen, wo er wohnte, und blieben jenen Tag bei ihm; es war um die zehnte Stunde.

Andreas, der Bruder des Simon Petrus, war einer der beiden, die das Wort des Johannes gehört hatten und Jesus gefolgt waren. Dieser traf zuerst seinen Bruder Simon und sagte zu ihm: Wir haben den Messias gefunden. Messias heißt übersetzt: der Gesalbte – Christus. Er führte ihn zu Jesus. Jesus blickte ihn an und sagte: Du bist Simon, der Sohn des Johannes, du sollst Kephas heißen. Kephas bedeutet: Fels – Petrus. IF

Jesus fragt die Jünger am Anfang: »Was wollt ihr?« Das scheint eine so selbstverständliche Frage, aber sie ist doch so tiefgreifend und weitreichend, dass es schwer ist, darauf zu antworten. Wenn wir uns selbst betrachten, dann merken wir das. Wenn Jesus uns fragen würde: »Was wollt ihr von mir?« Was würden wir ihm wohl antworten? Wir alle sind ja Christen, das heißt, wir sind ebenfalls auf dem Weg der Nachfolge Jesu. Und da darf man ja schon mal nachdenken, was wir uns denn eigentlich von ihm erwarten. Manche wenden sich ja an ihn nur in der Krise, in Krankheit oder bei Problemen. Dann erwarten sie von Gott Hilfe in einer ganz konkreten Situation. Andere sagen vielleicht: ich bin christlich und katholisch erzogen, daher ist es mir selbstverständlich, zu beten und zum Gottesdienst zu gehen. Aber was erwarte ich von Jesus wirklich? Der Herr jedenfalls lädt die Jünger zu sich ein. Sie sollen bei ihm sein. Am Nachmittag um vier Uhr kehren sie bei ihm ein. Das ist sicher mehr als ein Kaffeeplausch oder eine gesellige

Stunde. Er nimmt sie mit zu sich – anscheinend um ihnen deutlich zu machen, wie er selbst lebt, was er zu sagen hat, was der Kern seiner Botschaft ist. Und das verändert alles. In der Begegnung mit Jesus bekommt ihr Leben eine neue Wendung. Sie wollen bei ihm bleiben, weil sie spüren, er ist der Messias und das bewegt sie dann dazu, auch anderen davon zu erzählen und sie zu Christus zu führen. Mit anderen Worten: jeder, der in der Nachfolge steht, sollte von Jesus Christus so berührt und angerührt sein, dass es sein Leben verändert und er auch andere zu Jesus bringt, weil er sagen kann: ich habe den Messias gefunden, das Heil meines Lebens, das, wofür es sich lohnt, alles andere hinter mir zu lassen.

CREDO (siehe Seite 512)

FÜRBITTEN

Lasst uns beten zu Gott, unserem Vater, der uns in seine Kirche berufen hat und jeden Einzelnen bei seinem Namen kennt:

V: Gott, unser Vater: A: Wir bitten dich, erhöre uns.

- Für uns Christen: hilf uns, unsere Anliegen im Gebet vor Christus zu tragen – denn du selbst willst unser Leben reich machen und erfüllen.
- Für alle, die auf der Suche nach ihrer Berufung sind: lass sie in der Begegnung mit deinem Sohn Jesus Christus die Erfüllung finden und ihm folgen.
- Für alle, die schon in der Nachfolge Christi stehen: für Papst N., für Bischof N., für unsere Priester, Diakone und Ordensleute. Lass sie Kraft aus deiner Nähe schöpfen und hilf ihnen in ihrem Dienst.
- Für alle jungen Menschen, die sich danach fragen, was der richtige Beruf für sie ist. Sende ihnen Wegbegleiter, die sie in ihrer Lebensentscheidung unterstützen.
- Für alle, die in der Erziehung tätig sind. Hilf ihnen nicht nur Wissen zu vermitteln, sondern die jungen Menschen zum

Guten zu prägen und ihnen Orientierungshilfen für ihr Leben zu geben.

- Für alle unsere Verstorbenen. Nimm sie zu dir in deine himmlische Wohnung und lass sie auf ewig in deiner Liebe und in deinem Frieden bleiben.

Gott, du bist gütig und ein Freund der Menschen. Darum rufen wir zu dir und vertrauen uns dir an. Wir loben dich und danken dir im Heiligen Geist durch Jesus Christus, unseren Herrn. Amen.

GABENGEBET

Herr, gib, daß wir das Geheimnis des Altares ehrfürchtig feiern; denn sooft wir die Gedächtnisfeier dieses Opfers begehen, vollzieht sich an uns das Werk der Erlösung. Durch Christus, unseren Herrn.

PRÄFATION

Sonntage II

In Wahrheit ist es würdig und recht, dir, allmächtiger Vater, zu danken und das Werk deiner Gnade zu rühmen durch unseren Herrn Jesus Christus. Denn aus Erbarmen mit uns sündigen Menschen ist er Mensch geworden aus Maria, der Jungfrau. Durch sein Leiden am Kreuz hat er uns vom ewigen Tod befreit und durch seine Auferstehung uns das unvergängliche Leben erworben. Darum preisen dich deine Erlösten und singen mit den Chören der Engel das Lob deiner Herrlichkeit.

EINLADUNG ZUM VATERUNSER

Mit den Worten Jesu wollen wir beten. Es sind die Worte, die uns seine Jünger überliefert haben: Vater unser im Himmel …

EINLADUNG ZUM FRIEDENSGEBET

Wer im Geiste Jesu lebt und in dieser Welt seine Wege geht, der wird für andere zum Friedenboten. Deshalb lasst uns um Jesu

Geist und um seinen Frieden bitten für unsere oft so zerrissene Welt: Herr Jesus Christus …

Kommunionvers 1 Joh 4,16

Wir haben die Liebe erkannt und an die Liebe geglaubt, die Gott zu uns hat.

Oder: Ps 23,5

Herr, du deckst mir den Tisch vor den Augen meiner Feinde. Du füllst mir reichlich den Becher.

Schlussgebet

Barmherziger Gott, du hast uns alle mit dem einen Brot des Himmels gestärkt. Erfülle uns mit dem Geist deiner Liebe, damit wir ein Herz und eine Seele werden. Darum bitten wir durch Christus, unseren Herrn.

Schlusssegen Im Jahreskreis II

Der Friede Gottes, der alles Begreifen übersteigt, bewahre eure Herzen und eure Gedanken in der Gemeinschaft mit Christus Jesus.

Das gewähre euch der dreieinige Gott, der Vater und der Sohn ✝ und der Heilige Geist.

Ob ich wohl mitgehe?

Wenn mir jemand sagt: Er ist es, auf ihn kannst du vertrauen, es lohnt sich, seinen Worten zu glauben. Geh mit ihm, er wird dir ein erfülltes Leben ermöglichen. Ob ich wohl mitgehe?

Wenn mir jemand sagt: Er ist es, seine Botschaft hat die Kraft, diese Welt zu verändern. Du kannst mitwirken am Reich Gottes, auch wenn es manchmal mühsam ist. Ob ich wohl mitgehe?

Wenn mir jemand sagt: Er ist es, keine von Menschen gemachte Weisheit und keine Ideologie kommt an die Kraft seiner Worte heran. Wo er spricht, da geht Menschen das Herz auf. Ob ich wohl mitgehe?

Wenn mir jemand sagt: Er ist es, sein Lebensweg führt durch die Ställe dieser Welt, über Kreuzwege und Kalvarienberge hin zur Freude des ewigen Lebens, er geht mit dir in das Reich des Vaters. Ob ich wohl mitgehe?

Rufe, Herr! Vielleicht geht jemand mit. Vielleicht gehe ich mit.

Friedhelm Meudt

3. Sonntag im Jahreskreis
22. Januar 2012

Singet dem Herrn ein neues Lied,
singt dem Herrn, alle Lande!
Hoheit und Pracht sind vor seinem Angesicht,
Macht und Glanz in seinem Heiligtum!
Ps 96,1.6

Beichte und Buße haben in der Öffentlichkeit einen schlechten Ruf und sind fast ganz aus dem Bewusstsein vieler Menschen verschwunden. Ob damit auch die Sünden verschwunden sind? Leben in unseren Gemeinden nur noch »Engel«, weil ja die Beichtstühle offenbar verwaist sind? Natürlich nicht – aber die Bereitschaft, Schuld einzugestehen, ist nicht besonders ausgeprägt. Obwohl wir Christen doch immer wieder davon erfahren, dass Gott bereit zur Vergebung ist.

Umgekehrt: es gibt in der medialen Welt öffentliche Beichten. Im Fernsehen und vor einem Millionenpublikum sind Einzelne bereit, aus ihrem Leben selbst die intimsten Dinge zu verbreiten. Der Betrachter wird oft den Eindruck nicht los, als ginge es dabei um eine »öffentliche Lossprechung«. Dabei gehört doch die persönliche Schuld sicher nicht vor ein großes Publikum gezerrt.

Empörung über die Vergehen von Menschen erleben wir in großem Ausmaß, aber Bereitschaft zur persönlichen Umkehr ist selten. Was verbirgt sich hinter diesen Erfahrungen? Ist unsere Fähigkeit, mit Schuld umzugehen, am Ende vielleicht verkümmert, weil wir keinen klaren Ausweg wissen? Die Lesungen dieses Sonntags rufen zur Umkehr auf. Und dieser Ruf ist nie überholt oder altmodisch, denn wir Menschen brauchen die Kurskorrektur für unser Leben immer wieder.

KYRIE-RUFE

Oder: GL 523 · KG 63

Herr, wo du uns den Weg zum Leben zeigst, da kann Umkehr gelingen. Herr, erbarme dich.

Herr, wenn du uns verzeihst, dann ist uns Last von den Schultern genommen. Christus, erbarme dich.

Herr, in der Gewissheit deiner Liebe kann jeden Tag ein Neubeginn unser Leben wandeln. Herr, erbarme dich.

GLORIA (siehe Seite 508)

TAGESGEBET

Allmächtiger, ewiger Gott, lenke unser Tun nach deinem Willen und gib, daß wir im Namen deines geliebten Sohnes reich werden an guten Werken. Darum bitten wir durch Jesus Christus.

ERSTE LESUNG

Jona 3,1–5.10

Lesung aus dem Buch Jona.

Das Wort des Herrn erging an Jona: Mach dich auf den Weg und geh nach Ninive, in die große Stadt, und droh ihr all das an, was ich dir sagen werde. Jona machte sich auf den Weg und ging nach Ninive, wie der Herr es ihm befohlen hatte.

Ninive war eine große Stadt vor Gott; man brauchte drei Tage, um sie zu durchqueren. Jona begann, in die Stadt hineinzugehen; er ging einen Tag lang und rief: Noch vierzig Tage und Ninive ist zerstört!

Und die Leute von Ninive glaubten Gott. Sie riefen ein Fasten aus und alle, Groß und Klein, zogen Bußgewänder an.

Und Gott sah ihr Verhalten; er sah, dass sie umkehrten und sich von ihren bösen Taten abwandten. Da reute Gott das Unheil, das er ihnen angedroht hatte, und er führte die Drohung nicht aus. IF

Es lohnt sich, die Jona-Geschichte ganz zu lesen, um ihre Sinnspitze zu begreifen. Die Lesung dieses Sonntags ist ja nur ein kleiner Ausschnitt. Unsere Kinder hören sie in der Grundschule, aber auch für Erwachsene ist dieser Prophet eine interessante Gestalt. Seine Geschichte ist nur wenige Seiten lang in der Bibel. Er ist ein Anti-Prophet, seine Geschichte verläuft ganz anders, als man es erwarten sollte, und steht im groben Gegensatz zu allen anderen Prophetenerzählungen. Als Jona in die von Grund auf verdorbene Stadt Ninive kommt, da geschieht etwas Unglaubliches. Die Bevölkerung bekehrt sich tatsächlich und kehrt um. Vom König bis zum armen Schlucker: alle sind bereit umzukehren, ihre Fehler einzusehen und einen Neubeginn zu machen. Damit hatte keiner gerechnet, am wenigsten Jona selbst. Trotzig wirft er alles hin und wünscht sich den Tod. Er hatte nämlich damit gerechnet, dass Gott ganz furchtbar grausam dreinschlägt und die verdorbene Stadt mitsamt allen Einwohnern zerstören würde. Aber Gott ist anders. Als er merkt, dass die Menschen von Ninive sich bekehren wollen, da gibt er ihnen eine neue Chance. Und das stinkt Jona ganz gewaltig.

Auch moderne Menschen sind oft davon überzeugt, dass Umkehr nicht gelingt. Viele Pessimisten unserer Zeit gehen davon aus, dass diese Welt schlecht sei und es keine Besserung geben kann. »Alles wird immer schlechter, früher war alles besser«, so oder so ähnlich klingen die Parolen. Aber Gott traut uns Menschen eine Kehrtwende zu. Es bleibt wichtig, Umkehr für möglich zu halten. Sonst verstellen wir uns selbst die Chance zu einem fruchtbaren Neubeginn.

ANTWORTPSALM

Ps 25,4–9 (℟: 4)

℟: Zeige mir, Herr, deine Wege, lehre mich deine Pfade!

I. bzw. III. Ton – GL 170,1 oder 528,1 · KG 794

Zeige mir, Herr, deine Wege,*
lehre mich deine Pfade!
Führe mich in deiner Treue und lehre mich; /
denn du bist der Gott meines Heiles. *
Auf dich hoffe ich allezeit. – ℟

Denk an dein Erbarmen, Herr, /
und an die Taten deiner Huld; *

denn sie bestehen seit Ewigkeit.
Denk nicht an meine Jugendsünden und meine Frevel! *
In deiner Huld denk an mich, Herr, denn du bist gütig. – IR

Gut und gerecht ist der Herr, *
darum weist er die Irrenden auf den rechten Weg.
Die Demütigen leitet er nach seinem Recht, *
die Gebeugten lehrt er seinen Weg. – IR

ZWEITE LESUNG 1 Kor 7,29–31

Lesung aus dem ersten Korintherbrief.

Ich sage euch, Brüder: Die Zeit ist kurz. Daher soll, wer eine Frau hat, sich in Zukunft so verhalten, als habe er keine, wer weint, als weine er nicht, wer sich freut, als freue er sich nicht, wer kauft, als würde er nicht Eigentümer, wer sich die Welt zunutze macht, als nutze er sie nicht; denn die Gestalt dieser Welt vergeht. IF

Die Zeit der Apostel ist von Naherwartung geprägt. Die Wiederkunft des Herrn steht unmittelbar bevor, so ist man allenthalben überzeugt. Es kann nicht lange dauern, bis die Verheißungen Christi eintreffen. Daher wird die Zeit als Entscheidungszeit betrachtet. Wer sich für das Leben als Christ entscheiden will, der soll es gleich tun, der soll die Dinge nicht hinauszögern, auf die lange Bank schieben, sondern jetzt seine Entscheidung fällen. »Jetzt ist die Zeit, jetzt ist die Stunde, heute wird getan oder auch vertan, worauf es ankommt, wenn er kommt«, so heißt es in einem neueren Kirchenlied. So denken wir heute eher nicht. Es scheint so viel Zeit zu sein. Ob ich als Christ lebe, das kann ich auch noch später entscheiden. Jetzt geht es erst mal darum, etwas von Leben zu haben. So reden und so handeln viele. Aber in Wirklichkeit ist doch immer Entscheidung von uns gefordert. Hier und jetzt gilt es, als Christ oder eben auch nicht als Christ zu leben. Jeden Tag, zu jeder Stunde, in jedem Augenblick geht es in unserem Verhalten doch darum, ob wir so handeln, wie Christus es uns aufgetragen hat, oder ob wir es bleiben lassen. »Jetzt ist die Zeit …«, das gilt immer. Und der Ruf Christi ist daher immer an uns gerichtet.

RUF VOR DEM EVANGELIUM Mk 1,15

Halleluja. Halleluja.
Das Reich Gottes ist nahe.
Kehrt um und glaubt an das Evangelium!
Halleluja.

EVANGELIUM Mk 1,14–20

Aus dem heiligen Evangelium nach Markus.

Nachdem man Johannes den Täufer ins Gefängnis geworfen hatte, ging Jesus wieder nach Galiläa; er verkündete das Evangelium Gottes und sprach: Die Zeit ist erfüllt, das Reich Gottes ist nahe. Kehrt um und glaubt an das Evangelium!

Als Jesus am See von Galiläa entlangging, sah er Simon und Andreas, den Bruder des Simon, die auf dem See ihr Netz auswarfen; sie waren nämlich Fischer. Da sagte er zu ihnen: Kommt her, folgt mir nach! Ich werde euch zu Menschenfischern machen. Sogleich ließen sie ihre Netze liegen und folgten ihm.

Als er ein Stück weiterging, sah er Jakobus, den Sohn des Zebedäus, und seinen Bruder Johannes; sie waren im Boot und richteten ihre Netze her. Sofort rief er sie und sie ließen ihren Vater Zebedäus mit seinen Tagelöhnern im Boot zurück und folgten Jesus nach. IF

Letztlich ist der Ruf zur Umkehr ja nicht nur ein Ruf weg vom Fehlverhalten und von der Sünde, er ist ja viel mehr ein Ruf hin zum Evangelium. »Kehrt um und glaubt an das Evangelium!«, sagt Jesus. Es nutzt uns nichts, wenn wir uns aufregen über öffentliche Skandale, es hilft nicht weiter, wenn wir Fehlverhalten zwar beklagen und an den Pranger stellen, aber kein Ausweg aufgezeigt wird. Es muss uns darum gehen, wieder einen Weg zu finden und auch anderen zu weisen, wie denn das Miteinander gelingen kann. Das Evangelium ist das »Grundgesetz« von uns Christen. Darum wird unsere Umkehr immer wieder dorthin führen. Hin zu den Worten des Evangeliums. Jesus Christus zu folgen, ist unsere Berufung. Das dürfen wir anderen zurufen und es wird immer zuerst für uns selbst gelten. Gott jedenfalls hat im Handeln Jesu immer wieder gezeigt, dass er bereit ist zu verzeihen, wenn wir umkehren. Er hat uns aber auch gezeigt, wohin es führt, wenn wir nicht bereit zur Umkehr sind: in die selbstverschuldete menschliche und moralische Katastrophe. Nun ist es an uns zu entscheiden. Die ersten Jünger gehen mit. Das bedeutet nicht, dass sie alle Schuld, allen Egoismus, alle Eitelkeiten und menschlichen Schwächen hinter sich gelassen hätten. Aber es bedeutet den ersten Schritt zu tun auf einem neuen Weg mit Jesus zu einem Leben in Fülle.

CREDO (siehe Seite 512)

FÜRBITTEN

Barmherziger Gott, immer wieder hast du gezeigt und bewiesen, dass du ein vergebender und gnädiger Gott bist. Aber du erwartest von uns Menschen, dass wir unsere Fehler einsehen und auch bereit sind, anderen zu vergeben. So bitten wir dich:

V: Gott, unser Vater: A: Wir bitten dich, erhöre uns.

- Für alle Menschen, die schwere Schuld auf sich geladen haben. Lass sie nicht den verführerischen Weg des Leugnens und Abstreitens gehen, sondern gib ihnen den Mut, sich zu ihren Fehlern zu bekennen und umzukehren.
- Für alle, die verletzt oder betrogen wurden. Schenke ihnen die Bereitschaft zu vergeben und lass nicht zu, dass Rache und Sturheit eine Versöhnung unter uns Menschen verhindern.
- Für alle, die in der Öffentlichkeit und in den Medien berichten. Schenke ihnen Fairness und bewahre sie vor Sensationsgier und der Versuchung, aus dem Schicksal und der Schuld anderer Profit zu schlagen.

- Für jeden Einzelnen von uns. Dass wir den Mut finden, jeden Tag aufs Neue zu bekennen, dass wir fehlerhafte und sündige Menschen sind. Lass uns stets aufs Neue zum Wort des Evangeliums hin umkehren.
- Für unsere Verstorbenen. Verzeihe ihnen, was sie in ihrem Leben falsch gemacht haben, und führe sie heim in dein Reich, wo Versöhnung und Frieden herrschen.

Denn du, o Herr, bist ein barmherziger Vater. Du nimmst deine verlorenen Kinder, die umgekehrt sind, mit offenen Armen auf. Sei gepriesen heute und in Ewigkeit. Amen.

Gabengebet

Herr, nimm unsere Gaben an und heilige sie, damit sie zum Sakrament der Erlösung werden, das uns Heil und Segen bringt. Darum bitten wir durch Christus, unseren Herrn.

Präfation

Sonntage III

In Wahrheit ist es würdig und recht, dir, Herr, heiliger Vater, allmächtiger, ewiger Gott, immer und überall zu danken. Denn wir erkennen deine Herrlichkeit in dem, was du an uns getan hast: Du bist uns mit der Macht deiner Gottheit zu Hilfe gekommen und hast uns durch deinen menschgewordenen Sohn Rettung und Heil gebracht aus unserer menschlichen Sterblichkeit. So kam uns aus unserer Vergänglichkeit das unvergängliche Leben durch unseren Herrn Jesus Christus. Durch ihn preisen wir jetzt und in Ewigkeit dein Erbarmen und singen mit den Chören der Engel das Lob deiner Herrlichkeit.

Einladung zum Vaterunser

Mit offenen Händen stehen wir vor dem Herrn und bitten ihn mit den Worten, zu denen er selbst uns ermutigt hat: Vater unser im Himmel …

Einladung zum Friedensgebet

Mit friedvollen Händen stehen wir voreinander und reichen uns die Hände um den Frieden Gottes in diese Welt weiterzureichen: Herr Jesus Christus …

Kommunionvers Joh 8,12

Ich bin das Licht der Welt – so spricht der Herr.
Wer mir nachfolgt, wird nicht in der Finsternis gehen.
Er wird das Licht des Lebens haben.

Oder: Ps 34,6

Blickt auf zum Herrn, so wird euer Gesicht leuchten, und ihr braucht nicht zu erröten.

Schlussgebet

Allmächtiger Gott, in deinem Mahl schenkst du uns göttliches Leben. Gib, daß wir dieses Sakrament immer neu als dein großes Geschenk empfangen und aus seiner Kraft leben. Darum bitten wir durch Christus, unseren Herrn.

Schlusssegen Im Jahreskreis III

Der allmächtige Gott gewähre euch Segen und Heil; er offenbare euch die Wege seiner Weisheit.

Er stärke euren Glauben durch sein Wort und schenke euch die Gnade, nach seinen Geboten zu leben, damit in allem sein Wille geschehe.

Er lenke eure Schritte auf den Weg des Friedens; er mache euch beharrlich im Guten und vollende euch in der Liebe.

Das gewähre euch der allmächtige Gott, der Vater und der Sohn † und der Heilige Geist.

Propheten wie Jona

Propheten wie Jona mag es auch heute geben: Da wird jemand gerufen um Gottes Botschaft zu verkünden, aber er drückt und versteckt sich und will mit dem Auftrag nichts zu tun haben. Wer will schon ein Rufer zur Umkehr sein?!

So etwas mag es auch heute geben: Da droht man den Übeltätern ihre wohlverdiente Strafe an und dann passiert etwas ganz anderes. Tatsächlich kommt es zur Umkehr. Wer kann denn so was für möglich halten?!

So etwas mag es auch heute geben: Menschen und Botschaften, die schwer verdaulich sind, die anderen schwer im Magen liegen, die ausgespuckt werden. Und doch kann etwas Gutes daraus entstehen. Doch wer würde das für möglich halten?!

So etwas mag es auch heute geben: Freude über das Wachstum von Pflanzen und der Ärger, wenn die Pflanzen eingehen und die Verwunderung darüber, dass Gottes Wege manchmal so anders sind als unsere eigenen.

So etwas mag es auch heute geben: Menschen kommen ins Nachdenken über sich selbst und Verantwortungsträger entscheiden zum Wohle ihrer Anvertrauten. Und es kommt zu einem echten Neubeginn, auch wenn man es nicht für möglich gehalten hätte.

Propheten wie Jona mag es auch heute geben – und die Geschichte Gottes mit den Menschen geht weiter, auch wenn es manche nicht für möglich gehalten hätten.

Friedhelm Meudt

4. Sonntag im Jahreskreis
29. Januar 2012

Hilf uns, Herr, unser Gott,
führe uns aus den Völkern zusammen!
Wir wollen deinen heiligen Namen preisen,
uns rühmen, weil wir dich loben dürfen.
Ps 106,47

Wie viele verbiesterte Menschen kennen wir, die im Umgang mit anderen nur noch Bösartigkeit, beißende Kritik und Aggression verbreiten. Wie viele Menschen sind vom Dämon des Alkohols gefangen und kommen aus ihren Süchten nicht mehr heraus. Sie werden vom Geist der Sucht gequält und quälen sich selbst. Oftmals waren solche Menschen vorher rührende Väter und Mütter einer Familie. Was geht nicht alles kaputt, wenn der Mensch von solchen Besessenheiten und Süchten gefangen gehalten wird. Wie viele Jugendliche gelten als Außenseiter, werden von ihren Jahrgangskollegen gemieden und ausgegrenzt und entwickeln sich dann zu Rowdies und Kleinkriminellen, um wenigstens auf diese Weise Anerkennung und Achtung zu ernten. Auch das sind Geister, die in uns wirken: Minderwertigkeitsgefühle, die durch Aggression und Hass kompensiert werden. Die Angst, den Anforderungen im Beruf und in der Schule nicht gewachsen zu sein, und dann mit Härte und Ablehnung anderer zu reagieren. Grenzenloser Ehrgeiz, der zu kaltblütigem Karrieredenken führt und manch einen als ausgebrannten »Workaholic« zurücklässt. Wir finden viele solcher Geister, Dämonen und Besessenheiten, von denen Menschen im Griff gehalten werden. Die sie verändern und zugrunde richten. Wie wahrhaft wohltuend, befreiend und frohmachend ist da die Botschaft des heutigen Evangeliums. Da ist ein Mann Gottes, der alles zum Guten wenden will und kann.

KYRIE-RUFE GL 506 · KG 69

Herr, du hast Macht über all das, was uns knechtet und das Leben zu Boden drückt. Herr, erbarme dich.
Herr, du willst das Leben in uns kräftigen und stärken. Christus, erbarme dich.
Herr, du begegnest auch den Tiefgebeugten und all jenen, die niemanden haben, der sich ihnen zuwendet. Herr erbarme dich.

GLORIA (siehe Seite 508)

TAGESGEBET

Herr, unser Gott, du hast uns erschaffen, damit wir dich preisen. Gib, daß wir dich mit ungeteiltem Herzen anbeten und die Menschen lieben, wie du sie liebst. Darum bitten wir durch Jesus Christus.

ERSTE LESUNG Dtn 18,15–20

Lesung aus dem Buch Deuteronomium.

Mose sprach zum Volk: Einen Propheten wie mich wird dir der Herr, dein Gott, aus deiner Mitte, unter deinen Brüdern, erstehen lassen. Auf ihn sollt ihr hören. Der Herr wird ihn als Erfüllung von allem erstehen lassen, worum du am Horeb, am Tag der Versammlung, den Herrn, deinen Gott, gebeten hast, als du sagtest: Ich kann die donnernde Stimme des Herrn, meines Gottes, nicht noch einmal hören und dieses große Feuer nicht noch einmal sehen, ohne dass ich sterbe.

Damals sagte der Herr zu mir: Was sie von dir verlangen, ist recht. Einen Propheten wie dich will ich ihnen mitten unter ihren Brüdern erstehen lassen. Ich will ihm meine Worte in den Mund legen und er wird ihnen alles sagen, was ich ihm auftrage.

Einen Mann aber, der nicht auf meine Worte hört, die der Prophet in meinem Namen verkünden wird, ziehe ich selbst zur Rechenschaft. Doch ein Prophet, der sich anmaßt, in meinem Namen ein Wort zu verkünden, dessen Verkündigung ich ihm nicht aufgetragen habe, oder der im Namen anderer Götter spricht, ein solcher Prophet soll sterben. ℣F

Propheten sind in der Geschichte des Volkes Gottes von hoher Bedeutung. Sie zeigen den Menschen den Weg, den Gott mit ihnen gehen will. Sie trösten und ermahnen, legen den Finger in die Wunde und geben Orientierung. Mose war ein solcher Prophet – und er war noch viel mehr: Anführer, Gesetzgeber, Richter ... Die hohe Verehrung, die ihm zuteil wurde, wird noch einmal übertroffen, von dem, der hier und jetzt angekündigt wird. Er wird die »Erfüllung von allem« sein. Wir erahnen hinter den Worten des Buches Deuteronomium die Ankündigung Jesu, des Messias, des Retters und Erlösers. Er ist die »Erfüllung von allem«, was das Volk sich ersehnt und erhofft. Und er wird mit großer Kraft und in der Autorität des Höchsten handeln. Auch Jesus wird immer wieder betonen, dass das, was er zu sagen hat, nicht von ihm ist, sondern vom Vater. Und er wird – wie so viele Propheten und wie Mose selbst auch – mit den gleichen Schwierigkeiten zu kämpfen haben: so groß die Sehnsucht im Volk nach dem Erlöser auch sein mag, so groß ist doch auch immer die Halsstarrigkeit, wenn die Weisungen der Propheten ergehen.

ANTWORTPSALM

Ps 95,1–2.6–9 (℞: vgl. 7d.8a)

℞: Hört auf die Stimme des Herrn; verhärtet nicht euer Herz!
IV. Ton – GL 529,5

Kommt, lasst uns jubeln vor dem Herrn *
und zujauchzen dem Fels unsres Heiles!
Lasst uns mit Lob seinem Angesicht nahen, *
vor ihm jauchzen mit Liedern! – ℞

Kommt, lasst uns niederfallen, uns vor ihm verneigen, *
lasst uns niederknien vor dem Herrn, unserm Schöpfer!
Denn er ist unser Gott, /
wir sind das Volk seiner Weide, *
die Herde, von seiner Hand geführt. – ℞

Ach, würdet ihr doch heute auf seine Stimme hören! /

»Verhärtet euer Herz nicht wie in Meriba, *
wie in der Wüste am Tag von Massa!
Dort haben eure Väter mich versucht, *
sie haben mich auf die Probe gestellt
und hatten doch mein Tun gesehen.« – ℞

Zweite Lesung 1 Kor 7,32–35

Lesung aus dem ersten Korintherbrief.

Schwestern und Brüder! Ich wünschte, ihr wäret ohne Sorgen. Der Unverheiratete sorgt sich um die Sache des Herrn; er will dem Herrn gefallen. Der Verheiratete sorgt sich um die Dinge der Welt; er will seiner Frau gefallen. So ist er geteilt.

Die unverheiratete Frau aber und die Jungfrau sorgen sich um die Sache des Herrn, um heilig zu sein an Leib und Geist. Die Verheiratete sorgt sich um die Dinge der Welt; sie will ihrem Mann gefallen.

Das sage ich zu eurem Nutzen: nicht um euch eine Fessel anzulegen, vielmehr, damit ihr in rechter Weise und ungestört immer dem Herrn dienen könnt. |F

Manche Worte des Apostels bringen uns in Verlegenheit, weil sie so klar und eindeutig formuliert sind. So ist es auch mit diesen wenigen Sätzen aus dem siebten Kapitel des ersten Korintherbriefes. Uns fallen viele Gegenargumente ein: kann es nicht auch ein Sowohl-als-auch geben? Muss man immer so einseitig, so massiv, so entschieden denken, wäre nicht auch mehr Ausgewogenheit gut? Die Zeit des frühen Christentums war keine Zeit der Kompromisse. Wer Christ war und sein wollte, der musste zu seiner Überzeugung stehen – und dieser Glaube war oft mit Verfolgung oder äußeren Nachteilen verbunden. Aber zugleich gab es eine Fülle von Zeugen, die mit ihrer ganzen Persönlichkeit hinter der christlichen Botschaft standen. Manches an dieser Entschiedenheit lässt sich nicht eins zu eins in unsere Zeit übertragen. Aber die Frage muss erlaubt sein, ob wir heute in vielen Dingen nicht zu wenig Klarheit und Überzeugung im Glauben aufbringen. Ungezählte Bedenken, Einschränkungen, Abwägungen und Ambivalenzen können den Glauben auch bis zur Unkenntlichkeit verwässern. Wenn Paulus zu uns spricht, dann ermutigt er uns zur Authentizität und zur Entschiedenheit für die Sache des Herrn. Das bleibt – ein manchmal unangenehmer – Auftrag.

Ruf vor dem Evangelium Mt 4,16

Halleluja. Halleluja.
Das Volk, das im Dunkel lebte, hat ein helles Licht gesehen; denen, die im Schattenreich des Todes wohnten, ist ein Licht erschienen.
Halleluja.

Evangelium Mk 1,21–28

Aus dem heiligen Evangelium nach Markus.

In Kafarnaum ging Jesus am Sabbat in die Synagoge und lehrte. Und die Menschen waren sehr betroffen von seiner Lehre; denn er lehrte sie wie einer, der göttliche Vollmacht hat, nicht wie die Schriftgelehrten.

In ihrer Synagoge saß ein Mann, der von einem unreinen Geist besessen war. Der begann zu schreien: Was haben wir mit dir zu tun, Jesus von Nazaret? Bist du gekommen, um uns ins Verderben zu stürzen? Ich weiß, wer du bist: der Heilige Gottes.

Da befahl ihm Jesus: Schweig und verlass ihn! Der unreine Geist zerrte den Mann hin und her und verließ ihn mit lautem Geschrei.

Da erschraken alle und einer fragte den andern: Was hat das zu bedeuten? Hier wird mit Vollmacht eine ganz neue Lehre verkündet. Sogar die unreinen Geister gehorchen seinem Befehl.

Und sein Ruf verbreitete sich rasch im ganzen Gebiet von Galiläa. IF

Jesus begegnet einem Menschen in der Synagoge von Kafarnaum. Und er redet so überzeugend, er hat solche Kraft in seiner Stimme, seine Worte gehen so tief unter die Haut, dass sich selbst seine tiefe innere Besessenheit löst. Seine Worte befreien von Bösartigkeiten, von Arroganz, von Ehrgeiz, von Sucht und Hass. Und das liegt an seinen Worten. Jesus überzeugt Menschen davon, dass es einen anderen Lebenssinn gibt, anders als viele meinen. Jesus begegnet seinen Zeitgenossen mit Menschlichkeit, mit Nähe. Er bricht soziale Barrieren auf, er geht auch zu denen, die bis dahin ausgegrenzt waren. Er würde sich heute den Alkoholikern zuwenden und nicht locker lassen, bis sie sich so angenommen fühlten, dass sie zu einer Therapie bereit wären. Er würde auch heute den Strebern so viel Zuneigung entgegenbringen, bis sie einsehen könnten, dass nicht nur beruflicher Erfolg wichtig ist, sondern sie auch als Freund und Freundin geschätzt und angenommen sind. Er würde auch heute seinen Rücken den Schlägen des Hasses entgegenhalten und den eigenen Tod riskieren, um die zu lieben, die nur Hass kennen und ihn zur Strecke bringen wollen. Sein Geist der Liebe, sein Geist der Menschlichkeit, sein guter und heiliger Geist steht auch heute gegen die Ungeister unserer Welt. Er stellt den guten Geist des Teilens gegen den bösen Geist der Hartherzigkeit. Er behandelt die Besessenheit des Egoismus mit dem guten Geist der Zuneigung und der Liebe. Das ist die Weise, mit der Jesus heilt.

CREDO (siehe Seite 512)

FÜRBITTEN

Barmherziger Gott, du hast uns deinen Sohn Jesus Christus gesandt. Durch sein Wirken unter uns Menschen hat er uns ein Beispiel gegeben, wie auch wir gegen die bösen Geister dieser Welt den guten und heiligen Geist des Glaubens setzen können. Durch ihn bitten wir dich:

A: Christus, höre uns.

- Für alle Drogenabhängigen und Suchtkranken. Befreie sie von allem, was sie gefangen und besetzt hält.
- Für alle, die von Ehrgeiz und Egoismus zerfressen werden. Lass sie erkennen, dass sie auch ohne Erfolg geliebt und geachtet sind.

- Für alle Opfer des Terrors. Lass uns im Gedenken an den Holocaust und die Massenmorde der verschiedenen Diktaturen stets hellhörig und wachsam bleiben.
- Für alle psychisch kranken Menschen. Lass sie durch die Hilfe von feinfühligen Pflegekräften neuen Lebensmut schöpfen und wieder zu einem freien Leben gelangen.
- Für unsere Verstorbenen, die im Vertrauen auf dich von uns gegangen sind. Schenke ihnen das Leben in Fülle.

Herr Jesus Christus, deine Liebe zu uns heilt und tröstet uns in mancher Not. Höre auf unsere Bitten. Sei mit Gott dem Vater und dem Heiligen Geist gelobt und gepriesen. Heute und in Ewigkeit. Amen.

Gabengebet

Herr, unser Gott, wir legen die Gaben als Zeichen unserer Hingabe auf deinen Altar. Nimm sie entgegen und mach sie zum Sakrament unserer Erlösung. Darum bitten wir durch Christus, unseren Herrn.

Präfation

Sonntage IV

Wir danken dir, Vater im Himmel, und rühmen dich durch unseren Herrn Jesus Christus. Denn durch seine Geburt hat er den Menschen erneuert, durch sein Leiden unsere Sünden getilgt, in seiner Auferstehung den Weg zum Leben erschlossen und in seiner Auffahrt zu dir das Tor des Himmels geöffnet. Durch ihn rühmen dich deine Erlösten und singen mit den Chören der Engel das Lob deiner Herrlichkeit.

Einladung zum Vaterunser

Jesus hat uns gelehrt, um all das zu bitten, was uns zum Leben dient. Die Bitte um das »tägliche Brot« fasst daher alles zusammen, was uns Mittel zum Leben ist. Beten wir mit seinen Worten: Vater unser im Himmel …

Einladung zum Friedensgebet

Wo der Geist der Uneinigkeit und des Hasses die Menschen entzweit und gegeneinander hetzt, da lasst uns um den Geist Jesu bitten, der den Frieden will und ihn zu schaffen vermag, durch alle, die sich diesem Geist öffnen: Herr Jesus Christus …

Kommunionvers Mt 5,3–5

Selig, die vor Gott arm sind; denn ihnen gehört das Himmelreich. Selig, die keine Gewalt anwenden; denn sie werden das Land erben.

Oder: Ps 31,17–18

Laß dein Angesicht leuchten über deinem Knecht, hilf mir in deiner Güte. Herr, laß mich nicht scheitern, denn ich rufe zu dir.

Schlussgebet

Barmherziger Gott, das Sakrament der Erlösung, das wir empfangen haben, nähre uns auf dem Weg zu dir und schenke dem wahren Glauben beständiges Wachstum. Darum bitten wir durch Christus, unseren Herrn.

Schlusssegen Im Jahreskreis IV

Der Gott und Vater unseres Herrn Jesus Christus, der uns tröstet in jeder Not, segne euch und lenke eure Tage in seinem Frieden.

Er bewahre euch vor aller Verwirrung und festige eure Herzen in seiner Liebe.

In diesem Leben mache er euch reich an guten Werken; und im künftigen sei er selbst euer unvergänglicher Lohn.

Das gewähre euch der dreieinige Gott, der Vater und der Sohn ✝ und der Heilige Geist.

Betrachtung

Ich kenne meine eigenen Dämonen. Wenn ich in der Stille und vor Gott mein Leben in den Blick nehme, dann wird mir zuweilen meine ganze Besessenheit deutlich. Was ich alles tun muss und was unsagbar wichtig ist. Wo ich mich gezwungen fühle und nicht anders kann. Wo meine selbstgemachten Erwartungen an mich und die Erwartungen, die andere in mir aufgebaut haben, zum Zwang und zur schier unerträglichen Last werden. Und ich kenne meine Versuchungen und Verführbarkeiten, die mir einflüstern, was so vermeintlich wichtig ist und mich oft genug einengt, niederdrückt und festlegt.

Jesus, ich darf und will dich darum bitten, meine Dämonen zu vertreiben. Ich darf und will darum rufen, dass du mich die Unterscheidung der Geister lehrst. Und selbst wenn ich hin- und hergerissen bin von all dem, was mein Leben schwierig und kompliziert macht, dann darf ich darauf vertrauen, dass du mir Klarheit schenken willst. Gib mir deinen Geist, der mich frei macht und der mich den Weg gehen lässt, den du für mich bestimmt hast. Führe mich hinaus ins Weite und mach meine Finsternis hell.

Friedhelm Meudt

Darstellung des Herrn
2. Februar 2012

Eines der Grundprinzipien unserer modernen Gesellschaft ist die Marktwirtschaft. Kurz gesagt bedeutet das: Menschen handeln und wirtschaften nach dem Prinzip, dass sie mit einem möglichst geringen Aufwand einen möglichst hohen Erfolg erzielen. Mit kleinem Einsatz hohen Gewinn erwirtschaften, möglichst effektiv sein, die Frage stellen: »Ob es sich rentiert?«

Dieses Denken ist für uns ganz selbstverständlich geworden. Und zunächst ist ja auch nichts Schlechtes daran. Jeder muss sehen, wie er seine Kräfte so einsetzt, dass sie eine möglichst große Wirkung entfalten können. Auch wir Christen müssen oft so handeln.

Heute steht im Mittelpunkt des Gottesdienstes das Licht. »Lichtmess« hieß dieses Fest der Darstellung des Herrn früher. Für viele auch heute noch der geläufige Begriff. Wir segnen die Kerzen, die während des langen Jahres uns an Christus erinnern und ein Symbol für ihn sind. Wir ziehen mit diesen Lichtern durch die Kirche und machen uns so deutlich, dass wir alle mit unseren kleinen einzelnen Lichtern dem großen Licht Christus folgen.

Doch eines ist seltsam: Die Kerze, dieses Ursymbol für Christus, folgt nicht den allgemeinen Gesetzmäßigkeiten unserer Welt. Die Kerze brennt und spendet Licht und Wärme. Manchmal sagen wir, sie gibt ein warmes, angenehmes Licht. Besonders in der Advents- und Weihnachtszeit ist uns das wichtig. Dann, wenn die Jahreszeit am dunkelsten ist, wenn die Natur ihren Tiefschlaf hält, dann gibt uns das warme Licht der Kerzen Trost und Hoffnung auf den wiederkehrenden Frühling. Dann geben uns Kerzen und ihr Licht ein Gefühl und eine Stimmung der Geborgenheit. Dann vertreibt auch ein noch so kleines Licht die undurchdringliche Dunkelheit. Aber der Preis für ihr Leuchten in der Dunkelheit wird von der Kerze teuer bezahlt. Sie brennt nicht nur, sie verbrennt auch. Mit ihrem Strahlen und Leuchten wird die Kerze immer weniger, sie strahlt aus und brennt zugleich nieder. In der

Osternacht, im Exsultet, dem großen Lobgesang auf das Licht dieser Nacht, hören wir es in feierlicher Form: das Wachs schmilzt und ermöglicht ein Leuchten, das sich verteilt.

Das ist das Symbol für Jesus Christus, er hat sich nicht geschont, sondern an viele verteilt. Dafür hat er mit seinem Leben bezahlt, ohne diesen Preis ging es nicht ab. Es gab für ihn keine fromme Verkündigung, ohne dass er dafür einen Preis hätte entrichten müssen. Darum ist dieser Feiertag bereits ein Hinweis darauf, dass dieses Licht der Welt auch sein Leben für die Welt geben wird und gibt.

KERZENWEIHE

Segnung der Kerzen

Gott, du Quell und Ursprung allen Lichtes, du hast am heutigen Tag dem greisen Simeon Christus geoffenbart als das Licht zur Erleuchtung der Heiden. Segne † die Kerzen, die wir in unseren Händen tragen und zu deinem Lob entzünden. Führe uns auf dem Weg des Glaubens und der Liebe zu jenem Licht, das nie erlöschen wird. Darum bitten wir durch Christus, unseren Herrn.

Oder:

Gott, du bist das wahre Licht, das die Welt mit seinem Glanz hell macht. Erleuchte auch unsere Herzen, damit alle, die heute mit brennenden Kerzen in deinem heiligen Haus vor dich hintreten, einst das ewige Licht deiner Herrlichkeit schauen. Darum bitten wir durch Christus, unseren Herrn.

MESSFEIER

Wir haben dein Heil empfangen, o Gott,
inmitten deines Tempels.
Wie dein Name, Gott, so reicht dein Ruhm
bis an die Enden der Erde;
deine rechte Hand ist voll von Gerechtigkeit.

Vgl. Ps 48,10–11

KYRIE-RUFE

Oder: GL 485 · KG 50

In die Dunkelheit der Welt, mit ihren Krankheiten und Leiden sendest du dein Licht. Herr, erbarme dich.
In die Kälte unserer Herzen, mit ihrer Trostlosigkeit und Einsamkeit sendest du deine Wärme. Christus, erbarme dich.
In die Not unseres Lebens, mit ihrer Suche nach Halt und Orientierung sendest du die Kraft deiner Liebe. Herr, erbarme dich.

GLORIA (siehe Seite 508)

TAGESGEBET

Allmächtiger, ewiger Gott, dein eingeborener Sohn hat unsere menschliche Natur angenommen und wurde am heutigen Tag im Tempel dargestellt. Läutere unser Leben und Denken, damit wir mit reinem Herzen vor dein Antlitz treten. Darum bitten wir durch Jesus Christus.

ERSTE LESUNG

Mal 3,1–4

Lesung aus dem Buch Maleachi.

So spricht Gott, der Herr: Seht, ich sende meinen Boten; er soll den Weg für mich bahnen. Dann kommt plötzlich zu seinem Tempel der Herr, den ihr sucht, und der Bote des Bundes, den ihr herbeiwünscht. Seht, er kommt!, spricht der Herr der Heere.

Doch wer erträgt den Tag, an dem er kommt? Wer kann bestehen, wenn er erscheint? Denn er ist wie das Feuer im Schmelzofen und wie die Lauge im Waschtrog. Er setzt sich, um das Silber zu schmelzen und zu reinigen: Er reinigt die Söhne Levis, er läutert sie wie Gold und Silber. Dann werden sie dem Herrn die richtigen Opfer darbringen. Und dem Herrn wird das Opfer Judas und Jerusalems angenehm sein wie in den Tagen der Vorzeit, wie in längst vergangenen Jahren. IF

Weihnachten war und ist für viele ein Fest des Gemüts. Es spricht unsere Gefühle an, es geht uns zu Herzen. Und da das Fest »Darstellung des Herrn« in Verbindung zu Weihnachten steht, ja weil in manchen Gegenden auch heute erst die Weihnachtsbäume und -krippen endgültig weggeräumt werden, daher empfindet manch einer diesen Tag noch verbunden mit den schönen Empfindungen von Weihnachten. Doch das Buch Maleachi schlägt andere Töne an: »wer erträgt den Tag, an dem er kommt?«, so fragt der Prophet. Die Begegnung mit Christus, mit dem Messias ist nicht nur eine Wohlfühlromantik, die manche mit seinem ersten Kommen an Weihnachten verbinden. Es ist auch eine Zeit der Herausforderung, der Anforderung, der Entscheidung. Denn das Kind Jesus wird nicht klein bleiben – es wird erwachsen und mit ihm kommt die Botschaft in die Welt, die wie ein Schmelzofen und ein Waschtrog die Dinge voneinander scheidet. Es geht um die Frage danach, wie wir zu Gott stehen und ob wir ihm und seiner Weisung folgen. Es wird immer die geben, die sich nur das Angenehme des Christentums herauszusuchen wünschen. Aber letztlich ist mit diesem Kind schon die ganze Botschaft verbunden und die wird zur Entscheidung dafür oder dagegen herausfordern.

ANTWORTPSALM

Ps 24,7–10 (℟: vgl. 10b)

℟: Der Herr der Heere, er ist der König der Herrlichkeit.

VIII. Ton – GL 122,1 · KG 319

Ihr Tore, hebt euch nach oben, /
hebt euch, ihr uralten Pforten; *
denn es kommt der König der Herrlichkeit.
Wer ist der König der Herrlichkeit? /
Der Herr, stark und gewaltig, *
der Herr, mächtig im Kampf. – ℟

Ihr Tore, hebt euch nach oben, /
hebt euch, ihr uralten Pforten; *
denn es kommt der König der Herrlichkeit.
Wer ist der König der Herrlichkeit? /
Der Herr der Heerscharen, *
er ist der König der Herrlichkeit. – ℟

ZWEITE LESUNG Hebr 2,11–12.13c–18

Lesung aus dem Hebräerbrief.

Er, der heiligt, und sie, die geheiligt werden, stammen alle von Einem ab; darum scheut er sich nicht, sie Brüder zu nennen und zu sagen: Ich will deinen Namen meinen Brüdern verkünden, inmitten der Gemeinde dich preisen; und ferner: Seht, ich und die Kinder, die Gott mir geschenkt hat.

Da nun die Kinder Menschen von Fleisch und Blut sind, hat auch Jesus in gleicher Weise Fleisch und Blut angenommen, um durch seinen Tod den zu entmachten, der die Gewalt über den Tod hat, nämlich den Teufel, und um die zu befreien, die durch die Furcht vor dem Tod ihr Leben lang der Knechtschaft verfallen waren. Denn er nimmt sich keineswegs der Engel an, sondern der Nachkommen Abrahams nimmt er sich an.

Darum musste er in allem seinen Brüdern gleich sein, um ein barmherziger und treuer Hoherpriester vor Gott zu sein und die Sünden des Volkes zu sühnen. Denn da er selbst in Versuchung geführt wurde und gelitten hat, kann er denen helfen, die in Versuchung geführt werden. IF

Die Anrede »Brüder und Schwestern« klingt in unseren Gottesdiensten vertraut. Doch außerhalb der Liturgie würden wir diese Benennung wohl kaum verwenden. Es käme uns seltsam vor, wenn in öffentlichen Reden oder in Ansprachen diese Worte gebraucht würden. Doch wenn es so ist, dass Jesus Christus unser Bruder geworden ist, wir alle mit ihm zugleich Kinder Gottes genannt werden dürfen, dann hat das weitreichende Konsequenzen. Jemanden, den ich als meinen Bruder oder meine Schwester – wenn auch geistlich – verstehe, den werde ich anders behandeln müssen, als wenn wir nichts miteinander zu tun hätten. Hin und wieder sprechen wir von der Menschheitsfamilie und meinen damit, dass wir alle untereinander dieses Band der Verbundenheit haben. Der Hebräerbrief formuliert, dass Jesus sich der »Nachkommen Abrahams« angenommen habe. Damit wird der Kreis im Übrigen auch auf die Mitglieder des Christentums, des Judentums und des Islam ausgeweitet. Wie sehr könnte diese Botschaft zur Verständigung beitragen und einen sensibleren Umgang miteinander ermöglichen, wenn wir sie nur ernst nähmen. Bei jedem Mal, wenn es im Gottesdienst heißt: »Schwestern und Brüder« dürfen wir daran erinnert sein, dass wir über viele Grenzen hinweg als Menschheitsfamilie zusammen gehören und dass jede Gewalt, jede Ungerechtigkeit und jede Boshaftigkeit innerhalb dieser Familie ein Skandal ist.

RUF VOR DEM EVANGELIUM Lk 2,32

Halleluja. Halleluja.
Ein Licht, das die Heiden erleuchtet,
und Herrlichkeit für dein Volk Israel.
Halleluja.

EVANGELIUM Lk 2,22–40 (Kf: 2,22–32)

Aus dem heiligen Evangelium nach Lukas.

Es kam für die Eltern Jesu der Tag der vom Gesetz des Mose vorgeschriebenen Reinigung. Sie brachten das Kind nach Jerusalem hinauf, um es dem Herrn zu weihen, gemäß dem Gesetz des Herrn, in dem es heißt: Jede männliche Erstgeburt soll dem Herrn geweiht sein. Auch wollten sie ihr Opfer darbringen, wie es das Gesetz des Herrn vorschreibt: ein Paar Turteltauben oder zwei junge Tauben.

In Jerusalem lebte damals ein Mann namens Simeon. Er war gerecht und fromm und wartete auf die Rettung Israels und der Heilige Geist ruhte auf ihm. Vom Heiligen Geist war ihm offenbart worden, er werde den Tod nicht schauen, ehe er den Messias des Herrn gesehen habe. Jetzt wurde er vom Geist in den Tempel geführt; und als die Eltern Jesus hereinbrachten, um zu erfüllen, was nach dem Gesetz üblich war, nahm Simeon das Kind in seine Arme und pries Gott mit den Worten:

Nun lässt du, Herr, deinen Knecht, wie du gesagt hast, in Frieden scheiden. Denn meine Augen haben das Heil gesehen, das du vor allen Völkern bereitet hast, ein Licht, das die Heiden erleuchtet, und Herrlichkeit für dein Volk Israel.⬅

Sein Vater und seine Mutter staunten über die Worte, die über Jesus gesagt wurden. Und Simeon segnete sie und sagte zu Maria, der Mutter Jesu: Dieser ist dazu bestimmt, dass in Israel viele durch ihn zu Fall kommen und viele aufgerichtet werden, und er wird ein Zeichen sein, dem widersprochen wird. Dadurch sollen die Gedanken vieler Menschen offenbar werden. Dir selbst aber wird ein Schwert durch die Seele dringen.

Damals lebte auch eine Prophetin namens Hanna, eine Tochter Penuëls, aus dem Stamm Ascher. Sie war schon hochbetagt. Als junges Mädchen hatte sie geheiratet und sieben Jahre mit ihrem Mann gelebt; nun war sie eine Witwe von vierundachtzig Jahren. Sie hielt sich ständig im Tempel auf und diente Gott Tag und Nacht mit Fasten und Beten.

In diesem Augenblick nun trat sie hinzu, pries Gott und sprach über das Kind zu allen, die auf die Erlösung Jerusalems warteten.

Als seine Eltern alles getan hatten, was das Gesetz des Herrn vorschreibt, kehrten sie nach Galiläa in ihre Stadt Nazaret zurück. Das Kind wuchs heran und wurde kräftig; Gott erfüllte es mit Weisheit und seine Gnade ruhte auf ihm. |F

Die Ereignisse im Tempel liegen viele Jahrhunderte zurück. Heute machen sich Menschen auf den Weg und folgen Jesus nach. Auch wir haben damit Teil an dieser Aufgabe, Licht zu sein, »das die Heiden erleuchtet«. Was heißt das, heute in unserer Welt? Heißt das, eine aggressive und aufdringliche Mission zu betreiben, damit es keine Heiden mehr auf der Welt gibt? Heißt das – wie in vergangenen Zeiten – den Glauben mit Schwert und Feuer dorthin zu bringen, wo vermeintlich Ungläubige leben, denen wir das Licht, notfalls mit Gewalt, aufzwingen?

Eine Kerze strahlt ihr Licht aus. Sie zieht Menschen an, weil man in ihrer Nähe Wärme und Helligkeit, Sicherheit und Geborgenheit findet. Wenn wir Licht werden, das andere erleuchtet, dann geht das nur, indem wir versuchen auch in unserem Leben das Licht Christi leuchten zu lassen. Dann müssen andere uns anmerken: die Christen, das sind zufriedene und befreite Menschen. Sie haben eine Hoffnung und einen Glauben, der sie durch ihr Leben trägt. Wenn das Leben für andere in unserer Nähe hell wird, wenn wir die Wärme der Menschlichkeit und das Licht eines sinnvollen und erfüllten Lebens ausstrahlen, dann sind wir ein solches Licht, »das die Heiden erleuchtet«. Und eine Welt und eine Gesellschaft, die so viel Kälte, soviel Fragen danach kennt: »was bringt mir das?«, eine Menschheit, die sich so nach Wärme und Solidarität sehnt, wie die unsere, sie braucht vielleicht nichts mehr als solche Lichter, die sie erleuchten.

Aber machen wir uns nichts vor: es geht nicht ohne persönlichen Einsatz. Die Kerze verzehrt sich, wenn sie brennt und leuchtet. Und auch, wenn es sicher nicht darum geht, unseren Glauben als ein Opfer oder ein Verzehren zu sehen, so müssen wir doch auch immer im Bewusstsein und im Herzen wissen: ohne den Einsatz meines eigenen Lebens geht es nicht. Das wird uns deutlich, wo Menschen ihre Angehörigen pflegen, wo man füreinander da ist und sich einsetzt. Dieses Leuchten finden wir, wo man sich in Nachbarschaft und Bekanntenkreis unter die Arme greift. Wo man auch bei Krankheit oder Tod eines Menschen die Angehörigen nicht im Stich lässt, sondern sich sorgt und mit trägt. All das geht nicht ohne eigenen Einsatz. Meine Zeit, mein Engagement, letztlich ein Stück meines Lebens muss ich investieren. Und manchmal, wenn ein Leben für andere gelebt wurde, dann spüren wir etwas davon, wenn wir von anderen sagen können: er war ein Licht, das andere erleuchtet hat.

FÜRBITTEN

Herr Jesus Christus, du bist das Licht der Welt. An keiner Sorge, an keiner Not und an keiner Dunkelheit gehst du vorüber. Wir dürfen uns mit unseren Anliegen an dich wenden:

V: Christus, du Licht der Welt: A: Wir bitten dich, erhöre uns.

- Wir beten für alle Menschen, die einsam sind und sich alleingelassen fühlen. Lass ihre Dunkelheit hell werden durch die Begegnung mit liebevollen und freundlichen Mitmenschen.
- Wir beten für alle Menschen, die in Not geraten sind, besonders für die Menschen in .... Lass sie nicht mutlos werden und hilf uns allen, an einer gerechten und sozialen Zukunft zu bauen.
- Wir beten für einen sorgsamen Umgang mit unserer Erde und für verantwortliches Handeln aller, die die Geschicke der Völker lenken. Lass sie nicht nur auf Profit und Gewinne schauen, sondern die Menschen nicht aus dem Blick verlieren.
- Wir beten für alle, die sich auf einen Dienst in der Kirche vorbereiten. Erleuchte junge Menschen mit deinem Licht, damit sie sich als Priester, in Ordensberufen oder im pastoralen Dienst einsetzen.
- Wir beten für alle Kranken in unserer Mitte. Schenke ihnen Heilung und Beistand und segne die Ärzte und Pflegekräfte, die für sie sorgen.
- Wir beten für unsere Toten, die aus unserer Welt in dein Reich des Lichts gegangen sind. Lass ihnen das ewige Licht leuchten.

Denn du, Herr, bist an unserer Seite. Heute und alle Tage unseres Lebens. Wir loben dich und danken dir mit dem Vater und dem Heiligen Geist, jetzt und in Ewigkeit.
Amen.

GABENGEBET

Allmächtiger Gott, nach deinem Ratschluß hat dein eigener Sohn sich als makelloses Lamm für das Leben der Welt geopfert. Nimm die Gabe an, die deine Kirche in festlicher Freude darbringt. Darum bitten wir durch Christus, unseren Herrn.

PRÄFATION

Vom Tag

In Wahrheit ist es würdig und recht, dir, Herr, heiliger Vater, allmächtiger, ewiger Gott, immer und überall zu danken. Denn heute hat die jungfräuliche Mutter deinen ewigen Sohn zum Tempel getragen; Simeon, vom Geist erleuchtet, preist ihn als Ruhm deines Volkes Israel, als Licht zur Erleuchtung der Heiden. Darum gehen auch wir dem Erlöser freudig entgegen und singen mit den Engeln und Heiligen das Lob deiner Herrlichkeit.

EINLADUNG ZUM VATERUNSER

Beten wir um das Reich des Lichtes und des Friedens, beten wir mit den Worten Jesu um das Reich Gottes: Vater unser im Himmel …

EINLADUNG ZUM FRIEDENSGEBET

Wer selbst mit kleinen Gesten und unbeholfenen Worten in diese Welt den Frieden hinein trägt, der wirkt mit am Auftrag Christi. Denn er, das wahre Licht der Welt will, dass auch wir Licht der Welt werden. Lasst uns daher gemeinsam um den Frieden und um Einigkeit beten: Herr Jesus Christus …

KOMMUNIONVERS

Lk 2,30–31

Meine Augen haben das Heil gesehen, das du vor allen Völkern bereitet hast.

SCHLUSSGEBET

Barmherziger Gott, stärke unsere Hoffnung durch das Sakrament, das wir empfangen haben, und vollende in uns das Werk deiner Gnade. Du hast die Erwartung Simeons erfüllt und ihn Christus schauen lassen. Erfülle auch unser Verlangen: Laß uns Christus entgegengehen und in ihm das ewige Leben finden, der mit dir lebt und herrscht in alle Ewigkeit.

SCHLUSSSEGEN

Im Jahreskreis I

Der Herr segne euch und behüte euch; der Herr lasse sein Angesicht über euch leuchten und sei euch gnädig; er wende euch sein Antlitz zu und schenke euch seinen Frieden.

Das gewähre euch der dreieinige Gott, der Vater und der Sohn ✝ und der Heilige Geist. Amen.

Betrachtung: Ein Schwert, das die Seele durchbohrt

Dir selbst aber wird ein Schwert durch die Seele dringen.« Mit diesen pathetischen Worten kündet Simeon der Gottesmutter an, wie dramatisch ihr Schicksal im Hinblick auf dieses Kind sein wird, das er vorher als Licht der Völker bezeichnet hat. Natürlich verbinden wir als Glaubende mit diesen Worten all das, was Maria unter dem Kreuz auszuhalten hat. Wir verbinden damit den Schmerz einer Mutter, die ihren Sohn nicht immer versteht, die auch verletzende Worte aushalten muss und die zuletzt das tote Kind in den Schoß gelegt bekommt.

Am Fest Darstellung des Herrn werden die Kerzen gesegnet. Viele davon brennen an den Marienstatuen unserer Kapellen, Kirchen und Dome. Und viele brennen, weil Mütter mit ihren Kindern leiden. Mit denen, die »vom rechten Weg« abgekommen sind. Sie brennen für jene, deren Lebensentscheidungen die Eltern nicht mehr verstehen und mittragen können. Sie brennen für tote und verunglückte Kinder. Sie brennen und leuchten in manch Dunkelheit hinein und geben stummes Zeugnis von vielen, deren Seele wie von einem Schwert durchbohrt ist. Sicher sind deshalb auch die Bildnisse der Mutter Gottes ein Ort, an dem besonders viele Kerzen brennen. Wissen wir Menschen doch um die Erfahrungen der Gottesmutter, die so oft auch unsere eigenen sind.

Das Wort von dem Schwert, das die Seele durchdringt, ist unglaublich hart. Und doch ist es immer im Kontext damit zu sehen, dass dieses Kind auch zugleich das »Licht der Welt« ist. Jesus wird dem Leid nicht ausweichen und auch seiner Mutter das Leid nicht ersparen, das mit seiner Passion verbunden ist. Aber sein Leben wird im Licht des Ostermorgens, im Licht der Auferstehung erfüllt. So kann jedes noch so kleine Licht, jede kleine Kerze, manchmal angezündet in großer Not oder unter schwerem Seufzen, ein Hinweis sein: am Ende steht das Licht.

Friedhelm Meudt

5. Sonntag im Jahreskreis
5. Februar 2012

Kommt, lasst uns niederfallen,
uns verneigen vor dem Herrn, unserem Schöpfer!
Denn er ist unser Gott.
Ps 95,6–7

In den vergangenen Jahren ist eine Krankheit in den Mittelpunkt der öffentlichen Wahrnehmung getreten, die wir so früher gar nicht gekannt haben und für die es lange keinen richtigen Namen gab: das »Burn-out-Syndrom«, frei übersetzt soviel wie: die Krankheit und das Empfinden, ausgebrannt, leer, völlig erschöpft zu sein. Viele Berufsgruppen sind von diesem Phänomen bedroht und befallen. Besonders dort, wo Menschen viel Verantwortung tragen, wo sie das persönliche Gefühl und die ständige Rückmeldung bekommen: »Du bist wichtig, du wirst gebraucht, ohne dich geht es nicht.« Das können Leute im Management sein, Ärzte, Verantwortungsträger in der Politik, auch Pfarrer und Seelsorger, eben solche Menschen, die nicht nach einer bestimmten Stundenzahl einfach sagen können: für heute ist die Arbeit erledigt, sondern immer spüren: du bist verantwortlich, auch über die Feierabendgrenze hinaus. Innere und äußere Zwänge führen zu immer größeren Anstrengungen. Aber eben auch zu der Erfahrung, es dann doch nie ganz zu schaffen. Nach aller Anstrengung bleibt mancher erschöpft, ausgebrannt und enttäuscht zurück.

Kann es sein, dass unsere Zeit und Gesellschaft deshalb so problematisch in dieser Hinsicht geworden ist, weil wir das rechte Maß verloren haben und keine innere Ruhe mehr finden? Brauchen wir alle diese Hektik, diese Geisteshaltung »Ich will alles und zwar sofort« oder das Anspruchsdenken, das wir ja auch selbst ständig propagieren, unter dem wir aber auch leiden? Wir könnten viel von den Klöstern und Ordensgemeinschaften lernen – immer wieder ziehen sich Menschen ja auch in Klöster und geistliche Zentren zurück, um »aufzutanken« und um mit ihrer Seele und ihrem inneren Haushalt ins Reine zu kommen. Wer auf Jesus schaut, der wird jedenfalls nicht sagen können, diese ständige Hast und Hektik, diese ständige Forderungs- und Erwartungshaltung sei evangeliumsgemäß – sie ist es nicht. Wir selbst machen uns das Leben schwer, manchmal gar zur Hölle.

Kyrie-Rufe GL 425 · KG 51

Herr, du bist gekommen, um uns das schwere Joch von den Schultern zu nehmen und unserer Seele Ruhe zu verschaffen. Herr, erbarme dich.
Du hast den Menschen eine frohe Botschaft gebracht, die sie aufleben lässt. Christus, erbarme dich.
Wer dir nachfolgt, der wird Kraft und Heil für sein Leben finden. Herr, erbarme dich.

Gloria (siehe Seite 508)

Tagesgebet

Gott, unser Vater, wir sind dein Eigentum und setzen unsere Hoffnung allein auf deine Gnade. Bleibe uns nahe in jeder Not und Gefahr und schütze uns. Darum bitten wir durch Jesus Christus.

Erste Lesung Ijob 7,1–4.6–7

Lesung aus dem Buch Ijob.

Ijob ergriff das Wort und sprach: Ist nicht Kriegsdienst des Menschen Leben auf der Erde? Sind nicht seine Tage die eines Tagelöhners? Wie ein Knecht ist er, der nach Schatten lechzt, wie ein Tagelöhner, der auf den Lohn wartet.

So wurden Monde voll Enttäuschung mein Erbe und Nächte voller Mühsal teilte man mir zu. Lege ich mich nieder, sage ich: Wann darf ich aufstehn? Wird es Abend, bin ich gesättigt mit Unrast, bis es dämmert. Schneller als das Weberschiffchen eilen meine Tage, der Faden geht aus, sie schwinden dahin. Denk daran, dass mein Leben nur ein Hauch ist. Nie mehr schaut mein Auge Glück. IF

Ijob ist der große Leidende des Alten Testaments. Seine Fragen und inneren Auseinandersetzungen sind quälend und mühsam, aber vielen Menschen, gerade den kranken und sorgenbeladenen, geht es ähnlich. Und dann stellt sich oft die große, alles entscheidende Frage: Wozu bin ich überhaupt auf dieser Welt? Ist nicht alles nur Mühsal und Kampf, den der Mensch am Ende, im Tod, ja doch nur verlieren kann? Wie auch immer der Einzelne die Bilanz seines Lebens betrachtet, ob eher erfreulich und erfüllt oder mehr qualvoll und enttäuschend, letztlich kommt es darauf an, ob es nur um das Diesseits geht, oder ob wir von Gott noch ein Mehr erwarten. Das eigene Schicksal ist nicht immer zum Guten zu wenden. Und die persönlichen Lebenserfahrungen können durchaus eine Fülle von Niederlagen enthalten. Und doch: wenn es Gott gibt und wenn er auf der Seite des Menschen steht, besonders auf der Seite der Armen, der Notleidenden und Zukurzgekommenen, dann darf bei allem Leid auch die Hoffnung benannt werden: Gott wende alles zur Vollendung und Erfüllung in deinem Reich. Diese Hoffnung strahlt letztlich auch in das Leben dieser Welt aufbauend und wohltuend hinein.

ANTWORTPSALM Ps 147,1–6 (℟: vgl. 3a)

℟: Halleluja – oder: Lobet den Herrn; er heilt die gebrochenen Herzen.

IV. Ton – GL 528,2 · KG 385,7

Gut ist es, unserm Gott zu singen; *
schön ist es, ihn zu loben.
Der Herr baut Jerusalem wieder auf, *
er sammelt die Versprengten Israels. – ℟

Er heilt die gebrochenen Herzen *
und verbindet ihre schmerzenden Wunden.
Er bestimmt die Zahl der Sterne *
und ruft sie alle mit Namen. – ℟

Groß ist unser Herr und gewaltig an Kraft, *
unermesslich ist seine Weisheit.

Der Herr hilft den Gebeugten auf *
und erniedrigt die Frevler. – R

ZWEITE LESUNG 1 Kor 9,16–19.22–23

Lesung aus dem ersten Korintherbrief.

Schwestern und Brüder! Wenn ich das Evangelium verkünde, kann ich mich deswegen nicht rühmen; denn ein Zwang liegt auf mir. Weh mir, wenn ich das Evangelium nicht verkünde! Wäre es mein freier Entschluss, so erhielte ich Lohn. Wenn es mir aber nicht freisteht, so ist es ein Auftrag, der mir anvertraut wurde. Was ist nun mein Lohn? Dass ich das Evangelium unentgeltlich verkünde und so auf mein Recht verzichte.

Da ich also von niemand abhängig war, habe ich mich für alle zum Sklaven gemacht, um möglichst viele zu gewinnen. Den Schwachen wurde ich ein Schwacher, um die Schwachen zu gewinnen. Allen bin ich alles geworden, um auf jeden Fall einige zu retten. Alles aber tue ich um des Evangeliums willen, um an seiner Verheißung teilzuhaben. F

Paulus begreift sich als ein Sklave der Verkündigung. Er stellt sich ganz und gar (eben wie ein Leibeigener) in den Dienst der Botschaft. Er ist, nach eigenen Worten, allen alles geworden. Und das können wir heute leicht missverstehen: so als ob es in der Verkündigung darum gehen müsste, möglichst rast- und ruhelos zu werden oder in Aktivismus zu verfallen. Paulus aber hat zwar sein ganzes Leben in diesen Dienst der Verkündigung gestellt, aber er hat sich nicht für unverzichtbar, unersetzlich oder unabkömmlich gehalten (eine Versuchung der Seelsorge heutzutage!). Er hat Gemeinden gegründet und ist dann weitergezogen. Er hat den Glauben grundgelegt und hat darauf vertraut, dass Gottes Geist die Menschen weiter führt und leitet. Er hat sich wieder auf den Weg gemacht. Sicher mit dem Ziel, auch andere mit der Frohen Botschaft in Kontakt zu bringen. Letztlich weiß der Apostel, dass er den Auftrag der Verkündigung hat, und er hat ihn freiwillig angenommen. Aber er weiß auch, dass er sich nicht selbst verkündet, sondern Christus. Und er weiß, dass letztlich bei allen Bemühungen es nicht auf ihn ankommt, sondern auf das Wirken Gottes im Menschen. Das spornt an, die Botschaft zu verkünden. Und es entlastet von dem Wahn, selbst das Heil zu schaffen.

RUF VOR DEM EVANGELIUM Vgl. Mt 8,17

Halleluja. Halleluja.
Christus hat unsere Leiden auf sich genommen,
unsere Krankheiten hat er getragen.
Halleluja.

EVANGELIUM Mk 1,29–39

Aus dem heiligen Evangelium nach Markus.

In jener Zeit ging Jesus zusammen mit Jakobus und Johannes gleich in das Haus des Simon und Andreas. Die Schwiegermutter des Simon lag mit Fieber im Bett. Sie sprachen mit Jesus über sie, und er ging zu ihr, fasste sie an der Hand und richtete sie auf. Da wich das Fieber von ihr und sie sorgte für sie.

Am Abend, als die Sonne untergegangen war, brachte man alle Kranken und Besessenen zu Jesus. Die ganze Stadt war vor der Haustür versammelt, und er heilte viele, die an allen möglichen Krankheiten litten, und trieb viele Dämonen aus. Und er verbot den Dämonen zu reden; denn sie wussten, wer er war.

In aller Frühe, als es noch dunkel war, stand er auf und ging an einen einsamen Ort, um zu beten. Simon und seine Begleiter eilten ihm nach, und als sie ihn fanden, sagten sie zu ihm: Alle suchen dich. Er antwortete: Lasst uns anderswohin gehen, in die benachbarten Dörfer, damit ich auch dort predige; denn dazu bin ich gekommen. Und er zog durch ganz Galiläa, predigte in den Synagogen und trieb die Dämonen aus. IF

Im Evangelium geschieht etwas Unglaubliches. Jesus heilt die Menschen und sein Wirken ist äußerst erfolgreich. Die Leute werden gesund, sie kommen in Scharen, er hätte alle Hände voll zu tun. Er könnte dort in Kapharnaum eine Krankenstation aufmachen, und bis an sein Lebensende hätte er genug Patienten, genug Verdienstmöglichkeiten. Und er heilt auch – aber eben nicht alle. Er zieht sich zurück: einmal in die Stille des Gebets, weg von den Menschen, um geistlich aufzutanken, und dann geht er sogar einfach weiter, woanders hin, um andere Ziele anzupacken. Da ist manch einer stutzig: wie kann er nur? Er muss doch helfen! Das ist doch unverantwortlich, ungerecht, zurückstoßend, wenn einige geheilt werden und andere einfach links liegen bleiben oder unverrichteter Dinge wieder heimkehren müssen. Und doch handelt Jesus so. So genau steht es im Evangelium. Was passiert eigentlich, wenn wir heute so handeln? Kann uns dieses Vorbild Jesu ermutigen? Und was ist die Botschaft, die dahinter steckt?

Jesus achtet auf sich selbst. Er braucht nach allem Arbeiten und all der öffentlichen Wirksamkeit Zeit für sich und für das Gebet, für die intensive Begegnung mit Gott, seinem Vater. Und diese Zeit nimmt er sich. Er geht einfach weg – und er tankt innerlich auf, wie wir heute sagen würden. Dafür muss sich niemand schämen und das haben alle anderen zu respektieren. Selbst die nacheilenden Jünger erreichen bei ihm nicht, dass er ein schlechtes Gewissen hätte oder zu der vermeintlich wichtigen Arbeit zurückkehren würde. Nein, er lässt sie mit ihrem Anliegen einfach stehen und tut das, was er für richtig und entscheidend hält. Jesu Handeln ist glasklar und er lässt keine Diskussionen zu. Das geistliche Innenleben, die Ausgeglichenheit und die Gottesbeziehung sind wichtiger als das äußerliche Funktionieren und Erfüllen von Wünschen und Anforderungen. Damit wird uns deutlich gemacht: nein, hier ist nicht einfach ein Arzt am Werk. Sein Dienst reicht viel weiter. Er verkündet das Gottesreich, er ermutigt andere, ihm nachzufolgen und so wie er es tut zu handeln. Deshalb kann er weiterziehen und nur »exemplarisch« wirken. In ihm ist das Reich Gottes angebrochen, aber es ist in dieser Welt noch nicht zum Ende gekommen. Daran dürfen auch wir mitwirken.

CREDO (siehe Seite 512)

FÜRBITTEN

Herr, unser Gott, mit vielerlei ganz unterschiedlicher Not sind die Menschen zu Jesus gekommen und haben von ihm Hilfe erfahren. Auch wir kommen heute mit unseren Sorgen und Bitten zu dir:

V: Gott, unser Vater: A: Wir bitten dich, erhöre uns.

- Für die Kranken. Hilf ihnen gesund zu werden. Stärke aber auch all jene, die keine Möglichkeit zur Genesung haben, und gib ihnen Kraft, ihr Leiden zu tragen.
- Für Ärzte, Pflegepersonal und alle, die in den Familien im Krankendienst stehen. Oft sind ihre Aufgaben schwierig und aufreibend. Schenke immer neu die Kraft zu einem liebevollen Dienst an den Kranken.
- Für alle, die erschöpft und ausgelaugt sind von Aufgaben, die sie ganz fordern: Lass sie Ruhe finden und Zeit, um neue Kräfte zu sammeln.
- Für alle Seelsorger und Menschen im Dienst der Kirche. Bewahre sie davor, innerlich leer zu werden, weil sie sich zuviel zumuten. Stärke alle, die das Evangelium verkünden.
- Für die Sterbenden. Geleite sie auf dem letzten Wegstück ihres Lebens und lass uns alle dazu beitragen, dass niemand allein und einsam sterben muss.
- Für unsere Verstorbenen. Nimm sie bei der Hand und geleite sie in dein Reich. Schenke ihnen Frieden und Freude bei dir.

In deiner Hand, o Herr, ruht unser Leben. Du kennst uns und willst uns Gutes tun. Dir vertrauen wir unsere Bitten an. Sei gelobt und gepriesen mit deinem Sohn Jesus Christus und dem Heiligen Geist. Heute und in alle Ewigkeit. Amen.

GABENGEBET

Herr, unser Gott, du hast Brot und Wein geschaffen, um uns Menschen in diesem vergänglichen Leben Nahrung und Freude zu schenken. Mache diese Gaben zum Sakrament, das uns ewiges Leben bringt. Darum bitten wir durch Christus, unseren Herrn.

PRÄFATION Sonntage V

In Wahrheit ist es würdig und recht, dir, allmächtiger Vater, zu danken und dich mit der ganzen Schöpfung zu loben. Denn du hast die Welt mit all ihren Kräften ins Dasein gerufen und sie dem Wechsel der Zeit unterworfen. Den Menschen aber hast du auf dein Bild hin geschaffen und ihm das Werk deiner Allmacht übergeben. Du hast ihn bestimmt, über die Erde zu herrschen, dir, seinem Herrn und Schöpfer zu dienen und das Lob deiner großen Taten zu verkünden durch unseren Herrn Jesus Christus. Darum singen wir mit den Engeln und Erzengeln, den Thronen und Mächten und mit all den Scharen des himmlischen Heeres den Hochgesang von deiner göttlichen Herrlichkeit.

EINLADUNG ZUM VATERUNSER

Um das Kommen des Reiches Gottes dürfen wir im Gebet Jesu bitten. In dieser einfachen Bitte ist so viel enthalten: Menschen atmen auf, fassen Mut, werden gesund, richten sich auf, finden Frieden und Gerechtigkeit. Um all das geht es, wenn wir mit den Worten des Herrn nun gemeinsam beten: Vater unser im Himmel …

EINLADUNG ZUM FRIEDENSGEBET

Um den Frieden im Großen, für die Völker der Welt und um den Frieden im Kleinen, in unserer näheren Umgebung und um den Frieden im Inneren, in unserer Seele lasst uns miteinander rufen: Herr, Jesus Christus …

KOMMUNIONVERS Mt 5,4.6

Selig, die trauern; denn sie werden getröstet werden. Selig, die hungern und dürsten nach der Gerechtigkeit; denn sie werden satt werden.

Oder: Ps 107,8–9

Wir wollen dem Herrn danken für seine Huld, für sein wunderbares Tun an den Menschen, weil er die hungernde Seele mit seinen Gaben erfüllt hat.

SCHLUSSGEBET

Barmherziger Gott, du hast uns teilhaben lassen an dem einen Brot und dem einen Kelch. Laß uns eins werden in Christus und Diener der Freude sein für die Welt. Darum bitten wir durch Christus, unseren Herrn.

SCHLUSSSEGEN

Im Jahreskreis V

Gott, der allmächtige Vater, segne euch; er bewahre euch vor Unheil und Schaden.

Er öffne eure Herzen für sein göttliches Wort und bereite sie für die unvergänglichen Freuden.

Er lasse euch erkennen, was zum Heile dient, und führe euch auf dem Weg seiner Gebote zur Gemeinschaft der Heiligen.

Das gewähre euch der dreieinige Gott, der Vater und der Sohn ✝ und der Heilige Geist.

Gott,
in den Belastungen und Herausforderungen des Alltags,
sei du meine Kraft und mein innerer Halt.

Gott,
in den hitzigen Wortgefechten und Debatten,
sei du meine Orientierung und mein Verständnis für andere.

Gott,
in der Flut von Nachrichten und Informationen,
sei du die gute Botschaft meines Tages und meines Lebens.

Gott,
in der Fülle der Aufgaben und Arbeiten meiner Zeit,
sei du die Ruhe und Innerlichkeit, die mich von Neuem erfrischt.

Gott,
in meiner Schwachheit, in meinen Zweifeln und meiner Zerrissenheit,
sei du Geborgenheit und Heimat für Zeit und Ewigkeit.

Friedhelm Meudt

6. Sonntag im Jahreskreis
12. Februar 2012

Sei mir ein schützender Fels,
eine feste Burg, die mich rettet.
Denn du bist mein Fels und meine Burg;
um deines Namens willen wirst du mich führen und leiten.
Ps 31,3–4

Gott will das Heil und das Leben der Menschen. Er hat uns zum Leben und zur Gemeinschaft mit ihm geschaffen. Die Heilungen Jesu und die Sündenvergebung, die er gewährt, führen uns daher zum Kern seiner Botschaft. In den Heilungen und der Vergebung der Sünden haben wir einen Vorgeschmack dessen, was Gott uns in Fülle und auf ewig schenken will.

Wir wenden uns an unseren Herrn und preisen sein Erbarmen.

Kyrie-Rufe — GL 436 · KG 54

Herr Jesus Christus, du heilst uns von unseren Sünden. Herr, erbarme dich.
Du machst uns fähig, unser Leben für dich zu öffnen. Christus, erbarme dich.
Du schenkst uns die Gemeinschaft mit dem Vater. Herr, erbarme dich.

Gloria (siehe Seite 508)

Tagesgebet

Gott, du liebst deine Geschöpfe, und es ist deine Freude, bei den Menschen zu wohnen. Gib uns ein neues und reines Herz, das bereit ist, dich aufzunehmen. Darum bitten wir durch Jesus Christus.

ERSTE LESUNG

Lev 13,1–2.43ac.44ab.45–46

Lesung aus dem Buch Levitikus.

Der Herr sprach zu Mose und Aaron: Wenn sich auf der Haut eines Menschen eine Schwellung, ein Ausschlag oder ein heller Fleck bildet, liegt Verdacht auf Hautaussatz vor. Man soll ihn zum Priester Aaron oder zu einem seiner Söhne, den Priestern, führen.

Der Priester soll ihn untersuchen. Stellt er eine Schwellung fest, die wie Aussatz aussieht, so ist der Mensch aussätzig; er ist unrein. Der Priester muss ihn für unrein erklären.

Der Aussätzige, der von diesem Übel betroffen ist, soll eingerissene Kleider tragen und das Kopfhaar ungepflegt lassen; er soll den Schnurrbart verhüllen und ausrufen: Unrein! Unrein!

Solange das Übel besteht, bleibt er unrein; er ist unrein. Er soll abgesondert wohnen, außerhalb des Lagers soll er sich aufhalten. IF

Die Isolierung bei ansteckenden Krankheiten ist eine sinnvolle und bis heute geübte Vorsichtsmaßnahme ebenso wie die Verpflichtung zur Warnung gegenüber dem, der sich unbedacht und unwissend nähert. Aber die Vorschriften des Gesetzes, wie wir ihnen in dieser Lesung begegnen, reichen tiefer. Mit der Feststellung der Krankheit ist hier die Erklärung der kultischen Unreinheit verbunden, weshalb hier auch nicht ein Arzt tätig wird, sondern ein Priester in kultischer Funktion.

Die kultische Unreinheit schließt den Aussätzigen auch aus der Gottesdienstgemeinschaft aus. Die eingerissenen Kleider, die Verhüllung des Mundes und die Vernachlässigung des Haares sind übliche Zeichen der Trauer um einen Verstorbenen. Der Aussätzige wird also nicht nur von der menschlichen Gemeinschaft isoliert. Er ist nicht mehr Teil der Kultgemeinschaft Israels mit seinem Gott. Er gehört schon halb dem Bereich des Todes an, was er durch die Trauerriten deutlich macht. Die Trennung von Jahwe ist auch die Trennung von einem vollen Leben.

Die Lesung beschreibt also nicht eine medizinische Maßnahme, sie geht auch weit über die Anordnung einer bloß sozialen Isolation hinaus, so schlimm diese auch bereits sein kann. Der Aussätzige gehört schon halb dem Reich des Todes an. Vor allem ist er von der lebendigen Gottesbeziehung, wie sie Israel im Gottesdienst pflegen kann, abgeschnitten. Auch die Heilung eines Aussätzigen ist daher nicht nur einfach ein medizinisches Faktum, sondern Erlösung, die aus dem Reich des Todes wieder zu Gott führt.

ANTWORTPSALM

Ps 32,1–2.5.10–11 (℟: vgl. 7)

℟: Du bist mein Schutz, o Herr, du rettest mich und hüllst mich in Jubel.

IV. Ton – GL 527,5 · KG 613

Wohl dem, dessen Frevel vergeben *
und dessen Sünde bedeckt ist.
Wohl dem Menschen,
dem der Herr die Schuld nicht zur Last legt *
und dessen Herz keine Falschheit kennt. – ℟

Ich bekannte dir meine Sünde *
und verbarg nicht länger meine Schuld vor dir.
Ich sagte: Ich will dem Herrn meine Frevel bekennen. *
Und du hast mir die Schuld vergeben. – ℟

Der Frevler leidet viele Schmerzen, *
doch wer dem Herrn vertraut,
den wird er mit seiner Huld umgeben.
Freut euch am Herrn und jauchzt, ihr Gerechten, *
jubelt alle, ihr Menschen mit redlichem Herzen! – ℟

ZWEITE LESUNG

1 Kor 10,31 – 11,1

Lesung aus dem ersten Korintherbrief.

Schwestern und Brüder! Ob ihr esst oder trinkt oder etwas anderes tut: Tut alles zur Verherrlichung Gottes!

Gebt weder Juden noch Griechen, noch der Kirche Gottes Anlass zu einem Vorwurf! Auch ich suche allen in allem entgegenzukommen; ich suche nicht meinen Nutzen, sondern den Nutzen aller, damit sie gerettet werden.

Nehmt mich zum Vorbild, wie ich Christus zum Vorbild nehme. IF

Sich ein Vorbild zu suchen, klingt inzwischen nicht mehr so veraltet wie noch vor einigen Jahren.

Das erste Vorbild für uns Christen ist Jesus Christus selbst. In ihm finden wir Gott, in ihm finden wir den Menschen in der tiefsten Beziehung zu Gott, in der der Mensch so lebt, wie Gott es bei der Schöpfung des Menschen für uns gewünscht hat.

Christliches Leben ist immer Auslegung des Vorbildes Jesu, aber es gibt Christen, deren Leben uns besonders nahe ist, in deren Leben wir das Vorbild Jesu besonders gut auf uns, unsere Situation, unser Leben angewandt entdecken und verstehen können. Wir können sie Heilige nennen und wir können Gott für ihr Vorbild und das Geschenk ihres Lebens danken.

RUF VOR DEM EVANGELIUM — Vgl. Lk 7,16

Halleluja. Halleluja.
Ein großer Prophet trat unter uns auf: Gott nahm sich seines Volkes an.
Halleluja.

EVANGELIUM — Mk 1,40–45

Aus dem heiligen Evangelium nach Markus.

In jener Zeit kam ein Aussätziger zu Jesus und bat ihn um Hilfe; er fiel vor ihm auf die Knie und sagte: Wenn du willst, kannst du machen, dass ich rein werde. Jesus hatte Mitleid mit ihm; er streckte die Hand aus, berührte ihn und sagte: Ich will es – werde rein! Im gleichen Augenblick verschwand der Aussatz und der Mann war rein.

Jesus schickte ihn weg und schärfte ihm ein: Nimm dich in Acht! Erzähl niemand etwas davon, sondern geh, zeig dich dem Priester und bring das Reinigungsopfer dar, das Mose angeordnet hat. Das soll für sie ein Beweis meiner Gesetzestreue sein.

Der Mann aber ging weg und erzählte bei jeder Gelegenheit, was geschehen war; er verbreitete die ganze Geschichte, sodass sich Jesus in keiner Stadt mehr zeigen konnte; er hielt sich nur noch außerhalb der Städte an einsamen Orten auf. Dennoch kamen die Leute von überall her zu ihm. IF

Dass das Wort Jesu und die Heilung einander entsprechen, wundert uns nicht. Uns fällt aber vielleicht auf, dass dem Befehl Jesu an den Geheilten, von dem Wunder, das Jesus an ihm gewirkt hat, nicht zu erzählen, die Reaktion des Geheilten überhaupt nicht entspricht.

Aber was ist das auch für ein seltsamer Befehl! Wie sollten wir von dem schweigen, was uns zuinnerst aufwühlt, was unser Leben grundlegend verändert? Wir haben vielleicht gelernt, uns die Tränen zu verbeißen, aber die Freude? Wovon das Herz voll ist, davon geht der Mund über.

Trotzdem begegnet uns im Markusevangelium immer wieder dieses sogenannte »Messiasgeheimnis«. Vor Ostern finden wir im Markusevangelium das Schweigegebot Jesu und gleichzeitig auch, dass Jesus selbst von den Jüngern immer wieder nicht verstanden wird. Erst am Ende des Evangeliums fordert der Engel die Frauen am leeren Grab auf: Geht und erzählt! Diese Aufforderung gilt dann auch uns. Auch wir sind Zeugen Jesu, auch wir stehen als Christen in dem Osterlicht, in dem Jesus offenbar wird und wir ihn erkennen und bezeugen können.

Trotz des Osterlichts, in dem wir Jesus Christus als den Sohn Gottes und den Retter erkennen können, bleiben wir oft genug stumm. Wir müssen wohl sein heilendes Wort und seine Hand in unserem Leben erfahren. Wir müssen wohl zunächst in uns hineinschauen, welche Wunden Jesus in uns heilt und wo seine Hand uns hält. Wir müssen wohl vorher das verborgene Wirken

Jesu in unserem Leben erfahren, bevor wir von ihm als dem auferstandenen Herrn sprechen können. Als Menschen, die in ihrem Leben von Jesus Christus Heil und Heilung erfahren haben, die von ihm angerührt worden sind, können wir dann auch Osterzeugen sein, dass in dem auferstandenen Herrn allen Menschen und der ganzen Welt der Retter erschienen ist.

CREDO (siehe Seite 512)

FÜRBITTEN

Lasst uns zu Gott, unserem Vater beten, der uns in Jesus Christus sein Heil geschenkt hat:

A: Gott, sei du ihre Hilfe.

- Für die Gemeinschaften in der Kirche, die in der Krankenpflege tätig sind.
- Für die Ärzte und das Pflegepersonal in den Krankenhäusern.
- Für alle, die an Aids erkrankt sind.
- Für die Menschen, die am Rand der Gesellschaft leben.
- Für unsere Verstorbenen und alle, die um sie trauern.

Barmherziger Gott, wende dich voll Liebe allen zu, die zu dir kommen und zu dir rufen. Wir preisen dich in alle Ewigkeit. Amen.

GABENGEBET

Barmherziger Gott, das heilige Opfer reinige uns von Sünden und mache uns zu neuen Menschen. Es helfe uns, nach deinem Willen zu leben, damit wir den verheißenen Lohn erlangen. Darum bitten wir durch Christus, unseren Herrn.

PRÄFATION — Sonntage VI

In Wahrheit ist es würdig und recht, dir, Vater im Himmel, zu danken und dich mit der ganzen Schöpfung zu loben. Denn in dir leben wir, in dir bewegen wir uns und sind wir. Jeden Tag erfahren wir aufs neue das Wirken deiner Güte. Schon in diesem Leben besitzen wir den Heiligen Geist, das Unterpfand ewiger Herrlichkeit. Durch ihn hast du Jesus auferweckt von den Toten und uns die sichere Hoffnung gegeben, daß sich an uns das österliche Geheimnis vollendet. Darum preisen wir dich mit allen Chören der Engel und singen vereint mit ihnen das Lob deiner Herrlichkeit.

EINLADUNG ZUM VATERUNSER

Gott will uns das Leben in Fülle schenken, das Leben, in dem wir nach seinem Willen leben. So beten wir voll Vertrauen mit den Worten Jesu: Vater unser im Himmel …

EINLADUNG ZUM FRIEDENSGEBET

Jesus Christus ruft uns zurück in die Gemeinschaft untereinander und mit dem Vater. Er heilt uns von dem, was uns verwundet und trennt. Deshalb bitten wir: Herr Jesus Christus …

KOMMUNIONVERS Joh 3,16

Gott hat die Welt so geliebt, daß er seinen einzigen Sohn hingab, damit jeder, der an ihn glaubt, nicht zugrunde geht, sondern das ewige Leben hat.

Oder: Ps 78,29–30

Alle aßen und wurden satt; er gab ihnen, was sie begehrten. Ihr Verlangen wurde erfüllt.

SCHLUSSGEBET

Gott, du Spender alles Guten, du hast uns das Brot des Himmels geschenkt. Erhalte in uns das Verlangen nach dieser Speise, die unser wahres Leben ist. Darum bitten wir durch Christus, unseren Herrn.

Schlusssegen

Im Jahreskreis VI

Gott, unser Vater, segne euch mit allem Segen des Himmels, damit ihr rein und heilig lebt vor seinem Angesicht.

Er lehre euch durch das Wort der Wahrheit; er bilde euer Herz nach dem Evangelium Christi und gebe euch Anteil an seiner Herrlichkeit.

Er schenke euch jene brüderliche Liebe, an der die Welt die Jünger Christi erkennen soll.

Das gewähre euch der dreieinige Gott, der Vater und der Sohn ✝ und der Heilige Geist.

Unsere Seele, meine Brüder, ist durch die Sünde hässlich; liebt sie aber Gott, so wird sie schön. Wo ist die Liebe, welche die Liebenden schön macht? Gott ist immer schön, niemals hässlich, niemals veränderlich. Er, der immer schön ist, liebte uns zuerst. Und wem schenkte er mehr seine Liebe als Hässlichen und Missgestalteten? Nicht darum jedoch liebte er uns, um uns hässlich zu lassen, sondern um uns zu ändern und die Hässlichen schön zu machen. Wie also werden wir schön werden? Dadurch, dass wir ihn lieben, der immer schön ist. In dem Maße, als die Liebe in dir wächst, wächst auch deine Schönheit; denn die Liebe ist die Schönheit der Seele.

Aurelius Augustinus

7. Sonntag im Jahreskreis

19. Februar 2012

Herr, ich baue auf deine Huld,
mein Herz soll über deine Hilfe frohlocken.
Singen will ich dem Herrn,
weil er mir Gutes getan hat.

Ps 13,6

Wir glauben, dass Jesus Christus in unserer Mitte ist, wenn wir als Gemeinschaft Gottesdienst feiern. Wir versammeln uns gläubig um ihn und setzen unsere Hoffnung auf ihn.

Wenn wir im heutigen Evangelium von der Heilung des Gelähmten hören, der von den Trägern seiner Bahre durch das abgedeckte Dach vor Jesu Füße hinabgelassen wird, dann können wir auch für uns hoffen, dass Jesu Gegenwart uns aufrichtet und er uns die Kraft gibt, unseren Weg mit ihm zu gehen.

Wir preisen unseren Herrn, der groß und wunderbar an uns handelt.

Kyrie-Rufe

GL 401 · KG 160

Herr Jesus Christus, du weckst in uns den Glauben, damit wir zu dir kommen. Herr, erbarme dich.
Du vergibst uns unsere Schuld und schenkst uns neues Leben. Christus, erbarme dich.
Du führst uns auf unserem Weg zu Gott, unserem Vater. Herr, erbarme dich.

Gloria (siehe Seite 508)

Tagesgebet

Barmherziger Gott, du hast durch deinen Sohn zu uns gesprochen. Laß uns immer wieder über dein Wort nachsinnen, damit wir reden und tun, was dir gefällt. Darum bitten wir durch Jesus Christus.

Erste Lesung

Jes 43,18–19.21–22.24b–25

Lesung aus dem Buch Jesaja.

So spricht der Herr: Denkt nicht mehr an das, was früher war; auf das, was vergangen ist, sollt ihr nicht achten. Seht her, nun mache ich etwas Neues. Schon kommt es zum Vorschein, merkt ihr es nicht? Ja, ich lege einen Weg an durch die Steppe und Straßen durch die Wüste. Das Volk, das ich mir erschaffen habe, wird meinen Ruhm verkünden.

Jakob, du hast mich nicht gerufen, Israel, du hast dir mit mir keine Mühe gemacht. Du hast mir mit deinen Sünden Arbeit gemacht, mit deinen üblen Taten hast du mich geplagt. Ich, ich bin es, der um meinetwillen deine Vergehen auslöscht, ich denke nicht mehr an deine Sünden. IF

Nicht nur, wer in einer Ehe lebt, weiß, dass eine Beziehung nicht nur Freude, sondern auch Mühe macht und Arbeit kostet. Wenn Israel, wie es in der Lesung heißt, sich mit Gott keine Mühe gemacht hat, dann kann das nur bedeuten, dass es an Gott kein Interesse hat, sich nicht auf ihn und die Beziehung mit ihm einlässt.

Kann aber eine Beziehung funktionieren, in die immer nur einer von beiden Arbeit und Mühe hineinsteckt? Mühe hat Israel seinem Gott gemacht, und er hat sich Mühe mit seinem Volk gegeben. Davon spricht die gesamte Bibel, die gesamte Geschichte Gottes mit den Menschen und mit seinem Volk.

In dieser mühseligen Geschichte setzt Gott aber nun einen Neubeginn; und das Großartige ist, er kann das. Es ist bei ihm anders, als wenn wir einen Neubeginn versuchen und doch oft nicht wirklich vergeben und vergessen können, doch noch die Last der Vergangenheit einer traurigen und mühseligen Beziehungsgeschichte mitschleppen und dadurch jeder Neufang gehemmt und verhindert wird.

Wir können der Verheißung trauen. Wir können täglich wieder neu anfangen, wir können täglich neu mit Gott beginnen, weil er bereit ist, jeden Tag mit uns neu zu beginnen.

Antwortpsalm

Ps 41,2–3a.4–5.13–14 (℟: 5b)

℟: Heile mich, Herr; denn ich habe gegen dich gesündigt.
IV. Ton – GL 527,5 · KG 613

Wohl dem, der sich des Schwachen annimmt; *
zur Zeit des Unheils wird der Herr ihn retten.
Ihn wird der Herr behüten *
und am Leben erhalten. – ℟

Auf dem Krankenbett wird der Herr ihn stärken; *
seine Krankheit verwandelst du in Kraft.
Ich sagte: Herr, sei mir gnädig, *
heile mich; denn ich habe gegen dich gesündigt. – ℟

Weil ich aufrichtig bin, hältst du mich fest *
und stellst mich vor dein Antlitz für immer.
Gepriesen sei der Herr, der Gott Israels, *
von Ewigkeit zu Ewigkeit. Amen, ja amen. – ℟

Zweite Lesung

2 Kor 1,18–22

Lesung aus dem zweiten Korintherbrief.

Schwestern und Brüder! Gott ist treu, er bürgt dafür, dass unser Wort euch gegenüber nicht Ja und Nein zugleich ist. Denn Gottes Sohn Jesus Christus, der euch durch uns verkündigt wurde – durch mich, Silvanus und Timotheus –, ist nicht als Ja und Nein zugleich gekommen; in ihm ist das Ja verwirklicht. Er ist das Ja zu allem, was Gott verheißen hat. Darum rufen wir durch ihn zu Gottes Lobpreis auch das Amen.

Gott aber, der uns und euch in der Treue zu Christus festigt und der uns alle gesalbt hat, er ist es auch, der uns sein Siegel aufgedrückt und als ersten Anteil am verheißenen Heil den Geist in unser Herz gegeben hat. ℣

Man kann hin und wieder spöttisch hören, dass es in der Kirche nur darauf ankomme, Ja und Amen zu sagen; und wenn wir diese Lesung ernst nehmen, dann stimmt das. Ja und Amen sind die Worte, auf die es in der Kirche ankommt.

Im Unterschied zu diesem spöttischen Spruch sind aber nicht wir es, die Ja sagen. Ja sagen, das muss Gott selbst, das kann nur er. In der Schöpfung hat er sein Ja zu allem, was da ist, gesprochen. Trotz der langen Sündengeschichte der Menschen und des sich immer wiederholenden Abfalls seines auserwählten Volkes hält er an seinem Ja fest. Er spricht es neu – unwiderruflich und unaufhaltsam – in der Erlösung durch Jesus Christus. Jesus Christus ist das Ja Gottes zu seiner Schöpfung und zu uns. Er ist ein so starkes und eindeutiges Ja, dass das Vielleicht unserer täglichen Kompromisse und kleinen Feigheiten und das Nein der Sünde zu Gott, zum Guten und zum Leben vor diesem Ja nicht bestehen kann – wenn wir uns auf ihn einlassen.

Auch von diesem Einlassen auf Gott spricht die Lesung. Gott hat uns in der Taufe sein Siegel aufgedrückt. Wir gehören ihm. Und er hat uns als ersten Anteil seinen Geist gegeben, die Kraft, die uns für das Ja Gottes offen hält und uns einstimmen lässt in das Amen, das So-sei-es, das die Antwort der ganzen Schöpfung auf Gottes Ja ist.

Christen sind im besten Sinne des Wortes Ja-Sager, weil wir in unserem Amen einstimmen in das Ja Gottes zu seiner Schöpfung, zum Leben und zu uns, weil wir es mittragen und weil wir es Gott in unserem Leben verwirklichen lassen.

RUF VOR DEM EVANGELIUM Vgl. Lk 4,18

Halleluja. Halleluja.
Der Herr hat mich gesandt, den Armen die Frohe Botschaft zu bringen und den Gefangenen die Freiheit zu verkünden.
Halleluja.

EVANGELIUM Mk 2,1–12

Aus dem heiligen Evangelium nach Markus.

Als Jesus nach Kafarnaum zurückkam, wurde bekannt, dass er wieder zu Hause war. Und es versammelten sich so viele Menschen, dass nicht einmal mehr vor der Tür Platz war; und er verkündete ihnen das Wort.

Da brachte man einen Gelähmten zu ihm; er wurde von vier Männern getragen. Weil sie ihn aber wegen der vielen Leute nicht bis zu Jesus bringen konnten, deckten sie dort, wo Jesus war, das Dach ab, schlugen die Decke durch und ließen den Gelähmten auf seiner Tragbahre durch die Öffnung hinab. Als Jesus ihren Glauben sah, sagte er zu dem Gelähmten: Mein Sohn, deine Sünden sind dir vergeben!

Einige Schriftgelehrte aber, die dort saßen, dachten im Stillen: Wie kann dieser Mensch so reden? Er lästert Gott. Wer kann Sünden vergeben außer dem einen Gott?

Jesus erkannte sofort, was sie dachten, und sagte zu ihnen: Was für Gedanken habt ihr im Herzen? Ist es leichter, zu dem Gelähmten zu sagen: Deine Sünden sind dir vergeben!, oder zu sagen: Steh auf, nimm deine Tragbahre und geh umher? Ihr sollt aber erkennen, dass der Menschensohn die Vollmacht hat, hier auf der Erde Sünden zu vergeben. Und er sagte zu dem Gelähmten: Ich sage dir: Steh auf, nimm deine Tragbahre, und geh nach Hause!

Der Mann stand sofort auf, nahm seine Tragbahre und ging vor aller Augen weg. Da gerieten alle außer sich; sie priesen Gott und sagten: So etwas haben wir noch nie gesehen. |F

Eigentlich ist es kaum möglich, dass es schließlich zu diesem Wunder kommt. Der Gelähmte kann nicht allein zu Jesus kommen. Er braucht vier Verwandte oder Freunde, die ihn tragen. Doch als sie ankommen, versperrt ihnen die Menge den Weg. Hier gibt es für sie kein Durchkommen. Sollen sie aufgeben oder sollen sie warten, bis die Menge sich endlich verlaufen hat, auch auf die Gefahr hin, dass Jesus dann bereits weiterzieht. Die Männer entscheiden, das zu tun, was diese Geschichte tief in unser Gedächtnis eingebrannt hat. Der Gelähmte hat nichts mehr zu verlieren. Jesus ist seine letzte Hoffnung, bei ihm hat er vielleicht noch alles zu gewinnen. Hier ist also nicht der Ort, Rücksicht darauf zu nehmen, was man tut und was man nicht tut. Jetzt ist es an der Zeit, letzte, verzweifelte Maßnahmen zu greifen. Sie decken das Dach ab und lassen den Gelähmten auf seiner Bahre zu Jesus hinunter.

Doch noch einmal kommt es zu einer Verzögerung. Jesus reagiert anders als erwartet. Er vergibt dem Gelähmten seine Sünden. Das erhoffte und erwartete Wunder scheint in weite Ferne gerückt, besonders da sich schon wieder ein neues Hindernis aufbaut. Diesmal ist es nicht die Menge, sondern sind es die Schriftgelehrten, die sich um Jesus versammelt haben und mit deren Ablehnung sich Jesus nun auseinandersetzen müsste.

Im Gegensatz zu dem Gelähmten sind die Schriftgelehrten zu Jesus vorgedrungen, hat die Menge sie durchgelassen, haben sie Platz bei ihm gefunden. Im Gegensatz zu dem Gelähmten erwarten sie aber von diesem Wundertäter nicht viel und haben wohl eher Angst, zu viel zu verlieren, wenn sie sich auf ihn einlassen. Sie begegnen ihm daher mit Skepsis und kaum versteckter Ablehnung.

Hier vor Jesus und an Jesus entscheidet sich dann alles. Dem Gelähmten, der von Jesus alles erhofft und sich auf ihn einlässt, werden seine Sünden vergeben und er findet Heilung. Und die Schriftgelehrten? Wir hören in diesem Abschnitt nichts weiter von ihnen. Wir wissen nicht, ob sie durch das Wunder zur Einsicht kommen, ob sie sich auf Jesus einlassen, ob sie erkennen, dass sie mit Jesus alles gewinnen können, und ob auch ihnen daher die Sünden vergeben werden, so dass sie aufbrechen und gehen können.

An Jesus entscheidet es sich, und auch heute haben wir uns um ihn versammelt und stehen wir vor ihm als Menschen, die alles von ihm erwarten, oder als die Schriftgelehrten, die nichts von ihm erhoffen und daher in der Gefahr stehen, auch nichts zu erhalten.

CREDO (siehe Seite 512)

FÜRBITTEN

Wir beten zu Gott, unserem Vater, der uns die Kraft gibt, den Weg Jesu Christi zu gehen:

V: Vater im Himmel. A: Wir bitten dich, erhöre uns.

- Für alle Seelsorger, die die Frohe Botschaft verkünden.
- Für die Politiker in ihrer Verantwortung für das Gemeinwohl.
- Für die aus der Haft entlassenen Strafgefangenen, die einen neuen Anfang versuchen wollen.
- Für alle Menschen, die unter einer schweren Behinderung leiden.
- Für jene Menschen, die die Hoffnung verloren haben.

Barmherziger Gott du schenkst uns Heil und Hoffnung. Sieh gnädig auf uns und erhöre unsere Bitten durch Christus, unseren Herrn.

Gabengebet

Allmächtiger Gott, in der Feier der göttlichen Geheimnisse erfüllen wir den Dienst, der uns aufgetragen ist. Gib, daß wir deine Größe würdig loben und preisen und aus diesem Opfer Heil empfangen. Darum bitten wir durch Christus, unseren Herrn.

Präfation

Sonntage VII

In Wahrheit ist es würdig und recht, dir, Vater im Himmel, zu danken und deine Gnade zu rühmen. So sehr hast du die Welt geliebt, daß du deinen Sohn als Erlöser gesandt hast. Er ist uns Menschen gleichgeworden in allem, außer der Sünde, damit du in uns lieben kannst, was du in deinem eigenen Sohne geliebt hast. Durch den Ungehorsam der Sünde haben wir deinen Bund gebrochen, durch den Gehorsam deines Sohnes hast du ihn erneuert. Darum preisen wir das Werk deiner Liebe und vereinen uns mit den Chören der Engel zum Hochgesang von deiner göttlichen Herrlichkeit.

Einladung zum Vaterunser

Gott hat uns als ersten Anteil unseres Heils den Geist in unser Herz gegeben, den Geist, der uns fähig macht, zu ihm als unserem Vater zu beten: Vater unser im Himmel …

Einladung zum Friedensgebet

In Jesus Christus spricht Gott sein Ja zu uns. Er hebt das Nein unserer Sünde auf und schenkt uns die Gemeinschaft mit ihm. Deshalb bitten wir: Herr Jesus Christus ...

Kommunionvers Joh 11,27

Ja, Herr, ich glaube, daß du der Messias bist, der Sohn Gottes, der in die Welt kommen soll.

Oder: Ps 9,2–3

Herr, verkünden will ich all deine Wunder. Ich will jauchzen und an dir mich freuen, für dich, du Höchster, will ich singen und spielen.

Schlussgebet

Getreuer Gott, du hast uns das heilige Sakrament als Unterpfand der kommenden Herrlichkeit gegeben. Schenke uns einst das Heil in seiner ganzen Fülle. Darum bitten wir durch Christus, unseren Herrn.

Schlusssegen Im Jahreskreis I

Der Herr segne euch und behüte euch; der Herr lasse sein Angesicht über euch leuchten und sei euch gnädig; er wende euch sein Antlitz zu und schenke euch seinen Frieden.

Das gewähre euch der dreieinige Gott, der Vater und der Sohn ✝ und der Heilige Geist.

Seid ohne Sorge, die ihr krank seid! Ein solcher Arzt ist gekommen, und da wollt ihr verzweifeln? Schwer waren die Krankheiten, unheilbar die Wunden; hoffnungslos das Siechtum. Die Größe deines Übels siehst du, und die Allmacht des Arztes siehst du nicht? Du bist ohne Hoffnung? Aber jener ist allmächtig; seine Zeugen sind die, die zuerst geheilt wurden und ihn als Arzt verkündigen; auch sie jedoch wurden mehr der Hoffnung als der Wirklichkeit nach geheilt. Denn so sagt der Apostel: »Durch die Hoffnung sind wir gerettet« (Röm 8, 24). Unsere Heilung nimmt also ihren Anfang im Glauben; vollendet aber wird unser Heil, wenn dieses Vergängliche die Unvergänglichkeit und das Sterbliche die Unsterblichkeit angezogen hat. Dies ist Hoffnung, noch nicht Wirklichkeit. Aber wer in Hoffnung sich freut, wird auch die Wirklichkeit besitzen; wer aber keine Hoffnung hat, wird auch nicht zur Wirklichkeit kommen können.

Aurelius Augustinus

Aschermittwoch
22. Februar 2012

Du erbarmst dich aller, o Herr,
und hast Nachsicht mit den Sünden der Menschen,
damit sie sich bekehren;
denn du bist der Herr, unser Gott.
Weish 11,24–25.27

Nach den grellen, bunten Fastnachtstagen ist das farblose Grau des Aschermittwochs ein eindrucksvoller Perspektivenwechsel. Wir werden jäh an unsere Vergänglichkeit erinnert: *Bedenke, Mensch, dass du Staub bist …* Dieser Einsicht, zu der auch die Aussicht gehört, dass wir *zum Staub zurückkehren,* stellen wir uns nicht gerne.

Als das unvermeidliche Ende der ausgelassenen »fünften Jahreszeit« hat der Aschermittwoch in unserer Zeit auch säkulare Themen angezogen: Es gibt etwa den »Aschermittwoch der Künstler« und den »Politischen Aschermittwoch« – vielleicht mit dem Wunsch verbunden, doch noch einen Aufschub der angesagten Buße zu erreichen. Die Liturgie aber lässt kein Ausweichen zu, sie konfrontiert uns ganz persönlich: »Was die österliche Bußzeit will: Jene Entsagung die notwendig ist, damit Gott in unserem Leben wieder alles Sagen hat« (Heinrich Spaemann). Letztlich geht es jetzt darum, ob wir Gott in unserem Leben ein Mitspracherecht einräumen.

Ob wir die Wochen ab Aschermittwoch als Fastenzeit verstehen oder liturgisch korrekt als österliche Bußzeit, ist dabei nicht so wichtig. Obwohl: Heute klingt Fasten sympathisch nach Gesundheit, Buße eher wie ein lästiger Strafbescheid des Amts für öffentliche Ordnung. Schauen wir auf die Tradition dieser Begriffe, finden wir in der frühen Kirche dafür die Bezeichnung Quadragesima – »Vierzig Tage«. Es sind also einfach vierzig Tage, die ganz von der Erwartung der österlichen Auferstehung bestimmt sind.

Die Benediktregel hat im 49. Kapitel dafür hilfreiche Hinweise: Gegenüber asketischen Maximalforderungen empfiehlt Benedikt, in diesen Tagen »in aller Lauterkeit auf unser Leben zu achten«, *etwas* über das gewöhnliche Maß hinaus »in der Freude des Heiligen Geistes Gott darzubringen«. Bezeichnend für ihn ist das wiederkehrende Wort »etwas«. In den leiblichen Bedürfnissen (Essen, Trinken, Schlafen) *etwas* weniger, im geistlichen Tun (Gebet, Besinnung, Lektüre) etwas mehr – das Leben soll wieder in eine heilsame Balance kommen.

KYRIE-RUFE

Oder: GL 160 · KG 68

Herr Jesus Christus, du willst die Menschen mit Gott versöhnen. – Herr, erbarme dich.
Du prüfst unsere Herzen und siehst in das Verborgene. – Christus, erbarme dich.
Du zeigst uns den Weg zum barmherzigen Vater. – Herr, erbarme dich.

TAGESGEBET

Getreuer Gott, im Vertrauen auf dich beginnen wir die vierzig Tage der Umkehr und Buße. Gib uns die Kraft zu christlicher Zucht, damit wir dem Bösen absagen und mit Entschiedenheit das Gute tun. Darum bitten wir durch Jesus Christus.

ERSTE LESUNG

Joël 2,12–18

Lesung aus dem Buch Joël.

So spricht der Herr: Kehrt um zu mir von ganzem Herzen mit Fasten, Weinen und Klagen. Zerreißt eure Herzen, nicht eure Kleider, und kehrt um zum Herrn, eurem Gott! Denn er ist gnädig und barmherzig, langmütig und reich an Güte und es reut ihn, dass er das Unheil verhängt hat. Vielleicht kehrt er um und es reut ihn und er lässt Segen zurück, sodass ihr Speise- und Trankopfer darbringen könnt für den Herrn, euren Gott.

Auf dem Zion stoßt in das Horn, ordnet ein heiliges Fasten an, ruft einen Gottesdienst aus! Versammelt das Volk, heiligt die

Gemeinde! Versammelt die Alten, holt die Kinder zusammen, auch die Säuglinge! Der Bräutigam verlasse seine Kammer und die Braut ihr Gemach. Zwischen Vorhalle und Altar sollen die Priester klagen, die Diener des Herrn sollen sprechen: Hab Mitleid, Herr, mit deinem Volk und überlass dein Erbe nicht der Schande, damit die Völker nicht über uns spotten. Warum soll man bei den Völkern sagen: Wo ist denn ihr Gott?

Da erwachte im Herrn die Leidenschaft für sein Land und er hatte Erbarmen mit seinem Volk. IF

Die Umkehr soll Herzenssache werden. »Zerreißt eure Herzen« ist ein starkes Bild. Nicht theatralische Gesten, wie das Zerreißen der Kleider, können Gott beeindrucken und umstimmen. Die Bekehrung des Menschen setzt nicht außen an, sondern im Zentrum – das Herz muss ins Spiel kommen.

Die alten Mönche sprechen immer wieder von der Zerknirschung des Herzens – lat. compunctio cordis. Für die Benediktregel (Kap. 49) steht diese Reue des Herzens vor dem Verzicht, wenn es darum geht, die Fastenzeit in »rechter Weise« zu begehen. Das Herz muss behandelt, gleichsam punktiert werden, um den Menschen zu heilen. Ausnahmeregeln gibt es für diesen Einsatz des Herzen nicht – das zeigt der Aufruf an Alte, Kinder, Säuglinge und Brautleute, die von Bußverpflichtungen eigentlich dispensiert waren. Weil Gottes Leidenschaft für sein Land, das Erbarmen mit seinem Volk so total ist, darf auch keiner fehlen, wenn sich die Gemeinde heiligt.

Antwortpsalm

Ps 51,3–6b.12–14.17 (IR: vgl. 3)

IR: Erbarme dich unser, o Herr, denn wir haben gesündigt.
I. Ton – GL 172,3

Gott, sei mir gnädig nach deiner Huld, *
tilge meine Frevel nach deinem reichen Erbarmen!
Wasch meine Schuld von mir ab *
und mach mich rein von meiner Sünde! – IR

Denn ich erkenne meine bösen Taten, *
meine Sünde steht mir immer vor Augen.
Gegen dich allein habe ich gesündigt, *
ich habe getan, was dir missfällt. – ℟

Erschaffe mir, Gott, ein reines Herz *
und gib mir einen neuen, beständigen Geist!
Verwirf mich nicht von deinem Angesicht *
und nimm deinen heiligen Geist nicht von mir! – ℟

Mach mich wieder froh mit deinem Heil, *
mit einem willigen Geist rüste mich aus!
Herr, öffne mir die Lippen *
und mein Mund wird deinen Ruhm verkünden. – ℟

ZWEITE LESUNG 2 Kor 5,20–6,2

Lesung aus dem zweiten Korintherbrief.

Schwestern und Brüder! Wir sind Gesandte an Christi statt, und Gott ist es, der durch uns mahnt. Wir bitten an Christi statt: Lasst euch mit Gott versöhnen! Er hat den, der keine Sünde kannte, für uns zur Sünde gemacht, damit wir in ihm Gerechtigkeit Gottes würden.

Als Mitarbeiter Gottes ermahnen wir euch, dass ihr seine Gnade nicht vergebens empfangt. Denn es heißt:

Zur Zeit der Gnade erhöre ich dich, am Tag der Rettung helfe ich dir.

Jetzt ist sie da, die Zeit der Gnade; jetzt ist er da, der Tag der Rettung. ℣F

Paulus weiß, wovon er spricht, wenn er an Christi statt bittet: Lasst euch mit Gott versöhnen. Die Stimme Christi hat ihn auf einem Weg der Feindschaft eingeholt, gestoppt und eine radikale Umkehr bewirkt. Auch wenn unser Glaubensweg nicht so extrem verläuft, müssen uns doch zwei Worte in dieser Lesung beunruhigen: *vergebens* und *jetzt*. Hinter ihnen verbirgt sich eine Gefahr für alle, die sich selbstzufrieden zurücklehnen. Die großen Sündenfälle sind zumeist nicht unser Thema, sondern dass Gottes Gnade so wenig Mitwirkung auslöst, dass wir den Kairos (den Zeit-Punkt, an dem es zu handeln gilt) nicht wahrnehmen und darum verpassen. Von der geistlichen Wachsamkeit im Jetzt – hier und heute in meinem Alltag – sind wir nie dispensiert. Gottes Zeit ist das Heute.

RUF VOR DEM EVANGELIUM — Vgl. Ps 95,7d.8a

Herr Jesus, dir sei Ruhm und Ehre!
Wenn ihr heute seine Stimme hört,
verhärtet nicht euer Herz!
Herr Jesus, dir sei Ruhm und Ehre!

EVANGELIUM — Mt 6,1–6.16–18

Aus dem heiligen Evangelium nach Matthäus.

In jener Zeit sprach Jesus zu seinen Jüngern: Hütet euch, eure Gerechtigkeit vor den Menschen zur Schau zu stellen; sonst habt ihr keinen Lohn von eurem Vater im Himmel zu erwarten. Wenn du Almosen gibst, lass es also nicht vor dir herposaunen, wie es die Heuchler in den Synagogen und auf den Gassen tun, um von den Leuten gelobt zu werden. Amen, das sage ich euch: Sie haben ihren Lohn bereits erhalten. Wenn du Almosen gibst, soll deine linke Hand nicht wissen, was deine rechte tut. Dein Almosen soll verborgen bleiben und dein Vater, der auch das Verborgene sieht, wird es dir vergelten.

Wenn ihr betet, macht es nicht wie die Heuchler. Sie stellen sich beim Gebet gern in die Synagogen und an die Straßenecken, damit sie von den Leuten gesehen werden. Amen, das sage ich euch: Sie haben ihren Lohn bereits erhalten.

Du aber geh in deine Kammer, wenn du betest, und schließ die Tür zu; dann bete zu deinem Vater, der im Verborgenen ist. Dein Vater, der auch das Verborgene sieht, wird es dir vergelten.

Wenn ihr fastet, macht kein finsteres Gesicht wie die Heuchler. Sie geben sich ein trübseliges Aussehen, damit die Leute merken, dass sie fasten. Amen, das sage ich euch: Sie haben ihren Lohn bereits erhalten.

Du aber salbe dein Haar, wenn du fastest, und wasche dein Gesicht, damit die Leute nicht merken, dass du fastest, sondern nur dein Vater, der auch das Verborgene sieht; und dein Vater, der das Verborgene sieht, wird es dir vergelten. IF

Die Trias, Almosen–Fasten–Gebet, gehört schon in den Schriften des Alten Testaments zusammen. In ihrem Bezug zu einander sind die Elemente ein geistliches Tun, an dem der ganze Mensch beteiligt ist: mit Leib und Seele und mit den materiellen Gütern, über die er verfügt. In ihrem Zusammenspiel kann der Christ leichter der Gefahr der Selbsttäuschung entgehen als in der Konzentration auf ein Tun. Wer *allein* auf die Karte Almosen setzt, sollte sich fragen, ob er sich vielleicht von einer anderen Erwartung Gottes freikaufen will. Wer *nur* das Gebet in der stillen Kammer pflegt, lässt außer Acht, dass sich der Glaube im Tun bewähren muss – denn »was nützt es, wenn einer sagt, er habe Glauben, aber es fehlen die Werke?« (Jak 2,14). Das Fasten ohne Einbindung in ein Leben aus dem Glauben dient zwar der Gesundheit, ihm fehlt aber der geistliche »Mehrwert«.

Teilen, Verzicht und das Gespräch mit Gott sind Elemente einer christlichen Lebenskultur, die immer wieder durch eine bewusste Entscheidung bejaht und geschützt werden muss. Auf den »Gassen« und »vor den Menschen« ist damit nicht zu punkten. Wer sich in dieser österlichen Bußzeit demütig – weil eingedenk, dass es der soundsovielte Aufbruch ist – neu auf den Weg macht, wird erwartet von Gott. Das Evangelium sagt dreimal »dein Vater«. Das ist kein Gott, der die Einhaltung von Geboten kontrolliert, auf den wir treffen, wenn wir umkehren. Wir finden den Vater.

SEGNUNG UND AUSTEILUNG DER ASCHE

Barmherziger Gott, du bist den Demütigen nahe und läßt dich durch Buße versöhnen. Neige dein Ohr unseren Bitten und segne ✝ alle, die gekommen sind, um das Aschenkreuz zu empfangen. Hilf uns, die vierzig Tage der Buße in rechter Gesinnung zu begehen, damit wir das heilige Osterfest mit geläutertem Herzen feiern. Darum bitten wir durch Christus, unseren Herrn.

Oder:

Gott, du willst nicht den Tod des Sünders, du willst, daß er sich bekehrt und lebt. Erhöre gnädig unsere Bitten: Segne ✝ diese Asche, mit der wir uns bezeichnen lassen, weil wir wissen, daß wir Staub sind und zum Staub zurückkehren. Hilf uns, die vierzig Tage der Buße in rechter Gesinnung zu begehen. Verzeih uns unsere Sünden, erneuere uns nach dem Bild deines Sohnes und schenke uns durch seine Auferstehung das unvergängliche Leben. Darum bitten wir durch ihn, Christus, unseren Herrn.

Bekehrt euch und glaubt an das Evangelium. Mk 1,15

Oder: Vgl. Gen 3,19

Bedenke, Mensch, dass du Staub bist und wieder zum Staub zurückkehren wirst.

FÜRBITTEN

Zu Gott, der uns einlädt, unser Leben mit neuer Entschiedenheit unter sein Wort zu stellen, beten wir:

V: Du Gott des Erbarmens. A: Erhöre uns.

- Stärke alle Christen, die ihr Leben in diesen Tagen neu an deiner Weisung orientieren.
- Schenke allen, denen in der Kirche der Dienst der Versöhnung anvertraut ist, deinen Geist.
- Befreie alle, deren Leben durch Sucht und zwanghafte Beziehungen belastet ist.
- Stehe allen zur Seite, die in kriegerischen Auseinandersetzungen humanitäre Hilfe leisten.

Nimm alle, die unerwartet und gewaltsam aus dem Leben gerissen werden, auf in deinen Frieden.

Guter Gott, ohne dich bleibt unser eigenes Bemühen Stückwerk. Segne unser Beten und Arbeiten, damit dein Reich unter uns entsteht. Amen.

Gabengebet

Herr, unser Gott, zu Beginn der heiligen vierzig Tage bringen wir dieses Opfer dar und bitten dich: Hilf uns, umzukehren und Taten der Buße und der Liebe zu vollbringen, damit wir unseren bösen Neigungen nicht nachgeben. Reinige uns von Sünden und mache uns fähig, das Gedächtnis des Leidens unseres Herrn Jesus Christus mit ganzer Hingabe zu begehen, der mit dir lebt und herrscht in alle Ewigkeit.

Präfation

Fastenzeit III

In Wahrheit ist es würdig und recht, dir, allmächtiger Vater, zu danken und dich in dieser Zeit der Buße durch Entsagung zu ehren. Die Entsagung mindert in uns die Selbstsucht und öffnet unser Herz für die Armen. Denn deine Barmherzigkeit drängt uns, das Brot mit ihnen zu teilen in der Liebe deines Sohnes, unseres Herrn Jesus Christus. Durch ihn preisen wir deine Größe und singen mit den Chören der Engel das Lob deiner Herrlichkeit.

Oder: Fastenzeit IV

In Wahrheit ist es würdig und recht, dir, Herr, heiliger Vater, allmächtiger, ewiger Gott, immer und überall zu danken. Durch das Fasten des Leibes hältst du die Sünde nieder, erhebst du den Geist, gibst du uns die Kraft und den Sieg durch unseren Herrn Jesus Christus. Durch ihn preisen wir dein Erbarmen und singen mit den Chören der Engel das Lob deiner Herrlichkeit.

Einladung zum Vaterunser

Als Schwestern und Brüder Jesu beten wir mit seinen Worten: Vater unser im Himmel …

Einladung zum Friedensgebet

Gott schenkt uns mit den 40 Tagen der österlichen Bußzeit eine Zeit der Gnade und Erneuerung. Mit dem Verlangen, in seinen Frieden heimzukehren, beten wir: Herr Jesus Christus …

Kommunionvers Ps 1,2–3

Wer über die Weisung des Herrn nachsinnt bei Tag und Nacht, bringt seine Frucht zur rechten Zeit.

Schlussgebet

Barmherziger Gott, stärke uns durch dieses heilige Mahl, damit wir fasten können, wie es dir gefällt, und durch die Feier dieser Tage Heilung finden. Darum bitten wir durch Christus, unseren Herrn.

Schlusssegen Segensgebet über das Volk Nr. 7

Herr, unser Gott, bekehre dein Volk, daß es sich von ganzem Herzen zu dir wende. Du bleibst unser Helfer, auch wenn wir gefehlt haben, denn deine Liebe ist größer als unser Versagen. Beschütze uns

und hilf uns, dir treu zu dienen. Darum bitten wir durch Christus, unseren Herrn.

Der Segen des allmächtigen Gottes, des Vaters und des Sohnes ✝ und des Heiligen Geistes, komme auf euch herab und bleibe bei euch allezeit.

Entsagung

entsagen
enein sagen können
ja sagen wollen

entsagen
endlich sagen
nein
zu den Zwängen
die Leben behindern
zu den Wünschen
die ins Kraut schießen
zu den Verlockungen
die den Blick vernebeln

entsagen
wieder sagen
ja
ich widersage

Charis Doepgen

1. Fastensonntag
26. Februar 2012

Wenn er mich anruft, dann will ich ihn erhören.
Ich bin bei ihm in der Not,
befreie ihn und bringe ihn zu Ehren.
Ich sättige ihn mit langem Leben
und lasse ihn mein Heil schauen.
Ps 91,15–16

Die Liturgie schaut in allen drei Lesejahren am ersten Fastensonntag auf ein Geheimnis im Leben Jesu, das zutiefst mit unserer menschlichen Natur verbunden ist: Er wurde versucht. In der knappsten Form berichtet Markus davon: »Der Geist trieb Jesus in die Wüste. Dort blieb Jesus vierzig Tage lang und wurde vom Satan in Versuchung geführt. Er lebte bei den wilden Tieren und die Engel dienten ihm« (1,12f.).

Was das für uns bedeutet, sagt der Hebräerbrief: »Wir haben ja nicht einen Hohenpriester, der nicht mitfühlen könnte mit unserer Schwäche, sondern einen, der in allem wie wir in Versuchung geführt worden ist, aber nicht gesündigt hat« (4,15). *In allem wie wir* – auch Jesus musste die Stimme Gottes von der des Widersachers unterscheiden und sich entscheiden. Die Inkarnation des göttlichen Wortes in unser Fleisch schloss dieses Risiko ein. »In Versuchung fallen ist das Privileg eines Geschöpfes aus Elend und Größe« (Theodor Haecker). Jesus hat in der Versuchung Größe bewahrt – nicht nur für sich. Denn, sagt Augustinus, »in Christus wurden wir versucht, weil er Fleisch von dir hatte und dir Heil von sich schenkt. Von dir hatte er ... für sich die Versuchung, von sich den Sieg für dich. Wenn wir in ihm versucht wurden, dann besiegen wir auch in ihm den Teufel. Merkst du nur, dass Christus versucht wurde, und nicht auch, dass er gesiegt hat? Erkenne doch, dass du in ihm Sieger bist!«

Das ist keine geringe Herausforderung für den Glauben. Der Blick auf die Versuchung Jesu will uns Mut machen: »Größere

Macht besitzt jener, der in uns ist, als jener, der gegen uns ist« (Leo d. Gr.).

KYRIE-RUFE GL 419 · KG 70

Herr Jesus Christus, du rufst uns zu Umkehr und Glauben. Herr, erbarme dich.
Du zeigst uns im Evangelium den Weg zum Leben. Christus, erbarme dich.
Du stehst uns zur Seite gegen die Mächte der Finsternis. Herr, erbarme dich.

TAGESGEBET

Allmächtiger Gott, du schenkst uns die heiligen vierzig Tage als eine Zeit der Umkehr und der Buße. Gib uns durch ihre Feier die Gnade, daß wir in der Erkenntnis Jesu Christi voranschreiten und die Kraft seiner Erlösungstat durch ein Leben aus dem Glauben sichtbar machen. Darum bitten wir durch ihn, der in der Einheit des Heiligen Geistes mit dir lebt und herrscht in alle Ewigkeit.

ERSTE LESUNG Gen 9,8–15

Lesung aus dem Buch Genesis.

Gott sprach zu Noach und seinen Söhnen, die bei ihm waren: Hiermit schließe ich meinen Bund mit euch und mit euren Nachkommen und mit allen Lebewesen bei euch, mit den Vögeln, dem Vieh und allen Tieren des Feldes, mit allen Tieren der Erde, die mit euch aus der Arche gekommen sind.

Ich habe meinen Bund mit euch geschlossen: Nie wieder sollen alle Wesen aus Fleisch vom Wasser der Flut ausgerottet werden; nie wieder soll eine Flut kommen und die Erde verderben.

Und Gott sprach: Das ist das Zeichen des Bundes, den ich stifte zwischen mir und euch und den lebendigen Wesen bei euch für alle kommenden Generationen: Meinen Bogen setze ich in die Wolken; er soll das Bundeszeichen sein zwischen mir und der Erde. Balle ich Wolken über der Erde zusammen und erscheint der Bogen in den Wolken, dann gedenke ich des Bundes, der besteht zwischen mir und euch und allen Lebewesen, allen Wesen aus Fleisch, und das Wasser wird nie wieder zur Flut werden, die alle Wesen aus Fleisch vernichtet. ℟

Das Wasser der Sintflut hat sich verlaufen. Die Erde kann wieder ein bewohnbarer Ort werden. Gott gibt dem Menschen eine zweite Chance. Das ist die gute Nachricht der ersten Lesung heute. Darüber hinaus: Gott legt sich fest, er schließt einen Bund mit allen Lebewesen. Noch einmal steht über der Schöpfung: »Gott sah alles an, was er gemacht hatte: Es war sehr gut« (Gen 1, 31). Es ist Zeit, Frieden zu schließen.

Die große Flut war Gottes Antwort auf die Bosheit der Menschen, auf ihre zunehmende Gewalttätigkeit. Liest man im Buch Genesis nach, zeigt sich, dass der Mensch zu seiner Rettung nichts beigetragen hat – außer dem Bau der Arche. Von Reue und Umkehr kein Wort. Jede Initiative ging von Gott aus. Der Neuanfang ist sein Geschenk, ist reine Gnade. Gottes Bogen in den Wolken, das Logo auf seinem Bundesvertrag, ist bis heute sichtbar. Und bis heute leben wir davon, dass wir aus Gnade gerettet sind, »nicht aus eigener Kraft – Gott hat es geschenkt« (Eph 2,8).

ANTWORTPSALM

Ps 25,4–9 (℟: vgl. 10)

℟: Deine Wege, Herr, sind Huld und Treue für alle, die deinen Bund bewahren.

VI. Ton – GL 233,7 · KG 271

Zeige mir, Herr, deine Wege, *
lehre mich deine Pfade!
Führe mich in deiner Treue und lehre mich; /
denn du bist der Gott meines Heiles. *
Auf dich hoffe ich allezeit. ℟

Denk an dein Erbarmen, Herr, /
und an die Taten deiner Huld; *
denn sie bestehen seit Ewigkeit.

Denk nicht an meine Jugendsünden und meine Frevel! *
In deiner Huld denk an mich, Herr, denn du bist gütig. – ℟

Gut und gerecht ist der Herr, *
darum weist er die Irrenden auf den rechten Weg.
Die Demütigen leitet er nach seinem Recht, *
die Gebeugten lehrt er seinen Weg. – ℟

ZWEITE LESUNG 1 Petr 3,18–22

Lesung aus dem ersten Petrusbrief.

Liebe Schwestern und Brüder! Christus ist der Sünden wegen ein einziges Mal gestorben, er, der Gerechte, für die Ungerechten, um euch zu Gott hinzuführen; dem Fleisch nach wurde er getötet, dem Geist nach lebendig gemacht. So ist er auch zu den Geistern gegangen, die im Gefängnis waren, und hat ihnen gepredigt.

Diese waren einst ungehorsam, als Gott in den Tagen Noachs geduldig wartete, während die Arche gebaut wurde; in ihr wurden nur wenige, nämlich acht Menschen, durch das Wasser gerettet.

Dem entspricht die Taufe, die jetzt euch rettet. Sie dient nicht dazu, den Körper von Schmutz zu reinigen, sondern sie ist eine Bitte an Gott um ein reines Gewissen aufgrund der Auferstehung Jesu Christi, der in den Himmel gegangen ist; dort ist er zur Rechten Gottes und Engel, Gewalten und Mächte sind ihm unterworfen. ℣

Diese Verse aus dem ersten Petrusbrief geben ein frühes Glaubensbekenntnis der ersten Christen wieder; es ist eine Kurzformel unseres Glaubens. Eingebettet in die theologisch wichtigen Aussagen über Jesus Christus ist eine Rückblende auf Gottes Heilshandeln im Ersten Bund. Ein erstaunliches Gottesbild wird hier gezeichnet: Gott *wartet geduldig* bis Noach die Arche gebaut hat. Die Strafe ist der schuldig gewordenen Menschheit angedroht – und nun wartet Gott darauf, dass ein Vehikel zur Rettung endlich fertig wird. Welch ein Bild! »Der Bau dieser Arche erweist sich für die Umwelt als eine Verkündigung der letzten Dinge, die dem Angebot nach als Umkehrimpuls ernster, dringender und weitreichender ist als Predigtworte« (Heinrich Spaemann). – Gottes Angebot heute steht im Tagesgebet: die »heiligen vierzig Tage als eine Zeit der Umkehr und Buße«.

RUF VOR DEM EVANGELIUM — Vgl. Mt 4,4b

Lob dir, Christus, König und Erlöser!
Nicht nur von Brot lebt der Mensch,
sondern von jedem Wort aus Gottes Mund.
Lob dir, Christus, König und Erlöser!

EVANGELIUM — Mk 1,12–15

Aus dem heiligen Evangelium nach Markus.

In jener Zeit trieb der Geist Jesus in die Wüste. Dort blieb Jesus vierzig Tage lang und wurde vom Satan in Versuchung geführt. Er lebte bei den wilden Tieren und die Engel dienten ihm.

Nachdem man Johannes ins Gefängnis geworfen hatte, ging Jesus wieder nach Galiläa; er verkündete das Evangelium Gottes und sprach: Die Zeit ist erfüllt, das Reich Gottes ist nahe. Kehrt um und glaubt an das Evangelium! IF

Mit diesen drei kurzen Sätzen übergeht Markus die Versuchung Jesu mehr, als dass er davon berichtet. Auf die bildhaften Dialoge aus den Evangelien des Matthäus und Lukas hat er verzichtet. Offenbar will er den ersten Satz der Predigt Jesu, der wie ein wuchtiges Portal am Beginn seines öffentlichen Auftretens steht, möglichst schnell mitteilen: Kehrt um und glaubt! Es liegt etwas Drängendes in der Kürze des Markus – wir ahnen, dass Jesus als ein vom Geist Getriebener aus der Wüste zurückkam. Das Reich Gottes ist nahe, die Zeit ist reif dafür – diese Einsicht hat er aus der Wüste mitgebracht. Das muss bekannt werden.

Trotz aller Kürze des Markus, steht nur bei ihm, dass Jesus »bei den wilden Tieren« lebte, während die dienenden Engel auch von

Matthäus erwähnt werden. Hier scheint das verlorene Paradies wieder auf: Der Einklang der Schöpfung im Miteinander von Mensch und Tier, der Einklang zwischen Himmel und Erde im Bild der dienenden Engel. Jesus bewahrte als neuer Adam in seiner Absage an den Versucher die Würde des Geschöpfes, ja er gewann sie wieder – für uns/pro nobis – und setzte einen neuen Anfang.

CREDO (siehe Seite 512)

FÜRBITTEN

Das Reich Gottes ist nahe gekommen und Jesus Christus hat uns einen Zugang eröffnet. Zu ihm wollen wir beten:

V: Christus, du Sieger in der Versuchung. A: Wir bitten dich, erhöre uns.

- Für Frauen und Männer im Dienst der Kirche, die neue Wege für die Weitergabe des Glaubens suchen.
- Für alle getauften Christen, deren Glaube auf dem Marktplatz der Welt zu verdunsten droht.
- Für alle Menschen, denen das Recht auf Religionsfreiheit vorenthalten wird.
- Für alle, die mit einem schweren persönlichen Schicksal belastet zu Gott umkehren wollen.

Herr Jesus Christus, im Vertrauen auf deine Kraft und im Licht deiner Botschaft beginnen wir die Zeit der Vorbereitung auf das Fest unserer Erlösung. Bleibe an unserer Seite heute und alle Tage. Amen.

GABENGEBET

Herr, unser Gott, wir bringen Brot und Wein für das heilige Opfer, das wir zum Beginn dieser Fastenzeit feiern. Nimm mit diesen Gaben uns selbst an und vereine unsere Hingabe mit dem Opfer deines Sohnes, der mit dir lebt und herrscht in alle Ewigkeit.

PRÄFATION Vom Tag

In Wahrheit ist es würdig und recht, dir, Herr, heiliger Vater, allmächtiger, ewiger Gott, immer und überall zu danken durch unseren Herrn Jesus Christus. Denn er hat in der Wüste vierzig Tage gefastet und durch sein Beispiel diese Zeit der Buße geheiligt. Er macht die teuflische List des Versuchers zunichte und läßt uns die Bosheit des Feindes durchschauen. Er gibt uns die Kraft, den alten Sauerteig zu entfernen, damit wir Ostern halten mit lauterem Herzen und zum ewigen Ostern gelangen. Darum preisen wir dich mit den Kerubim und Serafim und singen mit allen Chören der Engel das Lob deiner Herrlichkeit.

EINLADUNG ZUM VATERUNSER

Jesus selbst hat uns gelehrt, gegen die Versuchung Gottes Hilfe zu erbitten. So beten wir mit seinen Worten: Vater unser im Himmel …

EINLADUNG ZUM FRIEDENSGEBET

Im Bund mit Gott ist uns und der ganzen Schöpfung der Friede zugesagt. Die Botschaft Jesus zeigt uns den Weg dorthin. Deshalb bitten wir: Herr Jesus Christus …

KOMMUNIONVERS Ps 91,4

Mit seinen Flügeln schirmt dich der Herr, unter seinen Schwingen findest du Zuflucht.

Oder: Mt 4,4

Nicht nur vom Brot lebt der Mensch, sondern von jedem Wort, das aus Gottes Mund kommt.

SCHLUSSGEBET

Gütiger Gott, du hast uns das Brot des Himmels gegeben, damit Glaube, Hoffnung und Liebe in uns wachsen. Erhalte in uns das Verlangen nach diesem wahren Brot, das der Welt das Leben gibt, und stärke uns mit jedem Wort, das aus deinem Mund hervorgeht. Darum bitten wir durch Christus, unseren Herrn.

SCHLUSSSEGEN

Vom Leiden des Herrn

Der barmherzige Gott, der seinen Sohn für uns dahingegeben und uns in ihm ein Beispiel der Liebe geschenkt hat, segne euch und mache euch bereit, Gott und den Menschen zu dienen.

Und Christus, der Herr, der uns durch sein Sterben dem ewigen Tode entrissen hat, stärke euren Glauben und führe euch zur unvergänglichen Herrlichkeit.

Und allen, die ihm folgen auf dem Weg der Entäußerung, gebe er Anteil an seiner Auferstehung und an seiner Herrlichkeit.

Das gewähre euch der dreieinige Gott, der Vater und der Sohn ✝ und der Heilige Geist.

In der Wüste
in Wunde
und Weh
wandelst du
mir das Herz,
machst es reich
und weit;
willig
nichts mehr
zu wollen
als was dein Wille
mir will.

Maria Assumpta Schenkl

2. Fastensonntag
4. März 2012

Mein Herz denkt an dein Wort:
Sucht mein Angesicht!
Dein Angesicht, Herr, will ich suchen.
Verbirg nicht dein Gesicht vor mir.
Ps 27,8–9

Oder:

Denk an dein Erbarmen, Herr, und an die Taten deiner Huld;
denn sie bestehen seit Ewigkeit.
Laß unsere Feinde nicht triumphieren!
Befreie uns, Gott Israels, aus all unseren Nöten.
Ps 25,6.2.22

In der Präfation des heutigen Sonntages heißt es: »in seiner Verklärung erkennen wir, was Gesetz und Propheten bezeugen, dass wir durch das Leiden mit Christus zur Auferstehung gelangen«. Von diesem Weg Jesu sprechen die drei Lesungen des Wortgottesdienstes. Im Evangelium ist es Jesus selber, der mit Mose und Elija spricht. Mose steht für das Gesetz, Elija für die Propheten, die ersten beiden Teile des Ersten Testaments. Jesus lebt aus dem Wort Gottes, das er selber in der Synagoge hört und auslegt. Paulus verkündet uns Christus als denjenigen, der für uns gestorben ist. Aber als der Auferweckte lebt er bei Gott und tritt für uns ein. Abraham geht im Vertrauen den Weg durch die Prüfung, um Gott zu erfahren als den Spender des Lebens. So unterschiedlich die einzelnen Texte auch sind, so führen sie uns hinein in die Schattenseite unseres Lebens. Aber nicht das Verdrängen bringt die Befreiung, sondern das Durchstehen im Vertrauen auf Gott, der mit uns geht.

Kyrie-Rufe
Oder: GL 523 · KG 53

Herr Jesus Christus, du rufst uns, um dein Evangelium zu hören, Herr, erbarme dich.

Du schenkst uns den Frieden, den die Welt nicht zu geben vermag, Christus, erbarme dich.
Du bist die Hoffnung in aller Not dieser Welt, Herr, erbarme dich.

TAGESGEBET

Gott, du hast uns geboten, auf deinen geliebten Sohn zu hören. Nähre uns mit deinem Wort und reinige die Augen unseres Geistes, damit wir fähig werden, deine Herrlichkeit zu erkennen. Darum bitten wir durch Jesus Christus.

ERSTE LESUNG Gen 22,1–2.9a.10–13.15–18

Lesung aus dem Buch Genesis.

In jenen Tagen stellte Gott Abraham auf die Probe. Er sprach zu ihm: Abraham! Er antwortete: Hier bin ich. Gott sprach: Nimm deinen Sohn, deinen einzigen, den du liebst, Isaak, geh in das Land Morija und bring ihn dort auf einem der Berge, den ich dir nenne, als Brandopfer dar.

Als sie an den Ort kamen, den ihm Gott genannt hatte, baute Abraham den Altar und schichtete das Holz auf. Schon streckte Abraham seine Hand aus und nahm das Messer, um seinen Sohn zu schlachten. Da rief ihm der Engel des Herrn vom Himmel her zu: Abraham, Abraham! Er antwortete: Hier bin ich. Jener sprach: Streck deine Hand nicht gegen den Knaben aus und tu ihm nichts zuleide! Denn jetzt weiß ich, dass du Gott fürchtest; du hast mir deinen einzigen Sohn nicht vorenthalten. Als Abraham aufschaute, sah er: Ein Widder hatte sich hinter ihm mit seinen Hörnern im Gestrüpp verfangen. Abraham ging hin, nahm den Widder und brachte ihn statt seines Sohnes als Brandopfer dar.

Der Engel des Herrn rief Abraham zum zweiten Mal vom Himmel her zu und sprach: Ich habe bei mir geschworen – Spruch des Herrn: Weil du das getan hast und deinen einzigen Sohn mir nicht vorenthalten hast, will ich dir Segen schenken in Fülle und deine Nachkommen zahlreich machen wie die Sterne am Himmel und den Sand am Meeresstrand. Deine Nachkommen sollen das Tor ihrer Feinde einnehmen. Segnen sollen sich mit deinen Nachkommen alle Völker der Erde, weil du auf meine Stimme gehört hast. ⅠF

Die Lesung gehört sicher zu den am schwersten verständlichen Texten der Bibel. Wir sind schockiert über die Gewalt, die von Gott ausgeht und die zum Glauben dazugehört. Weil diese Abgründe uns so sehr schockieren, gehen wir oft viel zu leicht über die ernsten Fragen hinweg, reden zu schnell vom Gehorsam des Abrahams, der von Gott reich belohnt wird. Aber was ist das für ein Gott, der für sich das Leben eines Menschen will? Was soll der Glaube, wenn er in die Not und in den Tod führt? Nicht nur die frühe Zeit der Christen, auch die Bibel bringt dafür Beispiele, wie gerade der Fromme, weil er sich an Gottes Wort hält, gefährdet ist. Ist es angemessen, dieses Scheitern gleich als Martyrium zu glorifizieren, ohne sich zu fragen, was das für ein Gott ist, der den Tod in Kauf nimmt? Die Fragen bleiben und an Abraham wird deutlich, dass Gott immer der Unbegreifliche bleibt. Zu glauben bedeutet immer wieder auch versucht zu werden. Abraham bricht auf, um anzubeten, wie er seinen Knechten sagt. Er folgt nicht einfach dem Befehl. Davor steht das Beten mit Gott – genauso wie Jesus vor dem Leiden mit seinem Vater gerungen hat. Abraham hat sich herausfordern lassen von Gott. Weil er die Versuchung ausgehalten hat, erfährt er neu den Segen: Gott will nicht das Opfer eines Menschen und Gott will, dass sein Leben eine Zukunft hat.

ANTWORTPSALM

Ps 116,10.15–19 (ⅠR: vgl. 9)

ⅠR: Ich gehe meinen Weg vor Gott im Land der Lebenden.

VI. Ton – GL 528,3 · KG 733,2

Voll Vertrauen war ich, auch wenn ich sagte: *
Ich bin so tief gebeugt.
Kostbar ist in den Augen des Herrn *
das Sterben seiner Frommen. – ⅠR

Ach Herr, ich bin doch dein Knecht, /
dein Knecht bin ich, der Sohn deiner Magd. *
Du hast meine Fesseln gelöst.
Ich will dir ein Opfer des Dankes bringen *
und anrufen den Namen des Herrn. – ℟

Ich will dem Herrn meine Gelübde erfüllen *
offen vor seinem ganzen Volk,
in den Vorhöfen am Haus des Herrn, *
in deiner Mitte, Jerusalem. – ℟

ZWEITE LESUNG Röm 8,31b–34

Lesung aus dem Römerbrief.

Schwestern und Brüder! Ist Gott für uns, wer ist dann gegen uns? Er hat seinen eigenen Sohn nicht verschont, sondern ihn für uns alle hingegeben – wie sollte er uns mit ihm nicht alles schenken?

Wer kann die Auserwählten Gottes anklagen? Gott ist es, der gerecht macht. Wer kann sie verurteilen? Christus Jesus, der gestorben ist, mehr noch: der auferweckt worden ist, sitzt zur Rechten Gottes und tritt für uns ein. ℉

Die Lesung spricht von uns gleichsam als Betroffene in einer Gerichtsverhandlung. Zum Leben gehört die mögliche Anklage. Immer wieder geraten wir in Situationen, in denen wir Widerspruch erfahren oder in denen unser Leben überprüft wird. Zum menschlichen Miteinander gehört auch der Verdacht, die Vermutung, dass wir unserer Verantwortung oder unseren Pflichten nicht gerecht werden. Die Instanz des Gerichtes verhindert einerseits die Selbstgerechtigkeit. Andererseits müssen wir uns vor anderen für unser Verhalten rechtfertigen. Finden wir dabei einen gerechten Richter und die richtigen Worte? Auf diese Ängste geht der Text ein. Dreimal werden wir gefragt, wer gegen uns auftreten könnte. Paulus weist immer wieder darauf hin, dass wir nicht hilflos dastehen, sondern einen wirksamen Verteidiger haben – es ist Gott. Gott als Anwalt, obwohl selber unsichtbar und unverfügbar, wird für uns konkret in seinem Sohn. Paulus deutet sein Leben als ein Dasein für uns. Ein größeres Geschenk kann der Glaube uns nicht geben. In diesem Vertrauen dürfen wir unser eigenes Leben und unsere Aufgaben annehmen. Der mögliche Gerichtsprozess führt damit nicht zu einer Verurteilung, sondern bringt genau das Gegenteil ans Tageslicht: es wird sichtbar, wie wertvoll und einmalig unser Leben ist, weil jemand sich ganz für uns eingesetzt hat – Gottes eigener Sohn.

RUF VOR DEM EVANGELIUM

Lob dir, Christus, König und Erlöser!
Aus der leuchtenden Wolke rief die Stimme des Vaters:
Das ist mein geliebter Sohn; auf ihn sollt ihr hören.
Lob dir, Christus, König und Erlöser!

EVANGELIUM Mk 9,2–10

Aus dem heiligen Evangelium nach Markus.

In jener Zeit nahm Jesus Petrus, Jakobus und Johannes beiseite und führte sie auf einen hohen Berg, aber nur sie allein. Und er wurde vor ihren Augen verwandelt; seine Kleider wurden strahlend weiß, so weiß, wie sie auf Erden kein Bleicher machen kann. Da erschien vor ihren Augen Elija und mit ihm Mose und sie redeten mit Jesus.

Petrus sagte zu Jesus: Rabbi, es ist gut, dass wir hier sind. Wir wollen drei Hütten bauen, eine für dich, eine für Mose und eine für Elija. Er wusste nämlich nicht, was er sagen sollte; denn sie waren vor Furcht ganz benommen.

Da kam eine Wolke und warf ihren Schatten auf sie, und aus der Wolke rief eine Stimme: Das ist mein geliebter Sohn; auf ihn sollt ihr hören. Als sie dann um sich blickten, sahen sie auf einmal niemand mehr bei sich außer Jesus.

Während sie den Berg hinabstiegen, verbot er ihnen, irgendjemand zu erzählen, was sie gesehen hatten, bis der Menschensohn von den Toten auferstanden sei. Dieses Wort beschäftigte sie und sie fragten einander, was das sei: von den Toten auferstehen. |F

An jedem zweiten Sonntag der österlichen Bußzeit hören wir einen Text von der Verklärung Christi. Den Bericht umgibt eine österliche Atmosphäre. Jesus erscheint im hellen Licht, verklärt, als eine himmlische Gestalt. Zeigt der erste Sonntag Jesus in der Wüste, wie er angefochten und versucht wird, so tritt er jetzt als verwandelter Mensch den Jüngern gegenüber. Die Szene auf dem Berg stellt eine Vision dar – die Jünger sehen den Herrn – und zugleich ist sie eine Verkündigung. Eine himmlische Stimme deutet Jesus als den geliebten Sohn des Vaters. Auf ihn sollen die Jünger hören. Zugleich sehen sie Jesus, wie er mit Mose und Elija spricht. Es ist ein Evangelium, das uns zeigt, wie Ostern verstanden wird: als die Feier des Todes und der Auferstehung Jesu. Am Ende, bei der Himmelfahrt, wird es der Auferstandene mit seinen Wundmalen sein. Er hat das Kreuz überwunden und wird aufgenommen in die Herrlichkeit. Heute sind es die Jünger, die darüber sprechen, was es heißt, von den Toten aufzuerstehen. Die österliche Herrlichkeit ist nicht losgelöst von der Last und dem Leiden unseres Lebens. Die Herrlichkeit, von der das Evangelium spricht, meint nicht ein Leben, das das Leiden verdrängt oder darüber hinwegsieht. Es ist die Herrlichkeit, die die Jünger und uns bewegt, weil Gott selber sich in seinem Sohn nicht gescheut hat, die Ungerechtigkeit dieser Welt durch zu stehen und damit letztlich zu überwinden.

Credo (siehe Seite 512)

Fürbitten

Lasset uns beten zu Gott, unserem Vater, der Abraham Segen in Fülle geschenkt hat:

V: Vater im Himmel – A: Wir bitten dich, erhöre uns!

- Für die christlichen Kirchen: um die Einheit im Glauben an Jesus Christus, der von den Toten auferstanden ist und für uns eintritt.
- Für alle, die in Politik und Wirtschaft große Verantwortung tragen, um die rechten Entscheidungen für das Gemeinwohl.

- Für die vielen, die unter Lebensgefahr aus ihrer Heimat fliehen, um den Schutz ihres Lebens und die Chance eines Neubeginns in ihrem Leben.
- Für die Sterbenden und für alle, die ihnen beistehen, um den Trost und die Zuversicht aus dem Evangelium.

Gütiger Vater, im Vertrauen auf deine rettende Nähe rufen wir dich an. Höre uns und stärke uns im Lobpreis deiner Herrlichkeit durch Christus, unseren Herrn.

GABENGEBET

Herr, das Opfer, das wir feiern, nehme alle Schuld von uns. Es heilige uns an Leib und Seele, damit wir uns in rechter Weise auf das Osterfest vorbereiten. Darum bitten wir durch Christus, unseren Herrn.

PRÄFATION

Vom Tag

In Wahrheit ist es würdig und recht, dir, Vater im Himmel, zu danken durch unseren Herrn Jesus Christus. Denn er hat den Jüngern seinen Tod vorausgesagt und ihnen auf dem heiligen Berg seine Herrlichkeit kundgetan. In seiner Verklärung erkennen wir, was Gesetz und Propheten bezeugen: daß wir durch das Leiden mit Christus zur Auferstehung gelangen. Durch ihn rühmen wir deine Größe und singen mit den Chören der Engel das Lob deiner Herrlichkeit.

EINLADUNG ZUM VATERUNSER

In der Kraft des Heiligen Geistes gehen wir unseren Weg vor Gott. Zu ihm beten wir, wie uns Jesus Christus zu beten gelehrt hat: Vater unser im Himmel …

EINLADUNG ZUM FRIEDENSGEBET

Christus hat uns durch sein Blut am Kreuz erlöst. Zu ihm beten wir: Herr Jesus Christus …

KOMMUNIONVERS

Mt 17,5

Dies ist mein geliebter Sohn, an dem ich Gefallen gefunden habe: Auf ihn sollt ihr hören.

SCHLUSSGEBET

Herr, du hast uns im Sakrament an der Herrlichkeit deines Sohnes Anteil gegeben. Wir danken dir, daß du uns schon auf Erden teilnehmen läßt an dem, was droben ist. Durch Christus, unseren Herrn.

SCHLUSSSEGEN

Vom Leiden des Herren

Der barmherzige Gott, der seinen Sohn für uns dahingegeben und uns in ihm ein Beispiel der Liebe geschenkt hat, segne euch und mache euch bereit, Gott und den Menschen zu dienen.

Und Christus, der Herr, der uns durch sein Sterben dem ewigen Tode entrissen hat, stärke euren Glauben und führe euch zur unvergänglichen Herrlichkeit.

Und allen, die ihm folgen auf dem Weg der Entäußerung, gebe er Anteil an seiner Auferstehung und an seiner Herrlichkeit.

Das gewähre euch der dreieinige Gott, der Vater und der Sohn † und der Heilige Geist.

Gebet

herr
schweige!
selbst wenn dir meine rede hochmütig erscheint
siehe
ich bin ein genügsamer einzelner
bis ich mit dem licht eins werde
und alles will ich mit dir teilen
auch die maserungen meines gebetes
denn das zerrissene licht ängstigt mich nicht mehr
als der lange schatten meiner taten
herr
brenne
damit dein licht uns entzweit
denn ich suche zuflucht bei dir
vor meinen wahrheiten

Said

3. Fastensonntag

11. März 2012

Meine Augen schauen stets auf den Herrn;
denn er befreit meine Füße aus dem Netz.
Wende dich zu mir und sei mir gnädig;
denn ich bin einsam und gebeugt.

Ps 25,15–16

Oder:

Wort Gottes, des Herrn:
Ich werde euch beweisen, daß ich heilig bin.
Ich sammle euch aus allen Ländern.
Ich gieße reines Wasser über euch, damit ihr rein werdet,
und gebe euch einen neuen Geist.

Ez 36,22–26

Im Lesejahr B stehen bei den Lesungen vom 3. bis zum 5. Sonntag der österlichen Bußzeit die Themen Pascha und Erlösung im Mittelpunkt. Das Evangelium von der Tempelreinigung spricht von Jesus als dem Gekreuzigten, der von Gott zum neuen Leben auferweckt worden ist. Der Weg vom Tod zum Leben, aus der Nacht in den Tag, aus der Finsternis in das Licht, bildet den alten Weg der österlichen Feier bei Juden und Christen. Es ist der Kontrastweg des sichtbaren Lebens, das von der Geburt in den Tod geht, vom Leben zum Tod, vom Jungsein zum Altsein, vom Aufstieg zur Entlassung. Diese menschlichen Erfahrungen werden nicht außer Kraft gesetzt. Aber die biblischen Erzählungen nehmen diesen Erfahrungen ihren absoluten Stellenwert. Es gibt auch eine andere Sichtweise. Die Tage der Vorbereitung auf das Osterfest laden dazu ein, nach der Perspektive zu fragen, unter der wir unser Leben betrachten und bewerten.

KYRIE-RUFE

Oder: GL 522 · KG 376

Herr Jesus Christus, du bist der sichere Weg in Angst und Finsternis, Herr, erbarme dich.
Du bist das freundliche Licht, das uns durch unsere Dunkelheit führt, Christus, erbarme dich.
Du bist die Liebe, die nie erkaltet und vergeht, Herr, erbarme dich.

TAGESGEBET

Gott, unser Vater, du bist der Quell des Erbarmens und der Güte, wir stehen als Sünder vor dir, und unser Gewissen klagt uns an. Sieh auf unsere Not und laß uns Vergebung finden durch Fasten, Gebet und Werke der Liebe. Darum bitten wir durch Jesus Christus, deinen Sohn, unseren Herrn und Gott, der in der Einheit des Heiligen Geistes mit dir lebt und herrscht in alle Ewigkeit.

Es können auch die Schrifttexte vom Lesejahr A genommen werden.

ERSTE LESUNG

Ex 20,1–17 (Kf: 20,1–3.7–8.12–17)

Lesung aus dem Buch Exodus.

In jenen Tagen sprach Gott auf dem Berg Sinai alle diese Worte: Ich bin Jahwe, dein Gott, der dich aus Ägypten geführt hat, aus dem Sklavenhaus.

Du sollst neben mir keine anderen Götter haben.◆ Du sollst dir kein Gottesbild machen und keine Darstellung von irgendetwas am Himmel droben, auf der Erde unten oder im Wasser unter der Erde. Du sollst dich nicht vor anderen Göttern niederwerfen und dich nicht verpflichten, ihnen zu dienen.

Denn ich, der Herr, dein Gott, bin ein eifersüchtiger Gott: Bei denen, die mir Feind sind, verfolge ich die Schuld der Väter an den Söhnen, an der dritten und vierten Generation; bei denen, die mich lieben und auf meine Gebote achten, erweise ich Tausenden meine Huld.

➡Du sollst den Namen des Herrn, deines Gottes, nicht missbrauchen; denn der Herr lässt den nicht ungestraft, der seinen Namen missbraucht.

Gedenke des Sabbats: Halte ihn heilig!⬅ Sechs Tage darfst du schaffen und jede Arbeit tun. Der siebte Tag ist ein Ruhetag, dem Herrn, deinem Gott, geweiht. An ihm darfst du keine Arbeit tun: du, dein Sohn und deine Tochter, dein Sklave und deine Sklavin, dein Vieh und der Fremde, der in deinen Stadtbereichen Wohnrecht hat.

Denn in sechs Tagen hat der Herr Himmel, Erde und Meer gemacht und alles, was dazugehört; am siebten Tag ruhte er. Darum hat der Herr den Sabbattag gesegnet und ihn für heilig erklärt.

➡Ehre deinen Vater und deine Mutter, damit du lange lebst in dem Land, das der Herr, dein Gott, dir gibt. Du sollst nicht morden. Du sollst nicht die Ehe brechen. Du sollst nicht stehlen. Du sollst nicht falsch gegen deinen Nächsten aussagen. Du sollst nicht nach dem Haus deines Nächsten verlangen. Du sollst nicht nach der Frau deines Nächsten verlangen, nach seinem Sklaven oder seiner Sklavin, seinem Rind oder seinem Esel oder nach irgendetwas, das deinem Nächsten gehört.⬅ IF

Die heutige Lesung, der Dekalog, die Zehn Worte, stammen vom Bundesschluss am Sinai. Schon der Anfang zeigt, dass es sich um ein wechselseitiges Verhältnis handelt. Leicht übersehen, beginnt die Rede Gottes nicht mit dem ersten Gebot. Am Anfang steht die Selbstoffenbarung Gottes. Gott bekennt sich als der Gott, der Israel aus der Knechtschaft, aus der Unterdrückung des Pharao befreit hat. Gott ruft Israel seine Liebe zu seinem Volk in Erinnerung. Es ist eine Liebe, die nicht folgenlos bleibt, sondern sich auswirkt in der Befreiungsgeschichte. Die Zehn Worte, oder die 10 Gebote, sind dann die Antwort des Volkes. Als befreites Volk handelt Israel selber befreiend. Es hält den Glauben an seinen Gott wach. Es bemüht sich um ein mitmenschliches Verhalten, das das Leben und das Eigentum des anderen respektiert und achtet. Die bekannte Formulierung »du sollst« lässt sich auch übersetzen »du wirst«. Wer sich von Gott geliebt und befreit weiß, der kann gar nicht anders als selber dafür sorgen, dass der Mensch nicht neu in Unfreiheit fällt. Der jüdisch-christliche Glaube schafft nicht ein besseres Ethos als in anderen Kulturen und Religionen. Aber Christen wie Juden werden durch ihr Verhalten ausdrücken, wie sie an Gott als Jahwe, als den Befreier und Erlöser, glauben.

ANTWORTPSALM

Ps 19,8–12 (℟: Joh 6,68c)

℟: Herr, du hast Worte des ewigen Lebens.

II. Ton – GL 465 · KG 629

Die Weisung des Herrn ist vollkommen, *
sie erquickt den Menschen.
Das Gesetz des Herrn ist verlässlich, *
den Unwissenden macht es weise. – ℟

Die Befehle des Herrn sind richtig, *
sie erfreuen das Herz;
das Gebot des Herrn ist lauter, *
es erleuchtet die Augen. – ℟

Die Furcht des Herrn ist rein, *
sie besteht für immer.
Die Urteile des Herrn sind wahr, *
gerecht sind sie alle. – ℟

Sie sind kostbarer als Gold, als Feingold in Menge. *
Sie sind süßer als Honig, als Honig aus Waben.
Auch dein Knecht lässt sich von ihnen warnen; *
wer sie beachtet, hat reichen Lohn. – ℟

ZWEITE LESUNG

1 Kor 1,22–25

Lesung aus dem ersten Korintherbrief.

Schwestern und Brüder! Die Juden fordern Zeichen, die Griechen suchen Weisheit. Wir dagegen verkündigen Christus

als den Gekreuzigten: für Juden ein empörendes Ärgernis, für Heiden eine Torheit, für die Berufenen aber, Juden wie Griechen, Christus, Gottes Kraft und Gottes Weisheit.
Denn das Törichte an Gott ist weiser als die Menschen und das Schwache an Gott ist stärker als die Menschen. IF

In einem Kontrast zeigt sich oft der eigene Weg deutlicher und erhält markante Konturen. Wie bei den Jüngern auf dem Weg nach Emmaus geht es auch hier um die Frage, ob der Gekreuzigte der Messias, der Erlöser, sein könne. Kann von jemandem, der verachtet und ausgestoßen ist, das Heil kommen? Paulus versucht das Kreuz im Bild der Weisheit zu verstehen. Der Weisheit dieser Welt setzt er die Weisheit Gottes entgegen. Während zu den überlieferten Vorstellungen der Weisheit etwa die Klugheit und die Schönheit gehören, verbindet sich mit der göttlichen Weisheit die abstoßenden Seiten der menschlichen Torheit. Als äußerstes Zeichen wirkt das Ärgernis des Kreuzes. Die Weisheit dieser Welt, wie sie gerade die griechische Philosophie verkörpert, wird nicht außer Kraft gesetzt. Aber Gott zeigt sich in der Torheit, auf dass, wie es später im Brief heißt, kein Mensch sich rühme vor Gott. Was von Gott zu sagen ist, das kommt von Gott und nicht vom Menschen. Das, womit Gott der Welt seine Liebe schenkt, bemisst sich nicht nach menschlichen Maßstäben, sondern aus der unergründlichen Zuwendung Gottes zu uns Menschen.

RUF VOR DEM EVANGELIUM — Vgl. Joh 3,16a.15

Lob dir, Christus, König und Erlöser!
So sehr hat Gott die Welt geliebt, dass er seinen einzigen Sohn hingab, damit jeder, der glaubt, in ihm das ewige Leben hat.
Lob dir, Christus, König und Erlöser!

EVANGELIUM — Joh 2,13–25

Aus dem heiligen Evangelium nach Johannes.

Das Paschafest der Juden war nahe und Jesus zog nach Jerusalem hinauf. Im Tempel fand er die Verkäufer von Rindern, Schafen und Tauben und die Geldwechsler, die dort saßen. Er machte eine Geißel aus Stricken und trieb sie alle aus dem Tempel hinaus, dazu die Schafe und Rinder; das Geld der Wechsler schüttete er aus und ihre Tische stieß er um.

Zu den Taubenhändlern sagte er: Schafft das hier weg, macht das Haus meines Vaters nicht zu einer Markthalle! Seine Jünger erinnerten sich an das Wort der Schrift: Der Eifer für dein Haus verzehrt mich.

Da stellten ihn die Juden zur Rede: Welches Zeichen lässt du uns sehen als Beweis, dass du dies tun darfst?

Jesus antwortete ihnen: Reißt diesen Tempel nieder, in drei Tagen werde ich ihn wieder aufrichten.

Da sagten die Juden: Sechsundvierzig Jahre wurde an diesem Tempel gebaut und du willst ihn in drei Tagen wieder aufrichten? Er aber meinte den Tempel seines Leibes.

Als er von den Toten auferstanden war, erinnerten sich seine Jünger, dass er dies gesagt hatte, und sie glaubten der Schrift und dem Wort, das Jesus gesprochen hatte.

Während er zum Paschafest in Jerusalem war, kamen viele zum Glauben an seinen Namen, als sie die Zeichen sahen, die er tat. Jesus aber vertraute sich ihnen nicht an, denn er kannte sie alle und brauchte von keinem ein Zeugnis über den Menschen; denn er wusste, was im Menschen ist. IF

Auch Jesus geht nach Jerusalem und besucht den Tempel. Auch er betet dort. Aber sein Besuch wird sofort zu einer Frage nach dem, was der Tempel bedeutet. Die Existenz des Tempels begleitet von Anfang an die Auseinandersetzung darum, wie der Tempel ein Zeichen für Gott sein kann und wo er das nicht ist. Jesu Auftritt zeigt die Spannung, weil der Ort des Tempels – wie auch die Kirche zu allen Zeiten – immer auch ein Ort mit wirtschaftlichen Interessen ist, aber zugleich auch ein Ort für Gott sein soll. Das Zeichen Jesu gibt keine endgültige Antwort darauf, wie wir uns im Haus Gottes verhalten sollen. Aber sie führt hin zum Wesentlichen, das nicht vergessen werden darf. Wie Jesus der Samariterin am Jakobsbrunnen zur Antwort gab, dass es letztlich zweitrangig ist, in Jerusalem oder auf dem Berg Garizim Gott anzubeten. Der eigentliche Gottesdienst geschieht »im Geist und in der Wahrheit«. Nicht das Gebäude des Tempels drückt in letzter Weise die Gegenwart Gottes dar. Es ist der Mensch Jesus, der gekreuzigt wurde, aber am dritten Tag von Gott auferweckt wird. Wir singen den Hymnus des »Gloria« in der Messe, wir beten so oft das »Gloria Patri – Ehre sei dem Vater« – die Szene Jesu im Tempel lässt uns immer wieder fragen, wie wir die Ehre Gottes in dieser Welt zum Ausdruck bringen.

CREDO (siehe Seite 512)

FÜRBITTEN

Lasset uns beten zu unserem Herrn Jesus Christus, in dem wir unvergängliches Leben finden:

A: Christus, höre uns!

- Für die christlichen Kirchen, dass in ihnen Gottes erlösendes und befreiendes Wort glaubwürdig bezeugt werde.
- Für die Männer und Frauen, die in unserem Land politische Verantwortung tragen, dass sie ihre Kraft für Frieden und Gerechtigkeit einsetzen.
- Für die ausländischen Familien in unserem Land, dass sie Verständnis und Hilfe in ihren Sorgen erfahren.
- Für die Hoffnungslosen, dass sie aus dem Glauben und guten Vorbildern neuen Mut für ihr Leben schöpfen können.
- Für die die bei Terroranschlägen ihr Leben verloren haben, dass Gott ihr Leben in seinem Reich vollende und die trauernden Angehörigen und Freunde tröste.

Gott, so sehr hast du die Welt geliebt, dass du deinen einzigen Sohn dahingegeben hast. Bewahre uns in deiner Liebe und höre unser Gebet durch Christus, unseren Herrn.

GABENGEBET

Barmherziger Gott, befreie uns durch dieses Opfer von unseren Sünden und schenke uns die Kraft, auch den Brüdern zu vergeben, wenn sie an uns schuldig geworden sind. Darum bitten wir durch Christus, unseren Herrn.

PRÄFATION

Fastenzeit I

In Wahrheit ist es würdig und recht, dir, Vater im Himmel, zu danken und dein Erbarmen zu preisen. Denn jedes Jahr schenkst du deinen Gläubigen die Gnade, das Osterfest in der Freude des Heiligen Geistes zu erwarten. Du mahnst uns in dieser Zeit der Buße zum Gebet und zu Werken der Liebe, du rufst uns zur Feier der Geheimnisse, die in uns die Gnade der Kindschaft erneuern. So führst du uns mit geläutertem Herzen zur österlichen Freude und zur Fülle des Lebens durch unseren Herrn Jesus Christus. Durch ihn rühmen wir deine Größe und vereinen uns mit den Chören der Engel zum Hochgesang von deiner göttlichen Herrlichkeit.

EINLADUNG ZUM VATERUNSER

Unser Herr Jesus Christus hat das Reich seines himmlischen Vaters verkündet. Wir beten zu ihm, wie er seine Jünger zu beten gelehrt hat: Vater unser im Himmel …

EINLADUNG ZUM FRIEDENSGEBET

Christus ist unsere Versöhnung und der Anfang des neuen Lebens. Zu ihm beten wir: Herr Jesus Christus …

KOMMUNIONVERS

Ps 84,4–5

Der Sperling findet ein Haus und die Schwalbe ein Nest für die Jungen – deine Altäre, Herr der Heerscharen, mein Gott und mein König! Selig, die wohnen in deinem Haus, die dich allezeit loben!

Schlussgebet

Herr und Gott, du hast uns mit dem Brot des Himmels gesättigt und uns in dieser Speise ein Unterpfand dessen gegeben, was unseren Augen noch verborgen ist. Laß in unserem Leben sichtbar werden, was wir im Sakrament empfangen haben. Darum bitten wir durch Christus, unseren Herrn.

Schlusssegen

Vom Leiden des Herrn

Der barmherzige Gott, der seinen Sohn für uns dahingegeben und uns in ihm ein Beispiel der Liebe geschenkt hat, segne euch und mache euch bereit, Gott und den Menschen zu dienen.

Und Christus, der Herr, der uns durch sein Sterben dem ewigen Tode entrissen hat, stärke euren Glauben und führe euch zur unvergänglichen Herrlichkeit.

Und allen, die ihm folgen auf dem Weg der Entäußerung, gebe er Anteil an seiner Auferstehung und an seiner Herrlichkeit.

Das gewähre euch der dreieinige Gott, der Vater und der Sohn ✝ und der Heilige Geist. Amen.

Wenn am Ende der Tage,
wo unsere Geschäftigkeit ihren Abschluss findet,
das Recht zur Richtschnur
und die Gerechtigkeit
zur Waage unseres Lebens wird,
dann bleibt nur die Hoffnung,
dass derjenige,
dem die Waage zutiefst eigen ist,
die Steingewichte
durch Seine Barmherzigkeit ersetzt.«

Jacobs I.

4. Fastensonntag

18. März 2012

Freue dich, Stadt Jerusalem!
Seid fröhlich zusammen mit ihr,
alle, die ihr traurig wart.
Freut euch und trinkt euch satt
an der Quelle göttlicher Tröstung.
Vgl. Jes 66,10–11

»Laetare« – so lautet die Bezeichnung dieses Sonntags. Wie die Adventszeit so erhält auch die österliche Bußzeit einen Sonntag, an dem der Eröffnungsvers mit einem Aufruf der Freude beginnt. Es soll keine Zeit geben – auch nicht eine Buß- und Fastenzeit –, in der die menschliche Freude fehlt. Es soll keine Zeit geben, die nur einseitig beladen wird durch die Umkehr und die Buße. Aber beide Texte im Advent und in der österlichen Bußzeit reden nicht von einer Freude, die den Ernst der Umkehr verwässert. Es geht hier nicht um Freude als Entspannung und Flucht. Der Aufruf erinnert an das, wie Gott für Israel und für uns Menschen da ist. Der Aufruf zur Freude von Jerusalem steht am Ende des Jesajabuches, am Ende eines langen Weges mit dem Scheitern und Versagen. Die Freude wird möglich, weil Gott Jerusalem nicht aufgegeben hat. Wenn wir Wege finden, diese Freude auszudrücken, dann bleibt unser Leben ein Zeichen für den Glauben an Gott, der will, dass alle Menschen das Leben haben. Dann ist die Freude auch der Antrieb, selber mitzuwirken, einen Lebensraum zu schaffen.

Kyrie-Rufe GL 454 · KG 59

Herr Jesus Christus, du bist das Licht, das nie erlischt, Herr, erbarme dich.
Du bist das Wort, das nie vergeht, Christus, erbarme dich.
Du bist das Heil, das uns verheißen ist, Herr, erbarme dich.

TAGESGEBET

Herr, unser Gott, du hast in deinem Sohn die Menschheit auf wunderbare Weise mit dir versöhnt. Gib deinem Volk einen hochherzigen Glauben, damit es mit froher Hingabe dem Osterfest entgegeneilt. Darum bitten wir durch Jesus Christus, deinen Sohn, unseren Herrn und Gott, der in der Einheit des Heiligen Geistes mit dir lebt und herrscht in alle Ewigkeit.

Es können auch die Schrifttexte vom Lesejahr A genommen werden.

ERSTE LESUNG 2 Chr 36,14–16.19–23

Lesung aus dem zweiten Buch der Chronik.

In jenen Tagen begingen alle führenden Männer Judas und die Priester und das Volk viel Untreue. Sie ahmten die Gräueltaten der Völker nach und entweihten das Haus, das der Herr in Jerusalem zu seinem Heiligtum gemacht hatte.

Immer wieder hatte der Herr, der Gott ihrer Väter, sie durch seine Boten gewarnt; denn er hatte Mitleid mit seinem Volk und seiner Wohnung. Sie aber verhöhnten die Boten Gottes, verachteten sein Wort und verspotteten seine Propheten, bis der Zorn des Herrn gegen sein Volk so groß wurde, dass es keine Heilung mehr gab.

Die Chaldäer verbrannten das Haus Gottes, rissen die Mauern Jerusalems nieder, legten Feuer an alle seine Paläste und zerstörten alle wertvollen Geräte. Alle, die dem Schwert entgangen waren, führte Nebukadnezzar in die Verbannung nach Babel. Dort mussten sie ihm und seinen Söhnen als Sklaven dienen, bis das Reich der Perser zur Herrschaft kam. Da ging das Wort in Erfüllung, das der Herr durch den Mund Jeremias verkündet hatte. Das Land bekam seine Sabbate ersetzt, es lag brach während der ganzen Zeit der Verwüstung, bis siebzig Jahre voll waren.

Im ersten Jahr des Königs Kyrus von Persien sollte sich erfüllen, was der Herr durch Jeremia gesprochen hatte. Darum erweckte der Herr den Geist des Königs Kyrus von Persien und Kyrus ließ in seinem ganzen Reich mündlich und schriftlich den

Befehl verkünden: So spricht Kyrus, der König von Persien: Der Herr, der Gott des Himmels, hat mir alle Reiche der Erde verliehen. Er selbst hat mir aufgetragen, ihm in Jerusalem in Juda ein Haus zu bauen. Jeder unter euch, der zu seinem Volk gehört – der Herr, sein Gott, sei mit ihm –, der soll hinaufziehen. ǀF

Hoffnungs- und aussichtslos beginnt unser Text: er berichtet von der Zerstörung der Stadt Jerusalem und dem Beginn der Deportation in Babel. Zweimal wird im Ersten Testament über die Geschichte Israels berichtet, die mit dem Exil endet. Aber in dem jüngeren Bericht aus dem Buch der Chronik legt der Verfasser jedoch Wert auf den Schlusssatz, dass der Tempel wieder aufgebaut wird. Das letzte Wort dieses Buches ist das Wort vom »hinaufziehen«. Es ist jedoch nicht nur das Schlusswort dieses Geschichtsbuches, sondern das letzte Wort der hebräischen Bibel. In ihr sind die Bücher anders angeordnet als in der christlichen Bibel. Die Bücher der Chronik stehen hier am Ende. So wie am Anfang Mose mit dem Volk aus Ägypten durch die Wüste in das verheißene Land hinaufgezogen ist, so darf Israel jetzt wieder durch die Wüste aus der Verbannung in das Land hinaufziehen. Das Hinaufziehen wird zu einem Bild für das österliche Geschehen, dem Weg, den Jesus geht für uns, den Weg, auf den wir durch die Taufe und den Glauben mit Jesus gehen.

ANTWORTPSALM

Ps 137,1–6 (ǀR: vgl. 5a)

ǀR: Wie könnte ich dich je vergessen, Jerusalem!
II. Ton – GL 529,1

An den Strömen von Babel, /
da saßen wir und weinten, *
wenn wir an Zion dachten.
Wir hängten unsere Harfen *
an die Weiden in jenem Land. – ǀR

Dort verlangten von uns die Zwingherren Lieder, /
unsere Peiniger forderten Jubel: *

»Singt uns Lieder vom Zion!«
Wie könnten wir singen die Lieder des Herrn, *
fern, auf fremder Erde? – ℟

Wenn ich dich je vergesse, Jerusalem, *
dann soll mir die rechte Hand verdorren.
Die Zunge soll mir am Gaumen kleben, /
wenn ich an dich nicht mehr denke, *
wenn ich Jerusalem nicht zu meiner höchsten Freude erhebe. – ℟

ZWEITE LESUNG Eph 2,4–10

Lesung aus dem Epheserbrief.

Schwestern und Brüder! Gott, der voll Erbarmen ist, hat uns, die wir infolge unserer Sünden tot waren, in seiner großen Liebe, mit der er uns geliebt hat, zusammen mit Christus wieder lebendig gemacht.

Aus Gnade seid ihr gerettet. Er hat uns mit Christus Jesus auferweckt und uns zusammen mit ihm einen Platz im Himmel gegeben. Dadurch, dass er in Christus Jesus gütig an uns handelte, wollte er den kommenden Zeiten den überfließenden Reichtum seiner Gnade zeigen.

Denn aus Gnade seid ihr durch den Glauben gerettet, nicht aus eigener Kraft – Gott hat es geschenkt –, nicht aufgrund eurer Werke, damit keiner sich rühmen kann.

Seine Geschöpfe sind wir, in Christus Jesus dazu geschaffen, in unserem Leben die guten Werke zu tun, die Gott für uns im Voraus bereitet hat. ℉

In immer neuen Bildern beschreiben die biblischen Texte das österliche Ereignis, den Weg vom Tod zum Leben. In der gottesdienstlichen Feier wird nicht nur der Weg Gottes mit Israel, es wird nicht nur der Weg Gottes mit seinem Sohn Jesus Christus, gegenwärtig. In der Feier gehen wir im Glauben auf diesem Weg vom Tod zum Leben. Österliches Leben will ein Leben im Licht sein. Der Anfang der Lesung vergleicht das Totsein mit dem Leben in der Sünde, das Lebendigsein mit der Erlösung durch Gottes Liebe. In der Taufe sind wir bereits auferweckt und wir haben Anteil an der Auferstehung. Der österliche Glaube verbietet es, ein Leben nur als schlecht und böse zu sehen, da wir bereits Anteil haben am Leben Jesu. Aber er verbietet auch eine Euphorie, die sich über die Grenzen und Wirklichkeiten dieser Welt hinwegsetzt. Der Glaube will nicht verdrängen, sondern Kraft geben, anzunehmen und auszuhalten.

RUF VOR DEM EVANGELIUM — Vgl. Joh 3,16a.15

Lob dir, Christus, König und Erlöser!
So sehr hat Gott die Welt geliebt, dass er seinen einzigen Sohn hingab, damit jeder, der glaubt, in ihm das ewige Leben hat.
Lob dir, Christus, König und Erlöser!

EVANGELIUM — Joh 3,14–21

Aus dem heiligen Evangelium nach Johannes.

In jener Zeit sprach Jesus zu Nikodemus: Wie Mose die Schlange in der Wüste erhöht hat, so muss der Menschensohn erhöht werden, damit jeder, der an ihn glaubt, in ihm das ewige Leben hat.

Denn Gott hat die Welt so sehr geliebt, dass er seinen einzigen Sohn hingab, damit jeder, der an ihn glaubt, nicht zugrunde geht, sondern das ewige Leben hat.

Denn Gott hat seinen Sohn nicht in die Welt gesandt, damit er die Welt richtet, sondern damit die Welt durch ihn gerettet wird. Wer an ihn glaubt, wird nicht gerichtet; wer nicht glaubt, ist schon gerichtet, weil er an den Namen des einzigen Sohnes Gottes nicht geglaubt hat.

Denn mit dem Gericht verhält es sich so: Das Licht kam in die Welt, und die Menschen liebten die Finsternis mehr als das Licht; denn ihre Taten waren böse.

Jeder, der Böses tut, hasst das Licht und kommt nicht zum Licht, damit seine Taten nicht aufgedeckt werden. Wer aber die Wahrheit tut, kommt zum Licht, damit offenbar wird, dass seine Taten in Gott vollbracht sind. IF

Das nächtliche Gespräch Jesu mit Nikodemus bringt Tiefenaussage über das Leben Jesu. Jesus wird gesehen als der Weg zum Leben. In ihm zeigt sich der Wille Gottes, dass der Mensch gerettet, erlöst, befreit wird, nicht aber dass er zugrunde und verloren geht. Aber der Einsatz für den Menschen geht nicht aus Berechnungen hervor. Bei uns sind so viele Handlungen und Entscheidungen auch bestimmt von Interessen und Anliegen, die wir haben und auch nicht einfach verdrängen können. Von Gott wird jedoch gesagt, dass er die Welt so sehr liebt, dass er seinen Sohn hingab. Die Schöpfung als solche ist bereits ein Zeichen der Liebe. Nicht um Macht zu mehren, hat Gott eine Welt geschaffen, sondern um diese Welt als Gegenüber, als ein Du lieben zu können. Diese Liebe in der Schöpfung zeigt sich in erneuter Weise in der erlösenden Liebe durch seinen Sohn. Überall da, wo das Evangelium verkündet wird, entsteht in unserer Welt ein Raum, in dem an diese zweckfreie Liebe erinnert wird. Es ist das Evangelium, das in uns das Gefühl für ein Leben wach halten will, das nicht verplant und eingeplant wird, sondern das einfach gut ist, weil es da ist.

CREDO (siehe Seite 512)

FÜRBITTEN

Lasset uns beten zu Gott, unserem Vater, der uns in seiner Barmherzigkeit begegnet:

A: Gott, unser Vater – Wir bitten dich, erhöre uns.

- Für die Mitarbeiter und Mitarbeiterinnen des Hilfswerks Misereor bei den Notleidenden und Bedürftigen in den Armutsländern.
- Für die Völker, die unter Bürgerkrieg leiden und für die Verletzten und Flüchtlinge.
- Für die vielen, die in ihrem Leben keinen Sinn mehr finden und nach Antworten auf ihre Fragen suchen.
- Für alle, die durch Gewalt oder Armut aus ihrer Heimat vertrieben wurden und auf Gerechtigkeit hoffen.

Barmherziger Gott, du suchst das, was verloren ist, und du wendest dich dem zu, der in Not ist. Sieh auf den Glauben deiner Gemeinde und gib Antwort auf unser Rufen durch Christus, unseren Herrn.

GABENGEBET

Herr, unser Gott, in der Freude auf das Osterfest bringen wir unsere Gaben dar. Hilf uns, gläubig und ehrfürchtig das Opfer zu feiern, das der Welt Heilung schenkt und den Tod überwindet. Darum bitten wir durch Christus, unseren Herrn.

PRÄFATION

Fastenzeit II

Wir danken dir, Vater im Himmel, und rühmen deinen heiligen Namen. Denn jetzt ist die Zeit der Gnade, jetzt sind die Tage des Heiles. Du hilfst uns, das Böse zu überwinden, du schenkst uns von neuem die Reinheit des Herzens. Du gibst deinen Kindern die Kraft, in dieser vergänglichen Welt das unvergängliche Heil zu wirken durch unseren Herrn Jesus Christus. Durch ihn preisen wir dich in deiner Kirche und vereinen uns mit den Engeln und Heiligen zum Hochgesang von deiner göttlichen Herrlichkeit.

EINLADUNG ZUM VATERUNSER

Christus ist unser Mittler beim Vater. In ihm beten wir, wie er seine Jünger zu beten gelehrt hat: Vater unser im Himmel …

EINLADUNG ZUM FRIEDENSGEBET

Christus ist uns gleich geworden und mitgefühlt mit unserer Schwäche und Angst. Zu ihm beten wir: Herr Jesus Christus …

KOMMUNIONVERS

Ps 122,3–4

Jerusalem, du starke Stadt, dicht gebaut und fest gefügt! Dorthin ziehen die Stämme hinauf, die Stämme des Herrn, den Namen des Herrn zu preisen.

SCHLUSSGEBET

Allmächtiger Gott, dein ewiges Wort ist das wahre Licht, das jeden Menschen erleuchtet. Heile die Blindheit unseres Herzens, damit wir erkennen, was vor dir recht ist, und dich aufrichtig lieben. Darum bitten wir durch Christus, unseren Herrn.

SCHLUSSSEGEN

Vom Leiden des Herrn

Der barmherzige Gott, der seinen Sohn für uns dahingegeben und uns in ihm ein Beispiel der Liebe geschenkt hat, segne euch und mache euch bereit, Gott und den Menschen zu dienen.

Und Christus, der Herr, der uns durch sein Sterben dem ewigen Tode entrissen hat, stärke euren Glauben und führe euch zur unvergänglichen Herrlichkeit.

Und allen, die ihm folgen auf dem Weg der Entäußerung, gebe er Anteil an seiner Auferstehung und an seiner Herrlichkeit.

Das gewähre euch der dreieinige Gott, der Vater und der Sohn ✝ und der Heilige Geist.

So, wie ich bin

Jesus, zu dir kann ich kommen, wie ich bin.
Du hast gesagt, dass jeder kommen darf.

Ich muss dir nicht erst beweisen,
dass ich besser werden kann.
Was mich besser macht vor dir,
das hast du längst am Kreuz getan.

Und weil du mein Zögern siehst,
streckst du mir deine Hände hin,
und ich kann so zu dir kommen,
wie ich bin.

Manfred Siebald

Hl. Josef, Bräutigam der Gottesmutter Maria

19. März 2012

Seht, das ist der treue und kluge Hausvater,
dem der Herr seine Familie anvertraut,
damit er für sie sorge.
Vgl. Lk 12,42

Schweigen ist seine Sprache. Schweigend steht Josef, »der Mann Marias«, am Beginn der Geschichte »Jesu Christi, des Sohnes Davids, des Sohnes Abrahams« (Mt 1,1). Kein Wort ist von ihm überliefert. Und doch fällt ihm in dieser Geschichte eine Aufgabe zu, für die er – wie Maria bei Lukas – im Matthäusevangelium (1,18–25) in einer eigenen Verkündigung vorbereitet wird. Sein Schweigen ist eine Sprache, in der Gott zu Wort kommt – in der Gottes Wort zu uns kommen kann. Der schweigende Gehorsam Josefs ist für den Weg Gottes in unsere Welt genauso unentbehrlich wie Marias Antwort, wie das von ihr gesprochene »Mir geschehe«. Sein Schweigen umgibt Josef mit einer Atmosphäre der Stille, in der Gott Zutritt hat im Traum. Er ist aber kein Träumer. Das zeigt sein Nachdenken und sein Handeln als »Erwachter« (Mt 1,20.24). Mit seinem Ja zu Maria bejaht er für sich eine Rolle selbstloser Verfügbarkeit.

Dreimal noch empfängt Josef rettende Weisungen im Traum, die sein sofortiges Handeln fordern (Mt 2,13.20.22). – Eine Traumkarriere folglich? Wahrscheinlich hat sein Lebensplan nach dem Eingreifen Gottes anders Gestalt angenommen, als er sich das je erträumen konnte. »Nicht Josef hat die große Wahl seines Lebens getroffen, nicht er hat den großen Schritt getan, nicht er hat Gott adoptiert, sondern Gott hat ganz einfach ihn hinein-adoptiert in eine Rolle, die ihm eigentlich gar nicht zustand: Er galt als der Vater Jesu« (Klaus Hemmerle).

KYRIE-RUFE GL 443 · KG 56

Herr Jesus Christus, du Sohn des lebendigen Gottes. – Herr, erbarme dich.
Du hast in Nazaret den Alltag der Menschen geteilt. – Christus, erbarme dich.
Du wurdest von Josef im Glauben Israels unterrichtet. – Herr, erbarme dich.

GLORIA (siehe Seite 508)

TAGESGEBET

Allmächtiger Gott, du hast Jesus, unseren Heiland, und seine Mutter Maria der treuen Sorge des heiligen Josef anvertraut. Höre auf seine Fürsprache und hilf deiner Kirche, die Geheimnisse der Erlösung treu zu verwalten, bis das Werk des Heiles vollendet ist. Darum bitten wir durch Jesus Christus.

ERSTE LESUNG 2 Sam 7,4–5a.12–14a.16

Lesung aus dem zweiten Buch Samuel.

Das Wort des Herrn erging an Natan: Geh zu meinem Knecht David und sag zu ihm: So spricht der Herr: Wenn deine Tage erfüllt sind und du dich zu deinen Vätern legst, werde ich deinen leiblichen Sohn als deinen Nachfolger einsetzen und seinem Königtum Bestand verleihen. Er wird für meinen Namen ein Haus bauen und ich werde seinem Königsthron ewigen Bestand verleihen. Ich will für ihn Vater sein und er wird für mich Sohn sein.

Dein Haus und dein Königtum sollen durch mich auf ewig bestehen bleiben; dein Thron soll auf ewig Bestand haben. |F

Der Messias wird erwartet als Nachkomme Davids. Wo in der Bibel Menschen mit dieser Erwartung Jesus begegnen und seine messianische Sendung erspüren, brechen sie in den Ruf aus: »Du Sohn Davids, erbarme dich …« (Mt 9,27 u.a.). Beim Einzug in Jerusalem steigert sich das zu dem Jubelruf: »Hosanna dem Sohn

Davids!« (Mt 21,9). Was der Prophet Natan als Wort des Herrn David zusagt, soll in Jesus sich erfüllen.

Die Lesung aus dem 2. Buch Samuel wirft auf die Rolle Josefs im Heilsplan Gottes ein Licht, das aus der Tiefe der Geschichte Gottes mit seinem Volk Israel kommt. Josef ist nicht nur der Mann für das Praktische, wenn es um den Schutz von Mutter und Kind geht, er steht auch in der Verheißungslinie des davidischen Königtums als Mann »aus dem Haus und Geschlecht Davids« (Lk 2,4). Er durfte dem »Sohn des Höchsten« Vater sein.

ANTWORTPSALM

Ps 89,2–5.27.29 (℟: Lk 1,32b)

℟: Gott, der Herr, wird ihm den Thron seines Vaters David geben.
VI. Ton – GL 233,7 · KG 271

Von den Taten deiner Huld, Herr, will ich ewig singen, *
bis zum fernsten Geschlecht laut deine Treue verkünden.
Denn ich bekenne: Deine Huld besteht für immer und ewig; *
deine Treue steht fest im Himmel. – ℟

»Ich habe einen Bund geschlossen mit meinem Erwählten *
und David, meinem Knecht, geschworen:
Deinem Haus gebe ich auf ewig Bestand *
und von Geschlecht zu Geschlecht richte ich deinen Thron auf.
– ℟

Er wird zu mir rufen: Mein Vater bist du, *
mein Gott, der Fels meines Heiles.
Auf ewig werde ich ihm meine Huld bewahren, *
mein Bund mit ihm bleibt allzeit bestehen. – ℟

ZWEITE LESUNG

Röm 4,13.16–18.22

Lesung aus dem Römerbrief.

Schwestern und Brüder! Abraham und seine Nachkommen erhielten nicht aufgrund des Gesetzes die Verheißung, Erben der Welt zu sein, sondern aufgrund der Glaubensgerechtigkeit.

Deshalb gilt: »aus Glauben«, damit auch gilt: »aus Gnade«. Nur so bleibt die Verheißung für alle Nachkommen gültig, nicht nur für die, welche das Gesetz haben, sondern auch für die, welche wie Abraham den Glauben haben.

Nach dem Schriftwort: Ich habe dich zum Vater vieler Völker bestimmt, ist er unser aller Vater vor Gott, dem er geglaubt hat, dem Gott, der die Toten lebendig macht und das, was nicht ist, ins Dasein ruft.

Gegen alle Hoffnung hat er voll Hoffnung geglaubt, dass er der Vater vieler Völker werde, nach dem Wort: So zahlreich werden deine Nachkommen sein.

Darum wurde der Glaube ihm als Gerechtigkeit angerechnet. IF

Ein Sprichwort sagt: »Die Hoffnung stirbt zuletzt.« Vielleicht ist genau das der göttliche Funke im Menschen, dass er nicht nur hoffen darf, dass er geradezu hoffen muss, um Mensch zu bleiben und den Zugang zu Gott offen zu halten. *Gegen alle Hoffnung hoffen* – das heißt, die vielen Einwände des Denkens sollen nicht zur Wand werden, die vom Leben, von Gott abtrennt. Hoffnung ist die Dynamik des Glaubens, der *mit Gott Mauern überspringt* (Ps 18,30).

Die Ahnengalerie unserer Väter und Mütter im Glauben beginnt bei Abraham und hat noch kein Ende. Josef steht an einem wichtigen Schnittpunkt in der Mitte der Heilsgeschichte als Mann des Glaubens, der Gottes Plänen nicht im Weg stand – damit hat er mehr als eine »Nebenrolle« eingenommen.

RUF VOR DEM EVANGELIUM — Ps 84,5

Dein ist die Ehre, dein ist die Macht, Christus, Herr und Erlöser.
Selig, die in deinem Hause wohnen, Herr,
die dich loben allezeit.
Dein ist die Ehre, dein ist die Macht, Christus, Herr und Erlöser.

EVANGELIUM — Mt 1,16.18–21.24a

Aus dem heiligen Evangelium nach Matthäus.

Jakob war der Vater von Josef, dem Mann Marias; von ihr wurde Jesus geboren, der der Christus – der Messias – genannt wird.

Mit der Geburt Jesu Christi war es so: Maria, seine Mutter, war mit Josef verlobt; noch bevor sie zusammengekommen waren, zeigte sich, dass sie ein Kind erwartete – durch das Wirken des Heiligen Geistes. Josef, ihr Mann, der gerecht war und sie nicht bloßstellen wollte, beschloss, sich in aller Stille von ihr zu trennen.

Während er noch darüber nachdachte, erschien ihm ein Engel des Herrn im Traum und sagte: Josef, Sohn Davids, fürchte dich nicht, Maria als deine Frau zu dir zu nehmen; denn das Kind, das sie erwartet, ist vom Heiligen Geist.

Sie wird einen Sohn gebären; ihm sollst du den Namen Jesus geben; denn er wird sein Volk von seinen Sünden erlösen.

Als Josef erwachte, tat er, was der Engel des Herrn ihm befohlen hatte. IF

Gottes Heilsplan, vorbereitet durch viele Generationen seit Abraham, ist jetzt an den Punkt gekommen, wo der Sohn Gottes einen geschichtlichen Ort haben soll unter den Menschen, und der Name Jesu eingefügt wird nach Josef, »dem Mann Marias«. Dieser Schluss im Stammbaum Jesu, mit dem Matthäus sein Evangelium eröffnet, steht heute am Beginn der Perikope.

Fast alles, was der Gestalt Josefs Profil gibt, lesen wir in den beiden ersten Kapiteln bei Matthäus. Er tritt dort in das Blickfeld, als er darüber nachdenkt, wie er sich angesichts der für ihn unerklärlichen Schwangerschaft Marias verhalten soll. In diesem Zusammenhang wird ihm das auszeichnende Attribut »gerecht« gegeben. Er denkt und urteilt in der Treue zu Gottes Weisungen; auf Gottes Willen ist er ausgerichtet. Und so kann er auch den eigenen Entschluss, »sich in aller Stille von Maria zu trennen«, aufgeben, als Gott von ihm anderes erwartet. Das geht auch im Traum nicht über seinen Kopf hinweg. Josef denkt nach. Die Bereitschaft, seinen Entschluss zu ändern, trifft er mit Bedacht. Das macht ihn verlässlich.

Oder: Lk 2,41–51a

Aus dem heiligen Evangelium nach Lukas.

Die Eltern Jesu gingen jedes Jahr zum Paschafest nach Jerusalem. Als er zwölf Jahre alt geworden war, zogen sie wieder hinauf, wie es dem Festbrauch entsprach.

Nachdem die Festtage zu Ende waren, machten sie sich auf den Heimweg. Der junge Jesus aber blieb in Jerusalem, ohne dass seine Eltern es merkten. Sie meinten, er sei irgendwo in der Pilgergruppe, und reisten eine Tagesstrecke weit; dann suchten sie ihn bei den Verwandten und Bekannten. Als sie ihn nicht fanden, kehrten sie nach Jerusalem zurück und suchten ihn dort.

Nach drei Tagen fanden sie ihn im Tempel; er saß mitten unter den Lehrern, hörte ihnen zu und stellte Fragen. Alle, die ihn hörten, waren erstaunt über sein Verständnis und über seine Antworten.

Als seine Eltern ihn sahen, waren sie sehr betroffen und seine Mutter sagte zu ihm: Kind, wie konntest du uns das antun? Dein Vater und ich haben dich voll Angst gesucht.

Da sagte er zu ihnen: Warum habt ihr mich gesucht? Wusstet ihr nicht, dass ich in dem sein muss, was meinem Vater gehört? Doch sie verstanden nicht, was er damit sagen wollte.

Dann kehrte er mit ihnen nach Nazaret zurück und war ihnen gehorsam. IF

Wer hat sich nicht schon gewünscht, über das Leben des jugendlichen Jesus und die Beziehung zu seinen Eltern etwas mehr zu erfahren, als uns die Evangelien ahnen lassen. Der Bericht über den zwölfjährigen Jesus im Tempel aus dem Sondergut des Lukas kommt diesem Bedürfnis am nächsten. Wir sehen einen selbstständigen und selbstbewussten Jugendlichen und ein ratloses Elternpaar. Wie menschlich ist das! Aber da stehen wir auch schon wieder vor der Barriere: Wer ist dieser Jesus? Karl Rahner schreibt zu dem lukanischen Bericht: »Es ist ein dunkles Evangelium … Das Kind geht seine eigenen Wege. Die Eltern gehen weinend einem ›verlorenen‹ Sohn nach. Und selbst wo ›alles wieder in Ordnung ist‹, steht eine Unbegreiflichkeit trennend und verbindend zwischen Mutter und Sohn.« Und zwischen Jesus und Josef. Denn hier bringt Jesus erstmals seinen Vater ins Spiel. In der Episode im Tempel blitzt seine Berufung auf – für ihn selber, als ein Geheimnis zwischen ihm und dem Vater im Himmel, für seine Familie, als eine bleibende Provokation, wie sich später in seiner öffentlichen Wirksamkeit mehrfach zeigt.

CREDO (siehe Seite 512)

FÜRBITTEN

Zu Jesus Christus, unserem Bruder und Herrn, den seine Zeitgenossen für den »Sohn des Zimmermanns« hielten, bringen wir unsere Bitten am Fest des heiligen Josef:

A: Herr, erbarme dich. V: Christus, erbarme dich.

- Für die Kirche, die sich unter den Schutz des heiligen Josef gestellt hat: Mache sie zum Vaterhaus für alle Völker.
- Für alle Getauften, die sich in ihren Lebensentscheidungen vom Glauben leiten lassen: Segne ihren Lebensweg mit Freude und Hoffnung.
- Für Mütter und Väter, denen die eigenen Kinder fremd geworden sind: Erhalte ihnen die Kraft der Liebe und Zuwendung.
- Für alle Handwerker, die durch ihre Arbeit Werte schaffen und junge Menschen ausbilden: Gib ihrem Tun Gelingen und lass sie gesellschaftliche Unterstützung erfahren.

Gott, erhöre unser Beten und schenke deiner Kirche Wachstum in Glaube, Hoffnung, Liebe, damit du gefunden wirst in unserer Welt. Amen.

GABENGEBET

Herr, unser Gott, der heilige Josef hat deinem ewigen Sohn, den die Jungfrau Maria geboren hat, in Treue gedient. Laß auch uns Christus dienen und dieses Opfer mit reinem Herzen feiern. Darum bitten wir durch Christus, unseren Herrn.

Präfation

Vom heiligen Josef

In Wahrheit ist es würdig und recht, dir, allmächtiger Vater, zu danken und am Fest des heiligen Josef die Wege deiner Weisheit zu rühmen. Denn ihm, dem Gerechten, hast du die jungfräuliche Gottesmutter anvertraut, ihn, deinen treuen und klugen Knecht, bestellt zum Haupt der Heiligen Familie. An Vaters Statt sollte er deinen eingeborenen Sohn beschützen, der durch die Überschattung des Heiligen Geistes empfangen war, unseren Herrn Jesus Christus. Durch ihn loben die Engel deine Herrlichkeit, beten dich an die Mächte, erbeben die Gewalten. Die Himmel und die himmlischen Kräfte und die seligen Serafim feiern dich jubelnd im Chore. Mit ihrem Lobgesang laß auch unsere Stimmen sich vereinen und voll Ehrfurcht rufen.

Einladung zum Vaterunser

Jesus zeigt uns den Weg in das Haus des Vaters und lehrt uns zu beten: Vater unser im Himmel …

Einladung zum Friedensgebet

Der Friede beginnt im eigenen Herzen, bevor er sich ausbreiten kann unter den Menschen, hinein in unsere Welt. Darum bitten wir: Herr Jesus Christus …

Kommunionvers

Mt 25,21

Komm, du guter und getreuer Knecht; nimm teil am Festmahl deines Herrn.

Schlussgebet

Herr, unser Gott, du hast uns am Fest des heiligen Josef um deinen Altar versammelt und mit dem Brot des Lebens gestärkt. Schütze deine Familie und erhalte in ihr deine Gaben. Darum bitten wir durch Christus, unseren Herrn.

SCHLUSSSEGEN Von allen Heiligen

Der gütige Gott, der die Heiligen zur Vollendung geführt hat, segne euch und bewahre euch vor allem Unheil.

Das Vorbild des heiligen Josef lehre euch, und seine Fürsprache helfe euch, Gott und den Menschen zu dienen.

Das gewähre euch der dreieinige Gott, der Vater und der Sohn ✝ und der Heilige Geist.

Nachkomme Jakobs

Schweigen
ist deine Sprache
mit der du laut
zu mir sprichst
Josef.

Träume
setzen dich ins Bild
Gottes Engel
weist dich ein
in das Geheimnis
von Mutter und Kind.

Mit welchem Schild
hast du das Herz geschützt
im nächtlichen Kampf?
Mit Liebe?
Mit Glauben?

Nicht hinkend
kommst du zurück
aus der Nacht
aber gesegnet.

Charis Doepgen

5. Fastensonntag

25. März 2012

Verschaff mir Recht, o Gott,
und führe meine Sache gegen ein treuloses Volk!
Rette mich vor bösen und tückischen Menschen,
denn du bist mein starker Gott.
Ps 43,1–2

Die Gottesdienste in der österlichen Bußzeit laden uns auch ein, in den biblischen Gebeten die Klage neu zu entdecken. Im Eingangsvers des heutigen Sonntags spricht der Beter aus, wie er angefeindet wird: gegen Treulosigkeit, gegen Intrigen und Machtkämpfe erbittet er von Gott das Recht. Seine Worte aus dem Glauben und dem Vertrauen in den starken und befreienden Gott fallen nicht in einer heillosen Welt, sondern inmitten der Anfechtung. Wie es das Gebet gibt aus der Dankbarkeit und der Freude, so gibt es das Gebet aus der Not und Anfechtung. Wie die Tiefe des eigenen Herzens zu einem bedrückenden Kessel werden kann, so geschieht es immer wieder, dass das Zusammenleben von Menschen durch Neid und Hass vergiftet wird. Aber nicht die Flucht und auch nicht die Gegengewalt helfen dem Beter, sondern sein Sprechen vor Gott, sein Bekenntnis, dass sein Gott ein starker Gott ist – stärker ist als die Bosheit der Welt. In diesem Vertrauen hat Jesus die Anfeindungen ausgehalten.

Kyrie-Rufe — GL 415 · KG 168

Herr Jesus Christus, du hast nie aufgehört, uns zu suchen und zu rufen, Herr, erbarme dich.
Du bist die Hoffnung, die nie vergeht, Christus, erbarme dich.
Du bist der Anfang des neuen Lebens, wenn uns Tod und Einsamkeit umgibt, Herr, erbarme dich.

TAGESGEBET

Herr, unser Gott, dein Sohn hat sich aus Liebe zur Welt dem Tod überliefert. Laß uns in seiner Liebe bleiben und mit deiner Gnade aus ihr leben. Darum bitten wir durch Jesus Christus.

Es können auch die Schrifttexte vom Lesejahr A genommen werden.

ERSTE LESUNG Jer 31,31–34

Lesung aus dem Buch Jeremia.

Seht, es werden Tage kommen – Spruch des Herrn –, in denen ich mit dem Haus Israel und dem Haus Juda einen neuen Bund schließen werde, nicht wie der Bund war, den ich mit ihren Vätern geschlossen habe, als ich sie bei der Hand nahm, um sie aus Ägypten herauszuführen. Diesen meinen Bund haben sie gebrochen, obwohl ich ihr Gebieter war – Spruch des Herrn.

Denn das wird der Bund sein, den ich nach diesen Tagen mit dem Haus Israel schließe – Spruch des Herrn: Ich lege mein Gesetz in sie hinein und schreibe es auf ihr Herz. Ich werde ihr Gott sein und sie werden mein Volk sein.

Keiner wird mehr den andern belehren, man wird nicht zueinander sagen: Erkennt den Herrn!, sondern sie alle, Klein und Groß, werden mich erkennen – Spruch des Herrn. Denn ich verzeihe ihnen die Schuld, an ihre Sünde denke ich nicht mehr. IF

Im Bild des Bundes beschreibt dieser Text aus dem Jeremiabuch eine Zukunftsvision vom neuen Verhältnis zwischen Gott und seinem Volk Israel. Der Text blickt zurück auf den Sinai, auf den Weg aus der Befreiung aus Ägypten hin in das verheißene neue Land. Die Charta des Sinaibundes waren die Worte auf den Steintafeln, die Gott selber beschrieben hatte. Es war der Bund, den Israel gebrochen hat. Es waren die Worte, die im Alltag nicht gehalten wurden. Weil dieser Bund nicht mehr lebensfähig war, so hoffte Israel auf einen neuen Bund. Dieser Bund sollte zu einem Bund werden, in dem das Volk gar nicht mehr anders konnte, als nach dem Willen Gottes zu leben. Nicht mehr auf Steintafeln wurde das Gesetz geschrieben, sondern auf das Herz eines jeden Einzelnen. Wenn das Ich des Menschen sosehr vom Wort Gottes geprägt war, dann konnte es kein Leben mehr gegen die Weisungen Gottes geben. Es ist die Utopie eines gelingenden Lebens, weil Gott selber aus Liebe initiativ wird und sich darum sorgt, dass wir auf dem rechten Weg gehen – allein aus Gnade.

In diesem Text drückt sich die Hoffnung Israels aus. Es ist ein Text, der für Israel den erneuerten Bund verheißt und damit verkündet, dass Gott niemals seinen Bund gebrochen hat. Leider wurde in der christlichen Auslegung sehr oft das Bild vom neuen Bund dem jüdischen Volk abgesprochen und einseitig der Kirche zugesprochen. Heute ist es unsere Aufgabe, den ungebrochenen Bund Gottes mit Israel neu zu entdecken und anzuerkennen.

ANTWORTPSALM Ps 51,3–4.12–15 (℟: vgl. 12a)

℟: Ein reines Herz erschaffe mir, o Gott!
IV. Ton – GL 528,2 · KG 385,7

Gott, sei mir gnädig nach deiner Huld, *
tilge meine Frevel nach deinem reichen Erbarmen!
Wasch meine Schuld von mir ab *
und mach mich rein von meiner Sünde! – ℟

Erschaffe mir, Gott, ein reines Herz *
und gib mir einen neuen, beständigen Geist!
Verwirf mich nicht von deinem Angesicht *
und nimm deinen heiligen Geist nicht von mir! – ℟

Mach mich wieder froh mit deinem Heil *
mit einem willigen Geist rüste mich aus!
Dann lehre ich Abtrünnige deine Wege *
und die Sünder kehren um zu dir. – ℟

Zweite Lesung Hebr 5,7–9

Lesung aus dem Hebräerbrief.

Als Christus auf Erden lebte, hat er mit lautem Schreien und unter Tränen Gebete und Bitten vor den gebracht, der ihn aus dem Tod retten konnte, und er ist erhört und aus seiner Angst befreit worden.

Obwohl er der Sohn war, hat er durch Leiden den Gehorsam gelernt; zur Vollendung gelangt, ist er für alle, die ihm gehorchen, der Urheber des ewigen Heils geworden. IF

Es gibt wenige Texte, die hart und eindeutig vom Kampf Jesu im Gebet sprechen. Nicht eine ansprechende Sprache, die Musik und die Inszenierung bewegen, sondern die innere Not und Einsamkeit, die Jesus im Gebet zum Ausdruck bringt. In allen feierlichen Gottesdiensten sollte die Einsamkeit und die Not von vielfältig bedrängten Menschen nicht vergessen werden. Der Hebräerbrief bewahrt die einsamen Stunden Jesu vor dem Vergessen und damit die einsame Not von Menschen der Gegenwart. Missverständlich mag das Wort des Gehorsams sein. Ist der Zweck des Leidens eben doch, den Menschen an die Verhältnisse anzupassen, ihn gefügig zu machen? Der Gehorsam Jesu wäre eher der Glaube Jesu an die Macht des Vaters, der ihn erretten konnte. Bevor vom Gehorsam Jesu, seinem Hören, die Rede ist, spricht der Text vom Hören Gottes, dass sein Vater ihn erhört und befreit hat.

Ruf vor dem Evangelium Joh 12,26a

Lob dir, Christus, König und Erlöser!
So spricht der Herr: Wenn einer mir dienen will, folge er mir nach; und wo ich bin, dort wird auch mein Diener sein.
Lob dir, Christus, König und Erlöser!

Evangelium Joh 12,20–33

Aus dem heiligen Evangelium nach Johannes.

In jener Zeit traten einige Griechen, die beim Osterfest in Jerusalem Gott anbeten wollten, – an Philippus heran, der aus

Betsaida in Galiläa stammte, und sagten zu ihm: Herr, wir möchten Jesus sehen. Philippus ging und sagte es Andreas; Andreas und Philippus gingen und sagten es Jesus.

Jesus aber antwortete ihnen: Die Stunde ist gekommen, dass der Menschensohn verherrlicht wird. Amen, amen, ich sage euch: Wenn das Weizenkorn nicht in die Erde fällt und stirbt, bleibt es allein; wenn es aber stirbt, bringt es reiche Frucht. Wer an seinem Leben hängt, verliert es; wer aber sein Leben in dieser Welt gering achtet, wird es bewahren bis ins ewige Leben. Wenn einer mir dienen will, folge er mir nach; und wo ich bin, dort wird auch mein Diener sein. Wenn einer mir dient, wird der Vater ihn ehren. Jetzt ist meine Seele erschüttert. Was soll ich sagen: Vater, rette mich aus dieser Stunde? Aber deshalb bin ich in diese Stunde gekommen. Vater, verherrliche deinen Namen!

Da kam eine Stimme vom Himmel: Ich habe ihn schon verherrlicht und werde ihn wieder verherrlichen. Die Menge, die dabeistand und das hörte, sagte: Es hat gedonnert. Andere sagten: Ein Engel hat zu ihm geredet.

Jesus antwortete und sagte: Nicht mir galt diese Stimme, sondern euch. Jetzt wird Gericht gehalten über diese Welt; jetzt wird der Herrscher dieser Welt hinausgeworfen werden. Und ich, wenn ich über die Erde erhöht bin, werde alle zu mir ziehen.

Das sagte er, um anzudeuten, auf welche Weise er sterben werde. IF

Souverän spricht im Johannesevangelium Jesus von seiner Stunde. Es sind nicht seine Gegner, die das Regiebuch schreiben, sondern es ist der Zeitplan Gottes. Diese Stunde ist die Stunde seines Todes. Sie gehört nicht den Anklägern und den Verfolgern, sondern seinem Vater im Himmel. Während sichtbar ein Mensch verurteilt und hingerichtet wird, während nach dem ersten Anschein eine Bewegung im Keim erstickt wird, beginnt in dieser Dunkelheit neues Leben. Zwei Beispiele bringt der Text. Das Weizenkorn, das in die Erde versenkt wird, kann erst so Frucht bringen. Und es ist das Bild des Kreuzes, das als Erhöhung gedeutet wird. Das Kreuz wird nicht zum Ort, wo ein Verfluchter einsam stirbt, sondern zum Holz, das neues Leben und neue Gemeinschaft stiftet. Der Weg zu Ostern will zu einem Weg werden, auf dem wir lernen, im Scheitern, auf der Seite der zu kurz Gekommenen und Ausgegrenzten, Gottes Macht zu begegnen, die neues Leben schenkt.

CREDO (siehe Seite 512)

FÜRBITTEN

Lasset uns beten zu unserem Herrn Jesus Christus, unserem Erlöser und Heiland:

A: Christus, höre uns!

- Für die Mitarbeiter der kirchlichen Hilfswerke, dass sie in Armut und in Not die Hoffnung der Menschlichkeit des Evangeliums bezeugen.
- Für die Politiker in der Europäischen Union, dass sie gemeinsame Wege finden, um den Frieden zu fördern und Ungerechtigkeit zu überwinden.
- Für die Völker Europas und für alle, die sich zur Überwindung von Hass und Feindschaft eingesetzt haben, dass Gott das Gute vollende, was im Vertrauen auf ihn begonnen worden ist.
- Für die Organisationen, die dem Schutz der Umwelt dienen, dass sie mit Erfolg helfen können, unseren Lebensraum zu bewahren.
- Für die Hungernden in vielen Ländern der Welt, dass sie das tägliche Brot empfangen und ihnen wirksame Hilfe zuteil werde.

Gütiger Gott, du machst uns froh mit der Verheißung deines Heils. Lass dein Angesicht über uns leuchten und höre unser Gebet durch Christus, unseren Herrn.

Gabengebet

Erhöre uns, allmächtiger Gott. Du hast uns durch dein Wort zum Zeugnis eines christlichen Lebens berufen. Reinige uns durch dieses Opfer und stärke uns zum Kampf gegen das Böse. Darum bitten wir durch Christus, unseren Herrn.

Präfation

Fastenzeit I

In Wahrheit ist es würdig und recht, dir, Vater im Himmel, zu danken und dein Erbarmen zu preisen. Denn jedes Jahr schenkst du deinen Gläubigen die Gnade, das Osterfest in der Freude des Heiligen Geistes zu erwarten. Du mahnst uns in dieser Zeit der Buße zum Gebet und zu Werken der Liebe, du rufst uns zur Feier der Geheimnisse, die in uns die Gnade der Kindschaft erneuern. So führst du uns mit geläutertem Herzen zur österlichen Freude und zur Fülle des Lebens durch unseren Herrn Jesus Christus. Durch ihn rühmen wir deine Größe und vereinen uns mit den Chören der Engel zum Hochgesang von deiner göttlichen Herrlichkeit.

Einladung zum Vaterunser

Das Evangelium ist die Kraft Gottes, die jeden rettet, der glaubt. Aus diesem Glauben beten wir, wie der Herr uns zu beten gelehrt hat: Vater unser im Himmel …

Einladung zum Friedensgebet

Im Evangelium ist uns Gottes Gerechtigkeit geoffenbart worden. So beten wir: Herr Jesus Christus …

Kommunionvers

Joh 12,24–25

Amen, amen, ich sage euch: Wenn das Weizenkorn nicht in die Erde fällt und stirbt, bleibt es allein. Wenn es aber stirbt, bringt es reiche Frucht.

SCHLUSSGEBET

Allmächtiger Gott, du hast uns das Sakrament der Einheit geschenkt. Laß uns immer lebendige Glieder Christi bleiben, dessen Leib und Blut wir empfangen haben. Darum bitten wir durch ihn, Christus, unseren Herrn.

SCHLUSSSEGEN

Vom Leiden des Herrn

Der barmherzige Gott, der seinen Sohn für uns dahingegeben und uns in ihm ein Beispiel der Liebe geschenkt hat, segne euch und mache euch bereit, Gott und den Menschen zu dienen.

Und Christus, der Herr, der uns durch sein Sterben dem ewigen Tode entrissen hat, stärke euren Glauben und führe euch zur unvergänglichen Herrlichkeit.

Und allen, die ihm folgen auf dem Weg der Entäußerung, gebe er Anteil an seiner Auferstehung und an seiner Herrlichkeit.

Das gewähre euch der dreieinige Gott, der Vater und der Sohn ✝ und der Heilige Geist. Amen.

Hingabe

mich hingeben
in das Leben
sein
ohne wenn und aber
mich nicht länger
höflich distanzieren
mich aussetzen
und hingeben
der Freude
dem Schmerz
dem Lachen
den Tränen
der Verzweiflung
der Hoffnung
hier und jetzt
selbstvergessen
hingegeben
schreien
singen
verstummen
sein

Andrea Schwarz

Verkündigung des Herrn
26. März 2012

Als Christus in diese Welt eintrat,
sprach er zu seinem Vater:
Siehe, ich komme, um deinen Willen zu erfüllen.
Vgl. Hebr 10,5.7

Im Umfeld des Osterfestes schlägt das heutige Fest bereits wieder eine Brücke hin zum Weihnachtsfest. Wahrscheinlich fiel die Wahl auf das heutige Datum durch eine in der Zeit zunehmende historische Betrachtung der Geschichte Jesu. Als sich das Weihnachtsfest verbreitet hatte, wurde von dorther, also 9 Monate vor dem Geburtsfest Jesu, das Fest der Verkündigung gefeiert. Beide Festtage verbindet zudem, dass sie auf die Sonnenwende bzw. der Tag- und Nachtgleiche folgen. Sie stehen im Zeichen der aufsteigenden Sonne und weisen in ihrem Symbolgehalt hin auf Christus, das Licht der Welt.

Kyrie-Rufe

Oder: GL 495,3 · KG 60,2

Herr Jesus Christus, du bist der Anfang und das Ende unseres Lebens, Herr, erbarme dich.
Du bist der rettende Halt in Not und Dunkelheit, Christus, erbarme dich.
Du bist das Versprechen, dass unser Leben gelingt, Herr, erbarme dich.

Gloria (siehe Seite 508)

Tagesgebet

Gott, du bist groß und unbegreiflich. Nach deinem Willen ist dein ewiges Wort im Schoß der Jungfrau Maria Mensch geworden. Gläubig bekennen wir, daß unser Erlöser wahrer Gott und wahrer Mensch ist. Mache uns würdig, Anteil zu erhalten an seinem göttlichen Leben. Darum bitten wir durch ihn, Jesus Christus.

ERSTE LESUNG Jes 7,10–14

Lesung aus dem Buch Jesaja.

In jenen Tagen sprach der Herr zu Ahas – dem König von Juda; er sagte: Erbitte dir vom Herrn, deinem Gott, ein Zeichen, sei es von unten, aus der Unterwelt, oder von oben, aus der Höhe. Ahas antwortete: Ich will um nichts bitten und den Herrn nicht auf die Probe stellen.

Da sagte Jesaja: Hört her, ihr vom Haus David! Genügt es euch nicht, Menschen zu belästigen? Müsst ihr auch noch meinen Gott belästigen? Darum wird euch der Herr von sich aus ein Zeichen geben: Seht, die Jungfrau wird ein Kind empfangen, sie wird einen Sohn gebären und sie wird ihm den Namen Immanuel – Gott mit uns – geben. IF

Die Lesung erinnert an eine Zeit der höchsten politischen Gefahr, als um 735 v. Chr., Juda mit Ahas aus dem davidischen Königshaus von den umliegenden Mächten militärisch bedroht war. In verzweifelter Angst sucht Ahas militärische Hilfe in Ägypten. Jesaja ruft dagegen zur Besonnenheit und zum Vertrauen zu Gott auf. In dieser Bedrohung soll sich gerade der Glaube bewähren. Anstatt sich nach Bündnispartnern umzusehen, gilt es aus den eigenen geistlichen Quellen zu leben. Ahas wird an die Verheißungen Gottes zum Bestand seines Königtums erinnert. Sie galten David und seinen Nachfolgern. Danach war der König von Jerusalem der Sohn Gottes, aber nicht der Knecht eines anderen Herrn. Weil Ahas auf das Angebot des Jesaja nicht eingeht, verkündet Jesaja ein Zeichen dafür, dass Gott für Juda und Jerusalem einsteht. Es ist die Geburt eines neuen Königs. Er trägt einen symbolträchtigen Namen – Immanuel – Gott ist mit uns. Das Matthäusevangelium übertrug diese Verheißung auf die Geburt Jesu. Er beschreibt in besonderer Weise das Leben Jesu unter dem Leitwort, dass Gott mit uns ist.

ANTWORTPSALM
Ps 40,7–11 (℟: vgl. 8a.9a)

℟: Mein Gott, ich komme; deinen Willen zu tun, macht mir Freude.

III. Ton – GL 601,1 · KG 771

An Schlacht- und Speiseopfern hast du kein Gefallen, *
Brand- und Sündopfer forderst du nicht.
Doch das Gehör hast du mir eingepflanzt; /
darum sage ich: Ja, ich komme. *
In dieser Schriftrolle steht, was an mir geschehen ist. – ℟

Deinen Willen zu tun, mein Gott, macht mir Freude, *
deine Weisung trag ich im Herzen.
Gerechtigkeit verkünde ich in großer Gemeinde, *
meine Lippen verschließe ich nicht; Herr, du weißt es. – ℟

Deine Gerechtigkeit verberge ich nicht im Herzen, *
ich spreche von deiner Treue und Hilfe,
ich schweige nicht über deine Huld und Wahrheit *
vor der großen Gemeinde. – ℟

ZWEITE LESUNG
Hebr 10,4–10

Lesung aus dem Hebräerbrief.

Schwestern und Brüder! Das Blut von Stieren und Böcken kann unmöglich Sünden wegnehmen. Darum spricht Christus bei seinem Eintritt in die Welt:

Schlacht- und Speiseopfer hast du nicht gefordert, doch einen Leib hast du mir geschaffen; an Brand- und Sündopfern hast du kein Gefallen. Da sagte ich: Ja, ich komme – so steht es über mich in der Schriftrolle –, um deinen Willen, Gott, zu tun.

Zunächst sagt er: Schlacht- und Speiseopfer, Brand- und Sündopfer forderst du nicht, du hast daran kein Gefallen, obgleich sie doch nach dem Gesetz dargebracht werden; dann aber hat er gesagt: Ja, ich komme, um deinen Willen zu tun. So hebt Christus das Erste auf, um das Zweite in Kraft zu setzen.

Aufgrund dieses Willens sind wir durch die Opfergabe des Leibes Jesu Christi ein für alle Mal geheiligt. ℉

Der Hebräerbrief wurde in einer Zeit verfasst, als der Tempel in Jerusalem nicht mehr existierte. Nicht nur ein Gebäude ging verloren. Auch der Opferkult konnte nicht mehr stattfinden. Das nimmt der Verfasser zum Anlass, jetzt das Christusereignis als eine Ablösung der Opfer im Tempel zu verkünden. Die alten Opfer im Tempel sind gar nicht mehr nötig, denn Christus selbst ist das Opfer, das ein für allemal dargebracht wurde. Aber dieses Opfer wird in seiner geistigen Dimension gesehen. Dies haben schon die früheren Propheten in ihrer Kritik an der Praxis des Opferkultes gefordert. Es geht um ein ethisches Verhalten. Dies zeigen die Evangelien vorbildhaft in der Hingabe Jesu an seinen Vater. Er ist gekommen, wie der Hebräerbrief die Psalmen zitiert, um den Willen seines Vaters zu erfüllen. Die Lesung verbindet den Blick von der Mutter Maria, die ihr Ja zu Gott sagt, zu ihrem Sohn, dessen Leben als ein Ja zu seinem Vater im Himmel gesehen wird.

Ruf vor dem Evangelium — Vgl. Joh 1,14ab

Christus, ewiges Wort des Vaters, Ehre sei dir!
Das Wort ist Fleisch geworden und hat unter uns gewohnt,
und wir haben seine Herrlichkeit geschaut.
Christus, ewiges Wort des Vaters, Ehre sei dir!

Evangelium — Lk 1,26–38

Aus dem heiligen Evangelium nach Lukas.

In jener Zeit wurde der Engel Gabriel von Gott in eine Stadt in Galiläa namens Nazaret zu einer Jungfrau gesandt. Sie war mit einem Mann namens Josef verlobt, der aus dem Haus David stammte. Der Name der Jungfrau war Maria.

Der Engel trat bei ihr ein und sagte: Sei gegrüßt, du Begnadete, der Herr ist mit dir. Sie erschrak über die Anrede und überlegte, was dieser Gruß zu bedeuten habe.

Da sagte der Engel zu ihr: Fürchte dich nicht, Maria; denn du hast bei Gott Gnade gefunden. Du wirst ein Kind empfangen, einen Sohn wirst du gebären: dem sollst du den Namen Jesus geben. Er wird groß sein und Sohn des Höchsten genannt werden. Gott, der Herr, wird ihm den Thron seines Vaters David geben. Er wird über das Haus Jakob in Ewigkeit herrschen und seine Herrschaft wird kein Ende haben.

Maria sagte zu dem Engel: Wie soll das geschehen, da ich keinen Mann erkenne?

Der Engel antwortete ihr: Der Heilige Geist wird über dich kommen und die Kraft des Höchsten wird dich überschatten. Deshalb wird auch das Kind heilig und Sohn Gottes genannt werden.

Auch Elisabet, deine Verwandte, hat noch in ihrem Alter einen Sohn empfangen; obwohl sie als unfruchtbar galt, ist sie jetzt schon im sechsten Monat. Denn für Gott ist nichts unmöglich.

Da sagte Maria: Ich bin die Magd des Herrn; mir geschehe, wie du es gesagt hast. Danach verließ sie der Engel. IF

Wenige biblische Themen haben die Kunst so sehr angeregt, wie die Szene der Verkündigung. Es ist die bekannte Szene, die das Geheimnis unseres Lebens versucht zu deuten: sein eigenes Leben als eine Antwort auf einen Ruf Gottes zu verstehen. Maria gibt ihr »fiat«, ihr Einverständnis, und sie lässt sich ein auf einen Weg, den sie und andere nicht kennen. In der Mitte steht jedoch nicht der Glaube Mariens, sondern die Verheißung, die Geburt eines neuen Kindes. In diesem Kind erfüllen sich die Zusagen Gottes an sein Volk. Dieses Kind ist Träger eines besonderen Namens, Jesus. Durch ihn wird an die alte Verheißung des Propheten Natan über die Königsdynastie des David angeknüpft. Gott selber steht dafür ein, dass es einen König geben wird, der für Gerechtigkeit und Frieden eintritt. Die Verheißung bestätigt sich in Jesus, dem Friedensfürst. Aber es ist eine Verheißung, die nicht am Menschen vorbeigeht. Maria spricht ihr Jawort, wie Jesus später im Garten Getsemani beten wird, dass nicht sein Wille sondern der Wille seines himmlischen Vaters geschehen möge.

CREDO (siehe Seite 512)

FÜRBITTEN

Lasset uns beten zu unserem Herrn Jesus Christus, der uns Gottes Nähe bezeugt:

A: Christus, höre uns!

- Für die Kirche: um die Erfahrung der Barmherzigkeit Gottes in ihrem Wirken und Dasein.
- Für alle, die in ihrem Glauben unsicher geworden sind, um das Geschenk eines Zeichens, dass Gott in unserer Mitte ist.
- Für jene, die unerschrocken gegen Unrecht und Machtmissbrauch kämpfen, um die Kraft aus dem Glauben an das Evangelium vom Reich Gottes.
- Für die Kinder in den Familien: um Geborgenheit, Verständnis und Annahme.

Gütiger Gott, du bist denen nahe, die auf deine Gerechtigkeit hoffen. Höre unser Gebet und lass uns dich preisen, heute und in Ewigkeit.

GABENGEBET

Allmächtiger Gott, nimm die Gaben deiner Kirche gütig an. Sie erkennt in der Menschwerdung deines Sohnes ihren eigenen Ursprung; laß uns heute in der Feier dieses Geheimnisses seine Liebe erfahren. Darum bitten wir durch Christus, unseren Herrn.

PRÄFATION

Vom Tag

In Wahrheit ist es würdig und recht, dir, Vater im Himmel, zu danken und das Werk deiner Liebe zu rühmen. Denn heute brachte der Engel Maria die Botschaft, und deine Magd nahm sie auf mit gläubigem Herzen. Durch die Kraft des Heiligen Geistes empfing die Jungfrau dein ewiges Wort, und das Wort wurde Mensch in ihrem Schoß, um unter uns Menschen zu wohnen. So hast du an Israel deine Verheißung erfüllt und den gesandt, den die Völker erwarten, deinen Sohn, unseren Herrn

Jesus Christus. Durch ihn preisen wir dein Erbarmen und singen mit den Chören der Engel das Lob deiner Herrlichkeit.

EINLADUNG ZUM VATERUNSER

Gottes Reich ist ein Reich des Friedens und der Gerechtigkeit. Im Vertrauen darauf beten wir wie unser Herr Jesus Christus uns zu beten gelehrt hat: Vater unser im Himmel ...

EINLADUNG ZUM FRIEDENSGEBET

Gerecht gemacht aus dem Glauben, haben wir Frieden mit Gott durch Jesus Christus, unseren Herrn. Daher beten wir: Herr Jesus Christus ...

KOMMUNIONVERS Jes 7,14

Seht, die Jungfrau wird empfangen und einen Sohn gebären. Sein Name ist: Immanuel - Gott mit uns.

SCHLUSSGEBET

Ewiger Gott, bewahre, was du uns im Sakrament des Glaubens geschenkt hast. Laß uns festhalten am Bekenntnis, daß dein Sohn, den die Jungfrau empfangen hat, wahrer Gott und wahrer Mensch ist, und führe uns in der Kraft seiner Auferstehung zur ewigen Freude. Darum bitten wir durch ihn, Christus, unseren Herrn.

SCHLUSSSEGEN Von der seligen Jungfrau Maria

Gott, der allmächtige Vater, segne euch durch den Erlöser der Welt, unseren Herrn Jesus Christus, den Sohn der jungfräulichen Mutter Maria.

Sie hat den Urheber des Lebens geboren; ihre mütterliche Fürsprache erwirke euch Gottes Hilfe.

Euch und allen, die heute das Fest der Verkündigung unseres Herrn begehen, schenke Gott die wahre Freude und den ewigen Lohn.

Das gewähre euch der dreieinige Gott, der Vater und der Sohn ✝ und der Heilige Geist. Amen.

Wort auf unserer Spur

Das Wort spürt uns auf,
ehe wir auf der Spur
des Wortes sind.

Das Wort ist auf unserer Spur,
ehe wir das Wort spüren.

Das Wort geht unsere Spuren,
ehe wir seine Spuren suchen.

Josef Dirnbeck

Palmsonntag
1. April 2012

Die Liturgie ist ein heiliges Spiel. Das soll in den Feiern dieser entscheidenden Woche des Kirchenjahrs deutlich werden. Das Spiel erwartet Vorspieler und Mitspielende nach bestimmten Spielregeln. Die Regeln sind durch den Charakter der jeweiligen Tage zwischen Palmsonntag und Ostern festgelegt. Wenn in der Liturgie nicht mehr das Spielen vor Gott, die Psalmen sind voll davon und wir müssen nicht nur an das Spiel der Instrumente denken, erfahrbar wird, erstarrt das Tun und stirbt ab. Darauf gilt es in der Vorbereitung der Gottesdienste besonders zu achten, zumal die Gefahr durch die Wortlastigkeit groß ist, das Spielen zu vergessen. Wenn Dorothee Sölle sagt, »Sinn der Liturgie war es, Menschen in ihren Ängsten und Schmerzen und in ihrem Glück zu formulieren«, dann gelingt das noch immer am besten im Spiel.
Es geht nicht um Spielerei, wenn wir zum Beispiel an die Gestaltung der Palmsonntagsprozession denken. Es geht zunächst auch nicht um den Versuch spielerische Formen für die Gottesdienste zu entdecken. Spiel greift tiefer: Romano Guardini meint mit Liturgie als Spiel das Sinnvolle, aber Zweckfreie. Wenn Kinder ganz tief in ihr Spiel versunken sind, spielen sie zweckfrei, aber höchst sinnvoll. Sie spielen mit leichtem Sinn, der sie über das Gewöhnliche und Alltägliche erhebt.
Es gilt vorab, die Gemeinde zu ermuntern und zu ermutigen, sich ganz auf diese Heilige Woche einzulassen, mitzuspielen, von den Flehrufen bei der Palmprozession, über den Dienst des Füßewaschens, des leidvollen Mitgehens, der würdigen Kreuzverehrung bis hin zum Feuerritus, der neues Licht und Hoffnung in das Dunkel des Todes bringt. Tag für Tag ist es wichtig, die Spielregeln des jeweiligen Gottesdienstes vorzustellen, damit sich die Mitspieler ganz der liturgischen Feier hingeben können.

FEIER DES EINZUGS CHRISTI IN JERUSALEM

Hosanna dem Sohne Davids!
Gepriesen, der da kommt im Namen des Herrn,
der König von Israel. Hosanna in der Höhe!
Mt 21,9

SEGENSGEBET ÜBER DIE PALMZWEIGE

Gott des Lebens, segne ✝ diese (grünen) Zweige, die Zeichen des Lebens und des Sieges, mit denen wir Christus, unserem König, huldigen. Mit Lobgesängen begleiten wir ihn in seine heilige Stadt; gib, daß wir durch ihn zum himmlischen Jerusalem gelangen, der mit dir lebt und herrscht in alle Ewigkeit.

Oder:

Gott des Lebens, am heutigen Tag huldigen wir Christus in seinem Sieg und tragen ihm zu Ehren (grüne) Zweige in den Händen. Mehre unseren Glauben und unsere Hoffnung, erhöre gnädig unsere Bitten und laß uns in Christus die Frucht guter Werke bringen. Darum bitten wir durch ihn, Christus unseren Herrn.

EVANGELIUM Mk 11,1-10

Aus dem heiligen Evangelium nach Markus.

Es war einige Tage vor dem Osterfest. Als sie in die Nähe von Jerusalem kamen, nach Betfage und Betanien am Ölberg, schickte Jesus zwei seiner Jünger voraus. Er sagte zu ihnen: Geht in das Dorf, das vor euch liegt; gleich wenn ihr hineinkommt, werdet ihr einen jungen Esel angebunden finden, auf dem noch nie ein Mensch gesessen hat. Bindet ihn los und bringt ihn her! Und wenn jemand zu euch sagt: Was tut ihr da?, dann antwortet: Der Herr braucht ihn; er lässt ihn bald wieder zurückbringen.

Da machten sie sich auf den Weg und fanden außen an einer Tür an der Straße einen jungen Esel angebunden und sie banden ihn los. Einige, die dabeistanden, sagten zu ihnen: Wie kommt ihr dazu, den Esel loszubinden? Sie gaben ihnen zur Antwort, was Jesus gesagt hatte, und man ließ sie gewähren.

Sie brachten den jungen Esel zu Jesus, legten ihre Kleider auf das Tier und er setzte sich darauf. Und viele breiteten ihre Kleider auf der Straße aus; andere rissen auf den Feldern Zweige von den Büschen ab und streuten sie auf den Weg. Die Leute, die vor ihm hergingen und die ihm folgten, riefen:

Hosanna! Gesegnet sei er, der kommt im Namen des Herrn! Gesegnet sei das Reich unseres Vaters David, das nun kommt. Hosanna in der Höhe! IF

Oder: Joh 12,12–16

Aus dem heiligen Evangelium nach Johannes.

In jener Zeit hörte die Volksmenge, die sich zum Fest eingefunden hatte, Jesus komme nach Jerusalem. Da nahmen sie Palmzweige, zogen hinaus, um ihn zu empfangen, und riefen: Hosanna! Gesegnet sei er, der kommt im Namen des Herrn, der König Israels!

Jesus fand einen jungen Esel und setzte sich darauf – wie es in der Schrift heißt: Fürchte dich nicht, Tochter Zion! Siehe, dein König kommt; er sitzt auf dem Fohlen einer Eselin.

Das alles verstanden seine Jünger zunächst nicht; als Jesus aber verherrlicht war, da wurde ihnen bewusst, dass es so über ihn in der Schrift stand und dass man so an ihm gehandelt hatte. IF

Wir sind es gewohnt, das Hosanna der Menschenmenge, die den Einzug Jesu nach Jerusalem begleitet, als Jubelruf zu verstehen. Dem entsprechend war dann auch der Vorwurf der Prediger oft zu hören, dass eine wankelmütige Volksmasse, sehr schnell von einem »Gesegnet sei der da kommt« in ein »Ans Kreuz mit ihm!« gewechselt habe. Das Wort Hosianna bedeutet in der Zusammensetzung zweier hebräischer Wörter »Rette doch«, wie es auch in Psalm 118 »Ach Herr, bring doch Hilfe. Ach; Herr, gib doch Gelingen« (25) zum Ausdruck kommt. Die Erwartung der

Menschen war groß, dass mit dem Messias das Ende der Knechtschaft durch die Besatzungsmacht Roms und das Ende eines heidnischen Königtums gekommen seien.

Die Bitte »Rette doch« könnte sich durch den Palmsonntag hindurch ziehen. Schließlich ist die Menschheit heute in einer ganz anderen Weise und vielfach geknechtet und unterdrückt.

EUCHARISTIEFEIER

Sechs Tage vor dem Osterfest
kam der Herr in die Stadt Jerusalem.
Da liefen ihm Kinder entgegen
mit Palmzweigen in den Händen und riefen:
Hosanna in der Höhe!
Sei gepriesen, der du kommst als Heiland der Welt.
Ihr Tore, hebt euch nach oben,
hebt euch, ihr uralten Pforten;
denn es kommt der König der Herrlichkeit.
Wer ist der König der Herrlichkeit?
Der Herr der Heerscharen,
er ist der König der Herrlichkeit.
Hosanna in der Höhe!
Sei gepriesen, der du kommst als Heiland der Welt.
Vgl. Ps 24,9–10

KYRIE-RUFE

Oder: GL 199 · KG 376

Herr Jesus Christus, du bist unser Retter und Heiland. Herr, erbarme dich.
Auf dich vertrauen wir. Christus, erbarme dich.
Zu dir rufen wir. Herr, erbarme dich.

TAGESGEBET

Rettender, ewiger Gott, deinem Willen gehorsam, hat unser Erlöser Fleisch angenommen, er hat sich selbst erniedrigt und sich unter die Schmach des Kreuzes gebeugt. Hilf uns, daß wir ihm auf dem Weg des Leidens nachfolgen und an seiner Auferstehung Anteil erlangen. Darum bitten wir durch ihn, Jesus Christus.

Erste Lesung

Jes 50,4–7

Lesung aus dem Buch Jesaja.

Gott, der Herr, gab mir die Zunge eines Jüngers, damit ich verstehe, die Müden zu stärken durch ein aufmunterndes Wort. Jeden Morgen weckt er mein Ohr, damit ich auf ihn höre wie ein Jünger. Gott, der Herr, hat mir das Ohr geöffnet.

Ich aber wehrte mich nicht und wich nicht zurück. Ich hielt meinen Rücken denen hin, die mich schlugen, und denen, die mir den Bart ausrissen, meine Wangen. Mein Gesicht verbarg ich nicht vor Schmähungen und Speichel.

Doch Gott, der Herr, wird mir helfen; darum werde ich nicht in Schande enden. Deshalb mache ich mein Gesicht hart wie einen Kiesel; ich weiß, dass ich nicht in Schande gerate. ℣F

Das ermutigende Wort entfaltet oft auf erstaunliche Weise Wirkung. Depressiven Menschen kann es einen Ruck zur Besserung geben. Dann besonders, wenn der Mensch, der das gute Wort verschenkt, selber durch dunkle Schluchten gehen und Untiefen überwinden musste. Der Leiderfahrene wie der Knecht Gottes, in der Jesajalesung ein Hinweis auf das Schicksal Jesu, ist besonders glaubwürdig. Schließlich hat Jesus vielen Menschen Augen und Ohren geöffnet, damit sie sehen, hören und verstehen können.

Antwortpsalm

Ps 22,8–9.17–20.23–24 (℟: 2a)

℟: Mein Gott, mein Gott, warum hast du mich verlassen?

III. Ton – GL 176,2 · KG 608

Alle, die mich sehen, verlachen mich, *
verziehen die Lippen, schütteln den Kopf:
»Er wälze die Last auf den Herrn, /
der soll ihn befreien! *
Der reiße ihn heraus, wenn er an ihm Gefallen hat.« – ℟

Viele Hunde umlagern mich, /
eine Rotte von Bösen umkreist mich. *
Sie durchbohren mir Hände und Füße.
Man kann all meine Knochen zählen; *
sie gaffen und weiden sich an mir. – R

Sie verteilen unter sich meine Kleider *
und werfen das Los um mein Gewand.
Du aber, Herr, halte dich nicht fern! *
Du, meine Stärke, eil mir zu Hilfe! – R

Ich will deinen Namen meinen Brüdern verkünden, *
inmitten der Gemeinde dich preisen.
Die ihr den Herrn fürchtet, preist ihn, /
ihr alle vom Stamm Jakobs, rühmt ihn; *
erschauert alle vor ihm, ihr Nachkommen Israels! – R

ZWEITE LESUNG

Phil 2,6–11

Lesung aus dem Philipperbrief.

Christus Jesus war Gott gleich, hielt aber nicht daran fest, wie Gott zu sein, sondern er entäußerte sich und wurde wie ein Sklave und den Menschen gleich. Sein Leben war das eines Menschen; er erniedrigte sich und war gehorsam bis zum Tod, bis zum Tod am Kreuz.

Darum hat ihn Gott über alle erhöht und ihm den Namen verliehen, der größer ist als alle Namen, damit alle im Himmel, auf der Erde und unter der Erde ihre Knie beugen vor dem Namen Jesu und jeder Mund bekennt: »Jesus Christus ist der Herr« – zur Ehre Gottes, des Vaters. F

Der Christushymnus der frühen Kirche wirkt wie ein Plakat, das mit kräftigen farbigen Strichen das Wesentliche des Lebens Jesu nachzeichnet. Ein Glaubenbekenntnis der besonderen Art, das uns davor bewahrt, vor allem und jedem kniefällig zu werden. Jeden Tag werden wir mit Sachzwängen, den Gesetzen des Marktes, politischen und gesellschaftlichen Notwendigkeiten konfrontiert. Wer nur vor dem Namen Jesu sein Knie beugt zur Ehre Gottes kann sich von alldem frei machen.

RUF VOR DER PASSION

Vgl. Phil 2,8b–9

Christus Sieger, Christus König, Christus Herr in Ewigkeit.
Christus war für uns gehorsam bis zum Tod, bis zum Tod am Kreuz. Darum hat ihn Gott über alle erhöht und ihm den Namen verliehen, der größer ist als alle Namen.
Christus Sieger, Christus König, Christus Herr in Ewigkeit.

PASSION

Mk 14,1–15,47 (Kf: 15,1–39)

E = Evangelist; † = Worte Jesu; S = Worte sonstiger Personen
Das Leiden unseres Herrn Jesus Christus nach Markus.

Der Beschluss des Hohen Rates

E Es war zwei Tage vor dem Pascha und dem Fest der Ungesäuerten Brote. Die Hohenpriester und die Schriftgelehrten suchten nach einer Möglichkeit, Jesus mit List in ihre Gewalt zu bringen, um ihn zu töten. S Sie sagten aber: Ja nicht am Fest, damit es im Volk keinen Aufruhr gibt.

Die Salbung in Betanien

E Als Jesus in Betanien im Haus Simons des Aussätzigen bei Tisch war, kam eine Frau mit einem Alabastergefäß voll echtem, kostbarem Nardenöl, zerbrach es und goss das Öl über sein Haar. Einige aber wurden unwillig und sagten zueinander: S Wozu diese Verschwendung? Man hätte das Öl um mehr als dreihundert Denare verkaufen und das Geld den Armen geben können. E Und sie machten der Frau heftige Vorwürfe.
Jesus aber sagte: † Hört auf! Warum lasst ihr sie nicht in Ruhe? Sie hat ein gutes Werk an mir getan. Denn die Armen habt ihr immer bei euch und ihr könnt ihnen Gutes tun, so oft ihr wollt; mich aber habt ihr nicht immer. Sie hat getan, was sie konnte. Sie hat im voraus meinen Leib für das Begräbnis gesalbt. Amen, ich sage euch: Überall auf der Welt, wo das Evangelium verkün-

det wird, wird man sich an sie erinnern und erzählen, was sie getan hat.

Der Verrat durch Judas

E Judas Iskariot, einer der Zwölf, ging zu den Hohenpriestern. Er wollte Jesus an sie ausliefern. Als sie das hörten, freuten sie sich und versprachen, ihm Geld dafür zu geben. Von da an suchte er nach einer günstigen Gelegenheit, ihn auszuliefern.

Die Vorbereitung des Paschamahls

Am ersten Tag des Festes der Ungesäuerten Brote, an dem man das Paschalamm schlachtete, sagten die Jünger zu Jesus: S Wo sollen wir das Paschamahl für dich vorbereiten?
E Da schickte er zwei seiner Jünger voraus und sagte zu ihnen: † Geht in die Stadt; dort wird euch ein Mann begegnen, der einen Wasserkrug trägt. Folgt ihm, bis er in ein Haus hineingeht; dann sagt zu dem Herrn des Hauses: Der Meister lässt dich fragen: Wo ist der Raum, in dem ich mit meinen Jüngern das Paschalamm essen kann? Und der Hausherr wird euch einen großen Raum im Obergeschoss zeigen, der schon für das Festmahl hergerichtet und mit Polstern ausgestattet ist. Dort bereitet alles für uns vor! E Die Jünger machten sich auf den Weg und kamen in die Stadt. Sie fanden alles so, wie er es ihnen gesagt hatte, und bereiteten das Paschamahl vor.

Das Mahl

Als es Abend wurde, kam Jesus mit den Zwölf. Während sie nun bei Tisch waren und aßen, sagte er: Amen, ich sage euch: † Einer von euch wird mich verraten und ausliefern, einer von denen, die zusammen mit mir essen. E Da wurden sie traurig und einer nach dem andern fragte ihn: S Doch nicht etwa ich? E Er sagte zu ihnen: † Einer von euch Zwölf, der mit mir aus derselben Schüssel isst. Der Menschensohn muss zwar seinen Weg gehen, wie die Schrift über ihn sagt. Doch weh dem Menschen,

durch den der Menschensohn verraten wird. Für ihn wäre es besser, wenn er nie geboren wäre.
E Während des Mahls nahm er das Brot und sprach den Lobpreis; dann brach er das Brot, reichte es ihnen und sagte: † Nehmt, das ist mein Leib. E Dann nahm er den Kelch, sprach das Dankgebet, reichte ihn den Jüngern und sie tranken alle daraus. Und er sagte zu ihnen: † Das ist mein Blut, das Blut des Bundes, das für viele vergossen wird. Amen, ich sage euch: Ich werde nicht mehr von der Frucht des Weinstocks trinken bis zu dem Tag, an dem ich von neuem davon trinke im Reich Gottes.

Der Gang zum Ölberg

E Nach dem Lobgesang gingen sie zum Ölberg hinaus. Da sagte Jesus zu ihnen: † Ihr werdet alle an mir Anstoß nehmen und zu Fall kommen; denn in der Schrift steht: Ich werde den Hirten erschlagen, dann werden sich die Schafe zerstreuen. Aber nach meiner Auferstehung werde ich euch nach Galiläa vorausgehen. E Da sagte Petrus zu ihm: S Auch wenn alle an dir Anstoß nehmen – ich nicht! E Jesus antwortete ihm: † Amen, ich sage dir: Noch heute Nacht, ehe der Hahn zweimal kräht, wirst du mich dreimal verleugnen. E Petrus aber beteuerte: S Und wenn ich mit dir sterben müsste – ich werde dich nie verleugnen. E Das Gleiche sagten auch alle anderen.

Das Gebet in Getsemani

Sie kamen zu einem Grundstück, das Getsemani heißt, und er sagte zu seinen Jüngern: † Setzt euch und wartet hier, während ich bete. E Und er nahm Petrus, Jakobus und Johannes mit sich. Da ergriff ihn Furcht und Angst, und er sagte zu ihnen: † Meine Seele ist zu Tode betrübt. Bleibt hier und wacht! E Und er ging ein Stück weiter, warf sich auf die Erde nieder und betete, dass die Stunde, wenn möglich, an ihm vorübergehe. Er sprach: † Abba, Vater, alles ist dir möglich. Nimm diesen Kelch von mir! Aber nicht, was ich will, sondern was du willst soll geschehen.
E Und er ging zurück und fand sie schlafend. Da sagte er zu Pe-

trus: † Simon, du schläfst? Konntest du nicht einmal eine Stunde wach bleiben? Wacht und betet, damit ihr nicht in Versuchung geratet. Der Geist ist willig, aber das Fleisch ist schwach. E Und er ging wieder weg und betete mit den gleichen Worten. Als er zurückkam, fand er sie wieder schlafend, denn die Augen waren ihnen zugefallen; und sie wussten nicht, was sie ihm antworten sollten. Und er kam zum dritten Mal und sagte zu ihnen: † Schlaft ihr immer noch und ruht euch aus? Es ist genug. Die Stunde ist gekommen; jetzt wird der Menschensohn den Sündern ausgeliefert. Steht auf, wir wollen gehen! Seht, der Verräter, der mich ausliefert, ist da.

Die Gefangennahme

E Noch während er redete, kam Judas, einer der Zwölf, mit einer Schar von Männern, die mit Schwertern und Knüppeln bewaffnet waren; sie waren von den Hohenpriestern, den Schriftgelehrten und den Ältesten geschickt worden. Der Verräter hatte mit ihnen ein Zeichen vereinbart und gesagt: S Der, den ich küssen werde, der ist es. Nehmt ihn fest, führt ihn ab und lasst ihn nicht entkommen. E Und als er kam, ging er sogleich auf Jesus zu und sagte: S Rabbi! E Und er küsste ihn. Da ergriffen sie ihn und nahmen ihn fest. Einer von denen, die dabeistanden, zog das Schwert, schlug auf den Diener des Hohenpriesters ein und hieb ihm ein Ohr ab. Da sagte Jesus zu ihnen: † Wie gegen einen Räuber seid ihr mit Schwertern und Knüppeln ausgezogen, um mich festzunehmen. Tag für Tag war ich bei euch im Tempel und lehrte und ihr habt mich nicht verhaftet; aber das ist geschehen, damit die Schrift in Erfüllung geht. E Da verließen ihn alle und flohen. Ein junger Mann aber, der nur mit einem leinenen Tuch bekleidet war, wollte ihm nachgehen. Da packten sie ihn; er aber ließ das Tuch fallen und lief nackt davon.

Das Verhör vor dem Hohen Rat

Darauf führten sie Jesus zum Hohenpriester und es versammelten sich alle Hohenpriester und Ältesten und Schriftgelehrten.

Petrus aber war Jesus von weitem bis in den Hof des hohepriesterlichen Palastes gefolgt; nun saß er dort bei den Dienern und wärmte sich am Feuer. Die Hohenpriester und der ganze Hohe Rat bemühten sich um Zeugenaussagen gegen Jesus, um ihn zum Tod verurteilen zu können; sie fanden aber nichts. Viele machten zwar falsche Aussagen über ihn, aber die Aussagen stimmten nicht überein. Einige der falschen Zeugen, die gegen ihn auftraten, behaupteten: S Wir haben ihn sagen hören: Ich werde diesen von Menschen erbauten Tempel niederreißen und in drei Tagen einen anderen errichten, der nicht von Menschenhand gemacht ist. E Aber auch in diesem Fall stimmten die Aussagen nicht überein. Da stand der Hohepriester auf, trat in die Mitte und fragte Jesus: S Willst du denn nichts sagen zu dem, was diese Leute gegen dich vorbringen? E Er aber schwieg und gab keine Antwort. Da wandte sich der Hohepriester nochmals an ihn und fragte: S Bist du der Messias, der Sohn des Hochgelobten? Jesus sagte: † Ich bin es. Und ihr werdet den Menschensohn zur Rechten der Macht sitzen und mit den Wolken des Himmels kommen sehen. E Da zerriss der Hohepriester sein Gewand und rief: S Wozu brauchen wir noch Zeugen? Ihr habt die Gotteslästerung gehört. Was ist eure Meinung? E Und sie fällten einstimmig das Urteil: S Er ist schuldig und muss sterben.

E Und einige spuckten ihn an, verhüllten sein Gesicht, schlugen ihn und riefen: S Zeig, dass du ein Prophet bist! E Auch die Diener schlugen ihn ins Gesicht.

Die Verleugnung durch Petrus

Als Petrus unten im Hof war, kam eine von den Mägden des Hohenpriesters. Sie sah, wie Petrus sich wärmte, blickte ihn an und sagte: S Auch du warst mit diesem Jesus aus Nazaret zusammen. E Doch er leugnete es und sagte: S Ich weiß nicht und verstehe nicht, wovon du redest. E Dann ging er in den Vorhof hinaus. Als die Magd ihn dort bemerkte, sagte sie zu denen, die dabeistanden, noch einmal: S Der gehört zu ihnen. E Er aber leugnete es wieder ab. Wenig später sagten die Leute, die dort standen, von neuem zu Petrus: S Du gehörst wirklich zu ihnen; du bist doch auch ein Galiläer. E Da fing er an zu fluchen und schwor: S Ich kenne diesen Menschen nicht, von dem ihr redet. E Gleich darauf krähte der Hahn zum zweiten Mal, und Petrus erinnerte sich, dass Jesus zu ihm gesagt hatte: Ehe der Hahn zweimal kräht, wirst du mich dreimal verleugnen. Und er begann zu weinen.

Die Verhandlung vor Pilatus

➡Gleich in der Frühe fassten die Hohenpriester, die Ältesten und die Schriftgelehrten, also der ganze Hohe Rat, über Jesus einen Beschluss: Sie ließen ihn fesseln und abführen und lieferten ihn Pilatus aus. Pilatus fragte ihn: S Bist du der König der Juden? E Er antwortete ihm: † Du sagst es. E Die Hohenpriester brachten viele Anklagen gegen ihn vor. Da wandte sich Pilatus wieder an ihn und fragte: S Willst du denn nichts dazu sagen? Sieh doch, wie viele Anklagen sie gegen dich vorbringen. E Jesus aber gab keine Antwort mehr, sodass Pilatus sich wunderte. Jeweils zum Fest ließ Pilatus einen Gefangenen frei, den sie sich ausbitten durften. Damals saß gerade ein Mann namens Barabbas im Gefängnis, zusammen mit anderen Aufrührern, die bei einem Aufstand einen Mord begangen hatten. Die Volksmenge zog zu Pilatus hinauf und bat, ihnen die gleiche Gunst zu gewähren wie sonst. Pilatus fragte sie: S Wollt ihr, dass ich den König der Juden freilasse? E Er merkte nämlich, dass die Hohenpriester nur aus Neid Jesus an ihn ausgeliefert hatten. Die Hohenpriester aber wiegelten die Menge auf, lieber die Freilassung des Barabbas zu fordern. Pilatus wandte sich von neuem an sie und fragte: S Was soll ich dann mit dem tun, den ihr den König der Juden nennt? E Da schrien sie: S Kreuzige ihn! E Pilatus entgegnete: S Was hat er denn für ein Verbrechen begangen? E Sie schrien noch lauter: S Kreuzige ihn! E Darauf ließ Pilatus, um die Menge zufrieden zu stellen, Barabbas frei und gab den Befehl, Jesus zu geißeln und zu kreuzigen.

Die Verspottung Jesu durch die Soldaten

Die Soldaten führten ihn in den Palast hinein, das heißt in das Prätorium, und riefen die ganze Kohorte zusammen. Dann legten sie ihm einen Purpurmantel um und flochten einen Dornenkranz; den setzten sie ihm auf und grüßten ihn: S Heil dir, König der Juden! E Sie schlugen ihm mit einem Stock auf den Kopf und spuckten ihn an, knieten vor ihm nieder und huldigten ihm. Nachdem sie so ihren Spott mit ihm getrieben hatten, nahmen sie ihm den Purpurmantel ab und zogen ihm seine eigenen Kleider wieder an.

Die Kreuzigung

Dann führten sie Jesus hinaus, um ihn zu kreuzigen. Einen Mann, der gerade vom Feld kam, Simon von Zyrene, den Vater des Alexander und des Rufus, zwangen sie, sein Kreuz zu tragen. Und sie brachten Jesus an einen Ort namens Golgota, das heißt übersetzt: Schädelhöhe. Dort reichten sie ihm Wein, der mit Myrrhe gewürzt war; er aber nahm ihn nicht. Dann kreuzigten sie ihn. Sie warfen das Los und verteilten seine Kleider unter sich und gaben jedem, was ihm zufiel. Es war die dritte Stunde, als sie ihn kreuzigten. Und eine Aufschrift auf einer Tafel gab seine Schuld an: Der König der Juden. Zusammen mit ihm kreuzigten sie zwei Räuber, den einen rechts von ihm, den andern links.

Die Leute, die vorbeikamen, verhöhnten ihn, schüttelten den Kopf und riefen: S Ach, du willst den Tempel niederreißen und in drei Tagen wieder aufbauen? Hilf dir doch selbst und steig herab vom Kreuz! E Auch die Hohenpriester und die Schriftgelehrten verhöhnten ihn und sagten zueinander: S Anderen hat er geholfen, sich selbst kann er nicht helfen. Der Messias, der König von Israel! Er soll doch jetzt vom Kreuz herabsteigen, damit wir sehen und glauben. E Auch die beiden Männer, die mit ihm zusammen gekreuzigt wurden, beschimpften ihn.

Hier stehen alle auf.

Der Tod Jesu

Als die sechste Stunde kam, brach über das ganze Land eine Finsternis herein. Sie dauerte bis zur neunten Stunde. Und in der neunten Stunde rief Jesus mit lauter Stimme: † Eloï, Eloï, lema sabachtani?, E das heißt übersetzt: † Mein Gott, mein Gott, warum hast du mich verlassen? E Einige von denen, die dabeistanden und es hörten, sagten: S Hört, er ruft nach Elija! E Einer lief hin, tauchte einen Schwamm in Essig, steckte ihn auf einen Stock und gab Jesus zu trinken. Dabei sagte er: S Lasst uns doch sehen, ob Elija kommt und ihn herabnimmt. E Jesus aber schrie laut auf. Dann hauchte er den Geist aus.

Hier knien alle zu einer kurzen Gebetsstille nieder.

Da riss der Vorhang im Tempel von oben bis unten entzwei. Als der Hauptmann, der Jesus gegenüberstand, ihn auf diese Weise sterben sah, sagte er: S Wahrhaftig, dieser Mensch war Gottes Sohn. ⬅

Auch einige Frauen sahen von weitem zu, darunter Maria aus Magdala, Maria, die Mutter von Jakobus dem Kleinen und Joses, sowie Salome; sie waren Jesus schon in Galiläa nachgefolgt und hatten ihm gedient. Noch viele andere Frauen waren dabei, die mit ihm nach Jerusalem hinaufgezogen waren.

Das Begräbnis Jesu

Da es Rüsttag war, der Tag vor dem Sabbat, und es schon Abend wurde, ging Josef von Arimathäa, ein vornehmer Ratsherr, der auch auf das Reich Gottes wartete, zu Pilatus und wagte es, um den Leichnam Jesu zu bitten. Pilatus war überrascht, als er hörte, dass Jesus schon tot sei. Er ließ den Hauptmann kommen und fragte ihn, ob Jesus bereits gestorben sei. Als der Hauptmann ihm das bestätigte, überließ er Josef den Leichnam. Josef kaufte ein Leinentuch, nahm Jesus vom Kreuz, wickelte ihn in das Tuch und legte ihn in ein Grab, das in einen Felsen gehauen war. Dann wälzte er einen Stein vor den Eingang des Grabes.

Maria aus Magdala aber und Maria, die Mutter des Joses, beobachteten, wohin der Leichnam gelegt wurde. IF

Wenn wir das Neue Testament aufschlagen, lesen wir es in der Regel vorwärts, also von Jesu Geburt, über sein Leben bis zum schmerzlichen Tod und sein neues Leben durch die Auferstehung. Die älteste, uns greifbare Überlieferung ist die Passion, die Erzählung seines Leidens und seines Todes am Kreuz. Eigentlich müssten wir rückwärts lesen, um zu verstehen. Zum Beispiel, um zu verstehen, dass Jesu Leben Hingabe war und nicht als von Gott gewolltes blutiges Opfer endete.

Dennoch gilt, was der Reformator Thomas Münzer einst so ausgedrückt hat: »Wer den bitteren Christus nicht haben will, wird sich am Honig totfressen.« Dieser bittere Christus wird in der Leidensnachfolge erlebt. Es gibt viele Wege zu Gott. Nicht nur über den Glauben, so schwer es uns fallen mag, auch der Leidensweg ist ein Weg zu Gott. Manch einem Menschen, dem Schweres aufgelastet wurde, ist diese Erfahrung ein heilsamer und heiligender Trost.

Credo (siehe Seite 512)

Fürbitten

Jesus Christus hat Gott sein Leben anvertraut. Zu ihm, unserem Vater im Himmel, wollen wir beten:

A: Herr, höre uns.

- Für die Kinder, Frauen und Männer im Heiligen Land, auf der Seite Israels und Palästinas, dass Gerechtigkeit und Frieden endlich über die Gewalt siegen.
- Für die Kinder und Jugendlichen, die von Priestern und Ordensleuten missbraucht wurden, dass sie endlich frei atmen können und ihre Wunden heilen.
- Für alle, die in der Kirche eine besondere Verantwortung tragen, dass der Geist Jesu ihr Denken, Sprechen und Handeln bestimme.

- Für die Kinder und Jugendlichen in unserem Land, dass sie im Kindergarten und in der Schule lernen und erfahren, wie menschenwürdig es ist, gewaltfrei zu leben.
- Für die Christen in aller Welt, deren Leben wegen ihres Glaubens zu einem Kreuzweg geworden ist.
- Für uns alle, dass wir uns in Notlagen beistehen und bereit sind, das Kreuz des anderen mit zu tragen.

Dann folgen wir dem Weg Jesu, der zwar durch Leid und Tod, letztlich aber zur Auferstehung und damit zu neuem Leben führt. Amen.

GABENGEBET

Herr, unser Gott, schenke uns Verzeihung durch das Leiden deines Sohnes. Wir haben sie zwar durch unsere Taten nicht verdient, aber wir vertrauen auf dein Erbarmen. Darum versöhne uns mit dir durch das einzigartige Opfer unseres Herrn Jesus Christus, der mit dir lebt und herrscht in alle Ewigkeit.

PRÄFATION Vom Tag

In Wahrheit ist es würdig und recht, dir, allmächtiger Vater, zu danken und das Werk deiner Liebe zu rühmen durch unseren Herrn Jesus Christus. Er war ohne Sünde und hat für die Sünder gelitten. Er war ohne Schuld und hat sich ungerechtem Urteil unterworfen. Sein Tod hat unsere Vergehen getilgt, seine Auferstehung uns Gnade und Leben erworben. Darum preisen wir jetzt und in Ewigkeit dein Erbarmen und singen mit den Chören der Engel das Lob deiner Herrlichkeit.

EINLADUNG ZUM VATERUNSER

Auch im Leiden und im Tod blieb Jesus Christus in der Einheit mit dem Vater. Er nimmt auch uns in diese Einheit mit hinein. Wir beten mit seinen Worten: Vater unser im Himmel …

EINLADUNG ZUM FRIEDENSGEBET

Christus ist unser Friede. Er geht seinen Weg im Gehorsam gegenüber dem Vater und überwindet so alles Böse. Deshalb bitten wir: Herr Jesus Christus …

KOMMUNIONVERS

Mt 26,42

Mein Vater, wenn dieser Kelch an mir nicht vorübergehen kann und ich ihn trinken muß, so geschehe dein Wille.

SCHLUSSGEBET

Herr, unser Gott, du hast uns im heiligen Mahl gestärkt. Durch das Sterben deines Sohnes gibst du uns die Kraft, das Leben zu erhoffen, das uns der Glaube verheißt. Gib uns durch seine Auferstehung die Gnade, das Ziel unserer Pilgerschaft zu erreichen. Darum bitten wir durch ihn, Christus, unseren Herrn.

SCHLUSSSEGEN

Vom Leiden des Herrn

Der barmherzige Gott, der seinen Sohn für uns dahingegeben und uns in ihm ein Beispiel der Liebe geschenkt hat, segne euch und mache euch bereit, Gott und den Menschen zu dienen.

Und Christus, der Herr, der uns durch sein Sterben dem ewigen Tode entrissen hat, stärke euren Glauben und führe euch zur unvergänglichen Herrlichkeit.

Und allen, die ihm folgen auf dem Weg der Entäußerung, gebe er Anteil an seiner Auferstehung und an seiner Herrlichkeit.

Das gewähre euch der dreieinige Gott, der Vater und der Sohn ✝ und der Heilige Geist. Amen.

Du für mich, groß ist deine Liebe
Du für mich, deine Arme ausgebreitet.
Du am Kreuz, mehr als jemand fassen kann,
heilender Quell, du ziehst mich an.

Du für mich, groß ist deine Liebe
Du für mich, deine Arme ausgebreitet.
Du am Kreuz, Ohnmacht, die so mächtig ist:
Hass überwindend und die Dunkelheiten.

Du für mich, groß ist deine Liebe
Du für mich, deine Arme ausgebreitet.
Du am Kreuz, Hingabe, die Erlösung bringt.
Durch den Tod zu neuem Leben.

Du für mich, groß ist deine Liebe
Du für mich, deine Arme ausgebreitet.
Du am Kreuz, Weg und Ziel zugleich:
Der Himmel kommt zur Erde.

Roland Breitenbach

Gründonnerstag
5. April 2012

Wir rühmen uns des Kreuzes unseres Herrn Jesus Christus.
In ihm ist uns Heil geworden und Auferstehung und Leben.
Durch ihn sind wir erlöst und befreit.
Vgl. Gal 6,14

Die historische Basis für das Letzte Abendmahl, das Jesus mit den Frauen und Männern kurz vor seinem Tod hielt, liegt im gemeinsamen Essen mit den Menschen am Rande von Religion und Gesellschaft; damals wie heute »Sünder« genannt. Er »isst mit Zöllnern und Sündern«, regten sich die Leute damals auf.

Nicht das Mahlhalten mit den Frommen und Gerechten ist also der Grund des Letzten Abendmahles. Es sind die Schuldbeladenen, die Suchenden, Fragenden und Zweifelnden, die an erster Stelle eingeladen sind. Damit verweist Jesus in aller Nachdrücklichkeit auf eine Einstellung, die wir heute bitter nötig hätten. Es »menschelt« derzeit in unserer Kirche ungemein; aber das führt nicht zu den richtigen Folgerungen: Lasst euch durch die Feier des Abendmahls mit Gott versöhnen.

Jesus verkündet das Reich Gottes nicht durch Ausgrenzung und Absonderung, sondern durch Einladung. Das Essen mit ihm steht deswegen nicht am Ende eines Umkehrprozesses und ist nicht das Ergebnis eines Heiligsprechungsverfahrens. Jesu Mahl steht am Anfang einer Bekehrung. Zulassungsbedingungen zur Eucharistie, wie sie die Kirche noch immer pflegt, gelegentlich auch als Machtmittel missbraucht, sind Jesus fremd.

Joachim Kügler, der Bamberger Neutestamentler, schreibt: »Alle sind eingeladen, weil die Universalität der Liebe Gottes alle Menschen beruft, zu seinem Volk zu gehören. Wer diese Berufung zum Glauben an Jesus und seine Botschaft ablehnt, schließt sich selbst aus.«

KYRIE-RUFE

Oder: GL 522 · KG 68

Herr Jesus Christus, du lädst uns ein an deinen Tisch. Herr, erbarme dich.
Du schenkst dich uns als das Brot des Lebens. Christus, erbarme dich.
Du führst uns durch die Gemeinschaft mit dir zum Vater. Herr, erbarme dich.

GLORIA (siehe Seite 508)

TAGESGEBET

Allmächtiger, ewiger Gott, am Abend vor seinem Leiden hat dein geliebter Sohn der Kirche das Opfer des Neuen und Ewigen Bundes anvertraut und das Gastmahl seiner Liebe gestiftet. Gib, daß wir aus diesem Geheimnis die Fülle des Lebens und der Liebe empfangen. Darum bitten wir durch ihn, Jesus Christus.

ERSTE LESUNG

Ex 12,1–8.11–14

Lesung aus dem Buch Exodus.

In jenen Tagen sprach der Herr zu Mose und Aaron in Ägypten: Dieser Monat soll die Reihe eurer Monate eröffnen, er soll euch als der erste unter den Monaten des Jahres gelten. Sagt der ganzen Gemeinde Israel:

Am Zehnten dieses Monats soll jeder ein Lamm für seine Familie holen, ein Lamm für jedes Haus. Ist die Hausgemeinschaft für ein Lamm zu klein, so nehme er es zusammen mit dem Nachbarn, der seinem Haus am nächsten wohnt, nach der Anzahl der Personen. Bei der Aufteilung des Lammes müsst ihr berücksichtigen, wie viel der Einzelne essen kann. Nur ein fehlerfreies, männliches, einjähriges Lamm darf es sein, das Junge eines Schafes oder einer Ziege müsst ihr nehmen. Ihr sollt es bis zum vierzehnten Tag dieses Monats aufbewahren. Gegen Abend soll die ganze versammelte Gemeinde Israel die Lämmer schlachten. Man nehme etwas von dem Blut und bestreiche damit die beiden Türpfosten und den Türsturz an den Häusern, in denen man das Lamm essen will. Noch in der gleichen Nacht soll man das Fleisch essen. Über dem Feuer gebraten und zusammen mit ungesäuertem Brot und Bitterkräutern soll man es essen.

So aber sollt ihr es essen: eure Hüften gegürtet, Schuhe an den Füßen, den Stab in der Hand. Esst es hastig! Es ist die Paschafeier für den Herrn.

In dieser Nacht gehe ich durch Ägypten und erschlage in Ägypten jeden Erstgeborenen bei Mensch und Vieh. Über alle Götter Ägyptens halte ich Gericht, ich, der Herr. Das Blut an den Häusern, in denen ihr wohnt, soll ein Zeichen zu eurem Schutz sein. Wenn ich das Blut sehe, werde ich an euch vorübergehen und das vernichtende Unheil wird euch nicht treffen, wenn ich in Ägypten dreinschlage.

Diesen Tag sollt ihr als Gedenktag begehen. Feiert ihn als Fest zur Ehre des Herrn! Für die kommenden Generationen macht euch diese Feier zur festen Regel! IF

Das Paschamahl ist die dankbar feiernde Erzählung, dass Jahwe Israels aus der Knechtschaft Ägyptens befreit hat. Die Erinnerung daran wurde durch das jährlich wiederkehrende Fest lebendig gehalten. Zugleich liegt in der Feier der hoffnungsvolle Ausblick auf das große Freudenmahl, das Gott den Seinen am Ende der Tage bereiten wird. Auch heute noch hat das pilgernde Gottesvolk Befreiung aus falschen Abhängigkeiten nötig.

Als das Volk Israel nach seiner Nomadenzeit sesshaft wurde, haben sich verschiedene Bräuche und Feste zur Feier des Frühlings miteinander verbunden. Im geschichtlichen Rückblick bekamen diese alten Feste durch den Glauben an die rettende Macht Gottes eine neue Bedeutung.

Die Theologen sind sich nicht einig, ob das Abendmahl Jesu ein Pessach-Mahl war oder nicht. Zu Zeit Jesu unterschied sich ein jüdisches Festmahl, abgesehen vom Verzehren eines Lammes, nur wenig vom Pessach-Mahl. Doch ist das Letzte Abendmahl sicher vom Grundgedanken der Pessachfeier her zu verstehen. Die Jerusalemer Urgemeinde feierte selbstverständlich das Pessach-Fest mit den Juden mit, sogar die Gemeinde von Philippi, die vorwiegend aus Heidenchristen bestand (Apg 29,6).

ANTWORTPSALM Ps 116,12–13.15–18 (℟: vgl. 1Kor 10,16)

℟: Der Kelch des Segens gibt uns Anteil an Christi Blut.
II. Ton – GL 176,5

Wie kann ich dem Herrn all das vergelten, *
was er mir Gutes getan hat?
Ich will den Kelch des Heils erheben *
und anrufen den Namen des Herrn. – ℟

Kostbar ist in den Augen des Herrn *
das Sterben seiner Frommen.
Ach Herr, ich bin doch dein Knecht, /
dein Knecht bin ich, der Sohn deiner Magd. *
Du hast meine Fesseln gelöst. – ℟

Ich will dir ein Opfer des Dankes bringen *
und anrufen den Namen des Herrn.
Ich will dem Herrn meine Gelübde erfüllen *
offen vor seinem ganzen Volk. – ℟

ZWEITE LESUNG 1 Kor 11,23–26

Lesung aus dem ersten Korintherbrief.

Schwestern und Brüder! Ich habe vom Herrn empfangen, was ich euch dann überliefert habe:

Jesus, der Herr, nahm in der Nacht, in der er ausgeliefert wurde, Brot, sprach das Dankgebet, brach das Brot und sagte: Das ist mein Leib für euch. Tut dies zu meinem Gedächtnis!

Ebenso nahm er nach dem Mahl den Kelch und sprach: Dieser Kelch ist der Neue Bund in meinem Blut. Tut dies, sooft ihr daraus trinkt, zu meinem Gedächtnis!

Denn sooft ihr von diesem Brot esst und aus dem Kelch trinkt, verkündet ihr den Tod des Herrn, bis er kommt. ℉

Für die frühe Überlieferung des Abendmahls gibt es zwei Quellen: Das Evangelium des Markus, das etwa um das Jahr 70 entstanden ist, und 20 Jahre früher der Brief des Paulus an die Korinther. Leider stimmen die beiden Texte nicht überein. Deshalb ist es schwierig nachzuweisen, ob die Worte über Brot und Wein von Jesus so gesprochen wurden, wie wir das heute hören. Wichtig bleibt für uns, dass sich die christlichen Gemeinden von Anfang an unter den Zeichen von Brot und Wein getroffen und miteinander das Gedächtnis Jesu gefeiert haben.

Ruf vor dem Evangelium — Joh 13,34ac

Herr Jesus, dir sei Ruhm und Ehre!
So spricht der Herr: Ein neues Gebot gebe ich euch: Wie ich euch geliebt habe, so sollt auch ihr einander lieben.
Herr Jesus, dir sei Ruhm und Ehre!

Evangelium — Joh 13,1–15

Aus dem heiligen Evangelium nach Johannes.

Es war vor dem Paschafest. Jesus wusste, dass seine Stunde gekommen war, um aus dieser Welt zum Vater hinüberzugehen. Da er die Seinen, die in der Welt waren, liebte, erwies er ihnen seine Liebe bis zur Vollendung.

Es fand ein Mahl statt, und der Teufel hatte Judas, dem Sohn des Simon Iskariot, schon ins Herz gegeben, ihn zu verraten und auszuliefern. Jesus, der wusste, dass ihm der Vater alles in die Hand gegeben hatte und dass er von Gott gekommen war und zu Gott zurückkehrte, stand vom Mahl auf, legte sein Gewand ab und umgürtete sich mit einem Leinentuch. Dann goss er Wasser in eine Schüssel und begann, den Jüngern die Füße zu waschen und mit dem Leinentuch abzutrocknen, mit dem er umgürtet war.

Als er zu Simon Petrus kam, sagte dieser zu ihm: Du, Herr, willst mir die Füße waschen?

Jesus antwortete ihm: Was ich tue, verstehst du jetzt noch nicht; doch später wirst du es begreifen.

Petrus entgegnete ihm: Niemals sollst du mir die Füße waschen!

Jesus erwiderte ihm: Wenn ich dich nicht wasche, hast du keinen Anteil an mir.

Da sagte Simon Petrus zu ihm: Herr, dann nicht nur meine Füße, sondern auch die Hände und das Haupt.

Jesus sagte zu ihm: Wer vom Bad kommt, ist ganz rein und braucht sich nur noch die Füße zu waschen. Auch ihr seid rein, aber nicht alle. Er wusste nämlich, wer ihn verraten würde; darum sagte er: Ihr seid nicht alle rein.

Als er ihnen die Füße gewaschen, sein Gewand wieder angelegt und Platz genommen hatte, sagte er zu ihnen: Begreift ihr, was ich an euch getan habe? Ihr sagt zu mir Meister und Herr und ihr nennt mich mit Recht so; denn ich bin es. Wenn nun ich, der Herr und Meister, euch die Füße gewaschen habe, dann müsst auch ihr einander die Füße waschen. Ich habe euch ein Beispiel gegeben, damit auch ihr so handelt, wie ich an euch gehandelt habe. ǀF

Im Johannesevangelium vermissen wir die »Einsetzung der Eucharistie«, die für die synoptischen Evangelien selbstverständlich ist. Dafür wird die Fußwaschung überliefert. Ein starkes Symbol, das leider in der Kirche nicht mehr diese große Bedeutung hat. Die Fußwaschung erfüllt alle Bedingungen, Zeichen und Wort, die an die sieben Sakramente der Kirche gestellt werden. Bernhard von Clairvaux und Ambrosius von Mailand haben die Fußwaschung in der Tat als (achtes) Sakrament verstanden. Wenn Jesus zu Petrus sagt: »Wenn ich dich nicht wasche, hast du keinen Anteil an mir« (13,8), dann ist das nicht nur der Hinweis an ihn und die anderen Jünger, wie intensiv dieses Zeichen gedacht ist. Die demütige Fußwaschung durch Jesus ist der Beweis seiner Liebe, die sich sogar unter den anderen beugt.

Ganz bewusst sagt Jesus: »Ich habe euch ein Beispiel gegeben, damit auch ihr so handelt, wie ich an euch gehandelt habe« (13,15). Das ist ein, das ist das neue Gebot. Die Fußwaschung wird zum Prüfstein der Nachfolge.

FUSSWASCHUNG (falls vorgesehen)

FÜRBITTEN

Herr, Jesus Christus du hast uns ein Beispiel gegeben. Wir bitten dich:

V/A: Herr, erhöre uns.

- Für Menschen, die das tägliche Brot nicht über Nacht haben, wollen wir beten, dass sie immer einen Mitmenschen finden, der mit ihnen teilt.
- Für Menschen, die es schwer haben in ihrem Leben, die Angst haben, zu kurz zu kommen, wollen wir beten, dass sie auch die Schönheiten des Lebens erfahren und erleben können.
- Für Mitchristen, die sich für unsere Gemeinde in irgendeiner Weise einsetzen, wollen wir beten, dass wir ihnen unsere Dankbarkeit und Zuwendung zeigen.
- Für alle in einem kirchlichen Amt wollen wir beten, dass sie ihren Dienst nicht als Selbstzweck oder gar als Herrschaft verstehen, sondern als eine Gabe für die Menschen.
- Für Opfer jeder Form von Gewalt, vor allem für kindliche und jugendliche Opfer, wollen wir beten, dass der Missbrauch nicht ihr Leben zerstöre.
- Für alle wollen wir beten von deren Freundschaft, Nachbarschaft und Hilfsbereitschaft wir leben, dass daraus eine gute Gemeinschaft entstehe, die vielen dient.

Dann bleibt das Zeichen der Fußwaschung uns als liebevolle Erinnerung auf Augenhöhe zu den Menschen zu gehen und zu handeln, wie es Jesus getan hat. Amen.

GABENGEBET

Herr, gib, daß wir das Geheimnis des Altares ehrfürchtig feiern; denn sooft wir die Gedächtnisfeier dieses Opfers begehen, vollzieht sich an uns das Werk der Erlösung. Durch Christus, unseren Herrn.

PRÄFATION

Von der heiligen Eucharistie I

In Wahrheit ist es würdig und recht, dir, Herr, heiliger Vater, allmächtiger, ewiger Gott, immer und überall zu danken durch unseren Herrn Jesus Christus. Als der wahre und ewige Hohepriester hat er die Feier eines immerwährenden Opfers gestiftet. Er hat sich selbst als Opfergabe dargebracht für das Heil der Welt und uns geboten, daß auch wir diese Gabe darbringen zu seinem Gedächtnis. Er stärkt uns, wenn wir seinen Leib empfangen, den er für uns geopfert hat. Er heiligt uns, wenn wir sein Blut trinken, das er für uns vergossen hat. Darum singen wir mit den Engeln und Erzengeln, den Thronen und Mächten und mit all den Scharen des himmlischen Heeres den Hochgesang von deiner göttlichen Herrlichkeit.

EINLADUNG ZUM VATERUNSER

Jesus Christus hat uns seine Liebe erwiesen bis zur Vollendung. So können wir Gott unseren Vater nennen und beten mit den Worten Jesu: Vater unser im Himmel …

EINLADUNG ZUM FRIEDENSGEBET

Jesus Christus war der Diener aller. Durch seine Erniedrigung hat er den Frieden gebracht. Deshalb bitten wir: Herr Jesus Christus …

KOMMUNIONVERS

1 Kor 11,24.25

Das ist mein Leib, der für euch hingegeben wird. Dieser Kelch ist der Neue Bund in meinem Blut. Sooft ihr dieses Brot eßt und diesen Kelch trinkt, tut es zum Gedenken an mich – so spricht der Herr.

SCHLUSSGEBET

Allmächtiger Gott, du hast uns heute im Abendmahl deines Sohnes gestärkt. Sättige uns beim himmlischen Gastmahl mit dem ewigen Leben. Darum bitten wir durch ihn, Christus, unseren Herrn.

Übertragung des Allerheiligsten

Pange, lingua, gloriósi
córporis mystérium,
sanguinísque pretiósi,
quem in mundi prétium
fructus ventris generósi
rex effúdit géntium.

Nobis datus, nobis natus
ex intácta Vírgine,
et in mundo conversátus,
sparso verbi sémine,
sui moras incolátus
miro clausit órdine.

In suprémae nocte cenae
recúmbens cum frátribus,
observáta lege plene
cibis in legálibus,
cibum turbae duodénae
se dat suis mánibus.

Verbum caro panem verum
verbo carnem éfficit
fitque sanguis Christi merum
et si sensus déficit,
ad firmándum cor sincérum
sola fides súfficit.

Tantum ergo sacraméntum
venerémur cérnui,
et antíquum documéntum
novo cedat rítui;
praestet fides suppleméntum
sénsuum deféctui.

Genitóri Genitóque
laus et jubilátio,
salus, honor, virtus quoque
sit et benedíctio;
procedénti ab utróque

Uns gegeben, uns geboren
von der Jungfrau keusch und rein,
ist auf Erden er gewandelt,
Saat der Wahrheit auszustreun;
und zum Ende seines Lebens
setzt' er dieses Wunder ein.

In der Nacht beim Letzten Mahle, wo
er mit der Jünger Schar
nach der Vorschrift des Gesetzes
bei dem Osterlamme war,
gab mit eigner Hand den Seinen
er sich selbst zur Speise dar.

Preiset Lippen, das Geheimnis
dieses Leibs voll Herrlichkeit
und des unschätzbaren Blutes,
das, zum Heil der Welt geweiht,
Jesus Christus hat vergossen,
König aller Wesenheit.

Durch das Wort wird Brot zum
Fleische, und zum Blute wird der
Wein: Gott und Mensch und Leib
und Seele, sieht es auch der Sinn
nicht ein; einem reinen Sinn genüget
fester Glaube schon allein.

Darum lasst uns tief verehren
ein so großes Sakrament!
Dieser Bund wird ewig währen,
und der alte hat ein End;
unser Glaube soll uns lehren,
was das Auge nicht erkennt.

Gott, dem Vater und dem Sohne,
sei Lob, Preis und Herrlichkeit,
mit dem Geist auf höchstem Throne
eine Macht und Wesenheit!
Singt in lautem Jubeltone

compar sit laudátio.
Amen.

göttlicher Dreieinigkeit.
Amen.

Thomas von Aquin 1263/64; Übertragung: Anselm Schott OSB
GL 543f. bzw. KG 221f.; weitere Melodie: GL 541 bzw. 219f.

Eine Quelle finden
in der Wüste des Lebens
und das Wasser der Klärung.
Die Quelle des Lebens.

Brot und Verständnis finden
in der Gleichgültigkeit der Umgebung
und ein Lachen der Erleichterung.
Das Brot des Lebens.

Eine Brücke finden
über den Abgrund der Zeit
und einen Weg in die Zukunft.
Die Brücke zu den Menschen.

Gott, dich finden,
dir gleich werden an Erbarmen,
Mensch sein für die Menschen.

Roland Breitenbach

Karfreitag

Die Feier vom Leiden und Sterben Christi

6. April 2012

Madeleine Delbrêl, jene mystisch und prophetisch begnadete Französin des letzten Jahrhunderts, sagte wenige Stunden vor ihrem überraschenden Tod – sie starb an einer Gehirnblutung –: »Ich habe das eigenartige Gefühl, dass ich alle meine Arbeiten vollendet habe … und jetzt gehen kann.« In den letzten Worten, die ein Mensch spricht, verdichtet sich nicht selten der Sinn und die Wahrheit seines Lebens. Oft genügt ein einziger Satz, der als die Summe eines Lebens von seiner Nachwelt, von Kindern oder Enkeln, wie ein kostbares Vermächtnis bewahrt wird. Sterbeworte haben eine überdurchschnittlich hohe Überlebenschance.

Was das Sterben anlangt, hat sich die Einstellung unserer Gesellschaft grundlegend gewandelt. Früher war es ein öffentlicher Vorgang; die Türen des Sterbehauses und des Sterbezimmers wurden weit geöffnet, damit möglichst viele am Abschied eines Menschen aus der Welt Anteil nehmen konnten. Die Leute waren interessiert: Was hat er noch gesagt? Was wollte sie für uns hinterlassen? Die Menschen waren überzeugt, dass Sterbende bereits einen Blick in die neue Welt werfen konnten. Auch deswegen waren ihre letzten Worte so kostbar, weil sie direkt an der Grenze zum anderen Leben gesprochen wurden.

Im Verlauf der Neuzeit wurde das Sterben immer mehr aus der Wahrnehmung der Lebenden hinausgedrängt und in Kliniken und Altenheime verbannt. Früher gab es kein Haus und kein Zimmer, in dem nicht schon einmal einer gestorben war. Früher gab es kaum einen Menschen, der nicht aus eigener Beteiligung bereits »Sterbeerfahrung« hatte.

Zum Glück erkennen heute viele, bevor es zu spät ist, was sie für ihr eigenes Leben und Sterben versäumen, wenn sie einen Sterbenden nicht nach Hause holen oder ihn wenigstens in der Klinik oder der Palliativstation in seinen letzten Tagen und Stunden begleiten.

Es sind kostbare Stunden. Oft verdichtet sich das ganze Leben eines Menschen in seinem Sterben. Manchmal sind es nicht mehr Worte, nur noch Blicke oder Gesten, manchmal steigen in den Begleitern im Angesicht des Todes Bilder auf, die unvergesslich bleiben. Vor allem, es ist ein Abschiednehmen möglich.

Den Evangelien nach haben nicht allzu viele Anhänger am Sterben Jesu Anteil genommen. Von den Gaffern, die es bei jeder Hinrichtung gab, einmal abgesehen. Die wenigen Getreuen achteten auf seine Worte und seine Blicke und haben sie uns überliefert. Davon ist heute zu hören.

Gedenke, Herr, der großen Taten, die dein Erbarmen gewirkt hat. Schütze und heilige deine Diener, für die dein Sohn Jesus Christus sein Blut vergossen und das österliche Geheimnis eingesetzt hat, der mit dir lebt und herrscht in alle Ewigkeit.

Oder:

Allmächtiger, ewiger Gott, durch das Leiden deines Sohnes hast du den Tod vernichtet, der vom ersten Menschen auf alle Geschlechter übergegangen ist. Nach dem Gesetz der Natur tragen wir das Abbild des ersten Adam an uns; hilf uns durch deine Gnade, das Bild des neuen Adam in uns auszuprägen und Christus ähnlich zu werden, der mit dir lebt und herrscht in alle Ewigkeit.

WORTGOTTESDIENST

ERSTE LESUNG — Jes 52,13–53,12

Lesung aus dem Buch Jesaja.

Seht, mein Knecht hat Erfolg, er wird groß sein und hoch erhaben. Viele haben sich über ihn entsetzt, so entstellt sah er aus, nicht mehr wie ein Mensch, seine Gestalt war nicht mehr die eines Menschen. Jetzt aber setzt er viele Völker in Staunen, Könige müssen vor ihm verstummen. Denn was man ihnen noch nie erzählt hat, das sehen sie nun; was sie niemals hörten, das erfahren sie jetzt.

Wer hat unserer Kunde geglaubt? Der Arm des Herrn – wem wurde er offenbar? Vor seinen Augen wuchs er auf wie ein junger Spross, wie ein Wurzeltrieb aus trockenem Boden. Er hatte keine schöne und edle Gestalt, sodass wir ihn anschauen mochten. Er sah nicht so aus, dass wir Gefallen fanden an ihm. Er wurde verachtet und von den Menschen gemieden, ein Mann voller Schmerzen, mit Krankheit vertraut. Wie einer, vor dem man das Gesicht verhüllt, war er verachtet; wir schätzten ihn nicht.

Aber er hat unsere Krankheit getragen und unsere Schmerzen auf sich geladen. Wir meinten, er sei von Gott geschlagen, von ihm getroffen und gebeugt. Doch er wurde durchbohrt wegen unserer Verbrechen, wegen unserer Sünden zermalmt. Zu unserem Heil lag die Strafe auf ihm, durch seine Wunden sind wir geheilt.

Wir hatten uns alle verirrt wie Schafe, jeder ging für sich seinen Weg. Doch der Herr lud auf ihn die Schuld von uns allen. Er wurde misshandelt und niedergedrückt, aber er tat seinen Mund nicht auf. Wie ein Lamm, das man zum Schlachten führt, und wie ein Schaf angesichts seiner Scherer, so tat auch er seinen Mund nicht auf.

Durch Haft und Gericht wurde er dahingerafft, doch wen kümmerte sein Geschick? Er wurde vom Land der Lebenden abgeschnitten und wegen der Verbrechen seines Volkes zu Tode getroffen. Bei den Ruchlosen gab man ihm sein Grab, bei den Verbrechern seine Ruhestätte, obwohl er kein Unrecht getan hat und kein trügerisches Wort in seinem Mund war.

Doch der Herr fand Gefallen an seinem zerschlagenen Knecht, er rettete den, der sein Leben als Sühnopfer hingab. Er wird Nachkommen sehen und lange leben. Der Plan des Herrn wird durch ihn gelingen. Nachdem er so vieles ertrug, erblickt er das Licht. Er sättigt sich an Erkenntnis. Mein Knecht, der gerechte, macht die vielen gerecht; er lädt ihre Schuld auf sich.

Deshalb gebe ich ihm seinen Anteil unter den Großen und mit den Mächtigen teilt er die Beute, weil er sein Leben dem Tod preisgab und sich unter die Verbrecher rechnen ließ. Denn er trug die Sünden von vielen und trat für die Schuldigen ein. ℹF

In der Lesung spiegelt sich das Schicksal vieler Menschen. Davon ist der Knecht Gottes nicht ausgenommen. Wenn die Klage bei keinem Menschen mehr ankommt, bei Gott ist sie aufgehoben. »Lerne zu leiden, ohne zu klagen!«, das ist ein schlechter Rat. Er lässt den Menschen verbittern und hart werden. Aus einem Leid, das nicht ausgesprochen werden und damit auch nicht verarbeitet werden kann, lässt sich nichts lernen. Bewältigtes Leid führt in der Regel zur Veränderung des Leidtragenden. Er kann sich und seine Aufgabe für die Menschen in einem anderen Licht sehen.

ANTWORTPSALM

Ps 31,2.6.12–13.15–17.25 (ℹR: Lk 23,46)

ℹR: Vater, in deine Hände lege ich meinen Geist.
IV. Ton – GL 203,1 · KG 423

Herr, ich suche Zuflucht bei dir. /
Lass mich doch niemals scheitern; *
rette mich in deiner Gerechtigkeit!
In deine Hände lege ich voll Vertrauen meinen Geist; *
du hast mich erlöst, Herr, du treuer Gott. – ℹR

Zum Spott geworden bin ich all meinen Feinden, /
ein Hohn den Nachbarn, ein Schrecken den Freunden; *
wer mich auf der Straße sieht, der flieht vor mir.
Ich bin dem Gedächtnis entschwunden wie ein Toter, *
bin geworden wie ein zerbrochenes Gefäß. – ℹR

Ich aber, Herr, ich vertraue dir, *
ich sage: »Du bist mein Gott.«
In deiner Hand liegt mein Geschick; *
entreiß mich der Hand meiner Feinde und Verfolger! – ℹR

Lass dein Angesicht leuchten über deinem Knecht, *
hilf mir in deiner Güte!
Euer Herz sei stark und unverzagt, *
ihr alle, die ihr wartet auf den Herrn. – ℟

ZWEITE LESUNG

Hebr 4,14–16; 5,7–9

Lesung aus dem Hebräerbrief.

Schwestern und Brüder! Da wir nun einen erhabenen Hohenpriester haben, der die Himmel durchschritten hat, Jesus, den Sohn Gottes, lasst uns an dem Bekenntnis festhalten. Wir haben ja nicht einen Hohenpriester, der nicht mitfühlen könnte mit unserer Schwäche, sondern einen, der in allem wie wir in Versuchung geführt worden ist, aber nicht gesündigt hat.

Lasst uns also voll Zuversicht hingehen zum Thron der Gnade, damit wir Erbarmen und Gnade finden und so Hilfe erlangen zur rechten Zeit.

Als Christus auf Erden lebte, hat er mit lautem Schreien und unter Tränen Gebete und Bitten vor den gebracht, der ihn aus dem Tod retten konnte, und er ist erhört und aus seiner Angst befreit worden. Obwohl er der Sohn war, hat er durch Leiden den Gehorsam gelernt; zur Vollendung gelangt, ist er für alle, die ihm gehorchen, der Urheber des ewigen Heils geworden. ℱ

Der Hebräerbrief zeigt einen priesterlichen Menschen, der um Gottes und der Menschen willen seinen Weg im gläubigen Vertrauen geht. Er teilt Schwächen und Stärken gleichermaßen mit allen, die auf dem irdischen Pilgerweg sind. Auf diesem Weg übernimmt Jesus als treuer Gefährte eine Vermittlerrolle zu seinem Vater hin. An seiner Seite dürfen alle Menschen, die ihm folgen wollen, in das Allerheiligste eintreten. Es ist nicht mehr versperrt, wie noch im Alten Bund. Weil Jesus sich uns Menschen gleichgemacht hat, weil er unsere Schwächen und unsere Bedürftigkeit kennt, findet er als Hoherpriester für uns die lösenden und erlösenden Worte.

RUF VOR DER PASSION

Vgl. Phil 2,8b–9

Herr Jesus, dir sei Ruhm und Ehre!
Christus war für uns gehorsam bis zum Tod, bis zum Tod am Kreuz. Darum hat ihn Gott über alle erhöht und ihm den Namen verliehen, der größer ist als alle Namen.
Herr Jesus, dir sei Ruhm und Ehre!

PASSION

Joh 18,1 – 19,42

E = Evangelist; † = Worte Jesu; S = Worte sonstiger Personen

Das Leiden unseres Herrn Jesus Christus nach Johannes.

Die Verhaftung

E Jesus ging mit seinen Jüngern hinaus, auf die andere Seite des Baches Kidron. Dort war ein Garten; in den ging er mit seinen Jüngern hinein. Auch Judas, der Verräter, der ihn auslieferte, kannte den Ort, weil Jesus dort oft mit seinen Jüngern zusammengekommen war. Judas holte die Soldaten und die Gerichtsdiener der Hohenpriester und der Pharisäer und sie kamen dorthin mit Fackeln, Laternen und Waffen. Jesus, der alles wusste, was mit ihm geschehen sollte, ging hinaus und fragte sie: † Wen sucht ihr? E Sie antworteten ihm: S Jesus von Nazaret. E Er sagte zu ihnen: † Ich bin es. E Auch Judas, der Verräter, stand bei ihnen. Als er zu ihnen sagte: Ich bin es!, wichen sie zurück und stürzten zu Boden. Er fragte sie noch einmal: † Wen sucht ihr? E Sie sagten: S Jesus von Nazaret. E Jesus antwortete: † Ich habe euch gesagt, dass ich es bin. Wenn ihr mich sucht, dann lasst diese gehen! E So sollte sich das Wort erfüllen, das er gesagt hatte: Ich habe keinen von denen verloren, die du mir gegeben hast. E Simon Petrus aber, der ein Schwert bei sich hatte, zog es, schlug nach dem Diener des Hohenpriesters und hieb ihm das rechte Ohr ab; der Diener hieß Malchus. Da sagte Jesus zu Petrus: † Steck das Schwert in die Scheide! Der Kelch, den mir der Vater gegeben hat – soll ich ihn nicht trinken?

Das Verhör vor Hannas und die Verleugnung durch Petrus

E Die Soldaten, ihre Befehlshaber und die Gerichtsdiener der Juden nahmen Jesus fest, fesselten ihn und führten ihn zuerst zu Hannas; er war nämlich der Schwiegervater des Kajaphas, der in jenem Jahr Hoherpriester war. Kajaphas aber war es, der den Juden den Rat gegeben hatte: S Es ist besser, dass ein einziger Mensch für das Volk stirbt.

E Simon Petrus und ein anderer Jünger folgten Jesus. Dieser Jünger war mit dem Hohenpriester bekannt und ging mit Jesus in den Hof des hohepriesterlichen Palastes. Petrus aber blieb draußen am Tor stehen. Da kam der andere Jünger, der Bekannte des Hohenpriesters, heraus; er sprach mit der Pförtnerin und führte Petrus hinein. Da sagte die Pförtnerin zu Petrus: S Bist du nicht auch einer von den Jüngern dieses Menschen? E Er antwortete: S Nein. E Die Diener und die Knechte hatten sich ein Kohlenfeuer angezündet und standen dabei, um sich zu wärmen; denn es war kalt. Auch Petrus stand bei ihnen und wärmte sich.

Der Hohepriester befragte Jesus über seine Jünger und über seine Lehre. Jesus antwortete ihm: † Ich habe offen vor aller Welt gesprochen. Ich habe immer in der Synagoge und im Tempel gelehrt, wo alle Juden zusammenkommen. Nichts habe ich im Geheimen gesprochen. Warum fragst du mich? Frag doch die, die mich gehört haben, was ich zu ihnen gesagt habe; sie wissen, was ich geredet habe. E Auf diese Antwort hin schlug einer von den Knechten, der dabeistand, Jesus ins Gesicht und sagte: S Redest du so mit dem Hohenpriester? E Jesus entgegnete ihm: † Wenn es nicht recht war, was ich gesagt habe, dann weise es nach; wenn es aber recht war, warum schlägst du mich? E Danach schickte ihn Hannas gefesselt zum Hohenpriester Kajaphas.

Simon Petrus aber stand am Feuer und wärmte sich. Sie sagten zu ihm: S Bist nicht auch du einer von seinen Jüngern? E Er leugnete und sagte: S Nein. E Einer von den Dienern des Hohenpriesters, ein Verwandter dessen, dem Petrus das Ohr abgehauen hatte, sagte: S Habe ich dich nicht im Garten bei ihm gesehen? E Wieder leugnete Petrus und gleich darauf krähte ein Hahn.

Das Verhör und die Verurteilung durch Pilatus

Von Kajaphas brachten sie Jesus zum Prätorium; es war früh am Morgen. Sie selbst gingen nicht in das Gebäude hinein, um nicht unrein zu werden, sondern das Paschalamm essen zu können. Deshalb kam Pilatus zu ihnen heraus und fragte: S Welche Anklage erhebt ihr gegen diesen Menschen? E Sie antworteten ihm: S Wenn er kein Übeltäter wäre, hätten wir ihn dir nicht ausgeliefert. E Pilatus sagte zu ihnen: S Nehmt ihr ihn doch und richtet ihn nach eurem Gesetz! E Die Juden antworteten ihm: S Uns ist es nicht gestattet, jemand hinzurichten. E So sollte sich das Wort Jesu erfüllen, mit dem er angedeutet hatte, auf welche Weise er sterben werde. Pilatus ging wieder in das Prätorium hinein, ließ Jesus rufen und fragte ihn: S Bist du der König der Juden? E Jesus antwortete: † Sagst du das von dir aus oder haben es dir andere über mich gesagt? E Pilatus entgegnete: S Bin ich denn ein Jude? Dein eigenes Volk und die Hohenpriester haben dich an mich ausgeliefert. Was hast du getan? E Jesus antwortete: † Mein Königtum ist nicht von dieser Welt. Wenn es von dieser Welt wäre, würden meine Leute kämpfen, damit ich den Juden nicht ausgeliefert würde. Aber mein Königtum ist nicht von hier. E Pilatus sagte zu ihm: S Also bist du doch ein König? E Jesus antwortete: † Du sagst es, ich bin ein König. Ich bin dazu geboren und dazu in die Welt gekommen, dass ich für die Wahrheit Zeugnis ablege. Jeder, der aus der Wahrheit ist, hört auf meine Stimme. E Pilatus sagte zu ihm: S Was ist Wahrheit?

E Nachdem er das gesagt hatte, ging er wieder zu den Juden hinaus und sagte zu ihnen: S Ich finde keinen Grund, ihn zu verurteilen. Ihr seid gewohnt, dass ich euch am Paschafest einen Gefangenen freilasse. Wollt ihr also, dass ich euch den König der Juden freilasse? E Da schrien sie wieder: S Nicht diesen, sondern Barabbas! E Barabbas aber war ein Straßenräuber.

E Darauf ließ Pilatus Jesus geißeln. Die Soldaten flochten einen Kranz aus Dornen; den setzten sie ihm auf und legten ihm einen purpurroten Mantel um. Sie stellten sich vor ihn hin und sagten: S Heil dir, König der Juden! E Und sie schlugen ihm ins Gesicht. Pilatus ging wieder hinaus und sagte zu ihnen: S Seht, ich bringe ihn zu euch heraus; ihr sollt wissen, dass ich keinen Grund finde, ihn zu verurteilen. E Jesus kam heraus; er trug die Dornenkrone und den purpurroten Mantel. Pilatus sagte zu ihnen: S Seht, da ist der Mensch! E Als die Hohenpriester und ihre Diener ihn sahen, schrien sie: S Ans Kreuz mit ihm, ans Kreuz mit ihm! E Pilatus sagte zu ihnen: S Nehmt ihr ihn und kreuzigt ihn! Denn ich finde keinen Grund, ihn zu verurteilen. E Die Juden entgegneten ihm: S Wir haben ein Gesetz, und nach diesem Gesetz muss er sterben, weil er sich als Sohn Gottes ausgegeben hat.

E Als Pilatus das hörte, wurde er noch ängstlicher. Er ging wieder in das Prätorium hinein und fragte Jesus: S Woher stammst du? E Jesus aber gab ihm keine Antwort. Da sagte Pilatus zu ihm: S Du sprichst nicht mit mir? Weißt du nicht, dass ich Macht habe, dich freizulassen, und Macht, dich zu kreuzigen? E Jesus antwortete: † Du hättest keine Macht über mich, wenn es dir nicht von oben gegeben wäre; darum liegt größere Schuld bei dem, der mich dir ausgeliefert hat. E Daraufhin wollte Pilatus ihn freilassen, aber die Juden schrien: S Wenn du ihn freilässt, bist du kein Freund des Kaisers; jeder, der sich als König ausgibt, lehnt sich gegen den Kaiser auf. E Auf diese Worte hin ließ Pilatus Jesus herausführen und er setzte sich auf den Richterstuhl an dem Platz, der Lithostrotos, auf Hebräisch Gabbata, heißt. Es war am Rüsttag des Paschafestes, ungefähr um die sechste Stunde. Pilatus sagte zu den Juden: S Da ist euer König! E Sie aber schrien: S Weg mit ihm, kreuzige ihn! E Pilatus aber sagte zu ihnen: S Euren König soll ich kreuzigen? E Die Hohenpriester antworteten: S Wir haben keinen König außer dem Kaiser. E Da lieferte er ihnen Jesus aus, damit er gekreuzigt würde.

Die Hinrichtung Jesu

Sie übernahmen Jesus. Er trug sein Kreuz und ging hinaus zur so genannten Schädelhöhe, die auf Hebräisch Golgota heißt. Dort kreuzigten sie ihn und mit ihm zwei andere, auf jeder Seite einen, in der Mitte Jesus. Pilatus ließ auch ein Schild anfertigen und oben am Kreuz befestigen; die Inschrift lautete: Jesus von Nazaret, der König der Juden. Dieses Schild lasen viele Juden, weil der Platz, wo Jesus gekreuzigt wurde, nahe bei der Stadt lag. Die Inschrift war hebräisch, lateinisch und griechisch abgefasst. Die Hohenpriester der Juden sagten zu Pilatus: S Schreib nicht: Der König der Juden, sondern dass er gesagt hat: Ich bin der König der Juden. E Pilatus antwortete: S Was ich geschrieben habe, habe ich geschrieben.

E Nachdem die Soldaten Jesus ans Kreuz geschlagen hatten, nahmen sie seine Kleider und machten vier Teile daraus, für jeden Soldaten einen. Sie nahmen auch sein Untergewand, das von oben her ganz durchgewebt und ohne Naht war. Sie sagten zueinander: S Wir wollen es nicht zerteilen, sondern darum losen, wem es gehören soll. E So sollte sich das Schriftwort erfüllen: Sie verteilten meine Kleider unter sich und warfen das Los um mein Gewand. Dies führten die Soldaten aus.

Bei dem Kreuz Jesu standen seine Mutter und die Schwester seiner Mutter, Maria, die Frau des Klopas, und Maria von Magdala. Als Jesus seine Mutter sah und bei ihr den Jünger, den er liebte, sagte er zu seiner Mutter: † Frau, siehe, dein Sohn! E Dann sagte er zu dem Jünger: † Siehe, deine Mutter! E Und von jener Stunde an nahm sie der Jünger zu sich.

Hier stehen alle auf.

Danach, als Jesus wusste, dass nun alles vollbracht war, sagte er, damit sich die Schrift erfüllte: † Mich dürstet. E Ein Gefäß mit Essig stand da. Sie steckten einen Schwamm mit Essig auf einen Ysopzweig und hielten ihn an seinen Mund. Als Jesus von dem Essig genommen hatte, sprach er: † Es ist vollbracht! E Und er neigte das Haupt und gab seinen Geist auf.

Hier knien alle zu einer kurzen Gebetsstille nieder.

Die Bestattung des Leichnams

Weil Rüsttag war und die Körper während des Sabbats nicht am Kreuz bleiben sollten, baten die Juden Pilatus, man möge den Gekreuzigten die Beine zerschlagen und ihre Leichen dann abnehmen; denn dieser Sabbat war ein großer Feiertag. Also kamen die Soldaten und zerschlugen dem ersten die Beine, dann dem andern, der mit ihm gekreuzigt worden war.

Als sie aber zu Jesus kamen und sahen, dass er schon tot war, zerschlugen sie ihm die Beine nicht, sondern einer der Soldaten stieß mit der Lanze in seine Seite, und sogleich floss Blut und Wasser heraus. Und der, der es gesehen hat, hat es bezeugt, und sein Zeugnis ist wahr. Und er weiß, dass er Wahres berichtet, damit auch ihr glaubt. Denn das ist geschehen, damit sich das Schriftwort erfüllte: Man soll an ihm kein Gebein zerbrechen. Und ein anderes Schriftwort sagt: Sie werden auf den blicken, den sie durchbohrt haben.

Josef aus Arimathäa war ein Jünger Jesu, aber aus Furcht vor den Juden nur heimlich. Er bat Pilatus, den Leichnam Jesu abnehmen zu dürfen, und Pilatus erlaubte es. Also kam er und nahm den Leichnam ab.

Es kam auch Nikodemus, der früher einmal Jesus bei Nacht aufgesucht hatte. Er brachte eine Mischung aus Myrrhe und Aloe, etwa hundert Pfund. Sie nahmen den Leichnam Jesu und umwickelten ihn mit Leinenbinden, zusammen mit den wohlriechenden Salben, wie es beim jüdischen Begräbnis Sitte ist.

An dem Ort, wo man ihn gekreuzigt hatte, war ein Garten, und in dem Garten war ein neues Grab, in dem noch niemand bestattet worden war. Wegen des Rüsttages der Juden und weil das Grab in der Nähe lag, setzten sie Jesus dort bei. IF

Wenn in früheren Zeiten die Menschen vom Schweigen Gottes sprachen, hatte das eine ganz andere Bedeutung: Das Schweigen ist für sie das entscheidende Wesen Gottes. Gott ist das Geheimnis, das kein Mensch lösen kann. Die großen Mystiker, die dem Wesen Gottes ein Stückchen näher gekommen waren, erklären, dass nur das Schweigen Gott beschreiben kann. »Gott wird durch das Schweigen geehrt«, sagt Thomas von Aquin.

Uns, den modernen Menschen sagt ein schweigender, ein geheimnisvoller Gott wenig bis nichts. Wir hätten es gerne eindeutig, beweisbar. Schließlich haben bis vor kurzem unsere Wissenschaftler behauptet, alle Geheimnisse der Welt lösen zu können. Inzwischen erfahren wir, dass uns jedes geöffnete Geheimnis zehn neue Rätsel vorlegt. Zudem: Gott scheint nicht auf unserer Wellenlänge zu sprechen.

Diese Erfahrung macht heute sogar Jesus, der mit Gott, seinem Vater, ein so vertrautes Verhältnis hatte. Angesichts seines Sterbens und nahen Todes fühlt er sich von Gott verlassen. Er schreit noch einmal, aber die andere Seite scheint nicht zu hören; zumindest antwortet sie nicht. Das Schweigen als Abwesenheit erschreckt uns Menschen; auch in diesem Punkt ist uns Jesus gleich geworden. Er hat uns nichts voraus.

Wir sind am Kern unseres Glaubens angelangt. An jenem Punkt, dem sich jeder Sterbende stellt, wenn er zum Sprung an das andere Ufer ansetzt: nicht wissend, ob sein Fuß überhaupt etwas berührt. Wir haben nichts, was wir wissen können.

Doch wir erfahren heute, dass Jesus – auch für uns – diesen Sprung vertrauensvoll gewagt hat. Für einen, der nicht glauben kann, war es ein Sprung ins Nichts. Für den gläubigen Menschen ist es ein Sprung in das Schweigen Gottes, aus dem alles, was ist, geschaffen wurde. Also – wie immer auch – ein Sprung in das Leben, auch wenn es ganz anders sein wird, als wir es uns denken oder erträumen können.

GROSSE FÜRBITTEN

1. Für die heilige Kirche

Laßt uns beten, Brüder und Schwestern, für die heilige Kirche Gottes, daß unser Gott und Herr ihr Frieden schenke auf der ganzen Erde, sie eine und behüte und uns ein Leben gewähre in Ruhe und Sicherheit zum Lob seines Namens.

(Beuget die Knie. - Stille - Erhebet euch.)

Allmächtiger, ewiger Gott, du hast in Christus allen Völkern deine Herrlichkeit geoffenbart. Behüte, was du in deinem Erbarmen geschaffen hast, damit deine Kirche auf der ganzen Erde in festem Glauben verharre. Darum bitten wir durch Christus, unseren Herrn.

2. Für den Papst

Laßt uns auch beten für unsern Papst N.: Der allmächtige Gott, der ihn zum Bischofsamt erwählt hat, erhalte ihn seiner Kirche und gebe ihm Kraft, das heilige Volk Gottes zu leiten.

(Beuget die Knie. - Stille - Erhebet euch.)

Allmächtiger, ewiger Gott, du Hirte deines Volkes, in deiner Weisheit ist alles begründet. Höre auf unser Gebet und bewahre in deiner Güte unseren Papst N. Leite durch ihn deine Kirche und gib, daß sie wachse im Glauben und in der Liebe. Darum bitten wir durch Christus, unseren Herrn.

3. Für alle Stände der Kirche

Laßt uns beten für unsern Bischof N., für alle Bischöfe, Priester, Diakone, für alle, die zum Dienst in der Kirche bestellt sind, und für das ganze Volk Gottes.

(Beuget die Knie. - Stille - Erhebet euch.)

Allmächtiger, ewiger Gott, dein Geist heiligt den ganzen Leib der Kirche und leitet ihn. Erhöre unser Gebet für alle Stände deines Volkes und gib ihnen die Gnade, dir in Treue zu dienen. Darum bitten wir durch Christus, unseren Herrn.

4. Für die Katechumenen

Laßt uns auch beten für die (unsere) Katechumenen: Unser Herr und Gott öffne ihre Herzen für sein Wort, er schenke ihnen in der Taufe die Vergebung aller Sünden und nehme sie auf in sein Vaterhaus, damit sie das Leben finden in unserem Herrn Jesus Christus.

(Beuget die Knie. – Stille – Erhebet euch.)

Allmächtiger, ewiger Gott, du gibst deiner Kirche immer neue Fruchtbarkeit. Schenke allen, die sich auf die Taufe vorbereiten, Wachstum im Glauben und in der Erkenntnis. Führe sie zur Wiedergeburt aus dem Quell der Taufe und nimm sie an als deine Kinder. Darum bitten wir durch Christus, unseren Herrn.

5. Für die Einheit der Christen

Laßt uns beten für alle Brüder und Schwestern, die an Christus glauben, daß unser Herr und Gott sie leite auf dem Weg der Wahrheit und sie zusammenführe in der Einheit der heiligen Kirche.

(Beuget die Knie. – Stille – Erhebet euch.)

Allmächtiger Gott, du allein kannst die Spaltung überwinden und die Einheit bewahren. Erbarme dich deiner Christenheit, die geheiligt ist durch die eine Taufe. Einige sie im wahren Glauben und schließe sie zusammen durch das Band der Liebe. Darum bitten wir durch Christus, unseren Herrn.

6. Für die Juden

Laßt uns auch beten für die Juden, zu denen Gott, unser Herr, zuerst gesprochen hat: Er bewahre sie in der Treue zu seinem Bund und in der Liebe zu seinem Namen, damit sie das Ziel erreichen, zu dem sein Ratschluß sie führen will.

(Beuget die Knie. – Stille – Erhebet euch.)

Allmächtiger, ewiger Gott, du hast Abraham und seinen Kindern deine Verheißung gegeben. Erhöre das Gebet deiner Kirche für das Volk, das du als erstes zu deinem Eigentum erwählt hast: Gib, daß es zur Fülle der Erlösung gelangt. Darum bitten wir durch Christus, unseren Herrn.

7. Für alle, die nicht an Christus glauben

Laßt uns beten für alle, die nicht an Christus glauben, daß der Heilige Geist sie erleuchte und sie auf den Weg des Heiles führe.

(Beuget die Knie. – Stille – Erhebet euch.)

Allmächtiger, ewiger Gott, steh allen bei, die sich nicht zu Christus bekennen, damit sie mit redlichem Herzen vor dir leben und die Wahrheit finden. Uns aber gib, daß wir das Geheimnis deines Lebens immer tiefer erfassen und in der brüderlichen Liebe wachsen, damit wir immer mehr zu glaubhaften Zeugen deiner Güte werden. Darum bitten wir durch Christus, unseren Herrn.

8. Für alle, die nicht an Gott glauben

Laßt uns auch beten für alle, die Gott nicht erkennen, daß sie mit seiner Hilfe ihrem Gewissen folgen und so zum Gott und Vater aller Menschen gelangen.

(Beuget die Knie. – Stille – Erhebet euch.)

Allmächtiger, ewiger Gott, du hast den Menschen geschaffen, daß er dich suche und in dir Ruhe finde. Gib dich zu erkennen in den Beweisen deines Erbarmens und in den Taten deiner Gläubigen, damit die Menschen trotz aller Hindernisse dich finden und als den wahren Gott und Vater bekennen. Darum bitten wir durch Christus, unseren Herrn.

9. Für die Regierenden

Laßt uns beten für die Regierenden: Unser Herr und Gott lenke ihren Geist und ihr Herz nach seinem Willen, damit sie den wahren Frieden und die Freiheit suchen zum Heil aller Völker.

(Beuget die Knie. – Stille – Erhebet euch.)

Allmächtiger, ewiger Gott, in deiner Hand sind die Herzen der Menschen und das Recht der Völker. Schau gnädig auf jene, die uns regieren, damit auf der ganzen Welt Sicherheit und Frieden herrschen, Wohlfahrt der Völker und Freiheit des Glaubens. Darum bitten wir durch Christus, unseren Herrn.

10. Für alle notleidenden Menschen

Laßt uns Gott, den allmächtigen Vater, bitten für alle, die der Hilfe bedürfen: Er reinige die Welt von allem Irrtum, nehme die Krankheiten hinweg, vertreibe den Hunger, löse ungerechte Fesseln, gebe den Heimatlosen Sicherheit, den Pilgernden und Reisenden eine glückliche Heimkehr, den Kranken die Gesundheit und den Sterbenden das ewige Leben.

(Beuget die Knie. – Stille – Erhebet euch.)

Allmächtiger, ewiger Gott, du Trost der Betrübten, du Kraft der Leidenden, höre auf alle, die in ihrer Bedrängnis zu dir rufen, und laß sie in jeder Not deine Barmherzigkeit erfahren. Darum bitten wir durch Christus, unseren Herrn.

KREUZVEREHRUNG

RUF ZUR KREUZERHEBUNG

V: Ecce lignum Crucis,
in quo salus mundi
pepéndit.
A: Veníte, adorémus.

V: Seht das Kreuz,
an dem der Herr gehangen,
das Heil der Welt.
A: Kommt, lasset uns anbeten.

IMPROPERIEN

A: Mein Volk, was habe ich dir getan, womit nur habe ich dich betrübt? Antworte mir.

V: Aus der Knechtschaft Ägyptens habe ich dich herausgeführt. Du aber bereitest das Kreuz deinem Erlöser.

A: Mein Volk, was habe ich dir getan, womit nur habe ich dich betrübt? Antworte mir.

Hágios, ho Theós.
Sanctus Deus.
Heiliger Gott.

Hágios Ischyrós.
Sanctus Fortis.
Heiliger, starker Gott.

Hágios Athánatos, eléison hemás.
Sanctus Immortális, miserére nobis.
Heiliger, unsterblicher Gott, erbarme dich unser.

V: Vierzig Jahre habe ich dich geleitet durch die Wüste. Ich habe dich mit Manna gespeist und dich hineingeführt in das Land der Verheißung. Du aber bereitest das Kreuz deinem Erlöser.

Hágios, ho Theós.
Sanctus Deus.
Heiliger Gott.

Hágios Ischyrós.
Sanctus Fortis.
Heiliger, starker Gott.

Hágios Athánatos, eléison hemás.
Sanctus Immortális, miserére nobis.
Heiliger, unsterblicher Gott, erbarme dich unser.

V: Was hätte ich dir mehr tun sollen und tat es nicht? Als meinen erlesenen Weinberg pflanzte ich dich, du aber brachtest mir bittere Trauben, du hast mich in meinem Durst mit Essig getränkt und mit der Lanze deinem Erlöser die Seite durchstoßen.

Hágios, ho Theós.
Sanctus Deus.
Heiliger Gott.

Hágios Ischyrós.
Sanctus Fortis.
Heiliger, starker Gott.

Hágios Athánatos, eléison hemás.
Sanctus Immortális, miserére nobis.
Heiliger, unsterblicher Gott, erbarme dich unser.

V: Deinetwegen habe ich Ägypten geschlagen und seine Erstgeburt, du aber hast mich geschlagen und dem Tod überliefert.

A: Mein Volk, was habe ich dir getan, womit nur habe ich dich betrübt? Antworte mir.

V: Ich habe dich aus Ägypten herausgeführt und den Pharao versinken lassen im Roten Meer, du aber hast mich den Hohenpriestern überliefert.

A: Mein Volk ...

V: Ich habe vor dir einen Weg durch das Meer gebahnt, du aber hast mit der Lanze meine Seite geöffnet.

A: Mein Volk ...

V: In einer Wolkensäule bin ich dir vorangezogen, du aber hast mich vor den Richterstuhl des Pilatus geführt.

A: Mein Volk ...

V: Ich habe dich in der Wüste mit Manna gespeist, du aber hast mich ins Gesicht geschlagen und mich gegeißelt.

A: Mein Volk ...

V: Ich habe dir Wasser aus dem Felsen zu trinken gegeben und dich gerettet, du aber hast mich getränkt mit Galle und Essig.

A: Mein Volk ...

V: Deinetwegen habe ich die Könige Kanaans geschlagen, du aber schlugst mir mit einem Rohr auf mein Haupt.

A: Mein Volk ...

V: Ich habe dir ein Königszepter in die Hand gegeben, du aber hast mich gekrönt mit einer Krone von Dornen.

A: Mein Volk ...

V: Ich habe dich erhöht und ausgestattet mit großer Kraft, du aber erhöhtest mich am Holz des Kreuzes.

A: Mein Volk ...

KOMMUNION

Vaterunser

Kommunionspendung

Schlussgebet

Allmächtiger, ewiger Gott, durch den Tod und die Auferstehung deines Sohnes hast du uns das neue Leben geschenkt. Bewahre in uns, was deine Barmherzigkeit gewirkt hat, und gib uns durch den Empfang dieses Sakramentes die Kraft, dir treu zu dienen. Darum bitten wir durch Christus, unseren Herrn.

Segensgebet über das Volk Karfreitag

Herr, unser Gott, reicher Segen komme herab auf dein Volk, das den Tod deines Sohnes gefeiert hat und die Auferstehung erwartet. Schenke ihm Verzeihung und Trost, Wachstum im Glauben und die ewige Erlösung. Darum bitten wir durch Christus, unseren Herrn.

Nichts war umsonst
wenn wir einmal gehen müssen
Es bleibt die Liebe,
die wir verschenkt haben.
Es bleibt die Hoffnung,
die wir anderen ins Herz gelegt haben.
Es bleibt der Glaube,
der uns über den Tod hinaus sehen lässt.
Es bleibt die Zuversicht,
die wir verbreitet haben.
Es bleiben unsere Arme
die beschützt haben.
Es bleiben unsere Füße,
die auf andere zugegangen sind.
Es bleiben die guten Worte,
die wir gesprochen haben.
Das alles bleibt – nichts war umsonst.

Roland Breitenbach

Hochfest der Auferstehung des Herrn

Die Feier der Osternacht

8. April 2012

Manchmal möchten wir die Gedanken derer lesen können, die von einer Trauerfeier auf dem Friedhof auf dem Heimweg sind. Vielleicht noch besser: Man möchte ihnen ins Herz sehen, was sie unter den Worten des Priesters von Auferstehung und ewigem Leben empfinden. Für viele Mitmenschen ist das Leben und das Sterben im Blick auf das, was dann kommen mag, voller Illusionen.

Noch immer funktioniert die Auferstehung Jesu in den Osterpredigten als das große Wunder Gottes an diesem Menschen und Sohn Gottes, aber ohne jeden Bezug zu uns, zu unserem Leben, zu unserer Hoffnung. Mehr und mehr widerstrebt uns der Begriff Auferstehung, weil zu befürchten ist, dass er auf eine falsche Fährte lockt. Lieber sollten wir von unserer Hoffnung auf ein neues Leben reden.

In den Geschichten um Ostern, die Evangelien sprechen von den Erscheinungen Jesu, können wir weniger das göttliche Wunder erkennen als vielmehr den Bekehrungsprozess der Frauen und Männer, von denen die meisten Jesus in seiner Todesangst und Sterbestunde allein gelassen hatten. Dabei fällt uns auf, dass unter den wenigen, die mit Jesus durch die letzten Stunden gegangen sind, es vor allem Frauen waren. Auch deswegen erscheint es mehr als eine schöne Komposition der Evangelisten, sondern konsequent, wenn dann auch Frauen die ersten waren, die das neue Leben Jesu sozusagen handgreiflich zu spüren bekamen.

Wir haben vom Bekehrungsprozess gesprochen. Wir meinen damit die große und tiefgreifende Umkehr der Jüngerinnen und Jünger Jesu: Nach seinem Tod anerkennen sie ihn als den Christus, den von Gott Gesandten. Durch diese Bekehrung werden die Frauen und Männer im strengen Sinn des Wortes Christen, auch wenn dieser Begriff erst eine Generation später in Antiochien auftaucht.

Ohne diese Bekehrung und ohne die Erfahrung der Anhänger Jesu ist es unmöglich, sinnvoll von Jesu Auferstehung zu sprechen. Um das Besondere zu sehen, braucht es schlicht und einfach das Organ des Glaubens. Wie es wenig sinnvoll ist, einem von Geburt an Blinden von Farben zu sprechen, so wenig sinnvoll ist es, einem Menschen ohne die Erfahrung des Glaubens von dem anderen, dem neuen Leben Jesu zu erzählen.

LICHTFEIER

SEGEN ÜBER DAS FEUER

Allmächtiger, ewiger Gott, du hast durch Christus allen, die an dich glauben, das Licht deiner Herrlichkeit geschenkt. Segne ✝ dieses neue Feuer, das die Nacht erhellt, und entflamme in uns die Sehnsucht nach dir, dem unvergänglichen Licht, damit wir mit reinem Herzen zum ewigen Osterfest gelangen. Darum bitten wir durch Christus, unseren Herrn.

BEREITUNG DER OSTERKERZE

Wo es Brauch ist, ritzt der Zelebrant ein Kreuz in die Kerze, darüber zeichnet er den ersten Buchstaben des griechischen Alphabets – Alpha – darunter den letzten – Omega. Zwischen die Kreuzesarme schreibt er die Jahreszahl. Dabei spricht er:

Christus, gestern und heute, –
Anfang und Ende, –
Alpha –
und Omega. –
Sein ist die Zeit –
und die Ewigkeit. –
Sein ist die Macht und die Herrlichkeit –
in alle Ewigkeit. Amen.

Anschließend kann der Priester an den Enden der Kreuzbalken und in deren Schnittpunkt fünf Weihrauchkörner einfügen. Dabei spricht er:

Durch seine heiligen Wunden, –
die leuchten in Herrlichkeit, –
behüte uns –
und bewahre uns –
Christus, der Herr. Amen.

ANZÜNDEN DER OSTERKERZE AM FEUER

Christus ist glorreich auferstanden vom Tod.
Sein Licht vertreibe das Dunkel der Herzen.

PROZESSION

Der Priester oder ein Diakon nimmt die Osterkerze, hebt sie empor und singt:

P/D: Lumen Christi.

A: Deo gratias.

P/D: Christus, das Licht.

A: Dank sei Gott..

EXSULTET – DAS OSTERLOB (Kf s. Markierung)

Frohlocket, ihr Chöre der Engel, frohlocket, ihr himmlischen Scharen, lasset die Posaune erschallen, preiset den Sieger, den erhabenen König!

Lobsinge, du Erde, überstrahlt vom Glanz aus der Höhe! Licht des großen Königs umleuchtet dich. Siehe, geschwunden ist allerorten das Dunkel.

Auch du freue dich, Mutter Kirche, umkleidet von Licht und herrlichem Glanze! Töne wider, heilige Halle, töne von des Volkes mächtigem Jubel. ⬅

(Darum bitte ich euch, geliebte Brüder, ihr Zeugen des Lichtes, das diese Kerze verbreitet: Ruft mit mir zum allmächtigen Vater um sein Erbarmen und seine Hilfe, daß er, der mich ohne mein Verdienst, aus reiner Gnade, in die Schar der Leviten berufen hat, mich erleuchte mit dem Glanz seines Lichtes, damit ich würdig das Lob dieser Kerze verkünde.)

➡ (V: Der Herr sei mit euch.

A: Und mit deinem Geiste.)

V: Erhebet die Herzen.

A: Wir haben sie beim Herrn.

V: Lasset uns danken dem Herrn, unserm Gott.

A: Das ist würdig und recht.

In Wahrheit ist es würdig und recht, den verborgenen Gott, den allmächtigen Vater, mit aller Glut des Herzens zu rühmen und seinen eingeborenen Sohn, unsern Herrn Jesus Christus, mit jubelnder Stimme zu preisen.

Er hat für uns beim ewigen Vater Adams Schuld bezahlt und den Schuldbrief ausgelöscht mit seinem Blut, das er aus Liebe vergossen hat.

Gekommen ist das heilige Osterfest, an dem das wahre Lamm geschlachtet ward, dessen Blut die Türen der Gläubigen heiligt und das Volk bewahrt vor Tod und Verderben.

Dies ist die Nacht, die unsere Väter, die Söhne Israels, aus Ägypten befreit und auf trockenem Pfad durch die Fluten des Roten Meeres geführt hat.

Dies ist die Nacht, in der die leuchtende Säule das Dunkel der Sünde vertrieben hat.

Dies ist die Nacht, die auf der ganzen Erde alle, die an Christus glauben, scheidet von den Lastern der Welt, dem Elend der Sünde entreißt, ins Reich der Gnade heimführt und einfügt in die heilige Kirche.

Dies ist die selige Nacht, in der Christus die Ketten des Todes zerbrach und aus der Tiefe als Sieger emporstieg. ⬅

Wahrhaftig, umsonst wären wir geboren, hätte uns nicht der Erlöser gerettet.

➡ O unfaßbare Liebe des Vaters: Um den Knecht zu erlösen, gabst du den Sohn dahin!

O wahrhaft heilbringende Sünde des Adam, du wurdest uns zum Segen, da Christi Tod dich vernichtet hat.

O glückliche Schuld, welch großen Erlöser hast du gefunden. ⬅

O wahrhaft selige Nacht, dir allein war es vergönnt, die Stunde zu kennen, in der Christus erstand von den Toten. Dies ist die

Nacht, von der geschrieben steht: »Die Nacht wird hell wie der Tag, wie strahlendes Licht wird die Nacht mich umgeben.«

➡ Der Glanz dieser heiligen Nacht nimmt den Frevel hinweg, reinigt von Schuld, gibt den Sündern die Unschuld, den Trauernden Freude.⬅ Weit vertreibt sie den Haß, sie einigt die Herzen und beugt die Gewalten.

In dieser gesegneten Nacht, heiliger Vater, nimm an das Abendopfer unseres Lobes, nimm diese Kerze entgegen als unsere festliche Gabe! Aus dem köstlichen Wachs der Bienen bereitet, wird sie dir dargebracht von deiner heiligen Kirche durch die Hand ihrer Diener.

So ist nun das Lob dieser kostbaren Kerze erklungen, die entzündet wurde am lodernden Feuer zum Ruhme des Höchsten.

Wenn auch ihr Licht sich in der Runde verteilt hat, so verlor es doch nichts von der Kraft seines Glanzes. Denn die Flamme wird genährt vom schmelzenden Wachs, das der Fleiß der Bienen für diese Kerze bereitet hat.

➡ O wahrhaft selige Nacht, die Himmel und Erde versöhnt, die Gott und Menschen verbindet!

Einschub – Nur Kf:

In dieser gesegneten Nacht, heiliger Vater, nimm an das Abendopfer unseres Lobes, nimm diese Kerze entgegen als unsere festliche Gabe! Aus dem köstlichen Wachs der Bienen bereitet, wird sie dir dargebracht von deiner heiligen Kirche durch die Hand ihrer Diener.⬅

Darum [➡So] bitten wir dich, o Herr: Geweiht zum Ruhm deines Namens, leuchte die Kerze fort, um in dieser Nacht das Dunkel zu vertreiben.

Nimm sie an als lieblich duftendes Opfer, vermähle ihr Licht mit den Lichtern am Himmel.

Sie leuchte, bis der Morgenstern erscheint, jener wahre Morgenstern, der in Ewigkeit nicht untergeht: dein Sohn, unser Herr Jesus Christus, der von den Toten erstand, der den Menschen erstrahlt im österlichen Licht, der lebt und herrscht in Ewigkeit! Amen.⬅

WORTGOTTESDIENST

ERSTE LESUNG

Gen 1,1–2,2 (Kf: 1,1.26–31a)

Lesung aus dem Buch Genesis.

Im Anfang schuf Gott Himmel und Erde;◆ die Erde aber war wüst und wirr, Finsternis lag über der Urflut und Gottes Geist schwebte über dem Wasser. Gott sprach: Es werde Licht. Und es wurde Licht. Gott sah, dass das Licht gut war. Gott schied das Licht von der Finsternis und Gott nannte das Licht Tag und die Finsternis nannte er Nacht. Es wurde Abend und es wurde Morgen: erster Tag.

Dann sprach Gott: Ein Gewölbe entstehe mitten im Wasser und scheide Wasser von Wasser. Gott machte also das Gewölbe und schied das Wasser unterhalb des Gewölbes vom Wasser oberhalb des Gewölbes. So geschah es, und Gott nannte das Gewölbe Himmel. Es wurde Abend und es wurde Morgen: zweiter Tag.

Dann sprach Gott: Das Wasser unterhalb des Himmels sammle sich an einem Ort, damit das Trockene sichtbar werde. So geschah es. Das Trockene nannte Gott Land und das angesammelte Wasser nannte er Meer. Gott sah, dass es gut war. Dann sprach Gott: Das Land lasse junges Grün wachsen, alle Arten von Pflanzen, die Samen tragen, und von Bäumen, die auf der Erde Früchte bringen mit ihrem Samen darin. So geschah es. Das Land brachte junges Grün hervor, alle Arten von Pflanzen, die Samen tragen, alle Arten von Bäumen, die Früchte bringen mit ihrem Samen darin. Gott sah, dass es gut war. Es wurde Abend und es wurde Morgen: dritter Tag.

Dann sprach Gott: Lichter sollen am Himmelsgewölbe sein, um Tag und Nacht zu scheiden. Sie sollen Zeichen sein und zur Bestimmung von Festzeiten, von Tagen und Jahren dienen; sie sollen Lichter am Himmelsgewölbe sein, die über die Erde hin leuchten. So geschah es. Gott machte die beiden großen Lichter, das größere, das über den Tag herrscht, das kleinere, das über die Nacht herrscht, auch die Sterne. Gott setzte die Lichter an das Himmelsgewölbe, damit sie über die Erde hin leuchten, über Tag und Nacht herrschen und das Licht von der Finsternis scheiden. Gott sah, dass es gut war. Es wurde Abend und es wurde Morgen: vierter Tag.

Dann sprach Gott: Das Wasser wimmle von lebendigen Wesen und Vögel sollen über dem Land am Himmelsgewölbe dahinfliegen. Gott schuf alle Arten von großen Seetieren und anderen Lebewesen, von denen das Wasser wimmelt, und alle Arten von gefiederten Vögeln. Gott sah, dass es gut war. Gott segnete sie und sprach: Seid fruchtbar und vermehrt euch und bevölkert das Wasser im Meer und die Vögel sollen sich auf dem Land vermehren. Es wurde Abend und es wurde Morgen: fünfter Tag.

Dann sprach Gott: Das Land bringe alle Arten von lebendigen Wesen hervor, von Vieh, von Kriechtieren und von Tieren des Feldes. So geschah es. Gott machte alle Arten von Tieren des Feldes, alle Arten von Vieh und alle Arten von Kriechtieren auf dem Erdboden. Gott sah, dass es gut war.

Dann sprach Gott [➡Und Gott sprach]: Lasst uns Menschen machen als unser Abbild, uns ähnlich. Sie sollen herrschen über die Fische des Meeres, über die Vögel des Himmels, über das Vieh, über die ganze Erde und über alle Kriechtiere auf dem Land. Gott schuf also den Menschen als sein Abbild; als Abbild Gottes schuf er ihn. Als Mann und Frau schuf er sie.

Gott segnete sie und Gott sprach zu ihnen: Seid fruchtbar und vermehrt euch, bevölkert die Erde, unterwerft sie euch und herrscht über die Fische des Meeres, über die Vögel des Himmels und über alle Tiere, die sich auf dem Land regen. Dann sprach Gott: Hiermit übergebe ich euch alle Pflanzen auf der ganzen Erde, die Samen tragen, und alle Bäume mit samenhaltigen Früchten. Euch sollen sie zur Nahrung dienen. Allen Tieren des Feldes, allen Vögeln des Himmels und allem, was sich auf der Erde regt, was Lebensatem in sich hat, gebe ich alle grünen Pflanzen zur Nahrung. So geschah es. Gott sah alles an, was er gemacht hatte: Es war sehr gut.⬅ Es wurde Abend und es wurde Morgen: der sechste Tag.

So wurden Himmel und Erde vollendet und ihr ganzes Gefüge. Am siebten Tag vollendete Gott das Werk, das er geschaffen hatte, und er ruhte am siebten Tag, nachdem er sein ganzes Werk vollbracht hatte. ℞

Gott setzt alles in Gang, dass es sich entwickle.
Unsere Bilder sind dürftig im Vergleich
zu dem gewaltigen Geschehen im All,
das bis zum heutigen Tag noch nicht vollendet ist.
Wir halten dankbar fest:
Alles kommt aus Gottes Hand.
Der Himmel und die Erde.
Das All und unsere eigene kleine Welt.
Alles hat Sinn.
Den Sinn zu entdecken, hilft uns der Glaube.
Gott hat uns nach seinem Bild und seinen Vorstellungen
als Mann und Frau geschaffen.
In jedem Menschen glüht seither ein Funke Gottes.
Der göttliche Funke macht uns zu Geschwistern.

ANTWORTPSALM Ps 104,1–2.5–6.10.12–14b.24.1ab (℞: vgl. 30)

℞: Sende aus deinen Geist, und das Antlitz der Erde wird neu.
VII. Ton – GL 253,1 · KG 489

Lobe den Herrn, meine Seele! /
Herr, mein Gott, wie groß bist du! *
Du bist mit Hoheit und Pracht bekleidet.
Du hüllst dich in Licht wie in ein Kleid, *
du spannst den Himmel aus wie ein Zelt. – ℞

Du hast die Erde auf Pfeiler gegründet; *
in alle Ewigkeit wird sie nicht wanken.
Einst hat die Urflut sie bedeckt wie ein Kleid, *
die Wasser standen über den Bergen. – ℞

Du lässt die Quellen hervorsprudeln in den Tälern, *
sie eilen zwischen den Bergen dahin.

An den Ufern wohnen die Vögel des Himmels, *
aus den Zweigen erklingt ihr Gesang. – ℟

Du tränkst die Berge aus deinen Kammern, *
aus deinen Wolken wird die Erde satt.
Du lässt Gras wachsen für das Vieh, *
auch Pflanzen für den Menschen, die er anbaut. – ℟

Herr, wie zahlreich sind deine Werke! /
Mit Weisheit hast du sie alle gemacht, *
die Erde ist voll von deinen Geschöpfen.
Lobe den Herrn, meine Seele! *
Herr, mein Gott, wie groß bist du! – ℟

Oder: Ps 33,4–7.12–13.20.22 (℟: vgl. 5b)

℟: Von deiner Huld, o Herr, ist die Erde erfüllt.
V. Ton – GL 477

Das Wort des Herrn ist wahrhaftig, *
all sein Tun ist verlässlich.
Er liebt Gerechtigkeit und Recht, *
die Erde ist erfüllt von der Huld des Herrn. – ℟

Durch das Wort des Herrn wurden die Himmel geschaffen, *
ihr ganzes Heer durch den Hauch seines Mundes.
Wie in einem Schlauch fasst er das Wasser des Meeres, *
verschließt die Urflut in Kammern. – ℟

Wohl dem Volk, dessen Gott der Herr ist, *
der Nation, die er sich zum Erbteil erwählt hat.
Der Herr blickt herab vom Himmel, *
er sieht auf alle Menschen. – ℟

Unsre Seele hofft auf den Herrn; *
er ist für uns Schild und Hilfe.
Lass deine Güte über uns walten, o Herr, *
denn wir schauen aus nach dir. – ℟

Allmächtiger Gott, du bist wunderbar in allem, was du tust. Laß deine Erlösten erkennen, daß deine Schöpfung groß ist, doch größer noch das Werk der Erlösung, die du uns in der Fülle der Zeit geschenkt hast durch den Tod des Osterlammes, unseres Herrn Jesus Christus, der mit dir lebt und herrscht in alle Ewigkeit.

Oder:

Allmächtiger Gott, du hast den Menschen wunderbar erschaffen und noch wunderbarer erlöst. Hilf uns, den Verlockungen der Sünde durch die Kraft des Geistes zu widerstehen, damit wir zu den ewigen Freuden gelangen. Darum bitten wir durch Christus, unseren Herrn.

ZWEITE LESUNG

Gen 22,1–18 (Kf: 22,1–2.9a.10–13.15–18)

Lesung aus dem Buch Genesis.

In jenen Tagen stellte Gott Abraham auf die Probe. Er sprach zu ihm: Abraham! Er antwortete: Hier bin ich. Gott sprach: Nimm deinen Sohn, deinen einzigen, den du liebst, Isaak, geh in das Land Morija und bring ihn dort auf einem der Berge, den ich dir nenne, als Brandopfer dar.⬅

Frühmorgens stand Abraham auf, sattelte seinen Esel, holte seine beiden Jungknechte und seinen Sohn Isaak, spaltete Holz zum Opfer und machte sich auf den Weg zu dem Ort, den ihm Gott genannt hatte. Als Abraham am dritten Tag aufblickte, sah er den Ort von weitem.

Da sagte Abraham zu seinen Jungknechten: Bleibt mit dem Esel hier! Ich will mit dem Knaben hingehen und anbeten; dann kommen wir zu euch zurück. Abraham nahm das Holz für das Brandopfer und lud es seinem Sohn Isaak auf. Er selbst nahm das Feuer und das Messer in die Hand. So gingen beide miteinander. Nach einer Weile sagte Isaak zu seinem Vater Abraham: Vater! Er antwortete: Ja, mein Sohn! Dann sagte Isaak: Hier ist Feuer und Holz. Wo aber ist das Lamm für das Brandopfer? Abraham entgegnete: Gott wird sich das Opferlamm aussuchen, mein Sohn. Und beide gingen miteinander weiter.

➡Als sie an den Ort kamen, den ihm Gott genannt hatte, baute Abraham den Altar, [und] schichtete das Holz auf,⬅ fesselte seinen Sohn Isaak und legte ihn auf den Altar, oben auf das Holz. ➡Schon streckte Abraham seine Hand aus und nahm das Messer, um seinen Sohn zu schlachten. Da rief ihm der Engel des Herrn vom Himmel her zu: Abraham, Abraham! Er antwortete: Hier bin ich. Jener sprach: Streck deine Hand nicht gegen den Knaben aus und tu ihm nichts zuleide! Denn jetzt weiß ich, dass du Gott fürchtest; du hast mir deinen einzigen Sohn nicht vorenthalten. Als Abraham aufschaute, sah er: Ein Widder hatte sich hinter ihm mit seinen Hörnern im Gestrüpp verfangen. Abraham ging hin, nahm den Widder und brachte ihn statt seines Sohnes als Brandopfer dar.⬅

Abraham nannte jenen Ort Jahwe-Jire – Der Herr sieht –, wie man noch heute sagt: Auf dem Berg lässt sich der Herr sehen.

➡Der Engel des Herrn rief Abraham zum zweiten Mal vom Himmel her zu und sprach: Ich habe bei mir geschworen – Spruch des Herrn: Weil du das getan hast und deinen einzigen Sohn mir nicht vorenthalten hast, will ich dir Segen schenken in Fülle und deine Nachkommen zahlreich machen wie die Sterne am Himmel und den Sand am Meeresstrand. Deine Nachkommen sollen das Tor ihrer Feinde einnehmen. Segnen sollen sich mit deinen Nachkommen alle Völker der Erde, weil du auf meine Stimme gehört hast.⬅ IF

Einen Engel brauchen wir an unserer Seite,
damit wir in schweren Entscheidungen nicht alleine stehen.
Einen Engel, der zur rechten Zeit spricht.
Einen Engel, der uns zurückhält und notfalls in den Arm fällt.
Einen Engel, der unsere Hand führt
oder das Werkzeug der Gewalt aus der Hand schlägt.
Einen Engel, der schweigt, wenn alles gesagt und getan ist.
Einen Engel brauchen wir an unserer Seite.

ANTWORTPSALM

Ps 16,5.8–10.2.11 (IR: vgl. 1)

IR: Behüte mich, Gott, denn ich vertraue auf dich.
IV. Ton – GL 527,7

Du, Herr, gibst mir das Erbe und reichst mir den Becher; *
du hältst mein Los in deinen Händen.
Ich habe den Herrn beständig vor Augen. *
Er steht mir zur Rechten, ich wanke nicht. – IR

Darum freut sich mein Herz und frohlockt meine Seele; *
auch mein Leib wird wohnen in Sicherheit.
Denn du gibst mich nicht der Unterwelt preis; *
du lässt deinen Frommen das Grab nicht schauen. – IR

Ich sage zum Herrn: »Du bist mein Herr; *
mein ganzes Glück bist du allein.«
Du zeigst mir den Pfad zum Leben. /
Vor deinem Angesicht herrscht Freude in Fülle, *
zu deiner Rechten Wonne für alle Zeit. – IR

Gott, du Vater aller Gläubigen, durch deine Gnade mehrst du auf dem ganzen Erdenrund die Kinder deiner Verheißung. Durch das österliche Sakrament der Taufe erfüllst du den Eid, den du Abraham geschworen hast, und machst ihn zum Vater aller Völker. Gib allen, die du zu deinem Volke berufen hast, die Gnade, diesem Ruf zu folgen. Darum bitten wir durch Christus, unseren Herrn.

DRITTE LESUNG

Ex 14,15 – 15,1

Lesung aus dem Buch Exodus.

In jenen Tagen, als die Israeliten sahen, dass die Ägypter ihnen nachrückten, erschraken sie sehr und schrien zum Herrn. Da sprach der Herr zu Mose: Was schreist du zu mir? Sag den Israeliten, sie sollen aufbrechen. Und du heb deinen Stab hoch, streck deine Hand über das Meer und spalte es, damit die Israeliten auf trockenem Boden in das Meer hineinziehen können. Ich aber will das Herz der Ägypter verhärten, damit sie hinter ihnen hineinziehen. So will ich am Pharao und an seiner ganzen Streitmacht, an seinen Streitwagen und Reitern meine Herrlichkeit erweisen. Die Ägypter sollen erkennen, dass ich der Herr bin, wenn ich am Pharao, an seinen Streitwagen und Reitern meine Herrlichkeit erweise.

Der Engel Gottes, der den Zug der Israeliten anführte, erhob sich und ging an das Ende des Zuges und die Wolkensäule vor ihnen erhob sich und trat an das Ende. Sie kam zwischen das Lager der Ägypter und das Lager der Israeliten. Die Wolke war da und Finsternis und Blitze erhellten die Nacht. So kamen sie die ganze Nacht einander nicht näher.

Mose streckte seine Hand über das Meer aus und der Herr trieb die ganze Nacht das Meer durch einen starken Ostwind fort. Er ließ das Meer austrocknen und das Wasser spaltete sich. Die Israeliten zogen auf trockenem Boden ins Meer hinein, während rechts und links von ihnen das Wasser wie eine Mauer stand. Die Ägypter setzten ihnen nach; alle Pferde des Pharao, seine Streitwagen und Reiter zogen hinter ihnen ins Meer hinein.

Um die Zeit der Morgenwache blickte der Herr aus der Feuer- und Wolkensäule auf das Lager der Ägypter und brachte es in Verwirrung. Er hemmte die Räder an ihren Wagen und ließ sie nur schwer vorankommen. Da sagte der Ägypter: Ich muss vor Israel fliehen; denn Jahwe kämpft auf ihrer Seite gegen Ägypten.

Darauf sprach der Herr zu Mose: Streck deine Hand über das Meer, damit das Wasser zurückflutet und den Ägypter, seine Wagen und Reiter, zudeckt. Mose streckte seine Hand über das Meer und gegen Morgen flutete das Meer an seinen alten Platz zurück, während die Ägypter auf der Flucht ihm entgegenliefen. So trieb der Herr die Ägypter mitten ins Meer. Das Wasser kehrte zurück und bedeckte Wagen und Reiter, die ganze Streitmacht des Pharao, die den Israeliten ins Meer nachgezogen war. Nicht ein Einziger von ihnen blieb übrig. Die Israeliten aber waren auf trockenem Boden mitten durch das Meer gezogen, während rechts und links von ihnen das Wasser wie eine Mauer stand.

So rettete der Herr an jenem Tag Israel aus der Hand der Ägypter. Israel sah die Ägypter tot am Strand liegen. Als Israel sah, dass der Herr mit mächtiger Hand an den Ägyptern gehandelt hatte, fürchtete das Volk den Herrn. Sie glaubten an den Herrn und an Mose, seinen Knecht.
Damals sang Mose mit den Israeliten dem Herrn dieses Lied; sie sagten: Ich singe dem Herrn ein Lied, denn er ist hoch und erhaben. Rosse und Wagen warf er ins Meer. IF

Nicht nur Mose hat das Lied des Herrn gesungen.
Nicht nur die Männer waren befreit aus der Knechtschaft.
Auch Mirjam stimmte das Siegeslied an.
Das Lied der Befreiung aller Frauen aus der Unterdrückung.
Und sie tanzte vor Gott,
mit allen Sinnen lobte sie Gott,
der auf die Kleinen sieht und die Machthaber vom Thron stürzt.

ANTWORTPSALM Ex 15,1b–6.13.17–18 (IR: vgl. 1bc)

IR: Dem Herrn will ich singen, machtvoll hat er sich kundgetan.
VII. Ton – GL 209,1 · KG 267

Ich singe dem Herrn ein Lied, /
denn er ist hoch und erhaben. *
Rosse und Wagen warf er ins Meer.
Meine Stärke und mein Lied ist der Herr, *
er ist für mich zum Retter geworden. – IR

Er ist mein Gott, ihn will ich preisen; *
den Gott meines Vaters will ich rühmen.
Der Herr ist ein Krieger, *
Jahwe ist sein Name. – IR

Pharaos Wagen und seine Streitmacht warf er ins Meer. *
Seine besten Kämpfer versanken im Schilfmeer.
Fluten deckten sie zu, *
sie sanken in die Tiefe wie Steine. – IR

Deine Rechte, Herr, ist herrlich an Stärke; *
deine Rechte, Herr, zerschmettert den Feind.
Du lenktest in deiner Güte das Volk, das du erlöst hast, *
du führtest sie machtvoll zu deiner heiligen Wohnung. – IR

Du brachtest sie hin und pflanztest sie ein *
auf dem Berg deines Erbes.
Einen Ort, wo du thronst, Herr, hast du gemacht; /
ein Heiligtum, Herr, haben deine Hände gegründet. *
Der Herr ist König für immer und ewig. – IR

Gott, deine uralten Wunder leuchten noch in unseren Tagen. Was einst dein mächtiger Arm an e i n e m Volk getan hat, das tust du jetzt an allen Völkern: Einst hast du Israel aus der Knechtschaft des Pharao befreit und durch die Fluten des Roten Meeres geführt; nun aber führst du alle Völker durch das Wasser der Taufe zur Freiheit. Gib, daß alle Menschen Kinder Abrahams werden und zur Würde des auserwählten Volkes gelangen. Darum bitten wir durch Christus, unseren Herrn.

Oder:

Herr, unser Gott, du hast uns durch das Licht des Neuen Bundes den Sinn der Wunder erschlossen, die du im Alten Bund gewirkt hast: Das Rote Meer ist ein Bild für das Wasser der Taufe; das befreite Volk Israel deutet hin auf das heilige Volk des Neuen Bundes. Gib, daß alle Menschen durch den Glauben an der Würde Israels teilhaben und im Heiligen Geist die Gnade der Wiedergeburt empfangen. Darum bitten wir durch Christus, unseren Herrn.

VIERTE LESUNG — Jes 54,5–14

Lesung aus dem Buch Jesaja.

Jerusalem, dein Schöpfer ist dein Gemahl, »Herr der Heere« ist sein Name. Der Heilige Israels ist dein Erlöser, »Gott der ganzen Erde« wird er genannt.

Ja, der Herr hat dich gerufen als verlassene, bekümmerte Frau. Kann man denn die Frau verstoßen, die man in der Jugend geliebt hat?, spricht dein Gott. Nur für eine kleine Weile habe ich dich verlassen, doch mit großem Erbarmen hole ich dich heim. Einen Augenblick nur verbarg ich vor dir mein Gesicht in aufwallendem Zorn; aber mit ewiger Huld habe ich Erbarmen mit dir, spricht dein Erlöser, der Herr.

Wie in den Tagen Noachs soll es für mich sein: So wie ich damals schwor, dass die Flut Noachs die Erde nie mehr überschwemmen wird, so schwöre ich jetzt, dir nie mehr zu zürnen und dich nie mehr zu schelten. Auch wenn die Berge von ihrem Platz weichen und die Hügel zu wanken beginnen – meine Huld wird nie von dir weichen und der Bund meines Friedens nicht wanken, spricht der Herr, der Erbarmen hat mit dir.

Du Ärmste, vom Sturm Gepeitschte, die ohne Trost ist, sieh her: Ich selbst lege dir ein Fundament aus Malachit und Grundmauern aus Saphir. Aus Rubinen mache ich deine Zinnen, aus Beryll deine Tore und alle deine Mauern aus kostbaren Steinen. Alle deine Söhne werden Jünger des Herrn sein und groß ist der Friede deiner Söhne. Du wirst auf Gerechtigkeit gegründet sein. Du bist fern von Bedrängnis, denn du brauchst dich nicht mehr zu fürchten und bist fern von Schrecken; er kommt an dich nicht heran. IF

Gott ist für die Kleinen da.
Er nimmt in seinem Erbarmen alle in die Arme.
Nicht wegen irgendwelcher Erfolge
oder des Nachweises besonderer Leistungen.
Er schaut auf die Nöte und Bedürfnisse.
In seinem Namen wird Jesus sagen:
Selig die Armen und Leidenden,
selig die Verfolgten und Hungernden.
Entweder ist das Christentum die Partei der Schwachen,
oder es hat seinen Auftrag nicht erfüllt.

ANTWORTPSALM Ps 30,2.4–6.12a.13b (℟: vgl. 2ab)

℟: Herr, du zogst mich empor aus der Tiefe; ich will dich rühmen in Ewigkeit.

II. Ton – GL 527,6

Ich will dich rühmen, Herr, /
denn du hast mich aus der Tiefe gezogen *
und lässt meine Feinde nicht über mich triumphieren.
Herr, du hast mich herausgeholt aus dem Reich des Todes, *
aus der Schar der Todgeweihten mich zum Leben gerufen. – ℟

Singt und spielt dem Herrn, ihr seine Frommen, *
preist seinen heiligen Namen!
Denn sein Zorn dauert nur einen Augenblick, *
doch seine Güte ein Leben lang. – ℟

Wenn man am Abend auch weint, *
am Morgen herrscht wieder Jubel.
Du hast mein Klagen in Tanzen verwandelt, *
Herr, mein Gott, ich will dir danken in Ewigkeit. – ℟

Allmächtiger, ewiger Gott, verherrliche deinen Namen. Gewähre, was du den Vätern um ihres Glaubens willen versprochen hast, und mehre durch die Taufe die Zahl deiner Kinder. Laß deine Kirche erfahren, daß sich erfüllt, was die Heiligen des Alten Bundes gläubig erhofft haben. Darum bitten wir durch Christus, unseren Herrn.

FÜNFTE LESUNG Jes 55,1–11

Lesung aus dem Buch Jesaja.

So spricht der Herr: Auf, ihr Durstigen, kommt alle zum Wasser! Auch wer kein Geld hat, soll kommen. Kauft Getreide und esst, kommt und kauft ohne Geld, kauft Wein und Milch ohne Bezahlung! Warum bezahlt ihr mit Geld, was euch nicht nährt, und mit dem Lohn eurer Mühen, was euch nicht satt macht? Hört auf mich, dann bekommt ihr das Beste zu essen und könnt euch laben an fetten Speisen. Neigt euer Ohr mir zu und kommt zu mir, hört, dann werdet ihr leben. Ich will einen ewigen Bund mit euch schließen gemäß der beständigen Huld, die ich David erwies. Seht her: Ich habe ihn zum Zeugen für die Völker gemacht, zum Fürsten und Gebieter der Nationen. Völker, die du nicht kennst, wirst du rufen; Völker, die dich nicht kennen, eilen zu dir, um des Herrn, deines Gottes, des Heiligen Israels willen, weil er dich herrlich gemacht hat.

Sucht den Herrn, solange er sich finden lässt, ruft ihn an, solange er nahe ist. Der Ruchlose soll seinen Weg verlassen, der Frevler seine Pläne. Er kehre um zum Herrn, damit er Erbarmen hat mit ihm, und zu unserem Gott; denn er ist groß im Verzeihen. Meine Gedanken sind nicht eure Gedanken und eure Wege sind nicht meine Wege – Spruch des Herrn. So hoch der Himmel über der Erde ist, so hoch erhaben sind meine Wege über eure Wege und meine Gedanken über eure Gedanken.

Denn wie der Regen und der Schnee vom Himmel fällt und nicht dorthin zurückkehrt, sondern die Erde tränkt und sie zum Keimen und Sprossen bringt, wie er dem Sämann Samen gibt und Brot zum Essen, so ist es auch mit dem Wort, das meinen Mund verlässt: Es kehrt nicht leer zu mir zurück, sondern bewirkt, was ich will, und erreicht all das, wozu ich es ausgesandt habe. ⅠF

Man kann nicht alles kaufen.
Das meiste unseres Lebens, recht bedacht,
ist Geschenk.
Geschenk Gottes:
Die Luft, das Wasser, die Liebe, der Himmel.
Nicht alles macht satt, was man kaufen kann.
Das Glück liegt nur in winzigen Portionen in unserer Welt.
Ein Vorgeschmack des ewigen Glücks,
das unsere Sehnsucht wach
und unseren Geist offen halten will.

ANTWORTPSALM Jes 12,2–3.4b–6 (ⅠR: 3)

ⅠR: Ihr werdet Wasser schöpfen voll Freude aus den Quellen des Heils.

VII. Ton – GL 209,2

Gott ist meine Rettung; *
ihm will ich vertrauen und niemals verzagen.
Denn meine Stärke und mein Lied ist der Herr. *
Er ist für mich zum Retter geworden. – ℟

Ihr werdet Wasser schöpfen voll Freude *
aus den Quellen des Heils.
Dankt dem Herrn! Ruft seinen Namen an! /
Macht seine Taten unter den Völkern bekannt, *
verkündet: Sein Name ist groß und erhaben! – ℟

Preist den Herrn; denn herrliche Taten hat er vollbracht; *
auf der ganzen Erde soll man es wissen.
Jauchzt und jubelt, ihr Bewohner von Zion; *
denn groß ist in eurer Mitte der Heilige Israels. – ℟

Allmächtiger, ewiger Gott, du einzige Hoffnung der Welt, durch die Propheten hast du die Heilsereignisse angekündigt, die sich in unseren Tagen erfüllen. Erwecke du selbst in uns das Verlangen, dir immer treuer zu dienen; denn niemand macht Fortschritte im Guten, wenn ihn nicht deine Gnade führt. Darum bitten wir durch Christus, unseren Herrn.

SECHSTE LESUNG

Bar 3,9–15.32 – 4,4

Lesung aus dem Buch Baruch.

Höre, Israel, die Gebote des Lebens; merkt auf, um Einsicht zu erlangen. Warum, Israel, warum lebst du im Gebiet der Feinde, siechst dahin in einem fremden Land, bist unrein geworden, den Toten gleich, wurdest zu den Abgeschiedenen gezählt? Du hast den Quell der Weisheit verlassen. Wärest du auf Gottes Weg gegangen, du wohntest in Frieden für immer. Nun lerne, wo die Einsicht ist, wo Kraft und wo Klugheit, dann erkennst du zugleich, wo langes Leben und Lebensglück, wo Licht für die Augen und Frieden zu finden sind.

Wer hat je den Ort der Weisheit gefunden? Wer ist zu ihren Schatzkammern vorgedrungen? Doch der Allwissende kennt sie;

er hat sie in seiner Einsicht entdeckt. Er hat ja die Erde für immer gegründet, er hat sie mit Tieren bevölkert. Er entsendet das Licht und es eilt dahin; er ruft es zurück und zitternd gehorcht es ihm. Froh leuchten die Sterne auf ihren Posten. Ruft er sie, so antworten sie: Hier sind wir. Sie leuchten mit Freude für ihren Schöpfer.

Das ist unser Gott; kein anderer gilt neben ihm. Er hat den Weg der Weisheit ganz erkundet und hat sie Jakob, seinem Diener, verliehen, Israel, seinem Liebling. Dann erschien sie auf der Erde und hielt sich unter den Menschen auf.

Sie ist das Buch der Gebote Gottes, das Gesetz, das ewig besteht. Alle, die an ihr fest halten, finden das Leben; doch alle, die sie verlassen, verfallen dem Tod. Kehr um, Jakob, ergreif sie! Geh deinen Weg im Glanz ihres Lichtes! Überlass deinen Ruhm keinem andern, dein Vorrecht keinem fremden Volk! Glücklich sind wir, das Volk Israel; denn wir wissen, was Gott gefällt. ℟F

Ein Gesegneter spricht, so der Name Baruch.
Einer, der erkennen kann, was Gott am Menschen tun will.
Dafür ist Gott in Vorleistung getreten.
Für uns ist die Erde als Lebensraum geschaffen,
die Sterne und das Licht sind zu unserer Freude gemacht.
Pflanzen und Tiere wurden in unsere Verantwortung gegeben.
Leben gibt Gott,
denn auf ihn ist Verlass.

ANTWORTPSALM Ps 19,8–12 (Joh 6,68c)

℟: Herr, du hast Worte des ewigen Lebens.
II. Ton – GL 465 · KG 629

Die Weisung des Herrn ist vollkommen und gut, *
sie erquickt den Menschen.
Das Gesetz des Herrn ist verlässlich, *
den Unwissenden macht es weise. – ℟

Die Befehle des Herrn sind richtig, *
sie erfreuen das Herz;

das Gebot des Herrn ist lauter, *
es erleuchtet die Augen. – ℟

Die Furcht des Herrn ist rein, *
sie besteht für immer.
Die Urteile des Herrn sind wahr, *
gerecht sind sie alle. – ℟

Sie sind kostbarer als Gold, als Feingold in Menge. *
Sie sind süßer als Honig, als Honig aus Waben.
Auch dein Knecht lässt sich von ihnen warnen; *
wer sie beachtet, hat reichen Lohn. – ℟

Gott, unser Vater, du mehrst die Zahl deiner Kinder und rufst aus allen Völkern Menschen in deine Kirche. Beschütze gütig die Täuflinge, damit sie den Quell der Weisheit niemals verlassen und auf deinen Wegen gehen. Darum bitten wir durch Christus, unseren Herrn.

SIEBTE LESUNG

Ez 36,16–17a.18–28

Lesung aus dem Buch Ezechiel.

Das Wort des Herrn erging an mich: Hör zu, Menschensohn! Als Israel in seinem Land wohnte, machten sie das Land durch ihr Verhalten und ihre Taten unrein. Da goss ich meinen Zorn über sie aus, weil sie Blut vergossen im Land und das Land mit ihren Götzen befleckten. Ich zerstreute sie unter die Völker; in alle Länder wurden sie vertrieben. Nach ihrem Verhalten und nach ihren Taten habe ich sie gerichtet.

Als sie aber zu den Völkern kamen, entweihten sie überall, wohin sie kamen, meinen heiligen Namen; denn man sagte von ihnen: Das ist das Volk Jahwes und doch mussten sie sein Land verlassen. Da tat mir mein heiliger Name leid, den das Haus Israel bei den Völkern entweihte, wohin es auch kam.

Darum sag zum Haus Israel: So spricht Gott, der Herr: Nicht euretwegen handle ich, Haus Israel, sondern um meines heiligen Namens willen, den ihr bei den Völkern entweiht habt, wohin ihr auch gekommen seid. Meinen großen, bei den Völkern entweihten Namen, den ihr mitten unter ihnen entweiht habt, werde ich wieder heiligen. Und die Völker – Spruch Gottes, des Herrn – werden erkennen, dass ich der Herr bin, wenn ich mich an euch vor ihren Augen als heilig erweise. Ich hole euch heraus aus den Völkern, ich sammle euch aus allen Ländern und bringe euch in euer Land. Ich gieße reines Wasser über euch aus, dann werdet ihr rein. Ich reinige euch von aller Unreinheit und von allen euren Götzen.

Ich schenke euch ein neues Herz und lege einen neuen Geist in euch. Ich nehme das Herz von Stein aus eurer Brust und gebe euch ein Herz von Fleisch. Ich lege meinen Geist in euch und bewirke, dass ihr meinen Gesetzen folgt und auf meine Gebote achtet und sie erfüllt. Dann werdet ihr in dem Land wohnen, das ich euren Vätern gab. Ihr werdet mein Volk sein und ich werde euer Gott sein. IF

Gottlos ist nicht einer, der nicht an Gott glauben kann.
Gottlos ist der, der Menschen knechtet, ausbeutet,
anderen nicht das Nötigste lässt,
was sie zum Leben brauchen,
der ihnen die Freiheit nimmt.
Wer an Gott glaubt, hängt nicht an Glaubenssätzen.
Er wird in Liebe, Achtsamkeit und Solidarität
anderen Menschen begegnen.
Das ist der wahre Gottesdienst,
das ist das echte Glaubenszeugnis,
das von uns erwartet wird.

ANTWORTPSALM Ps 42,3.5.10a; 43,3–4 (IR: vgl. Ps 42,2)

IR: Wie der Hirsch verlangt nach frischem Wasser, so verlangt meine Seele, Gott, nach dir.

I. Ton – GL 209, 3 · KG 614

Meine Seele dürstet nach Gott, *
nach dem lebendigen Gott.

Wann darf ich kommen *
und Gottes Antlitz schauen? – ℟

Das Herz geht mir über, wenn ich daran denke: /
wie ich zum Haus Gottes zog in festlicher Schar, *
mit Jubel und Dank in feiernder Menge.
Ich sage zu Gott, meinem Fels: *
»Warum hast du mich vergessen?« – ℟

Sende dein Licht und deine Wahrheit, damit sie mich leiten;*
sie sollen mich führen zu deinem heiligen Berg und zu deiner Wohnung.
So will ich zum Altar Gottes treten, zum Gott meiner Freude. *
Jauchzend will ich dich auf der Harfe loben, Gott, mein Gott. – ℟

Oder: Ps 51,12–15.18–19 (℟: vgl. 12a)

℟: Ein reines Herz erschaffe mir, o Gott!
III. Ton – GL 528,2 · KG 385,7

Erschaffe mir, Gott, ein reines Herz *
und gib mir einen neuen, beständigen Geist!
Verwirf mich nicht von deinem Angesicht *
und nimm deinen heiligen Geist nicht von mir! – ℟

Mach mich wieder froh mit deinem Heil *
mit einem willigen Geist rüste mich aus!
Dann lehre ich Abtrünnige deine Wege *
und die Sünder kehren um zu dir. – ℟

Schlachtopfer willst du nicht, ich würde sie dir geben; *
an Brandopfern hast du kein Gefallen.
Das Opfer, das Gott gefällt, ist ein zerknirschter Geist, *
ein zerbrochenes und zerschlagenes Herz wirst du,
Gott, nicht verschmähen. – ℟

Gott, du unwandelbare Kraft, du ewiges Licht, schau gütig auf deine Kirche und wirke durch sie das Heil der Menschen. So erfahre die Welt, was du von Ewigkeit her bestimmt hast: Was alt ist, wird neu, was dunkel ist, wird licht, was tot war, steht auf zum Leben, und alles wird wieder heil in dem, der der Ursprung von allem ist, in unserem Herrn Jesus Christus, der mit dir lebt und herrscht in alle Ewigkeit.

Oder:

Herr, unser Gott, durch die Schriften des Alten und Neuen Bundes führst du uns ein in das Geheimnis dieser heiligen Nacht. Öffne unsere Augen für das Werk deines Erbarmens und schenk uns durch die Gnade dieser Osternacht die feste Zuversicht, daß auch unser Leben in deiner Herrlichkeit vollendet wird. Darum bitten wir durch Christus, unseren Herrn.

Oder (bei einer Taufe in der Osternacht):

Sei uns nahe, allmächtiger Gott, und wirke in den Sakramenten, die uns deine Liebe schenkt: Sende den Geist aus, der uns zu Kindern Gottes macht, den Geist, durch den dir aus dem Wasser der Taufe ein neues Volk geboren wird. Was wir unter heiligen Zeichen vollziehen, das vollende du mit deiner Kraft. Darum bitten wir durch Christus, unseren Herrn.

GLORIA (siehe Seite 508)

TAGESGEBET

Lasset uns beten. Gott, du hast diese Nacht hell gemacht durch den Glanz der Auferstehung unseres Herrn. Erwecke in deiner Kirche den Geist der Kindschaft, den du uns durch die Taufe geschenkt hast, damit wir neu werden an Leib und Seele und dir mit aufrichtigem Herzen dienen. Darum bitten wir durch Jesus Christus.

EPISTEL Röm 6,3–11

Lesung aus dem Römerbrief.

Schwestern und Brüder. Wir alle, die wir auf Christus Jesus getauft wurden, sind auf seinen Tod getauft worden. Wir wurden mit ihm begraben durch die Taufe auf den Tod; und wie

Christus durch die Herrlichkeit des Vaters von den Toten auferweckt wurde, so sollen auch wir als neue Menschen leben.

Wenn wir nämlich ihm gleich geworden sind in seinem Tod, dann werden wir mit ihm auch in seiner Auferstehung vereinigt sein. Wir wissen doch: Unser alter Mensch wurde mitgekreuzigt, damit der von der Sünde beherrschte Leib vernichtet werde und wir nicht Sklaven der Sünde bleiben. Denn wer gestorben ist, der ist frei geworden von der Sünde.

Sind wir nun mit Christus gestorben, so glauben wir, dass wir auch mit ihm leben werden. Wir wissen, dass Christus, von den Toten auferweckt, nicht mehr stirbt; der Tod hat keine Macht mehr über ihn. Denn durch sein Sterben ist er ein für allemal gestorben für die Sünde, sein Leben aber lebt er für Gott. So sollt auch ihr euch als Menschen begreifen, die für die Sünde tot sind, aber für Gott leben in Christus Jesus. ⅠF

Der Tod hat nicht das letzte Wort.
Das ist die Botschaft dieser Nacht.
Sie führt in den Morgen des neuen Lebens.
Leben bei Gott ist Leben für immer.

ANTWORTPSALM Ps 118,1–2.16–17.22–23

ⅠR: Halleluja, halleluja, halleluja.

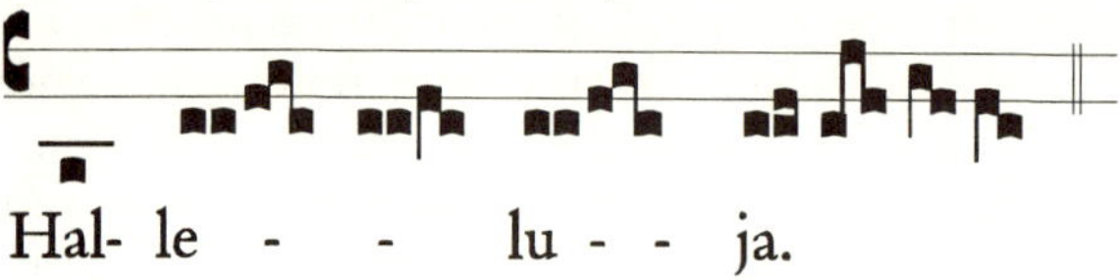

VIII. Ton – GL 209,4 · KG 429

Danket dem Herrn, denn er ist gütig, *
denn seine Huld währt ewig.
So soll Israel sagen: *
Denn seine Huld währt ewig. – ⅠR

»Die Rechte des Herrn ist erhoben, *
die Rechte des Herrn wirkt mit Macht!«
Ich werde nicht sterben, sondern leben, *
um die Taten des Herrn zu verkünden. – ℟

Der Stein, den die Bauleute verwarfen, *
er ist zum Eckstein geworden.
Das hat der Herr vollbracht, *
vor unseren Augen geschah dieses Wunder. – ℟

EVANGELIUM Mk 16,1–7

Aus dem heiligen Evangelium nach Markus.

Als der Sabbat vorüber war, kauften Maria aus Magdala, Maria, die Mutter des Jakobus, und Salome wohlriechende Öle, um damit zum Grab zu gehen und Jesus zu salben.

Am ersten Tag der Woche kamen sie in aller Frühe zum Grab, als eben die Sonne aufging. Sie sagten zueinander: Wer könnte uns den Stein vom Eingang des Grabes wegwälzen? Doch als sie hinblickten, sahen sie, dass der Stein schon weggewälzt war; er war sehr groß.

Sie gingen in das Grab hinein und sahen auf der rechten Seite einen jungen Mann sitzen, der mit einem weißen Gewand bekleidet war; da erschraken sie sehr.

Er aber sagte zu ihnen: Erschreckt nicht! Ihr sucht Jesus von Nazaret, den Gekreuzigten. Er ist auferstanden; er ist nicht hier. Seht, da ist die Stelle, wo man ihn hingelegt hatte. Nun aber geht und sagt seinen Jüngern, vor allem Petrus: Er geht euch voraus nach Galiläa; dort werdet ihr ihn sehen, wie er es euch gesagt hat. ℣

Wer nicht glauben will, kann aber mit meinen Erfahrungen, die innere Erfahrungen ohne Beweiskraft sind, nichts anfangen. Wer glauben will, kann mit Maria von Magdala, den Emmausjüngern oder den Fischern sagen: Er lebt! Wer die Ostergeschichten des Neuen Testaments liest, stellt fest: es geschieht nichts Dramatisches. Die BILD-Zeitung hätte da ganz andere Schlagzeilen parat.

Was sich in den Frauen und Männern ereignet, sind stille Begegnungen, die nur jenen geschenkt werden, die schon vorher mit Jesus freundschaftlich verbunden waren.

Sie wissen im Glauben: Er lebt. Das ist alles. Für dieses Bekenntnis »Er lebt« sind die Zeugen von damals vor Gericht gegangen oder gar in den Tod. Diese zwei Worte »Er lebt« haben die Geschichte der Menschheit wie der ganzen Welt seit 2000 Jahren beeinflusst, bestimmt, von Grund auf verändert.

Was ist also von Ostern wichtig? Vielleicht unter vielem anderen dies: Nach so langer Zeit können wir die Worte Jesu als die eines Lebenden hören, verstehen und verwirklichen. Verwirklichen – das ist für mich das Schlüsselwort dieses Tages: Aus der Lebensgeschichte Jesu soll eine Wirkungsgeschichte werden. Sein Leben und seine Botschaft sollen sich auswirken. Deswegen ist es gut, auf seine Worte zu hören, auf die Worte eines Lebenden:

Wo zwei oder drei in meinem Namen versammelt sind, bin ich mitten unter ihnen.

Ich lebe und ihr sollt leben.

Was ihr einem der Geringsten getan habt, habt ihr mir getan.

Unter euch soll es nicht so zugehen wie bei den Machthabern dieser Welt, die ihresgleichen ausbeuten und unterdrücken.

Wie mich der Vater gesandt hat, sende ich euch.

Dchelaleddin Rumi, der islamische Mystiker, hat gesagt: »Nicht, was Jesus sagte oder tat, ist das Wunder. Das Wunder ist er selbst.« – Ostern lehrt uns, mit diesem Wunder zu leben.

TAUFFEIER

ALLERHEILIGEN-LITANEI

V/A: Kyrie, eleison.
V/A: Christe, eleison.
V/A: Kyrie, eleison.

Oder:

V/A: Herr, erbarme dich.
V/A: Christus, erbarme dich.
V/A: Herr, erbarme dich.

V: Heilige Maria, Mutter Gottes – A: Bitte für uns.
Heiliger Michael
Ihr heiligen Engel Gottes – A: Bittet für uns.
Heiliger Johannes der Täufer – A: Bitte für uns.
Heiliger Josef
Heilige Apostel Petrus und Paulus – A: Bittet für uns.
Heiliger Andreas – A: Bitte für uns.
Heiliger Johannes
Heilige Maria Magdalena
Heiliger Stephanus
Heiliger Ignatius von Antiochien
Heiliger Laurentius
Heilige Perpetua und Felizitas – A: Bittet für uns.
Heilige Agnes – A: Bitte für uns.
Heiliger Gregor
Heiliger Augustinus
Heiliger Athanasius
Heiliger Basilius
Heiliger Martin
Heiliger Benedikt
Heiliger Franziskus
Heiliger Dominikus
Heiliger Franz Xaver
Heiliger Pfarrer von Ars
Heilige Katharina von Siena
Heilige Theresia von Jesus
Alle Heiligen Gottes – A: Bittet für uns.

Jesus, sei uns gnädig. – A: Herr, befreie uns.
Von allem Bösen
Von aller Sünde
Von der ewigen Verdammnis
Durch deine Menschwerdung und dein heiliges Leben
Durch dein Sterben und dein Auferstehn
Durch die Sendung des Heiligen Geistes

Wir armen Sünder – A: Wir bitten dich, erhöre uns.

Wenn Täuflinge anwesend sind:

V: Schenke diesen Erwählten im Wasser der Taufe das neue Leben.

Wenn keine Täuflinge anwesend sind:

V: Heilige in deiner Gnade dieses Wasser für die Taufe deiner Kinder.

V: Jesus, Sohn des lebendigen Gottes

V: Christus, höre uns. – A: Christus, erhöre uns.

LOBPREIS UND ANRUFUNG GOTTES ÜBER DEM WASSER

Allmächtiger, ewiger Gott, deine unsichtbare Macht bewirkt das Heil der Menschen durch sichtbare Zeichen. Auf vielfältige Weise hast du das Wasser dazu erwählt, daß es hinweise auf das Geheimnis der Taufe: Schon im Anfang der Schöpfung schwebte dein Geist über dem Wasser und schenkte ihm die Kraft, zu retten und zu heiligen. Selbst die Sintflut war ein Zeichen der Taufe, denn das Wasser brachte der Sünde den Untergang und heiligem Leben einen neuen Anfang. Als die Kinder Abrahams, aus Pharaos Knechtschaft befreit, trockenen Fußes das Rote Meer durchschritten, da waren sie ein Bild deiner Gläubigen, die durch das Wasser der Taufe aus der Knechtschaft des Bösen befreit sind.

Allmächtiger, ewiger Gott, dein geliebter Sohn wurde von Johannes im Jordan getauft und von dir gesalbt mit Heiligem Geiste. Als er am Kreuz hing, flossen aus seiner Seite Blut und Wasser. Nach seiner Auferstehung befahl er den Jüngern: »Geht hin und lehret alle Völker und taufet sie im Namen des Vaters und des Sohnes und des Heiligen Geistes.«

Allmächtiger, ewiger Gott, schau gnädig auf deine Kirche und öffne ihr den Brunnen der Taufe. Dieses Wasser empfange die Gnade deines eingeborenen Sohnes vom Heiligen Geiste, damit der Mensch, der auf dein Bild hin geschaffen ist, durch das Sakrament der Taufe gereinigt wird von der alten Schuld und aus Wasser und Heiligem Geiste aufersteht zum neuen Leben deiner Kinder.

Bei den folgenden Worten senkt der Priester die Osterkerze ins Wasser.

Durch deinen geliebten Sohn steige herab in dieses Wasser die Kraft des Heiligen Geistes, damit alle, die durch die Taufe mit Christus begraben sind in seinen Tod, durch die Taufe mit Christus auferstehen zum ewigen Leben. Darum bitten wir durch Jesus Christus, deinen Sohn, unseren Herrn und Gott, der in der Einheit des Heiligen Geistes mit dir lebt und herrscht in Ewigkeit.

SPENDUNG DER TAUFE

SEGNUNG DES WASSERS

Wenn keine Taufe stattfindet und auch kein Taufwasser gesegnet wird:

Liebe Schwestern und Brüder!
Wir bitten den Herrn, daß er dieses Wasser segne, mit dem wir nun besprengt werden. Das geweihte Wasser soll uns an die Taufe erinnern; Gott aber erneuere in uns seine Gnade, damit wir dem Geist treu bleiben, den wir empfangen haben.

Kurze Gebetsstille

Herr, unser Gott, sei deinem Volk nahe, das wachend und betend diese Osternacht feiert. Du hast uns wunderbar erschaffen und noch wunderbarer wiederhergestellt. Wir gedenken deiner großen Taten und bitten dich:

† Segne dieses Wasser, das uns an deine Sorge für uns Menschen erinnert. Im Anfang hast du das Wasser erschaffen, damit es der Erde Fruchtbarkeit bringt und uns Menschen zum frischen Trunk und zum reinigenden Bad wird. Du hast das Wasser in Dienst genommen für das Werk deines Erbarmens: Im Roten Meer hast du dein Volk durch das Wasser aus der Knechtschaft Ägyptens befreit, in der Wüste mit Wasser aus dem Felsen seinen Durst gestillt. Die Propheten sahen im Bild des lebendigen Wassers den Neuen Bund, den du mit uns Menschen schließen wolltest.

Durch das Wasser, das Christus im Jordan geheiligt hat, reinigst du im Bad der Taufe den sündigen Menschen und schenkst ihm das neue Leben deiner Kinder. Darum sei dieses Wasser eine Erinnerung an unsere Taufe, es vereinige uns in österlicher Freude mit unseren Brüdern und Schwestern, die in dieser heiligen Nacht getauft werden, und mit allen, die aus dem Wasser und dem Heiligen Geist wiedergeboren sind zum ewigen Leben. Darum bitten wir durch Jesus Christus.

ERNEUERUNG DES TAUFVERSPRECHENS

Liebe Schwestern und Brüder!
Wir alle sind einst durch das österliche Geheimnis der Taufe mit Christus begraben worden, damit wir mit ihm auferstehen zu einem neuen Leben. Nach den vierzig Tagen der Fastenzeit, in denen wir uns auf Ostern vorbereitet haben, wollen wir darum das Taufversprechen erneuern, mit dem wir einst dem Satan abgeschworen und Gott versprochen haben, ihm, unserem Herrn, in der heiligen katholischen Kirche zu dienen.
Deshalb frage ich euch:

P: Widersagt ihr dem Satan?

A: Ich widersage.

P: Und all seiner Bosheit?

A: Ich widersage.

P: Und all seinen Verlockungen?

A: Ich widersage.

Oder:

P: Widersagt ihr dem Bösen, um in der Freiheit der Kinder Gottes leben zu können?

A: Ich widersage.

P: Widersagt ihr den Verlockungen des Bösen, damit es nicht Macht über euch gewinnt?

A: Ich widersage.

P: Widersagt ihr dem Satan, dem Urheber des Bösen?

A: Ich widersage.

P: Glaubt ihr an Gott, den Vater, den Allmächtigen, den Schöpfer des Himmels und der Erde?

A: Ich glaube.

P: Glaubt ihr an Jesus Christus, seinen eingeborenen Sohn, unseren Herrn, der geboren ist von der Jungfrau Maria, der gelitten hat und begraben wurde, von den Toten auferstand und zur Rechten des Vaters sitzt?

A: Ich glaube.

P: Glaubt ihr an den Heiligen Geist, die heilige katholische Kirche, die Gemeinschaft der Heiligen, die Vergebung der Sünden, die Auferstehung der Toten und das ewige Leben?

A: Ich glaube.

P: Der allmächtige Gott, der Vater unseres Herrn Jesus Christus, hat uns aus dem Wasser und dem Heiligen Geist neues Leben geschenkt und uns alle Sünden vergeben. Er bewahre uns durch seine Gnade in Christus Jesus, unserem Herrn, zum ewigen Leben.

BESPRENGUNG DER GEMEINDE MIT WEIHWASSER

FÜRBITTEN

Am Anfang dieses neuen Tages sollen nicht – wie üblich – unsere Bitten stehen, sondern der Dank. Der Dank für Menschen, die unser Leben teilen und oft unbewusst großen Einfluss auf uns haben:

V/A: Herr, wir danken dir.

- Wir danken dir für Menschen, die mit uns an die Auferstehung glauben und auf den Sinn des Lebens setzen.
- Wir danken dir für die Eltern, die mit ihren Kindern unter uns den Glauben weitergeben.

- Wir danken dir für die jungen Leute unter uns, die sich frei und ungezwungen auf Jesus Christus und auf seine Frohe Botschaft einlassen.
- Wir danken dir für Menschen, denen es gelungen ist, sich in der zurückliegenden Zeit zu versöhnen, um auch mit sich selber neu anzufangen.
- Wir danken dir für unsere Gemeinde und die Gemeinschaft, die es uns leichter macht auf dem Weg weiter voran zu gehen.
- Wir danken dir für Menschen, die vor uns gelebt haben und uns ihr Beispiel des Glaubens und des Vertrauens geschenkt haben.

Denn so entsteht dein Reich unter uns, so breitet sich deine Macht aus mit uns, so wird uns die Herrlichkeit geschenkt jetzt und in Ewigkeit. Amen.

EUCHARISTIEFEIER

GABENGEBET

Herr, unser Gott, nimm die Gebete und Gaben deines Volkes an und gib, daß diese österliche Feier, die im Opfer des wahren Osterlammes ihren Ursprung hat, uns zum ewigen Heil führt. Darum bitten wir durch Christus, unseren Herrn.

PRÄFATION — Osterzeit I

In Wahrheit ist es würdig und recht, dir, Vater, immer und überall zu danken, diese Nacht aber aufs höchste zu feiern, da unser Osterlamm geopfert ist, Jesus Christus. Denn er ist das wahre Lamm, das die Sünde der Welt hinwegnimmt. Durch seinen Tod hat er unseren Tod vernichtet und durch seine Auferstehung das Leben neu geschaffen. Darum jubelt in dieser Nacht der ganze Erdkreis in österlicher Freude, darum preisen dich die himmlischen Mächte und die Chöre der Engel und singen das Lob deiner Herrlichkeit.

EINLADUNG ZUM VATERUNSER

Sünde und Tod, die uns von Gott fernhielten, sind in der Auferstehung Jesu besiegt. Wir dürfen zu Gott kommen und ihn Vater nennen. So beten wir: Vater unser im Himmel …

EINLADUNG ZUM FRIEDENSGEBET

In seiner Auferstehung hat Jesus Christus die Angst des Todes von uns genommen und uns den Frieden geschenkt. Deshalb bitten wir: Herr Jesus Christus …

KOMMUNIONVERS Vgl. 1 Kor 5,7–8

Unser Osterlamm ist geopfert, Christus, der Herr. Halleluja! Wir sind befreit von Sünde und Schuld. So laßt uns Festmahl halten in Freude. Halleluja!

SCHLUSSGEBET

Herr, unser Gott, du hast uns durch die österlichen Sakramente gestärkt. Schenke uns den Geist deiner Liebe, damit deine Gemeinde ein Herz und eine Seele wird. Darum bitten wir durch Christus, unseren Herrn.

SCHLUSSSEGEN An Ostern

In dieser Nacht, die erhellt ist durch die Auferstehung unseres Herrn Jesus Christus, segne euch der gütige Gott und bewahre euch vor der Finsternis der Sünde.

In Christus haben wir Anteil am ewigen Leben; in ihm führe euch Gott zur unvergänglichen Herrlichkeit.

Unser Erlöser hat uns durch die Tage seines Leidens zur österlichen Freude geführt; er geleite euch alle Tage des Lebens bis zu jener Osterfreude, die niemals endet.

Das gewähre euch der dreieinige Gott, der Vater und der Sohn ✝ und der Heilige Geist.

Osterwünsche

Wir wünschen euch eine Achtsamkeit,
die über den Tod ins Leben spüren kann.
Wir wünschen euch eine versöhnliche Haltung,
die in der Schuld die Vergebung erkennen kann.
Wir wünschen euch eine offene Zuversicht,
die in der Trennung die Einheit verwirklicht.
Wir wünschen euch eine tiefe Zärtlichkeit,
die durch Verwundungen hindurch
Heil und Heilung schenkt.
Wir wünschen euch Heilung und Heil,
Leben und Liebe, Freude und Glück.

Roland Breitenbach

Hochfest der Auferstehung des Herrn

Ostersonntag

8. April 2012

Ich bin erstanden und bin immer bei dir. Halleluja.
Du hast deine Hand auf mich gelegt. Halleluja.
Wie wunderbar ist für mich dieses Wissen. Halleluja.
Vgl. Ps 139,18.5–6

Oder:

Der Herr ist auferstanden,
er ist wahrhaft auferstanden. Halleluja.
Sein ist die Macht und die Herrlichkeit in Ewigkeit.
Halleluja.
Vgl. Lk 24,34; Offb 1,6

Das Ergebnis einer Umfrage: Gut vierzig Prozent der deutschen Katholiken glauben an die Auferstehung Jesu.

Ein zweites Schlaglicht: Zu lange hat man uns die Auferstehung als ein geschichtliches Ereignis vorgegeben, sogar als ein Ereignis, das zu den »am besten belegten Ereignissen der antiken Geschichte« gehöre. In dieser Richtung wird es auch zu diesem Fest wieder entsprechende Bischofsworte geben.

Doch die Ostertexte, die wir heute und in diesen Wochen hören, bringen uns keinesfalls zu einem historisch überprüfbaren Geschehen. Sie vermitteln und bezeugen den Glauben der ersten Christen. Nicht mehr, aber auch nicht weniger. Kurz und knapp: Wir feiern Ostern, weil wir dem Glauben der Apostel und der kleinen Gemeinschaft um sie – glauben und vertrauen.

Paulus ist der Erste, der für uns diesen Glauben in Worte und eine Sprache fasst. Er sagt: Gott hat Jesus von den Toten erweckt. Einfacher geht es nicht. Jesus trägt bei diesem Bekenntnis nicht einmal einen Titel, wie wir es gewohnt sind. Die schlichten Worte sagen uns als erstes: Gott ist es, der handelt.

Das möchte ich sehen! – So unsere menschliche Reaktion auf solche Worte. Die Ostergeschichte um den ungläubigen Thomas wird dieses verständliche Verlangen aufgreifen und unter dem uns bekannten Bild beantworten. Doch sagen wir es offen: Mit Handgreiflichkeiten kommen wir nicht weiter. Die biblischen Zeichen und Wunder erfüllen nur dann ihren Sinn, wenn sie in uns etwas ansprechen können, was wir nicht mit unseren Augen sehen und mit unseren Händen greifen können. Oder anders: Es gibt eine andere Wirklichkeit über uns als die, welche wir mit dem Verstand begreifen.

Ostern ergreift uns in dieser neuen Wirklichkeit. Nicht nur, weil wir inzwischen wissen, dass es über die Grenzen unseres Kopfes und unseres Raums Ereignisse gibt, die wahr, aber nicht in jedem Fall beweisbar sind. Zum Beispiel, dass es zu allen Zeiten der Menschheit außersinnliche Gotteserfahrungen gegeben hat, dass ein schweigender Gott, von dem wir am Karfreitag gesprochen haben, plötzlich in einem Menschen vernehmbar wird.

Der kleinen Gemeinde in Jerusalem öffnete sich an Ostern die Zukunft. Sie erlebten Jesus als lebendig; deswegen war für sie damals wie für uns heute nach 2000 Jahren mit seinem Tod nicht alles zu Ende. Das Bild des offenen Grabes war für die ersten Christen eine Chiffre, das Codewort für eine neue Art der Offenheit. Ein Auferstehender könnte nicht durch einen Rollstein behindert werden. Das offene Grab muss ebenso wie das leere Grab ein Symbol sein für eine andere Ebene.

KYRIE-RUFE

Oder: GL 213 · KG 436

Herr Jesus Christus, durch deine Auferstehung hast du Sünde und Tod besiegt und uns mit Gott versöhnt. Herr, erbarme dich.
Durch deine Auferstehung erhalten wir die Kraft für den neuen Anfang und zur Versöhnung mit allen Menschen. Christus, erbarme dich.

Durch deine Auferstehung schenkst du uns das neue Leben, das wir als Kinder Gottes miteinander teilen. Herr, erbarme dich.

GLORIA (siehe Seite 508)

TAGESGEBET

Allmächtiger, ewiger Gott, am heutigen Tag hast du durch deinen Sohn den Tod besiegt und uns den Zugang zum ewigen Leben erschlossen. Darum begehen wir in Freude das Fest seiner Auferstehung. Schaffe uns neu durch deinen Geist, damit auch wir auferstehen und im Licht des Lebens wandeln. Darum bitten wir durch Jesus Christus.

ERSTE LESUNG Apg 10,34a.37–43

Lesung aus der Apostelgeschichte.

In jenen Tagen begann Petrus zu reden und sagte: Ihr wisst, was im ganzen Land der Juden geschehen ist, angefangen in Galiläa, nach der Taufe, die Johannes verkündet hat: wie Gott Jesus von Nazaret gesalbt hat mit dem Heiligen Geist und mit Kraft, wie dieser umherzog, Gutes tat und alle heilte, die in der Gewalt des Teufels waren; denn Gott war mit ihm. Und wir sind Zeugen für alles, was er im Land der Juden und in Jerusalem getan hat. Ihn haben sie an den Pfahl gehängt und getötet.

Gott aber hat ihn am dritten Tag auferweckt und hat ihn erscheinen lassen, zwar nicht dem ganzen Volk, wohl aber den von Gott vorherbestimmten Zeugen: uns, die wir mit ihm nach seiner Auferstehung von den Toten gegessen und getrunken haben.

Und er hat uns geboten, dem Volk zu verkündigen und zu bezeugen: Das ist der von Gott eingesetzte Richter der Lebenden und der Toten. Von ihm bezeugen alle Propheten, dass jeder, der an ihn glaubt, durch seinen Namen die Vergebung der Sünden empfängt. |F

Der Text übermitttelt die erste Predigt des Apostels vor heidnischen Zuhörern.

Er gewinnt sein Publikum mit dem Hinweis, sie wüssten doch, was geschehen ist.

Geschickt weckt der Prediger so die Neugierde. Dann kann er das Weasentliche seiner Botschaft verkünden: Etwas noch nie Gehörtes ist geschehen. Auch wenn wir sicher nicht die Originalpredigt vor uns haben, der Eindruck bleibt, dass Petrus über die Köpfe der Leute hinweg spricht. Wie sollen sie das verstehen? Wie könnten sie das glauben. Die gleichen Fragen stellen sich den Christen, die den Gottesdienst mitfeiern.

ANTWORTPSALM Ps 118,1–2.16–17.22–23 (℟: vgl. 24)

℟: Halleluja – oder: Das ist der Tag, den der Herr gemacht; lasst uns jubeln und seiner uns freuen.

VI. Ton – GL 232,4 · KG 485

Danket dem Herrn, denn er ist gütig, *
denn seine Huld währt ewig.
So soll Israel sagen: *
Denn seine Huld währt ewig. – ℟

»Die Rechte des Herrn ist erhoben, *
die Rechte des Herrn wirkt mit Macht!«
Ich werde nicht sterben, sondern leben, *
um die Taten des Herrn zu verkünden. – ℟

Der Stein, den die Bauleute verwarfen, *
er ist zum Eckstein geworden.
Das hat der Herr vollbracht, *
vor unseren Augen geschah dieses Wunder. – ℟

ZWEITE LESUNG Kol 3,1–4

Lesung aus dem Kolosserbrief.

Schwestern und Brüder! Ihr seid mit Christus auferweckt; darum strebt nach dem, was im Himmel ist, wo Christus zur Rechten Gottes sitzt. Richtet euren Sinn auf das Himmlische und nicht auf das Irdische! Denn ihr seid gestorben und euer Leben ist mit Christus verborgen in Gott. Wenn Christus, unser Leben, offenbar wird, dann werdet auch ihr mit ihm offenbar werden in Herrlichkeit. IF

Ein kleines Wort sollte bei der Lesung nicht übersehen, überhört werden. Es ist das »mit«. Jesus Christus ist nicht etwa für sich von den Toten zum neuen Leben erweckt worden. Das neue Leben wird allen zuteil, die gläubig ihren Sinn auf das Jenseitige richten können. Damit ist nicht gemeint, dass Christen berechtigt wären, das Diesseitige zu vernachlässigen. Im Gegenteil: Der Himmel ist nur zu gewinnen, wenn wir die Aufgaben in dieser Welt erfüllen.

Oder: 1 Kor 5,6b–8

Lesung aus dem ersten Korintherbrief.

Schwestern und Brüder! Ihr wisst, dass ein wenig Sauerteig den ganzen Teig durchsäuert.

Schafft den alten Sauerteig weg, damit ihr neuer Teig seid. Ihr seid ja schon ungesäuertes Brot; denn als unser Paschalamm ist Christus geopfert worden. Lasst uns also das Fest nicht mit dem alten Sauerteig feiern, nicht mit dem Sauerteig der Bosheit und Schlechtigkeit, sondern mit den ungesäuerten Broten der Aufrichtigkeit und Wahrheit. IF

Heutigen Christen sagt das Bild vom Lamm nicht mehr viel. Für viele ist die Formel »Lamm Gottes« eine fremde Chiffre. Noch dazu, wenn dieses Bild unter dem Gedanken des Opfers daher kommt. In der Ausdeutung ist es deswegen besonders wichtig, darauf hinzuweisen, dass mit Ostern etwas ganz Neues gekommen ist. Aus dieser Neuigkeit, aus dem neuen Leben Jesu, baut sich die Gemeinde auf und blickt nach vorne.

SEQUENZ

Víctimae pascháli laudes
ímmolent Christiáni.

Singt das Lob dem Osterlamme,
bringt es ihm dar, ihr Christen.

Agnus redémit oves:
Christus ínnocens
Patri reconciliávit peccatóres.

Das Lamm erlöst' die Schafe:
Christus, der ohne Schuld war,
versöhnte die Sünder mit dem Vater.

Mors et vita duéllo
conflixére mirándo:
dux vitae mórtuus,
regnat vivus.

Tod und Leben, die kämpften
unbegreiflichen Zweikampf; des Lebens Fürst, der starb, herrscht nun lebend.

Dic nobis María,
quid vidísti in via?
Sepúlcrum Christi vivéntis,
et glóriam vidi resurgéntis.

Maria Magdalena, sag uns, was du gesehen? Das Grab des Herrn sah ich offen und Christus von Gottes Glanz umflossen,

Angélicos testes,
sudárium et vestes.
Surréxit Christus spes mea,
praecédet suos in Galiláeam.

sah Engel in dem Grabe, die Binden und das Linnen.
Er lebt, der Herr, meine Hoffnung,
er geht euch voran nach Galiläa.

Scimus Christum surexísse
a mórtuis vere:
tu nobis victor, Rex, miserére.
Amen. Allelúia.

Lasst uns glauben, was Maria den Jüngern verkündet. Sie sah den Herren, den Auferstandnen.
Ja, der Herr ist auferstanden, ist wahrhaft erstanden. Du Sieger, König, Herr, hab Erbarmen!
Amen. Halleluja.

Wipo von Burgund (vor 1050); GL 215f. · KG 433

RUF VOR DEM EVANGELIUM

Vgl. 1 Kor 5,7b–8a

Halleluja. Halleluja.
Unser Paschalamm ist geopfert: Christus.
So lasst uns das Festmahl feiern im Herrn.
Halleluja.

EVANGELIUM

Joh 20,1–18 (Kf: 20,1–9)

Aus dem heiligen Evangelium nach Johannes.

Am ersten Tag der Woche kam Maria von Magdala frühmorgens, als es noch dunkel war, zum Grab und sah, dass der Stein vom Grab weggenommen war. Da lief sie schnell zu Simon Petrus und dem Jünger, den Jesus liebte, und sagte zu ihnen: Man hat den Herrn aus dem Grab weggenommen und wir wissen nicht, wohin man ihn gelegt hat.

Da gingen Petrus und der andere Jünger hinaus und kamen zum Grab; sie liefen beide zusammen dorthin, aber weil der andere Jünger schneller war als Petrus, kam er als erster ans Grab. Er beugte sich vor und sah die Leinenbinden liegen, ging aber nicht hinein.

Da kam auch Simon Petrus, der ihm gefolgt war, und ging in das Grab hinein. Er sah die Leinenbinden liegen und das Schweißtuch, das auf dem Kopf Jesu gelegen hatte; es lag aber nicht bei den Leinenbinden, sondern zusammengebunden daneben an einer besonderen Stelle.

Da ging auch der andere Jünger, der zuerst an das Grab gekommen war, hinein; er sah und glaubte. Denn sie wussten noch nicht aus der Schrift, dass er von den Toten auferstehen musste.◆ Dann kehrten die Jünger wieder nach Hause zurück.

Maria aber stand draußen vor dem Grab und weinte. Während sie weinte, beugte sie sich in die Grabkammer hinein. Da sah sie zwei Engel in weißen Gewändern sitzen, den einen dort, wo der Kopf, den anderen dort, wo die Füße des Leichnams Jesu gelegen hatten. Die Engel sagten zu ihr: Frau, warum weinst du? Sie antwortete ihnen: Man hat meinen Herrn weggenommen und ich weiß nicht, wohin man ihn gelegt hat.

Als sie das gesagt hatte, wandte sie sich um und sah Jesus dastehen, wusste aber nicht, dass es Jesus war. Jesus sagte zu ihr: Frau, warum weinst du? Wen suchst du? Sie meinte, es sei der Gärtner, und sagte zu ihm: Herr, wenn du ihn weggebracht hast, sag mir, wohin du ihn gelegt hast. Dann will ich ihn holen.

Jesus sagte zu ihr: Maria! Da wandte sie sich ihm zu und sagte auf Hebräisch zu ihm: Rabbuni!, das heißt: Meister. Jesus sagte zu ihr: Halte mich nicht fest; denn ich bin noch nicht zum Vater hinaufgegangen. Geh aber zu meinen Brüdern und sag ihnen: Ich gehe hinauf zu meinem Vater und zu eurem Vater, zu meinem Gott und zu eurem Gott.

Maria von Magdala ging zu den Jüngern und verkündete ihnen: Ich habe den Herrn gesehen. Und sie richtete aus, was er ihr gesagt hatte. IF

Heute stellt sich eine Frage ganz anders als früher, sie weist über die verschiedenen Auferstehungsgeschichten hinaus: Wohin ist Jesus Christus auferstanden? Die flüssige Antwort, die uns seit unseren Kindertagen zur Verfügung steht, lautet: In den Himmel! Dabei erscheint uns Irdischen der Himmel wie eine leere Formel, ein Nichts. Denn da bewegt sich nichts und da bewegt uns nichts.

Die Antwort kann nur lauten: Jesus ist in die Herzen der Seinen auferstanden. Er hat es selbst gesagt: »Wo zwei oder drei in meinem Namen versammelt sind ...« (Mt 18,20). Das ist – gegen allzu platte Vorstellungen – die Wende nach innen. Innen, das verweist uns auf die Mystik und das unvergessliche Wort Karl Rahners »der Christ werde ein Mystiker sein oder er werde nicht mehr sein«.

Instinktiv spüren jene, die in der Kirche das Sagen haben: Diese Einsicht bedeutet das Ende der Herrschaft über die Herzen und Seelen der Menschen, das Ende einer Hierarchie, eines Systems, das sich gerne mit einem unbeweglichen Felsen identifiziert und schon deswegen nicht bemerkt, dass die Sache Jesu schon längst weitergegangen ist.

Wäre Jesus in den Himmel auferstanden, wie könnten wir dann bekennen: Er ist mitten unter uns, wie er es versprochen hat? Thronen, Herrschen zur Rechten des Vaters, das ist nicht Jesu Sache. Das ist eine Theologie, die Jesus an die Seite Gottes rückt. Davon hätten wir nichts. Gott selber hat seinen Sohn an die Seite des Menschen gestellt.

Ostern im Jahr 2012 bedeutet für die Gemeinden: Der christliche Glaube bewegt sich nicht mehr in dem engen Rahmen zwischen Autoritäten und Gehorsam. Er entfaltet sich in der Erfahrung und im Verstehen. Im Gespräch, im Dialog erfahren, erleben, feiern wir die Wahrheit des Glaubens: Jesus ist mitten unter uns. Ja, er lebt!

CREDO (siehe Seite 512)

FÜRBITTEN

Unter dem Zeichen des Friedens, den der Auferstandene verkündigt, wollen wir bitten:

A: Herr, belebe uns.

- Um ein Leben für unsere Gemeinde, das weniger nach Regeln fragt als danach, was uns gemeinsam voranbringt.
- Um die Bewegung des Glaubens für alle, die als Erwachsene getauft werden oder wieder in unsere Gemeinschaft zurückgekehrt sind.
- Um das Lebensrecht für alle Kinder, dass sie nicht nur in unsere Welt geboren werden, sondern eine menschenwürdige Umgebung vorfinden.
- Um die Überwindung der Angst für alle, die niedergedrückt sind, die resigniert haben oder depressiv geworden sind.
- Um das Fest des ewigen Glücks für unsere Verstorbenen, die uns im Glauben an die Auferstehung vorangegangen sind.

A: Herr, schenke ihnen Leben in Fülle.

Dann ist dieses Fest nicht vergeblich; es wird unter uns Ostern sein und bleiben. Amen.

GABENGEBET

Herr, unser Gott, nimm die Gaben an, die wir in österlicher Freude darbringen für das Opfer, durch das deine Kirche auf wunderbare Weise wiedergeboren und gestärkt wird. Darum bitten wir durch Christus, unseren Herrn.

PRÄFATION Osterzeit I

In Wahrheit ist es würdig und recht, dir, Vater, immer und überall zu danken, diesen Tag aber aufs höchste zu feiern, da unser Osterlamm geopfert ist, Jesus Christus. Denn er ist das wahre Lamm, das die Sünde der Welt hinwegnimmt. Durch seinen Tod hat er unseren Tod vernichtet und durch seine Auferstehung das Leben neu geschaffen. Darum jubelt heute der ganze Erdkreis in österlicher Freude, darum preisen dich die himmlischen Mächte und die Chöre der Engel und singen das Lob deiner Herrlichkeit.

EINLADUNG ZUM VATERUNSER

Wir folgen den Worten dessen, der uns zu einem neuen Leben berufen hat, und beten: Vater unser im Himmel …

EINLADUNG ZUM FRIEDENSGEBET

Der Friede, den Jesus gebracht reicht, reicht weit über Ostern hinaus. Er bestimmt unser Leben. Unser Zusammenleben. Deshalb bitten wir: Herr Jesus Christus …

KOMMUNIONVERS Vgl. 1 Kor 5,7–8

Unser Osterlamm ist geopfert, Christus, der Herr. Halleluja. Wir sind befreit von Sünde und Schuld. So laßt uns Festmahl halten in Freude. Halleluja.

SCHLUSSGEBET

Allmächtiger Gott, du hast deiner Kirche durch die österlichen Geheimnisse neues Leben geschenkt. Bewahre und beschütze uns in deiner Liebe und führe uns zur Herrlichkeit der Auferstehung. Darum bitten wir durch Christus, unseren Herrn.

SCHLUSSSEGEN

An Ostern

An diesem Tag, der geheiligt ist durch die Auferstehung unseres Herrn Jesus Christus, segne euch der gütige Gott und bewahre euch vor der Finsternis der Sünde.

In Christus haben wir Anteil am ewigen Leben; in ihm führe euch Gott zur unvergänglichen Herrlichkeit.

Unser Erlöser hat uns durch die Tage seines Leidens zur österlichen Freude geführt; er geleite euch alle Tage des Lebens bis zu jener Osterfreude, die niemals endet.

Das gewähre euch der dreieinige Gott, der Vater und der Sohn ✝ und der Heilige Geist.

Neues Leben

Einen Schritt weiter gehen,
als üblich oder vorgesehen,
auch wenn man allein bleibt.
Einen ersten Schritt.

Einen Gedanken tiefer denken,
als denkbar oder zwingend,
auch wenn es verrückt erscheint.
Einen neuen Gedanken.

Ein Verzeihen mehr verschenken,
als der Rat der Freunde,
auch wenn es vergeblich ist.
Eine grundlegende Vergebung.

Eine Verlassenheit mutiger ertragen,
als es der Verstand vorgibt,
auch wenn es Tränen kostet.
Eine befreiende Einsamkeit.

Ein Aufstehen bewusster vollziehen,
als die Enttäuschung hindern will,
auch wenn es sinnlos scheint.
Ein Aufstehen zu Neuem.

Einen Tagesanbruch öfter feiern,
als die Todesnacht es vorgibt,
weil dieser Tag ins neue Leben führt.
Ostern heißt: Einen Aufstand machen.

Roland Breitenbach

Ostermontag
9. April 2012

Der Herr hat euch in das Land geführt,
wo Milch und Honig strömen.
Immer soll das Gesetz des Herrn in eurem Herzen sein.
Halleluja.

Vgl. Ex 13,5.9

Oder:

Der Herr ist vom Tod auferstanden, wie er gesagt hat.
Freut euch und frohlockt, denn er herrscht in Ewigkeit.
Halleluja.

Ostern, einmal anders
Wenn einer ausbricht aus dem Alltagstrott, dem ewigen Einerlei von Arbeit und Pflichten und Fernsehen, dann ist ihm ein Stein vom Herzen gefallen,
dann ist Auferstehung.
Wenn einer im Gewöhnlichen dem Leben endlich sein Recht gibt,
mit seinen Überraschungen und Unsicherheiten
und unvorhersehbaren Veränderungen, dann ist ihm ein Stein vom Herzen gefallen,
dann ist Auferstehung.
Wenn eine aufbricht aus dem Gefühl der Nutzlosigkeit, ausbricht aus der Trauer
über verpasste und verpatzte Gelegenheiten oder eigenes Versagen oder enttäuschende Verluste, dann ist ihr ein Stein vom Herzen gefallen,
dann ist Auferstehung.
Wenn eine das Leben neu sehen lernt mit seinen Schönheiten und Chancen,
wenn also eine aufhört, nur immer auf das zu starren,
was gewesen ist, was sie bedrückt und bedrängt,
wenn sie also offen wird für das Leben mit anderen,

dann ist ihr ein Stein vom Herzen gefallen,
dann ist Auferstehung

KYRIE-RUFE

Oder: GL 652 · KG 61

Herr Jesus Christus, du nimmst die Last der Angst und der Trauer von uns. Herr, erbarme dich.
Du bist die Antwort auf unsere Fragen und Zweifel. Christus, erbarme dich.
Du weckst in uns neuen Mut und Hoffnung. Herr, erbarme dich.

GLORIA (siehe Seite 508)

TAGESGEBET

Gott, du Herr allen Lebens, durch die Taufe schenkst du deiner Kirche Jahr für Jahr neue Söhne und Töchter. Gib, daß alle Christen in ihrem Leben dem Sakrament treu bleiben, das sie im Glauben empfangen haben. Darum bitten wir durch Jesus Christus.

ERSTE LESUNG

Apg 2,14.22b–33

Lesung aus der Apostelgeschichte.

Am Pfingsttag trat Petrus auf, zusammen mit den Elf; er erhob seine Stimme und begann zu reden: Ihr Juden und alle Bewohner von Jerusalem! Dies sollt ihr wissen, achtet auf meine Worte!

Jesus, den Nazoräer, den Gott vor euch beglaubigt hat durch machtvolle Taten, Wunder und Zeichen, die er durch ihn in eurer Mitte getan hat, wie ihr selbst wisst – ihn, der nach Gottes beschlossenem Willen und Vorauswissen hingegeben wurde, habt ihr durch die Hand von Gesetzlosen ans Kreuz geschlagen und umgebracht.

Gott aber hat ihn von den Wehen des Todes befreit und auferweckt; denn es war unmöglich, dass er vom Tod festgehalten wurde. David nämlich sagt über ihn:

Ich habe den Herrn beständig vor Augen. Er steht mir zur Rechten, ich wanke nicht. Darum freut sich mein Herz und frohlockt meine Zunge und auch mein Leib wird in sicherer Hoffnung ruhen; denn du gibst mich nicht der Unterwelt preis, noch lässt du deinen Frommen die Verwesung schauen. Du zeigst mir die Wege zum Leben, du erfüllst mich mit Freude vor deinem Angesicht.

Brüder, ich darf freimütig zu euch über den Patriarchen David reden: Er starb und wurde begraben und sein Grabmal ist bei uns erhalten bis auf den heutigen Tag. Da er ein Prophet war und wusste, dass Gott ihm den Eid geschworen hatte, einer von seinen Nachkommen werde auf seinem Thron sitzen, sagte er vorausschauend über die Auferstehung des Christus: Er gibt ihn nicht der Unterwelt preis und sein Leib schaut die Verwesung nicht. Diesen Jesus hat Gott auferweckt, dafür sind wir alle Zeugen. Nachdem er durch die rechte Hand Gottes erhöht worden war und vom Vater den verheißenen Heiligen Geist empfangen hatte, hat er ihn ausgegossen, wie ihr seht und hört. ℟

Das Unfassbare, Unbegreifliche muss von der ersten Stunde an begründet werden. Durch Jesus Christus wirkt Gott. Deswegen hat er ihn zu neuem Leben auferweckt. Doch auch ein Beweis aus den Heiligen Schriften wirkt nur bei dem, der glaubt. Der Glaube ist die Voraussetzung, dass die Frohe Botschaft als Ganzes, die Auferstehung im Besonderen angenommen werden kann. Das neue Leben, das verheißen ist, weist weit über das hinaus, was unser Verstand wahrnehmen kann.

ANTWORTPSALM

Ps 89,2–5 (℟: 2a)

℟: Halleluja – oder: Von den Taten deiner Huld, o Herr, will ich ewig singen.

VIII. Ton – GL 527,2 · KG 612

Von den Taten deiner Huld, Herr, will ich ewig singen, *
bis zum fernsten Geschlecht laut deine Treue verkünden.
Denn ich bekenne: Deine Huld besteht für immer und ewig; *
deine Treue steht fest im Himmel. – ℟

»Ich habe einen Bund geschlossen mit meinem Erwählten *
und David, meinem Knecht, geschworen:
Deinem Haus gebe ich auf ewig Bestand *
und von Geschlecht zu Geschlecht richte ich deinen Thron auf.«
– ℟

ZWEITE LESUNG 1 Kor 15,1–8.11

Lesung aus dem ersten Korintherbrief.

Ich erinnere euch, Brüder, an das Evangelium, das ich euch verkündet habe. Ihr habt es angenommen; es ist der Grund, auf dem ihr steht. Durch dieses Evangelium werdet ihr gerettet, wenn ihr an dem Wortlaut festhaltet, den ich euch verkündet habe. Oder habt ihr den Glauben vielleicht unüberlegt angenommen?

Denn vor allem habe ich euch überliefert, was auch ich empfangen habe:

Christus ist für unsere Sünden gestorben, gemäß der Schrift, und ist begraben worden. Er ist am dritten Tag auferweckt worden, gemäß der Schrift, und erschien dem Kephas, dann den Zwölf.

Danach erschien er mehr als fünfhundert Brüdern zugleich; die meisten von ihnen sind noch am Leben, einige sind entschlafen. Danach erschien er dem Jakobus, dann allen Aposteln. Als Letztem von allen erschien er auch mir, dem Unerwarteten, der »Missgeburt«.

Ob nun ich verkündige oder die anderen: Das ist unsere Botschaft und das ist der Glaube, den ihr angenommen habt. ℣

Warum nicht an der Stelle der Lesung einmal daran erinnern, dass Paulus bewusst oder nicht, die Zeuginnen des Auferstandenen unterschlägt. Es gibt ja auch noch die anderen Namen, die später in den Evangelien eine wichtige Rolle spielen, auch wenn sie dann bald wieder in der Versenkung der Kirchengeschichte verschwinden: Maria von Magdala, die erste Zeugin, deswegen auch »Apostelin der Apostel« genannt. Dann Maria, die Mutter des Joses, Maria, die Mutter des Jakobus, Salome, Johanna. Frauen zählen für Paulus offenbar nicht, obwohl mit Sicherheit auch in Korinth Frauen in den Gemeinden tätig waren.

RUF VOR DEM EVANGELIUM

Vgl. Lk 24,32

Halleluja. Halleluja.
Brannte uns nicht das Herz, als der Herr unterwegs mit uns redete und uns den Sinn der Schrift erschloss?
Halleluja.

EVANGELIUM

Lk 24,13–35

Aus dem heiligen Evangelium nach Lukas.

Am ersten Tag der Woche waren zwei von den Jüngern auf dem Weg in ein Dorf namens Emmaus, das sechzig Stadien von Jerusalem entfernt ist. Sie sprachen miteinander über all das, was sich ereignet hatte. Während sie redeten und ihre Gedanken austauschten, kam Jesus hinzu und ging mit ihnen. Doch sie waren wie mit Blindheit geschlagen, sodass sie ihn nicht erkannten. Er fragte sie: Was sind das für Dinge, über die ihr auf eurem Weg miteinander redet?

Da blieben sie traurig stehen und der eine von ihnen – er hieß Kleopas – antwortete ihm: Bist du so fremd in Jerusalem, dass du als Einziger nicht weißt, was in diesen Tagen dort geschehen ist? Er fragte sie: Was denn?

Sie antworteten ihm: Das mit Jesus aus Nazaret. Er war ein Prophet, mächtig in Wort und Tat vor Gott und dem ganzen Volk. Doch unsere Hohenpriester und Führer haben ihn zum Tod verurteilen und ans Kreuz schlagen lassen. Wir aber hatten gehofft, dass er der sei, der Israel erlösen werde. Und dazu ist heute schon der dritte Tag, seitdem das alles geschehen ist.

Aber nicht nur das: Auch einige Frauen aus unserem Kreis haben uns in große Aufregung versetzt. Sie waren in der Frühe beim Grab, fanden aber seinen Leichnam nicht. Als sie zurückkamen, erzählten sie, es seien ihnen Engel erschienen und hätten gesagt, er lebe. Einige von uns gingen dann zum Grab und fanden alles so, wie die Frauen gesagt hatten; ihn selbst aber sahen sie nicht.

Da sagte er zu ihnen: Begreift ihr denn nicht? Wie schwer fällt es euch, alles zu glauben, was die Propheten gesagt haben. Musste nicht der Messias all das erleiden, um so in seine Herrlichkeit zu gelangen? Und er legte ihnen dar, ausgehend von Mose und allen Propheten, was in der gesamten Schrift über ihn geschrieben steht.

So erreichten sie das Dorf, zu dem sie unterwegs waren. Jesus tat, als wolle er weitergehen, aber sie drängten ihn und sagten: Bleib doch bei uns; denn es wird bald Abend, der Tag hat sich schon geneigt. Da ging er mit hinein, um bei ihnen zu bleiben. Und als er mit ihnen bei Tisch war, nahm er das Brot, sprach den Lobpreis, brach das Brot und gab es ihnen. Da gingen ihnen die Augen auf und sie erkannten ihn; dann sahen sie ihn nicht mehr. Und sie sagten zueinander: Brannte uns nicht das Herz in der Brust, als er unterwegs mit uns redete und uns den Sinn der Schrift erschloss?

Noch in derselben Stunde brachen sie auf und kehrten nach Jerusalem zurück und sie fanden die Elf und die anderen Jünger versammelt. Diese sagten: Der Herr ist wirklich auferstanden und ist dem Simon erschienen. Da erzählten auch sie, was sie unterwegs erlebt und wie sie ihn erkannt hatten, als er das Brot brach. IF

Jesus hat das neue Leben nicht durch das Kreuz verdient. Gott hat es geschenkt, wie er uns das neue Leben schenken wird. Einfach so. Es macht überhaupt keinen Sinn, wenn die Religionen sich verrückt machen, um das ewige Leben durch Tricks zu gewinnen oder über Leistungen zu erreichen. Dann wäre es nichts als Menschenwerk – und wie ein solches Machwerk aussehen würde, wage ich gar nicht zu beschreiben.

Raimon Pannikar, einem christlichen Grenzgänger zwischen östlicher und westlicher Spiritualität, wurde vorgeworfen, er rede kaum vom Kreuz Jesu. Seine Antwort: »Alles in der Welt ist Kreuz.

Aber mein Glaube ist der Glaube an die Auferstehung.«

Die Auferstehung, das neue Leben ist Gottes Geschenk. Jesus geht nicht auf die drängenden Fragen ein, die seine Jüngerinnen und Jünger in Kopf und Herz bewegten. Er isst mit ihnen. Statt sich ihrem Warum zu stellen, den Fragen nach Tod und Leben, teilt er das Brot und später auch den Fisch.

In solchen Augenblicken gibt es nichts Wichtigeres. Das Leben lebt. Wir Christen feiern an Ostern unsere Befreiung und Erlösung. Also täten wir gut daran, uns ins Leben zu stürzen. Die Frohbotschaft möchte uns nicht frömmer machen, sondern froher; nicht nur erlöst, sondern gelöst, nicht nur befreit, sondern frei.

Oder: Mt 28,8–15

Aus dem heiligen Evangelium nach Matthäus.

Nachdem die Frauen die Botschaft des Engels vernommen hatten, verließen sie sogleich das Grab und eilten voll Furcht und großer Freude zu seinen Jüngern, um ihnen die Botschaft zu verkünden.

Plötzlich kam ihnen Jesus entgegen und sagte: Seid gegrüßt! Sie gingen auf ihn zu, warfen sich vor ihm nieder und umfassten seine Füße. Da sagte Jesus zu ihnen: Fürchtet euch nicht! Geht und sagt meinen Brüdern, sie sollen nach Galiläa gehen und dort werden sie mich sehen.

Noch während die Frauen unterwegs waren, kamen einige von den Wächtern in die Stadt und berichteten den Hohenpriestern alles, was geschehen war. Diese fassten gemeinsam mit den Ältesten den Beschluss, die Soldaten zu bestechen. Sie gaben ihnen viel Geld und sagten: Erzählt den Leuten: Seine Jünger sind bei Nacht gekommen und haben ihn gestohlen, während wir schliefen. Falls der Statthalter davon hört, werden wir ihn beschwichtigen und dafür sorgen, dass ihr nichts zu befürchten habt. Die Soldaten nahmen das Geld und machten alles so, wie man es ihnen gesagt hatte. So kommt es, dass dieses Gerücht bei den Juden bis heute verbreitet ist. IF

Frauen haben es in der Kirche schwer, ihren Platz einzunehmen, der ihnen zusteht. Matthäus berichtet dagegen ganz unkompliziert: Am Anfang der Auferstehungsgeschichte stehen Frauen. Sie sind die ersten Zeuginnen des Auferstandenen. Die drei Tage, von Jesu Tod am Kreuz bis zum Beginn des neuen Lebens haben sie geduldig ausgeharrt. Die Jünger hatten sich auf und davon gemacht. Schon unterm Kreuz hatten sie nicht ausgehalten. Von den Frauen heißt es: »Viele waren dort und sahen von weitem zu.« Ein Blick, ein Wort genügte, und die Frauen haben im Herzen erfasst, was über den Verstand hinausgeht. So werden sie zu den ersten Verkündigerinnen der Frohen Botschaft, auch den höchst skeptisch gebliebenen Männern gegenüber. Erst durch die Begeisterung der Frauen bekommen die Jünger eine neue Sicht.

CREDO (siehe Seite 512)

FÜRBITTEN

- Man sagt, Tote lässt man ruhen. Wir sagen: Nein. Tote lässt man auferstehen. Ihre guten Ideen. Ihre guten Taten. Ihr Leben. Deswegen bitten wir den Auferstandenen: Erstehe auch in uns auf durch gute Ideen, durch gute Taten, wie wir leben: Herr, erhöre uns …
- Man sagt, vorbei ist vorbei. Wir sagen: Nein. Jetzt geht die Sache erst an. Jesus ist nicht vorbei. Wir lassen ihn nicht vermodern oder zur Mumie machen. Deswegen bitten wir den Auferstandenen: Mach uns lebendig, schenk uns Fantasie, gibt uns Mut zum Ja- oder Neinsagen zur rechten Zeit: Herr, erhöre uns …
- Man sagt, die Zeit heilt alle Wunden. Wir sagen: Nein. Wir lassen diese Wunde nicht heilen. Das könnte der Welt so passen. Deswegen bitten wir den Auferstandenen: Mach uns verwundbar, dass wir das Leid, den Schrecken und die Nöte nicht von uns wegschieben. Schenk uns Solidarität für jene, die uns brauchen: Herr, erhöre uns …

– Man sagt: Zurückgekommen ist noch keiner. Wir sagen: Nein. Er ist nicht nur zurückgekommen. Er ist mitten unter uns. Er fühlt in uns. Er liebt mit uns. Deswegen bitten wir den Auferstandenen: Zeig uns deine Nähe, besonders dann, wenn wir uns einsam und verlassen, wie verraten und verkauft fühlen: Herr, erhöre uns …

GABENGEBET

Gott, du hast deinem Volk durch das Bekenntnis des Glaubens und den Empfang der Taufe neues Leben geschenkt. Nimm die Gaben (der Neugetauften und aller) deiner Gläubigen gnädig an und laß uns in dir Seligkeit und ewiges Leben finden. Darum bitten wir durch Christus, unseren Herrn.

PRÄFATION

Osterzeit I

In Wahrheit ist es würdig und recht, dir, Vater, immer und überall zu danken, diese Tage aber aufs höchste zu feiern, da unser Osterlamm geopfert ist, Jesus Christus. Denn er ist das wahre Lamm, das die Sünde der Welt hinwegnimmt. Durch seinen Tod hat er unseren Tod vernichtet und durch seine Auferstehung das Leben neu geschaffen. Darum jubelt heute der ganze Erdkreis in österlicher Freude, darum preisen dich die himmlischen Mächte und die Chöre der Engel und singen das Lob deiner Herrlichkeit.

EINLADUNG ZUM VATERUNSER

Wenn Jesus zu uns redet, brennt uns das Herz in der Brust. Wir können nicht schweigen und beten mit seinen Worten zum Vater: Vater unser im Himmel …

EINLADUNG ZUM FRIEDENSGEBET

Der schwere Stein, der uns belastet hat, ist weggerollt. Wir können als neue Menschen Gottes Frieden leben. Deshalb bitten wir: Herr Jesus Christus …

KOMMUNIONVERS

Vgl. Röm 6,9

Christus ist vom Tod erstanden; er stirbt nicht mehr.
Gebrochen ist die Macht des Todes. Halleluja.

SCHLUSSGEBET

Allmächtiger Gott, du hast uns durch die österlichen Geheimnisse auf den Weg des Lebens geführt. Lass deine Gnade in uns mächtig werden, damit wir uns deiner Gaben würdig erweisen und unseren Weg zu dir vollenden. Darum bitten wir durch Christus, unseren Herrn.

SCHLUSSSEGEN

In der Osterzeit

Der allmächtige Gott hat uns durch die Auferstehung seines Sohnes aus Sünde und Tod befreit; er segne euch und schenke euch seine Freude.

Und Christus, mit dem wir auferstanden sind durch den Glauben, bewahre in euch die Gabe der Erlösung.

Gott hat uns in der Taufe angenommen als Kinder seiner Gnade; er schenke euch das verheißene Erbe.

Das gewähre euch der dreieinige Gott, der Vater und der Sohn ✝ und der Heilige Geist.

Wer liebt,
zeigt dass er Leben hat,
ein Leben,
das über dieses Leben hinausweist.
Denn die Liebe kommt nicht aus unserer Welt.
Sie hat Heimatrecht bei Gott.

Wer Lust zu lieben hat,
öffnet dem Leben seine schönste Seite.
Er steht von den Toten auf,
überwindet den Tod.
Nur wer liebt, ist lebendig.
So wie ER.

Roland Breitenbach

2. Sonntag der Osterzeit

Sonntag der Göttlichen Barmherzigkeit

15. April 2012

Wie neugeborene Kinder
verlangt nach der unverfälschten Milch des Wortes,
damit ihr durch sie heranwachst und das Heil erlangt.
Halleluja.

1 Petr 2,2

Oder:

Freut euch und dankt Gott, der euch zu sich gerufen hat.
Ihr seid Kinder Gottes und Erben seiner Herrlichkeit.
Halleluja.

Vgl. 5 Esra 2,36–37 (apokr.)

Mit dem heutigen Sonntag endet die Osteroktav, jene acht Tage vom Ostersonntag an, die liturgisch alle als Hochfest begangen werden. *Weißer Sonntag – Dominica in albis* lautet sein traditioneller Name. Er erinnert – ebenso wie der Eingangsvers – an die in der Osternacht Getauften.

Mit dem Weißen Sonntag verbindet sich zudem die Erstkommunion der Kinder, die bis heute möglichst an diesem Sonntag festlich begangen wird.

Seit dem 30. April 2000 trägt der Sonntag außerdem den Namen *Barmherzigkeitssonntag*. Papst Johannes Paul II. hat mit dieser Namensgebung dem Wunsch einer 1938 ums Leben gekommenen polnischen Ordensfrau entsprochen.

»Der Herr ist ein barmherziger und gnädiger Gott, langmütig, reich an Erbarmen und Treue«, ruft Gott dem Mose am Sinai zu (Ex 34,6). Leben, Leiden, Tod und Auferstehung seines Sohnes, unseres Herrn Jesus Christus, bezeugen, wie unfassbar groß seine Barmherzigkeit und seine Langmut, wie unfassbar reich sein Erbarmen und wie unbedingt seine Treue sind. Wie gut, dass die Freude darüber sich 50 Tage lang entfalten darf.

Kyrie-Rufe

Oder: GL 494 · KG 435

Herr Jesus Christus, du bist gestorben und auferstanden. Herr, erbarme dich.
Du zeigst uns Gottes Barmherzigkeit. Christus, erbarme dich.
Du weckst in uns die Freude an Gott, Herr erbarme dich.

Gloria (siehe Seite 508)

Tagesgebet

Barmherziger Gott, durch die jährliche Osterfeier erneuerst du den Glauben deines Volkes. Laß uns immer tiefer erkennen, wie heilig das Bad der Taufe ist, das uns gereinigt hat, wie mächtig dein Geist, aus dem wir wiedergeboren sind, und wie kostbar das Blut, durch das wir erkauft sind. Darum bitten wir durch Jesus Christus.

Erste Lesung

Apg 4,32–35

Lesung aus der Apostelgeschichte.

Die Gemeinde der Gläubigen war ein Herz und eine Seele. Keiner nannte etwas von dem, was er hatte, sein Eigentum, sondern sie hatten alles gemeinsam.

Mit großer Kraft legten die Apostel Zeugnis ab von der Auferstehung Jesu, des Herrn, und reiche Gnade ruhte auf ihnen allen.

Es gab auch keinen unter ihnen, der Not litt. Denn alle, die Grundstücke oder Häuser besaßen, verkauften ihren Besitz, brachten den Erlös und legten ihn den Aposteln zu Füßen. Jedem wurde davon so viel zugeteilt, wie er nötig hatte. IF

Sie waren ein Herz und eine Seele. Auch wenn es sich dabei wohl eher um ein Idealbild als um eine historische Nachricht handelt, das Bild, das Lukas von der Jerusalemer Urgemeinde zeichnet, hat bis heute nichts von seiner Anziehungskraft verloren. Das Wort Gottes, die Eucharistie, das Gebet, die brüderliche Liebe bildeten quasi den Rahmen, in dem sie lebte, wuchs und erstarkte. Was in ihr wächst (Einmütigkeit), was sich in ihr entwickelt (Gütergemeinschaft, kraftvolle Bezeugung der Auferstehung Jesu), ist geistgewirkte Gabe.

Nehmen wir den Impuls auf. Setzen wir mehr auf Gottes Wirken unter uns und an uns als auf unsere Leistung. Lassen wir uns von Gottes Geist dazu und dahin treiben, wo er uns heute braucht. Lassen wir wachsen, was er in uns zur Entfaltung bringen möchte.

ANTWORTPSALM

Ps 118,2.4.16–18.22–24 (℟: 1)

℟: Halleluja – oder: Danket dem Herrn, denn er ist gütig, denn seine Huld währt ewig!

VI. Ton – GL 233,1 · KG 626

So soll Israel sagen: *
Denn seine Huld währt ewig.
So sollen alle sagen, die den Herrn fürchten und ehren: *
Denn seine Huld währt ewig. – ℟

Die Rechte des Herrn ist erhoben, *
die Rechte des Herrn wirkt mit Macht!«
Ich werde nicht sterben, sondern leben, *
um die Taten des Herrn zu verkünden. – ℟

Der Herr hat mich hart gezüchtigt, *
doch er hat mich nicht dem Tod übergeben.
Der Stein, den die Bauleute verwarfen, *
er ist zum Eckstein geworden. – ℟

Das hat der Herr vollbracht, *
vor unseren Augen geschah dieses Wunder.
Dies ist der Tag, den der Herr gemacht hat; *
wir wollen jubeln und uns an ihm freuen. – ℟

ZWEITE LESUNG

1 Joh 5,1–6

Lesung aus dem ersten Johannesbrief.

Schwestern und Brüder! Jeder, der glaubt, dass Jesus der Christus ist, stammt von Gott und jeder, der den Vater liebt, liebt auch den, der von ihm stammt. Wir erkennen, dass wir die Kinder Gottes lieben, wenn wir Gott lieben und seine Gebote erfüllen.

Denn die Liebe zu Gott besteht darin, dass wir seine Gebote halten. Seine Gebote sind nicht schwer. Denn alles, was von Gott stammt, besiegt die Welt. Und das ist der Sieg, der die Welt besiegt hat: unser Glaube. Wer sonst besiegt die Welt, außer dem, der glaubt, dass Jesus der Sohn Gottes ist?

Dieser ist es, der durch Wasser und Blut gekommen ist: Jesus Christus. Er ist nicht nur im Wasser gekommen, sondern im Wasser und im Blut. Und der Geist ist es, der Zeugnis ablegt; denn der Geist ist die Wahrheit. IF

Gehorsam ist die Haltung derer, denen die Liebe zu Christus über alles geht, schreibt der hl. Benedikt an einer Stelle seiner Mönchsregel (RB 5,1). – Wer liebt, horcht mit ganzem Herzen auf den, den er liebt, und tut, was er gehört, was er erhorcht hat. Wenn das schon unter uns Menschen so ist, wie könnte es gegenüber Gott anders sein?

RUF VOR DEM EVANGELIUM Joh 20,29

Halleluja. Halleluja.
So spricht der Herr: Weil du mich gesehen hast, Thomas, glaubst du. Selig sind, die nicht sehen und doch glauben.
Halleluja.

EVANGELIUM Joh 20,19–31

Aus dem heiligen Evangelium nach Johannes.

Am Abend des ersten Tages der Woche, als die Jünger aus Furcht vor den Juden die Türen verschlossen hatten, kam Jesus, trat in ihre Mitte und sagte zu ihnen: Friede sei mit euch! Nach diesen Worten zeigte er ihnen seine Hände und seine Seite. Da freuten sich die Jünger, dass sie den Herrn sahen.

Jesus sagte noch einmal zu ihnen: Friede sei mit euch! Wie mich der Vater gesandt hat, so sende ich euch. Nachdem er das gesagt hatte, hauchte er sie an und sprach zu ihnen: Empfangt den Heiligen Geist! Wem ihr die Sünden vergebt, dem sind sie vergeben; wem ihr die Vergebung verweigert, dem ist sie verweigert.

Thomas, genannt Didymus – Zwilling –, einer der Zwölf, war nicht bei ihnen, als Jesus kam. Die anderen Jünger sagten zu ihm: Wir haben den Herrn gesehen.

Er entgegnete ihnen: Wenn ich nicht die Male der Nägel an seinen Händen sehe und wenn ich meinen Finger nicht in die Male der Nägel und meine Hand nicht in seine Seite lege, glaube ich nicht.

Acht Tage darauf waren seine Jünger wieder versammelt und Thomas war dabei. Die Türen waren verschlossen. Da kam Jesus, trat in ihre Mitte und sagte: Friede sei mit euch!

Dann sagte er zu Thomas: Streck deinen Finger aus – hier sind meine Hände! Streck deine Hand aus und leg sie in meine Seite und sei nicht ungläubig, sondern gläubig!

Thomas antwortete ihm: Mein Herr und mein Gott! Jesus sagte zu ihm: Weil du mich gesehen hast, glaubst du. Selig sind, die nicht sehen und doch glauben.

Noch viele andere Zeichen, die in diesem Buch nicht aufgeschrieben sind, hat Jesus vor den Augen seiner Jünger getan. Diese aber sind aufgeschrieben, damit ihr glaubt, dass Jesus der Messias ist, der Sohn Gottes, und damit ihr durch den Glauben das Leben habt in seinem Namen. |F

Mit Wunden haben wir nicht gern zu tun. Eigene Wunden kaschieren wir, damit sie möglichst niemand sieht. Vor fremden Wunden verschließen wir nur allzu oft die Augen. Wer weiß, in was wir sonst hineingezogen werden.

Als Jesus zu den nach dem Geschehen in Jerusalem angstvoll versammelten Jüngern kommt, spricht er ihnen zuerst den Friedensgruß zu. Danach, so berichtet Johannes, zeigt er ihnen seine Wunden. Sie verschließen ihre Augen nicht. Sie schauen hin – und erkennen an diesen im Kreuzestod erlittenen Wunden ihren

Herrn und Meister. Freude bricht in ihnen auf. Mit den Worten »Wie mich der Vater gesandt hat, so sende ich euch«, überträgt er ihnen seine Sendung.

Thomas war nicht dabei. Dem Zeugnis der anderen will oder kann er nicht glauben. Selber will er sehen, verlangt sogar, die Wunden zu berühren. Ob Zweifel oder Verzweiflung ihn so sprechen lassen, wissen wir nicht. Was wir jedoch wissen: Jesus weist seinen Wunsch, seine Forderung nicht zurück. In der Begegnung werden auch für Thomas die Wunden zum Erweis der Identität Jesu. Erkennend bekennt er seinen Glauben an den Auferstandenen: »Mein Herr und mein Gott!«

Christus, so die Botschaft des Evangelisten, bringt die verängstigten Jünger zum Glauben. Christus bringt Thomas zum Glauben. Und Christus bringt auch die zum Glauben, die nicht gesehen haben. Jesu Wort »Selig sind, die nicht sehen und doch glauben« gilt auch uns.

CREDO (siehe Seite 512)

FÜRBITTEN

Herr Jesus Christus, dein Tod am Kreuz ist für uns das Tor zum Leben. Wir bitten dich:

V: Christus höre uns. A: Christus erhöre uns.

- Erfülle mit deinem Geist, die du mit der Verkündigung deiner Frohen Botschaft beauftragt hast.
- Stärke in deinen Gemeinden das Vertrauen in dich und deine Wege mit uns.
- Segne alle, die heute zum ersten Mal das Brot des Lebens empfangen.
- Komm den Sterbenden entgegen und nimm sie auf in dein Licht und Leben.

Du, Herr, hast uns mit deinem Leben gezeigt, wie sehr der Vater einen jeden von uns liebt. Wir danken dir und preisen dich heute und alle Tage.

Gabengebet

Gott, du hast deinem Volk durch das Bekenntnis des Glaubens und den Empfang der Taufe neues Leben geschenkt. Nimm die Gaben (der Neugetauften und aller) deiner Gläubigen gnädig an und laß uns in dir Seligkeit und ewiges Leben finden. Darum bitten wir durch Christus, unseren Herrn.

Präfation

Osterzeit I

In Wahrheit ist es würdig und recht, dir, Vater, immer und überall zu danken, diesen Tag aber aufs höchste zu feiern, da unser Osterlamm geopfert ist, Jesus Christus. Denn er ist das wahre Lamm, das die Sünde der Welt hinwegnimmt. Durch seinen Tod hat er unseren Tod vernichtet und durch seine Auferstehung das Leben neu geschaffen. Darum jubelt heute der ganze Erdkreis in österlicher Freude, darum preisen dich die himmlischen Mächte und die Chöre der Engel und singen das Lob deiner Herrlichkeit.

Einladung zum Vaterunser

Christus hat seinen Jüngern den Heiligen Geist geschenkt. Auch wir haben Gottes Geist in der Taufe erhalten, den Geist aus dem wir zu Gott als unserem Vater beten können: Vater unser im Himmel …

Einladung zum Friedensgebet

Die erste Gabe des auferstandenen Herrn an seine Jünger war der Friede. Wir beten für den Frieden in der Welt. Der Friede untereinander soll uns Christen auszeichnen. Deshalb beten wir: Herr Jesus Christus …

Kommunionvers

Joh 20,29

Selig, die nicht sehen und doch glauben. Halleluja.

Schlussgebet

Allmächtiger Gott, im heiligen Sakrament haben wir den Leib und das Blut deines Sohnes empfangen. Laß diese österliche Gabe in uns weiterwirken und fruchtbar sein. Darum bitten wir durch Christus, unseren Herrn.

Schlusssegen

In der Osterzeit

Der allmächtige Gott hat uns durch die Auferstehung seines Sohnes aus Sünde und Tod befreit; er segne euch und schenke euch seine Freude.

Und Christus, mit dem wir auferstanden sind durch den Glauben, bewahre in euch die Gabe der Erlösung.

Gott hat uns in der Taufe angenommen als Kinder seiner Gnade; er schenke euch das verheißene Erbe.

Das gewähre euch der dreieinige Gott, der Vater und der Sohn ✝ und der Heilige Geist.

Die Barmherzigen

Die Barmherzigen sind leise.
Sie fallen nicht auf.
Sie machen kein Aufheben von sich.
Sie streben nicht nach oben.
Sie beugen sich nach unten, zu dem, der ihrer bedarf.
Sie stellen sich auf die gleiche Stufe, sie sind neben ihm, nicht über ihm.
Sie richten ihn auf, in seine Würde als Mensch, in den aufrechten Gang, in das Ebenbild Gottes.
Die Barmherzigen sind still. Sie machen keine Karriere »nach oben«.
Ihr Leben ist eine Karriere »nach unten«.
In ihnen wurzelt das Reich Gottes.

Papst Johannes XXIII.

3. Sonntag der Osterzeit
22. April 2012

Jauchzt vor Gott, alle Menschen der Erde!
Spielt zum Ruhm seines Namens!
Verherrlicht ihn mit Lobpreis! Halleluja.
Ps 66,1–2

Glaube wächst, erstarkt und breitet sich aus, wenn wir von ihm sprechen – bezeugend wie Petrus (1. Lesung), mahnend und ermutigend wie der Verfasser des 1 Joh (2. Lesung), fragend und zweifelnd, wie die beiden Jünger auf dem Weg nach Emmaus, bestürzt und staunend wie die Elf in Jerusalem (Evangelium) und immer wieder hörend und feiernd – wie wir, die zum sonntäglichen Gottesdienst versammelte Gemeinde.

Glaube wächst, erstarkt und breitet sich aus, wenn wir leben, was sich uns erschlossen hat.

Kyrie-Rufe GL 405 · KG 164

Herr Jesus Christus, du weckst und stärkst in uns den Glauben. Herr, erbarme dich.
Du schenkst uns die Kraft, den Glauben zu bezeugen. Christus, erbarme dich.
Du erfüllst uns mit Freude daran, zu dir zu beten und dich zu feiern. Herr, erbarme dich.

Gloria (siehe Seite 508)

Tagesgebet

Allmächtiger Gott, laß die österliche Freude in uns fortdauern, denn du hast deiner Kirche neue Lebenskraft geschenkt und die Würde unserer Gotteskindschaft in neuem Glanz erstrahlen lassen. Gib, daß wir den Tag der Auferstehung voll Zuversicht erwarten als einen Tag des Jubels und des Dankes. Darum bitten wir durch Jesus Christus.

Erste Lesung Apg 3,12a.13–15.17–19

Lesung aus der Apostelgeschichte.

In jenen Tagen wandte sich Petrus an das Volk: Der Gott Abrahams, Isaaks und Jakobs, der Gott unserer Väter, hat seinen Knecht Jesus verherrlicht, den ihr verraten und vor Pilatus verleugnet habt, obwohl dieser entschieden hatte, ihn freizulassen. Ihr aber habt den Heiligen und Gerechten verleugnet und die Freilassung eines Mörders gefordert. Den Urheber des Lebens habt ihr getötet, aber Gott hat ihn von den Toten auferweckt. Dafür sind wir Zeugen.

Nun, Brüder, ich weiß, ihr habt aus Unwissenheit gehandelt, ebenso wie eure Führer. Gott aber hat auf diese Weise erfüllt, was er durch den Mund aller Propheten im Voraus verkündigt hat: dass sein Messias leiden werde. Also kehrt um und tut Buße, damit eure Sünden getilgt werden. ℣

Neuorientierung wird möglich durch Menschen, die einen klaren Blick haben und Klartext reden können, die spürig sind für den rechten Augenblick und dann das Richtung weisende, hilfreiche Wort finden, die weder be- noch verurteilen, sondern in die »rechte« Spur helfen. Wie Petrus. – Sollten wir nicht um und für solche Menschen in unserer Kirche und in unserer Welt beten?

Antwortpsalm Ps 4,2.4.7–9 (℟: vgl. 7b)

℟: Halleluja – oder: Lass dein Angesicht über uns leuchten, o Herr!

IV. Ton – GL 233,5

Wenn ich rufe, erhöre mich, *
Gott, du mein Retter!
Du hast mir Raum geschaffen, als mir angst war. *
Sei mir gnädig und hör auf mein Flehen! – ℟

Erkennt doch: Wunderbar handelt der Herr an den Frommen; *
der Herr erhört mich, wenn ich zu ihm rufe.
Viele sagen: »Wer lässt uns Gutes erleben?« *
Herr, lass dein Angesicht über uns leuchten! – ℟

Du legst mir größere Freude ins Herz, *
als andere haben bei Korn und Wein in Fülle.
In Frieden leg ich mich nieder und schlafe ein; *
denn du allein, Herr, lässt mich sorglos ruhen. – ℟

ZWEITE LESUNG 1 Joh 2,1–5a

Lesung aus dem ersten Johannesbrief.

Meine Kinder, ich schreibe euch dies, damit ihr nicht sündigt. Wenn aber einer sündigt, haben wir einen Beistand beim Vater: Jesus Christus, den Gerechten. Er ist die Sühne für unsere Sünden, aber nicht nur für unsere Sünden, sondern auch für die der ganzen Welt.

Wenn wir seine Gebote halten, erkennen wir, dass wir ihn erkannt haben. Wer sagt: Ich habe ihn erkannt!, aber seine Gebote nicht hält, ist ein Lügner und die Wahrheit ist nicht in ihm.

Wer sich aber an sein Wort hält, in dem ist die Gottesliebe wahrhaft vollendet. ℣

Mahnung, Trost, Belehrung, Weisung. Mit allem sucht der Verfasser das Herz seiner Adressaten zu erreichen. Auch das unsere. Er möchte es auf Jesus Christus hin lenken. Mehr noch als unser Verstand, soll unser Herz, tiefste Wurzel alles menschlichen Handelns, erkennen: In Jesus Christus, der für uns Sünder am Kreuz gestorben ist, haben wir bis zum Ende der Zeiten einen verlässlichen Fürsprecher beim Vater – wir und alle, die seiner Liebe glauben. Je tiefer diese Gewissheit unser Herz erfüllt, desto stärker wird das unser Tun, ja uns selber prägen. Wir werden mehr und mehr auf ihn hörende, ihm gehörende, zu ihm gehörende Menschen.

Ruf vor dem Evangelium

Vgl. Lk 24,32

Halleluja. Halleluja.
Herr Jesus, erschließ uns die Schrift! Lass unser Herz entbrennen, wenn du zu uns redest.
Halleluja.

Evangelium

Lk 24,35–48

Aus dem heiligen Evangelium nach Lukas.

Die beiden Jünger, die von Emmaus zurückgekehrt waren, erzählten den Elf, was sie unterwegs erlebt und wie sie ihn erkannt hatten, als er das Brot brach.

Während sie noch darüber redeten, trat er selbst in ihre Mitte und sagte zu ihnen: Friede sei mit euch! Sie erschraken und hatten große Angst, denn sie meinten, einen Geist zu sehen.

Da sagte er zu ihnen: Was seid ihr so bestürzt? Warum lasst ihr in eurem Herzen solche Zweifel aufkommen? Seht meine Hände und meine Füße an: Ich bin es selbst. Fasst mich doch an und begreift: Kein Geist hat Fleisch und Knochen, wie ihr es bei mir seht. Bei diesen Worten zeigte er ihnen seine Hände und Füße.

Sie staunten, konnten es aber vor Freude immer noch nicht glauben. Da sagte er zu ihnen: Habt ihr etwas zu essen hier? Sie gaben ihm ein Stück gebratenen Fisch; er nahm es und aß es vor ihren Augen.

Dann sprach er zu ihnen: Das sind die Worte, die ich zu euch gesagt habe, als ich noch bei euch war: Alles muss in Erfüllung gehen, was im Gesetz des Mose, bei den Propheten und in den Psalmen über mich gesagt ist.

Darauf öffnete er ihnen die Augen für das Verständnis der Schrift. Er sagte zu ihnen: So steht es in der Schrift: Der Messias wird leiden und am dritten Tag von den Toten auferstehen, und in seinem Namen wird man allen Völkern, angefangen in Jerusalem, verkünden, sie sollen umkehren, damit ihre Sünden vergeben werden.

Ihr seid Zeugen dafür. |F

Die Emmaus-Jünger erkannten den Herrn, als er das Brot brach. Die in Jerusalem versammelten Jünger trauten ihren Augen zunächst nicht, als der Herr, während sie von ihm redeten, in ihre Mitte trat. Erst nach und nach erfassten sie mit tiefer Freude: Es ist wirklich der Auferstandene. Von ihm, seinem Leben, seinem Sterben und seiner Auferweckung gilt es Zeugnis abzulegen vor der Welt.

Und wir? Auch uns gibt er sich zu erkennen. In jeder Eucharistiefeier wird uns das Brot als Jesu Leib und der Wein als Jesu Blut gereicht. Jede Eucharistiefeier verbindet uns ihm, dem Auferstandenen, und der Gemeinschaft aller Getauften. In jeder Eucharistiefeier verkünden wir den Tod des Herrn und preisen wir seine Auferstehung. In jeder Eucharistiefeier wird uns sein Friede zugesprochen. Alles kann durch ihn gewandelt und neu werden, auch wir selber, wenn wir nur diese seine österliche Gabe annehmen und in unsere Welt tragen.

CREDO (siehe Seite 512)

FÜRBITTEN

Wir wollen zu Christus, unserem Herrn und Retter, beten:

A: Wir bitten dich, erhöre uns.

- Herr, Jesus Christus, mach deine Kirche zu einem Ort des Friedens und der Versöhnung.
- Hilf allen, die sich um Frieden und Versöhnung zwischen den Völkern mühen.
- Wecke in uns den Mut, um Vergebung zu bitten, wo wir anderen Unrecht getan haben.
- Nimm unsere Toten in deinen Frieden auf und lass sie bei dir selig sein.

Du, Herr, kennst unsere Not. Du bist allen nahe, die zu dir rufen. Wir danken dir und preisen dich heute und in Ewigkeit.

GABENGEBET

Allmächtiger Gott, nimm die Gaben an, die deine Kirche dir in österlicher Freude darbringt. Du hast ihr Grund gegeben zu solchem Jubel, erhalte ihr die Freude bis zur Vollendung. Darum bitten wir durch Christus, unseren Herrn.

PRÄFATION

Osterzeit IV

In Wahrheit ist es würdig und recht, dir, Vater, in diesen Tagen freudig zu danken, da unser Osterlamm geopfert ist, Jesus Christus. Das Alte ist vergangen, die gefallene Welt erlöst, das Leben in Christus erneuert. Darum preisen wir dich in österlicher Freude und singen mit den Chören der Engel das Lob deiner Herrlichkeit.

EINLADUNG ZUM VATERUNSER

Gott wird seine Liebe in jedem vollenden, der sich an Jesus Christus hält. In dieser Zuversicht können auch wir mit den Worten Jesu zum Vater beten: Vater unser im Himmel …

EINLADUNG ZUM FRIEDENSGEBET

Christus gibt uns den Frieden. Wer zu ihm umkehrt, findet in ihm Vergebung der Sünden. Deshalb bitten wir: Herr Jesus Christus …

KOMMUNIONVERS

Lk 24,46–47

Es steht geschrieben: Der Messias wird leiden und am dritten Tag von den Toten auferstehen, und in seinem Namen wird man allen Völkern die Bekehrung predigen, damit ihre Sünden vergeben werden. Halleluja.

SCHLUSSGEBET

Ewiger Gott, du hast uns durch die Ostergeheimnisse erneuert. Wende dich uns voll Güte zu und bleibe bei uns mit deiner Huld, bis wir mit verklärtem Leib zum unvergänglichen Leben auferstehen. Darum bitten wir durch Christus, unseren Herrn.

SCHLUSSSEGEN

In der Osterzeit

Der allmächtige Gott hat uns durch die Auferstehung seines Sohnes aus Sünde und Tod befreit; er segne euch und schenke euch seine Freude.

Und Christus, mit dem wir auferstanden sind durch den Glauben, bewahre in euch die Gabe der Erlösung.

Gott hat uns in der Taufe angenommen als Kinder seiner Gnade; er schenke euch das verheißene Erbe.

Das gewähre euch der dreieinige Gott, der Vater und der Sohn ✝ und der Heilige Geist.

Ihm nachfolgen

Ihm nachfolgen
auf seine Weisungen hören
in seiner Liebe bleiben
in ihm sein
Ihn zulassen
alles loslassen
mich ihm überlassen
verbunden sein
mich aufmachen
mich auf den Weg machen
nachgehen
bereit sein
umkehren
neue Wege einschlagen
mich führen lassen
von ihm

Andrea Schwarz

4. Sonntag der Osterzeit
29. April 2012

Die Erde ist voll von der Huld des Herrn.
Durch das Werk des Herrn wurden die Himmel geschaffen.
Halleluja.
Ps 33,5–6

Guter-Hirten-Sonntag wird dieser vierte Ostersonntag genannt. Obwohl Hirten bei uns selten geworden sind, verbinden wir mit dem Wort doch vor allem die Vorstellung von zuverlässiger Sorge. »Ich bin der gute Hirte«, hat Jesus von sich gesagt – und sein Leben hingegeben für die Seinen, für uns.

An diesem Sonntag beten wir um »geistliche Berufe«, um Frauen und Männer, die sich von Gott in Dienst nehmen lassen für sein Reich, die bereit sind, ihre Lebenskraft herzuschenken, die wie gute Hirten zuverlässig für die ihnen Anvertrauten sorgen.

Beten wir um sie. Und beten wir für sie. Nicht nur heute.

Kyrie-Rufe

Oder: GL 213 · KG 436

Herr Jesus Christus, du bist der gute Hirte, der uns schützt und leitet. Herr, erbarme dich.

Du sendest uns Frauen und Männer, die uns deinen Weg zeigen. Christus, erbarme dich.

Du machst auch uns bereit, dich in unserem Leben zu bezeugen. Herr, erbarme dich.

Gloria (Siehe Seite 508)

Tagesgebet

Allmächtiger, ewiger Gott, dein Sohn ist der Kirche siegreich vorausgegangen als der Gute Hirt. Geleite auch die Herde, für die er sein Leben dahingab, aus aller Not zur ewigen Freude. Darum bitten wir durch ihn, Jesus Christus.

ERSTE LESUNG Apg 4,8–12

Lesung aus der Apostelgeschichte.

In jenen Tagen sagte Petrus, erfüllt vom Heiligen Geist: Ihr Führer des Volkes und ihr Ältesten! Wenn wir heute wegen einer guten Tat an einem kranken Menschen darüber vernommen werden, durch wen er geheilt worden ist, so sollt ihr alle und das ganze Volk Israel wissen: im Namen Jesu Christi, des Nazoräers, den ihr gekreuzigt habt und den Gott von den Toten auferweckt hat. Durch ihn steht dieser Mann gesund vor euch.

Er – Jesus – ist der Stein, der von euch Bauleuten verworfen wurde, der aber zum Eckstein geworden ist. Und in keinem anderen ist das Heil zu finden. Denn es ist uns Menschen kein anderer Name unter dem Himmel gegeben, durch den wir gerettet werden sollen. ℞F

Die Vernehmung durch die Führer und Ältesten des Volkes ist für Petrus erneute Gelegenheit, Zeugnis abzulegen. Mit allem Freimut – in Worten wie der Heilige Geist sie eingibt (Lk 12,11f.) – bezeugt er ihnen die Heilung des Kranken im Namen und in der Kraft Jesu. Kühn und kompromisslos legt er im Rückgriff auf die Schrift dar: Der von ihnen verachtete Jesus von Nazaret (Ps 118,16), von den Propheten verheißener Eckstein (Jes 28,16), von Gott aus den Toten auferweckt, ist die einzige Tür zum Heil – für alle, die an ihn glauben. Ein klares, ein klärendes, ein mutiges Bekenntnis. Weg weisend und Hoffnung schenkend bis heute.

ANTWORTPSALM Ps 118,1.4.8–9.21–23.26.28–29 (℞: 22)

℞: Halleluja – oder: Der Stein, den die Bauleute verwarfen, er ist zum Eckstein geworden.

VI. Ton – GL 233,1 · KG 626

Danket dem Herrn, denn er ist gütig, *
denn seine Huld währt ewig.
So sollen alle sagen, die den Herrn fürchten und ehren: *
Denn seine Huld währt ewig. – ℞

Besser, sich zu bergen beim Herrn, *
als auf Menschen zu bauen.
Besser, sich zu bergen beim Herrn, *
als auf Fürsten zu bauen. – ℟

Ich danke dir, dass du mich erhört hast; *
du bist für mich zum Retter geworden.
Der Stein, den die Bauleute verwarfen, *
er ist zum Eckstein geworden. – ℟

Das hat der Herr vollbracht, *
vor unseren Augen geschah dieses Wunder.
Gesegnet sei er, der kommt im Namen des Herrn. *
Wir segnen euch vom Haus des Herrn her. – ℟

Du bist mein Gott, dir will ich danken; *
mein Gott, dich will ich rühmen.
Dankt dem Herrn, denn er ist gütig, *
denn seine Huld währt ewig. – ℟

Zweite Lesung 1 Joh 3,1–2

Lesung aus dem ersten Johannesbrief.

Schwestern und Brüder! Seht, wie groß die Liebe ist, die der Vater uns geschenkt hat: Wir heißen Kinder Gottes und wir sind es. Die Welt erkennt uns nicht, weil sie ihn nicht erkannt hat.

Liebe Brüder, jetzt sind wir Kinder Gottes. Aber was wir sein werden, ist noch nicht offenbar geworden. Wir wissen, dass wir ihm ähnlich sein werden, wenn er offenbar wird; denn wir werden ihn sehen, wie er ist. ℣

Die Liebe Gottes wird in der Heiligen Schrift in unterschiedlicher Weise beschrieben, hier als Liebe des Vaters zu seinen Kindern. Ebenso wird die uns selbst betreffende Wahrheit unterschiedlich dargestellt: In den Paulusbriefen sind wir Glieder des Leibes Christi, in den Petrusbriefen Fremdlinge und Pilger in dieser Welt. In den Schriften des Johannes dagegen Kinder Gottes – durch die Liebe des Vaters.

In der Taufe sind wir hineingenommen worden in die Gemeinschaft mit dem dreieinen Gott.

Was das heißt und bedeutet, entfaltet sich uns im Maße, wie wir die Augen und Ohren unseres Herzens auf ihn hin öffnen und uns von ihm erfüllen lassen. Leben unter und nach seinem Wort macht uns ihm nach und nach ähnlich.

RUF VOR DEM EVANGELIUM Joh 10,14

Halleluja. Halleluja.
So spricht der Herr: Ich bin der gute Hirt. Ich kenne die Meinen, und die Meinen kennen mich.
Halleluja.

EVANGELIUM Joh 10,11–18

Aus dem heiligen Evangelium nach Johannes.

In jener Zeit sprach Jesus: Ich bin der gute Hirt. Der gute Hirt gibt sein Leben hin für die Schafe. Der bezahlte Knecht aber, der nicht Hirt ist und dem die Schafe nicht gehören, lässt die Schafe im Stich und flieht, wenn er den Wolf kommen sieht; und der Wolf reißt sie und jagt sie auseinander. Er flieht, weil er nur ein bezahlter Knecht ist und ihm an den Schafen nichts liegt.

Ich bin der gute Hirt; ich kenne die Meinen und die Meinen kennen mich, wie mich der Vater kennt und ich den Vater kenne; und ich gebe mein Leben hin für die Schafe. Ich habe noch andere Schafe, die nicht aus diesem Stall sind; auch sie muss ich führen und sie werden auf meine Stimme hören; dann wird es nur eine Herde geben und einen Hirten.

Deshalb liebt mich der Vater, weil ich mein Leben hingebe, um es wieder zu nehmen. Niemand entreißt es mir, sondern ich gebe es aus freiem Willen hin. Ich habe Macht, es hinzugeben, und ich habe Macht, es wieder zu nehmen. Diesen Auftrag habe ich von meinem Vater empfangen. IF

Hirten erleben wir in unseren Breiten eher selten und doch ist uns das Bildwort vertraut. Wir verbinden es vor allem mit der Vorstellung von zuverlässiger Sorge für die Anvertrauten.

In der Bibel, sowohl im Alten als auch im Neuen Testament, spielt das Bild vom Hirten eine große Rolle. Die Fürsten des Volkes werden oft mit Hirten verglichen – mit guten, wenn sie das Wohl ihres Volkes, mit schlechten, wenn sie nur sich selbst im Blick haben. Auch Gott selbst spricht von sich im Bild des Hirten (Ps 23; 80,2; Jes 40,11; Jer 31,10). Wie ein Hirt will er sich um die Seinen kümmern und ihnen geben, was sie brauchen. So hat auch Jesus seinen Auftrag und seinen Dienst im Bild des guten Hirten gefasst, dem die anvertraute Herde wichtiger ist als das eigene Leben.

Schon die frühe Kirche gebrauchte das Bild vom Hirten für den Leiter der Gemeinde. Pastor sagen wir heute. Wissen wir noch, dass das »Hirte« meint? Wir brauchen sie heute mehr denn je, die Hirten, die in Treue und Fürsorge ganz für die ihnen anvertrauten Menschen leben. Und sie brauchen Gemeinden, die sie stützen und stärken und mit ihrem Gebet begleiten und tragen.

Credo (siehe Seite 512)

Fürbitten

Herr Jesus Christus, du bist der gute Hirte. Wir bitten dich:

V: Herr, erhöre uns. A: Christus, erhöre uns.

- Für unsere Priester, dass sie, verwurzelt in ihrer Berufung, den Menschen den Weg des Lebens zeigen.
- Für unsere Familien, dass sie geprägt sind von Wohlwollen, gegenseitiger Achtung und Interesse füreinander.
- Für unsere Gemeinden, dass in ihnen dein Wort lebendig ist und man spürt, du bist ihre Mitte.
- Für unsere Toten, dass sie bei dir auf ewig geborgen sind.

Denn du sorgst dich um uns und hörst unser Rufen. Wir danken dir und preisen dich, heute und in Ewigkeit.

Gabengebet

Herr, unser Gott, gib, daß wir dir allzeit danken durch die Feier der österlichen Geheimnisse. In ihnen führst du das Werk der Erlösung fort, mache sie für uns zur Quelle der unvergänglichen Freude. Darum bitten wir durch Christus, unseren Herrn.

Präfation

Osterzeit V

In Wahrheit ist es würdig und recht, dir, Vater, in diesen Tagen freudig zu danken, da unser Osterlamm geopfert ist, Jesus Christus. Als er seinen Leib am Kreuz dahingab, hat er die Opfer der Vorzeit vollendet. Er hat sich dir dargebracht zu unserem Heil, er selbst ist der Priester, der Altar und das Opferlamm. Durch ihn preisen wir dich in österlicher Freude und singen mit den Chören der Engel das Lob deiner Herrlichkeit.

Einladung zum Vaterunser

Wir sind Kinder Gottes, und Gott will uns in ihm vollenden, so dass wir ihm ähnlich werden. So beten wir mit den Worten Jesu zu unserem Vater: Vater unser im Himmel …

Einladung zum Friedensgebet

Im Namen Jesu Christi sollen wir gerettet werden und sollen alle Menschen das Heil finden. Deshalb bitten wir: Herr Jesus Christus …

Kommunionvers

Auferstanden ist der Gute Hirt. Er gab sein Leben für die Schafe. Er ist für seine Herde gestorben. Halleluja.

Schlussgebet

Gott, du Hirt deines Volkes, sieh voll Huld auf deine Herde, die durch das kostbare Blut deines Sohnes erkauft ist; bleibe bei ihr und führe sie auf die Weide des ewigen Lebens. Darum bitten wir durch ihn, Christus, unseren Herrn.

Schlusssegen — In der Osterzeit

Der allmächtige Gott hat uns durch die Auferstehung seines Sohnes aus Sünde und Tod befreit; er segne euch und schenke euch seine Freude.

Und Christus, mit dem wir auferstanden sind durch den Glauben, bewahre in euch die Gabe der Erlösung.

Gott hat uns in der Taufe angenommen als Kinder seiner Gnade; er schenke euch das verheißene Erbe.

Das gewähre euch der dreieinige Gott, der Vater und der Sohn ✝ und der Heilige Geist.

Herr, unser Hirt

Herr, unser Hirt,
du rufst uns beim Namen.
Wir treten ein
durch dein Brot, deinen Wein,
in deinen Durchgang vom Tod zum Leben,
in die Freiheit hinein,
in die wir immer gehören.
Wir treten ein, und wir singen:
Halleluja.
Herr, unser Hirt,
du rufst uns beim Namen.
Du führst uns hinaus
vom Mahl nach Haus in die Welt,
in die wir noch immer gehören,
um ihr deine Freiheit zu bringen.
Halleluja.

Silja Walter

5. Sonntag der Osterzeit
6. Mai 2012

Singt dem Herrn ein neues Lied,
denn er hat wunderbare Taten vollbracht
und sein gerechtes Wirken enthüllt
vor den Augen der Völker. Halleluja.
Ps 98,1–2

Alles ist Gnade. Gott schafft Raum. Als Schöpfer lässt er anderes außer sich zu und gibt uns Freiraum zur Antwort. »Bleiben« heißt, sich in diesen Raum einladen zu lassen. Wir richten uns darin allerdings nicht ein wie in einem Haus. Es geht nicht um Gemütlichkeit. Wir können oft – wie Paulus in der ersten Lesung – nicht »bleiben«, sondern müssen weiter. In jedem neuen Aufbruch bleibt Gott bei uns. Gnade und Raum sind Ausdruck von Beziehung! Dies verdeutlichen die Bibeltexte des Tages.

Denken wir daran, dass wir uns liturgisch mitten im österlichen Lebensraum befinden. Weite können wir erleben in unserem unruhigen Herzen, das in Gottes österlicher Gegenwart ruhig wird. Wir erleben Weite in der aufblühenden Natur. Wir leben in der Weite des lebendig machenden Geistes, der uns von Gott gegeben ist. Die österliche Zeit ist eine Zeit tiefer Freude über das Geheimnis der Auferstehung und über unsere Erwählung durch Gott.

Kyrie-Rufe

Oder: GL 214 · KG 386

Herr Jesus Christus, du bist die Quelle unseres Lebens. Herr, erbarme dich.
Du gibst allen das Leben, die mit dir verbunden sind. Christus, erbarme dich.
Wer in dir bleibt, der bringt reiche Frucht. Herr, erbarme dich.

Gloria (siehe Seite 508)

TAGESGEBET

Gott, unser Vater, du hast uns durch deinen Sohn erlöst und als deine geliebten Kinder angenommen. Sieh voll Güte auf alle, die an Christus glauben, und schenke ihnen die wahre Freiheit und das ewige Erbe. Darum bitten wir durch Jesus Christus.

ERSTE LESUNG Apg 9,26–31

Lesung aus der Apostelgeschichte.

In jenen Tagen, als Saulus nach Jerusalem kam, versuchte er, sich den Jüngern anzuschließen. Aber alle fürchteten sich vor ihm und konnten nicht glauben, dass er ein Jünger war.

Barnabas jedoch nahm sich seiner an und brachte ihn zu den Aposteln. Er erzählte ihnen, wie Saulus auf dem Weg den Herrn gesehen habe und dass dieser mit ihm gesprochen habe und wie er in Damaskus mutig und offen im Namen Jesu aufgetreten sei.

So ging er bei ihnen in Jerusalem ein und aus, trat unerschrocken im Namen des Herrn auf und führte auch Streitgespräche mit den Hellenisten. Diese aber planten, ihn zu töten. Als die Brüder das merkten, brachten sie ihn nach Cäsarea hinab und schickten ihn von dort nach Tarsus.

Die Kirche in ganz Judäa, Galiläa und Samarien hatte nun Frieden; sie wurde gefestigt und lebte in der Furcht vor dem Herrn. Und sie wuchs durch die Hilfe des Heiligen Geistes. |F

Mitten im ganz Menschlichen (Angst, Vorbehalte, Anfeindung und Flucht), spürt man Gottes Fügung. Es schreibt ja Lukas, der »Evangelist des Heiligen Geistes«. Wie im dritten Evangelium der Geist in entscheidenden Momenten des Lebens Jesu genannt wird, so erscheint die Apostelgeschichte als eine vom Geist sanft, aber unfehlbar geleitete Geburts- und Kindheitsgeschichte der Kirche. Die Urkirche wächst durch die Hilfe des Heiligen Geistes. Heutige Gemeinden schrumpfen, trotz umfangreicher Aktivitäten und ausgeklügelter Strategien. Mag die Apostelgeschichte die Situation idealisiert haben – uns stellt sich die Frage, wie viel Vertrauen in den Geist da ist. Der Geist ist der Geist des Gebets und er ist »Vater der Armen«. Wie steht es um unser Beten und unsere Sorge für Menschen in Not?

Zweimal ist von »Furcht« die Rede. Die Furcht vor Paulus ist einsichtig: Wie kann aus einem Feind der Christen ein Jünger Jesu geworden sein? Was aber bedeutet es, als Gemeinde in der »Furcht vor dem Herrn« zu leben? Es geht darum, sich von Gott überraschen zu lassen und mit unglaublichen Wegen zu rechnen, wie er sie etwa mit Paulus gegangen ist. Der Geist ist der Geber aller Gaben und so auch der Gabe, dass wir uns selbst geben können – wie Paulus es tat.

Antwortpsalm

Ps 22,26–28.30–32 (℟: 26a)

℟: Halleluja – oder: Deine Treue, Herr, preise ich in großer Gemeinde.

III. Ton – GL 717

Deine Treue preise ich in großer Gemeinde; *
ich erfülle meine Gelübde vor denen, die Gott fürchten.
Die Armen sollen essen und sich sättigen; /
den Herrn sollen preisen, die ihn suchen. *
Aufleben soll euer Herz für immer. – ℟

Alle Enden der Erde sollen daran denken /
und werden umkehren zum Herrn: *
Vor ihm werfen sich alle Stämme der Völker nieder.
Vor ihm allein sollen niederfallen die Mächtigen der Erde, *
vor ihm sich alle niederwerfen, die in der Erde ruhen. – ℟

Meine Seele, sie lebt für ihn; *
mein Stamm wird ihm dienen.
Vom Herrn wird man dem künftigen Geschlecht erzählen, /
seine Heilstat verkündet man dem kommenden Volk; *
denn er hat das Werk getan. – ℟

Zweite Lesung

1 Joh 3,18–24

Lesung aus dem ersten Johannesbrief.

Meine Kinder, wir wollen nicht mit Wort und Zunge lieben, sondern in Tat und Wahrheit.

Daran werden wir erkennen, dass wir aus der Wahrheit sind, und werden unser Herz in seiner Gegenwart beruhigen. Denn wenn das Herz uns auch verurteilt – Gott ist größer als unser Herz und er weiß alles.

Liebe Brüder, wenn das Herz uns aber nicht verurteilt, haben wir gegenüber Gott Zuversicht; alles, was wir erbitten, empfangen wir von ihm, weil wir seine Gebote halten und tun, was ihm gefällt.

Und das ist sein Gebot: Wir sollen an den Namen seines Sohnes Jesus Christus glauben und einander lieben, wie es seinem Gebot entspricht. Wer seine Gebote hält, bleibt in Gott und Gott in ihm. Und dass er in uns bleibt, erkennen wir an dem Geist, den er uns gegeben hat. IF

Häufig hört man, dass wir im Glauben durchhalten und an Prinzipien festhalten müssen. Das ist nicht falsch. Doch je lauter kirchliche Durchhalteparolen werden, desto leichter wird die Hingabe überhört. Glaube ist nicht Festhalten an Glaubenssätzen, sondern die Bereitschaft, sich ganz auf Gott und den anderen einzulassen – nicht aus Pflicht, sondern aus Freude, nicht angestrengt, sondern mit Leichtigkeit. Das ist die innere Seite der Worte »bleiben« und »halten«. So bedeutet »halten« (gr. terein): beobachten, bewahren, nicht verlieren und erfüllen. Wir können auch sagen: die Gebote und Worte Jesu meditieren, verspüren, verkosten, aus ihnen und in ihnen leben. Auch beim Wort »bleiben« (gr. menein) geht es um eine innige Beziehung. Es geht um die Annahme des Freundschaftsangebots Jesu. Echte Jünger Jesu bleiben nicht nur »bei« ihm, sondern sie bleiben »in« ihm (Joh 6,56).

Wir bewegen uns im Raum des dreifaltigen göttlichen Lebens. Wir sind in die Beziehung Jesu zum Vater hineingenommen. Wir brauchen einen Ratgeber, der uns erkennen lässt, ob wir in Gott sind oder einem Götzen dienen (z.B. die Flucht in eine religiöse Gefühlsinnerlichkeit, die die Nöte der Welt ausklammert). Dieser Erkenntnishelfer ist der Heilige Geist.

Ruf vor dem Evangelium Joh 15,4a.5b

Halleluja. Halleluja.
So spricht der Herr: Bleibt in mir, dann bleibe ich in euch. Wer in mir bleibt, der bringt reiche Frucht.
Halleluja.

Evangelium Joh 15,1–8

Aus dem heiligen Evangelium nach Johannes.

In jener Zeit sprach Jesus zu seinen Jüngern: Ich bin der wahre Weinstock und mein Vater ist der Winzer. Jede Rebe an mir, die keine Frucht bringt, schneidet er ab und jede Rebe, die Frucht bringt, reinigt er, damit sie mehr Frucht bringt.

Ihr seid schon rein durch das Wort, das ich zu euch gesagt habe. Bleibt in mir, dann bleibe ich in euch. Wie die Rebe aus sich keine Frucht bringen kann, sondern nur, wenn sie am Weinstock bleibt, so könnt auch ihr keine Frucht bringen, wenn ihr nicht in mir bleibt.

Ich bin der Weinstock, ihr seid die Reben. Wer in mir bleibt und in wem ich bleibe, der bringt reiche Frucht; denn getrennt von mir könnt ihr nichts vollbringen. Wer nicht in mir bleibt, wird wie die Rebe weggeworfen und er verdorrt. Man sammelt die Reben, wirft sie ins Feuer und sie verbrennen.

Wenn ihr in mir bleibt und wenn meine Worte in euch bleiben, dann bittet um alles, was ihr wollt: Ihr werdet es erhalten. Mein Vater wird dadurch verherrlicht, dass ihr reiche Frucht bringt und meine Jünger werdet. IF

Wenn Jesus von seiner Beziehung zu den Jüngern spricht, ist sein Vater schon einbezogen: Jesus ist der Weinstock, wir sind die Reben, sein Vater ist der Winzer. Jesus lädt uns ein, dass wir es ihm gleichtun und es als Speise unseres Lebens betrachten, den Willen des Vaters zu tun (Joh 4,34). Jesus überlässt es dem Vater abzuschneiden und zu reinigen. Nach den Worten Jesu sind wir schon rein. Diese Erwählung will unsere freie Antwort. »Bleibt in mir« ist ein Wort ohne jeden Zwang. Es ist die Einladung, Jesus und sein Wort in uns wach zu halten. Thomas von Kempen (1379–1471) sagt: »Häufig sucht er den innerlichen Menschen heim und unterhält sich liebevoll mit ihm. Gib also Christus Raum.« Wir können im Alltag immer wieder ein Wort Jesu wiederholen, immer wieder herholen und präsent halten. Wir dürfen uns in den Willen Jesu hineinbeten. Es ist der Wille der Hingabe. Die Frucht ist wiederum Hingabe: »Wenn das Weizenkorn nicht in die Erde fällt und stirbt, bleibt es allein; wenn es aber stirbt, bringt es reiche Frucht« (Joh 12,24). Am Ende ruft uns Jesus auf, das, was wir von ihm her schon sind, nämlich seine Jünger, immer mehr zur Erfaltung kommen zu lassen: »Mein Vater wird dadurch verherrlicht, dass ihr meine Jünger werdet.«

CREDO (siehe Seite 512)

FÜRBITTEN

Gott, guter Vater, du schaffst uns Raum, wenn uns Sorgen das Herz eng machen. Wir kommen zu dir mit unseren Bitten:

A: Wir bitten dich, erhöre uns.

- Schaffe Raum für Lob und Anbetung, dass die Kirche ihren Dienst erfüllt.
- Schaffe Raum für Versöhnung zwischen verfeindeten Gruppen und Völkern.
- Schaffe Raum für Barmherzigkeit, damit wir Menschen in Not wahrnehmen.
- Schaffe Raum für die Begegnung mit dem Auferstandenen mitten im Alltag.
- Schaffe Raum ewigen Lebens für unsere Verstorbenen.

Guter Vater, du bist ein Gott und du bist Raum der Begegnung mit dem Sohn und dem Geist, gestern, heute und in Ewigkeit. Amen.

GABENGEBET

Erhabener Gott, durch die Feier des heiligen Opfers gewährst du uns Anteil an deiner göttlichen Natur. Gib, daß wir dich nicht nur als den einen wahren Gott erkennen, sondern unser ganzes Leben nach dir ausrichten. Darum bitten wir durch Christus, unseren Herrn.

PRÄFATION

Osterzeit V

In Wahrheit ist es würdig und recht, dir, Vater, in diesen Tagen freudig zu danken, da unser Opferlamm geopfert ist, Jesus Christus. Als er seinen Leib am Kreuz dahingab, hat er die Opfer der Vorzeit vollendet. Er hat sich dir dargebracht zu unserem Heil, er selbst ist der Priester, der Altar und das Opferlamm. Durch ihn preisen wir dich in österlicher Freude und singen mit den Chören der Engel das Lob deiner Herrlichkeit.

EINLADUNG ZUM VATERUNSER

Durch die Taufe sind wir eingewurzelt in Jesus Christus und leben in Gemeinschaft mit dem Vater. So beten wir mit den Worten Jesu: Vater unser im Himmel …

EINLADUNG ZUM FRIEDENSGEBET

Gott reinigt uns, damit wir Frucht bringen und den Frieden leben, den er uns schenken will. Deshalb bitten wir: Herr Jesus Christus …

KOMMUNIONVERS

Vgl. Joh 15,1.5

So spricht der Herr: Ich bin der wahre Weinstock, ihr seid die Rebzweige. Wer in mir bleibt und in wem ich bleibe, der bringt reiche Frucht. Halleluja.

SCHLUSSGEBET

Barmherziger Gott, höre unser Gebet. Du hast uns im Sakrament das Brot des Himmels gegeben, damit wir an Leib und

Seele gesunden. Gib, daß wir die Gewohnheiten des alten Menschen ablegen und als neue Menschen leben. Darum bitten wir durch Christus, unseren Herrn.

Schlusssegen

In der Osterzeit

Der allmächtige Gott hat uns durch die Auferstehung seines Sohnes aus Sünde und Tod befreit; er segne euch und schenke euch seine Freude.

Und Christus, mit dem wir auferstanden sind durch den Glauben, bewahre in euch die Gabe der Erlösung.

Gott hat uns in der Taufe angenommen als Kinder seiner Gnade; er schenke euch das verheißene Erbe.

Das gewähre euch der dreieinige Gott, der Vater und der Sohn ✝ und der Heilige Geist.

Du, Gott, schaffst mir Raum:
Burg und Festung zur Zuflucht,
Haus und Heimat zum Schutz.

Fels und Feste sind beständig,
aus schwerem, harten Stein,
aus Stein, der mich verhärten kann.

Du, Gott, schaffst mir dann Raum:
Hütte und Hof zum kürzeren Verweil,
Zelt und Welt zum Unterwegsbleiben.

Wälle und Wehre im Weg,
Mauern und Zäune verstellen die Bahn,
meinen geplanten Lauf.

Du, Gott, schaffst mir dann Raum:
Treppe und Leiter zum Hinübersteigen,
Sprungbrett und Stab zum Überqueren,
Freiraum und Weite zum Ausschreiten,
Wege und Straßen zur Begegnung,
Nähe und Ferne, um zu bleiben –

und um ein anderer zu werden.

Wolfgang Steffel

6. Sonntag der Osterzeit
13. Mai 2012

Verkündet es jauchzend, damit man es hört!
Ruft es hinaus bis ans Ende der Erde!
Ruft: Der Herr hat sein Volk befreit. Halleluja.
Vgl. Jes 48,20

Alle Tagestexte erzählen vom Osterglauben. In der ersten Lesung ist der Glaube der Kern der Sache (wenn auch in der Versauswahl weggelassen). Die zweite Lesung ist in zwei Bekenntnissätze eingebettet. Im Johannesevangelium wird ab dem 13. Kapitel, beginnend mit der Fußwaschung, der Akzent vom »Glauben« mehr und mehr aufs »Lieben« verschoben. Johannes verwendet nie »Glaube« als Dingwort, das Tunwort »glauben« hingegen fast hundertmal. Glaube ist nicht Besitz einer Wahrheit, sondern ein Vorgang. Glauben bedeutet: kommen zu, dürsten, hungern, hören auf und lieben.

Die Dimension der Liebe in unserem Glauben zu entdecken, müsste uns leicht fallen, weil im deutschen Wort »glauben« die Liebe steckt. »Glauben« bedeutet von der Wortwurzel her: sich etwas lieb und vertraut machen. Die Stammverwandtschaft dem gotischen »Lubo« (= Liebe) verdeutlicht, dass Glaube Beziehung meint und viel weniger das Glauben von Satzwahrheiten. Zum Wortfeld gehören auch »erlauben«, »loben« und »geloben«. Wir denken hier an die Freiheit im Glauben, das Zurücktreten des eigenen Ichs und an die Treue. Das sind auch Themen des heutigen Muttertags, an dem wir dankbar sind für die Liebe, die wir durch unsere Mutter erfahren durften und dürfen.

Kyrie-Rufe — GL 401 · KG 160

Herr Jesus Christus, du schenkst uns deine Liebe. Herr, erbarme dich.
Du weckst in uns den Glauben. Christus, erbarme dich.
Du machst uns fähig, die Liebe zu leben. Herr, erbarme dich.

GLORIA (siehe Seite 508)

TAGESGEBET

Allmächtiger Gott, laß uns die österliche Zeit in herzlicher Freude begehen und die Auferstehung unseres Herrn preisen, damit das Ostergeheimnis, das wir in diesen fünfzig Tagen feiern, unser ganzes Leben prägt und verwandelt. Darum bitten wir durch Jesus Christus.

ERSTE LESUNG Apg 10,25–26.34–35.44–48

Lesung aus der Apostelgeschichte.

Als Petrus in Cäsarea beim Hauptmann Kornelius ankam, ging ihm dieser entgegen und warf sich ehrfürchtig vor ihm nieder. Petrus aber richtete ihn auf und sagte: Steh auf! Auch ich bin nur ein Mensch.

Dann begann Petrus zu reden und sagte: Wahrhaftig, jetzt begreife ich, dass Gott nicht auf die Person sieht, sondern dass ihm in jedem Volk willkommen ist, wer ihn fürchtet und tut, was recht ist.

Noch während Petrus dies sagte, kam der Heilige Geist auf alle herab, die das Wort hörten. Die gläubig gewordenen Juden, die mit Petrus gekommen waren, konnten es nicht fassen, dass auch auf die Heiden die Gabe des Heiligen Geistes ausgegossen wurde.

Petrus aber sagte: Kann jemand denen das Wasser zur Taufe verweigern, die ebenso wie wir den Heiligen Geist empfangen haben?

Und er ordnete an, sie im Namen Jesu Christi zu taufen. Danach baten sie ihn, einige Tage zu bleiben. IF

In der Geschichte des Hauptmanns Kornelius wird modellartig die Bekehrung eines Nicht-Juden berichtet. Petrus erscheint als Begründer der Heidenmission. Sein Ruf »Auch ich bin nur ein Mensch« spricht unmittelbar an. Er geht auch uns über die Lippen, wenn wir von etwas überfordert sind: »Ich bin auch nur ein

Mensch.« Es ist ein Bekenntnis, dass ich nicht aus eigener, sondern aus Gottes Kraft lebe. »Steh auf!« Mit dieser Aufforderung zeigt Petrus, dass Ehrfurchtsbezeugungen nur Gott gelten. Gott fürchten ist die Haltung, sich von ihm anschauen zu lassen. Und Kirche ist Gemeinschaft der Aufrechten, die sich auf Augenhöhe begegnen.

In den ausgelassenen Versen 36–43 findet sich ein Glaubensbekenntnis mit der klassischen Formulierung: »Am dritten Tag auferweckt« (V. 40). Petrus wird am Ende zum »Bleiben« eingeladen. Er teilt viel Zeit mit den Unbeschnittenen, was den »Hebräern« von Jerusalem als ungesetzlich erscheint (Apg 11,2f.). Liebe aber übersteigt das Gesetz. Augustinus sagt: »Liebe und tue, was du willst!«

ANTWORTPSALM

Ps 98,1–4 (℟: vgl. 2)

℟: Halleluja – oder: Der Herr hat sein Heil enthüllt vor den Augen der Völker.

VIII. Ton – GL 149,1 · KG 363

Singt dem Herrn ein neues Lied; *
denn er hat wunderbare Taten vollbracht.
Er hat mit seiner Rechten geholfen *
und mit seinem heiligen Arm. – ℟

Der Herr hat sein Heil bekannt gemacht *
und sein gerechtes Wirken enthüllt vor den Augen der Völker.
Er dachte an seine Huld *
und an seine Treue zum Hause Israel. – ℟

Alle Enden der Erde *
sahen das Heil unsres Gottes.
Jauchzt vor dem Herrn, alle Länder der Erde, *
freut euch, jubelt und singt! – ℟

ZWEITE LESUNG

1 Joh 4,7–10

Lesung aus dem ersten Johannesbrief.

Liebe Brüder, wir wollen einander lieben; denn die Liebe ist aus Gott und jeder, der liebt, stammt von Gott und erkennt Gott. Wer nicht liebt, hat Gott nicht erkannt; denn Gott ist die Liebe.

Die Liebe Gottes wurde unter uns dadurch offenbart, dass Gott seinen einzigen Sohn in die Welt gesandt hat, damit wir durch ihn leben. Nicht darin besteht die Liebe, dass wir Gott geliebt haben, sondern dass er uns geliebt und seinen Sohn als Sühne für unsere Sünden gesandt hat. IF

Hauptanliegen des ersten Johannesbriefs ist es, die von Ketzern bestrittene Menschwerdung Jesu zu verteidigen: Jesus ist der Sohn Gottes. Alles dreht sich um die Liebe. Wie glauben und lieben zusammen gehören, gehören erkennen und lieben zusammen. Wer nicht liebt, hat Gott nicht erkannt. Glaube ist nicht allein Bekenntnis zum Sohn Gottes, sondern ein Christusförmig-Werden. Das Bekenntnis des Wortes drängt ins Handeln. Was vom Gläubigen zu bekennen ist, findet sich im Rahmenteil der Schriftstelle, der nicht verlesen wird: »Jeder Geist, der bekennt, Jesus Christus sei im Fleisch gekommen, ist aus Gott« (V. 2) und: »Wer bekennt, dass Jesus der Sohn Gottes ist, in ihm bleibt Gott, und er bleibt in ihm« (V. 15).

Liebe heißt nicht, dass wir Gott lieben, sondern dass er uns liebt. Am Menschen ist es, sich dem Freundschaftsangebot Gottes zu öffnen. Freundschaft kennt keine knechtische Furcht, sondern lebt im Respekt: lieben, achten, ehren, die Treue halten (ähnlich dem Bund der Ehe). Dies wird nach der Stelle ausdrücklich gesagt: »Die vollkommene Liebe vertreibt die Furcht« (V. 18). Die Initiative von Gott her wird dann noch ausdrücklich benannt: »Wir wollen lieben, weil er uns zuerst geliebt hat« (V. 19).

RUF VOR DEM EVANGELIUM — Vgl. Joh 14,23

Halleluja. Halleluja.
So spricht der Herr: Wer mich liebt, hält fest an meinem Wort.
Mein Vater wird ihn lieben, und wir werden bei ihm wohnen.
Halleluja.

Evangelium

Joh 15,9-17

Aus dem heiligen Evangelium nach Johannes.

In jener Zeit sprach Jesus zu seinen Jüngern: Wie mich der Vater geliebt hat, so habe auch ich euch geliebt. Bleibt in meiner Liebe! Wenn ihr meine Gebote haltet, werdet ihr in meiner Liebe bleiben, so wie ich die Gebote meines Vaters gehalten habe und in seiner Liebe bleibe.

Dies habe ich euch gesagt, damit meine Freude in euch ist und damit eure Freude vollkommen wird. Das ist mein Gebot: Liebt einander, so wie ich euch geliebt habe. Es gibt keine größere Liebe, als wenn einer sein Leben für seine Freunde hingibt.

Ihr seid meine Freunde, wenn ihr tut, was ich euch auftrage. Ich nenne euch nicht mehr Knechte; denn der Knecht weiß nicht, was sein Herr tut. Vielmehr habe ich euch Freunde genannt; denn ich habe euch alles mitgeteilt, was ich von meinem Vater gehört habe.

Nicht ihr habt mich erwählt, sondern ich habe euch erwählt und dazu bestimmt, dass ihr euch aufmacht und Frucht bringt und dass eure Frucht bleibt. Dann wird euch der Vater alles geben, um was ihr ihn in meinem Namen bittet.
Dies trage ich euch auf: Liebt einander! IF

Zu Beginn dominiert das Wort »bleiben«. »Bleiben« heißt zunächst sich aufhalten oder wohnen. Hiermit wird das Johannesevangelium eröffnet: »Meister, wo wohnst du? – Kommt und seht! – … und blieben jenen Tag bei ihm« (Joh 1,38f.). Das alltägliche Bleiben vertieft sich zu einer innigen Beziehung, die in dem Freundschaftsangebot Jesu gipfelt. Hier verdichtet sich, was Jesus über Jahre hin mit seinen Jüngern gelebt hat. Das waren keine schonenden Freundlichkeiten, sondern ein anstrengendes Hineinwachsen in das Lebensprogramm des Meisters. Bei diesem Reifungsprozess war Jesus den Jüngern das Vorbild schlechthin. Jesus selbst sagt: »Dies ist mein Gebot: Liebt einander, wie ich euch geliebt habe.« Das ist keine bloße Nachahmung. Jesus sagt, dass es zwischen Freunden eine innigere Beziehung gibt, ein Verhältnis der Freiheit. Er, der die Jünger Leben und Glauben lehrte, der sie in die Beziehung zu seinem Vater führte, betrachtet sie nicht als Schüler, sondern als echte Freunde. Von Jesus her ist Freundschaft eine Zusage (»ich habe euch erwählt«), vom Menschen her Weg und Wachstum in diese Zusage hinein (»dass ihr euch aufmacht und Frucht bringt«). Zweimal ist von der Freude die Rede. So dürfen wir den Text als »österlichen Jubelruf« (Eugen Biser) bezeichnen und als Freunde Jesu die Freude über seine Auferstehung verspüren.

CREDO (siehe Seite 512)

FÜRBITTEN

Jesus Christus, Auferstandener, zu dir kommen wir wie zu einem Freund und bitten:

A: Erbarme dich.

- Liebe Christi, bewege das Herz des Papstes, der Bischöfe, und aller, die deine Auferstehung bezeugen.
- Atem Christi, belebe die Verantwortlichen in Gesellschaft und Gemeinwesen in ihrem Einsatz für die Schwachen.
- Freude Christi, tröste die Traurigen und Mutlosen, die Einsamen und Alleingelassenen in unserer Gemeinde.
- Hingabe Christi, begleite die Mütter und Großmütter, die sich mit Hingabe ihrer Kinder und Enkelkinder annehmen.
- Leiden Christi, stärke die Kranken in ihrer Hoffnung auf Heilung und lindere ihr Leiden.
- Leben Christi, nimm die Verstorbenen auf in die Wohnungen bei deinem Vater.

O Jesu, unser Leben bist du, heute und in Ewigkeit. Amen.

GABENGEBET

Herr und Gott, laß unser Gebet zu dir aufsteigen und nimm unsere Gaben an. Reinige uns durch deine Gnade, damit wir fähig werden, das Sakrament deiner großen Liebe zu empfangen. Darum bitten wir durch Christus, unseren Herrn.

PRÄFATION Osterzeit II

Wir danken dir, Vater im Himmel, und rühmen dich durch unseren Herrn Jesus Christus. Durch ihn erstehen die Kinder des Lichtes zum ewigen Leben, durch ihn wird den Gläubigen das Tor des himmlischen Reiches geöffnet. Denn unser Tod ist durch seinen Tod überwunden, in seiner Auferstehung ist das Leben für alle erstanden. Durch ihn preisen wir dich in österlicher Freude und singen mit den Chören der Engel das Lob deiner Herrlichkeit.

EINLADUNG ZUM VATERUNSER

Gott hat uns zuerst geliebt und uns seinen Sohn gesandt. Mit den Worten Jesu dürfen wir zu ihm als dem liebenden Vater beten: Vater unser im Himmel …

EINLADUNG ZUM FRIEDENSGEBET

Wer nicht liebt, hat Gott nicht erkannt. Immer wieder sündigen wir gegen die Liebe und stiften Unfrieden und Hass. Deshalb bitten wir: Herr Jesus Christus …

KOMMUNIONVERS Joh 14,15–16

So spricht der Herr: Wenn ihr mich liebt, werdet ihr meine Gebote halten. Ich werde den Vater bitten, und er wird euch einen anderen Beistand geben, damit er immer bei euch bleibe. Halleluja.

SCHLUSSGEBET

Allmächtiger Gott, du hast uns durch die Auferstehung Christi neu geschaffen für das ewige Leben. Erfülle uns mit der Kraft dieser heilbringenden Speise, damit das österliche Geheimnis in uns reiche Frucht bringe. Darum bitten wir durch Christus, unseren Herrn.

SCHLUSSSEGEN

In der Osterzeit

Der allmächtige Gott hat uns durch die Auferstehung seines Sohnes aus Sünde und Tod befreit; er segne euch und schenke euch seine Freude.

Und Christus, mit dem wir auferstanden sind durch den Glauben, bewahre in euch die Gabe der Erlösung.

Gott hat uns in der Taufe angenommen als Kinder seiner Gnade; er schenke euch das verheißene Erbe.

Das gewähre euch der dreieinige Gott, der Vater und der Sohn † und der Heilige Geist.

Ein Segen über Segen ist's,
wenn Menschen um dich herum bereit sind,
durch ihr Dasein deine innere Unruhe zu lindern,
was du ihnen anvertraust, für sich zu behalten,
dir mit Rat und Tat weiterzuhelfen,
phantasievoll deinen Trübsinn aufzuhellen
und dich mit ihrem Anblick zu erfreuen.

Ein Segen über Segen ist's,
in Jesus einen solchen Freund zu haben.

Ein Segen über Segen ist's,
andern ein solcher Freund zu werden.

Wolfgang Steffel

Christi Himmelfahrt
17. Mai 2012

Ihr Männer von Galiläa,
was steht ihr da und schaut zum Himmel?
Der Herr wird wiederkommen, wie er jetzt aufgefahren ist.
Halleluja.
Apg 1,11

Die Kirche der ersten Jahrhunderte beging die 50 Ostertage als eine einzige Festzeit. Später wurden einzelne Aspekte entfaltet und verselbstständigt. So ist seit dem 4. Jh. für den 40. Ostertag ein eigenes Hochfest *Christi Himmelfahrt* bezeugt, in Anlehnung an den Bericht zu Beginn der Apostelgeschichte (vgl. 1. Lesung, VV. 3 und 9–11).

Eben noch hat er mit ihnen geredet. Nun wird er vor ihren Augen emporgehoben und von einer Wolke aufgenommen. Der Abschied kommt für sie unerwartet schnell und ist ganz anders als sie gedacht haben. *Während sie unverwandt ihm nach zum Himmel emporschauten,* wird ihnen eine Deutung und eine Verheißung geschenkt.

Vielleicht erinnern wir uns an die zum Himmel emporschauenden Apostel, wenn wieder einmal alles anders kommt als wir uns vorgestellt haben, und wir nicht, noch nicht, begreifen, was da eigentlich geschieht – im eigenen Leben, in Kirche und Welt. Wenn wir mit beiden Beinen fest auf dem Boden stehen und unser Herz Gott zugewandt bleibt, kann uns von ihm her Klärung und Klarheit und Zuversicht zuwachsen.

Kyrie-Rufe — Oder: GL 228 · KG 474

Herr Jesus Christus, du bist uns zum Vater vorausgegangen. Herr, erbarme dich.
Du bleibst bei uns alle Tage bis zum Ende der Welt. Christus, erbarme dich.

Du wirst wiederkommen, um alles in dir zu vereinen. Herr, erbarme dich.

GLORIA (siehe Seite 508)

TAGESGEBET

Allmächtiger, ewiger Gott, erfülle uns mit Freude und Dankbarkeit, denn in der Himmelfahrt deines Sohnes hast du den Menschen erhöht. Schenke uns das feste Vertrauen, daß auch wir zu der Herrlichkeit gerufen sind, in die Christus uns vorausgegangen ist, der in der Einheit des Heiligen Geistes mit dir lebt und herrscht in alle Ewigkeit.

ERSTE LESUNG Apg 1,1–11

Lesung aus der Apostelgeschichte.

Im ersten Buch, lieber Theophilus, habe ich über alles berichtet, was Jesus getan und gelehrt hat, bis zu dem Tag, an dem er in den Himmel aufgenommen wurde. Vorher hat er durch den Heiligen Geist den Aposteln, die er sich erwählt hatte, Anweisungen gegeben. Ihnen hat er nach seinem Leiden durch viele Beweise gezeigt, dass er lebt; vierzig Tage hindurch ist er ihnen erschienen und hat vom Reich Gottes gesprochen.

Beim gemeinsamen Mahl gebot er ihnen: Geht nicht weg von Jerusalem, sondern wartet auf die Verheißung des Vaters, die ihr von mir vernommen habt. Johannes hat mit Wasser getauft, ihr aber werdet schon in wenigen Tagen mit dem Heiligen Geist getauft.

Als sie nun beisammen waren, fragten sie ihn: Herr, stellst du in dieser Zeit das Reich für Israel wieder her? Er sagte zu ihnen: Euch steht es nicht zu, Zeiten und Fristen zu erfahren, die der Vater in seiner Macht festgesetzt hat. Aber ihr werdet die Kraft des Heiligen Geistes empfangen, der auf euch herabkommen wird; und ihr werdet meine Zeugen sein in Jerusalem und in ganz Judäa und Samarien und bis an die Grenzen der Erde.

Als er das gesagt hatte, wurde er vor ihren Augen emporgehoben, und eine Wolke nahm ihn auf und entzog ihn ihren Blicken.

Während sie unverwandt ihm nach zum Himmel emporschauten, standen plötzlich zwei Männer in weißen Gewändern bei ihnen und sagten: Ihr Männer von Galiläa, was steht ihr da und schaut zum Himmel empor? Dieser Jesus, der von euch ging und in den Himmel aufgenommen wurde, wird ebenso wiederkommen, wie ihr ihn habt zum Himmel hingehen sehen. ⁞F

Während Lukas' erstes Buch, sein Evangelium, von Jesu Leben, Wirken und Streben handelt, geht es in seinem zweiten Buch, der Apostelgeschichte, um die Ausbreitung des Wortes Jesu. Lukas sucht in seinem Doppelwerk die Kontinuität der Verkündigung von Jesus bis »an die Grenzen der Erde« aufzuweisen. In seinem ersten Buch ist Jerusalem Zielpunkt, in seinem zweiten Buch Ausgangspunkt des Geschehens.

Beim nachösterlichen Mahl in Jerusalem gibt Jesus seinen Aposteln eine Weisung und eine Verheißung. Mit der Verheißung verbindet sich ihnen der von den Propheten erwartete Beginn der Endzeit und, in Zusammenhang damit, die Wiederherstellung Israels. Jesu Antwort auf ihre diesbezügliche Frage klärt und weitet ihre Vorstellungen. Weder um Terminbestimmungen, noch um Israel allein soll es ihnen gehen. Vielmehr sollen sie Zeugnis ablegen für sein Leben, Sterben und Wirken. Dazu wurden sie berufen. Dazu werden sie erneut von ihm beauftragt und gesandt. Dazu sollen sie mit der Kraft des Heiligen Geistes gestärkt werden.

Wie die Apostel sind auch wir mit Heiligem Geist getauft. Wie sie haben auch wir den Auftrag, Zeugnis zu geben »von der Hoffnung, die uns erfüllt«: Jesus Christus. Was bedeuten sein Leben, Sterben und Auferstehen im Alltag meines Lebens?

ANTWORTPSALM

Ps 47,2–3.6–9 (⁞R: vgl. 6)

⁞R: Halleluja – oder: Gott stieg empor unter Jubel, der Herr beim Schall der Posaunen.

VI. Ton – GL 232,5 · KG 458,4

Ihr Völker alle, klatscht in die Hände; *
jauchzt Gott zu mit lautem Jubel!
Denn Furcht gebietend ist der Herr, der Höchste, *
ein großer König über die ganze Erde. – ℟

Gott stieg empor unter Jubel, *
der Herr beim Schall der Hörner.
Singt unserm Gott, ja singt ihm! *
Spielt unserm König, spielt ihm! – ℟

Denn Gott ist König der ganzen Erde. *
Spielt ihm ein Psalmenlied!
Gott wurde König über alle Völker, *
Gott sitzt auf seinem heiligen Thron. – ℟

Es kann auch die zweite Lesung vom Lesejahr A genommen werden.

ZWEITE LESUNG

Eph 4,1–13 (Kf: 4,1–7.11–13)

Lesung aus dem Epheserbrief.

Schwestern und Brüder! Ich, der ich um des Herrn willen im Gefängnis bin, ermahne euch, ein Leben zu führen, das des Rufes würdig ist, der an euch erging.

Seid demütig, friedfertig und geduldig, ertragt einander in Liebe und bemüht euch, die Einheit des Geistes zu wahren durch den Frieden, der euch zusammenhält. E i n Leib und e i n Geist, wie euch durch eure Berufung auch e i n e gemeinsame Hoffnung gegeben ist; e i n Herr, e i n Glaube, e i n e Taufe, e i n Gott und Vater aller, der über allem und durch alles und in allem ist.

Aber jeder von uns empfing die Gnade in dem Maß, wie Christus sie ihm geschenkt hat.⬅ Deshalb heißt es: Er stieg hinauf zur Höhe und erbeutete Gefangene, er gab den Menschen Geschenke. Wenn er aber hinaufstieg, was bedeutet dies anderes, als dass er auch zur Erde herabstieg? Derselbe, der herabstieg, ist auch hinaufgestiegen bis zum höchsten Himmel, um das All zu beherrschen.

➡Und er gab den einen das Apostelamt, andere setzte er als Propheten ein, andere als Evangelisten, andere als Hirten und Lehrer, um die Heiligen für die Erfüllung ihres Dienstes zu rüsten, für den Aufbau des Leibes Christi.

So sollen wir alle zur Einheit im Glauben und in der Erkenntnis des Sohnes Gottes gelangen, damit wir zum vollkommenen Menschen werden und Christus in seiner vollendeten Gestalt darstellen.⬅ IF

Eindringlich mahnt der Apostel, Leben und Ruf in Übereinstimmung zu bringen und die geschenkte Einheit zu wahren. Er weiß, das ist lebens-, sogar überlebenswichtig für die Kirche. Denn ob es sich um einen Einzelnen, eine Gruppe oder eine Gemeinschaft handelt, – zuerst wird geprüft, ob das Gegenüber »stimmig« ist, ob Außen und Innen einander entsprechen oder sich widersprechen. Von dieser Einschätzung hängt ab, ob man sich näher interessiert, sich einlässt oder sich zurückzieht.

Nicht wenige Menschen erwarten und erhoffen sich von uns Christen, wir möchten uns als »stimmig« erweisen, als in der Lebensmelodie auf Jesus Christus Gestimmte – persönlich und als Kirche. Kann man an der Weise, wie wir beten, wie wir miteinander umgehen, wie wir Gott suchen und wie wir ihn bezeugen, erkennen, wer wir sind?

Sich auf einen »Ton« stimmen lassen, macht übrigens nicht eintönig, sondern einmütig. Einmütigkeit aber schafft ein dem Leben förderliches Klima. Auch für die Kirche und in der Kirche. Das ist alle Mühe wert.

RUF VOR DEM EVANGELIUM — Mt 28,19a.20b

Halleluja. Halleluja.
So spricht der Herr: Geht zu allen Völkern und macht alle Menschen zu meinen Jüngern.
Ich bin bei euch alle Tage bis zum Ende der Welt.
Halleluja.

EVANGELIUM Mk 16,15–20

Aus dem heiligen Evangelium nach Markus.

In jener Zeit erschien Jesus den Elf und sprach zu ihnen: Geht hinaus in die ganze Welt und verkündet das Evangelium allen Geschöpfen! Wer glaubt und sich taufen lässt, wird gerettet; wer aber nicht glaubt, wird verdammt werden.

Und durch die, die zum Glauben gekommen sind, werden folgende Zeichen geschehen: In meinem Namen werden sie Dämonen austreiben; sie werden in neuen Sprachen reden; wenn sie Schlangen anfassen oder tödliches Gift trinken, wird es ihnen nicht schaden; und die Kranken, denen sie die Hände auflegen, werden gesund werden.

Nachdem Jesus, der Herr, dies zu ihnen gesagt hatte, wurde er in den Himmel aufgenommen und setzte sich zur Rechten Gottes.

Sie aber zogen aus und predigten überall. Der Herr stand ihnen bei und bekräftigte die Verkündigung durch die Zeichen, die er geschehen ließ. IF

Vor seiner Aufnahme in den Himmel setzt Jesus die Elf quasi als Erben ein. Er vertraut ihnen sein Evangelium an. Nicht für sich sollen sie es behalten, sondern es in alle Welt tragen, überall und zu allen davon sprechen. Die Jünger tun, wie er es ihnen aufträgt. – Daraus wächst Segen für viele bis in unsere Tage.

CREDO (siehe Seite 512)

FÜRBITTEN

Unseren Herrn Jesus Christus, der unser Fürsprecher beim Vater ist, bitten wir:

V: Christus höre uns. A: Christus erhöre uns.

- Mache deine Kirche zum wirksamen Zeichen des Heils für alle Menschen.
- Führe die Völker der Erde zum Glauben.

- Erfülle alle, die die Orientierung für ihr Leben verloren haben, mit deinem Licht.
- Schenke uns ein waches und bereites Herz füreinander.
- Offenbare den Sterbenden deine barmherzige Liebe.

Denn du, Herr, hast am Kreuz dein Leben hingegeben und so für alle den Weg zum wahren Leben eröffnet. Wir danken dir und preisen dich, heute und alle Tage bis in Ewigkeit.

Gabengebet

Allmächtiger Gott, am Fest der Himmelfahrt deines Sohnes bringen wir dieses Opfer dar. Gib uns durch diese heilige Feier die Gnade, daß wir uns über das Irdische erheben und suchen, was droben ist. Darum bitten wir durch Christus, unseren Herrn.

Präfation

Von Christi Himmelfahrt I

In Wahrheit ist es würdig und recht, dir, allmächtiger Vater, zu danken durch unseren Herrn Jesus Christus, den König der Herrlichkeit. Denn er ist heute als Sieger über Sünde und Tod aufgefahren in den Himmel. Die Engel schauen den Mittler zwischen Gott und den Menschen, den Richter der Welt, den Herrn der ganzen Schöpfung. Er kehrt zu dir heim, nicht um uns Menschen zu verlassen, er gibt den Gliedern seines Leibes die Hoffnung, ihm dorthin zu folgen, wohin er als erster vorausging. Darum jubelt heute der ganze Erdkreis in österlicher Freude, darum preisen dich die himmlischen Mächte und die Chöre der Engel und singen das Lob deiner Herrlichkeit.

Einladung zum Vaterunser

Gott ruft uns in der Taufe und schenkt uns den Glauben, damit wir als seine Kinder sein Reich erben. Wir beten, wie es uns Jesus Christus gelehrt hat: Vater unser im Himmel …

EINLADUNG ZUM FRIEDENSGEBET

Gott will der Welt durch das Evangelium den Frieden bringen. Wir alle sind dabei seine Boten. Deshalb bitten wir: Herr Jesus Christus …

KOMMUNIONVERS Mt 28,20

Ich bin bei euch alle Tage bis zum Ende der Welt. Halleluja.

SCHLUSSGEBET

Allmächtiger, ewiger Gott, du hast uns, die wir noch auf Erden leben, deine göttlichen Geheimnisse anvertraut. Lenke unser Sinnen und Verlangen zum Himmel, wo Christus als Erster der Menschen bei dir ist, der mit dir lebt und herrscht in alle Ewigkeit.

SCHLUSSSEGEN Vom Tag

Der allherrschende Gott, der heute Christus zu seiner Rechten erhöht und uns den Zugang zum Leben erschlossen hat, gewähre euch die Fülle seines Segens.

Vor den Augen seiner Jünger wurde Christus zum Himmel erhoben; er sei euch ein gnädiger Richter, wenn er wiederkommt.

Er thront in der Herrlichkeit des Vaters und bleibt dennoch inmitten seiner Kirche; er schenke euch den Trost seiner Gegenwart.

Das gewähre euch der dreieinige Gott, der Vater und der Sohn ✝ und der Heilige Geist.

Österlicher Christus,
durchflute unser Herz mit deinem Geist und Leben.
Durchdringe unser ganzes Sein und nimm es in Besitz,
so vollständig, dass unser Leben einzig ein Ausstrahlen deines Lebens sei.
Leuchte durch uns hindurch und wohne so in uns,
dass jeder, dem wir begegnen, deine Gegenwart in unserem Herzen erspürt.
Bleibe bei uns, dann werden wir zu leuchten beginnen wie du leuchtest;
das Licht wird ganz aus dir stammen.
Lass uns dich so preisen wie es dir am liebsten ist,
indem wir für die Menschen um uns ein Licht sind.
Lass uns dich verkünden durch unser Beispiel,
durch die aufleuchtende Fülle der Liebe zu dir, die du in uns entzündest.
AMEN.

John Henry Newman

7. Sonntag der Osterzeit
20. Mai 2012

Vernimm, o Herr, mein lautes Rufen;
sei mir gnädig und erhöre mich!
Mein Herz denkt an dein Wort:
»Sucht mein Angesicht!«
Dein Angesicht, Herr, will ich suchen.
Verbirg nicht dein Gesicht vor mir! Halleluja.
Ps 27,7–9

Zwei österliche Motive bestimmen den Tag: »Fülle« und »Zeugnis«. In der Auferstehung hat sich die Sendung Christi erfüllt. Was über ihn in den Schriften steht, hat sich erfüllt. Die Zahl der Apostel muss nach dem Tod des Judas wieder auf Zwölf aufgefüllt werden – und auch hier erfüllt sich ein Schriftwort. Die Liebe Christi zu uns ist mit Ostern vollendet. Und wir dürfen die Freude in Fülle erleben, nicht nur kurze Glücksmomente, sondern ein dauerhaftes Verkosten der Gegenwart des Auferstandenen von innen her.

Der zweite rote Faden ist das Zeugnis. Matthias ist – wie alle Apostel – zum Zeugen der Auferstehung berufen. Jede und jeder von uns füllt mit seiner Person die Zahl der Apostel von der Elf auf die Zwölf auf. Der Johannesbrief zeigt, dass das Bekenntnis ins Wort drängt und noch mehr in die Liebe. Es gibt das Zeugnis ohne Worte – die Hingabe in die Welt. Es ist allerdings eine Hingabe, die nicht von dieser Welt ist, nicht bestimmt durch die Logik des Rechnens. Hingabe gibt, ohne zu zählen.

Kyrie-Rufe

Oder: GL 248 · KG 482

Herr Jesus Christus, du bewahrst uns in der Liebe zu dir. Herr, erbarme dich.
Du schenkst uns die Freude in Fülle. Christus, erbarme dich.
Du machst uns bereit, dich zu bezeugen. Herr, erbarme dich.

GLORIA (siehe Seite 508)

TAGESGEBET

Allmächtiger Gott, wir bekennen, daß unser Erlöser bei dir in deiner Herrlichkeit ist. Erhöre unser Rufen und laß uns erfahren, daß er alle Tage bis zum Ende der Welt bei uns bleibt, wie er uns verheißen hat. Er, der in der Einheit des Heiligen Geistes mit dir lebt und herrscht in alle Ewigkeit.

ERSTE LESUNG Apg 1,15–17.20a.c–26

Lesung aus der Apostelgeschichte.

In jenen Tagen erhob sich Petrus im Kreis der Brüder – etwa hundertzwanzig waren zusammengekommen – und sagte: Brüder! Es musste sich das Schriftwort erfüllen, das der Heilige Geist durch den Mund Davids im Voraus über Judas gesprochen hat. Judas wurde zum Anführer derer, die Jesus gefangen nahmen. Er wurde zu uns gezählt und hatte Anteil am gleichen Dienst.

Es steht im Buch der Psalmen: Sein Amt soll ein anderer erhalten!

Einer von den Männern, die die ganze Zeit mit uns zusammen waren, als Jesus, der Herr, bei uns ein und aus ging, angefangen von der Taufe durch Johannes bis zu dem Tag, an dem er von uns ging und in den Himmel aufgenommen wurde, – einer von diesen muss nun zusammen mit uns Zeuge seiner Auferstehung sein.

Und sie stellten zwei Männer auf: Josef, genannt Barsabbas, mit dem Beinamen Justus, und Matthias. Dann beteten sie: Herr, du kennst die Herzen aller; zeige, wen von diesen beiden du erwählt hast, diesen Dienst und dieses Apostelamt zu übernehmen. Denn Judas hat es verlassen und ist an den Ort gegangen, der ihm bestimmt war. Dann gaben sie ihnen Lose; das Los fiel auf Matthias und er wurde den elf Aposteln zugerechnet. |F

Die Bestellung des Matthias ist kein bloßes Auffüllen oder Erfüllung einer Satzungsbestimmung. Sie ist Bestellung zum Zeugen. Bezeugt wird der Auferstandene, in dessen Leben bereits die Bewegung der Auferstehung vielfach aufgeschienen war. Viele biblische Auferweckungsaussagen sind Erhöhungsaussagen. Der gesamte Weg Jesu ist ein Weg der Erniedrigung und der Erhöhung, eine untrennbare Gesamtbewegung. Der Apostel ist Zeuge dieser Bewegung von Hingabe und Errettung, von Sich-Einlassen und Emporgehoben-Werden.

Diese Bewegung kann in drei Aussagen im Zentrum der Lesung wahrgenommen werden. Das Ein- und Ausgehen Jesu darf nicht nur wörtlich genommen, sondern auch geistlich als sterbendes Eingehen in die Erde und wachsender Ausgang zum Leben gedeutet werden (Joh 12,24). Bei der Taufe steigt Jesus in den Jordan hinab und wird danach vom Geist in die Wüste »hinaufgeführt« (so wörtlich in Mt 4,1). Die Taufe ist in ihrer Bewegung ohnehin ein Untertauchen in den Tod und das Auftauchen ins Leben. Schließlich heißt es, dass Jesus »von uns ging« (spirituell als Gang in den Tod zu deuten) und in den Himmel aufgenommen wurde. Zeuge der Auferstehung ist jeder Mensch, der sich mit Jesus hinab bewegt.

Antwortpsalm

Ps 103,1–2.11–12.19–20b (℟: 19a)

℟: Halleluja – oder: Der Herr hat seinen Thron errichtet im Himmel.

VIII. Ton – GL 529,8 · KG 622

Lobe den Herrn, meine Seele, *
und alles in mir seinen heiligen Namen!
Lobe den Herrn, meine Seele, *
und vergiss nicht, was er dir Gutes getan hat. – ℟

So hoch der Himmel über der Erde ist, *
so hoch ist seine Huld über denen, die ihn fürchten.
So weit der Aufgang entfernt ist vom Untergang, *
so weit entfernt er die Schuld von uns. – ℟

Der Herr hat seinen Thron errichtet im Himmel, *
seine königliche Macht beherrscht das All.
Lobt den Herrn, ihr seine Engel, *
ihr starken Helden, die seine Befehle vollstrecken. – ℟

Zweite Lesung 1 Joh 4,11–16

Lesung aus dem ersten Johannesbrief.

Liebe Brüder, wenn Gott uns so geliebt hat, müssen auch wir einander lieben. Niemand hat Gott je geschaut; wenn wir einander lieben, bleibt Gott in uns und seine Liebe ist in uns vollendet.

Daran erkennen wir, dass wir in ihm bleiben und er in uns bleibt: Er hat uns von seinem Geist gegeben. Wir haben gesehen und bezeugen, dass der Vater den Sohn gesandt hat als den Retter der Welt.

Wer bekennt, dass Jesus der Sohn Gottes ist, in dem bleibt Gott und er bleibt in Gott. Wir haben die Liebe, die Gott zu uns hat, erkannt und gläubig angenommen. Gott ist die Liebe, und wer in der Liebe bleibt, bleibt in Gott und Gott bleibt in ihm. ℱ

Gott liebt uns nicht nur, wenn wir ihn lieben. Er liebt bedingungslos. Und das befähigt uns zur Liebe. Diese Liebe ist vollendete Liebe. Sie ist nicht zu begreifen, so wie Gott nicht geschaut werden kann. Sie übersteigt unsere Vernunft, die sich beugen muss. Im Geist können wir die Liebe aber erkennen. »Erkennen« ist im johanneischen Denken kein intellektueller Begriff, sondern ein dialogischer. Jesus erkennt seine Jünger und diese ihn (Joh 16,14.27). Und Jesus ist durchsichtig auf Gott hin, so dass wir in ihm den Vater erkennen (Joh 14,7).

Wir dürfen die Liebe Gottes verinnerlichen. Das ist ein wichtiger Aspekt des achtmal verwendeten Wortes »bleiben« (gr. menein). Es tendiert durch die nähere Bestimmung »bleiben in« zur Bedeutung »innewohnen«. Dies ist ein doppeltes mystisches Motiv: Der Gläubige weiß sich in Gott geborgen, lebt in Gott oder – wie Paulus häufig sagt – in Christus. Und der Gläubige erfährt Gott in sich oder ist sich gewiss – wie Paulus selten, aber an bedeutenden Stellen sagt –, dass »Christus in mir lebt« (Gal 2,20; vgl. 2 Kor 4,16; 13,5). Die »Geborgenheit im Letzten gibt Gelassenheit im Vorletzten« (Romano Guardini) und ermutigt zur Nachfolge, die dann geschieht, »wenn Jesus in uns lebt« (Origines).

RUF VOR DEM EVANGELIUM

Vgl. Joh 14,18; 16.22b

Halleluja. Halleluja.
So spricht der Herr: Ich lasse euch nicht als Waisen zurück. Ich komme wieder zu euch. Dann wird euer Herz sich freuen.
Halleluja.

EVANGELIUM

Joh 17,6a.11b–19

Aus dem heiligen Evangelium nach Johannes.

In jener Zeit erhob Jesus seine Augen zum Himmel und betete: Ich habe deinen Namen den Menschen offenbart, die du mir aus der Welt gegeben hast. Heiliger Vater, bewahre sie in deinem Namen, den du mir gegeben hast, damit sie eins sind wie wir.

Solange ich bei ihnen war, bewahrte ich sie in deinem Namen, den du mir gegeben hast. Und ich habe sie behütet und keiner von ihnen ging verloren, außer dem Sohn des Verderbens, damit sich die Schrift erfüllt.

Aber jetzt gehe ich zu dir. Doch dies rede ich noch in der Welt, damit sie meine Freude in Fülle in sich haben. Ich habe ihnen dein Wort gegeben und die Welt hat sie gehasst, weil sie nicht von der Welt sind, wie auch ich nicht von der Welt bin. Ich bitte nicht, dass du sie aus der Welt nimmst, sondern dass du sie vor dem Bösen bewahrst. Sie sind nicht von der Welt, wie auch ich nicht von der Welt bin.

Heilige sie in der Wahrheit; dein Wort ist Wahrheit. Wie du mich in die Welt gesandt hast, so habe auch ich sie in die Welt gesandt. Und ich heilige mich für sie, damit auch sie in der Wahrheit geheiligt sind. IF

Das Verhältnis Jesu zu seinen Jüngern hat sich in den Kapiteln 14 und 15 von einer Schüler-Lehrer-Beziehung zur Freundschaft gewandelt. Freundschaft ist gepaart mit Freude. Jesus will, dass seine Freude in den Jüngern ist und vollkommen wird (15,11). Er lädt ein, den Vater um Freude zu bitten (16,24). Jetzt sagt er die »Freude in Fülle« zu! Die Exegeten haben erkannt, dass das Kapitel 17 in eine neue Dimension durchbricht. So wie die Freude zur Fülle gelangt, so stößt auch die Freundschaft in die Fülle hinein: die Heiligkeit.

Heiligkeit ist gekennzeichnet durch eine intensive Gottesbeziehung, die der Welt enthebt, und zugleich ein Für-andere-Dasein, das ganz in die Welt verweist. Diese doppelte Tendenz prägt das Leben der Heiligen und auch den zweideutigen »Welt«-Begriff des Johannesevangeliums. Welt ist darin einerseits die gute Schöpfung Gottes, andererseits Finsternis und Fremde. Jesus sagt, dass er sich für die Jünger heiligt. Was bedeutet das? Jesus opfert sich. Jesus gibt sich hin. Wie Jesus sollen wir unser Leben aus der Welt heraus in das Leben Gottes hineinhalten, um uns – wie Jesus – ganz für die Menschen hingeben zu können. Heiligkeit bedeutet, sich auf die Wahrheit auszurichten, die Selbstverkrampfung zu lösen und im Dienen immer zuverlässiger zu werden.

CREDO (siehe Seite 512)

FÜRBITTEN

Gott, guter Vater, du hast Christus in die Welt gesandt, um uns zu behüten. Wir bitten dich:

A: Wir bitten dich, erhöre uns.

- Heilige den Papst und die Bischöfe, dass sie sich ganz dem Dienst an der Einheit hingeben.
- Heilige die Verantwortlichen in Politik und Gesellschaft, dass sie sich für die Würde aller Menschen einsetzen.
- Heilige die jungen Menschen, dass sie das Geheimnis deiner Liebe erspüren und ergründen.

– Heilige uns selbst, dass wir glaubwürdige Zeugen Jesu Auferstehung werden.

Gott, wir danken dir für deinen Sohn Jesus Christus, das Bild deiner Heiligkeit, und für den Geist, heute und in Ewigkeit. Amen.

GABENGEBET

Herr und Gott, nimm die Gebete und Opfergaben deiner Gläubigen an. Laß uns diese heilige Feier mit ganzer Hingabe begehen, damit wir einst das Leben in der Herrlichkeit des Himmels erlangen. Darum bitten wir durch Christus, unseren Herrn.

PRÄFATION

Von Christi Himmelfahrt I

In Wahrheit ist es würdig und recht, dir, allmächtiger Vater, zu danken durch unseren Herrn Jesus Christus, den König der Herrlichkeit. Denn er ist als Sieger über Sünde und Tod aufgefahren in den Himmel. Die Engel schauen den Mittler zwischen Gott und den Menschen, den Richter der Welt, den Herrn der ganzen Schöpfung. Er kehrt zu dir heim, nicht um uns Menschen zu verlassen, er gibt den Gliedern seines Leibes die Hoffnung, ihm dorthin zu folgen, wohin er als erster vorausging. Darum preisen wir dich in österlicher Freude und singen mit den Chören der Engel das Lob deiner Herrlichkeit.

EINLADUNG ZUM VATER UNSER

Gott selber ruft uns zur Gemeinschaft mit ihm und bewahrt uns in seinem Namen. So beten wir mit den Worten Jesu: Vater unser im Himmel …

EINLADUNG ZUM FRIEDENSGEBET

Jesus Christus hat um die Einheit aller, die an ihn glauben gebetet. Von Anfang an haben Christen dagegen verstoßen. Deshalb bitten wir: Herr Jesus Chrstus …

KOMMUNIONVERS

Vgl. Joh 17,22

Ich bitte dich, Vater, laß sie eins sein, wie wir eins sind. Halleluja.

SCHLUSSGEBET

Erhöre uns, Gott, unser Heil, und schenke uns die feste Zuversicht, daß durch die Feier der heiligen Geheimnisse die ganze Kirche jene Vollendung erlangen wird, die Christus, ihr Haupt, in deiner Herrlichkeit schon besitzt, der mit dir lebt und herrscht in alle Ewigkeit.

SCHLUSSSEGEN

Von Christi Himmelfahrt

Der allherrschende Gott, der Christus zu seiner Rechten erhöht und uns den Zugang zum Leben erschlossen hat, gewähre euch die Fülle seines Segens.

Vor den Augen seiner Jünger wurde Christus zum Himmel erhoben; er sei euch ein gnädiger Richter, wenn er wiederkommt.

Er thront in der Herrlichkeit des Vaters und bleibt dennoch inmitten seiner Kirche; er schenke euch den Trost seiner Gegenwart.

Das gewähre euch der dreieinige Gott, der Vater und der Sohn ✝ und der Heilige Geist.

Geheiligt werde dein Name!

Gott, du schaffst uns Raum.
Wir müssen nichts tun,
nur dir, Gott, zutrauen,
dass du deinen Namen heiligst.
– Lass uns vertrauen.

Geheiligt werde dein Name!

Du brauchst nicht unser Lob,
aber wie brauchen es,
um aus dem Kreisen um uns selbst
hinauszutreten in deine Heiligkeit.
– Mach uns bereit.

Geheiligt werde dein Name!

Du schenkst uns Gelassenheit.
Das Irdische tritt zurück.
Wir treten ein in den Chor aller,
die deinen Namen heiligen.
– Erwecke Lob in uns.

Geheiligt werde dein Name!

Du bist der barmherzige Gott.
Wir ehren und preisen dich
durch unsere Hingabe
für Menschen in Not.
– Lass deine Liebe sichtbar werden.

Wolfgang Steffel

Pfingsten
Am Vorabend
26. Mai 2012

Die Liebe Gottes ist ausgegossen in unsere Herzen
durch den Heiligen Geist, der uns gegeben ist. Halleluja.
Röm 5,5

Die heutigen Texte am Vorabend des Pfingstfestes sprechen vom Mitgehen Gottes mit seinem Volk, vom Wirken des Geistes und von der Verheißung und Zusage des Heiligen Geistes als Erstlingsgabe für das Volk Gottes.

Die Texte sprechen aber auch von der Bedürftigkeit der Welt: Die Menschen haben Ideen, die ihnen »über den Kopf wachsen«, sie sind ohne Hoffnung und die Welt ist in Geburtswehen liegend, seufzend und verwirrt.

Der Apostel Paulus spricht in seinem Brief an die Römer diese Zerrissenheit an: Wir haben den Geist und dennoch seufzen wir. Wir haben die Rettung erfahren und dennoch warten wir hoffend. Es ist ein geisterfülltes Seufzen in welchem wir ausharren, begleitet von der heilenden, ordnenden und lebendig machenden Kraft des Heiligen Geistes.

Kyrie-Rufe

Oder: GL 228 · KG 474

Herr Jesus Christus, du stärkst und begleitest uns in deinem Geist. Herr, erbarme dich.
Im Heiligen Geist bist du bei uns alle Tage bis an das Ende der Welt. Christus, erbarme dich.
Du schenkst uns schon jetzt Anteil an dem Heil, das du uns verheißen hast. Herr, erbarme dich.

Gloria (siehe Seite 508)

TAGESGEBET

Gott, unser Herr, du hast das österliche Geheimnis im Geschehen des Pfingsttages vollendet und Menschen aus allen Völkern das Heil geoffenbart. Vereine im Heiligen Geist die Menschen aller Sprachen und Nationen zum Bekenntnis deines Namens. Darum bitten wir durch Jesus Christus.

Oder:

Allmächtiger Gott, der Glanz deiner Herrlichkeit strahle über uns auf, und Christus, das Licht von deinem Licht, erleuchte die Herzen aller Getauften und stärke sie durch den Heiligen Geist. Darum bitten wir durch Jesus Christus.

ERSTE LESUNG Gen 11,1–9

Lesung aus dem Buch Genesis.

Alle Menschen hatten die gleiche Sprache und gebrauchten die gleichen Worte. Als sie von Osten aufbrachen, fanden sie eine Ebene im Land Schinar und siedelten sich dort an.

Sie sagten zueinander: Auf, formen wir Lehmziegel und brennen wir sie zu Backsteinen. So dienten ihnen gebrannte Ziegel als Steine und Erdpech als Mörtel. Dann sagten sie: Auf, bauen wir uns eine Stadt und einen Turm mit einer Spitze bis zum Himmel und machen wir uns damit einen Namen, dann werden wir uns nicht über die ganze Erde zerstreuen.

Da stieg der Herr herab, um sich Stadt und Turm anzusehen, die die Menschenkinder bauten. Er sprach: Seht nur, e i n Volk sind sie und e i n e Sprache haben sie alle. Und das ist erst der Anfang ihres Tuns. Jetzt wird ihnen nichts mehr unerreichbar sein, was sie sich auch vornehmen.

Auf, steigen wir hinab und verwirren wir dort ihre Sprache, sodass keiner mehr die Sprache des anderen versteht.

Der Herr zerstreute sie von dort aus über die ganze Erde und sie hörten auf, an der Stadt zu bauen. Darum nannte man die Stadt Babel – Wirrsal –, denn dort hat der Herr die Sprache aller Welt verwirrt und von dort aus hat er die Menschen über die ganze Erde zerstreut. IF

Welch eine Voraussetzung für erfolgreiches und effektives Handeln: »Alle Menschen hatten die gleiche Sprache und gebrauchten die gleichen Worte« (Gen 11,1). Alles scheint möglich und daraus entwickelt sich ein Ziel: Eine Stadt, die in den Himmel reicht, ein Name, den alle Welt kennt, und Einheit aufgrund des eigenen Könnens. Alles scheint machbar, doch dann: Verwirrung und Zerstreuung, keiner versteht den anderen und alle reden aneinander vorbei. Was ist der Grund für diese Zerstreuung der Menschen über die ganze Erde? Was ist der Grund, welcher die Verwirrung unvermeidlich werden lässt? Es sind jene Ideen der Menschen, die ihnen über den Kopf wachsen und die das Ziel verfolgen, keine Grenzen mehr zu kennen. Es sind jene Ideen, die sich verselbstständigen, die keiner mehr kontrollieren kann und die uns auch heute noch verwirren. Was schenkt uns Orientierung und Verständigung im Wirrsal der Ideen? – Wenn bei all unseren Ideen das eine Ziel, allen Menschen von der Liebe Gottes zu künden, nicht in Vergessenheit gerät, redet keiner am anderen vorbei und der Geist von Pfingsten beflügelt unsere Worte.

Oder: Ex 19,3–8a.16–20

Lesung aus dem Buch Exodus.

In jenen Tagen stieg Mose zu Gott hinauf. Da rief ihm der Herr vom Berg her zu: Das sollst du dem Haus Jakob sagen und den Israeliten verkünden: Ihr habt gesehen, was ich den Ägyptern angetan habe, wie ich euch auf Adlerflügeln getragen und hierher zu mir gebracht habe. Jetzt aber, wenn ihr auf meine Stimme hört und meinen Bund haltet, werdet ihr unter allen Völkern mein besonderes Eigentum sein. Mir gehört die ganze Erde, ihr aber sollt mir als ein Reich von Priestern und als ein heiliges Volk gehören. Das sind die Worte, die du den Israeliten mitteilen sollst.

Mose ging und rief die Ältesten des Volkes zusammen. Er legte ihnen alles vor, was der Herr ihm aufgetragen hatte. Das ganze Volk antwortete einstimmig und erklärte: Alles, was der Herr gesagt hat, wollen wir tun. Am dritten Tag, im Morgengrauen, begann es zu donnern und zu blitzen. Schwere Wolken lagen über dem Berg und gewaltiger Hörnerschall erklang. Das ganze Volk im Lager begann zu zittern. Mose führte es aus dem Lager hinaus Gott entgegen. Unten am Berg blieben sie stehen.

Der ganze Sinai war in Rauch gehüllt, denn der Herr war im Feuer auf ihn herabgestiegen. Der Rauch stieg vom Berg auf wie Rauch aus einem Schmelzofen. Der ganze Berg bebte gewaltig und der Hörnerschall wurde immer lauter. Mose redete und Gott antwortete im Donner. Der Herr war auf den Sinai, auf den Gipfel des Berges, herabgestiegen. Er hatte Mose zu sich auf den Gipfel des Berges gerufen und Mose war hinaufgestiegen. |F

Am Sinai angekommen ist der Herr weiter bei seinem Volk. Das Mitgehen Gottes mit seinem Volk äußert sich in diesen Versen des Exodusbuches in einer Kommunikation Gottes mit seinem Volk, vermittelt durch Mose. Was genau vermittelt Mose zwischen Gott und seinem Volk? Er vermittelt ein Bundesangebot Gottes: »Jetzt aber, wenn ihr auf meine Stimme hört und meinen Bund haltet, werdet ihr unter allen Völkern mein besonderes Eigentum sein. Mir gehört die ganze Erde, ihr aber sollt mir als ein Reich von Priestern und als ein heiliges Volk gehören« (Ex 19,5–6a). Das Volk Israel erreicht dieses Angebot, vermittelt durch Mose, auf der Basis seiner Erfahrungen mit Gott im Exodus: Gott ist mitgegangen und er hat die Israeliten wie »auf Adlerflügeln getragen«. Was jetzt Großes und Ernstes an sie herangetragen wird, Gott als ein priesterliches und heiliges Volk zu dienen, können die Israeliten in diesem Wissen annehmen: In aller Knechtschaft und Ausweglosigkeit vermag es Gott seinem Volk Leichtigkeit und Freiheit zu schenken – wie auf Adlerflügeln. So stimmt das ganze Volk einstimmig zu: »Alles, was der Herr gesagt hat, wollen wir tun« (Ex 19,8a). Auf diesen zugesagten Gehorsam seines Volkes antwortend steigt Gott herab zum Sinai, um, wiederum vermittelt durch Mose, dem Volk seine Gebote zu geben (vgl. Ex 20,1–17).

Auffallend in dieser Erzählung vom Bundesangebot am Sinai sind die vielen prägenden Gegensätze, welche die Beziehung zwischen Gott und seinem Volk umschreiben können: Ernsthaftigkeit des Bundes und Leichtigkeit der Annahme des Bundes durch das Volk; Nähe Gottes und notwendige Distanz Gottes zu seinem Volk, welche Mose als Vermittler überbrückt; Herabsteigen Gottes und Hinaufsteigen des Mose als Mittler aus dem Volk.

Oder: Ez 37,1–14

Lesung aus dem Buch Ezechiel.

In jenen Tagen legte sich die Hand des Herrn auf mich, und der Herr brachte mich im Geist hinaus und versetzte mich mitten in die Ebene. Sie war voll von Gebeinen.

Er führte mich ringsum an ihnen vorüber und ich sah sehr viele über die Ebene verstreut liegen; sie waren ganz ausgetrocknet.

Er fragte mich: Menschensohn, können diese Gebeine wieder lebendig werden? Ich antwortete: Herr und Gott, das weißt nur du. Da sagte er zu mir: Sprich als Prophet über diese Gebeine und sag zu ihnen: Ihr ausgetrockneten Gebeine, hört das Wort des Herrn! So spricht Gott, der Herr, zu diesen Gebeinen: Ich selbst bringe Geist in euch, dann werdet ihr lebendig. Ich spanne Sehnen über euch und umgebe euch mit Fleisch; ich überziehe euch mit Haut und bringe Geist in euch, dann werdet ihr lebendig. Dann werdet ihr erkennen, dass ich der Herr bin.

Da sprach ich als Prophet, wie mir befohlen war; und noch während ich redete, hörte ich auf einmal ein Geräusch: Die Gebeine rückten zusammen, Bein an Bein. Und als ich hinsah, waren plötzlich Sehnen auf ihnen und Fleisch umgab sie und Haut überzog sie. Aber es war noch kein Geist in ihnen.

Da sagte er zu mir: Rede als Prophet zum Geist, rede, Menschensohn, sag zum Geist: So spricht Gott, der Herr: Geist, komm herbei von den vier Winden! Hauch diese Erschlagenen an, damit sie lebendig werden.

Da sprach ich als Prophet, wie er mir befohlen hatte, und es kam Geist in sie. Sie wurden lebendig und standen auf – ein großes, gewaltiges Heer.

Er sagte zu mir: Menschensohn, diese Gebeine sind das ganze Haus Israel. Jetzt sagt Israel: Ausgetrocknet sind unsere Gebeine, unsere Hoffnung ist untergegangen, wir sind verloren. Deshalb tritt als Prophet auf und sag zu ihnen: So spricht Gott, der Herr: Ich öffne eure Gräber und hole euch, mein Volk, aus euren Gräbern herauf. Ich bringe euch zurück in das Land Israel. Wenn ich eure Gräber öffne und euch, mein Volk, aus euren Gräbern heraufhole, dann werdet ihr erkennen, dass ich der Herr bin. Ich hauche euch meinen Geist ein, dann werdet ihr lebendig und ich bringe euch wieder in euer Land. Dann werdet ihr erkennen, dass ich der Herr bin.

Ich habe gesprochen und ich führe es aus – Spruch des Herrn.

IF

Wie anschaulich umschreibt diese Vision zunächst die Exilsituation Israels in den Jahren 586 bis 538 v. Chr.: Das Haus Israel ist zerstreut, die Menschen des Gottesvolkes sind ausgetrocknet, ohne Hoffnung und Lebendigkeit. Als Leser und Hörer dieser Vision sieht man die leblose Ebene, welche Ezechiel beschreibt, vor sich: Grau, trocken, tot, hoffnungslos. So muss es auch in den Israeliten ausgesehen haben: Nicht der kleinste Hoffnungsschimmer, der Lebendigkeit aufkeimen und Rückkehr ins eigene Land vermuten lässt. Dem Propheten Ezechiel wird in dieser Situation der Hoffnungslosigkeit Erneuerung für sein Volk verheißen. Wie soll diese Erneuerung geschehen und wodurch wird sie sich auszeichnen? Gott der Herr wird seinen Geist in die Hoffnungslosen bringen und sie dadurch mit neuer Lebendigkeit erfüllen. Diese neue, geistgewirkte Lebendigkeit ist eine Lebendigkeit, die Hoffnungen erfüllt und Erkenntnis mit sich bringt: Die Israeliten werden vom Herrn ins eigene Land zurückgebracht und sie werden erneut erkennen, dass Gott ihr Herr ist.

Die mehrmals wiederholten Schlüsselbegriffe »Geist«, »lebendig« und »erkennen« in dieser Erzählung verweisen auf einen wichtigen Zusammenhang: Der Geist des Herrn bringt immer Lebendigkeit, Erkenntnis und Neuanfang – auch heute noch.

Oder: Joël 3,1–5

Lesung aus dem Buch Joël.

So spricht Gott, der Herr: Es wird geschehen, dass ich meinen Geist ausgieße über alles Fleisch. Eure Söhne und Töchter werden Propheten sein, eure Alten werden Träume haben und eure jungen Männer haben Visionen. Auch über Knechte und Mägde werde ich meinen Geist ausgießen in jenen Tagen.

Ich werde wunderbare Zeichen wirken am Himmel und auf der Erde: Blut und Feuer und Rauchsäulen. Die Sonne wird sich in Finsternis verwandeln und der Mond in Blut, ehe der Tag des Herrn kommt, der große und schreckliche Tag.

Und es wird geschehen: Wer den Namen des Herrn anruft, wird gerettet. Denn auf dem Berg Zion und in Jerusalem gibt es Rettung, wie der Herr gesagt hat, und wen der Herr ruft, der wird entrinnen. IF

Diese Verse aus dem Buch Joël sind eine Verheißung. Über alle wird der Geist ausgegossen werden und alle, selbst die Sklaven, werden über die gleiche »Verbindungsmöglichkeit« zu Gott verfügen. Alle Unterschiede zwischen den Menschen werden unter dieser Voraussetzung hinfällig und »wer den Namen des Herrn anruft, wird gerettet« (Joël 3,5a) werden. Diese Verheißung ist im Letzten eschatologisch zu verstehen: Die volle Erfüllung der rettenden Gottesunmittelbarkeit wird am Tag des Herrn geschehen. Dennoch hat diese Verheißung bereits begonnen sich zu erfüllen, wie Petrus in seiner Pfingstpredigt betont (vgl. Apg 2,17–21). Im Lichte der rettenden Botschaft Jesu Christi wurde über der Kirche der Geist ausgegossen, damit sie schon jetzt in geisterfüllter Weise prophetisch von der Rettung kündet.

ANTWORTPSALM

Ps 104,1–2.24–25.27–30 (℟: vgl. 30)

℟: Halleluja – oder: Sende aus deinen Geist und das Antlitz der Erde wird neu.

VII. Ton – GL 253,1 · KG 489

Lobe den Herrn, meine Seele! /
Herr, mein Gott, wie groß bist du! *
Du bist mit Hoheit und Pracht bekleidet.
Du hüllst dich in Licht wie in ein Kleid, *
du spannst den Himmel aus wie ein Zelt. – ℟

Herr, wie zahlreich sind deine Werke! /
Mit Weisheit hast du sie alle gemacht, *
die Erde ist voll von deinen Geschöpfen.
Da ist das Meer, so groß und weit, *
darin ein Gewimmel ohne Zahl: kleine und große Tiere. – ℟

Sie alle warten auf dich, *
dass du ihnen Speise gibst zur rechten Zeit.
Gibst du ihnen, dann sammeln sie ein; *
öffnest du deine Hand, werden sie satt an Gutem. – ℟

Verbirgst du dein Gesicht, sind sie verstört; /
nimmst du ihnen den Atem, so schwinden sie hin *
und kehren zurück zum Staub der Erde.
Sendest du deinen Geist aus, so werden sie alle erschaffen *
und du erneuerst das Antlitz der Erde. – ℟

ZWEITE LESUNG

Röm 8,22–27

Lesung aus dem Brief an die Römer.

Schwestern und Brüder! Wir wissen, dass die gesamte Schöpfung bis zum heutigen Tag seufzt und in Geburtswehen liegt. Aber auch wir, obwohl wir als Erstlingsgabe den Geist haben, seufzen in unserem Herzen und warten darauf, dass wir mit der Erlösung unseres Leibes als Söhne offenbar werden.

Denn wir sind gerettet, doch in der Hoffnung. Hoffnung aber, die man schon erfüllt sieht, ist keine Hoffnung. Wie kann man auf etwas hoffen, das man sieht? Hoffen wir aber auf das, was wir nicht sehen, dann harren wir aus in Geduld.

So nimmt sich auch der Geist unserer Schwachheit an. Denn wir wissen nicht, worum wir in rechter Weise beten sollen; der Geist selber tritt jedoch für uns ein mit Seufzen, das wir nicht in Worte fassen können. Und Gott, der die Herzen erforscht, weiß, was die Absicht des Geistes ist: Er tritt so, wie Gott es will, für die Heiligen ein. |F

Paulus beschreibt mit diesen Versen seines Briefes an die Römer unsere Situation als Christen inmitten der Welt. Wir sehen die Vergänglichkeit der Welt, ihre Schwachheit und ihr Leiden und auch wir spüren oftmals die Vergänglichkeit am eigenen Leib und stimmen in das Seufzen der Welt ein. Aber wir seufzen nicht nur, wir hoffen auch. Wir haben allen Grund dazu, weil wir gerettet sind. Auch wenn unsere Hoffnung nicht augenscheinlich sichtbar ist, gibt es für sie wertvolle Hinweise und Vorausboten in der Welt: Die Liebe, die Wunder der Schöpfung, Frieden, echte Sorge umeinander, Einigung und Freude; Momente in denen aufleuchtet, dass die ganze Schöpfung von einer Hoffnung umfangen ist.

Damit diese Hoffnung unter uns immer weiter um sich greifen kann, haben wir als »Erstlingsgabe« den Geist erhalten. Dieser Geist wird uns helfen, von unserer Hoffnung und Rettung zu künden und für die Welt zu beten. Dieser Geist wird sich unserer Schwachheit annehmen und unsere Ungeduld auffangen bis sich unsere Hoffnung vollends erfüllt und wir von der Vergänglichkeit befreit werden.

Ruf vor dem Evangelium

Halleluja. Halleluja.
Komm, Heiliger Geist, erfülle die Herzen deiner Gläubigen und entzünde in ihnen das Feuer deiner Liebe!
Halleluja.

EVANGELIUM

Joh 7,37–39

Aus dem heiligen Evangelium nach Johannes.

Am letzten Tag des Festes, dem großen Tag, stellte sich Jesus hin und rief:

Wer Durst hat, komme zu mir, und es trinke, wer an mich glaubt. Wie die Schrift sagt: Aus seinem Inneren werden Ströme von lebendigem Wasser fließen.

Damit meinte er den Geist, den alle empfangen sollten, die an ihn glauben; denn der Geist war noch nicht gegeben, weil Jesus noch nicht verherrlicht war. IF

Durst haben und Durst löschen können – ein Bedürfnis und ein Gefühl, das jeder Mensch kennt und eindringlich nachvollziehen kann: Durst ist kaum auszuhalten; wer Durst hat, kann nicht mehr weitergehen und weiterdenken; wer Durst hat, fühlt sich ausgetrocknet und gelähmt. Dann das Wasser, welches den Durst löscht: Die Trockenheit im Mund verschwindet, die Gedanken werden wieder klar, neues Leben und neue Kraft kehren in den Körper zurück.

Jesus greift diese Erfahrungen der Menschen auf, wenn er ihnen zuruft: »Wer Durst hat, komme zu mir, und es trinke, wer an mich glaubt« (Joh 7,37–38a). Jesus will mit dieser Einladung an die Menschen sagen: Kommt zu mir und glaubt an mich, dann werdet ihr euch nicht mehr leer und ausgebrannt fühlen. Ihr werdet trinken können von der belebenden Botschaft eurer Rettung und ein Geist wie Ströme von lebendigem Wasser wird euch durchfluten. Dieser Geist ist ein Geist, wie ihr ihn noch nicht kennt, ein Geist, der Einsicht schenkt, erfrischt und Klarheit schafft, statt ermüdet, verwirrt und austrocknet.

CREDO (siehe Seite 512)

FÜRBITTEN

Vater, dürstend nach Einsicht, Kraft und Klarheit kommen wir voller Vertrauen mit unseren Sorgen und Bitten zu dir:

V: Gott, unser Vater. A: Wir bitten dich, erhöre uns.

- Für alle Menschen, die keinen Ausweg aus ihren Sorgen und Problemen sehen: Schenke ihnen Mut und Zuversicht.
- Für alle Christen, die erfüllt von Zweifel kein Zeugnis mehr von dir ablegen können: Stärke sie durch die Kraft deines Geistes.
- Für deine Kirche und uns alle: Hilf uns, wenn wir den Beistand des Geistes vergessen und uns unserer Schwachheit hingeben.
- Für alle Kranken und ihre Angehörigen: Segne sie und stärke ihre Hoffnung durch die Kraft deines Geistes.
- Für unsere Verstorbenen: Erfülle ihre irdische Hoffnung im Reich deiner Liebe.

Vater, du bist den Weg deines Volkes mitgegangen und begleitest uns durch die Kraft des Heiligen Geistes. Dir sei Lobpreis und Ehre, heute und in Ewigkeit.

GABENGEBET

Herr, unser Gott, dein Geist segne diese Gaben und erfülle durch sie die Kirche mit der Kraft deiner Liebe, damit die ganze Welt erkennt, daß du sie zum Heil gerufen hast. Darum bitten wir durch Christus, unseren Herrn.

PRÄFATION

Vom Tag

In Wahrheit ist es würdig und recht, dir, Herr, heiliger Vater, immer und überall zu danken und diesen Tag in festlicher Freude zu feiern. Denn heute hast du das österliche Heilswerk vollendet, heute hast du den Heiligen Geist gesandt über alle, die du mit Christus auferweckt und zu deinen Kindern berufen hast. Am Pfingsttag erfüllst du deine Kirche mit Leben: Dein Geist schenkt allen Völkern die Erkenntnis des lebendigen Gottes und vereint die vielen Sprachen im Bekenntnis des einen Glaubens. Darum preisen dich alle Völker auf dem Erdenrund in österlicher Freude. Darum rühmen dich die himmlischen

Kräfte und die Mächte der Engel und singen das Lob deiner Herrlichkeit.

Einladung zum Vaterunser

Gottes Geist tritt für uns ein. Er hilft uns in unserer Schwäche und macht uns fähig, auf Gottes Ruf zu antworten. Wir beten mit den Worten Jesu: Vater unser im Himmel …

Einladung zum Friedensgebet

Gott will durch seinen Geist die Menschen aus Verwirrung und Zerstreuung zusammenführen in seiner Kirche. Deshalb bitten wir: Herr Jesus Christus …

Kommunionvers — Joh 7,37

Am letzten Tag des Festes, dem großen Tag, stand da Jesus und rief: Wer Durst hat, komme zu mir und trinke. Halleluja.

Schlussgebet

Herr, unser Gott, du hast uns im heiligen Mahl gesättigt. Erfülle uns durch dieses Sakrament mit der Glut des Heiligen Geistes, den du am Pfingstfest den Aposteln gesandt hast. Darum bitten wir durch Christus, unseren Herrn.

Schlusssegen — Vom Heiligen Geist

Der gütige Gott hat (am heutigen Tag) die Jünger durch die Eingießung des Heiligen Geistes erleuchtet; er segne euch und schenke euch den Reichtum seiner Gaben.

Jenes Feuer, das in vielen Zungen auf die Jünger herabkam, reinige eure Herzen und entzünde in euch die göttliche Liebe.

Der Heilige Geist, der die vielen Sprachen im Bekenntnis des Glaubens geeint hat, festige euch in der Wahrheit und führe euch vom Glauben zum Schauen.

Das gewähre euch der dreieinige Gott, der Vater und der Sohn ✝ und der Heilige Geist.

Vater, wir dürsten nach den wahren Quellen,
nach deiner Liebe, deinem Geist.
Nur so kann die Welt sich selbst verstehen
und wir atmen auf
durch den Atem der Wahrheit.

Jessica Bohn

Pfingsten

Am Tag

27. Mai 2012

Der Geist des Herrn erfüllt den Erdkreis.
In ihm hat alles Bestand.
Nichts bleibt verborgen vor ihm. Halleluja.
Vgl. Weish 1,7

Oder:

Die Liebe Gottes ist ausgegossen in unsere Herzen
durch den Heiligen Geist, der uns gegeben ist. Halleluja.
Röm 5,5

Das heutige Pfingstfest markiert zum einen den Abschluss der fünfzigtägigen österlichen Freudenzeit. Zum anderen ist Pfingsten das Fest, an dem die Herabkunft des Heiligen Geistes gefeiert wird. In andauernder Freude über die österliche Verheißung des ewigen Lebens feiert die Kirche nunmehr die Herabsendung des Heiligen Geistes als Beistand auf ihrer irdischen Pilgerschaft. Voller Freude über diese doppelte Zusage der Liebe Gottes kann die Kirche ihre Aufgabe, aller Welt Gottes große Taten zu verkünden (vgl. Apg 2,11), wahrnehmen. Wenn wir am heutigen Pfingstfest rufen »Komm herab, o Heil'ger Geist«, tun wir dies in dem Bewusstsein, dass der Heilige Geist bei uns ist und in der andauernden Bitte darum, dass wir immer durchlässiger für sein Wirken werden.

Kyrie-Rufe

Oder: GL 246 · KG 480

Herr Jesus Christus, du hast uns deinen Geist gesandt. Herr erbarme dich.
Du führst uns durch deinen Geist in das Geheimnis Gottes. Christus, erbarme dich.
Du sammelst deine Kirche in deinem Geist. Herr, erbarme dich.

GLORIA (siehe Seite 508)

TAGESGEBET

Allmächtiger, ewiger Gott, durch das Geheimnis des heutigen Tages heiligst du deine Kirche in allen Völkern und Nationen. Erfülle die ganze Welt mit den Gaben des Heiligen Geistes, und was deine Liebe am Anfang der Kirche gewirkt hat, das wirke sie auch heute in den Herzen aller, die an dich glauben. Darum bitten wir durch Jesus Christus.

ERSTE LESUNG — Apg 2,1–11

Lesung aus Apostelgeschichte.

Als der Pfingsttag gekommen war, befanden sich alle am gleichen Ort. Da kam plötzlich vom Himmel her ein Brausen, wie wenn ein heftiger Sturm daherfährt, und erfüllte das ganze Haus, in dem sie waren.

Und es erschienen ihnen Zungen wie von Feuer, die sich verteilten; auf jeden von ihnen ließ sich eine nieder. Alle wurden mit dem Heiligen Geist erfüllt und begannen, in fremden Sprachen zu reden, wie es der Geist ihnen eingab.

In Jerusalem aber wohnten Juden, fromme Männer aus allen Völkern unter dem Himmel. Als sich das Getöse erhob, strömte die Menge zusammen und war ganz bestürzt; denn jeder hörte sie in seiner Sprache reden. Sie gerieten außer sich vor Staunen und sagten:

Sind das nicht alles Galiläer, die hier reden? Wieso kann sie jeder von uns in seiner Muttersprache hören:

Parther, Meder und Elamiter, Bewohner von Mesopotamien, Judäa und Kappadozien, von Pontus und der Provinz Asien, von Phrygien und Pamphylien, von Ägypten und dem Gebiet Libyens nach Zyrene hin, auch die Römer, die sich hier aufhalten, Juden und Proselyten, Kreter und Araber, wir hören sie in unseren Sprachen Gottes große Taten verkünden. |F

Die Apostelgeschichte berichtet uns in diesen Versen vom Pfingstereignis, welches bereits zu Beginn der Apostelgeschichte (vgl. Apg 1,8) durch Jesus verheißen wurde. Der Bericht über das Pfingstereignis beginnt mit der Information, dass sich »alle am gleichen Ort« (Apg 2,1) befanden. Vermutlich sind damit die zwölf Apostel gemeint, welche in einem Haus versammelt zusammen saßen. Mit Apg 2,2 beginnt dann eine geradezu dramatische Schilderung des wundersamen Vorgangs: Brausen, Sturm und Feuer – der Heilige Geist schlägt »blitzartig« ein und erfüllt »jeden von ihnen« (Apg 2,3). Die Wirkung: Die Apostel »begannen, in fremden Sprachen zu reden, wie es der Geist ihnen eingab« (Apg 2,4). Der Anfang der Kirche war gemacht: Durch das Einbrechen des Heiligen Geistes wurden sie fähig, die Menschenmenge in Jerusalem in Bestürzung, Erstaunen und Begeisterung zu versetzen, indem sie Gottes große Taten in den Sprachen der Menschen verkündeten.

Sowohl die Zusage als auch der Auftrag des Pfingstgeschehens bleiben für uns aktuell: Der Heilige Geist ist uns als Beistand zugesagt; gehen wir also hin in alle Welt und verkünden wir das Evangelium. Beten wir jedoch auch darum, dass der Heilige Geist uns hilft eine Sprache zu sprechen, welche die Menschen erreicht und in Begeisterung versetzt.

ANTWORTPSALM Ps 104,1–2.24–25.29–31.34 (℟: vgl. 30)

℟: Halleluja – oder: Sende aus deinen Geist und das Antlitz der Erde wird neu.

VII. Ton – GL 253,1 · KG 489

Lobe den Herrn, meine Seele! /
Herr, mein Gott, wie groß bist du! *
Du bist mit Hoheit und Pracht bekleidet.
Du hüllst dich in Licht wie in ein Kleid, *
du spannst den Himmel aus wie ein Zelt. – ℟

Herr, wie zahlreich sind deine Werke! /
Mit Weisheit hast du sie alle gemacht, *
die Erde ist voll von deinen Geschöpfen.

Da ist das Meer, so groß und weit, *
darin ein Gewimmel ohne Zahl: kleine und große Tiere. – ℟

Verbirgst du dein Gesicht, sind sie verstört; /
nimmst du ihnen den Atem, so schwinden sie hin *
und kehren zurück zum Staub der Erde.
Sendest du deinen Geist aus, so werden sie alle erschaffen *
und du erneuerst das Antlitz der Erde. – ℟

Ewig währe die Herrlichkeit des Herrn; *
der Herr freue sich seiner Werke.
Möge ihm mein Dichten gefallen. *
Ich will mich freuen am Herrn. – ℟

Zweite Lesung Gal 5,16–25

Lesung aus dem Galaterbrief.

Schwestern und Brüder! Lasst euch vom Geist leiten, dann werdet ihr das Begehren des Fleisches nicht erfüllen.

Denn das Begehren des Fleisches richtet sich gegen den Geist, das Begehren des Geistes aber gegen das Fleisch; beide stehen sich als Feinde gegenüber, sodass ihr nicht imstande seid, das zu tun, was ihr wollt.

Wenn ihr euch aber vom Geist führen lasst, dann steht ihr nicht unter dem Gesetz. Die Werke des Fleisches sind deutlich erkennbar: Unzucht, Unsittlichkeit, ausschweifendes Leben, Götzendienst, Zauberei, Feindschaften, Streit, Eifersucht, Jähzorn, Eigennutz, Spaltungen, Parteiungen, Neid und Missgunst, Trink- und Essgelage und Ähnliches mehr. Ich wiederhole, was ich euch schon früher gesagt habe: Wer so etwas tut, wird das Reich Gottes nicht erben.

Die Frucht des Geistes aber ist Liebe, Freude, Friede, Langmut, Freundlichkeit, Güte, Treue, Sanftmut und Selbstbeherrschung; dem allem widerspricht das Gesetz nicht.

Alle, die zu Christus Jesus gehören, haben das Fleisch und damit ihre Leidenschaften und Begierden gekreuzigt.

Wenn wir aus dem Geist leben, dann wollen wir dem Geist auch folgen. |F

Paulus schreibt seinen Brief an die Galater vor einem ganz bestimmten Hintergrund: In der jungen Gemeinde von Galatien sind Irrlehrer aufgetaucht, welche die christliche Botschaft verfälschen. Der ganze Brief verfolgt in diesem Zusammenhang das Ziel, die Gemeinde wieder auf den richtigen Weg zu rufen und sie vor die Entscheidung zu stellen. Paulus ruft der Gemeinde zu: Welchem Evangelium wollt ihr euch zuwenden? Was für ein Leben wollt ihr führen? Ein Leben der Freiheit oder ein Leben der Knechtschaft?

Paulus gibt den verwirrten Galatern auch die »passenden Antworten«: Es gibt kein anderes Evangelium als das Evangelium Jesu Christi (vgl. Gal 1,7) und »zur Freiheit hat uns Christus befreit« (Gal 5,1). Die Freiheit, zu der uns Christus befreit hat, ist nach Paulus jedoch keine Freiheit ohne Orientierung. Sie ist vielmehr eine geisterfüllte Freiheit, in welcher die egoistischen Werke des Fleisches keinen Platz finden. Paulus ruft den Galatern in ihrer Orientierungslosigkeit zu: Der Geist ist ja da, so lasst euch auch von ihm leiten. Wenn ihr dem Geist der Liebe und der Wahrheit folgt, vollbringt ihr auch seine Frucht: ein Leben in Liebe, Frieden und Gemeinschaft.

SEQUENZ

Veni Sancte Spíritus,
et emítte cáelitus
lucis tuae rádium.

Veni pater páuperum,
veni dator múnerum,
veni lumen córdium.

Consolátor óptime,
dulcis hospes ánimae,
dulce refrigérium.

Komm herab, o Heil'ger Geist,
der die finstre Nacht zerreißt,
strahle Licht in diese Welt.

Komm, der alle Armen liebt,
komm, der gute Gaben gibt,
komm, der jedes Herz erhellt.

Höchster Tröster in der Zeit,
Gast, der Herz und Sinn erfreut,
köstlich Labsal in der Not,

In labóre réquies,
in aestu tempéries,
in fletu solátium.

O lux beatíssima,
reple cordis íntima
tuórum fidélium.

Sine tuo númine
nihil est in hómine,
nihil est innóxium.

Lava quod est sórdidum,
riga quod es áridum,
sana quod est sáucium.

Flecte quod est rígidum,
fove quod es frígidum,
rege quod est dévium.

Da tuis fidélibus
in te confidéntibus
sacrum septenárium.

Da virtútis méritum,
da salútis éxitum,
da perénne gáudium.
Amen. Allelúia.

in der Unrast schenkst du Ruh,
hauchst in Hitze Kühlung zu,
spendest Trost in Leid und Tod.

Komm, o du glückselig Licht,
fülle Herz und Angesicht,
dring bis auf der Seele Grund.

Ohne dein lebendig Wehn
kann im Menschen nichts bestehn,
kann nichts heil sein noch gesund.

Was befleckt ist, wasche rein,
Dürrem gieße Leben ein,
heile du, wo Krankheit quält.

Wärme du, was kalt und hart,
löse, was in sich erstarrt,
lenke, was den Weg verfehlt.

Gib dem Volk, das dir vertraut,
das auf deine Hilfe baut,
deine Gaben zum Geleit.

Lass es in der Zeit bestehn,
deines Heils Vollendung sehn
und der Freuden Ewigkeit.
Amen. Halleluja.

Stefan Langton (um 1200), Übertragung: Maria Luise Thurmair und Markus Jenny (1971); GL 243 f. · KG 483

RUF VOR DEM EVANGELIUM

Halleluja. Halleluja.
Komm, Heiliger Geist, erfülle die Herzen deiner Gläubigen und entzünde in ihnen das Feuer deiner Liebe!
Halleluja.

EVANGELIUM Joh 15,26–27; 16,12–15

Aus dem heiligen Evangelium nach Johannes.

In jener Zeit sprach Jesus zu seinen Jüngern: Wenn der Beistand kommt, den ich euch vom Vater aus senden werde, der Geist der Wahrheit, der vom Vater ausgeht, dann wird er Zeugnis für mich ablegen. Und auch ihr sollt Zeugnis ablegen, weil ihr von Anfang an bei mir seid.

Noch vieles habe ich euch zu sagen, aber ihr könnt es jetzt nicht tragen. Wenn aber jener kommt, der Geist der Wahrheit, wird er euch in die ganze Wahrheit führen. Denn er wird nicht aus sich selbst heraus reden, sondern er wird sagen, was er hört, und euch verkünden, was kommen wird.

Er wird mich verherrlichen; denn er wird von dem, was mein ist, nehmen und es euch verkünden. Alles, was der Vater hat, ist mein; darum habe ich gesagt: Er nimmt von dem, was mein ist, und wird es euch verkünden. |F

Auch im heutigen Evangelium begegnen uns, wie bereits in den vorausgegangenen Lesungen, die beiden Aspekte, welche die Botschaft des Pfingstgeschehens widerspiegeln: Zusage und Auftrag. In diesen Versen des Johannesevangeliums finden wir den zugesagten Beistand aufs Engste mit dem Auftrag verbunden, wenn Jesus den Geist selbst als Zeugen charakterisiert. Gleich im Anschluss an diese Charakterisierung des Geistes gibt Jesus seinen Jüngern den gleichen Auftrag: »Und auch ihr sollt Zeugnis ablegen« (Joh 15,27a). In dieser Aufgabe dürfen sich die Jünger jedoch unterstützt wissen, denn in all das, was sie aus sich selbst heraus kaum verstehen können, wird der Geist sie einführen. Der Geist jedoch wird als verwurzelt in der göttlichen Gemeinschaft beschrieben (vgl. Joh 16,13b–15).

In dem Auftrag, Zeugnis abzulegen, welcher immer wieder neu auch am heutigen Pfingstfest an uns ergeht, dürfen auch wir uns, wie die Jünger Jesu, unterstützt wissen: Wenn wir uns vom Heiligen Geist leiten lassen, werden wir den Auftrag tragen können und immer tiefer das Geheimnis der göttlichen Liebe verstehen.

CREDO (siehe Seite 512)

FÜRBITTEN

Vater, erfüllt von der Freude über den Heiligen Geist als Beistand auf unserem Weg rufen wir voll Vertrauen zu dir:

A: Sende du den Geist der Wahrheit.

- Führe deine Kirche auf ihrem Weg zu allen Menschen: Dass sie in ihrer Verkündigung Worte findet, welche auch heute die Menschen begeistern.
- Für die Regierenden in allen Ländern der Erde: Dass sie Wege des Friedens und der Liebe gehen.
- Für alle Not leidenden Menschen: Dass sie Hoffnung und Beistand finden.
- Für alle Menschen, die im Streit keine Worte mehr finden: Dass sie in der Sprache der Versöhnung und der Güte miteinander sprechen.
- Für alle sterbenden Menschen: Dass sie den Heiligen Geist als Beistand in ihren schweren Stunden wahrnehmen können.

Allmächtiger Vater, wir danken dir für deine Nähe und für die Gaben deiner Liebe. Wir preisen dich, jetzt und in Ewigkeit.

GABENGEBET

Allmächtiger Gott, erfülle die Verheißung deines Sohnes: Sende uns deinen Geist, damit er uns in die volle Wahrheit einführt und uns das Geheimnis dieses Opfers immer mehr erschließt. Darum bitten wir durch Christus, unseren Herrn.

PRÄFATION — Vom Tag

In Wahrheit ist es würdig und recht, dir, Herr, heiliger Vater, immer und überall zu danken und diesen Tag in festlicher Freude zu feiern. Denn heute hast du das österliche Heilswerk vollendet, heute hast du den Heiligen Geist gesandt über alle, die du mit Christus auferweckt und zu deinen Kindern berufen hast. Am Pfingsttag erfüllst du deine Kirche mit Leben: Dein Geist schenkt allen Völkern die Erkenntnis des lebendigen Gottes und vereint die vielen Sprachen im Bekenntnis des einen Glaubens. Darum preisen dich alle Völker auf dem Erdenrund in österlicher Freude. Darum rühmen dich die himmlischen Kräfte und die Mächte der Engel und singen das Lob deiner Herrlichkeit.

EINLADUNG ZUM VATERUNSER

Gottes Geist öffnet uns den Mund und macht uns fähig, Gott zu loben und zu ihm zu beten. Wir beten, wie es uns Jesus Christus gelehrt hat: Vater unser im Himmel …

EINLADUNG ZUM FRIEDENSGEBET

Gottes Geist belehrt uns, er hilft uns in unserer Schwäche und gibt uns die Kraft, den Willen Gottes zu erfüllen. Deshalb bitten wir: Herr Jesus Christus …

KOMMUNIONVERS

Vgl. Apg 2,4.11

Alle wurden mit dem Heiligen Geist erfüllt und verkündeten Gottes große Taten. Halleluja.

SCHLUSSGEBET

Herr, unser Gott, du hast deine Kirche mit himmlischen Gaben beschenkt. Erhalte ihr deine Gnade, damit die Kraft aus der Höhe, der Heilige Geist, in ihr weiterwirkt und die geistliche Speise sie nährt bis zur Vollendung. Darum bitten wir durch Christus, unseren Herrn.

SCHLUSSSEGEN

Vom Heiligen Geist

Der gütige Gott hat am heutigen Tag die Jünger durch die Eingießung des Heiligen Geistes erleuchtet; er segne euch und schenke euch den Reichtum seiner Gaben.

Jenes Feuer, das in vielen Zungen auf die Jünger herabkam, reinige eure Herzen und entzünde in euch die göttliche Liebe.

Der Heilige Geist, der die vielen Sprachen im Bekenntnis des Glaubens geeint hat, festige euch in der Wahrheit und führe euch vom Glauben zum Schauen.

Das gewähre euch der dreieinige Gott, der Vater und der Sohn ✝ und der Heilige Geist.

Die Botschaft Jesu muss Kreise ziehen,
die Liebe muss weiter getragen werden.
Wir haben sie nicht nur für uns empfangen,
wir müssen sie zu den Menschen bringen –
durch unser Leben, durch unsere Worte.
Hilf uns, Heiliger Geist,
dass wir gute Botschafter der Liebe Christi sind,
dass wir die Menschen im Blick haben,
dass wir aufmerksam sind für alle Not.
Bleibe bei uns, Heiliger Geist,
wie die Kraft spendende Sonne über unserem Tun.

Jessica Bohn

Pfingstmontag
28. Mai 2012

Christus liebt uns und hat uns durch sein Blut befreit
von unseren Sünden;
er hat uns die Würde von Königen gegeben
und uns zu Priestern gemacht
für den Dienst vor seinem Gott und Vater. Halleluja.
Offb 1,5–6

Was ist das für ein Geist, der an Pfingsten auf die Kirche herabgekommen ist? Die Lesungen der letzten beiden Tage und des heutigen Tages zeigen es: Der Heilige Geist ist der Geist, der lebendig macht, der uns zu Propheten macht, der Träume und Visionen schenkt, der sich unserer Schwachheit annimmt, der den Durst der Menschen stillt, der uns zu einem Leben in Liebe, Frieden und Gemeinschaft führen will; der Heilige Geist ist der Geist der Wahrheit, welcher Zeugnis ablegt, er ist der Geist, der stärkt, der Geist der Weisheit und der Offenbarung, der Freude und der Klarheit; und er ist der Geist, welcher den Menschen Verständnis und Begeisterung schenkt. Welch ein Geschenk – dieser Geist ist auf uns herabgekommen! So wollen wir voller Freude darum beten, dass wir wachsam sind, wohin der Geist uns führen will, und dass wir auch in den Stunden der Verfolgung und der Hoffnungslosigkeit eine geisterfüllte Kirche sind, welche es vermag, die Menschen zu begeistern.

Kyrie-Rufe

GL 436 · KG 54

Herr Jesus Christus, du offenbarst uns den Vater. Herr, erbarme dich.
Dein Geist schenkt uns Einsicht und Verständnis. Christus, erbarme dich.
Durch deinen Geist führst du uns zur Vollendung. Herr, erbarme dich.

GLORIA (siehe Seite 508)

TAGESGEBET

Gott und Vater unseres Herrn Jesus Christus, im Neuen Bund berufst du aus allen Völkern dein Volk und führst es zusammen im Heiligen Geist. Gib, daß deine Kirche ihrer Sendung treu bleibt, daß sie ein Sauerteig ist für die Menschheit, die du in Christus erneuern und zu deiner Familie umgestalten willst. Darum bitten wir durch ihn, der in der Einheit des Heiligen Geistes mit dir lebt und herrscht in alle Ewigkeit.

ERSTE LESUNG

Apg 8,1bc.4.14–17

Lesung aus der Apostelgeschichte.

In jenen Tagen brach eine schwere Verfolgung über die Kirche in Jerusalem herein. Alle wurden in die Gegenden von Judäa und Samarien zerstreut, mit Ausnahme der Apostel.

Die Gläubigen, die zerstreut worden waren, zogen umher und verkündeten das Wort.

Als die Apostel in Jerusalem hörten, dass Samarien das Wort Gottes angenommen hatte, schickten sie Petrus und Johannes dorthin. Diese zogen hinab und beteten für sie, sie möchten den Heiligen Geist empfangen. Denn er war noch auf keinen von ihnen herabgekommen; sie waren nur auf den Namen Jesu, des Herrn, getauft. Dann legten sie ihnen die Hände auf und sie empfingen den Heiligen Geist. IF

Aus dem vorausgegangenen Kontext der Apostelgeschichte wissen wir, wie schwer die Verfolgung der jungen Kirche einzuschätzen ist: Stephanus fiel ihr als Erster zum Opfer, als er aufgrund seines Bekenntnisses zu Jesus Christus gesteinigt und ermordet wurde(vgl. Apg 7).

An dieses Ereignis knüpft die Apostelgeschichte an und führt fort, dass sich die Verfolgung und das Unverständnis über die Kirche in Jerusalem ausweiteten (vgl. Apg 8,1b). Die Konsequenz dieser Verfolgung ist die Zerstreuung der Gläubigen in die Gegenden von Judäa und Samarien. Die Apostel jedoch bleiben in Jerusalem, am Ort der Verfolgung und am Ort des Pfingstereignisses, zurück. Die Konsequenz dieser schweren Verfolgung ist zwar die Zerstreuung der Gläubigen, nicht jedoch ihr Verstummen, wie wir weiter erfahren. Die Gläubigen ziehen vielmehr umher und verkünden ihren Glauben, so dass immer mehr Menschen das Wort Gottes annehmen. Die Unterdrückung der Verkündigung hat das Gegenteil zur Folge: Die Verkündigung greift um sich und immer mehr Menschen kommen zum Glauben an Jesus Christus. Wie eine Brücke zwischen den Aposteln in Jerusalem und den neuen Christen in Samarien erscheint die Sendung der Apostel Petrus und Johannes zu den Missionierten. Nach der Taufe wird für sie nun auch der Heilige Geist erbeten, damit sie volle Mitglieder der geisterfüllten Kirche Christi werden.

Oder: Ez 37,1–14 (s. Seite 473ff.)

ANTWORTPSALM Ps 22,23–24.26–28.31b–32 (℟: vgl. 23a)

℟: Halleluja – oder: Herr, deinen Namen will ich loben immer und ewig.

III. Ton – GL 717,1

Ich will deinen Namen meinen Brüdern verkünden, *
inmitten der Gemeinde dich preisen.
Die ihr den Herrn fürchtet, preist ihn, /
ihr alle vom Stamm Jakobs, rühmt ihn; *
erschauert alle vor ihm, ihr Nachkommen Israels! – ℟

Deine Treue preise ich in großer Gemeinde; *
ich erfülle meine Gelübde vor denen, die Gott fürchten.
Die Armen sollen essen und sich sättigen; /
den Herrn sollen preisen, die ihn suchen. *
Aufleben soll euer Herz für immer. – ℟

Alle Enden der Erde sollen daran denken /
und werden umkehren zum Herrn: *
Vor ihm werfen sich alle Stämme der Völker nieder.

Vom Herrn wird man dem künftigen Geschlecht erzählen, /
seine Heilstat verkündet man dem kommenden Volk; *
denn er hat das Werk getan.

ZWEITE LESUNG Eph 1,3a.4a.13–19a

Lesung aus dem Epheserbrief.

Gepriesen sei der Gott und Vater unseres Herrn Jesus Christus: In ihm hat er uns erwählt vor der Erschaffung der Welt. Durch ihn habt auch ihr das Wort der Wahrheit gehört, das Evangelium von eurer Rettung; durch ihn habt ihr das Siegel des verheißenen Heiligen Geistes empfangen, als ihr den Glauben annahmt.

Der Geist ist der erste Anteil des Erbes, das wir erhalten sollen, der Erlösung, durch die wir Gottes Eigentum werden, zum Lob seiner Herrlichkeit.

Darum höre ich nicht auf, für euch zu danken, wenn ich in meinen Gebeten an euch denke; denn ich habe von eurem Glauben an Jesus, den Herrn, und von eurer Liebe zu allen Heiligen gehört. Der Gott Jesu Christi, unseres Herrn, der Vater der Herrlichkeit, gebe euch den Geist der Weisheit und Offenbarung, damit ihr ihn erkennt. Er erleuchte die Augen eures Herzens, damit ihr versteht, zu welcher Hoffnung ihr durch ihn berufen seid, welchen Reichtum die Herrlichkeit seines Erbes den Heiligen schenkt und wie überragend groß seine Macht sich an uns, den Gläubigen, erweist. IF

In diesen Aussagen des Epheserbriefes sind unter anderem Aspekte zu beobachten, welche zu einer Umschreibung des Heiligen Geistes beitragen können. Besonders zwei Gesichtspunkte fallen dabei auf: Sicherheit und Weisheit.

Zum einen wird der Heilige Geist als ein Siegel beschrieben, welches das gehörte Wort und den gewonnenen Glauben in den Gläubigen schützt, bewahrt und festigt. Weiterhin ist uns der Geist als erster Anteil am Erbe zugesagt. Durch diesen Anteil am Erbe wissen wir: Wir sind auf dem Weg zu unserem Erbe, zur Vollendung unserer Erlösung, und wir haben bereits Anteil daran. In diesen Umschreibungen des Geistes als Siegel und als Anteil am Erbe wird der Heilige Geist als etwas gezeichnet, was uns auf unserem irdischen Weg Sicherheit verleiht: Der Geist ist bei uns, er versiegelt den Schatz unseres Glaubens und er bürgt für die Vollendung unserer Erlösung.

Zum anderen beschreibt der Epheserbrief den Heiligen Geist als einen Geist der Weisheit und der Offenbarung (Eph 1,17), welcher Erkenntnis der Macht Gottes und der Größe unserer Hoffnung schenkt.

Als mit dem Heiligen Geist Beschenkte haben wir Christen unser Ziel bereits vor Augen und wir haben den Beistand, welcher uns in der rechten Gesinnung zu diesem Ziel hinführen kann.

SEQUENZ (s. Seite 486f.)

RUF VOR DEM EVANGELIUM

Halleluja. Halleluja.
Komm, Heiliger Geist, erfülle die Herzen deiner Gläubigen und entzünde in ihnen das Feuer deiner Liebe!
Halleluja.

EVANGELIUM Lk 10,21–24

Aus dem heiligen Evangelium nach Lukas.

In jener Stunde rief Jesus, vom Heiligen Geist erfüllt, voll Freude aus: Ich preise dich, Vater, Herr des Himmels und der Erde, weil du all das den Weisen und Klugen verborgen, den Unmündigen aber offenbart hast. Ja, Vater, so hat es dir gefallen.

Mir ist von meinem Vater alles übergeben worden; niemand weiß, wer der Sohn ist, nur der Vater, und niemand weiß, wer der Vater ist, nur der Sohn und der, dem es der Sohn offenbaren will.

Jesus wandte sich an die Jünger und sagte zu ihnen allein: Selig sind die, deren Augen sehen, was ihr seht. Ich sage euch: Viele Propheten und Könige wollten sehen, was ihr seht, und haben es nicht gesehen und wollten hören, was ihr hört, und haben es nicht gehört. IF

Das Evangelium sprüht vor Freude, denn Jesus sprüht vor Freude. Er sprüht vor Freude über die Gnade der Offenbarung, welche ausgehend vom Vater durch ihn den Jüngern und allen scheinbar Unmündigen zuteil wird. Der freudige Lobpreis Jesu auf den Vater ist getragen von dem Wissen Jesu, dass die Zeit reif ist für die volle Wahrheit, welche sich im Menschensohn offenbart. Jesus preist die Jünger und all die, deren Augen sehen, was die Jünger sehen, selig. Mit dem, was die Jünger sehen, meint Jesus die Zeichen des Anbruchs der Gottesherrschaft, wie sie die Jünger sehen und bewirken können (vgl. Lk 10,17). Die Jünger und all jene, die diese Zeichen der Gottesherrschaft sehen und das Wort des Herrn hören, können sich glücklich schätzen, denn sie werden mehr und mehr in das Geheimnis der Liebe Gottes eingeweiht, welches der Vater dem Sohn und der Sohn den Menschen übergeben hat. Schätzen auch wir uns glücklich, dass wir von diesem Geheimnis wissen und es zu den Menschen bringen dürfen.

CREDO (siehe Seite 512)

FÜRBITTEN

Herr Jesus Christus, in unserem Bemühen, Zeugnis von dir zu geben, vertrauen wir auf den Beistand des Heiligen Geistes. In unserer Schwachheit stärke uns durch die Kraft des Geistes.

A: Stärke uns durch die Kraft des Geistes.

- Wo wir Christen keine Lebendigkeit verbreiten und zu wenig von deiner froh machenden Botschaft sprechen.
- Wo wir es nicht schaffen, die Nöte der Menschen zu erkennen.
- Wo wir statt in Liebe, Frieden und Gemeinschaft in Neid, Missgunst und Streit leben.
- Wenn wir nicht die Wahrheit sprechen.

- Wenn wir aus Angst und Schwachheit die Freude der Offenbarung nicht weitertragen.
- Wo Probleme und Fragen kaum Platz für Begeisterung lassen.

Herr Jesus Christus, wir danken dir für die Offenbarung deiner Liebe und für den Beistand des Heiligen Geistes. Dir sei Lobpreis, Dank und Ehre, heute und in Ewigkeit.

GABENGEBET

Gott, unser Vater, nimm unsere Gaben an, in denen das Opfer deines Sohnes gegenwärtig wird. Aus seiner Seitenwunde ist die Kirche hervorgegangen als Werk des Heiligen Geistes. Laß sie ihren Ursprung nie vergessen, sondern daraus in dieser Feier Heil und Leben schöpfen. Darum bitten wir durch Christus, unseren Herrn.

PRÄFATION

Sonntag VI

In Wahrheit ist es würdig und recht, dir, Vater im Himmel, zu danken und dich mit der ganzen Schöpfung zu loben. Denn in dir leben wir, in dir bewegen wir uns und sind wir. Jeden Tag erfahren wir aufs neue das Wirken deiner Güte. Schon in diesem Leben besitzen wir den Heiligen Geist, das Unterpfand ewiger Herrlichkeit. Durch ihn hast du Jesus auferweckt von den Toten und uns die sichere Hoffnung gegeben, daß sich an uns das österliche Geheimnis vollendet. Darum preisen wir dich mit allen Chören der Engel und singen vereint mit ihnen das Lob deiner Herrlichkeit.

EINLADUNG ZUM VATERUNSER

Gottes Geist lässt uns die Größe unserer Würde als Kinder Gottes erkennen und stärkt unsere Hoffnung. Wir beten mit den Worten Jesu: Vater unser im Himmel …

EINLADUNG ZUM FRIEDENSGEBET

Im Heiligen Geist haben wir schon Anteil an Gottes Herrlichkeit, in ihm erweist sich Gottes Macht in unserem Leben. Deshalb bitten wir: Herr Jesus Christus …

KOMMUNIONVERS

Vgl. Joh 16,13a

Wenn der Geist der Wahrheit kommt, wird er euch in die volle Wahrheit einführen. Halleluja.

SCHLUSSGEBET

Herr, du hast uns gestärkt durch das Sakrament deines Sohnes. Mache das Werk deiner Kirche fruchtbar und enthülle durch sie den Armen das Geheimnis unserer Erlösung; denn die Armen hast du vor allen dazu berufen, Anteil zu haben an deinem Reich. Darum bitten wir durch Christus, unseren Herrn.

Oder:

Gütiger Gott, bewahre dem Volk der Erlösten deine Liebe und Treue. Das Leiden deines Sohnes hat uns gerettet, sein Geist, der von dir ausgeht, führe uns den rechten Weg. Darum bitten wir durch Christus, unseren Herrn.

SCHLUSSSEGEN

Vom Heiligen Geist

Der gütige Gott hat die Jünger durch die Eingießung des Heiligen Geistes erleuchtet; er segne euch und schenke euch den Reichtum seiner Gaben.

Jenes Feuer, das in vielen Zungen auf die Jünger herabkam, reinige eure Herzen und entzünde in euch die göttliche Liebe.

Der Heilige Geist, der die vielen Sprachen im Bekenntnis des Glaubens geeint hat, festige euch in der Wahrheit und führe euch vom Glauben zum Schauen.

Das gewähre euch der dreieinige Gott, der Vater und der Sohn ✝ und der Heilige Geist.

Oh reinste Quelle,
schönstes Licht,
wie unbemerkt durchtränkst du mich.
Auch wenn in Not ich irr und wein,
darf ich in dir geborgen sein,
denn du bist da,
mir immer nah.
So möcht ich sagen, Vater mein,
von ganzem Herzen – ich bin dein.

Jessica Bohn

Die Feier der Gemeindemesse

Eröffnung

Wortgottesdienst

Eucharistiefeier

Entlassung

ERÖFFNUNG

Die Gemeinde versammelt sich. Darauf tritt der Priester mit seiner Begleitung an den Altar. Der Priester verehrt gemeinsam mit seiner Begleitung den Altar und küßt ihn. Danach kann der Priester den Altar inzensieren. Nach der Verehrung des Altares gehen der Priester und seine Begleitung zu den Sitzen.
Alle stehen und machen das Kreuzzeichen. Der Priester spricht:

In nómine Patris et Fílii et Spíritus Sancti. Amen.	Im Namen des Vaters und des Sohnes und des Heiligen Geistes. Amen.

Begrüssung der Gemeinde

Der Priester begrüßt die Gemeinde, indem er singt oder spricht:

P: Dóminus vobíscum. G: Et cum spíritu tuo	P: Der Herr sei mit euch. G: Und mit deinem Geiste.

Oder:

Grátia Dómini nostri Iesu Christi, et cáritas Dei, et communicátio Sancti Spíritus sit cum ómnibus vobis.	Die Gnade unseres Herrn Jesus Christus, die Liebe Gottes, des Vaters, und die Gemeinschaft des Heiligen Geistes sei mit euch.

Oder:

Grátia vobis et pax a Deo Patre nostro et Dómino Iesu Christo sit cum ómnibus vobis.	Gnade und Friede von Gott, unserem Vater, und dem Herrn Jesus Christus sei mit euch.

Oder:

Gnade und Friede von dem, der ist und der war und der kommen wird, sei mit euch.

Oder:

Gnade und Friede in der heiligen Versammlung der Kirche Gottes sei mit euch.

Oder:

Der Herr der Herrlichkeit und Spender jeder Gnade sei mit euch.

Oder:

Die Gnade des Herrn Jesus, der für uns Mensch geworden ist (gelitten hat, gestorben ist ...), sei mit euch.

Oder:

Die Gnade unseres Herrn Jesus Christus sei mit euch.

Der Priester, der Diakon oder ein anderer dazu Beauftragter kann eine knappe Einführung in die Feier geben.

Allgemeines Schuldbekenntnis

Es folgt das Allgemeine Schuldbekenntnis mit Einladung und Stille.

Form A

Einladung

Brüder und Schwestern, damit wir die heiligen Geheimnisse in rechter Weise feiern können, wollen wir bekennen, daß wir gesündigt haben.

Oder:

Bevor wir das Gedächtnis des Herrn begehen, wollen wir uns besinnen und bekennen, daß wir sündige Menschen sind.

Oder:

Eine andere, frei formulierte Einladung.

Schuldbekenntnis

P: Wir sprechen das Schuldbekenntnis:

A: Confíteor Deo omnipoténti et vobis, fratres, quia peccávi nimis cogitatióne, verbo, ópere et omissióne – mea culpa, mea culpa, mea máxima culpa.	A: Ich bekenne Gott, dem Allmächtigen, und allen Brüdern und Schwestern, daß ich Gutes unterlassen und Böses getan habe. Ich habe gesündigt in Gedanken, Worten und Werken – durch meine Schuld, durch meine Schuld, durch meine große Schuld.
Ideo precor beátam Maríam semper Vírginem, omnes Angelos et Sanctos, et vos fratres, oráre pro me ad Dóminum Deum nostrum.	Darum bitte ich die selige Jungfrau Maria, alle Engel und Heiligen und euch, Brüder und Schwestern, für mich zu beten bei Gott, unserem Herrn.

Vergebungsbitte

P: Misereátur nostri omnípotens Deus et, dimíssis peccátis nostris, perdúcat nos ad vitam ætérnam.	P: Der allmächtige Gott erbarme sich unser. Er lasse uns die Sünden nach und führe uns zum ewigen Leben.
A: Amen.	A: Amen.

Form B

Einladung

Brüder und Schwestern, bevor wir das Wort Gottes hören und das Opfer Christi feiern, wollen wir uns bereiten und Gott um Vergebung unserer Sünden bitten.

Oder:

Damit wir das Gedächtnis des Herrn recht begehen, prüfen wir uns selbst und bekennen unsere Schuld vor Gott und der Kirche.

Oder:

Eine andere, frei formulierte Einladung.

Schuldbekenntnis

P: Erbarme dich, Herr, unser Gott, erbarme dich.
A: Denn wir haben vor dir gesündigt.
P: Erweise, Herr, uns deine Huld.
A: Und schenke uns dein Heil.

Vergebungsbitte

P: Nachlaß, Vergebung und Verzeihung unserer Sünden gewähre uns der allmächtige und barmherzige Herr.
A: Amen.

Die Formen A und B können durch ein Bußlied ersetzt werden.

Form C – Kyrie-Litanei

Bei dieser Form können den Kyrie-Rufen frei formulierte Christus-Prädikationen vorausgeschickt werden; die nachstehenden Rufungen sind als Beispiele zu verstehen.

Einladung

Zu Beginn dieser Meßfeier wollen wir uns besinnen und das Erbarmen des Herrn auf uns herabrufen.

Oder:

Eine andere, frei formulierte Einladung.

Anrufungen

V: Herr Jesus Christus, du bist vom Vater gesandt, zu heilen, was verwundet ist:
V: Kyrie, eleison.
A: Kyrie, eleison.

Oder:

V: Herr, erbarme dich (unser).
A: Herr, erbarme dich (unser).
V: Du bist gekommen, die Sünder zu berufen:

V: Christe, eleison.
A: Christe, eleison.

Oder:

V: Christus, erbarme dich (unser).
A: Christus, erbarme dich (unser).

V: Du bist zum Vater heimgekehrt, um für uns einzutreten:
V: Kyrie, eleison.
A: Kyrie, eleison.

Oder:

V: Herr, erbarme dich (unser).
A: Herr, erbarme dich (unser).

Vergebungsbitte

P: Der Herr erbarme sich unser. Er nehme von uns Sünde und Schuld, damit wir mit reinem Herzen diese Feier begehen.
A: Amen.

Begrüßung und Allgemeines Schuldbekenntnis entfallen, wenn eine andere liturgische Handlung der Meßfeier vorausgeht. Sonderregelungen an bestimmten Tagen sind jeweils im Meßbuch vermerkt.
Das Allgemeine Schuldbekenntnis kann entfallen, wenn eine besondere Festlichkeit des Gottesdienstes dies nahelegt.
Die Vergebungsbitte kann entfallen, wenn das Tagesgebet eine solche Bitte enthält.

KYRIE

Es folgen die Kyrie-Rufe, falls sie nicht schon vorausgegangen sind. Die gesungenen Kyrie-Rufe können auch als Eröffnungsgesang dienen, zumal wenn sie zu einer Kyrie-Litanei ausgestaltet oder mit dem Eingangslied (Leisen) verbunden sind.

V: Kyrie, eleison.
A: Kyrie, eleison.
V: Christe, eleison.
A: Christe, eleison.
V: Kyrie, eleison.
A: Kyrie, eleison.

Oder:

V: Herr, erbarme dich (unser).
A: Herr, erbarme dich (unser).
V: Christus, erbarme dich (unser).
A: Christus, erbarme dich (unser).
V: Herr, erbarme dich (unser).
A: Herr, erbarme dich (unser).

GLORIA

An den Sonntagen außerhalb der Advents- und Fastenzeit, an Hochfesten, Festen und bei anderen festlichen Gottesdiensten folgt das Gloria.

Glória in excélsis Deo
et in terra pax
homínibus bonæ voluntátis.
Laudámus te,
benedícimus te,
adorámus te,
glorificámus te,
grátias ágimus tibi propter
magnam glóriam tuam,

Ehre sei Gott in der Höhe
und Friede auf Erden
den Menschen seiner Gnade.
Wir loben dich,
wir preisen dich,
wir beten dich an,
wir rühmen dich und danken
dir, denn groß ist deine Herrlichkeit:

Dómine Deus, Rex cæléstis,
Deus Pater omnípotens.

Herr und Gott, König des Himmels,
Gott und Vater, Herrscher über das All,

Dómine Fili unigénite, Iesu Christe,

Herr, eingeborener Sohn, Jesus Christus.

Dómine Deus, Agnus Dei,
Fílius Patris,
qui tollis peccáta mundi,
miserére nobis;
qui tollis peccáta mundi,
súscipe deprecatiónem nostram.
Qui sedes ad déxteram Patris,
miserére nobis.

Herr und Gott, Lamm Gottes,
Sohn des Vaters,
du nimmst hinweg die Sünde der Welt:
erbarme dich unser;
du nimmst hinweg die Sünde der Welt:
nimm an unser Gebet;
du sitzest zur Rechten des Vaters:
erbarme dich unser.

Quóniam tu solus Sanctus,
tu solus Dóminus,
tu solus Altíssimus,
Iesu Christe,
cum Sancto Spíritu,
in glória Dei Patris.
Amen.

Denn du allein bist der Heilige,
du allein der Herr,
du allein der Höchste:
Jesus Christus,
mit dem Heiligen Geist,
zur Ehre Gottes des Vaters.
Amen.

TAGESGEBET

Der Priester lädt zum Gebet ein. Er singt oder spricht:

Orémus.

Lasset uns beten.

Nach einer kurzen Stille, in der sich alle zum Gebet sammeln, breitet der Priester die Hände aus und singt oder spricht das Tagesgebet. Die Gemeinde beschließt das Gebet mit dem Ruf:

Amen.

Abschließende Formeln des Tagesgebetes:

Wenn das Tagesgebet an den Vater gerichtet ist:

Darum bitten wir durch (ihn,) Jesus Christus, deinen Sohn, unseren Herrn und Gott,
der in der Einheit des Heiligen Geistes
mit dir lebt und herrscht in alle Ewigkeit.

Wenn es an den Vater gerichtet ist, zum Schluß aber der Sohn genannt wird:

der in der Einheit des Heiligen Geistes
mit dir lebt und herrscht in alle Ewigkeit.

Wenn es an den Sohn gerichtet ist:

Der du in der Einheit des Heiligen Geistes mit Gott dem Vater lebst und herrschst in alle Ewigkeit.

WORTGOTTESDIENST

Erste Lesung und erster Zwischengesang

Der Lektor geht zum Ambo und trägt die erste Lesung vor. Alle hören sitzend zu. Wo nach der Lesung ein Zuruf der Gemeinde üblich ist, fügt der Lektor folgenden Ruf an.

L: Verbum Dómini.
G: Deo grátias.

L: Wort des lebendigen Gottes.
G: Dank sei Gott.

Dann trägt der Kantor (Psalmist) als ersten Zwischengesang den Antwortpsalm vor. Die Gemeinde übernimmt den Kehrvers.

ZWEITE LESUNG UND ZWEITER ZWISCHENGESANG

Folgt eine zweite Lesung, so wird auch sie durch einen Lektor vom Ambo aus vorgetragen. Sie wird in der gleichen Weise abgeschlossen wie die erste Lesung.

Auf die zweite Lesung folgt als zweiter Zwischengesang das Halleluja bzw. der an dessen Stelle vorgesehene andere Gesang.

EVANGELIUM

Der Priester kann Weihrauch einlegen. Der Diakon, der das Evangelium verkündet, verneigt sich vor dem Priester und erbittet den Segen:

Ich bitte um den Segen.

Der Priester spricht, ebenfalls leise, die Segensworte:

P: Der Herr sei in deinem Herzen und auf deinen Lippen, damit du sein Evangelium würdig verkündest. Im Namen des Vaters und des Sohnes ✝ und des Heiligen Geistes.

D: Amen.

Ist kein Diakon da, verkündet der Priester selbst das Evangelium. Er verneigt sich vor dem Altar und spricht leise:

Heiliger Gott, reinige mein Herz und meine Lippen, damit ich dein Evangelium würdig verkünde.

Der Diakon oder der Priester (holt das Evangelienbuch vom Altar und) geht zum Ambo; Ministranten (mit Kerzen und Weihrauch) begleiten ihn. Am Ambo:

P/D: Dóminus vobíscum.
G: Et cum spíritu tuo
P/D: ✝ Léctio sancti Evangélii secúndum N.*
G: Glória tibi, Dómine.

P/D: Der Herr sei mit euch.
G: Und mit deinem Geiste.
P/D: ✝ Aus dem heiligen Evangelium nach N.*
G: Ehre sei dir, o Herr.

* Dabei bezeichnet er das Buch und sich selbst (auf Stirn, Mund und Brust) mit dem Kreuzzeichen.

Wird Weihrauch verwendet, so inzensiert der Diakon (Priester) zunächst das Buch; dann verkündet er das Evangelium.
Der Diakon (Priester) fügt an:

P/D: Verbum Dómini.	P/D: Evangelium unseres Herrn Jesus Christus.
G: Laus tibi, Christe.	G: Lob sei dir, Christus.

Danach küßt der Diakon (Priester) das Buch und spricht leise:

Herr, durch dein Evangelium nimm hinweg unsere Sünden.

HOMILIE

Die Homilie ist ein Teil der Liturgie. Sie ist an allen Sonntagen und gebotenen Feiertagen vorgeschrieben, sonst empfohlen.

CREDO

An Sonntagen, an Hochfesten und bei anderen festlichen Gottesdiensten folgt das Credo.

Das Große Glaubensbekenntnis

(P: Wir sprechen das Große Glaubensbekenntnis.)

A: Credo in unum Deum,	A: Wir glauben an den einen Gott,
Patrem omnipoténtem,	den Vater, den Allmächtigen,
factórem cæli et terræ,	der alles geschaffen hat, Himmel und Erde,
visibílium ómnium et invisibílium.	die sichtbare und die unsichtbare Welt.
Et in unum Dóminum Iesum Christum, Fílium Dei unigénitum,	Und an den einen Herrn Jesus Christus, Gottes eingeborenen Sohn,
et ex Patre natum ante ómnia sáecula.	aus dem Vater geboren vor aller Zeit:
Deum de Deo, lumen de lúmine,	Gott von Gott, Licht vom Licht,

Deum verum de Deo vero,	wahrer Gott vom wahren Gott,
génitum, non factum,	gezeugt, nicht geschaffen,
consubstantiálem Patri:	eines Wesens mit dem Vater;
per quem ómnia facta sunt.	durch ihn ist alles geschaffen.
Qui propter nos hómines	Für uns Menschen
et propter nostram salútem	und zu unserem Heil
descéndit de cælis.	ist er vom Himmel gekommen,
Et incarnátus est	hat Fleisch angenommen
de Spíritu Sancto	durch den Heiligen Geist
ex María Vírgine,	von der Jungfrau Maria
et homo factus est.	und ist Mensch geworden.
Crucifíxus étiam pro nobis	Er wurde für uns gekreuzigt
sub Póntio Piláto;	unter Pontius Pilatus,
passus et sepúltus est,	hat gelitten und ist begraben worden,
et resurréxit tértia die,	ist am dritten Tage auferstanden
secúndum Scriptúras,	nach der Schrift
et ascéndit in cælum,	und aufgefahren in den Himmel.
sedet ad déxteram Patris.	Er sitzt zur Rechten des Vaters
Et íterum ventúrus est cum glória,	und wird wiederkommen in Herrlichkeit,
iudicáre vivos et mórtuos,	zu richten die Lebenden und die Toten;
cuius regni non erit finis.	seiner Herrschaft wird kein Ende sein.
Et in Spíritum Sanctum,	Wir glauben an den Heiligen Geist,
Dóminum et vivificántem:	der Herr ist und lebendig macht,
qui ex Patre Filióque procédit.	der aus dem Vater und dem Sohn hervorgeht,
Qui cum Patre et Fílio simul adorátur et conglorificátur:	der mit dem Vater und dem Sohn angebetet und verherrlicht wird,
qui locútus est per prophétas.	der gesprochen hat durch die Propheten,
Et unam, sanctam, cathólicam et apostólicam Ecclésiam.	und die eine, heilige, katholische und apostolische Kirche.
Confíteor unum baptísma	Wir bekennen die eine Taufe
in remissiónem peccatórum.	zur Vergebung der Sünden.
Et exspécto resurrectiónem mortuórum,	Wir erwarten die Auferstehung der Toten
et vitam ventúri sáeculi.	und das Leben der kommenden
Amen.	Welt. Amen.

Anstelle des Großen Glaubensbekenntnisses kann das Apostolische Glaubensbekenntnis gesprochen werden.

Das Apostolische Glaubensbekenntnis

(P: Wir sprechen das Apostolische Glaubensbekenntnis.)

A: Credo in Deum
Patrem omnipóténtem,
Creatórem cæli et
terræ.
Et in Iesum Christum,
Fílium eius únicum,
Dóminum nostrum:
qui concéptus est de Spíritu
Sancto,
natus ex Maria Vírgine,
passus sub Póntio Piláto,
crucifíxus, mórtuus, et sepúltus:
descéndit ad ínferos;
tértia die resurréxit a mórtuis;
ascéndit ad cælos;
sedet ad déxteram Dei
Patris omnipoténtis:
inde ventúrus est
iudicáre vivos et
mórtuos.

Credo in Spíritum Sanctum,
sanctam Ecclésiam cathólicam
Sanctórum communiónem,
remissiónem peccatórum,
carnis resurrectiónem
vitam ætérnam. Amen.

A: Ich glaube an Gott,
den Vater, den Allmächtigen,
den Schöpfer des Himmels und der
Erde,
und an Jesus Christus,
seinen eingeborenen Sohn,
unsern Herrn,
empfangen durch den Heiligen
Geist,
geboren von der Jungfrau Maria,
gelitten unter Pontius Pilatus,
gekreuzigt, gestorben und begraben,
hinabgestiegen in das Reich des
Todes,
am dritten Tage auferstanden von
den Toten,
aufgefahren in den Himmel;
er sitzt zur Rechten Gottes,
des allmächtigen Vaters;
von dort wird er kommen,
zu richten die Lebenden und
die Toten.

Ich glaube an den Heiligen Geist,
die heilige katholische Kirche,
Gemeinschaft der Heiligen,
Vergebung der Sünden,
Auferstehung der Toten
und das ewige Leben. Amen.

FÜRBITTEN (ALLGEMEINES GEBET)

Es folgen die Fürbitten.

EUCHARISTIEFEIER

GABENBEREITUNG

Gesang zur Gabenbereitung

Das Herbeibringen und die Bereitung der Gaben können von einem geeigneten Gesang oder von Orgelspiel begleitet werden oder auch in der Stille geschehen.

Herbeibringen der Gaben

Es empfiehlt sich, daß die Gläubigen ihre Teilnahme durch eine Gabe bekunden. Sie können durch Vertreter Brot und Wein für die Eucharistie oder selber andere Gaben herbeibringen, die für die Bedürfnisse der Kirche und der Armen bestimmt sind.

Zurüstung des Altares

Die Ministranten (Akolythen) bringen den Kelch mit Korporale und Kelchtüchlein und das Meßbuch zum Altar.

Begleitgebete zur Gabenbereitung

Der Priester nimmt die Schale mit dem Brot, hält sie über den Altar und spricht leise:

Gepriesen bist du, Herr, unser Gott,
Schöpfer der Welt.
Du schenkst uns das Brot,
die Frucht der Erde und der menschlichen Arbeit.
Wir bringen dieses Brot vor dein Angesicht,
damit es uns das Brot des Lebens werde.
(Gepriesen bist du in Ewigkeit, Herr, unser Gott.)

Wird weder gesungen noch die Orgel gespielt, ist es dem Priester erlaubt, diesen Begleittext mit vernehmlicher Stimme zu sprechen.
Der Priester stellt die Schale auf das Korporale.
Der Priester (Diakon) gießt Wein und ein wenig Wasser in den Kelch und spricht leise:

Wie das Wasser sich mit dem Wein verbindet zum heiligen Zeichen, so lasse uns dieser Kelch teilhaben an der Gottheit Christi, der unsere Menschennatur angenommen hat.

Der Priester nimmt den Kelch, hält ihn über den Altar und spricht leise:

Gepriesen bist du, Herr, unser Gott,
Schöpfer der Welt.
Du schenkst uns den Wein,
die Frucht des Weinstocks und der menschlichen Arbeit.
Wir bringen diesen Kelch vor dein Angesicht,
damit er uns der Kelch des Heiles werde.
(Gepriesen bist du in Ewigkeit, Herr, unser Gott.)

Der Priester verneigt sich und spricht leise:

Herr, wir kommen zu dir mit reumütigem Herzen
und mit demütigem Sinn.
Nimm uns an und gib, daß unser Opfer dir gefalle.

Der Priester kann die Gaben und den Altar inzensieren; anschließend inzensiert der Diakon oder ein Ministrant (Akolyth) den Priester und die Gemeinde.

Händewaschung

Zur Händewaschung an der Seite des Altares spricht der Priester leise:

Herr, wasche ab meine Schuld, von meinen Sünden mach mich rein.

EINLADUNG ZUM GABENGEBET

Der Priester steht, der Gemeinde zugewandt, in der Mitte des Altares und spricht:

Form A

Lasset uns beten
zu Gott, dem allmächtigen Vater,
daß er die Gaben der Kirche annehme
zu seinem Lob und zum Heil der ganzen Welt.

Oder: **Form B**

P: Lasset uns beten.

Oder eine andere geeignete Gebetseinladung. Alle verharren eine kurze Zeit in stillem Gebet.

Oder: **Form C**

P: Oráte, fratres: ut meum ac vestrum sacrifícium acceptábile fiat apud Deum Patrem omnipóténtem.

G: Suscípiat Dóminus sacrifícium de mánibus tuis ad laudem et glóriam nóminis sui, ad utilitátem quoque nostram totiúsque Ecclésiæ suæ sanctæ.

P: Betet, Brüder und Schwestern, daß mein und euer Opfer Gott, dem allmächtigen Vater, gefalle.

G: Der Herr nehme das Opfer an aus deinen Händen zum Lob und Ruhm seines Namens, zum Segen für uns und seine ganze heilige Kirche.

GABENGEBET

Der Priester breitet die Hände aus und trägt das Gabengebet vor. Die Gemeinde beschließt das Gebet mit dem Ruf:

Amen

DAS EUCHARISTISCHE HOCHGEBET

Das Eucharistische Hochgebet wird vom Priester laut und vernehmlich vorgetragen und von der Gemeinde mit dem Zuruf Amen abgeschlossen. Die mit Melodien versehenen Teile können gesungen werden.
Der Priester beginnt das Eucharistische Hochgebet. Er breitet die Hände aus und singt oder spricht:

P: Dóminus vobiscum.	P: Der Herr sei mit euch.
G: Et cum spíritu tuo.	A: Und mit deinem Geiste.
	Der Priester hebt die Hände.
P: Sursum corda.	P: Erhebet die Herzen.
G: Habémus ad Dóminum.	A: Wir haben sie beim Herrn.
	Der Priester mit ausgebreiteten Händen:
P: Grátias agámus Dómino Deo nostro.	P: Lasset uns danken dem Herrn, unserm Gott.
G: Dignum et iustum est.	A: Das ist würdig und recht.

Ein Verzeichnis der in diesem Buch abgedruckten Präfationen finden Sie auf den Seiten 937f.

Zum Schluß der Präfation faltet er die Hände. Gemeinsam mit der Gemeinde singt er das Sanctus.

Sanctus, Sanctus, Sanctus Dóminus Deus Sábaoth.	Heilig, heilig, heilig Gott, Herr aller Mächte und Gewalten.
Pleni sunt cæli et terra glória tua. Hosánna in excélsis. Benedíctus qui venit in nómine Dómini. Hosánna in excélsis.	Erfüllt sind Himmel und Erde von deiner Herrlichkeit. Hosanna in der Höhe. Hochgelobt sei, der da kommt im Namen des Herrn. Hosanna in der Höhe.

Erstes Hochgebet

Dich, gütiger Vater, bitten wir durch deinen Sohn, unseren Herrn Jesus Christus: Nimm diese heiligen, makellosen Opfergaben an und ✝ segne sie.

Wir bringen sie dar vor allem für deine heilige katholische Kirche in Gemeinschaft mit deinem Diener, unserem Papst N., mit unserem Bischof N. und mit allen, die Sorge tragen für den rechten, katholischen und apostolischen Glauben. Schenke deiner Kirche Frieden und Einheit, behüte und leite sie auf der ganzen Erde.

Gedenke deiner Diener und Dienerinnen N. N. (für die wir heute besonders beten) und aller, die hier versammelt sind.

Bei einer Taufe:

Gedenke deiner Diener und Dienerinnen N. und N., die als Paten unsere Neugetauften zum Sakrament der Wiedergeburt geleitet haben, und aller, die hier versammelt sind.

Herr, du kennst ihren Glauben und ihre Hingabe; für sie bringen wir dieses Opfer des Lobes dar, und sie selber weihen es dir für sich und für alle, die ihnen verbunden sind, für ihre Erlösung und für ihre Hoffnung auf das unverlierbare Heil. Vor dich, den ewigen, lebendigen und wahren Gott, bringen sie ihre Gebete und Gaben.

In Gemeinschaft mit der ganzen Kirche gedenken wir deiner Heiligen. Wir ehren vor allem Maria, die glorreiche, allzeit jungfräuliche Mutter unseres Herrn und Gottes Jesus Christus. * Wir ehren ihren Bräutigam, den heiligen Josef, deine heiligen Apostel und Märtyrer: Petrus und Paulus, Andreas

(Jakobus, Johannes, Tomas, Jakobus, Philippus, Bartholomäus, Matthäus, Simon und Thaddäus, Linus, Kletus, Klemens, Xystus, Kornelius, Cyprianus, Laurentius, Chrysogonus, Johannes und Paulus, Kosmas und Damianus)

und alle deine Heiligen; blicke auf ihr heiliges Leben und Sterben und gewähre uns auf ihre Fürsprache in allem deine Hilfe und deinen Schutz.

An Sonntagen:
In Gemeinschaft mit der ganzen Kirche feiern wir den ersten Tag der Woche als den Tag, an dem Christus von den Toten erstanden ist, und gedenken deiner Heiligen: Wir ehren vor allem Maria, die glorreiche, allzeit jungfräuliche Mutter unseres Herrn und Gottes Jesus Christus. ➡*

Von Weihnachten bis Neujahr:
In Gemeinschaft mit der ganzen Kirche feiern wir (die hochheilige Nacht) den hochheiligen Tag, (in der) an dem Maria in unversehrter Jungfräulichkeit der Welt den Erlöser geboren hat. Wir ehren vor allen Heiligen sie, die glorreiche, allzeit jungfräuliche Mutter unseres Herrn und Gottes Jesus Christus. ➡*

An Erscheinung des Herrn:
In Gemeinschaft mit der ganzen Kirche feiern wir den hochheiligen Tag, an dem dein eingeborener Sohn, dir gleich in ewiger Herrlichkeit, als wahrer Mensch leibhaft und sichtbar erschienen ist. Wir gedenken deiner Heiligen und ehren vor allem Maria, die glorreiche, allzeit jungfräuliche Mutter unseres Herrn und Gottes Jesus Christus. ➡*

Am Gründonnerstag:
In Gemeinschaft mit der ganzen Kirche feiern wir den hochheiligen Tag, an dem unser Herr Jesus Christus sich für uns hingegeben hat. Wir gedenken deiner Heiligen und ehren vor allem Maria, die glorreiche, allzeit jungfräuliche Mutter unseres Herrn und Gottes Jesus Christus. ➡*

Von der Osternacht bis zum Weißen Sonntag:
In Gemeinschaft mit der ganzen Kirche feiern wir das Hochfest der Auferstehung unseres Herrn Jesus Christus. Wir gedenken deiner Heiligen und ehren vor allem Maria, die glorreiche, allzeit jungfräuliche Mutter unseres Herrn und Gottes Jesus Christus. ➡*

An Christi Himmelfahrt:

In Gemeinschaft mit der ganzen Kirche feiern wir den Tag, an dem unser Herr Jesus Christus, dein eingeborener Sohn, unsere schwache, mit seiner Gottheit vereinte Menschennatur zu deiner Rechten erhoben hat. Wir gedenken deiner Heiligen und ehren vor allem Maria, die glorreiche, allzeit jungfräuliche Mutter unseres Herrn und Gottes Jesus Christus. ➡*

Am Pfingsttag:

In Gemeinschaft mit der ganzen Kirche feiern wir das hohe Pfingstfest, an dem der Heilige Geist in Feuerzungen auf die Jünger herabkam. Wir gedenken deiner Heiligen und ehren vor allem Maria, die glorreiche, allzeit jungfräuliche Mutter unseres Herrn und Gottes Jesus Christus. ➡*

Am eigenen Kirchweihfest:

In Gemeinschaft mit der ganzen Kirche feiern wir den Weihetag dieses Hauses, an dem du es zu eigen genommen und mit deiner Gegenwart erfüllt hast. Wir gedenken deiner Heiligen und ehren vor allem Maria, die glorreiche, allzeit jungfräuliche Mutter unseres Herrn und Gottes Jesus Christus. ➡*

An Lichtmeß:

In Gemeinschaft mit der ganzen Kirche feiern wir den Tag, an dem dein eingeborener Sohn im Tempel dargestellt wurde. Wir gedenken deiner Heiligen und ehren vor allem Maria, die glorreiche, allzeit jungfräuliche Mutter unseres Herrn und Gottes Jesus Christus. ➡*

An Verkündigung des Herrn:

In Gemeinschaft mit der ganzen Kirche feiern wir den Tag, an dem Maria deinen ewigen Sohn durch den Heiligen Geist empfangen hat. Wir ehren vor allen Heiligen sie, die glorreiche, allzeit jungfräuliche Mutter unseres Herrn und Gottes Jesus Christus. ➡*

An Johannes' Geburt:

In Gemeinschaft mit der ganzen Kirche feiern wir den Tag, an dem Johannes geboren wurde, der Christus voranging, um ihm den Weg zu bereiten, dem Erlöser der Welt. Wir gedenken deiner Heiligen und ehren vor allem Maria, die glorreiche, allzeit jungfräuliche Mutter unseres Herrn und Gottes Jesus Christus. ➡*

An Mariä Himmelfahrt:
In Gemeinschaft mit der ganzen Kirche feiern wir den Tag, an dem die jungfräuliche Gottesmutter in den Himmel aufgenommen wurde. Wir ehren vor allen Heiligen sie, die glorreiche, allzeit jungfräuliche Mutter unseres Herrn und Gottes Jesus Christus. ➡*

An Mariä Geburt:
In Gemeinschaft mit der ganzen Kirche feiern wir den Tag, an dem Maria geboren wurde, die von Ewigkeit her auserwählte Mutter des Erlösers. Wir ehren vor allen Heiligen sie, die glorreiche, allzeit jungfräuliche Mutter unseres Herrn und Gottes Jesus Christus. ➡*

An Allerheiligen:
In Gemeinschaft mit der ganzen Kirche feiern wir den Tag, der dem Gedächtnis aller Heiligen geweiht ist, die im Leben Christus nachfolgten und im Sterben von ihm die Krone der Herrlichkeit empfingen. Wir ehren vor allen Heiligen Maria, die glorreiche, allzeit jungfräuliche Mutter unseres Herrn und Gottes Jesus Christus. ➡*

An Mariä Empfängnis:
In Gemeinschaft mit der ganzen Kirche feiern wir den Tag, an dem Maria ohne Erbschuld empfangen wurde, da sie auserwählt war, die Mutter des Erlösers zu werden. Wir ehren vor allen Heiligen sie, die glorreiche, allzeit jungfräuliche Mutter unseres Herrn und Gottes Jesus Christus. ➡*

* Wir ehren ihren Bräutigam, den heiligen Josef, deine heiligen Apostel und Märtyrer: Petrus und Paulus, Andreas

(Jakobus, Johannes, Tomas, Jakobus, Philippus, Bartholomäus, Matthäus, Simon und Thaddäus, Linus, Kletus, Klemens, Xystus, Kornelius, Cyprianus, Laurentius, Chrysogonus, Johannes und Paulus, Kosmas und Damianus)

und alle deine Heiligen; blicke auf ihr heiliges Leben und Sterben und gewähre uns auf ihre Fürsprache in allem deine Hilfe und deinen Schutz.

Nimm gnädig an, o Gott, diese Gaben deiner Diener und deiner ganzen Gemeinde; ordne unsere Tage in deinem Frieden, rette uns vor dem ewigen Verderben und nimm uns auf in die Schar deiner Erwählten. ➡**

Am Gründonnerstag:
Nimm gnädig an, o Gott, diese Gaben deiner Diener und deiner ganzen Gemeinde. Wir bringen sie dar am Tag, an dem unser Herr Jesus Christus seinen Jüngern aufgetragen hat, die Geheimnisse seines Leibes und Blutes zu feiern. Ordne unsere Tage in deinem Frieden, rette uns vor dem ewigen Verderben und nimm uns auf in die Schar deiner Erwählten. ➡**

Von der Osternacht bis zum Weißen Sonntag:
Nimm gnädig an, o Gott, diese Gaben deiner Diener und deiner ganzen Gemeinde. Wir bringen sie dar auch für jene, die an diesem Osterfest aus dem Wasser und dem Heiligen Geist zum neuen Leben geboren wurden, denen du alle Sünden vergeben hast. Ordne unsere Tage in deinem Frieden, rette uns vor dem ewigen Verderben und nimm uns auf in die Schar deiner Erwählte. ➡**

Bei einer Taufe:
Nimm gnädig an, o Gott, diese Gaben deiner Diener und deiner ganzen Gemeinde. Wir bringen sie dar auch für jene, die aus dem Wasser und dem Heiligen Geist zum neuen Leben geboren wurden, denen du alle Sünden vergeben hast, damit sie in Jesus Christus, unserem Herrn, dir angehören. Für sie bitten wir dich: Laß ihre Namen eingeschrieben sein im Buch des Lebens. ➡**

Bei einer Firmung:
Nimm gnädig an, o Gott, diese Gaben deiner Diener und deiner ganzen Gemeinde. Wir bringen sie dar auch für jene, die in der Taufe zum neuen Leben geboren und von dir in dieser Feier mit der Gabe des Heiligen Geistes gestärkt wurden. Für sie bitten wir dich: Bewahre in ihnen das Geschenk deiner Gnade. ➡**

Bei einer Brautmesse:
Nimm gnädig an, o Gott, dieses Opfer deiner Diener, die Gaben der Neuvermählten N. und N. und die Opfergaben deiner ganzen Gemeinde. Sie bittet dich für diese Brautleute, die du zum Traual-

tar geführt hast: Erhalte sie bis ins hohe Alter in Glück und Frieden (und segne ihren Bund mit Kindern, die sie von deiner Güte erhoffen). ➡**

Schenke, o Gott, diesen Gaben Segen in Fülle und nimm sie zu eigen an. Mache sie uns zum wahren Opfer im Geiste, das dir wohl gefällt: zum Leib und Blut deines geliebten Sohnes, unseres Herrn Jesus Christus.

Am Abend vor seinem Leiden nahm er das Brot in seine heiligen und ehrwürdigen Hände, erhob die Augen zum Himmel, zu dir, seinem Vater, dem allmächtigen Gott, sagte dir Lob und Dank, brach das Brot, reichte es seinen Jüngern und sprach:

Nehmet und esset alle davon:
Das ist mein Leib, der für euch hingegeben wird.

Ebenso nahm er nach dem Mahl diesen erhabenen Kelch in seine heiligen und ehrwürdigen Hände, sagte dir Lob und Dank, reichte den Kelch seinen Jüngern und sprach:

Nehmet und trinket alle daraus:
Das ist der Kelch des Neuen und Ewigen Bundes,
mein Blut, das für euch und für alle vergossen wird
zur Vergebung der Sünden.
Tut dies zu meinem Gedächtnis.

D/P: Mystérium fídei:

G: Mortem tuam annuntiámus, Dómine, et tuam resurrectiónem confitémur, donec vénias.

D/P: Geheimnis des Glaubens:

G: Deinen Tod, o Herr, verkünden wir, und deine Auferstehung preisen wir, bis du kommst in Herrlichkeit.

Darum, gütiger Vater, feiern wir, deine Diener und dein heiliges Volk, das Gedächtnis deines Sohnes, unseres Herrn Jesus Christus. Wir verkünden sein heilbringendes Leiden, seine Auferstehung von den Toten und seine glorreiche Himmelfahrt. So bringen wir aus den Gaben, die du uns geschenkt hast, dir, dem erhabenen Gott, die reine, heilige und makellose Opfergabe dar: das Brot des Lebens und den Kelch des ewigen Heiles.

Blicke versöhnt und gütig darauf nieder und nimm sie an wie einst die Gaben deines gerechten Dieners Abel, wie das Opfer unseres Vaters Abraham, wie die heilige Gabe, das reine Opfer deines Hohenpriesters Melchisedek.

Wir bitten dich, allmächtiger Gott: Dein heiliger Engel trage diese Opfergabe auf deinen himmlischen Altar vor deine göttliche Herrlichkeit; und wenn wir durch unsere Teilnahme am Altar den heiligen Leib und das Blut deines Sohnes empfangen, erfülle uns mit aller Gnade und allem Segen des Himmels.

Gedenke auch deiner Diener und Dienerinnen (N. und N.), die uns vorangegangen sind, bezeichnet mit dem Siegel des Glaubens, und die nun ruhen in Frieden. Wir bitten dich: Führe sie und alle, die in Christus entschlafen sind, in das Land der Verheißung, des Lichtes und des Friedens.

Auch uns, deinen sündigen Dienern, die auf deine reiche Barmherzigkeit hoffen, gib Anteil und Gemeinschaft mit deinen heiligen Aposteln und Märtyrern: Johannes, Stephanus, Matthias, Barnabas (Ignatius, Alexander, Marzellinus, Petrus, Felizitas, Perpetua, Agatha, Luzia, Agnes, Cäcilia, Anastasia) und mit allen deinen Heiligen; wäge nicht unser Verdienst, sondern schenke gnädig Verzeihung und gib uns mit ihnen das Erbe des Himmels.

Darum bitten wir dich durch unseren Herrn Jesus Christus. Denn durch ihn erschaffst du immerfort all diese guten Gaben, gibst ihnen Leben und Weihe und spendest sie uns.

Durch ihn und mit ihm und in ihm ist dir, Gott, allmächtiger Vater, in der Einheit des Heiligen Geistes alle Herrlichkeit und Ehre jetzt und in Ewigkeit. Amen.

Zweites Hochgebet

Eigenpräfation

In Wahrheit ist es würdig und recht, dir, Herr, heiliger Vater, immer und überall zu danken durch deinen geliebten Sohn Jesus Christus. Er ist dein Wort, durch ihn hast du alles erschaffen. Ihn hast du gesandt als unseren Erlöser und Heiland. Er ist Mensch geworden durch den Heiligen Geist, geboren von der Jungfrau Maria. Um deinen Ratschluß zu erfüllen und dir ein heiliges Volk zu erwerben, hat er sterbend die Arme ausgebreitet am Holze des Kreuzes. Er hat die Macht des Todes gebrochen und die Auferstehung kundgetan. Darum preisen wir dich mit allen Engeln und Heiligen und singen vereint mit ihnen das Lob deiner Herrlichkeit. A: Heilig, heilig, heilig …

Ja, du bist heilig, großer Gott,
du bist der Quell aller Heiligkeit.

An Sonntagen:

Darum kommen wir vor dein Angesicht und feiern in Gemeinschaft mit der ganzen Kirche den ersten Tag der Woche als den Tag, an dem Christus von den Toten erstanden ist. Durch ihn, den du zu deiner Rechten erhöht hast, bitten wir dich: ➡*

Von Weihnachten bis Neujahr:

Darum kommen wir vor dein Angesicht und feiern in Gemeinschaft mit der ganzen Kirche (die hochheilige Nacht) den hochheiligen Tag, (in der) an dem Maria in unversehrter Jungfräulichkeit der Welt den Erlöser geboren hat. Durch ihn, unseren Retter und Herrn, bitten wir dich: ➡*

An Erscheinung des Herrn:

Darum kommen wir vor dein Angesicht und feiern in Gemeinschaft mit der ganzen Kirche den hochheiligen Tag, an dem dein eingeborener Sohn, dir gleich in ewiger Herrlichkeit, als wahrer Mensch leibhaft und sichtbar erschienen ist. Durch ihn, unseren Erlöser und Heiland, bitten wir dich: ➡*

Am Gründonnerstag:

Darum kommen wir vor dein Angesicht und feiern in Gemeinschaft mit der ganzen Kirche den hochheiligen Tag, an dem unser Herr Jesus Christus sich für uns hingegeben hat. Durch ihn, unseren Erlöser und Heiland, den du verherrlicht hast, bitten wir dich: ➡*

Von der Osternacht bis zum Weißen Sonntag:

Darum kommen wir vor dein Angesicht und feiern in Gemeinschaft mit der ganzen Kirche das Hochfest der Auferstehung unseres Herrn Jesus Christus. Durch ihn, der zu deiner Rechten erhöht ist, bitten wir dich: ➡*

An Christi Himmelfahrt:

Darum kommen wir vor dein Angesicht und feiern in Gemeinschaft mit der ganzen Kirche den Tag, an dem unser Herr Jesus Christus, dein eingeborener Sohn, unsere schwache mit seiner Gottheit vereinte Menschennatur zu deiner Rechten erhoben hat. Durch ihn bitten wir dich: ➡*

Am Pfingsttag:

Darum kommen wir vor dein Angesicht und feiern in Gemeinschaft mit der ganzen Kirche das hohe Pfingstfest, an dem der Heilige Geist in Feuerzungen auf die Jünger herabkam. Und wir bitten dich: ➡*

Am eigenen Kirchweihfest:

Darum kommen wir vor dein Angesicht und feiern in Gemeinschaft mit der ganzen Kirche den Weihetag dieses Hauses, an dem du es zu eigen genommen und mit deiner Gegenwart erfüllt hast. Durch Christus, den Herrn und das Haupt der Kirche, bitten wir dich: ➡*

An Lichtmeß:

Darum kommen wir vor dein Angesicht und feiern in Gemeinschaft mit der ganzen Kirche den Tag, an dem dein eingeborener Sohn im Tempel dargestellt wurde. Durch ihn, das Licht von deinem Licht, bitten wir dich: ➡*

An Verkündigung des Herrn:
Darum kommen wir vor dein Angesicht und feiern in Gemeinschaft mit der ganzen Kirche den Tag, an dem Maria deinen ewigen Sohn durch den Heiligen Geist empfangen hat. Durch ihn, der zu unserem Heil Mensch geworden ist, bitten wir dich: ➡*

An Johannes' Geburt:
Darum kommen wir vor dein Angesicht und feiern in Gemeinschaft mit der ganzen Kirche den Tag, an dem Johannes geboren wurde, der Christus voranging, um ihm den Weg zu bereiten, dem Erlöser der Welt. Durch ihn, der nach Johannes kam und doch vor ihm war, bitten wir dich: ➡*

An Mariä Himmelfahrt:
Darum kommen wir vor dein Angesicht und feiern in Gemeinschaft mit der ganzen Kirche den Tag, an dem die jungfräuliche Gottesmutter in den Himmel aufgenommen wurde von unserem Herrn Jesus Christus. Durch ihn, den Urheber und Vollender unseres Glaubens, bitten wir dich: ➡*

An Mariä Geburt:
Darum kommen wir vor dein Angesicht und feiern in Gemeinschaft mit der ganzen Kirche den Tag, an dem Maria geboren wurde, die von Ewigkeit her auserwählte Mutter des Erlösers. Durch ihn, unseren Heiland, bitten wir dich: ➡*

An Allerheiligen:
Darum kommen wir vor dein Angesicht und feiern in Gemeinschaft mit der ganzen Kirche den Tag, der dem Gedächtnis aller Heiligen geweiht ist, die im Leben Christus nachfolgten und im Sterben von ihm die Krone der Herrlichkeit empfingen. Durch ihn, den Urheber und Vollender unseres Glaubens, bitten wir dich: ➡*

An Mariä Empfängnis:
Darum kommen wir vor dein Angesicht und feiern in Gemeinschaft mit der ganzen Kirche den Tag, an dem Maria ohne Erbschuld empfangen wurde, da sie auserwählt war, die Mutter des Erlösers zu werden. Durch ihn, der unsere Sünden hinwegnimmt, bitten wir dich: ➡*

Darum bitten wir dich:

* Sende deinen Geist auf diese Gaben herab und heilige sie, damit sie uns werden Leib ✝ und Blut deines Sohnes, unseres Herrn Jesus Christus.

Denn am Abend, an dem er ausgeliefert wurde und sich aus freiem Willen dem Leiden unterwarf, nahm er das Brot und sagte Dank, brach es, reichte es seinen Jüngern und sprach:

Nehmet und esset alle davon:
Das ist mein Leib, der für euch hingegeben wird.

Ebenso nahm er nach dem Mahl den Kelch, dankte wiederum, reichte ihn seinen Jüngern und sprach:

Nehmet und trinket alle daraus:
Das ist der Kelch des Neuen und Ewigen Bundes,
mein Blut, das für euch und für alle vergossen wird
zur Vergebung der Sünden.
Tut dies zu meinem Gedächtnis.

D/P: Geheimnis des Glaubens.
G: Deinen Tod, o Herr, verkünden wir …

Darum, gütiger Vater, feiern wir das Gedächtnis des Todes und der Auferstehung deines Sohnes und bringen dir so das Brot des Lebens und den Kelch des Heiles dar. Wir danken dir, daß du uns berufen hast, vor dir zu stehen und dir zu dienen. Wir bitten dich: Schenke uns Anteil an Christi Leib und Blut und laß uns eins werden durch den Heiligen Geist.

Gedenke deiner Kirche auf der ganzen Erde und vollende dein Volk in der Liebe, vereint mit unserem Papst N., unserem Bischof N. und allen Bischöfen, unseren Priestern und Diakonen und mit allen, die zum Dienst in der Kirche bestellt sind.

Von der Osternacht bis zum Weißen Sonntag:

Gedenke auch jener, die an diesem Osterfest aus dem Wasser und dem Heiligen Geist zum neuen Leben geboren wurden, denen du alle Sünden vergeben hast.

Bei einer Taufe:

Gedenke, o Herr, der Neugetauften, die heute in deine Gemeinde aufgenommen wurden.

Bei einer Firmung:

Gedenke auch jener, die in der Taufe zum neuen Leben geboren und von dir in dieser Feier mit der Gabe des Heiligen Geistes gestärkt wurden, und bewahre in ihnen das Geschenk deiner Gnade.

Bei einer Brautmesse:

Gedenke auch der Neuvermählten N. und N. Du hast sie zusammengeführt und ihren Bund gesegnet. Darum erhalte sie bis ins hohe Alter in Glück und Frieden (und schenke ihnen die Kinder, die sie von deiner Güte erhoffen).

In einer Messe für Verstorbene:

Erbarme dich unseres Bruders N. (unserer Schwester N.), den (die) du aus dieser Welt zu dir gerufen hast. Durch die Taufe gehört er (sie) Christus an, ihm ist er (sie) gleichgeworden im Tod: laß ihn (sie) mit Christus zum Leben auferstehen.

Gedenke (aller) unserer Brüder und Schwestern, die entschlafen sind in der Hoffnung, daß sie auferstehen. Nimm sie und alle, die in deiner Gnade aus dieser Welt geschieden sind, in dein Reich auf, wo sie dich schauen von Angesicht zu Angesicht.

Vater, erbarme dich über uns alle, damit uns das ewige Leben zuteil wird in der Gemeinschaft mit der seligen Jungfrau und Gottesmutter Maria, mit deinen Aposteln und mit allen, die bei dir Gnade gefunden haben von Anbeginn der Welt, daß wir dich loben und preisen durch deinen Sohn Jesus Christus.

Durch ihn und mit ihm und in ihm ist dir, Gott, allmächtiger Vater, in der Einheit des Heiligen Geistes alle Herrlichkeit und Ehre jetzt und in Ewigkeit. Amen.

Drittes Hochgebet

Ja, du bist heilig, großer Gott, und alle deine Werke verkünden dein Lob. Denn durch deinen Sohn, unseren Herrn Jesus Christus, und in der Kraft des Heiligen Geistes erfüllst du die ganze Schöpfung mit Leben und Gnade. Bis ans Ende der Zeiten versammelst du dir ein Volk, damit deinem Namen das reine Opfer dargebracht werde vom Aufgang der Sonne bis zum Untergang.

An Sonntagen:

Darum kommen wir vor dein Angesicht und feiern in Gemeinschaft mit der ganzen Kirche den ersten Tag der Woche als den Tag, an dem Christus von den Toten erstanden ist. Durch ihn, den du zu deiner Rechten erhöht hast, bitten wir dich, allmächtiger Gott: ➡*

Von Weihnachten bis Neujahr:

Darum kommen wir vor dein Angesicht und feiern in Gemeinschaft mit der ganzen Kirche (die hochheilige Nacht) den hochheiligen Tag, (in der) an dem Maria in unversehrter Jungfräulichkeit der Welt den Erlöser geboren hat. Durch ihn, unseren Retter und Herrn, bitten wir dich, allmächtiger Gott: ➡*

An Erscheinung des Herrn:

Darum kommen wir vor dein Angesicht und feiern in Gemeinschaft mit der ganzen Kirche den hochheiligen Tag, an dem dein eingeborener Sohn, dir gleich in ewiger Herrlichkeit, als wahrer Mensch leibhaft und sichtbar erschienen ist. Durch ihn, unseren Erlöser und Heiland, bitten wir dich, allmächtiger Gott: ➡*

Am Gründonnerstag:

Darum kommen wir vor dein Angesicht und feiern in Gemeinschaft mit der ganzen Kirche den Tag, an dem unser Herr Jesus Christus sich für uns hingegeben hat. Durch ihn, unseren Erlöser und Heiland, den du verherrlicht hast, bitten wir dich, allmächtiger Gott: ➡*

Von der Osternacht bis zum Weißen Sonntag:
Darum kommen wir vor dein Angesicht und feiern in Gemeinschaft mit der ganzen Kirche das Hochfest der Auferstehung unseres Herrn Jesus Christus. Durch ihn, der zu deiner Rechten erhöht ist, bitten wir dich, allmächtiger Gott: ➡*

An Christi Himmelfahrt:
Darum kommen wir vor dein Angesicht und feiern in Gemeinschaft mit der ganzen Kirche den Tag, an dem unser Herr Jesus Christus, dein eingeborener Sohn, unsere schwache, mit seiner Gottheit vereinte Menschennatur zu deiner Rechten erhoben hat. Durch ihn bitten wir dich, allmächtiger Gott: ➡*

Am Pfingsttag:
Darum kommen wir vor dein Angesicht und feiern in Gemeinschaft mit der ganzen Kirche das hohe Pfingstfest, an dem der Heilige Geist in Feuerzungen auf die Jünger herabkam. Und wir bitten dich, allmächtiger Gott: ➡*

Am eigenen Kirchweihfest:
Darum kommen wir vor dein Angesicht und feiern in Gemeinschaft mit der ganzen Kirche den Weihetag dieses Hauses, an dem du es zu eigen genommen und mit deiner Gegenwart erfüllt hast. Durch Christus, den Herrn und das Haupt der Kirche, bitten wir dich, allmächtiger Gott: ➡*

An Lichtmeß:
Darum kommen wir vor dein Angesicht und feiern in Gemeinschaft mit der ganzen Kirche den Tag, an dem dein eingeborener Sohn im Tempel dargestellt wurde. Durch ihn, das Licht von deinem Licht, bitten wir dich, allmächtiger Gott: ➡*

An Verkündigung des Herrn:
Darum kommen wir vor dein Angesicht und feiern in Gemeinschaft mit der ganzen Kirche den Tag, an dem Maria deinen ewigen Sohn durch den Heiligen Geist empfangen hat. Durch ihn, der zu unserem Heil Mensch geworden ist, bitten wir dich, allmächtiger Gott: ➡*

An Johannes' Geburt
Darum kommen wir vor dein Angesicht und feiern in Gemeinschaft mit der ganzen Kirche den Tag, an dem Johannes geboren wurde, der Christus voranging, um ihm den Weg zu bereiten, dem Erlöser der Welt. Durch ihn, der nach Johannes kam und doch vor ihm war, bitten wir dich, allmächtiger Gott: ➡*

An Mariä Himmelfahrt:
Darum kommen wir vor dein Angesicht und feiern in Gemeinschaft mit der ganzen Kirche den Tag, an dem die jungfräuliche Gottesmutter in den Himmel aufgenommen wurde von unserem Herrn Jesus Christus. Durch ihn, den Urheber und Vollender unseres Glaubens, bitten wir dich, allmächtiger Gott: ➡*

Mariä Geburt:
Darum kommen wir vor dein Angesicht und feiern in Gemeinschaft mit der ganzen Kirche den Tag, an dem Maria geboren wurde, die von Ewigkeit her auserwählte Mutter des Erlösers. Durch ihn, unseren Heiland, bitten wir dich, allmächtiger Gott: ➡*

Allerheiligen:
Darum kommen wir vor dein Angesicht und feiern in Gemeinschaft mit der ganzen Kirche den Tag, der dem Gedächtnis aller Heiligen geweiht ist, die im Leben Christus nachfolgten und im Sterben von ihm die Krone der Herrlichkeit empfingen. Durch ihn, den Urheber und Vollender unseres Glaubens, bitten wir dich, allmächtiger Gott: ➡*

An Mariä Empfängnis:
Darum kommen wir vor dein Angesicht und feiern in Gemeinschaft mit der ganzen Kirche den Tag, an dem Maria ohne Erbschuld empfangen wurde, da sie auserwählt war, die Mutter des Erlösers zu werden. Durch ihn, der unsere Sünden hinwegnimmt, bitten wir dich, allmächtiger Gott: ➡*

Darum bitten wir dich,
allmächtiger Gott:

* Heilige unsere Gaben durch deinen Geist, damit sie uns werden Leib ✝ und Blut deines Sohnes, unseres Herrn Jesus Christus, der uns aufgetragen hat, dieses Geheimnis zu feiern.

Denn in der Nacht, da er verraten wurde, nahm er das Brot und sagte Dank, brach es, reichte es seinen Jüngern und sprach:

Nehmet und esset alle davon:
Das ist mein Leib, der für euch hingegeben wird.

Ebenso nahm er nach dem Mahl den Kelch, dankte wiederum, reichte ihn seinen Jüngern und sprach:

Nehmet und trinket alle daraus:
Das ist der Kelch des Neuen und Ewigen Bundes,
mein Blut, das für euch und für alle vergossen wird
zur Vergebung der Sünden.
Tut dies zu meinem Gedächtnis.

D/P: Geheimnis des Glaubens.
G: Deinen Tod, o Herr, verkünden wir …

Darum, gütiger Vater, feiern wir das Gedächtnis deines Sohnes. Wir verkünden sein heilbringendes Leiden, seine glorreiche Auferstehung und Himmelfahrt und erwarten seine Wiederkunft. So bringen wir dir mit Lob und Dank dieses heilige und lebendige Opfer dar.

Schau gütig auf die Gabe deiner Kirche. Denn sie stellt dir das Lamm vor Augen, das geopfert wurde und uns nach deinem Willen mit dir versöhnt hat. Stärke uns durch den Leib und das Blut deines Sohnes und erfülle uns mit seinem Heiligen Geist, damit wir ein Leib und ein Geist werden in Christus.

Er mache uns auf immer zu einer Gabe, die dir wohlgefällt, damit wir das verheißene Erbe erlangen mit deinen Auserwählten, mit der seligen Jungfrau und Gottesmutter Maria, mit deinen Aposteln und Märtyrern (mit dem – der - heiligen N.) und mit allen Heiligen, auf deren Fürsprache wir vertrauen.

Barmherziger Gott, wir bitten dich: Dieses Opfer unserer Versöhnung bringe der ganzen Welt Frieden und Heil. Beschütze deine Kirche auf ihrem Weg durch die Zeit und stärke sie im Glauben und in der Liebe: deinen Diener, unseren Papst N., unseren Bischof N. und die Gemeinschaft der Bischöfe, unsere Priester und Diakone, alle, die zum Dienst in der Kirche bestellt sind, und das ganze Volk deiner Erlösten.

Von der Osternacht bis zum Weißen Sonntag:

Gedenke auch jener, die an diesem Osterfest aus dem Wasser und dem Heiligen Geist zum neuen Leben geboren wurden, denen du alle Sünden vergeben hast.

Bei einer Taufe:

Stärke im Glauben und in der Liebe deine Diener, die heute durch das Bad der Wiedergeburt in deine Gemeinde aufgenommen wurden. Gib ihnen die Gnade, daß in ihnen das neue Leben wachse und reife.

Bei einer Firmung:

Gedenke auch jener, die in der Taufe zum neuen Leben geboren und von dir in dieser Feier mit der Gabe des Heiligen Geistes gestärkt wurden, und bewahre in ihnen das Geschenk deiner Gnade.

Bei einer Brautmesse:

Gedenke auch der Neuvermählten N. und N. Du hast sie zusammengeführt und ihren Bund gesegnet. Darum erhalte sie bis ins hohe Alter in Glück und Frieden (und schenke ihnen die Kinder, die sie von deiner Güte erhoffen).

Erhöre, gütiger Vater, die Gebete der hier versammelten Gemeinde und führe zu dir auch alle deine Söhne und Töchter, die noch fern sind von dir.

In einer Messe für Verstorbene:

Erbarme dich unseres Bruders N. (unserer Schwester N.), den (die) du aus dieser Welt zu dir gerufen hast. Durch die Taufe gehört er (sie) Christus an, ihm ist er (sie) gleichgeworden im Tod: gib ihm (ihr) auch Anteil an der Auferstehung, wenn Christus die Toten auferweckt und unseren irdischen Leib seinem verklärten Leib ähnlich macht.

Erbarme dich (aller) unserer verstorbenen Brüder und Schwestern und aller, die in deiner Gnade aus dieser Welt geschieden sind. Nimm sie auf in deine Herrlichkeit. Und mit ihnen laß auch uns, wie du verheißen hast, zu Tische sitzen in deinem Reich.

In einer Messe für Verstorbene:
Dann wirst du alle Tränen trocknen. Wir werden dich, unseren Gott, schauen, wie du bist, dir ähnlich sein auf ewig und dein Lob singen ohne Ende.

Darum bitten wir dich durch unseren Herrn Jesus Christus. Denn durch ihn schenkst du der Welt alle guten Gaben.

Durch ihn und mit ihm und in ihm ist dir, Gott, allmächtiger Vater, in der Einheit des Heiligen Geistes alle Herrlichkeit und Ehre jetzt und in Ewigkeit. Amen.

Viertes Hochgebet

Eigenpräfation

In Wahrheit ist es würdig, dir zu danken, heiliger Vater. Es ist recht, dich zu preisen. Denn du allein bist der lebendige und wahre Gott. Du bist vor den Zeiten und lebst in Ewigkeit. Du wohnst in unzugänglichem Lichte. Alles hast du erschaffen, denn du bist die Liebe und der Ursprung des Lebens. Du erfüllst deine Geschöpfe mit Segen und erfreust sie alle mit dem Glanz deines Lichtes. Vor dir stehen die Scharen der Engel und schauen dein Angesicht. Sie dienen dir Tag und Nacht, nie endet ihr Lobgesang. Mit ihnen preisen auch wir deinen Namen, durch unseren Mund rühmen dich alle Geschöpfe und künden voll Freude das Lob deiner Herrlichkeit. A: Heilig, heilig, heilig …

Wir preisen dich, Heiliger Vater, denn groß bist du, und alle deine Werke künden deine Weisheit und Liebe.

Den Menschen hast du nach deinem Bild geschaffen und ihm die Sorge für die ganze Welt anvertraut. Über alle Geschöpfe sollte er herrschen und allein dir, seinem Schöpfer, dienen.

Als er im Ungehorsam deine Freundschaft verlor und der Macht des Todes verfiel, hast du ihn dennoch nicht verlassen, sondern voll Erbarmen allen geholfen, dich zu suchen und zu finden.

Immer wieder hast du den Menschen deinen Bund angeboten und sie durch die Propheten gelehrt, das Heil zu erwarten.

So sehr hast du die Welt geliebt, heiliger Vater, daß du deinen eingeborenen Sohn als Retter gesandt hast, nachdem die Fülle der Zeiten gekommen war.

Er ist Mensch geworden durch den Heiligen Geist, geboren von der Jungfrau Maria. Er hat wie wir als Mensch gelebt, in allem uns gleich außer der Sünde.

Den Armen verkündete er die Botschaft vom Heil, den Gefangenen Freiheit, den Trauernden Freude.

Um deinen Ratschluß zu erfüllen, hat er sich dem Tod überliefert, durch seine Auferstehung den Tod bezwungen und das Leben neu geschaffen.

Damit wir nicht mehr uns selber leben, sondern ihm, der für uns gestorben und auferstanden ist, hat er von dir, Vater, als erste Gabe für alle, die glauben, den Heiligen Geist gesandt, der das Werk deines Sohnes auf Erden weiterführt und alle Heiligung vollendet.

So bitten wir dich, Vater: Der Geist heilige diese Gaben, damit sie uns werden Leib ✝ und Blut unseres Herrn Jesus Christus, der uns die Feier dieses Geheimnisses aufgetragen hat als Zeichen des ewigen Bundes.

Da er die Seinen liebte, die in der Welt waren, liebte er sie bis zur Vollendung. Und als die Stunde kam, da er von dir verherrlicht werden sollte, nahm er beim Mahl das Brot und sagte Dank, brach das Brot, reichte es seinen Jüngern und sprach:

Nehmet und esset alle davon:
Das ist mein Leib, der für euch hingegeben wird.

Ebenso nahm er den Kelch mit Wein, dankte wiederum, reichte den Kelch seinen Jüngern und sprach:

Nehmet und trinket alle daraus:
Das ist der Kelch des Neuen und Ewigen Bundes,
mein Blut, das für euch und für alle vergossen wird
zur Vergebung der Sünden.
Tut dies zu meinem Gedächtnis.

D/P: Geheimnis des Glaubens.
G: Deinen Tod, o Herr, verkünden wir …

Darum, gütiger Vater, feiern wir das Gedächtnis unserer Erlösung. Wir verkünden den Tod deines Sohnes und sein Hinabsteigen zu den Vätern, bekennen seine Auferstehung und Himmelfahrt und erwarten sein Kommen in Herrlichkeit. So bringen wir dir seinen Leib und sein Blut dar, das Opfer, das dir wohlgefällt und der ganzen Welt Heil bringt.

Sieh her auf die Opfergabe, die du selber deiner Kirche bereitet hast, und gib, daß alle, die Anteil erhalten an dem einen Brot und dem einen Kelch, ein Leib werden im Heiligen Geist, eine lebendige Opfergabe in Christus zum Lob deiner Herrlichkeit.

Herr, gedenke aller, für deren Heil wir das Opfer darbringen. Wir bitten dich für unseren Papst N., unseren Bischof N. und die Gemeinschaft der Bischöfe, für unsere Priester und Diakone und für alle, die zum Dienst in der Kirche bestellt sind, für alle, die ihre Gaben spenden, für die hier versammelte Gemeinde,

Bei einer Taufe wird eingefügt:

für unsere Neugetauften, die heute aus dem Wasser und dem Heiligen Geist zum neuen Leben geboren wurden,

für dein ganzes Volk und für alle Menschen, die mit lauterem Herzen dich suchen.

Wir empfehlen dir auch jene, die im Frieden Christi heimgegangen sind, und alle Verstorbenen, um deren Glauben niemand weiß als du. Gütiger Vater, gedenke, daß wir deine Kinder sind, und schenke uns allen das Erbe des Himmels in Gemeinschaft mit der seligen Jungfrau und Gottesmutter Maria, mit deinen Aposteln und mit allen Heiligen. Und wenn die ganze Schöpfung von der Verderbnis der Sünde und des Todes befreit ist, laß uns zusammen mit ihr dich verherrlichen in deinem Reich durch unseren Herrn Jesus Christus. Denn durch ihn schenkst du der Welt alle guten Gaben.

Durch ihn und mit ihm und in ihm ist dir, Gott, allmächtiger Vater, in der Einheit des Heiligen Geistes alle Herrlichkeit und Ehre jetzt und in Ewigkeit. Amen.

Hochgebete für Messen für besondere Anliegen

PRÄFATION I – DIE KIRCHE AUF DEM WEG ZUR EINHEIT

Wir danken dir, gütiger Vater, und preisen dich, denn durch die Frohe Botschaft deines Sohnes hast du Menschen aus allen Völkern und Sprachen vereint in der Gemeinschaft der Kirche. Durch sie, die aus der Kraft deines Geistes lebt, führst du alle Menschen zur Einheit. So bezeugt die Kirche deine Liebe und schenkt allen die Hoffnung auf ewige Vollendung. Sie wird zum Zeichen deiner Treue, die du uns für immer versprochen hast in unserem Herrn Jesus Christus. Darum rühmen dich Himmel und Erde, und mit der ganzen Kirche singen wir das Lob deiner Herrlichkeit.

Präfation II – Gott führt die Kirche

Wir danken dir, Gott, unser Vater, und preisen dich, denn du hast uns ins Leben gerufen. Du läßt uns niemals allein auf unserm Weg und bist immer da für uns. Einst hast du Israel, dein Volk, mit starker Hand durch die weglose Wüste geleitet. Heute führst du deine pilgernde Kirche in der Kraft des Heiligen Geistes. Du bahnst ihr den Weg durch diese Zeit in die ewige Freude deines Reiches durch unseren Herrn Jesus Christus. Darum singen wir mit allen Engeln und Heiligen das Lob deiner Herrlichkeit.

Präfation III – Jesus, unser Weg

Wir danken dir, Vater, Herr des Himmels und der Erde, und preisen dich durch unseren Herrn Jesus Christus. Durch ihn, dein Wort, hast du die Welt geschaffen und lenkst sie in deiner Weisheit. Ihn, deinen menschgewordenen Sohn, hast du uns zum Mittler gegeben. Er hat deine Botschaft verkündet und uns gerufen, ihm zu folgen. Er hat uns erlöst durch sein Kreuz und mit deinem Geiste besiegelt. Er ist der Weg, der uns zu dir führt, er ist die Wahrheit, die uns frei macht; er ist das Leben und erfüllt uns mit Freude. Durch ihn führst du deine Söhne und Töchter zusammen zu einer einzigen Familie. Darum rühmen wir jetzt und in Ewigkeit dein Erbarmen und singen mit den Chören der Engel das Lob deiner Herrlichkeit.

Präfation IV – Jesus, der Bruder aller

Wir danken dir, treuer und barmherziger Vater, für deinen Sohn Jesus Christus, unseren Herrn und Erlöser. Er hatte ein Herz für die Armen und die Kranken, die Ausgestoßenen und die Sünder. Den Bedrängten und den Verzweifelten war er ein Bruder. Sein Leben und seine Botschaft lehren uns, daß du für deine

Kinder sorgst wie ein guter Vater und eine liebende Mutter. Darum rühmen wir deine Güte und Treue und singen mit allen Engeln und Heiligen das Lob deiner Herrlichkeit.

Ja, du bist heilig, großer Gott. Du liebst die Menschen und bist ihnen nahe. Gepriesen sei dein Sohn, der immer mit uns auf dem Weg ist und uns um sich versammelt zum Mahl der Liebe. Wie den Jüngern (von Emmaus) deutet er uns die Schrift und bricht das Brot für uns.

So bitten wir dich, gütiger Vater: Sende deinen Heiligen Geist über die Gaben von Brot und Wein. Er heilige sie, damit sie uns werden Leib ✝ und Blut unseres Herrn Jesus Christus.
Am Abend vor seinem Leiden nahm er beim Mahl das Brot und sagte dir Dank, brach das Brot, reichte es seinen Jüngern und sprach:

Nehmet und esset alle davon:
Das ist mein Leib, der für euch hingegeben wird.

Ebenso nahm er nach dem Mahl den Kelch, dankte wiederum, reichte ihn seinen Jüngern und sprach:

Nehmet und trinket alle daraus:
Das ist der Kelch des Neuen und Ewigen Bundes,
mein Blut, das für euch und für alle vergossen wird
zur Vergebung der Sünden.
Tut dies zu meinem Gedächtnis.

D/P: Geheimnis des Glaubens.
G: Deinen Tod, o Herr, verkünden wir …

Darum, gütiger Vater, feiern wir das Gedächtnis deines Sohnes, der uns erlöst hat. Durch sein Leiden und seinen Tod am Kreuz hast du ihn zur Herrlichkeit der Auferstehung geführt und ihn erhöht zu deiner Rechten. Wir verkünden dieses Werk deiner Liebe, bis er wiederkommt, und bringen dir das Brot des Lebens und den Kelch des Segens dar.

Wir feiern das Opfer Christi, das er uns anvertraut hat. Er hat sich für uns hingegeben und schenkt uns Anteil an seinem Leib und Blut. Wir bitten dich: Schau gütig auf die Gabe deiner Kirche und gib, daß wir im Geist deiner Liebe für immer verbunden bleiben mit ihm und untereinander.

Wenn Präfation I gewählt wurde, wird folgende Interzession gebetet:

Barmherziger Gott, erleuchte deine Kirche (in unserem Land und auf der ganzen Erde) und erneuere sie durch das Evangelium. Festige das Band der Einheit zwischen den Gläubigen und ihren Hirten in der Gemeinschaft mit unserem Papst N., unserem Bischof N. und allen Bischöfen. Mache dein Volk in unserer zerrissenen Welt zum Werkzeug der Einheit und des Friedens.

Wenn Präfation II gewählt wurde, wird folgende Interzession gebetet:

Barmherziger Gott, durch die Teilnahme an diesem Mahl stärke uns in der Einheit. Laß uns in Gemeinschaft mit unserem Papst N. und unserem Bischof N., mit allen Bischöfen, Priestern und Diakonen und mit deinem ganzen Volk in Vertrauen und Hoffnung deine Wege gehen und für alle eine Quelle der Freude und Zuversicht sein.

Wenn Präfation III gewählt wurde, wird folgende Interzession gebetet:

Barmherziger Gott, schenke uns durch die Teilnahme an dieser Feier den Geist, der uns mit Leben erfüllt. Erneuere uns nach dem Bild deines Sohnes. Stärke unsere Einheit mit deinem ganzen Volk, mit unserem Papst N. und unserem Bischof N., mit allen Bischöfen, Priestern und Diakonen und mit allen Männern und Frauen, die zu einem Dienst in der Kirche bestellt sind. Laß die Gläubigen die Zeichen der Zeit verstehen und sich mit ganzer Kraft für das Evangelium einsetzen. Mache uns offen für das, was die Menschen bewegt, daß wir ihre Trauer und Angst, ihre Freude und Hoffnung teilen und als treue Zeugen der Frohen Botschaft mit ihnen dir entgegengehen.

Wenn Präfation IV gewählt wurde, wird folgende Interzession gebetet:

Barmherziger Gott, vollende deine Kirche im Glauben und in der Liebe: unseren Papst N. und unseren Bischof N., alle Bischöfe, Priester und Diakone und das ganze Volk, das du dir erworben hast. Öffne unsere Augen für jede Not. Gib uns das rechte Wort, wenn Menschen Trost und Rat suchen. Hilf uns zur rechten Tat, wo Menschen uns brauchen. Laß uns denken und handeln nach dem Wort und Beispiel Christi. Mache deine Kirche zu einem Ort der Wahrheit und der Freiheit, des Friedens und der Gerechtigkeit, damit die Menschen neue Hoffnung schöpfen.

Vater, erbarme dich unserer Brüder und Schwestern (N. und N.), die im Frieden Christi heimgegangen sind, und aller Verstorbenen, deren Glauben du allein kennst.

Laß sie dein Angesicht schauen und schenke ihnen das Leben in Fülle. Wenn unser eigener Weg zu Ende geht, nimm auch uns für immer bei dir auf und laß uns zusammen mit der seligen Jungfrau und Gottesmutter Maria, mit den Aposteln und den Märtyrern (mit dem/der heiligen N., mit den heiligen N. und N.) und mit allen Heiligen dich loben und preisen durch unseren Herrn Jesus Christus.

Durch ihn und mit ihm und in ihm ist dir, Gott, allmächtiger Vater, in der Einheit des Heiligen Geistes alle Herrlichkeit und Ehre jetzt und in Ewigkeit. Amen.

Votivhochgebet »Versöhnung«

PRÄFATION

Wir danken dir, Gott, allmächtiger Vater, und preisen dich für dein Wirken in dieser Welt durch unseren Herrn Jesus Christus: Denn inmitten einer Menschheit, die gespalten und zerrissen ist, erfahren wir, daß du Bereitschaft zur Versöhnung schenkst.

Dein Geist bewegt die Herzen, wenn Feinde wieder miteinander sprechen, Gegner sich die Hände reichen und Völker einen Weg zueinander suchen. Dein Werk ist es, wenn der Wille zum Frieden den Streit beendet, Verzeihung den Haß überwindet und Rache der Vergebung weicht. Darum können wir nicht aufhören, dir zu danken und dich zu preisen. Wir stimmen ein in den Lobgesang der Chöre des Himmels, die ohne Ende rufen.

Herr aller Mächte und Gewalten, gepriesen bist du in deinem Sohn Jesus Christus, der in deinem Namen gekommen ist. Er ist dein rettendes Wort für uns Menschen. Er ist die Hand, die du den Sündern entgegenstreckst. Er ist der Weg, auf dem dein Friede zu uns kommt.

Gott, unser Vater, als wir Menschen uns von dir abgewandt hatten, hast du uns durch deinen Sohn zurückgeholt. Du hast ihn in den Tod gegeben, damit wir zu dir und zueinander finden.

Darum feiern wir die Versöhnung, die Christus uns erwirkt hat, und bitten dich: Heilige diese Gaben durch deinen Geist, da wir nun den Auftrag deines † Sohnes erfüllen:

Denn bevor er sein Leben hingab, um uns zu befreien, nahm er beim Mahl das Brot in seine Hände, dankte dir, brach es, reichte es seinen Jüngern und sprach:

Nehmet und esset alle davon:
Das ist mein Leib, der für euch hingegeben wird.

Ebenso nahm er an jenem Abend den Kelch in seine Hände, pries dein Erbarmen, reichte den Kelch seinen Jüngern und sprach:

Nehmet und trinket alle daraus:
Das ist der Kelch des Neuen und Ewigen Bundes,
mein Blut, das für euch und für alle vergossen wird
zur Vergebung der Sünden.
Tut dies zu meinem Gedächtnis.

D/P: Geheimnis des Glaubens.
G: Deinen Tod, o Herr, verkünden wir …

Herr, unser Gott. Dein Sohn hat uns dieses Vermächtnis seiner Liebe anvertraut. In der Gedächtnisfeier seines Todes und seiner Auferstehung bringen wir dar, was du uns gegeben hast: das Opfer der Versöhnung.

Wir bitten dich, nimm auch uns an in deinem Sohn und schenke uns in diesem Mahl den Geist, den er verheißen hat, den Geist der Einheit, der wegnimmt, was trennt, und der uns zusammenhält in der Gemeinschaft mit unserem Papst N., unserem Bischof N., mit allen Bischöfen und mit deinem ganzen Volk.

Mach deine Kirche zum Zeichen der Einheit unter den Menschen und zum Werkzeug deines Friedens.

Wie du uns hier am Tisch deines Sohnes versammelt hast, in Gemeinschaft mit der seligen Jungfrau und Gottesmutter Maria und allen Heiligen, so sammle die Menschen aller Rassen und Sprachen, aller Schichten und Gruppen zum Gastmahl der ewigen Versöhnung in der neuen Welt deines immerwährenden Friedens durch unseren Herrn Jesus Christus.

Durch ihn und mit ihm und in ihm ist dir, Gott, allmächtiger Vater, in der Einheit des Heiligen Geistes alle Herrlichkeit und Ehre jetzt und in Ewigkeit. Amen.

KOMMUNION

Gebet des Herrn

Der Priester lädt zum Gebet des Herrn ein:

Præcéptis salutáribus móniti, et divína institutióne formáti, audémus dícere:

Dem Wort unseres Herrn und Erlösers gehorsam und getreu seiner göttlichen Weisung, wagen wir zu sprechen:

Oder:

Lasset uns beten, wie der Herr uns zu beten gelehrt hat:

Oder:

Wir heißen Kinder Gottes und sind es. Darum beten wir voll Vertrauen.

Oder:

Wir haben den Geist empfangen, der uns zu Kindern Gottes macht. Darum wagen wir zu sprechen:

Oder eine andere geeignete Einladung.

Der Priester breitet die Hände aus. Priester und Gemeinde singen oder sprechen gemeinsam:

Pater noster, qui es in cælis, sanctificétur nomen tuum; advéniat regnum tuum; fiat volúntas tua, sicut in cælo et in terra. Panem nostrum cotidiánum da nobis hódie; et dimítte nobis, débita nostra, sicut et nos dimíttimus debitóribus nostris; et ne nos indúcas in tentatió- nem; sed líbera nos a malo.	Vater unser im Himmel, geheiligt werde dein Name. Dein Reich komme. Dein Wille geschehe wie im Himmel so auf Erden. Unser tägliches Brot gib uns heute. Und vergib uns unsere Schuld, wie auch wir vergeben unsern Schuldigern. Und führe uns nicht in Versuchung, sondern erlöse uns von dem Bösen.

Der Priester spricht oder singt:

Líbera nos, quáesumus, Dó- mine, ab ómnibus malis, da propítius pacem in diébus nostris, ut, ope misericórdiæ tuæ adiúti, et a peccáto simus	Erlöse uns, Herr, allmächtiger Vater, von allem Bösen und gib Frieden in unseren Tagen. Komm uns zu Hilfe mit dei- nem Erbarmen und bewahre

semper líberi et ab omni perturbatióne secúri: exspectántes beátam spem et advéntum Salvatóris nostri Iesu Christi.

uns vor Verwirrung und Sünde, damit wir voll Zuversicht das Kommen unseres Erlösers Jesus Christus erwarten.

Er schließt die Hände. Die Gemeinde beschließt das Gebet mit dem Ruf:

Quia tuum est regnum,
et potéstas,
et glória
in sæcula. Amen.

Denn dein ist das Reich
und die Kraft
und die Herrlichkeit
in Ewigkeit. Amen.

FRIEDENSGEBET

Der Priester lädt nun mit folgenden oder ähnlichen Worten zum Friedensgebet ein:

Der Herr hat zu seinen Aposteln gesagt: Frieden hinterlasse ich euch, meinen Frieden gebe ich euch. Deshalb bitten wir:

Mit gefalteten Händen:

Herr Jesus Christus,
* schau nicht auf unsere Sünden, sondern auf den Glauben deiner Kirche und schenke ihr nach deinem Willen Einheit und Frieden.

Gebetseinladung und Christusanrede können der Zeit des Kirchenjahres oder dem Anlaß angepaßt werden. Etwa:

In der Weihnachtszeit:

Als Christus geboren wurde, verkündeten Engel den Frieden auf Erden.
Deshalb bitten wir:

Mit gefalteten Händen:

Herr Jesus Christus, starker Gott, Friedensfürst, *

In der Fastenzeit:

Christus ist unser Friede und unsere Versöhnung.
Deshalb bitten wir:

Mit gefalteten Händen:

Herr Jesus Christus, *

In der Osterzeit:

Am Ostertag trat Jesus in die Mitte seiner Jünger und sprach den Friedensgruß.
Deshalb bitten wir:

Mit gefalteten Händen:

Herr Jesus Christus.
du Sieger über Sünde und Tod, *

Am Pfingsttag:

Unser Herr Jesus Christus hat den Heiligen Geist gesandt, damit er die Kirche aus allen Völkern in Einheit und Liebe zusammenfüge. Deshalb bitten wir:

Mit gefalteten Händen:

Herr Jesus Christus, *

Der Gemeinde zugewandt, breitet der Priester die Hände aus und singt oder spricht:

P: Pax Dómini sit semper vobíscum.
G: Et cum spíritu tuo.

P: Der Friede des Herrn sei allezeit mit euch.
G: Und mit deinem Geiste.

Der Diakon oder der Priester kann dazu auffordern, in einer den örtlichen Gewohnheiten entsprechenden Weise einander die Bereitschaft zu Frieden und Versöhnung zu bekunden; etwa:

Gebt einander ein Zeichen des Friedens und der Versöhnung.

Brechung des Brotes

Der Priester bricht die Hostie über der Schale in mehrere Teile zum Zeichen, daß alle von demselben Brot essen und an dem einen Leib Christi teilhaben. Es können auch mehrere große Hostien gebrochen werden. Ein kleines Fragment der (einer) Hostie senkt er in den Kelch. Dabei spricht er leise :

Das Sakrament des Leibes und Blutes Christi
schenke uns ewiges leben.

Agnus Dei

Inzwischen wird der Gesang zur Brechung (Agnus Dei) gesungen bzw. gesprochen:

Agnus Dei, qui tollis peccáta mundi: miserére nobis. Agnus Dei, qui tollis peccáta mundi: miserére nobis. Agnus Dei, qui tollis peccáta mundi: dona nobis pacem.	Lamm Gottes, du nimmst hinweg die Sünde der Welt: erbarme dich unser. Lamm Gottes, du nimmst hinweg die Sünde der Welt: erbarme dich unser. Lamm Gottes, du nimmst hinweg die Sünde der Welt: gib uns deinen Frieden.

Stilles Gebet vor der Kommunion

Der Priester faltet die Hände und spricht leise:

Herr Jesus Christus, Sohn des lebendigen Gottes, dem Willen des Vaters gehorsam, hast du im Heiligen Geist durch deinen Tod der Welt das Leben geschenkt. Erlöse mich durch deinen Leib und dein Blut von allen Sünden und allem Bösen. Hilf mir, daß ich deine Gebote treu erfülle, und laß nicht zu, daß ich jemals von dir getrennt werde.

Oder:

Herr Jesus Christus, der Empfang deines Leibes und Blutes bringe mir nicht Gericht und Verdammnis, sondern Segen und Heil.

EINLADUNG ZUR KOMMUNION

Der Priester macht eine Kniebeuge, nimmt ein Stück der Hostie, hält es über der Schale und spricht, zur Gemeinde gewandt, laut:

Ecce Agnus Dei, ecce qui tollit peccata mundi. Beáti qui ad cenam Agni vocati sunt.

Seht das Lamm Gottes, das hinwegnimmt die Sünde der Welt.

Gemeinsam mit der Gemeinde spricht er einmal:
Der Priester kann hinzufügen:

Dómine, non sum dignus, ut intres sub tectum meum, sed tantum dic verbo et sanábitur ánima mea.

Herr, ich bin nicht würdig, daß du eingehst unter mein Dach, aber sprich nur ein Wort, so wird meine Seele gesund.

Selig, die zum Hochzeitsmahl des Lammes geladen sind.

Oder:

Kostet und seht, wie gut der Herr ist.

Oder:

Wer von diesem Brot ißt, wird in Ewigkeit leben.

Oder einen anderen Kommunionvers aus dem Meßbuch, vor allem den der Tagesmesse.

KOMMUNIONSPENDUNG

Der Priester spricht leise:

Der Leib Christi schenke mir das ewige Leben.

Er empfängt den Leib Christi. Dann nimmt er den Kelch und spricht leise:

Das Blut Christi schenke mir das ewige Leben.

Er empfängt das Blut Christi.
Danach teilt er die Kommunion aus. Er zeigt jedem Kommunikanten die Hostie, indem er sie ein wenig emporhebt, und spricht:

Corpus Christi. Der Leib Christi.

Der Kommunikant antwortet: Amen.
und empfängt die Kommunion.

In gleicher Weise teilen auch Diakon, Akolyth und Kommunionhelfer die Kommunion aus.
Wird die Kommunion unter beiden Gestalten gereicht, so geschieht das in einer der dafür vorgesehenen Weisen.
Beim Reichen des Kelches spricht der Kommunionspender:

Sanguis Christi. Das Blut Christi.

Der Kommunikant antwortet: Amen.

Gesang zur Kommunion

Während der Priester den Leib des Herrn empfängt, wird der Gesang zur Kommunion angestimmt.

Purifikation der Gefässe

Nach der Kommunionausteilung purifiziert der Priester (Diakon, Akolyth) die Hostienschale über dem Kelch und dann auch den Kelch. Unterdessen betet er still:

Was wir mit dem Munde empfangen haben, Herr,
das laß uns mit reinem Herzen aufnehmen,
und diese zeitliche Speise
werde uns zur Arznei der Unsterblichkeit.

Besinnung und Dankhymnus

Nach der Kommunionausteilung kann der Priester an seinen Sitz zurückkehren. Auch kann man einige Zeit in stillem Gebet verweilen. Es empfiehlt sich, einen Dankpsalm oder ein Loblied zu singen.

Schlussgebet

Der Priester steht am Altar oder am Sitz. Er singt oder spricht:

Orémus. Lasset uns beten.

Falls schon vorher Zeit zum stillen Gebet gegeben war, folgt sofort das Gebet. Der Priester breitet die Hände aus und singt oder spricht das Schlußgebet.
Die Gemeinde beschließt das Gebet mit dem Ruf: Amen.

ENTLASSUNG

VERLAUTBARUNGEN

Wenn noch kurze Verlautbarungen für die Gemeinde zu machen sind, werden sie hier eingefügt.

SEGEN UND ENTLASSUNG

Es folgt die Entlassung. Der Priester singt oder spricht:

P: Dóminus vobíscum.
G: Et cum spíritu tuo.

P/D: Ite, missa est.
allelúia, allelúia.
G: Deo grátias
allelúia, allelúia.

P: Der Herr sei mit euch.
G: Und mit deinem Geiste.

P/D: Gehet hin in Frieden.
Halleluja, Halleluja.
G: Dank sei Gott, dem Herrn.
Halleluja, Halleluja.

Der Priester segnet die Gemeinde, indem er singt oder spricht:
An bestimmten Tagen und zu bestimmten Anlässen kann der Priester statt des einfachen Segens eine feierliche Segensformel bzw. ein Gebet über die Gläubigen oder den Wettersegen sprechen.
Ein Verzeichnis der in diesem Buch abgedruckten Schlußsegen finden Sie auf Seite 889.

Der Diakon (oder der Priester selbst) singt oder spricht, zur Gemeinde gewandt, mit gefalteten Händen:

P/D: Ite, missa est.
G: Deo grátias.

P/D: Gehet hin in Frieden
G: Dank sei Gott, dem Herrn.

In der Osterwoche bis zum Weißen Sonntag:

P: Benedícat vos
omnipótens Deus,
Pater, et Fílius,
† et Spíritus Sanctus.
G: Amen.

P: Es segne euch
der allmächtige Gott,
der Vater und der Sohn
† und der Heilige Geist.
G: Amen.

Wenn der Entlassungsruf gesungen wird, kann das doppelte Halleluja in der ganzen Osterzeit hinzugefügt werden.

Wie zu Beginn des Gottesdienstes küßt der Priester den Altar. Gemeinsam mit allen, die bei der Meßfeier einen besonderen Dienst versehen haben,. macht er die vorgesehene Ehrenbezeigung und kehrt zur Sakristei zurück. Folgt unmittelbar auf die Meßfeier eine andere liturgische Feier, endet die Meßfeier mit dem Schlußgebet ohne den Schlußsegen und die Entlassung.

Die Wort-Gottes-Feier

Auszug aus dem Werkbuch für die Sonn- und Festtage.
Herausgegeben von den Liturgischen Instituten Deutschlands und Österreichs

WORT-GOTTES-FEIER

Seit den Tagen der Apostel versammeln sich die Christen am ersten Tag der Woche zur Feier der Eucharistie, die für sie unverzichtbar ist. Der Mangel an Priestern hat auch hierzulande dazu geführt, dass die sonntägliche Eucharistiefeier nicht mehr in jeder Gemeinde möglich ist. Daher empfiehlt bereits die Gemeinsame Synode der Bistümer in der Bundesrepublik Deutschland, dort sonntägliche Wortgottesdienste ohne Priester zu feiern, wo keine Eucharistiefeier stattfinden kann (Beschluss »Gottesdienst« 2.4.3).

Dabei muss klar bleiben: Zur Eucharistiefeier gibt es keine Alternative. Es ist nicht so, als könne man zwischen zwei gleichwertigen Möglichkeiten wählen. Das muss spürbar sein. Eine Wort-Gottes-Feier soll nur dort an die Stelle der sonntäglichen Meßfeier treten, wo die Eucharistie nicht gefeiert werden kann und der nächste Ort, an dem die heilige Messe gefeiert wird, unzumutbar weit entfernt ist. Die Regelung dafür trifft der jeweilige Diözesanbischof.

Die … Modelle möchten jede Verwechslung mit der Eucharistiefeier ausschließen und versuchen deshalb, der Wort-Gottes-Feier in der Abfolge wie in der Gestalt der einzelnen Elemente ein eigenständiges Profil zu geben. So kann nicht der Eindruck entstehen, die Wort-Gottes-Feier sei der erste Teil der Messfeier, der die Mahlfeier fehlt.

In jedem Fall bleibt es aber Ziel und Aufgabe der Kirche, darauf hinzuwirken, dass jede Pfarrgemeinde auch in Zukunft die sonntägliche Eucharistie feiern kann.

ERÖFFNUNG

VERKÜNDIGUNG DES WORTES GOTTES

ANTWORT DER GEMEINDE

ABSCHLUSS

***

AUSTEILUNG UND EMPFANG DER KOMMUNION

ERÖFFNUNG

EINZUG – GESANG ZUR ERÖFFNUNG

Vor Beginn des Einzugs kann zur Einstimmung Orgel oder andere Instrumentalmusik gespielt werden. Beim Einzug kann von einem Lektor, einer Lektorin das Mess-Lektionar bzw. Evangeliar mitgetragen werden. Falls das Taufgedächtnis gefeiert wird, können Ministrant(inn)en auch ein Gefäß mit Wasser mittragen. Während des Einzugs wird der Gesang zur Eröffnung gesungen.

KREUZZEICHEN – LITURGISCHER GRUSS – EINFÜHRUNG

Am Sitz wendet sich der Leiter, die Leiterin zur Gemeinde und spricht:

L:* Im Namen des Vaters und des Sohnes und des Heiligen Geistes. Amen.

Alle machen das Kreuzzeichen.

Wenn ein Diakon Leiter der Wort-Gottes-Feier ist:

D: Gnade und Friede von Gott, unserem Vater, und dem Herrn Jesus Christus sei mit euch.

A: Und mit deinem Geiste.

Oder ein anderer im Messbuch vorgesehener Text.

L: Der auferstandene Herr Jesus Christus ist bei uns heute und alle Tage bis in Ewigkeit.

A: Amen.

Oder:

L: Jesus Christus ist in unserer Mitte und schenkt uns seinen Frieden.

A: Amen.

* In der Wort-Gottes-Feier bezeichnet das Kürzel »L« den Leiter bzw. die Leiterin.

Oder:

L: Der Name des Herrn sei gepriesen.
A: Von nun an bis in Ewigkeit.

Oder:

L: Unsere Hilfe ist im Namen des Herrn.
A: Der Himmel und Erde erschaffen hat.

Oder:

L: Der Herr ist in unserer Mitte.
A: Er ist wirklich unter uns.

Oder ein anderes geeignetes Eröffnungswort.

Der Leiter, die Leiterin oder jemand anderes führt nun mit folgenden oder ähnlichen Worten in die sonn-(fest-)tägliche Feier ein.

L: Am ersten Tag der Woche, dem Sonntag, versammeln sich Christen, um Gott für Tod und Auferstehung Jesu Christi zu preisen. Auch wenn wir an diesem Sonntag nicht Eucharistie feiern können, gedenken wir beim Hören des Wortes Gottes der großen Taten, die Gott an uns Menschen getan hat und heute noch an uns tut. Ihm danken wir für die Hoffnung, die er uns im Tod und in der Auferstehung seines Sohnes geschenkt hat.

Oder:

L: Nach einer Woche, die wir unterschiedlich erlebt haben, lädt Christus uns ein, zu ihm zu kommen. Ihm halten wir unser Leben hin mit allem, was es gerade ausmacht: was uns erfreut, aber auch unsere Sorgen und unsere Schuld. Danken wir ihm für das, was gelungen ist, bitten wir ihn um Kraft für das, was uns aufgegeben ist.

Oder:

L: Gottes heilende und befreiende Liebe ist uns in den Worten und Taten Jesu Christi sichtbar geworden. Wir haben uns versammelt, um sein befreiendes Wort zu hören und seine heilsame Nähe zu erfahren.

Oder:

L: Die Heilige Schrift ist für Christen kein totes Wort. Wir glauben, dass der Herr in seinem Wort in der Gemeinde fortlebt und seine Kirche aufbaut. Christus selbst spricht zu uns und erklärt uns die Schrift, um uns Freiheit und Erlösung zu schenken. Ihm huldigen wir.

Oder:

L: Ganz verschiedene Menschen haben sich zu unserem Gottesdienst versammelt: Frauen und Männer, Alte und Junge, Menschen mit unterschiedlichen Ansichten, Meinungen und Lebenserfahrungen. Uns alle verbindet: Gott hat uns als seine Gemeinde hier zusammengerufen. Er beschenkt uns mit seinem Wort. Er stärkt uns im Glauben und in der Gemeinschaft. Er gibt uns von seinem Geist. Er ermutigt uns zum Christsein im Alltag.

Oder:

L: Es kann unterschiedliche Gründe dafür geben, dass wir jetzt hier sind. Doch gemeinsam ist unsere Zuversicht: Wir werden in dieser Feier beschenkt. Wir dürfen sehen und erfahren, dass wir als Glaubende nicht allein sind. Es wird uns Gottes Wort verkündet, wir hören, was Gott durch Christus getan hat und bis heute unter uns tut. Christus grüßen wir jetzt mit dem Ruf, mit dem ihn seit 2 000 Jahren Christen begrüßen:

CHRISTUSRUFE (KYRIE-LITANEI)

Nun können sich Anrufungen an Christus anschließen, die in der Regel gesungen werden.

V: Herr Jesus Christus, du bist das lebendige Wort Gottes.
K: Herr, erbarme dich. Oder: Kyrie eleison.
A: Herr, erbarme dich. Oder: Kyrie eleison.

V: Dein Wort ist das Licht auf unseren Wegen.
K: Christus, erbarme dich. Oder: Christe eleison.
A: Christus, erbarme dich. Oder: Christe eleison.

V: Du hast Worte des ewigen Lebens.
K: Herr, erbarme dich. Oder: Kyrie eleison.
A: Herr, erbarme dich. Oder: Kyrie eleison.

Es können auch andere geeignete Kyrie-Rufe aus dem GL bzw. KG genommen werden. Ferner stehen die in diesem MESSBUCH an den jeweiligen Tagen abgedruckten Rufe zur Verfügung.

ERÖFFNUNGSGEBET

Der Leiter, die Leiterin lädt zum Gebet ein.

L: Lasset uns beten.

Nach einer kurzen Stille trägt der Leiter, die Leiterin das Eröffnungsgebet vor. Es wird das Eröffnungsgebet vom betreffenden Sonntag (Festtag) genommen.

VERKÜNDIGUNG DES WORTES GOTTES

ERSTE LESUNG

An Sonn- und Festtagen sind vor dem Evangelium zwei Lesungen vorgesehen. Die Gemeinde kann durch kurze Hinweise in die Lesungen eingeführt werden. Der Lektor, die Lektorin (holt gegebenenfalls das Mess-Lektionar) geht zum Ambo und trägt die erste Lesung vor. Nach der Lesung soll eine kurze Stille gehalten werden.

PSALM (GESANG)

Der Kantor, die Kantorin trägt den vorgesehenen Antwortpsalm oder einen anderen passenden Psalm vom Ambo aus vor. Die Gemeinde antwortet mit der Antiphon (dem Kehrvers).

ZWEITE LESUNG

Es folgt die zweite Lesung.

Falls eine Evangelienprozession vorgesehen ist, wird das Mess-Lektionar nach der Lesung zum Kredenztisch gebracht.

RUF VOR DEM EVANGELIUM

Wer das Evangelium verkündet, (holt das Evangeliar vom Altar bzw. dem Platz, wo es sich befindet, und) geht zusammen mit den Ministrant(inn)en, die brennende Kerzen und gegebenenfalls Weihrauch tragen, in Prozession zum Ambo. Die Gemeinde erhebt sich.
Während der Prozession wird das Halleluja oder der in der Fastenzeit vorgesehene Christusruf gesungen.

EVANGELIUM

Am Ambo trägt der Diakon oder ein Lektor, eine Lektorin oder der Leiter, die Leiterin das Evangelium vor.

(D: Der Herr sei mit euch.
A: Und mit deinem Geiste.)
D/L: ✝ Aus dem heiligen Evangelium nach N.
A: Ehre sei dir, o Herr.

Wird Weihrauch verwendet, so wird nun das Buch beräuchert; dann wird das Evangelium verkündet.

Wo nach dem Evangelium ein Zuruf der Gemeinde üblich ist, wird angefügt:

D/L: Evangelium unseres Herrn Jesus Christus.
A: Lob sei dir, Christus.

Als Zuruf nach dem Evangelium kann auch das Halleluja bzw. in der Fastenzeit der Christusruf wiederholt und in feierlicher Mehrstimmigkeit abgeschlossen werden.

Auslegung und Deutung

Es folgen die Auslegung und Deutung der Schriftlesungen.
Stille

Antwort der Gemeinde

Als Antwort der Gemeinde auf die Verkündigung des Wortes Gottes eignet sich eine sinnvolle Auswahl aus den folgenden Elementen.

· Glaubensbekenntnis
· Predigtlied
· Taufgedächtnis
· Schuldbekenntnis und Vergebungsbitte
· Segnungen, die zum Sonn-(Fest-)tag gehören.

Danach schließt sich das Friedenszeichen (s. Seite 567) an.

A) Glaubensbekenntnis

Das Apostolische oder das Große Glaubensbekenntnis wird von dem Leiter, der Leiterin zusammen mit der ganzen Gemeinde gesprochen oder gesungen.

L: Wir sprechen das Apostolische (oder: Große) Glaubensbekenntnis.
A: Ich glaube an Gott ... (GL 2, 5 · KG 31, 3)

Oder:

A: Wir glauben an den einen Gott ... (GL 356 · KG 245)

B) Predigtlied

Schriftlesung, Auslegung und Deutung können im Predigtlied nachklingen und vertieft werden.

C) TAUFGEDÄCHTNIS (Form A)

Der Leiter, die Leiterin geht zum Taufbrunnen, oder es wird ein geeignetes Gefäß mit Wasser gebracht. Der Leiter, die Leiterin lädt mit folgenden oder ähnlichen Worten zum Taufgedächtnis ein:

L: Das Wasser erinnert uns daran: Wir alle sind in der Taufe von Gott erwählt, sein heiliges Volk zu sein, wir alle haben teil am Priestertum seines Sohnes und sind berufen, seine großen Taten zu verkünden.

Lasset uns beten.

Gott, du Quelle des Lebens.
Du schenkst uns dein Heil in sichtbaren Zeichen.
So sei uns dieses Wasser ein Zeichen für das neue Leben,
das du in der Taufe in uns gewirkt hast.
Erneuere in uns die Gaben deines Geistes.
Darum bitten wir durch Christus, unseren Herrn.

A: Amen.

Nach dem Gebet wird das Wasser ausgeteilt. Zur Austeilung des Wassers kann die Gemeinde singen. Die Austeilung kann auf verschiedene Weise geschehen:

- Das Wasser wird über die Gläubigen ausgesprengt.
- Das Wasser wird den Gläubigen gereicht; die Gläubigen bekreuzigen sich.
- In einer Prozession gehen die Mitfeiernden zum Taufort, nehmen vom Wasser im Taufbrunnen und bekreuzigen sich damit. Der Leiter, die Leiterin kann auch den Einzelnen mit dem Wasser ein Kreuz auf die Stirn zeichnen.

D) SCHULDBEKENNTNIS UND VERGEBUNGSBITTE

Der Leiter, die Leiterin lädt die Gemeinde mit folgenden oder ähnlichen Worten zum Schuldbekenntnis ein. In der Einleitung kann auch ein Wort aus dem Evangelium aufgegriffen werden.

L: Schwestern und Brüder, das Wort Gottes hat unser Gewissen erleuchtet. Es ist wirksam, es vermag die Gedanken des Herzens zu richten. Alles liegt offen vor den Augen Gottes. Besinnen wir uns auf unser Versagen und bekennen wir unsere Schuld.

Nach einer kurzen Stille sprechen alle gemeinsam das Schuldbekenntnis.

A: Ich bekenne Gott, dem Allmächtigen ... (s. Seite 505)

Oder:

L: Wir haben Gottes Wort gehört. Es ist für uns Rettung und Heil. Vor Gott und unseren Schwestern und Brüdern wollen wir bekennen, dass wir gesündigt haben.

A: Ich bekenne Gott, dem Allmächtigen ... (s. Seite 505)

Oder:

L: Das Wort Gottes hat unser Gewissen erleuchtet; es lädt uns ein, umzukehren zum Herrn. Es drängt uns, ihm zu bekennen:

A: Ich bekenne Gott, dem Allmächtigen ... (s. Seite 505)

Oder:

L: Gott hat uns im Wort der Schrift seinen Willen kundgetan. Vor diesem Wort prüfen wir uns und bitten den Herrn um Vergebung unserer Schuld.

A: Ich bekenne Gott, dem Allmächtigen ... (s. Seite 505)

Oder:

L: Jesus Christus ist nicht gekommen, um zu richten, sondern zu suchen, was verloren ist, und zu befreien, was in Schuld und Angst gefangen liegt, um uns zu retten, wenn unser Herz uns anklagt. So wollen wir vertrauensvoll vor Gott und voreinander bekennen, dass wir gesündigt haben.

Oder:

L: Schwestern und Brüder, das Wort Gottes hat uns gestärkt und ermutigt. Es lässt uns aber auch unser Versagen und unsere Schuld erkennen. Im Vertrauen auf die Güte des Herrn rufen wir:

L: Erbarme dich, Herr, unser Gott. erbarme dich.
A: Denn wir haben vor dir gesündigt.
L: Erweise uns, Herr, deine Huld.
A: Und schenke uns dein Heil.

Oder: Psalm 130 (GL 191 · KG 400, 1)

L: Der allmächtige Gott erbarme sich unser. Er lasse uns die Sünden nach und führe uns zum ewigen Leben.
A: Amen.

E) SEGNUNGEN, DIE ZUM SONN-(FEST-)TAG GEHÖREN

Anrufungen und Segensgebet werden aus der jeweiligen Ordnung des Benediktionale für die katholischen Bistümer des deutschen Sprachgebietes übernommen. Gegebenenfalls können auch Weihwasser und Weihrauch verwendet werden. Bei der Segnung von Personen kann diesen ein Kreuz auf die Stirn gezeichnet werden.

FRIEDENSZEICHEN

Der Leiter, die Leiterin lädt zum Friedensgruß mit folgenden oder ähnlichen Worten ein:

L: Jesus Christus ist unser Friede und unsere Versöhnung. Friede mit ihm ist die Quelle des Friedens unter uns Menschen. Geben wir einander ein Zeichen dieses Friedens.

Oder:

L: Der auferstandene Herr hat uns seinen Frieden zugesprochen. Deshalb gilt auch für uns die Aufforderung: In euren Herzen herrsche der Friede Christi, dazu seid ihr berufen als Glieder eines Leibes. Geben wir einander ein Zeichen dieses Friedens.

Es kann ein Friedenslied gesungen werden.

Kollekte (Sammlung der Gaben)

Auf die Verwendung der Kollekte kann mit folgenden oder ähnlichen Worten hingewiesen werden.

Die Verbundenheit, die wir im Friedensgruß bekundet haben, geht über unsere Gemeinde hinaus. Dies wird auch in unserer Kollekte sichtbar, die heute bestimmt ist für ...

Zur Kollekte wird ein Lied gesungen oder Instrumentalmusik gespielt.

Lobpreis und Bitte

Sonn-(Fest-)täglicher Lobpreis

Am Sitz lädt der Leiter, die Leiterin zum Lobpreis ein. Die Gemeinde erhebt sich.

L: Schwestern und Brüder, Gott hat zu uns gesprochen in den heiligen Schriften. Wir haben sein Wort gehört. Im Sonntäglichen Lobpreis/Festtäglichen Lobpreis geben wir ihm Antwort. Wir vereinen uns mit allen auf der Erde, die heute den Tag des Herrn feiern, und beten:

Oder:

L: Lasst uns einstimmen in den Sonntäglichen Lobpreis/Festtäglichen Lobpreis.

Oder:

L: Kommt, lasst uns den Herrn loben und preisen.

Stille

Der nachfolgende Sonn-(Fest-)tägliche Lobpreis *Lobpreis und Dank für Jesus Christus* (Vorschlag D) ist eine von sieben Auswahlmöglichkeiten, die das Werkbuch bereithält.

Die folgende Akklamation wird beim ersten Mal vorgesungen und dann von allen wiederholt. Anstelle der gesungenen Akklamation kann der folgende Ruf auch jeweils gesprochen werden.

K/L: Jesus Christus ist der Herr zur Ehre Gottes des Vaters.
A: Jesus Christus ist der Herr zur Ehre Gottes des Vaters.

GL 174 · KG 281

L: Menschenfreundlicher Gott, Vater unseres Herrn Jesus Christus, so sehr hast du die Welt geliebt, dass du uns deinen einzigen Sohn gabst, damit jeder, der an ihn glaubt, nicht zugrunde geht, sondern das ewige Leben hat.
A: Jesus Christus ist der Herr zur Ehre Gottes des Vaters.

L: Wir preisen dich, Vater, für die Menschwerdung deines Sohnes, für seine Geburt aus der Jungfrau Maria, für sein Leben in unserer Mitte.
A: Jesus Christus ist der Herr zur Ehre Gottes des Vaters.

L: Wir preisen dich, Vater, für Jesu Leben in Nazaret, für die Offenbarung deines Sohnes am Jordan, für seinen Sieg über den Versucher in der Wüste.
A: Jesus Christus ist der Herr zur Ehre Gottes des Vaters.

L: Wir preisen dich, Vater, für jedes Wort aus dem Munde Jesu, für sein heilendes Wirken, für die Zeichen seiner Herrlichkeit.
A: Jesus Christus ist der Herr zur Ehre Gottes des Vaters.

L: Wir preisen dich, Vater, für das Abendmahl deines Sohnes, für sein Leiden und Sterben, für seine Grabesruhe und seine Auferstehung.
A: Jesus Christus ist der Herr zur Ehre Gottes des Vaters.

L: Wir preisen dich, Vater, für alle Macht, die du Christus gegeben hast, im Himmel und auf Erden, für seine Auffahrt zu dir, für die Sendung des Heiligen Geistes.
A: Jesus Christus ist der Herr zur Ehre Gottes des Vaters.

L: Wir preisen dich, Vater, dass dein Sohn uns nicht allein lässt; dass er gegenwärtig ist, wo zwei oder drei in seinem Namen versammelt sind; dass er alle Tage bei uns ist bis zum Ende der Welt.

A: Jesus Christus ist der Herr zur Ehre Gottes des Vaters.
L: Wir preisen dich, Vater, Herr des Himmels und der Erde, in Dankbarkeit, in Ehrfurcht und in Liebe durch deinen Sohn im Heiligen Geist und stimmen ein in das Loblied der himmlischen Chöre:

Hymnus

An den Festtagen und an den Sonntagen außerhalb der Advents- und Fastenzeit schließt der Hymnus »Ehre sei Gott in der Höhe« (Gloria-Hymnus) den Lobpreis ab. In der Advents- und Fastenzeit schließt der Lobpreis mit folgendem Hymnus ab:

Dir gebührt unser Lob,
dir unser rühmendes Lied!
Dir, o Gott, sei Ehre und Ruhm:
dem Vater und dem Sohne
und dem Heiligen Geiste,
jetzt und immer und in Ewigkeit. Amen.

Nach »Te decet laus, te decet hymnus« (frühchristlich)

Fürbitten (Allgemeines Gebet)

Nach dem Hymnus folgen die Fürbitten. Es sollte in der Regel gebetet werden für die Anliegen der Weltkirche und der Ortsgemeinde, die Regierenden, die Notleidenden, alle Menschen und das Heil der ganzen Welt, ausdrücklich auch für den Papst und den Diözesanbischof. Es ist sinnvoll, regelmäßig darum zu beten, dass die Gemeinde wieder gemeinsam die Eucharistie feiern kann. Der Leiter, die Leiterin spricht die Einleitung. Die einzelnen Anliegen werden von (verschiedenen) Gemeindegliedern vorgetragen. Dabei sollte eine ausreichende Zeit der Stille gegeben werden, damit auch für eigene Anliegen gebetet werden kann. Die Antwort der Gemeinde kann gesungen werden. Der Leiter, die Leiterin lädt nach der letzten Bitte sogleich zum Vaterunser ein.
Folgen Austeilung und Empfang der Kommunion, so werden die Fürbitten vom Leiter, der Leiterin durch ein Lobgebet abgeschlossen.

Vaterunser

Der Leiter, die Leiterin lädt zum gemeinsamen Gebet des Vaterunsers ein.

L: Wir heißen Kinder Gottes und sind es. Darum beten wir voll Vertrauen:

Oder:

L: Lasst uns beten, wie der Herr uns zu beten gelehrt hat:

Oder:

L: Wir haben den Geist empfangen, der uns zu Kindern Gottes macht. Darum wagen wir zu sprechen:

A: Vater unser im Himmel ... Denn dein ist das Reich und die Kraft und die Herrlichkeit in Ewigkeit. Amen. (s. Seite 546)

Loblied/Danklied

An dieser Stelle kann ein Loblied, ein Danklied oder ein der Kirchenjahreszeit entsprechendes Lied gesungen werden.

ABSCHLUSS

MITTEILUNGEN

An dieser Stelle kann auf Gottesdienste und Veranstaltungen der Gemeinde an den kommenden Tagen hingewiesen oder anderes bekannt gemacht werden.

SEGENSBITTE

Leitet ein Diakon die Feier, so erteilt er am Sitz den Segen in der für ihn vorgesehenen Weise (vgl. Messbuch). Leitet ein Beauftragter Laie die Feier, so kann die Segensbitte in folgender oder ähnlicher Weise erfolgen:

L: Der Herr segne uns und behüte uns. Der Herr lasse sein Angesicht über uns leuchten und sei uns gnädig. Der Herr wende uns sein Angesicht zu und schenke uns seinen Frieden.

A: Amen.

Oder:

L: Der Vater schenke uns seine Liebe.
A: Amen.
L: Der Sohn erfülle uns mit seinem Leben.
A: Amen.
L: Der Heilige Geist stärke uns mit seiner Kraft.
A: Amen.

Die Segensbitte schließt mit den Worten:

L: Und der Segen des allmächtigen Gottes, des Vaters und des Sohnes und des Heiligen Geistes komme auf uns herab und bleibe bei uns allezeit.

Währenddessen machen alle das Kreuzzeichen.

A: Amen.

Entlassung

L: Singet Lob und Preis.
A: Dank sei Gott, dem Herrn.

Beziehungsweise:

D: Gehet hin in Frieden.
A: Dank sei Gott, dem Herrn.

Abendlied/Morgenlied/Marienlied

Zum Abschluss kann gegebenenfalls ein Abend- oder Morgenlied oder ein Marienlied gesungen werden.

Auszug

Der Auszug findet in derselben Ordnung statt wie der Einzug. Er kann mit Orgel- oder anderer Instrumentalmusik begleitet werden.

AUSTEILUNG UND EMPFANG DER KOMMUNION

Die Wortes-Gottes-Feier folgt bis einschließlich der Fürbitten der oben aufgeführten Ordnung. Die Fürbitten werden jedoch in diesem Fall vom Leiter, von der Leiterin durch ein Lobgebet abgeschlossen. Die Austeilung der Kommunion schließt sich nach dem folgenden Modell an.

HINWEIS AUF DIE EUCHARISTISCHE GEMEINSCHAFT

Der Leiter, die Leiterin verweist am Sitz mit folgenden oder ähnlichen Worten auf die eucharistische Tischgemeinschaft:

L: Wir haben die Gegenwart unseres Herrn Jesus Christus erfahren in der Verkündigung seines Wortes. Das eucharistische Brot, das uns jetzt geschenkt wird, verbindet uns mit der Eucharistiefeier, die wir am vergangenen Sonntag (in der vergangenen Woche, im vergangenen Monat, am Fest ...) hier zuletzt gefeiert haben.

Oder:

L: Wir haben die Gegenwart unseres Herrn Jesus Christus erfahren in der Verkündigung seines Wortes. Das eucharistische Brot, das uns jetzt geschenkt wird, verbindet uns mit der Eucharistiefeier, die heute in unserer Nachbargemeinde gefeiert wurde.

L: Die bleibende Gegenwart des Herrn im eucharistischen Brot ist uns kostbares Gut, das den Glauben nährt, die Hoffnung stärkt und die Gemeinschaft mit unserem Herrn Jesus Christus festigt.

BEREITUNG DES ALTARES – ÜBERTRAGUNG DES ALLERHEILIGSTEN

Ein Ministrant, eine Ministrantin breitet das Korporale auf dem Altar aus. Die Gemeinde kniet. Während der Übertragung wird ein Christus- oder ein Sakramentslied gesungen.

STILLE ANBETUNG

Nach der Übertragung lädt der Leiter, die Leiterin zur stillen Anbetung ein und kniet zusammen mit den anderen liturgischen Diensten vor dem Altar nieder.

VATERUNSER

Die Gemeinde erhebt sich. Der Leiter, die Leiterin lädt zum Gebet des Herrn ein.

L: Lasst uns beten, wie der Herr uns zu beten gelehrt hat:

Alle singen oder sprechen gemeinsam:

A: Vater unser im Himmel ... Denn dein ist das Reich und die Kraft und die Herrlichkeit in Ewigkeit. Amen. (s. Seite 546)

EINLADUNG ZUR KOMMUNION – KOMMUNION

Der Leiter, die Leiterin macht vor dem Altar eine Kniebeuge, nimmt eine Hostie, hält sie über der Hostienschale und spricht der Gemeinde zugewandt:

L: Seht das Lamm Gottes, das hinwegnimmt die Sünde der Welt.

A: Herr, ich bin nicht würdig, dass du eingehst unter mein Dach, aber sprich nur ein Wort, so wird meine Seele gesund.

Dann teilt der Leiter, die Leiterin die Kommunion an die anderen Kommunionhelfer(innen) aus und empfängt selbst die Kommunion. Anschließend wird die Kommunion in der gewohnten Weise an die Gemeinde ausgeteilt.

Leiter(in) oder Kommunionhelfer(in): Der Leib Christi.
Kommunizierende(r): Amen.

Während der Kommunionausteilung kann Orgel- oder andere Instrumentalmusik gespielt werden. Es kann auch ein geeigneter Wechselgesang gewählt oder Stille gehalten werden.

Die Schale(n) mit den nach der Kommunionausteilung verbliebenen Hostien wird (werden) in den Tabernakel zurückgestellt. Die leeren Gefäße werden zur Kredenz gebracht und (nach dem Gottesdienst) gereinigt.

STILLE – DANKLIED

Nach einer angemessenen Zeit der Stille kann ein geeignetes Danklied gesungen werden.

SCHLUSSGEBET

Der Leiter, die Leiterin spricht am Sitz das folgende oder ein anderes Schlussgebet.

L: Lasset uns beten.

Nach eine kurzen Stille trägt der Leiter, die Leiterin das Schlussgebet vor.

L: Barmherziger Gott, du hast uns gestärkt durch das lebendige Brot, das vom Himmel kommt. Deine Liebe, die wir in der heiligen Speise empfangen haben, mache uns bereit, dir in unseren Schwestern und Brüdern zu dienen. Darum bitten wir durch Christus, unseren Herrn.

A: Amen.

Schlussgebete zur Auswahl

Gott, unser himmlischer Vater, du schenkst Vergebung und Frieden. Bleib bei uns auf dem Weg. Lass uns Sorge tragen für alle, die uns brauchen, und wo Unrecht deinem Reich entgegensteht, lass uns Verzeihung üben durch Jesus Christus, unseren Herrn.

Oder:

Gott, du bist reich an Liebe und Güte. Wie eine Mutter für ihre Kinder sorgt, so bist du uns zugetan. Begleite uns in dieser Woche, dass wir deinen Namen in Wort und Tat verherrlichen durch Jesus Christus, unseren Herrn.

Oder:

Gott, Urgrund unseres Seins! Wir danken dir für Jesus, deinen Sohn, unseren Herrn und Bruder. Er sei unsere Stärke, wenn wir dich, den Verborgenen, suchen. Er sei unsere Kraft, wenn wir auf seinen Spuren durchs Leben gehen. Darum bitten wir durch ihn, Jesus Christus, unseren Herrn.

Oder:

Allmächtiger Gott und Vater, du hast deinen gekreuzigten Sohn auferweckt und ihm, dem Lebendigen, die Macht des Leben spendenden Geistes gegeben. Nimm dich deiner Kirche an, o Herr, und erneuere ihre Jugend. Lass sie aufleben durch deinen Heiligen Geist durch Jesus Christus, unseren Herrn.

Oder:

Gott, unser Vater, dein Sohn hat uns von dir Kunde gebracht. Er hat uns erkennen lassen, wie du bist: groß in deiner Huld für deine Geschöpfe, gewaltig in deiner Hoheit, wehrlos in deiner Liebe. Wir sagen dir Dank durch ihn, der sich uns im Wort und im Brot des Lebens geschenkt hat, Jesus Christus, unseren Herrn.

Oder:

Herr, unser Gott, du hast gewollt, dass sich das Bild deines Sohnes auspräge im Wesen der Getauften, die du zu deinem Tisch geladen hast. Ermutige uns, dem Evangelium zu folgen und deinem Heiligen Geist Raum zu geben, durch Jesus Christus, unseren Herrn.

Die Feier wird in der Weise abgeschlossen, wie es auf Seite 571 vorgesehen ist.

Dreifaltigkeitssonntag
3. Juni 2012

Gepriesen sei der dreieinige Gott:
der Vater und sein eingeborener Sohn
und der Heilige Geist;
denn er hat uns sein Erbarmen geschenkt.

Menschen fragen zu allen Zeiten nach Gott. Ihren Fragen geben sie einen Namen. Im Laufe der Menschheitsgeschichte hat Gott viele Namen bekommen. Auch Dreifaltigkeit ist nur ein Name. Namen dürfen uns nicht in die Irre führen.

Ein Mann wird nach dem höchsten Namen Gottes gefragt: Brot, antwortet er. Und er erklärt auf Nachfrage: Vierzig Tage habe er in Nischapur eine Hungersnot erlebt. Alle Leute hätten nur nach Brot geschrien. »Seitdem weiß ich, dass der höchste Name Gottes Brot ist.«

(Zitiert nach: Kermani, der Schrecken Gottes)

Kyrie-Rufe

Oder: GL 305 · KG 62

Herr Jesus Christus, dein Wort gibt uns einen sicheren Stand, von dem aus wir die nächsten Schritte wagen: Herr, erbarme dich.
Dein Leben zeichnet uns die Wege vor, auf denen wir dir nachfolgen können: Christus, erbarme dich.
Deine Hingabe macht uns zu deinen Freunden und zu einer geschwisterlichen Gemeinde: Herr, erbarme dich.

Gloria (siehe Seite 508)

Tagesgebet

Herr, himmlischer Vater, du hast dein Wort und deinen Geist in die Welt gesandt, um das Geheimnis des göttlichen Lebens zu offenbaren. Gib, daß wir im wahren Glauben die Größe der göttlichen Dreifaltigkeit bekennen und die Einheit der drei Personen in ihrem machtvollen Wirken verehren. Darum bitten wir durch Jesus Christus.

ERSTE LESUNG Dtn 4,32–34.39–40

Lesung aus dem Buch Deuteronomium.

Mose sprach zum Volk; er sagte: Forsche einmal in früheren Zeiten nach, die vor dir gewesen sind, seit dem Tag, als Gott den Menschen auf der Erde schuf; forsche nach vom einen Ende des Himmels bis zum andern Ende:

Hat sich je etwas so Großes ereignet wie dieses und hat man je solche Worte gehört? Hat je ein Volk einen Gott mitten aus dem Feuer im Donner sprechen hören, wie du ihn gehört hast, und ist am Leben geblieben?

Oder hat je ein Gott es ebenso versucht, zu einer Nation zu kommen und sie mitten aus einer anderen herauszuholen unter Prüfungen, unter Zeichen, Wundern und Krieg, mit starker Hand und hoch erhobenem Arm und unter großen Schrecken wie es der Herr, euer Gott, in Ägypten mit euch getan hat, vor deinen Augen?

Heute sollst du erkennen und dir zu Herzen nehmen: Jahwe ist der Gott im Himmel droben und auf der Erde unten, keiner sonst.

Daher sollst du auf seine Gesetze und seine Gebote, auf die ich dich heute verpflichte, achten, damit es dir und später deinen Nachkommen gut geht und du lange lebst in dem Land, das der Herr, dein Gott, dir gibt für alle Zeit. IF

Das verheißene Land liegt nicht mehr zwischen dem Libanon und Beersheva, zwischen dem Mittelmeer und dem Euphrat. Das Land, in dem wir leben werden, ist das Reich Gottes, das überall dort entsteht, wo der Wille Gottes erfüllt und die Menschenwürde eingehalten wird. Es ist das Land, das allen Menschen guten Willens offen steht.

ANTWORTPSALM

Ps 33,4–6.9.18–20.22 (℟: vgl. 12b)

℟: Selig das Volk, das der Herr sich zum Erbteil erwählt hat.

V. Ton – GL 646,1 · KG 623

Das Wort des Herrn ist wahrhaftig, *
all sein Tun ist verlässlich.
Er liebt Gerechtigkeit und Recht, *
die Erde ist erfüllt von der Huld des Herrn. – ℟

Durch das Wort des Herrn wurden die Himmel geschaffen, *
ihr ganzes Heer durch den Hauch seines Mundes.
Der Herr sprach und sogleich geschah es; *
er gebot und alles war da. – ℟

Doch das Auge des Herrn ruht auf allen,
die ihn fürchten und ehren, *
die nach seiner Güte ausschaun;
denn er will sie dem Tod entreißen *
und in der Hungersnot ihr Leben erhalten. – ℟

Unsre Seele hofft auf den Herrn; *
er ist für uns Schild und Hilfe.
Lass deine Güte über uns walten, o Herr, *
denn wir schauen aus nach dir. – ℟

ZWEITE LESUNG

Röm 8,14–17

Lesung aus dem Römerbrief.

Schwestern und Brüder! Alle, die sich vom Geist Gottes leiten lassen, sind Söhne Gottes. Denn ihr habt nicht einen Geist empfangen, der euch zu Sklaven macht, sodass ihr euch immer noch fürchten müsstet, sondern ihr habt den Geist empfangen, der euch zu Söhnen macht, den Geist, in dem wir rufen: Abba, Vater!

So bezeugt der Geist selber unserem Geist, dass wir Kinder Gottes sind. Sind wir aber Kinder, dann auch Erben; wir sind Erben Gottes und sind Miterben Christi, wenn wir mit ihm leiden, um mit ihm auch verherrlicht zu werden. ℉

Einen besseren Lesungstext als den von heute können wir uns kaum für unser Christsein wünschen und vorstellen. Paulus sagt klar und eindeutig, was die Menschen sind, die sich vom Geist Gottes leiten lassen: Töchter und Söhne Gottes. Als Kinder Gottes sind wir, so folgert der Apostel, erbberechtigt.

RUF VOR DEM EVANGELIUM

Vgl. Offb 1,8

Halleluja. Halleluja.
Ehre sei dem Vater und dem Sohn und dem Heiligen Geist. Ehre sei dem einen Gott, der war und der ist und der kommen wird.
Halleluja.

EVANGELIUM

Mt 28,16–20

Aus dem heiligen Evangelium nach Matthäus.

In jener Zeit gingen die elf Jünger nach Galiläa auf den Berg, den Jesus ihnen genannt hatte. Und als sie Jesus sahen, fielen sie vor ihm nieder. Einige aber hatten Zweifel.

Da trat Jesus auf sie zu und sagte zu ihnen: Mir ist alle Macht gegeben im Himmel und auf der Erde. Darum geht zu allen Völkern und macht alle Menschen zu meinen Jüngern; tauft sie auf den Namen des Vaters und des Sohnes und des Heiligen Geistes und lehrt sie, alles zu befolgen, was ich euch geboten habe.

Seid gewiss: Ich bin bei euch alle Tage bis zum Ende der Welt. IF

Auf drei Wegen kommt Gott uns nach unserem Glauben und den Zeugnissen der Schrift entgegen: Zuerst als der Schöpfer des Universums. Auf den ersten Seiten unserer Heiligen Schrift wird mit einem Lied die Schöpferkraft Gottes besungen, der aus dem Nichts alles schafft, was ist und was noch sein wird. Nur dürfen wir dieses Lied nicht wie einen wissenschaftlichen Bericht lesen; sonst werden wir ihm nicht gerecht. Der Hymnus preist Gottes Handeln, wie es uns im Ergebnis vorliegt und wie es sich bestimmt noch weiter entwickeln wird. Auch durch uns Menschen; denn er hat uns zu Teilhabern seiner göttlichen Kraft gemacht.

Der zweite Weg Gottes zu uns Menschen beweist sich in Jesus von Nazaret. Das Entgegenkommen Gottes geht so weit, dass er in seiner Gestalt in allem uns gleich wurde. Damit offenbart sich ein ferner, ein gewaltiger Gott als nahe und menschenfreundlich. Keine andere Religion hat es gewagt, die Güte und das Erbarmen Gottes bis auf unsere Ebene herabzubringen.

Der dritte Weg ist ein innerer Grund. In unserem Innersten beglaubigt der Geist Gottes, woher wir kommen und wohin wir gehen. Es ist – geben wir es zu – ein vernachlässigter Weg. Deswegen hinken viele Christen, weil sie zu wenig auf ihr Innerstes achten und sich zu viel von außen beeinflussen lassen. Das Außen wird zu oft von Regeln und Gesetzen bestimmt, die manchmal direkt geistfeindlich daher kommen. Das Innen ist frei und wird allein durch die Kraft der Liebe geführt.

Diese drei Wege nennt die Kirche gern die »drei Personen« Gottes. Darin liegt ein gefährliches Missverständnis: Für uns heute bedeutet Person – ein vollständiger Mensch mit seinen Eigenarten und Eigenschaften, mit seinen positiven wie negativen Seiten. Drei Personen wären nach diesem Verständnis, drei voneinander getrennte Personen, die nur unter dem Gesichtspunkt, dass jeder ein Mensch ist wie der andere, zusammengebracht werden können.

Credo (siehe Seite 512)

Fürbitten

Wir wollen für uns alle um den Geist der Kindschaft beten. Er sagt uns, dass wir vor Gott alle gleich sind, auch wenn wir ganz unterschiedliche Aufgaben haben:

A: Wir bitten dich, erhöre uns.

- Um Frauen und Männer wollen wir beten, die als Christen selbstbewusst und offen im Leben stehen und sich mehr am Evangelium als an kirchlichen Vorgaben orientieren.
- Um Gemeinden wollen wir beten, in denen das Engagement aller Mitchristen, von Frauen wie von Männern geachtet und wertgeschätzt wird.

- Um Politikerinnen und Politiker für Europa wollen wir bitten, die in ihrer Arbeit auf Gerechtigkeit, Solidarität und Bewahrung der Schöpfung wie des Friedens größten Wert legen.
- Um Mitmenschen wollen wir beten, die Bedürftigen, Kranken, Alten und Sterbenden nach ihren Möglichkeiten, vor allem aber vorurteilsfrei, achtsam und fröhlich beistehen.

In diesem geschwisterlichen Geist erweisen wir uns als Töchter und Söhne des einen Vaters und bauen mit am Reich des Friedens durch Gerechtigkeit. Amen.

Gabengebet

Gott, unser Vater, wir rufen deinen Namen an über Brot und Wein. Heilige diese Gaben und nimm mit ihnen auch uns an, damit wir dir auf ewig gehören. Darum bitten wir durch Christus, unseren Herrn.

Präfation Vom Tag

In Wahrheit ist es würdig und recht, dir, Herr, heiliger Vater, allmächtiger, ewiger Gott, immer und überall zu danken. Mit deinem eingeborenen Sohn und dem Heiligen Geist bist du der eine Gott und der eine Herr, nicht in der Einzigkeit einer Person, sondern in den drei Personen des einen göttlichen Wesens. Was wir auf deine Offenbarung hin von deiner Herrlichkeit glauben, das bekennen wir ohne Unterschied von deinem Sohn, das bekennen wir vom Heiligen Geiste. So beten wir an im Lobpreis des wahren und ewigen Gottes die Sonderheit in den Personen, die Einheit im Wesen und die gleiche Fülle in der Herrlichkeit. Dich loben die Engel und Erzengel, die Kerubim und Serafim. Wie aus einem Mund preisen sie dich Tag um Tag und singen auf ewig das Lob deiner Herrlichkeit.

Einladung zum Vaterunser

Ein Mensch, der in einem Land leben muss, in dem der Hunger zum Alltag gehört, hat gesagt: Der höchste Name Gottes ist

»Brot«. Wenn wir das Vaterunser beten, wenn wir um das tägliche Brot bitten, dann vor allem für Menschen, die es nicht über Nacht haben: Vater unser im Himmel …

EINLADUNG ZUM FRIEDENSGEBET

Frieden entsteht nur durch Gerechtigkeit, durch Teilen und Mitteilen, durch Anteilnehmen, Tragen und Ertragen: Herr Jesus Christus …

KOMMUNIONVERS

Gal 4,6

Weil ihr Söhne seid, sandte Gott den Geist seines Sohnes in eure Herzen, den Geist, der ruft: Abba, Vater.

SCHLUSSGEBET

Herr, unser Gott, wir haben den Leib und das Blut deines Sohnes empfangen. Erhalte uns durch dieses Sakrament im wahren Glauben und im Bekenntnis des einen Gottes in drei Personen. Darum bitten wir durch Christus, unseren Herrn.

SCHLUSSSEGEN

Im Jahreskreis VI

Gott, unser Vater, segne euch mit allem Segen des Himmels, damit ihr rein und heilig lebt vor seinem Angesicht.

Er lehre euch durch das Wort der Wahrheit; er bilde euer Herz nach dem Evangelium Christi und gebe euch Anteil an seiner Herrlichkeit.

Er schenke euch jene brüderliche Liebe, an der die Welt die Jünger Christi erkennen soll.

Das gewähre euch der dreieinige Gott, der Vater und der Sohn ✝ und der Heilige Geist.

Gott, unsere Sonne

Gott ist dreifaltig und nicht dreifach,
Er ist wie die Sonne:
Der Kreis ist Gott Vater.
Das Licht ist der Sohn.
Die Wärme ist der Heilige Geist.
Drei Zeichen, drei Wirkungen, drei Erfahrungen:
Doch alles ist eins:
Gott, unsere Sonne.

Roland Breitenbach

Hochfest des Leibes und Blutes Christi

Fronleichnam

7. Juni 2012

Er hat uns mit bestem Weizen genährt
und mit Honig aus dem Felsen gesättigt.
Vgl. Ps 81,17

Prachtvoll und mit einem betont öffentlichen Charakter feiert die katholische Kirche den Fronleichnamstag als »Hochfest des Leibes und Blutes Christi«. Im Leben Jesu ist das Festgeheimnis dieses Tages mit dem Gründonnerstag verbunden. Auf der liturgischen Feier in der Karwoche liegt aber schon der Schatten der folgenden Ereignisse und der noch im Abendmahlssaal sich abzeichnende Verrat des Judas.

Das Bedürfnis der Kirche, dem Vermächtnis Jesu unter den Feiern des Kirchenjahres einen Platz zu geben, an dem sich die dankbare Freude über das Geschenk der Eucharistie voll entfalten kann, ist eine der Wurzeln für diesen Festtag. Heute liegt uns dieser Gedanke auch näher als manche Frömmigkeitsformen des Mittelalters, die im 13. Jahrhundert die offizielle Einführung des Festes begünstigt haben.

War es in früheren Jahrhunderten nicht unbedingt ein mutiges Glaubenszeugnis, mit einer Fronleichnamsprozession durch die Straßen zu ziehen, so hat sich heute die Kulisse an vielen Orten verändert. Andererseits ist es aber in unserer Zeit auch selbstverständlicher geworden, für seine Überzeugungen »auf die Straße zu gehen«, sei es um für oder gegen etwas zu demonstrieren. Vielleicht könnte diese neue Kultur, Öffentlichkeit herzustellen, für uns Christen ein Impuls sein, über die äußeren Formen nachzudenken, in denen wir unseren Glauben ausdrücken. Sind wir selbst in unseren Traditionen noch zu Hause? Sind unsere Worte,

Bilder, Bräuche noch ein verständliches Glaubenszeugnis für Menschen des 21. Jahrhunderts? Da wäre viel zu bedenken!

Darüber soll aber keineswegs vergessen sein: Der Sinn unseres Feierns an diesem Tag ist, dem Herrn zu danken für das Geheimnis des Glaubens, dass er in unserem Leben »leibhaft« gegenwärtig ist.

KYRIE-RUFE

Oder: GL 494 · KG 65

Herr Jesus Christus, du antwortest auf unseren Hunger nach Leben mit Brot. Herr, erbarme dich.
Du antwortest auf unseren Durst nach Leben mit Wein. Christus, erbarme dich.
Du antwortest auf unser Verlangen nach Liebe mit einem Neuen Bund. Herr, erbarme dich.

GLORIA (siehe Seite 508)

TAGESGEBET

Herr Jesus Christus, im wunderbaren Sakrament des Altares hast du uns das Gedächtnis deines Leidens und deiner Auferstehung hinterlassen. Gib uns die Gnade, die heiligen Geheimnisse deines Leibes und Blutes so zu verehren, daß uns die Frucht der Erlösung zuteil wird. Der du in der Einheit des Heiligen Geistes mit Gott dem Vater lebst und herrschest in alle Ewigkeit.

ERSTE LESUNG

Ex 24,3–8

Lesung aus dem Buch Exodus.

In jenen Tagen kam Mose und übermittelte dem Volk alle Worte und Rechtsvorschriften des Herrn. Das ganze Volk antwortete einstimmig und sagte: Alles, was der Herr gesagt hat, wollen wir tun.

Mose schrieb alle Worte des Herrn auf. Am nächsten Morgen stand er zeitig auf und errichtete am Fuß des Berges einen Altar und zwölf Steinmale für die zwölf Stämme Israels.

Er schickte die jungen Männer Israels aus. Sie brachten Brandopfer dar und schlachteten junge Stiere als Heilsopfer für den Herrn. Mose nahm die Hälfte des Blutes und goss es in eine Schüssel, mit der anderen Hälfte besprengte er den Altar. Darauf nahm er die Urkunde des Bundes und verlas sie vor dem Volk. Sie antworteten: Alles, was der Herr gesagt hat, wollen wir tun; wir wollen gehorchen.

Da nahm Mose das Blut, besprengte damit das Volk und sagte: Das ist das Blut des Bundes, den der Herr aufgrund all dieser Worte mit euch geschlossen hat. ℟

Verträge sollen das Leben sicherer machen. Das braucht verlässliche Partner. Gott schließt mit dem Volk Israel einen Bund. Die Bedingungen sind in einer Urkunde niedergelegt. Nach einem archaischen Brauch waren Tieropfer, die der Gottheit dargebracht wurden, das Siegel unter einer Urkunde. Blut ist ein Realsymbol für Leben; es drückt als »Unterschrift« aus, dass es den Bundespartnern »blutiger Ernst« ist mit den gegenseitigen Verpflichtungen.

Die Verse aus dem Buch Exodus halten einen Ritus des Sich-Erinnerns fest, mit dem sich das Volk zum Bund bekennt. Das Wort vom »Blut des Bundes« wird in der neutestamentlichen Überlieferung in einen neuen Bedeutungshorizont gestellt. Die zweite Lesung aus dem Hebräerbrief entfaltet das.

ANTWORTPSALM Ps 116,12–13.15–18 (℟: vgl. 1 Kor 10,16)

℟: Halleluja – oder: Der Kelch des Segens gibt uns Anteil an Christi Blut.

II. Ton – GL 176,5

Wie kann ich dem Herrn all das vergelten, *
was er mir Gutes getan hat?
Ich will den Kelch des Heils erheben *
und anrufen den Namen des Herrn. – ℟

Kostbar ist in den Augen des Herrn *
das Sterben seiner Frommen.

Ach Herr, ich bin doch dein Knecht, /
dein Knecht bin ich, der Sohn deiner Magd. *
Du hast meine Fesseln gelöst. – ℟

Ich will dir ein Opfer des Dankes bringen *
und anrufen den Namen des Herrn.
Ich will dem Herrn meine Gelübde erfüllen *
offen vor seinem ganzen Volk. – ℟

ZWEITE LESUNG Hebr 9,11–15

Lesung aus dem Hebräerbrief.

Christus ist gekommen als Hoherpriester der künftigen Güter; und durch das erhabenere und vollkommenere Zelt, das nicht von Menschenhand gemacht, das heißt nicht von dieser Welt ist, ist er ein für allemal in das Heiligtum hineingegangen, nicht mit dem Blut von Böcken und jungen Stieren, sondern mit seinem eigenen Blut, und so hat er eine ewige Erlösung bewirkt.

Denn wenn schon das Blut von Böcken und Stieren und die Asche einer Kuh die Unreinen, die damit besprengt werden, so heiligt, dass sie leiblich rein werden, wie viel mehr wird das Blut Christi, der sich selbst kraft ewigen Geistes Gott als makelloses Opfer dargebracht hat, unser Gewissen von toten Werken reinigen, damit wir dem lebendigen Gott dienen.

Und darum ist er der Mittler eines neuen Bundes; sein Tod hat die Erlösung von den im ersten Bund begangenen Übertretungen bewirkt, damit die Berufenen das verheißene ewige Erbe erhalten. ℣

Wer sein »Herzblut« für eine Sache einsetzt, der ist im höchsten Maß engagiert und bereit, alles zu geben. Jesu Sterben ist das Siegel auf dem Evangelium, der Urkunde unseres Glaubens.

Der Hebräerbrief deutet das Christusereignis mit Worten und Bildern aus dem Kult Israels. Der Brief (geschrieben im letzten Jahrzehnt des 1. Jahrhunderts) wendet sich an eine Gemeinde, die mit dieser Tradition vertraut ist. Dass Menschen einen Mittler brauchen, um vor Gott zu treten, mag uns heute eher befremden. Jesus ist *Mittler* aber auch in dem Sinn, dass er uns ein Bild von Gott, seinem und unserem Vater, vermittelt und einen Weg zu ihm aufgezeigt hat.

SEQUENZ

Lauda Sion salvatórem,
lauda ducem et pastórem
in hymnis et cánticis.

Quantum potes, tantum aude:
Quia maior omni laude,
nec laudáre súfficis.

Laudis thema speciális,
panis vivus et vitális
hódie propónitur.

Quem in sacrae mensa cenae,
turbae fratrum duodénae
datum non ambígitur.

Sit laus plena, sit sonóra,
sit iucúnda, sit decóra
mentis jubilátio.

Dies enim solémnis ágitur,
in qua mensae prima recólitur
huius institútio.

Quod in cena Christus gessit,
faciéndum hoc expréssit
in sui memóriam:

Docti sacris institútis
panem, vinum in salútis
consecrámus hóstiam.

Ecce panis angelórum,
factus cibus viatórum:

Lobe, Zion, deinen Hirten;
dem Erlöser der Verirrten
stimme Dank und Jubel an.
Lass dein Lob zum Himmel dringen;
ihn zu rühmen, ihm zu singen,
hat kein Mensch genug getan.

Er ist uns im Brot gegeben,
Brot, das lebt und spendet Leben,
Brot, das Ewigkeit verheißt,
Brot, mit dem der Herr im Saale
dort beim österlichen Mahle
die zwölf Jünger hat gespeist.

Lobt und preist, singt Freudenlieder;
festlich kehrt der Tag uns wieder,
jener Tag von Brot und Wein,
da der Herr zu Tisch geladen
und dies heilge Mahl der Gnaden
setzte zum Gedächtnis ein.

Was bei jenem Mahl geschehen,
sollen heute wir begehen
und verkünden seinen Tod.
Wie der Herr uns aufgetragen,
weihen wir, Gott Dank zu sagen,
nun zum Opfer Wein und Brot.

Seht das Brot, der Engel Speise,
Brot auf unsrer Pilgerreise,

Vere panis filiórum,
non mitténdus cánibus.

In figúris praesignátur,
cum Isaac immolátur,
Agnus Paschae deputátur,
datur manna pátribus.

Bone pastor, panis vere,
Iesu nostri miserére:
Tu nos pasce, nos tuére,
tu nos bona fac vidére
in terra vivéntium.

Tu qui cuncta scis et vales,
qui nos pascis hic mortáles:
Tuos ibi commensáles,
coherédes et sodáles
fac sanctórum cívium.

das den Hunger wahrhaft stillt.
Abrams Opfer hats gedeutet,
war im Manna vorbereitet,
fand im Osterlamm sein Bild.

Guter Hirt, du Brot des Lebens,
wer dir traut, hofft nicht vergebens,
geht getrost durch diese Zeit.
Die du hier zu Tisch geladen,
ruf auch dort zum Mahl der Gnaden
in des Vaters Herrlichkeit.

Thomas von Aquin († 1274) in Auswahl, Übertragung: Maria Luise Thurmair (1972); GL 545

RUF VOR DEM EVANGELIUM Vgl. Joh 6,51

Halleluja. Halleluja.
So spricht der Herr: Ich bin das lebendige Brot, das vom Himmel gekommen ist. Wer dieses Brot isst, wird in Ewigkeit leben.
Halleluja.

EVANGELIUM Mk 14,12–16.22–26

Aus dem heiligen Evangelium nach Markus.

Am ersten Tag des Festes der Ungesäuerten Brote, an dem man das Paschalamm schlachtete, sagten die Jünger zu Jesus: Wo sollen wir das Paschamahl für dich vorbereiten?

Da schickte er zwei seiner Jünger voraus und sagte zu ihnen: Geht in die Stadt; dort wird euch ein Mann begegnen, der einen Wasserkrug trägt.

Folgt ihm, bis er in ein Haus hineingeht; dann sagt zu dem Herrn des Hauses: Der Meister lässt dich fragen: Wo ist der Raum, in dem ich mit meinen Jüngern das Paschalamm essen kann? Und der Hausherr wird euch einen großen Raum im Obergeschoss zeigen, der schon für das Festmahl hergerichtet und mit Polstern ausgestattet ist. Dort bereitet alles für uns vor!

Die Jünger machten sich auf den Weg und kamen in die Stadt. Sie fanden alles so, wie er es ihnen gesagt hatte, und bereiteten das Paschamahl vor.

Während des Mahls nahm er das Brot und sprach den Lobpreis; dann brach er das Brot, reichte es ihnen und sagte: Nehmt, das ist mein Leib. Dann nahm er den Kelch, sprach das Dankgebet, reichte ihn den Jüngern und sie tranken alle daraus. Und er sagte zu ihnen: Das ist mein Blut, das Blut des Bundes, das für viele vergossen wird. Amen, ich sage euch: Ich werde nicht mehr von der Frucht des Weinstocks trinken bis zu dem Tag, an dem ich von neuem davon trinke im Reich Gottes.

Nach dem Lobgesang gingen sie zum Ölberg hinaus. IF

»Als die in diesem Abschnitt überlieferten Worte Jesu in die durchgehende Erzählung der Leidensgeschichte aufgenommen wurden, waren sie schon Bestandteil der urchristlichen Liturgie. Nicht das, was Jesus genau gesagt hatte, stand im Vordergrund, sondern die durch das liturgische Geschehen vermittelte Aktualisierung des Vergangenen. Die einmalige Hingabe Jesu am Kreuz wurde durch die Gaben von Brot und Wein ›re-präsentiert‹. Wie die Parallelen bei den Synoptikern und bei Paulus 1 Kor 11,23–25) zeigen, ging es auch nicht darum, diese Worte in jeder Hinsicht gleichlautend zu überliefern. Wichtiger war vielmehr – und das Anliegen ist nach wie vor gültig –, diese Worte so weiter zu geben, dass sie nicht nur einen Sinn vermitteln, sondern darüber hinaus ein Ereignis vergegenwärtigen: Das Heilsereignis in der Hingabe des Sohnes und in seiner Gegenwart mitten unter den Seinen.

An Fronleichnam wird sehr bewusst und in besonders feierlicher Weise begangen, was in jeder Eucharistiefeier geschieht« (Horacio E. Lona).

Das Bild vom Weinstock ruft ein anderes Abschiedswort Jesu in Erinnerung: »Ich bin der wahre Weinstock. Bleibt in mir, dann bleibe ich in euch« (Joh 15,1.4). Das heutige Fest gilt diesem Bleiben Jesu unter den Seinen und der innigen Verbindung mit ihnen. Wenn wir uns zur Eucharistiefeier versammeln, wird diese Gemeinschaft belebt und gefestigt.

CREDO (siehe Seite 512)

FÜRBITTEN

Lasset uns beten zu Jesus Christus, der unter uns gegenwärtig ist in den Zeichen von Brot und Wein:

V: Du Freund des Lebens. A: Herr, erbarme dich.

- Wir bitten für alle, die in ihrem Hunger nach Leben leer ausgehen, weil sie den Glauben verloren haben. Bleib ihnen nahe.
- Wir bitten für alle, deren Hunger nach Brot nicht gestillt wird, weil die Satten nicht mit ihnen teilen. Lass sie Hilfe erfahren.
- Wir bitten für alle, in deren Macht und Möglichkeit es liegt, Einfluss zu nehmen für eine gerechtere Welt. Stärke sie.
- Wir bitten für alle, deren Suche nach Wahrheit und Sinn noch offen ist. Komm ihnen entgegen.
- Wir bitten für alle, die in Caritas und Diakonie ehrenamtlich den Menschen dienen. Belohne ihren Einsatz.

Bleibe bei uns, Herr, und brich uns das Brot in einer Welt, die unseren Hunger nicht stillen kann. Dir sei die Ehre, heute und alle Tage. Amen.

GABENGEBET

Herr, unser Gott, wir bringen das Brot dar, das aus vielen Körnern bereitet, und den Wein, der aus vielen Trauben gewonnen ist. Schenke deiner Kirche, was diese Gaben geheimnisvoll bezeichnen: die Einheit und den Frieden. Darum bitten wir durch Christus, unseren Herrn.

PRÄFATION

Von der heiligen Eucharistie I

In Wahrheit ist es würdig und recht, dir, Herr, heiliger Vater, allmächtiger, ewiger Gott, immer und überall zu danken durch unseren Herrn Jesus Christus. Als der wahre und ewige Hohepriester hat er die Feier eines immerwährenden Opfers gestiftet. Er hat sich selbst als Opfergabe dargebracht für das Heil der Welt und uns geboten, daß auch wir diese Gabe darbringen zu seinem Gedächtnis. Er stärkt uns, wenn wir seinen Leib empfangen, den er für uns geopfert hat. Er heiligt uns, wenn wir sein Blut trinken, das er für uns vergossen hat. Darum singen wir mit den Engeln und Erzengeln, den Thronen und Mächten und mit all den Scharen des himmlischen Heeres den Hochgesang von deiner göttlichen Herrlichkeit.

EINLADUNG ZUM VATERUNSER

Herr Jesus Christus, an deinem Tisch versammelt sprechen wir mit deinen Worten: Vater unser im Himmel …

EINLADUNG ZUM FRIEDENSGEBET

Gottes Liebe hat uns den Tisch gedeckt und lädt zum Mahl. Wir kommen mit Freude und bitten: Herr Jesus Christus …

KOMMUNIONVERS

Joh 6,56

So spricht der Herr: Wer mein Fleisch isst und mein Blut trinkt, der bleibt in mir, und ich bleibe in ihm.

SCHLUSSGEBET

Herr Jesus Christus, der Empfang deines Leibes und Blutes ist für uns ein Vorgeschmack der kommenden Herrlichkeit. Sättige uns im ewigen Leben durch den vollen Genuß deiner Gottheit. Der du lebst und herrschest in alle Ewigkeit.

SCHLUSSSEGEN

Bei einer Altarweihe

Gott hat euch zu Königen gemacht und zu Priestern. Er gebe euch die Kraft, aus dem Opfer Christi zu leben.

Er hat euch um den einen Tisch versammelt und euch gestärkt mit dem einen Brot. Er mache euch eines Herzens und eines Sinnes.

Er hat euch gesandt, euren Glauben zu bezeugen. Er helfe euch, die Menschen durch das Beispiel eurer Liebe zu Jesus Christus zu führen.

Das gewähre euch der dreieinige Gott, der Vater und der Sohn ✝ und der Heilige Geist.

Monstranz

Goldgefäß der Gnade,
neue Bundeslade
vor uns hingestellt.

Brot in Sonnenscheibe
Gottes Leib und Bleibe
mitten in der Welt:

Dich anschaun löst Binden
vom Gesicht der Blinden,
dich anschaun macht gut.

Lasst uns niedersinken
und anbetend trinken
Glauben, Hoffnung, Glut.

Silja Walter

10. Sonntag im Jahreskreis
10. Juni 2012

Der Herr ist mein Licht und mein Heil:
Vor wem sollte ich mich fürchten?
Der Herr ist die Kraft meines Lebens:
Vor wem sollte mir bangen?
Meine Bedränger und Feinde,
sie müssen straucheln und fallen.
Ps 27,1.2b

»Die Früchte vom Baum der Erkenntnis sind es wert, dass man um ihretwillen das Paradies verliert«, hat der Philosoph Ernst Häckel (†1919) formuliert. In der Tat, unsere Erkenntnisse sind mit Gewinn auf der einen Seite und mit dem Verlust der Unschuld auf der anderen Seite verbunden. Doch die Erkenntnis hilft uns nicht nur, das Gute vom Bösen zu unterscheiden, sie hilft uns auch, dass aus dem Gebrauch der Güter dieser Welt kein Missbrauch werden muss, und aus dem Genießen, keine Sucht.

Kyrie-Rufe — GL 440 · KG 55

Herr Jesus Christus, durch dich ist alles geschaffen. Herr, erbarme dich.
Du hast die gefallene Welt erlöst. Christus, erbarme dich.
Du führst uns zur Erkenntnis Gottes. Herr, erbarme dich.

Gloria (siehe Seite 508)

Tagesgebet

Gott, unser Vater, alles Gute kommt allein von dir. Schenke uns deinen Geist, damit wir erkennen, was recht ist, und es mit deiner Hilfe auch tun. Darum bitten wir durch Jesus Christus.

ERSTE LESUNG Gen 3,9–15

Lesung aus dem Buch Genesis.

Nachdem Adam von der Frucht des Baumes gegessen hatte, Gott, der Herr, rief ihm zu und sprach: Wo bist du? Er antwortete: Ich habe dich im Garten kommen hören; da geriet ich in Furcht, weil ich nackt bin, und versteckte mich.

Darauf fragte er: Wer hat dir gesagt, dass du nackt bist? Hast du von dem Baum gegessen, von dem zu essen ich dir verboten habe? Adam antwortete: Die Frau, die du mir beigesellt hast, sie hat mir von dem Baum gegeben und so habe ich gegessen.

Gott, der Herr, sprach zu der Frau: Was hast du da getan? Die Frau antwortete: Die Schlange hat mich verführt und so habe ich gegessen.

Da sprach Gott, der Herr, zur Schlange: Weil du das getan hast, bist du verflucht unter allem Vieh und allen Tieren des Feldes. Auf dem Bauch sollst du kriechen und Staub fressen alle Tage deines Lebens. Feindschaft setze ich zwischen dich und die Frau, zwischen deinen Nachwuchs und ihren Nachwuchs. Er trifft dich am Kopf und du triffst ihn an der Ferse. IF

Unter dem biblischen Bild werden die hohen Erwartungen Gottes vorgelegt, die der Mensch offenbar nicht erfüllen kann. Die Freiheit, die Gott uns gegen seine Erwartungen schenkt, macht es fast unmöglich, die gesetzten Grenzen einzuhalten. Die biblischen Verfasser sehen den Tod als Folge dieser menschlichen Übertretungen. Dennoch bleibt es entscheidend, dass der Mensch lernen muss, und wäre es durch bittere Erfahrungen, zwischen dem Guten und dem Bösen zu unterscheiden. Nur dann ist eine menschenwürdige Entwicklung gesichert. Allerdings bleiben die Versuchungen bestehen. Zum Beispiel das Recht in die eigene Hand zu nehmen, Grenzen zu überschreiten, wirtschaftliches oder politisches Wissen zu nutzen, um Macht über Menschen und Völker zu erlangen.

ANTWORTPSALM
Ps 130,1–7a.8 (℞: 7bc)

℞: Beim Herrn ist die Huld, bei ihm ist Erlösung in Fülle.

VII. Ton – GL 191,1 · KG 400

Aus der Tiefe rufe ich, Herr, zu dir: *
Herr, höre meine Stimme!
Wende dein Ohr mir zu, *
achte auf mein lautes Flehen! – ℞

Würdest du, Herr, unsere Sünden beachten, *
Herr, wer könnte bestehen?
Doch bei dir ist Vergebung, *
damit man in Ehrfurcht dir dient. – ℞

Ich hoffe auf den Herrn, es hofft meine Seele, *
ich warte voll Vertrauen auf sein Wort.
Meine Seele wartet auf den Herrn *
mehr als die Wächter auf den Morgen. – ℞

Mehr als die Wächter auf den Morgen *
soll Israel harren auf den Herrn.
Ja, er wird Israel erlösen *
von all seinen Sünden. – ℞

ZWEITE LESUNG
2 Kor 4,13 – 5,1

Lesung aus dem zweiten Korintherbrief.

Schwestern und Brüder! Wir haben den gleichen Geist des Glaubens, von dem es in der Schrift heißt: Ich habe geglaubt, darum habe ich geredet. Auch wir glauben und darum reden wir. Denn wir wissen, dass der, welcher Jesus, den Herrn, auferweckt hat, auch uns mit Jesus auferwecken und uns zusammen mit euch vor sein Angesicht stellen wird.

Alles tun wir euretwegen, damit immer mehr Menschen aufgrund der überreich gewordenen Gnade den Dank vervielfachen, Gott zur Ehre. Darum werden wir nicht müde; wenn auch unser äußerer Mensch aufgerieben wird, der innere wird Tag für Tag erneuert. Denn die kleine Last unserer gegenwärtigen Not schafft uns in maßlosem Übermaß ein ewiges Gewicht an Herrlichkeit, uns, die wir nicht auf das Sichtbare starren, sondern nach dem Unsichtbaren ausblicken; denn das Sichtbare ist vergänglich, das Unsichtbare ist ewig.

Wir wissen: Wenn unser irdisches Zelt abgebrochen wird, dann haben wir eine Wohnung von Gott, ein nicht von Menschenhand errichtetes ewiges Haus im Himmel. IF

Ausschau halten nach dem Neuen, dem ganz Anderen. Die Sehnsucht des Menschen nach einem Leben nach dem Leben hat die Religion gestiftet, heißt es. Denn Antworten auf die Frage »was kommt danach«, erhalten wir nur aus dem Glauben. Wissen können wir von der anderen Welt nichts. Christen halten sich in ihrem Glauben vertrauensvoll an den, den Gott zum neuen Leben auferweckt hat. Für Paulus ist Jesus Hinweis genug, dass es einen nahtlosen Übergang aus den irdischen Zelten in das ewige Haus Gottes geben wird. Diese Hoffnung lässt auch ein schweres Leben ertragen, darf aber nicht als eine Tröstung missverstanden werden, die ungerechte oder missliche Zustände einfach so lässt, wie sie sind.

RUF VOR DEM EVANGELIUM — Vgl. Joh 12,31b.32

Halleluja. Halleluja.
So spricht der Herr: Jetzt wird der Herrscher dieser Welt hinausgeworfen. Und wenn ich von der Erde erhöht bin, werde ich alle an mich ziehen.
Halleluja.

EVANGELIUM — Mk 3,20–35

Aus dem heiligen Evangelium nach Markus.

In jener Zeit ging Jesus in ein Haus und wieder kamen so viele Menschen zusammen, dass er und die Jünger nicht einmal mehr essen konnten. Als seine Angehörigen davon hörten, machten sie sich auf den Weg, um ihn mit Gewalt zurückzuholen; denn sie sagten: Er ist von Sinnen.

Die Schriftgelehrten, die von Jerusalem herabgekommen waren, sagten: Er ist von Beelzebul besessen; mit Hilfe des Anführers der Dämonen treibt er die Dämonen aus. Da rief er sie zu sich und belehrte sie in Form von Gleichnissen: Wie kann der Satan den Satan austreiben? Wenn ein Reich in sich gespalten ist, kann es keinen Bestand haben. Wenn eine Familie in sich gespalten ist, kann sie keinen Bestand haben. Und wenn sich der Satan gegen sich selbst erhebt und mit sich selbst im Streit liegt, kann er keinen Bestand haben, sondern es ist um ihn geschehen. Es kann aber auch keiner in das Haus eines starken Mannes einbrechen und ihm den Hausrat rauben, wenn er den Mann nicht vorher fesselt; erst dann kann er sein Haus plündern.

Amen, das sage ich euch: Alle Vergehen und Lästerungen werden den Menschen vergeben werden, so viel sie auch lästern mögen; wer aber den Heiligen Geist lästert, der findet in Ewigkeit keine Vergebung, sondern seine Sünde wird ewig an ihm haften. Sie hatten nämlich gesagt: Er ist von einem unreinen Geist besessen.

Da kamen seine Mutter und seine Brüder; sie blieben vor dem Haus stehen und ließen ihn herausrufen. Es saßen viele Leute um ihn herum und man sagte zu ihm: Deine Mutter und deine Brüder stehen draußen und fragen nach dir. Er erwiderte: Wer ist meine Mutter und wer sind meine Brüder? Und er blickte auf die Menschen, die im Kreis um ihn herumsaßen, und sagte: Das hier sind meine Mutter und meine Brüder.
Wer den Willen Gottes erfüllt, der ist für mich Bruder und Schwester und Mutter. IF

Es ist interessant einmal aufzulisten, wer für Jesus Schwester und Bruder ist. Eine gewisse Vorliebe, um nicht zu sagen Parteilichkeit lässt sich unschwer erkennen. Es sind die Kleinen, Schwachen; alle, die in der religiösen Gemeinschaft, wie in der Gesellschaft eine untergeordnete oder keine Rolle spielen. Mit einer großartigen Geste umfängt er alle, die bereit sind, den Willen Gottes zu erfüllen. Wer seinem Weg folgt, ist für ihn Bruder, Schwester und Mutter. Auffällig, dass der Vater nicht genannt wird. Das nicht nur, weil Jesus Gott seinen Vater nennt. Er hat es mit den Vätern, mit den Patriarchen, die bestimmen, wo es lang geht, nicht so sehr. Mit den religiösen Lehrern und Leitern steht er im offensichtlichen Clinch.

Dafür ist er der Bruder aller geworden, die auf der Suche nach Gott sind: Die Kranken, die über die Heilung auf das ewige Heil bedacht sind. Der Zöllner, der sein unrechtes Tun erkannt hat und bereit ist, Schadensersatz zu leisten. Die sündigen Frauen, die eine Liebe zeigen, die eine Menge Fehler, Schwächen und Sünden zudeckt.

Wer Bruder und Schwester Jesu ist, zeigt sich verpflichtet, mit allen Menschen geschwisterlich umzugehen. Wer Mutter Jesu sein darf, ist bereit, mütterlich, sorgend und achtsam auf die Mitmenschen einzugehen. Letztlich ist es der Wille Gottes, den Nächsten anzunehmen wie einen Bruder, wie eine Schwester.

CREDO (siehe Seite 512)

FÜRBITTEN

Gott gibt uns die Mitmenschen in die Verantwortung. An uns liegt es, was wir aus unserer Aufgabe für den Nächsten machen:

A: Wir bitten dich, erhöre uns.

- Hilf uns, jemandem, der traurig ist, zu trösten und ihm ein Stück unseres Glücks zu schenken.
- Mach uns fähig, Schaden abzuwenden oder aus Bösem etwas Gutes zu machen.
- Unterstütze uns, einem das Leben leichter zu machen, der es schwernimmt.
- Lass uns ein gutes Wort oder ein Lächeln verschenken, wenn wir sonst nichts geben können.

Denn wir alle gehören zur großen Familie unseres Gottes, der will, dass wir schon in dieser Welt Geborgenheit, Freundschaft, Zufriedenheit und Lebensglück finden.

Gabengebet

Herr, sieh gütig auf dein Volk, das sich zu deinem Lob versammelt hat. Nimm an, was wir darbringen, und mehre durch diese Feier unsere Liebe. Darum bitten wir durch Christus, unseren Herrn.

Präfation

Sonntage II

In Wahrheit ist es würdig und recht, dir, allmächtiger Vater, zu danken und das Werk deiner Gnade zu rühmen durch unseren Herrn Jesus Christus. Denn aus Erbarmen mit uns sündigen Menschen ist er Mensch geworden aus Maria, der Jungfrau. Durch sein Leiden am Kreuz hat er uns vom ewigen Tod befreit und durch seine Auferstehung uns das unvergängliche Leben erworben. Darum preisen dich deine Erlösten und singen mit den Chören der Engel das Lob deiner Herrlichkeit.

Einladung zum Vaterunser

Jesus Christus nennt uns seine Schwestern und Brüder. Im Vertrauen darauf beten wir mit den Worten Jesu zu Gott als unserem Vater: Vater unser im Himmel …

Einladung zum Friedensgebet

Gott überwindet die Spaltungen und führt uns zur Einheit mit ihm zurück. Deshalb bitten wir: Herr Jesus Christus …

Kommunionvers

Ps 18,3

Herr, du bist mein Fels, meine Burg, mein Retter, mein Gott, meine Zuflucht.

Oder: 1 Joh 4,16b

Gott ist Liebe, und wer in der Liebe bleibt, bleibt in Gott und Gott bleibt in ihm.

SCHLUSSGEBET

Barmherziger Gott, die heilende Kraft dieses Sakramentes befreie uns von allem verkehrten Streben und führe uns auf den rechten Weg. Darum bitten wir durch Christus, unseren Herrn.

SCHLUSSSEGEN

Im Jahreskreis II

Der Friede Gottes, der alles Begreifen übersteigt, bewahre eure Herzen und eure Gedanken in der Gemeinschaft mit Christus Jesus.

Das gewähre euch der dreieinige Gott, der Vater und der Sohn ☩ und der Heilige Geist.

Arm ist das Land, das voller Lehren ist,
aber ohne Glauben« (Khalil Gibran).

Arm ist das Land, das voller Kirchen ist,
aber ohne Christen.

Arm ist das Land, das voller Träume ist,
aber ohne Taten.

Arm ist das Land, das voller Wohlstand ist,
aber ohne Mitgefühl.

Arm ist das Land, das voller Wissen ist,
aber ohne Weisheit.

»Arm ist das Land, das voller Lehren ist,
aber ohne Glauben«

Roland Breitenbach

Heiligstes Herz Jesu
15. Juni 2012

Der Ratschluss des Herrn bleibt ewig bestehen,
die Pläne seines Herzens überdauern die Zeiten:
Er will uns dem Tod entreißen
und in der Hungersnot unser Leben erhalten.
Vgl. Ps 33,11.19

In seinem Sohn, unserem Herrn Jesus Christus, hat Gott seinem Wort Menschengestalt gegeben. Als wir ihn kreuzigten, hat Gott dennoch an seinem Heilsplan für uns festgehalten, indem er das Herz des Gekreuzigten zum Quell des Lebens für uns hat werden lassen.

Kyrie-Rufe

Oder: GL 495,1 · KG 60

Herr Jesus Christus, du öffnest uns den Weg zum Vater. Herr, erbarme dich.
Du offenbarst uns das Erbarmen Gottes. Christus, erbarme dich.
Du schenkst uns den Reichtum von Gottes Liebe. Herr, erbarme dich.

Gloria (siehe Seite 508)

Tagesgebet

Allmächtiger Gott, wir verehren das Herz deines geliebten Sohnes und preisen die großen Taten seiner Liebe. Gib, daß wir aus dieser Quelle göttlichen Erbarmens die Fülle der Gnade und des Lebens empfangen. Darum bitten wir durch Jesus Christus.

Oder:

Barmherziger Gott, du öffnest uns den unendlichen Reichtum der Liebe im Herzen deines Sohnes, das unsere Sünden verwundet haben. Gib, daß wir durch aufrichtige Umkehr Christus Genugtuung leisten und ihm mit ganzer Hingabe dienen, der in der Einheit des Heiligen Geistes mit dir lebt und herrscht in alle Ewigkeit.

ERSTE LESUNG Hos 11,1.3–4.8a.c–9

Lesung aus dem Buch Hosea.

So spricht der Herr: Als Israel jung war, gewann ich ihn lieb, ich rief meinen Sohn aus Ägypten. Ich war es, der Efraim gehen lehrte, ich nahm ihn auf meine Arme. Sie aber haben nicht erkannt, dass ich sie heilen wollte. Mit menschlichen Fesseln zog ich sie an mich, mit den Ketten der Liebe. Ich war da für sie wie die Eltern, die den Säugling an ihre Wangen heben. Ich neigte mich ihm zu und gab ihm zu essen. Wie könnte ich dich preisgeben, Efraim, wie dich aufgeben, Israel? Mein Herz wendet sich gegen mich, mein Mitleid lodert auf. Ich will meinen glühenden Zorn nicht vollstrecken und Efraim nicht noch einmal vernichten. Denn ich bin Gott, nicht ein Mensch, der Heilige in deiner Mitte. Darum komme ich nicht in der Hitze des Zorns. IF

Israel, von Gott aus der Sklaverei in die Freiheit geführt, hat sich von ihm ab- und fremden Göttern zugewandt. Das Gericht scheint unausweichlich. Hoseas Botschaft aber lautet anders. Mit einem eindrücklichen Bildwort beschreibt er Gottes innere Abkehr vom Vernichtungsplan: »Mein Herz wendet sich gegen mich, mein Mitleid lodert auf.« Gottes Liebe kann nicht vernichten. Sie möchte vielmehr Leben und Heil schenken – auch gegen Widerstände. Sie wartet auf und wirbt um unser Herz. Auch heute.

ANTWORTPSALM Jes 12,2–3.4bcd–6 (IR: 3)

IR: Ihr werdet Wasser schöpfen voll Freude aus den Quellen des Heils.

VII. Ton – GL 209,2

Gott ist meine Rettung; *
ihm will ich vertrauen und niemals verzagen.

Denn meine Stärke und mein Lied ist der Herr. *
Er ist für mich zum Retter geworden. – ℟

Ihr werdet Wasser schöpfen voll Freude *
aus den Quellen des Heils.
Dankt dem Herrn! Ruft seinen Namen an! /
Macht seine Taten unter den Völkern bekannt, *
verkündet: Sein Name ist groß und erhaben! – ℟

Preist den Herrn; denn herrliche Taten hat er vollbracht; *
auf der ganzen Erde soll man es wissen.
Jauchzt und jubelt, ihr Bewohner von Zion; *
denn groß ist in eurer Mitte der Heilige Israels. – ℟

ZWEITE LESUNG Eph 3,8–12.14–19

Lesung aus dem Epheserbrief.

Schwestern und Brüder! Mir, dem Geringsten unter allen Heiligen, wurde diese Gnade geschenkt: Ich soll den Heiden als Evangelium den unergründlichen Reichtum Christi verkündigen und enthüllen, wie jenes Geheimnis Wirklichkeit geworden ist, das von Ewigkeit her in Gott, dem Schöpfer des Alls, verborgen war.

So sollen jetzt die Fürsten und Gewalten des himmlischen Bereichs durch die Kirche Kenntnis erhalten von der vielfältigen Weisheit Gottes, nach seinem ewigen Plan, den er durch Christus Jesus, unseren Herrn, ausgeführt hat. In ihm haben wir den freien Zugang durch das Vertrauen, das der Glaube an ihn schenkt.

Daher beuge ich meine Knie vor dem Vater, nach dessen Namen jedes Geschlecht im Himmel und auf der Erde benannt wird, und bitte, er möge euch aufgrund des Reichtums seiner Herrlichkeit schenken, dass ihr in eurem Innern durch seinen Geist an Kraft und Stärke zunehmt.

Durch den Glauben wohne Christus in eurem Herzen. In der Liebe verwurzelt und auf sie gegründet, sollt ihr zusammen mit allen Heiligen dazu fähig sein, die Länge und Breite, die Höhe und Tiefe zu ermessen und die Liebe Christi zu verstehen, die alle Erkenntnis übersteigt. So werdet ihr mehr und mehr von der ganzen Fülle Gottes erfüllt. IF

Paulus weiß sich zum Missionar für die Heiden gerufen. Ihnen soll er das in Jesus Christus angebrochene Heil verkünden. Den Lesern seines Briefes – der Gemeinde in Ephesus, aber auch uns – erbittet er, was mit dem Taufgeschehen begonnen hat, möge weiter wachsen.

Im Maße, in dem ich mich von Gottes Geist führen und formen und Christus Mitte und Inhalt meines Lebens werden lasse, wachse ich hinein in die ganze Fülle Gottes. Begreifen lässt sich die Liebe Christi nicht, aber ergreifen lassen kann ich mich von ihr, sie mit meinem Leben bezeugen, weiterschenken und sie so »in die ganze Welt«, meine Welt, hineintragen.

RUF VOR DEM EVANGELIUM — Mt 11,29ab

Halleluja. Halleluja.
So spricht der Herr: Nehmt mein Joch auf euch und lernt von mir. Denn ich bin gütig und von Herzen demütig.
Halleluja.

Oder: — Vgl. 1 Joh 4,10b

Halleluja. Halleluja.
Gott hat uns geliebt und seinen Sohn gesandt als Sühne für unsere Sünden.
Halleluja.

EVANGELIUM — Joh 19,31–37

Aus dem heiligen Evangelium nach Johannes.

Weil Rüsttag war und die Körper während des Sabbats nicht am Kreuz bleiben sollten, baten die Juden Pilatus, man möge den Gekreuzigten die Beine zerschlagen und ihre Leichen dann abnehmen; denn dieser Sabbat war ein großer Feiertag.

Also kamen die Soldaten und zerschlugen dem ersten die Beine, dann dem andern, der mit ihm gekreuzigt worden war.

Als sie aber zu Jesus kamen und sahen, dass er schon tot war, zerschlugen sie ihm die Beine nicht, sondern einer der Soldaten stieß mit der Lanze in seine Seite, und sogleich floss Blut und Wasser heraus.

Und der, der es gesehen hat, hat es bezeugt, und sein Zeugnis ist wahr. Und er weiß, dass er Wahres berichtet, damit auch ihr glaubt. Denn das ist geschehen, damit sich das Schriftwort erfüllte: Man soll an ihm kein Gebein zerbrechen. Und ein anderes Schriftwort sagt: Sie werden auf den blicken, den sie durchbohrt haben. IF

Der Lanzenstich des Soldaten in die Seite des Gekreuzigten, gedacht als Todesstoß, wird zum Lebenssymbol. Blut und Wasser entströmen der geöffneten Seite. Heilsgaben des Gekreuzigten erkennt der Glaube in ihnen. Treffend nennen die Väter das durchbohrte Herz Jesu »Fons vitae«, Quell des Lebens. Das Blut weist auf die erlösende Kraft seines Todes, das Wasser auf den Geist und das vom am Kreuz Erhöhten geschenkte ewige Leben.

Ein großer Steinaltar in der Kapelle von Haus Werdenfels hat, von vorn betrachtet, die Form eines auf die Spitze gestellten Dreiecks. Damit habe der Künstler ausdrücken wollen in Jesus Christus habe Gott seine Liebe zu uns auf die Spitze getrieben.

CREDO (siehe Seite 512)

FÜRBITTEN

In Jesus Christus steht uns Gottes Herz offen.

V: Christus höre uns. A: Christus erhöre uns.

- Wir bitten für unseren Papst mit allen, denen du die Leitung deiner Kirche anvertraut hast, dass in ihrem Handeln und Reden deine barmherzige Liebe sichtbar werde.
- Wir bitten für alle, die Verantwortung tragen in Staat und Gesellschaft, dass sie den Mut haben, ihre Entscheidungen an deinem Wort auszurichten.

- Wir bitten für die vielen heimatlosen und unbehausten Menschen unserer Tage, dass sie bei uns offene Herzen und offene Türen finden.
- Wir bitten für uns, die wir hier versammelt sind, dass wir im Hören auf dich das gute Wort zur rechten Zeit füreinander finden.
- Wir bitten dich für die Toten, die unser Herz geliebt hat und auch für die vielen, an die niemand mehr denkt, dass sie aufgehoben sind in deinem Frieden.

Denn du, Herr, bist für uns alle Weg, Wahrheit und Leben.
Dich preisen wir, heute und in Ewigkeit.

Gabengebet

Allmächtiger Gott, sieh auf das durchbohrte Herz deines Sohnes, der uns geliebt und sich für uns hingegeben hat. Laß unser Opfer dir wohlgefallen und zur Sühne für unsere Sünden werden. Darum bitten wir durch Christus, unseren Herrn.

Präfation

Vom Tag

In Wahrheit ist es würdig und recht, dir, allmächtiger Vater, zu danken und dich mit der ganzen Schöpfung zu loben, durch unseren Herrn Jesus Christus. Am Kreuz erhöht, hat er sich für uns dahingegeben aus unendlicher Liebe und alle an sich gezogen. Aus seiner geöffneten Seite strömen Blut und Wasser, aus seinem durchbohrten Herzen entspringen die Sakramente der Kirche. Das Herz des Erlösers steht offen für alle, damit sie freudig schöpfen aus den Quellen des Heiles. Durch ihn rühmen dich deine Erlösten und singen mit den Chören der Engel das Lob deiner Herrlichkeit.

Einladung zum Vaterunser

Gott ist der Heilige in unserer Mitte, der gütige Vater, der uns zum Leben bei sich ruft. Mit den Worten Jesu beten wir: Vater unser im Himmel …

EINLADUNG ZUM FRIEDENSGEBET

In Jesus Christus haben alle Menschen den freien Zugang zu Gott, in ihm schenkt er uns seine Gaben und seinen Frieden. Deshalb bitten wir: Herr Jesus Christus ...

KOMMUNIONVERS Joh 7,37–38

Wer Durst hat, komme zu mir, und es trinke, wer an mich glaubt! Die Schrift sagt: Aus seinem Inneren werden Ströme von lebendigem Wasser fließen.

Oder: Joh 19,34

Ein Soldat stieß mit der Lanze in seine Seite, und sogleich floss Blut und Wasser heraus.

SCHLUSSGEBET

Herr, unser Gott, du hast uns gestärkt mit dem Sakrament jener Liebe, durch die dein Sohn alles an sich zieht. Entzünde auch in uns das Feuer seiner Liebe, damit wir in unseren Brüdern ihn erkennen und ihm dienen. Darum bitten wir durch ihn, Christus, unseren Herrn.

SCHLUSSSEGEN Im Jahreskreis VI

Gott, unser Vater, segne euch mit allem Segen des Himmels, damit ihr rein und heilig lebt vor seinem Angesicht.

Er lehre euch durch das Wort der Wahrheit; er bilde euer Herz nach dem Evangelium Christi und gebe euch Anteil an seiner Herrlichkeit.

Er schenke euch jene brüderliche Liebe, an der die Welt die Jünger Christi erkennen soll.

Das gewähre euch der dreieinige Gott, der Vater und der Sohn ✝ und der Heilige Geist.

Gebet:
Du bist das geöffnete Herz,
das all unser Leid,
unsere Verlassenheit und Not
in sich aufnimmt,
um sie umzuformen und auszubrennen
in deine große und läuternde Liebe.
Gott des Herzens.
Gott des durchbohrten Herzens:
Nimm unsere schwachen, versagenden
Herzen in dich auf.
Nimm uns ganz hinein in deine Liebe.
Nimm uns ganz hinein in deine Heimat,
in diese heilige Heimat deiner Liebe.

Erich Przywara SJ

11. Sonntag im Jahreskreis
17. Juni 2012

Vernimm, o Herr, mein lautes Rufen,
sei mir gnädig und erhöre mich.
Du bist meine Hilfe: Verstoß mich nicht,
verlass mich nicht, du Gott meines Heils!
Ps 27,7.9

Zu den Plätzen, an die wir uns an heißen Sommertagen gern wünschen, gehört der große Baum mit dem dichten Laub, in dessen Schatten wir ausruhen können.

Wir begegnen diesem Bild heute in der 1. Lesung und im Evangelium und es drückt etwas von der Wirklichkeit des Reiches Gottes aus. Da, wo wir in unserem Leben etwas vom Reich Gottes erfahren können, handelt es sich wohl um einen Ort, wo wir Ruhe finden und Kraft schöpfen können, ein Ort, der für viele attraktiv ist und an dem wir daher in Gemeinschaft mit anderen sind, ohne dass der Frieden dieses Ortes dadurch gestört würde.

Auch unsere Kirchen und Gemeinden sollten Orte sein, die schon von weitem gut sichtbar sind und einladen, Ruhe zu finden und Kraft zu schöpfen.

Wir preisen unseren Herrn Jesus Christus, der in seiner Kirche mitten unter uns ist:

Kyrie-Rufe
Oder: GL 524 · KG 376

Herr Jesus Christus, du hast uns in deine Kirche gerufen. Herr, erbarme dich.
Du begleitest uns auf unserem Weg. Christus, erbarme dich.
Du schenkst uns Kraft und Zuversicht. Herr, erbarme dich.

Gloria (siehe Seite 508)

TAGESGEBET

Gott, du unsere Hoffnung und unsere Kraft, ohne dich vermögen wir nichts. Steh uns mit deiner Gnade bei, damit wir denken, reden und tun, was dir gefällt. Darum bitten wir durch Jesus Christus.

ERSTE LESUNG Ez 17,22–24

Lesung aus dem Buch Ezechiel.

So spricht Gott, der Herr: Ich selbst nehme ein Stück vom hohen Wipfel der Zeder und pflanze es ein. Einen zarten Zweig aus den obersten Ästen breche ich ab, ich pflanze ihn auf einen hoch aufragenden Berg. Auf die Höhe von Israels Bergland pflanze ich ihn. Dort treibt er dann Zweige, er trägt Früchte und wird zur prächtigen Zeder. Allerlei Vögel wohnen darin; alles, was Flügel hat, wohnt im Schatten ihrer Zweige.

Dann werden alle Bäume auf den Feldern erkennen, dass ich der Herr bin. Ich mache den hohen Baum niedrig, den niedrigen mache ich hoch. Ich lasse den grünenden Baum verdorren, den verdorrten erblühen. Ich, der Herr, habe gesprochen und ich führe es aus. |F

Gott, der Schöpfer, schafft immer wieder neu. Die Bibel stellt dieses Handeln Gottes oft mit den Bildern eines Gärtners oder Bauern dar, der dafür sorgt, dass immer wieder neue Pflanzen wachsen und ihre Frucht bringen.

Der grünende Baum wird einmal verdorren, aber Gott verspricht in der Lesung, dass er einen Zweig nimmt, ihn einpflanzt und zu einem neuen Baum heranwachsen lassen wird, einen Baum, der Frucht bringt, zum weithin sichtbaren Kennzeichen wird und in seiner Größe und Fülle Raum für die Vögel des Himmels bietet.

Ezechiel spricht dieses Wort in der Babylonischen Gefangenschaft. Das Bild vom verdorrten Baum, von Israel, das seine Eigenstaatlichkeit verloren hatte, vom Volk, das verschleppt worden war, kannte er aus eigener Anschauung. Trotzdem setzt diese

Prophezeiung dagegen das Bild des Neuanfangs, das Bild der neuen Hoffnung.

Die verdorrten Bäume, die verkümmerten Hoffnungen prägen heute oft auch unser Bild von der Kirche. Desto wichtiger ist es, dagegen das Hoffnungsbild zu setzen, das Gott bereits seinem Volk Israel gegeben hat. Gott selbst handelt. Er pflanzt neu, er lässt neu Bäume ergrünen. Wir dürfen ihm zutrauen, dass die Mühe, die er sich mit seiner Pflanzung gemacht hat, nicht vergeblich ist, dass er die Macht hat, seine Anpflanzung auch wachsen zu lassen und dass er auch bei uns die Zweige findet, die er zu neuen Bäumen heranwachsen lassen will.

Antwortpsalm

Ps 92,2–3.13–16 (℟: 2a)

℟: Wie schön ist es, dem Herrn zu danken!

I. Ton – GL 737,1 · KG 488

Wie schön ist es, dem Herrn zu danken, *
deinem Namen, du Höchster, zu singen,
am Morgen deine Huld zu verkünden *
und in den Nächten deine Treue. – ℟

Der Gerechte gedeiht wie die Palme, *
er wächst wie die Zedern des Libanon.
Gepflanzt im Haus des Herrn, *
gedeihen sie in den Vorhöfen unseres Gottes. – ℟

Sie tragen Frucht noch im Alter *
und bleiben voll Saft und Frische;
sie verkünden: Gerecht ist der Herr; *
mein Fels ist er, an ihm ist kein Unrecht. – ℟

Zweite Lesung

2 Kor 5,6–10

Lesung aus dem zweiten Korintherbrief.

Schwestern und Brüder! Wir sind immer zuversichtlich, auch wenn wir wissen, dass wir fern vom Herrn in der Fremde leben, solange wir in diesem Leib zu Hause sind; denn als Glaubende gehen wir unseren Weg, nicht als Schauende. Weil wir aber zuversichtlich sind, ziehen wir es vor, aus dem Leib auszuwandern und daheim beim Herrn zu sein.

Deswegen suchen wir unsere Ehre darin, ihm zu gefallen, ob wir daheim oder in der Fremde sind. Denn wir alle müssen vor dem Richterstuhl Christi offenbar werden, damit jeder seinen Lohn empfängt für das Gute oder Böse, das er im irdischen Leben getan hat. |F

Paulus erinnert uns in dieser Lesung an die Vorläufigkeit unseres Daseins hier auf dieser Erde. Aber seine Zielrichtung ist weder, das abzuwerten, was wir hier auf Erden sind, haben und tun, noch ein Klagelied über die Vergänglichkeit alles Irdischen anzustimmen. Paulus geht es nicht um das, was wir hier haben und sind, sondern um das, was wir erwarten dürfen, wozu Gott uns machen wird. Das Grundwort dieser Lesung ist dabei Zuversicht, und das ist erstaunlich; denn wie Paulus selber sagt, sind wir noch nicht Schauende, sind wir eben noch nicht am Ziel angelangt, so dass wir wissen, was Gott uns bereiten wird.

Für Paulus ist diese Zuversicht aber ganz selbstverständlich. Seine Sorge ist nicht, ob der unbekannte Himmel wirklich besser ist als das, was wir auf Erden kennen, lieben und erreichen können. Heinrich Heine konnte auf den Himmel verzichten und das in seinem berühmten Wort so ausdrücken: »Den Himmel überlassen wir den Engeln und den Spatzen.« Paulus kann das nicht; denn unsere wahre Heimat ist für ihn nicht diese Erde. Für ihn sind wir daheim beim Herrn und solange wir fern von ihm sind, sind wir in der Fremde. Auf die Heimat aber können wir in Zuversicht zugehen.

Das muss und soll keine Abwertung der Erde bedeuten; denn nach dem Bericht der Bibel hat Gott uns aus der Erde vom Ackerboden gebildet, von der Erde genommen, bleiben wir mit der Erde verbunden. Diese Erde ist uns anvertraut, auf ihr sollen wir wirken. Aber wir sind von Gott zwar aus der Erde geschaffen, aber auf ihn hin. Er hat die Sehnsucht und die Suche nach ihm in unser Herz gelegt; und Jesus Christus ist uns zum Ziel vorausgegangen, damit wir ihm zu Gott nachfolgen. Die Sehnsucht nach Gott ist Antriebskraft für unser Leben und in Jesus Christus ist sie Zuversicht geworden, weil wir zwar noch nicht Schauende sind, aber im Glauben an unser Ziel heranreichen, an dem uns Jesus Christus erwartet.

RUF VOR DEM EVANGELIUM

Halleluja. Halleluja.
Der Samen ist das Wort Gottes, der Sämann ist Christus. Wer Christus findet, der bleibt in Ewigkeit.
Halleluja.

EVANGELIUM Mk 4,26–34

Aus dem heiligen Evangelium nach Markus.

In jener Zeit sprach Jesus zu der Menge: Mit dem Reich Gottes ist es so, wie wenn ein Mann Samen auf seinen Acker sät; dann schläft er und steht wieder auf, es wird Nacht und wird Tag, der Samen keimt und wächst und der Mann weiß nicht, wie. Die Erde bringt von selbst ihre Frucht, zuerst den Halm, dann die Ähre, dann das volle Korn in der Ähre. Sobald aber die Frucht reif ist, legt er die Sichel an; denn die Zeit der Ernte ist da.

Er sagte: Womit sollen wir das Reich Gottes vergleichen, mit welchem Gleichnis sollen wir es beschreiben? Es gleicht einem Senfkorn. Dieses ist das kleinste von allen Samenkörnern, die man in die Erde sät. Ist es aber gesät, dann geht es auf und wird größer als alle anderen Gewächse und treibt große Zweige, sodass in seinem Schatten die Vögel des Himmels nisten können. Durch viele solche Gleichnisse verkündete er ihnen das Wort, so wie sie es aufnehmen konnten. Er redete nur in Gleichnissen zu ihnen; seinen Jüngern aber erklärte er alles, wenn er mit ihnen allein war. IF

Im heutigen Evangelium hören wir zwei von den vielen Samengleichnissen, die Jesus gern erzählt. Ihre Häufigkeit im Neuen Testament erklärt sich einmal daraus, dass sie in einer landwirtschaftlich geprägten Gesellschaft gut verständlich waren und die Lebenswirklichkeit der Zuhörer trafen. Der zweite Grund ist aber wohl, dass Samenkörner nicht einfach größer werden, aus ihnen wächst etwas Neues, das man den Körnern noch nicht ansehen kann, und damit werden sie zu einem Bild, das etwas von der Wirklichkeit des Gottesreiches einfängt. Denn das ist vielleicht überhaupt das Typische für das Reich Gottes und die Gleichnisse, in denen Jesus das Reich seines Vaters verkündet, dass sich hier noch das Unvermutete, ein unerwartetes Mehr findet.

Auch das Gleichnis vom Senfkorn durchbricht die Erwartungen. Es geht nicht nur um das eine Korn und die reiche Ernte, die daraus wächst, und auch nicht nur um den Größenvergleich, dass das Senfkorn das kleinste von allen Samenkörnern ist, aber zu einem großen Baum wächst. Besonders mit der Erwähnung der Vögel wird der zu erwartende Rahmen des Gleichnisses gesprengt. Sie sind keine etwas idyllisch geratene Ausmalung des Gleichnisses, sondern gerade sie erklären etwas vom Geheimnis des Reiches Gottes.

Bauern und Gärtner wissen, dass Vögel auf dem Feld und im Garten keineswegs idyllische Gäste sind, sondern eine Gefahr für den Ernteertrag darstellen. Vogelscheuchen werden bis heute nicht ohne Grund aufgestellt.

Der himmlische Gärtner, der das Senfkorn aussät, muss aber nicht ängstlich um die Ernte besorgt sein. Die Ernte ist so groß und sicher, dass auch die normalerweise unerwünschten und lästigen Gäste Platz finden. Gott ist keiner der Vogelscheuchen aufstellt. Das Reich Gottes ist ein großer Baum, der nach allen Seiten offen ist und einlädt.

Es wäre also zu kurz gedeutet, wenn wir beim Gleichnis vom Senfkorn nur an die kleinen Anfänge der 12 Jünger um Jesus und die über eine Milliarde Christen heute denken. Das Gottesreich zeigt sich gerade darin, dass nicht mehr ängstlich gezählt werden muss, dass man keine Sorgen um die Ernte hat und dass daher im Reich Gottes niemand unerwünscht ist und alle kommen können.

CREDO (siehe Seite 512)

FÜRBITTEN

Allmächtiger Gott, du hast deine Kirche gepflanzt, du behütest sie und willst ihr eine reiche Ernte schenken. Wir bitten dich:

V: Vater im Himmel. A: Wir bitten dich, erhöre uns.

- Für unsere Gemeinde, dass sie ein Ort wird, wo viele Menschen den Glauben finden und lernen können.
- Für die Welternährungsorganisation, dass sie nicht müde wird in ihrem Kampf gegen den Hunger in der Welt.
- Für die vielen, die aus politischen Gründen fliehen mussten, dass ihnen eine Rückkehr in ihre Heimat ermöglicht wird.
- Für die Gruppen, die sich für den Umweltschutz einsetzen, dass ihre Arbeit zur Achtung und zum Erhalt der Schöpfung beiträgt.
- Für unsere Verstorbenen, dass Gott ihnen in seinem Reich die Frucht ihres Glaubens schenkt.

Barmherziger Gott, du schenkst allen, die auf dich vertrauen, neue Hoffnung und neues Leben. Behüte und begleite uns und erhöre unsere Bitten durch Christus, unseren Herrn. Amen.

GABENGEBET

Herr, durch diese Gaben nährst du den ganzen Menschen: Du gibst dem irdischen Leben Nahrung und dem Leben der Gnade Wachstum. Laß uns daraus immer neue Kraft schöpfen für Seele und Leib. Darum bitten wir durch Christus, unseren Herrn.

PRÄFATION Sonntage III

In Wahrheit ist es würdig und recht, dir, Herr, heiliger Vater, allmächtiger, ewiger Gott, immer und überall zu danken. Denn wir erkennen deine Herrlichkeit in dem, was du an uns getan hast: Du bist uns mit der Macht deiner Gottheit zu Hilfe gekommen und hast uns durch deinen menschgewordenen Sohn Rettung und Heil gebracht aus unserer menschlichen Sterblichkeit. So kam uns aus unserer Vergänglichkeit das unvergängliche Leben durch unseren Herrn Jesus Christus. Durch ihn preisen wir jetzt und in Ewigkeit dein Erbarmen und singen mit den Chören der Engel das Lob deiner Herrlichkeit.

EINLADUNG ZUM VATERUNSER

Gott hat uns seinen Geist des Muts und der Kraft gegeben. Voll Zuversicht gehen wir daher unseren Weg und voll Vertrauen beten wir zu Gott, unserem Vater: Vater unser im Himmel …

EINLADUNG ZUM FRIEDENSGEBET

Gottes Reich steht allen Menschen offen. In ihm finden wir Gemeinschaft mit Gott und untereinander. Deshalb bitten wir: Herr Jesus Christus …

KOMMUNIONVERS Ps 27,4

Nur eines erbitte ich mir vom Herrn, danach verlangt mich: im Haus des Herrn zu wohnen alle Tage meines Lebens.

Oder: Joh 17,11

Heiliger Vater, bewahre sie in deinem Namen, die du mir gegeben hast, damit sie eins sind wie wir.

SCHLUSSGEBET

Herr, unser Gott, das heilige Mahl ist ein sichtbares Zeichen, daß deine Gläubigen in dir eins sind. Laß diese Feier wirksam werden für die Einheit der Kirche. Darum bitten wir durch Christus, unseren Herrn.

SCHLUSSSEGEN Im Jahreskreis V

Gott, der allmächtige Vater, segne euch; er bewahre euch vor Unheil und Schaden.

Er öffne eure Herzen für sein göttliches Wort und bereite sie für die unvergänglichen Freuden.

Er lasse euch erkennen, was zum Heile dient, und führe euch auf dem Weg seiner Gebote zur Gemeinschaft der Heiligen.

Das gewähre euch der dreieinige Gott, der Vater und der Sohn ✝ und der Heilige Geist.

Rabbi Uri lehrte: Der Mensch gleicht einem Baum. Willst du dich vor einen Baum stellen und unablässig spähen, wie er wachse und um wie viel er schon gewachsen sei. Nichts wirst du sehen.

Aber pflege ihn allezeit, beschneide, was an ihm untauglich ist, wehre seinen Schädlingen, zu guter Frist wird er groß geworden sein.

So der Mensch: Es tut nur Not, die Hemmnisse zu bewältigen, auf dass er zu seinem Wuchs gedeihe; aber ungeziemend ist es, allstündlich zu prüfen, um wie viel er schon zugenommen habe.

Martin Buber

Geburt des Heiligen Johannes des Täufers

Am Vorabend

23. Juni 2012

Johannes wird groß sein vor Gott,
und schon im Mutterleib
wird er vom Heiligen Geist erfüllt sein;
viele werden sich über seine Geburt freuen.
Lk 1,15.14

Mitten im Sommer werden heute schon weihnachtliche Töne angeschlagen; denn sechs Monate vor Weihnachten feiern wir die Geburt Johannes des Täufers, des Vorläufers Jesu.

Johannes ging Jesus voraus, er verwies auf ihn und bezeugte ihn aufgrund der Offenbarung Gottes. Wir folgen Jesus nach, sind auf ihn verwiesen und bezeugen ihn mit unserem Glauben. So erweist sich Jesus Christus als die Mitte, auf die wir uns alle beziehen.

Die Natursymbolik dieser beiden Daten, der Geburt des Täufers und der Geburt Jesu, wurde von Anfang an immer wieder ausgedeutet. Die Sommersonnenwende, nach der die Tage kürzer werden, und die Wintersonnenwende, in der uns das neue Licht und das neue Leben erscheinen.

Bereits die Wahl dieser Daten deutet auf Jesus Christus hin, der die wahre Sonne und das Licht der Welt ist.

Wir preisen unseren Herrn Jesus Christus:

Kyrie-Rufe — GL 401 · KG 160

Herr Jesus Christus, durch dich ist alles geschaffen. Herr, erbarme dich.

Du bist das Licht der Welt und bringst uns neues Leben. Christus, erbarme dich.

In dir findet alles seine Vollendung. Herr, erbarme dich.

Gloria (siehe Seite 508)

Tagesgebet

Allmächtiger Gott, führe deine Kirche auf dem Weg des Heiles und gib uns die Gnade, den Weisungen Johannes' des Täufers zu folgen, damit wir zu dem gelangen, den er vorausverkündet hat, zu unserem Herrn Jesus Christus, deinem Sohn.

Erste Lesung — Jer 1,4–10

Lesung aus dem Buch Jeremia.

In den Tagen Joschijas, des Königs von Juda, erging das Wort des Herrn an mich: Noch ehe ich dich im Mutterleib formte, habe ich dich ausersehen, noch ehe du aus dem Mutterschoß hervorkamst, habe ich dich geheiligt, zum Propheten für die Völker habe ich dich bestimmt.

Da sagte ich: Ach, mein Gott und Herr, ich kann doch nicht reden, ich bin ja noch so jung. Aber der Herr erwiderte mir: Sag nicht: Ich bin noch so jung. Wohin ich dich auch sende, dahin sollst du gehen, und was ich dir auftrage, das sollst du verkünden. Fürchte dich nicht vor ihnen; denn ich bin mit dir, um dich zu retten – Spruch des Herrn.

Dann streckte der Herr seine Hand aus, berührte meinen Mund und sagte zu mir: Hiermit lege ich meine Worte in deinen Mund. Sieh her! Am heutigen Tag setze ich dich über Völker und Reiche; du sollst ausreißen und niederreißen, vernichten und einreißen, aufbauen und einpflanzen. IF

Die Berufungsworte Gottes treffen nicht Menschen, die das erwartet haben und sich dafür gerüstet fühlen; denn solche Menschen würden eher sich als Gott verkünden. Die Berufung an die Propheten ergeht plötzlich und gibt dem Leben eine andere Richtung. Die Berufung des Jeremia noch im Mutterleib ist Zeichen der Erwählung durch Gott, unabhängig und vor allem, was der Prophet ist und tut. Sie bedeutet aber nicht, dass Jeremia nicht seine eigenen Vorstellungen davon gehabt hätte, wie sein Leben aussehen sollte und wie er es gestalten wollte.

Die Scheu und die Abwehr des Propheten werden verständlich, wenn wir hören, wie der Auftrag Gottes lautet. Jeremia wird über Völker und Reiche gesetzt und er hat eine ungeheure Verantwortung und Machtfülle im Vernichten und Niederreißen, aber auch im Aufbauen und Einpflanzen. Auffällig dabei ist, dass nach den Vernichtungsworten der Abschluss bewusst positiv gefasst ist. Der Gott der Vernichtung ist auch der Gott der Wiederherstellung und einer neuen Zukunft, wie sie sich im Bauen und Pflanzen niederschlägt.

Jeremia scheut vor der Berufung zurück und wendet seine Jugend ein. Gott widerspricht diesem Einwand Jeremias nicht. Er erkennt ihn als richtig an, aber er lässt ihn nicht gelten. Die Sendung durch Gott und Gottes Beistand werden alles ausgleichen, was dem Propheten an natürlichen Gaben fehlt. Die Prophetenberufung geht über das hinaus, was weise, erfahrene und redegewandte Menschen sagen können. Das, was ein Prophet verkündet, entspringt nicht seinem Wissen und seiner Erfahrung. Es kommt von Gott und wird daher auch von Gott getragen und mit Kraft versehen.

Da die Propheten nicht sich und auch nicht aus eigener Kraft verkünden, wird auch Johannes der Täufer zurücktreten vor dem, den er verkündet, und von sich weg auf den weisen, der kommen soll, Jesus Christus.

ANTWORTPSALM

Ps 71,5–8.15.17 (℟: vgl. 6ab)

℟: Vom Mutterleib an bist du mein Beschützer, o Gott; dir gilt mein Lobpreis allezeit.

VII. Ton – GL 629,1

Herr, mein Gott, du bist ja meine Zuversicht, *
meine Hoffnung von Jugend auf.
Vom Mutterleib an stütze ich mich auf dich, /
vom Mutterschoß an bist du mein Beschützer; *
dir gilt mein Lobpreis allezeit. – ℟

Für viele bin ich wie ein Gezeichneter, *
du aber bist meine starke Zuflucht.
Mein Mund ist erfüllt von deinem Lob, *
von deinem Ruhm den ganzen Tag. – ℞

Mein Mund soll von deiner Gerechtigkeit künden /
und von deinen Wohltaten sprechen den ganzen Tag; *
denn ich kann sie nicht zählen.
Gott, du hast mich gelehrt von Jugend auf, *
und noch heute verkünde ich dein wunderbares Walten. – ℞

ZWEITE LESUNG — 1 Petr 1,8–12

Lesung aus dem ersten Petrusbrief.

Schwestern und Brüder! Ihr habt Jesus Christus nicht gesehen und dennoch liebt ihr ihn; ihr seht ihn auch jetzt nicht; aber ihr glaubt an ihn und jubelt in unsagbarer, von himmlischer Herrlichkeit verklärter Freude, da ihr das Ziel des Glaubens erreichen werdet: euer Heil.

Nach diesem Heil haben die Propheten gesucht und geforscht und sie haben über die Gnade geweissagt, die für euch bestimmt ist. Sie haben nachgeforscht, auf welche Zeit und welche Umstände der in ihnen wirkende Geist Christi hindeute, der die Leiden Christi und die darauf folgende Herrlichkeit im Voraus bezeugte.

Den Propheten wurde offenbart, dass sie damit nicht sich selbst, sondern euch dienten; und jetzt ist euch dies alles von denen verkündet worden, die euch in der Kraft des vom Himmel gesandten Heiligen Geistes das Evangelium gebracht haben. Das alles zu sehen ist sogar das Verlangen der Engel. ℣

Die Propheten des Alten oder Ersten Bundes haben nicht sich selbst, sondern uns gedient. Das ist die für uns vielleicht erstaunliche Aussage dieser Lesung.

Genau wie die Apostel und die ersten Missionare dem Glauben der damaligen Gemeinden und der Adressaten des 1. Petrusbriefs gedient hatten und durch ihre Verkündigung deren und auch unseren Glauben wecken und stärken, genauso haben bereits die Propheten Jesus Christus, seine Leiden und seine Herrlichkeit, verkündet und dienen so unserem Glauben als Christen.

Die Einheit der gesamten biblischen Verkündigung des Ersten und des Neuen Bundes ist in Jesus Christus begründet, der als Wort Gottes die Mitte der Schrift und die Fülle der Offenbarung ist. Alter und Neuer Bund gehören also heilsgeschichtlich zusammen und bilden eine Einheit, und diese Einheit findet ihr Ziel und ihren Abschluss in Jesus Christus. Auf ihn zielt die Botschaft der Propheten, die Jahrhunderte vor ihm gelebt haben, auf ihn richtet sich unser Glaube, auch wenn wir ihn nicht sehen und nur von ihm gehört haben.

Das Ziel unseres Glaubens aber ist unser Heil und das erklärt den Jubel, der die gesamte Lesung durchzieht. Von Anfang an schon vor der Botschaft der ersten Propheten ist die Geschichte Gottes mit den Menschen eine Heilsgeschichte, will Gott uns das Leben und das Heil schenken. Jesus Christus ist die Mitte und die Fülle der Offenbarung, er ist so auch Anfang und Ziel unseres Heils. In ihm will Gott alles schenken – den Propheten und allen, die auf ihn gewartet haben, und uns, die als Christen an ihn glauben.

RUF VOR DEM EVANGELIUM — Vgl. Joh 1,7; Lk 1,17

Halleluja. Halleluja.
Er kam als Zeuge, um Zeugnis abzulegen für das Licht und das Volk für den Herrn zu bereiten.
Halleluja.

EVANGELIUM — Lk 1,5–17

Aus dem heiligen Evangelium nach Lukas.

Zur Zeit des Herodes, des Königs von Judäa, lebte ein Priester namens Zacharias, der zur Priesterklasse Abija gehörte. Seine Frau stammte aus dem Geschlecht Aarons; sie hieß Elisabet. Beide lebten so, wie es in den Augen Gottes recht ist, und hielten sich in allem streng an die Gebote und Vorschriften des

Herrn. Sie hatten keine Kinder, denn Elisabet war unfruchtbar, und beide waren schon in vorgerücktem Alter.

Eines Tages, als seine Priesterklasse wieder an der Reihe war und er beim Gottesdienst mitzuwirken hatte, wurde, wie nach der Priesterordnung üblich, das Los geworfen, und Zacharias fiel die Aufgabe zu, im Tempel des Herrn das Rauchopfer darzubringen. Während er nun zur festgelegten Zeit das Opfer darbrachte, stand das ganze Volk draußen und betete.

Da erschien dem Zacharias ein Engel des Herrn; er stand auf der rechten Seite des Rauchopferaltars. Als Zacharias ihn sah, erschrak er und es befiel ihn Furcht.

Der Engel aber sagte zu ihm: Fürchte dich nicht, Zacharias! Dein Gebet ist erhört worden. Deine Frau Elisabet wird dir einen Sohn gebären; dem sollst du den Namen Johannes geben. Große Freude wird dich erfüllen und auch viele andere werden sich über seine Geburt freuen.

Denn er wird groß sein vor dem Herrn. Wein und andere berauschende Getränke wird er nicht trinken und schon im Mutterleib wird er vom Heiligen Geist erfüllt sein. Viele Israeliten wird er zum Herrn, ihrem Gott, bekehren.

Er wird mit dem Geist und mit der Kraft des Elija dem Herrn vorangehen, um das Herz der Väter wieder den Kindern zuzuwenden und die Ungehorsamen zur Gerechtigkeit zu führen und so das Volk für den Herrn bereit zu machen. IF

Von Anfang an sind die beiden eng miteinander verbunden, und die besondere Bedeutung Johannes des Täufers wird dadurch deutlich, dass er der Einzige ist, von dem die Evangelien berichten, ohne dass in diesen Evangelienabschnitten Jesus direkt genannt wird.

Seine besondere Stellung an der Nahtstelle zwischen Erstem und Neuem Bund wird in seiner Charakterisierung durch den Engel deutlich. Er steht in der Tradition alttestamentlicher Heiliger, wenn er keinen Wein und berauschende Getränke trinken wird. Es wird ausdrücklich auf Elija verwiesen, mit dessen Kraft er auftreten wird. Er ist eine Prophetengestalt vergleichbar den anderen Propheten des Ersten Bundes. Auch seine Aufgabe, das Herz der Väter wieder den Kindern zuzuwenden, die Ungehorsamen zur Gerechtigkeit zu führen und so das Volk für den Herrn bereit zu machen, ist keine Neuerung, sondern entspricht dem Auftrag Gottes an die bisherigen Propheten.

Neu ist aber, dass er dem Herrn vorangehen wird; und dieser Herr ist nicht Gott, der am Ende der Welt Gericht hält, sondern Jesus Christus, in dem Gott Mensch geworden ist. Indem Johannes der Täufer Vorläufer Jesu ist, ist auch seine Aufgabe keine eigenständige mehr. Er bereitet auf Jesus vor und weist auf ihn hin. Damit ist aber auch die gesamte Tradition der Propheten des Ersten Bundes, in die er von dem Engel gestellt wird und die Johannes noch einmal zusammenfasst, eine Tradition, die auf Jesus Christus zuläuft.

Auch ohne dass Jesus Christus in diesem Abschnitt des Evangeliums ausdrücklich genannt wird, erweist er sich doch als der Herr, der kommen soll, ist er auch hier die Mitte des Evangeliums, an der sich alles entscheidet. Die Größe und die Grenze Johannes des Täufers erwachsen daran, dass er nur einer ist, der auf einen anderen zeigen muss, dass er aber der ist, den Gott beauftragt hat, auf den zu zeigen, der das Warten der Menschheit beendet und erfüllt, Jesus Christus.

CREDO (siehe Seite 512)

FÜRBITTEN

Lasst uns zu Gott, unserem Vater beten, der uns durch Johannes den Täufer sein Heil verheißen hat:

A: Gott, stehe ihnen bei.

- Für die Ordensleute und alle, die in der Nachfolge Jesu vieles aufgeben, dass sie Gottes Freude erfahren.
- Für alle, die sich um eine gerechte Weltwirtschaftsordnung bemühen, dass sie in ihrem Einsatz nicht müde werden.

- Für alle Paare, deren Beziehung zerrüttet ist, dass sie wieder zueinander finden.
- Für die Jugendlichen, die nach dem Sinn ihres Lebens suchen, dass sie das Geschenk des Glaubens annehmen.
- Für unsere Verstorbenen, dass sie eingehen in das ewige Leben bei Gott.

Gütiger Gott, du schenkst uns das Leben und willst uns deinen Segen geben. Sieh gnädig auf uns und erhöre unsere Bitten durch Christus, unseren Herrn. Amen.

Gabengebet

Herr und Gott, zum Fest des heiligen Johannes bringen wir unsere Gaben dar. Hilf uns, im täglichen Leben zu verwirklichen, was wir am Altar in heiligen Zeichen begehen. Darum bitten wir durch Christus, unseren Herrn.

Präfation

Vom Tag

In Wahrheit ist es würdig und recht, dir, allmächtiger Vater, zu danken und am Fest des heiligen Johannes das Werk deiner Gnade zu rühmen. Du hast ihn geehrt vor allen, die je eine Frau geboren hat, schon im Mutterschoß erfuhr er das kommende Heil, seine Geburt erfüllte viele mit Freude. Als einziger der Propheten schaute er den Erlöser und zeigte hin auf das Lamm, das die Sünde der Welt hinwegnimmt. Im Jordan taufte er Christus, der seiner Kirche die Taufe geschenkt hat, so wurde das Wasser zum heiligen Quell des ewigen Lebens. Bis an sein Ende gab Johannes Zeugnis für das Licht und besiegelte mit dem Blut seine Treue. Darum preisen wir dich mit allen Engeln und Heiligen und singen vereint mit ihnen das Lob deiner Herrlichkeit.

Einladung zum Vaterunser

Gott sendet seine Boten und lässt sein Wort verkünden, damit wir das Ziel unseres Glaubens erreichen, unser Heil. Im Vertrauen auf ihn beten wir: Vater unser im Himmel …

Einladung zum Friedensgebet

Gott will sein Volk für sich bereitmachen. Er wendet unsere Herzen ihm zu und schenkt uns seinen Frieden. Deshalb bitten wir: Herr Jesus Christus …

Kommunionvers

Lk 1,68

Gepriesen sei der Herr, der Gott Israels!
Denn er hat sein Volk besucht und ihm Erlösung geschaffen.

Schlussgebet

Herr, unser Gott, du hast uns gestärkt mit dem Brot des Lebens. Die mächtige Fürsprache des heiligen Johannes begleite unser ganzes Leben. Sie erwirke uns einst das Erbarmen des Weltenrichters, den er als das Opferlamm für unsere Sünden vorausverkündet hat, unseres Herrn Jesus Christus, der mit dir lebt und herrscht in alle Ewigkeit.

Schlusssegen

Von allen Heiligen

Der gütige Gott, der die Heiligen zur Vollendung geführt hat, segne euch und bewahre euch vor allem Unheil.

Das Vorbild des heiligen Johannes des Täufers lehre euch, und seine Fürsprache helfe euch, Gott und den Menschen zu dienen.

Das gewähre euch der dreieinige Gott, der Vater und der Sohn ✝ und der Heilige Geist.

Ich bin erschaffen, um das zu sein und zu tun, was nur mir und keinem anderen bestimmt ist; ich habe einen Platz in den Absichten und in der Welt Gottes, den kein anderer einnimmt. Mag ich arm oder reich, geschätzt oder verachtet vor den Menschen sein, Gott kennt mich und ruft mich bei meinem Namen.

Er hat mich erschaffen, um ihm einen ganz bestimmten Dienst zu erweisen; er hat mir irgendein Werk anvertraut, das er keinem anderen übertragen hat. Ich habe meine Mission, hienieden mag sie mir verborgen sein, im anderen Leben aber wird sie mir offenbar werden. In irgendeiner Weise braucht er mich zur Ausführung seiner Pläne, ebenso wie jeder Erzengel seinen bestimmten Platz im Weltenplan hat; nur darf ich nicht versagen, sonst ruft er einen anderen, denn er kann auch aus Steinen Abraham Kinder erwecken.

...

Du bist weiser als ich und liebst mich mehr als ich mich selber. Erfülle in mir deine Absichten, welche es immer auch seien; handele in mir und durch mich, wie es dir gefällt. Ich bin geboren zu deinem Dienst, um dir und nur dir zu gehören und dein Werkzeug zu sein. Lass mich dein blindes Werkzeug sein. Ich verlange nicht zu sehen, ich wünsche nicht zu wissen, ich bitte nur einfach gebraucht zu werden.

John Henry Kardinal Newman

Geburt des Heiligen Johannes des Täufers

Am Tag

24. Juni 2012

Ein Mensch trat auf, der von Gott gesandt war;
sein Name war Johannes.
Er kam als Zeuge, um Zeugnis abzulegen für das Licht
und das Volk für den Herrn bereit zu machen.
Joh 1,6–7; Lk 1,17

Die wunderbaren Geschehnisse bei der Geburt Johannes des Täufers führten die Menschen dazu zu fragen, was wohl aus diesem Kind werden wird. An ihn knüpfen sich die Hoffnungen und Erwartungen Israels, wie sie sich in seiner Geschichte mit Gott ausgeprägt haben.

Doch diese Hoffnungen und Erwartungen werden von Johannes weiterverwiesen auf Jesus Christus, den, der da von Gott kommen soll. Johannes ist nur ein Vorläufer und ein Vorausbild, so wie dieser längste Tag des Jahres, der Höhepunkt des Sommers, nur ein Vorausbild ist für die ewige Sonne, Jesus Christus, das Licht, das die Welt erleuchten wird.

Wir preisen unseren Herrn Jesus Christus, auf den Johannes verwiesen hat:

Kyrie-Rufe

Oder: GL 485 · KG 50

Herr Jesus Christus, du bist das Licht der Welt. Herr, erbarme dich.
In dir erfüllen sich die Hoffnungen der Menschen. Christus, erbarme dich.
Du bist der Weg, der uns zu Gott führt. Herr, erbarme dich.

Gloria (siehe Seite 508)

Tagesgebet

Gott, du hast den heiligen Johannes den Täufer berufen, das Volk des alten Bundes Christus, seinem Erlöser, entgegenzuführen. Schenke deiner Kirche die Freude im Heiligen Geist und führe alle, die an dich glauben, auf dem Weg des Heiles und des Friedens. Darum bitten wir durch Jesus Christus.

Erste Lesung

Jes 49,1–6

Lesung aus dem Buch Jesaja.

Hört auf mich, ihr Inseln, merkt auf, ihr Völker in der Ferne! Der Herr hat mich schon im Mutterleib berufen; als ich noch im Schoß meiner Mutter war, hat er meinen Namen genannt.

Er machte meinen Mund zu einem scharfen Schwert, er verbarg mich im Schatten seiner Hand. Er machte mich zum spitzen Pfeil und steckte mich in seinen Köcher. Er sagte zu mir: Du bist mein Knecht, Israel, an dem ich meine Herrlichkeit zeigen will.

Ich aber sagte: Vergeblich habe ich mich bemüht, habe meine Kraft umsonst und nutzlos vertan. Aber mein Recht liegt beim Herrn und mein Lohn bei meinem Gott.

Jetzt aber hat der Herr gesprochen, der mich schon im Mutterleib zu seinem Knecht gemacht hat, damit ich Jakob zu ihm heimführe und Israel bei ihm versammle. So wurde ich in den Augen des Herrn geehrt und mein Gott war meine Stärke.

Und er sagte: Es ist zu wenig, dass du mein Knecht bist, nur um die Stämme Jakobs wieder aufzurichten und die Verschonten Israels heimzuführen. Ich mache dich zum Licht für die Völker; damit mein Heil bis an das Ende der Erde reicht. IF

Der Knecht Gottes, der sich hier im zweiten sogenannten Gottesknechtlied selbst vorstellt, ist schon im Mutterleib von Gott zu dieser Aufgabe berufen worden. Er tritt daher ganz hinter dieser Aufgabe zurück und ist hier namenlos, auch wenn Gott ihn schon im Schoß seiner Mutter beim Namen genannt hat, und auch wenn er weiter unten in der Lesung mit dem Volk Israel in Verbindung gebracht wird. Nicht ein bestimmter Mensch spricht, sondern der Knecht Gottes, der ohne persönliche Züge bleibt. Charakterisiert wird er durch das, was Gott an ihm tut, um ihn zu seinem Knecht und zu seinem Werkzeug zu machen, und was er in dieser Aufgabe als Knecht erleiden wird.

Gott macht ihn zu einem spitzen Pfeil und seinen Mund zu einem scharfen Schwert. Die Worte Gottes, die er verkünden wird, sind also voller Kraft, durchdringend und wirksam. Sie sind Waffen gegen alle, die gegen Gott auftreten. Der Knecht wird bis zum Letzten, bis zur Erschöpfung gefordert. Das wird in seiner Klage, dass er sich vergeblich gemüht und seine Kraft vertan hat, deutlich. Die Klage hebt aber nicht sein Vertrauen in Gott auf, und so erneuert Gott seinen Auftrag und seine Verheißung.

Der Auftrag des Propheten wird nun über Israel hinaus ausgeweitet auf alle Völker und bis zu den Enden der Erde. Damit wird die Gestalt des Gottesknechts offen über die Propheten hinaus auf Jesus Christus, der das Licht der Welt ist, das allen Völkern leuchtet. Auch am Fest Johannes des Täufers ist die alttestamentliche Lesung offen über die prophetische Gestalt des Täufers hinaus auf Jesus Christus, der die Erfüllung der Schrift ist.

ANTWORTPSALM Ps 139,1–3.13–16b (℟: vgl. 14a)

℟: Ich danke dir, o Herr: Du hast mich wunderbar gestaltet.
IV. Ton – GL 755,1 · KG 633

Herr, du hast mich erforscht und du kennst mich. /
Ob ich sitze oder stehe, du weißt von mir. *
Von fern erkennst du meine Gedanken.
Ob ich gehe oder ruhe, es ist dir bekannt; *
du bist vertraut mit all meinen Wegen. – ℟

Denn du hast mein Inneres geschaffen, *
mich gewoben im Schoß meiner Mutter.
Ich danke dir, dass du mich so wunderbar gestaltet hast. *
Ich weiß: Staunenswert sind deine Werke. – ℟

Als ich geformt wurde im Dunkeln, /
kunstvoll gewirkt in den Tiefen der Erde, *
waren meine Glieder dir nicht verborgen.
Deine Augen sahen, wie ich entstand, *
in deinem Buch war schon alles verzeichnet. – IR

Zweite Lesung

Apg 13,16.22–26

Lesung aus der Apostelgeschichte.

In der Synagoge von Antiochia in Pisidien stand Paulus auf, gab mit der Hand ein Zeichen und sagte:

Ihr Israeliten und ihr Gottesfürchtigen, hört! Gott erhob David zum König, von dem er bezeugte: Ich habe David, den Sohn des Isai, als einen Mann nach meinem Herzen gefunden, der alles, was ich will, vollbringen wird. Aus seinem Geschlecht hat Gott dem Volk Israel, der Verheißung gemäß, Jesus als Retter geschickt. Vor dessen Auftreten hat Johannes dem ganzen Volk Israel Umkehr und Taufe verkündigt.

Als Johannes aber seinen Lauf vollendet hatte, sagte er: Ich bin nicht der, für den ihr mich haltet; aber seht, nach mir kommt einer, dem die Sandalen von den Füßen zu lösen ich nicht wert bin.

Brüder, ihr Söhne aus Abrahams Geschlecht und ihr Gottesfürchtigen! Uns wurde das Wort dieses Heils gesandt. IF

David und Johannes der Täufer, es sind zwei starke Autoritäten, auf die sich Paulus in seiner Predigt beruft, um für den Glauben an Christus zu gewinnen, David und sein Geschlecht, seine Nachkommen, denen die Verheißung der Königswürde gilt, und Johannes der Täufer, der Abschluss der alttestamentlichen Propheten. Beide gehören zu den großen Traditionen des Ersten Bundes Gottes mit seinem Volk, und aus dessen Tradition erwächst auch Jesus Christus.

Die Tradition wird nicht geleugnet und nicht abgebrochen, aber Paulus macht durch den Verweis auf die Worte Johannes des Täufers auch ganz deutlich, durch welchen Qualitätssprung und

Abstand Jesus Christus gegenüber dieser Tradition ausgezeichnet ist. Johannes der Täufer, in dem der Erste Bund noch einmal zusammengefasst ist und einen Höhepunkt findet, bezeichnet sich selbst als nicht würdig, auch nur die Sandalen dessen zu lösen, der nach ihm kommt, Jesus Christus.

Das große Thema der ersten Christen und gerade auch des Paulus wird hier angesprochen, die Kontinuität zum Judentum und das Neue, das Jesus Christus gebracht hat. Jesus stammt aus dem Geschlecht Davids, ist also Erbe der an David ergangenen Verheißung. Auf ihn weist die gesamte Tradition, zuletzt noch einmal in Johannes dem Täufer zusammengefasst, hin. Aber er ist nicht einfach eine Fortsetzung dieser Tradition. In ihm hat Gott das Neue geschaffen. Er ist der, den Israel seit Jahrhunderten erwartet, der die Hoffnungen erfüllt, die sich schon auf Johannes gerichtet hatten.

RUF VOR DEM EVANGELIUM — Vgl. Lk 1,76

Halleluja. Halleluja.
Du wirst Prophet des Höchsten heißen; denn du wirst dem Herrn vorausgehen und ihm den Weg bereiten.
Halleluja.

EVANGELIUM — Lk 1,57–66.80

Aus dem heiligen Evangelium nach Lukas.

Für Elisabet kam die Zeit der Niederkunft und sie brachte einen Sohn zur Welt. Ihre Nachbarn und Verwandten hörten, welch großes Erbarmen der Herr ihr erwiesen hatte, und freuten sich mit ihr.

Am achten Tag kamen sie zur Beschneidung des Kindes und wollten ihm den Namen seines Vaters Zacharias geben.

Seine Mutter aber widersprach ihnen und sagte: Nein, er soll Johannes heißen. Sie antworteten ihr: Es gibt doch niemand in deiner Verwandtschaft, der so heißt.

Da fragten sie seinen Vater durch Zeichen, welchen Namen das Kind haben solle. Er verlangte ein Schreibtäfelchen und schrieb zum Erstaunen aller darauf: Sein Name ist Johannes.

Im gleichen Augenblick konnte er Mund und Zunge wieder gebrauchen und er redete und pries Gott. Und alle, die in jener Gegend wohnten, erschraken und man sprach von all diesen Dingen im ganzen Bergland von Judäa.

Alle, die davon hörten, machten sich Gedanken darüber und sagten: Was wird wohl aus diesem Kind werden? Denn es war deutlich, dass die Hand des Herrn mit ihm war.

Das Kind wuchs heran und sein Geist wurde stark. Und Johannes lebte in der Wüste bis zu dem Tag, an dem er den Auftrag erhielt, in Israel aufzutreten. IF

Wie die Geburt Jesu so ist auch die Geburt Johannes des Täufers von wunderbaren Ereignissen umrahmt. Da ist einmal die Verkündigung der Geburt durch den Engel, durch die die Geburt Jesu und die Geburt des Täufers bewusst in eine Parallele gesetzt werden. Bedeutsam ist aber vor allem die Strafe für den Unglauben des Zacharias, der verstummte, bis er im Gehorsam den Willen Gottes erfüllt und Johannes den Namen gibt, den ihm der Engel genannt hatte. In diesem Geschehen finden wir besonders dicht eine vorbildhafte Geschichte.

Der Unglaube verschließt uns den Mund, unser Glaube öffnet ihn, um Gott zu bezeugen und ihn für das zu loben, was er auch in unserem Leben tut. Schon vor Johannes dem Täufer ist sein Vater Zacharias also ein Zeuge des Glaubens – und vielleicht sogar ein Glaubenszeuge, der uns näher steht als Johannes, weil Zacharias nicht die besondere Berufung hat, die ihn in die Wüste führt, und weil sein Glaube aus Zweifel und Skepsis erwächst, was uns nicht fremd ist, aber auch aus der Erfahrung, dass Gott bei ihm ist und in seinem Leben handelt.

Bereits mit seiner Geburt beginnt also wie bei Jesus das Wirken des Johannes. Mit Zacharias beginnt es, dass Johannes Israel zum Gehorsam gegenüber Gott zurückführt, so dass Israel Gott lobt und seine Größe preist. Mit dem Lobgesang des Zacharias beginnt aber auch der Lobpreis auf Jesus Christus, dem Johannes vorausgeht und auf den er verweist.

CREDO (siehe Seite 512)

FÜRBITTEN

Wir beten zu unserem Herrn Jesus Christus, auf den Johannes der Täufer verwiesen hat:

A: Herr, erbarme dich.

- Um Gottes Segen für den christlich-jüdischen Dialog.
- Um Frieden zwischen den großen Weltreligionen.
- Um das Bewusstsein ihrer Verantwortung für alle, die die öffentliche Meinung beeinflussen.
- Um eine gute Ausbildung für die Jugendlichen in den unterentwickelten Ländern.
- Um eine gute Geburt für alle Frauen, die ein Kind erwarten.

Gütiger Gott, du sendest deine Boten, die uns dein Wort verkünden und uns zu dir zurückrufen. Führe uns zu dir und erhöre unsere Bitten durch Christus, unseren Herrn. Amen.

GABENGEBET

Herr, unser Gott, in Freude legen wir unsere Gaben auf deinen Altar am Geburtsfest des heiligen Vorläufers Johannes. Er hat angekündigt, daß der Erlöser kommt, und als er gekommen war, auf ihn gezeigt, auf Jesus Christus, deinen Sohn, der mit dir lebt und herrscht in alle Ewigkeit.

PRÄFATION — Vom Tag

In Wahrheit ist es würdig und recht, dir, allmächtiger Vater, zu danken und am Fest des heiligen Johannes das Werk deiner Gnade zu rühmen. Du hast ihn geehrt vor allen, die je eine Frau geboren hat, schon im Mutterschoß erfuhr er das kommende Heil, seine Geburt erfüllte viele mit Freude. Als einziger der Propheten schaute er den Erlöser und zeigte hin auf das Lamm, das die Sünde der Welt hinwegnimmt. Im Jordan taufte er Christus, der seiner Kirche die Taufe geschenkt hat, so wurde das Wasser zum heiligen Quell des ewigen Lebens. Bis an sein Ende gab Johannes Zeugnis für das Licht und besiegelte mit dem Blut seine Treue. Darum preisen wir dich mit allen Engeln und Heiligen und singen vereint mit ihnen das Lob deiner Herrlichkeit.

Einladung zum Vaterunser

Bei der Geburt Johannes des Täufers schauen wir voraus auf den Beginn unseres Heils in der Geburt Jesu Christi. Voll Dankbarkeit und Freude beten wir: Vater unser im Himmel …

Einladung zum Friedensgebet

Gott will, dass sein Heil alle Menschen umfasst und bis an das Ende der Erde reicht. Er schenkt uns in Jesus Christus seinen Frieden. Deshalb bitten wir: Herr Jesus Christus …

Kommunionvers Lk 1,78

Durch die barmherzige Liebe unseres Gottes hat uns besucht das aufstrahlende Licht aus der Höhe.

Schlussgebet

Herr, unser Gott, am Geburtstag Johannes' des Täufers hast du deine Kirche zum Festmahl des Lammes geladen und sie mit Freude erfüllt. Gib, daß wir Christus, den Johannes vorausverkündigt hat, als den erkennen, der uns das ewige Leben erworben hat, der mit dir lebt und herrscht in alle Ewigkeit.

Schlusssegen Von allen Heiligen

Der gütige Gott, der die Heiligen zur Vollendung geführt hat, segne euch und bewahre euch vor allem Unheil.

Das Vorbild des heiligen Johannes des Täufers lehre euch, und seine Fürsprache helfe euch, Gott und den Menschen zu dienen.

Das gewähre euch der dreieinige Gott, der Vater und der Sohn ✝ und der Heilige Geist.

Der Geist wurde uns gesandt und ist in unserem Leben immerfort am Werk gewesen, auch wenn wir seine Gegenwart nicht stets erkannt oder erfahren haben. Vielleicht erkennen wir seine Gegenwart ungenügend und hemmen daher sein mögliches Wirken in uns und durch uns – diesen Geist, der uns lehrt, erleuchtet, stärkt, befreit und der allein uns befähigt, im Vollsinn zu rufen: »Abba, Vater.« Ich denke, die Gegenwart des Geistes – in dem Gott sich selbst vergegenwärtigt – geht uns vor allem dann auf, wenn wir unsere Armut einsehen: unsere Schwäche und Unfähigkeit, Gott mit Glut und Begeisterung zu antworten, und dies weil wir uns allzu sehr auf unsere eigenen Bemühungen verlassen.

Unsere Gemeinschaft wird ins Hintertreffen geraten – ja den Anforderungen einer echten Erneuerung nicht genügen –, wenn wir nicht auf das eingehen, was die Losung des Tages zu sein scheint – nämlich in unserer Armut den Heiligen Geist anzurufen.

Basil Kardinal Hume

Hl. Petrus und Hl. Paulus

Am Vorabend

28. Juni 2012

Petrus, der Apostel,
und Paulus, der Lehrer der Völker,
sie haben uns dein Gesetz gelehrt, o Herr.

Petrus und Paulus: Verschiedener können zwei Menschen nicht sein und zugleich ähnlicher. Bei Petrus ist nur ein Ruf nötig und er folgt Jesus. Bei Paulus braucht es eine ganze Bekehrung, damit er vom Verfolger Jesu zu seinem Jünger wird. Jeder der beiden legt auf seine Weise Zeugnis ab: Der eine als beständiger, felsenfester Apostel, der andere als gewandelter Lehrer für die Völker. In aller Verschiedenheit sind sich Petrus und Paulus jedoch völlig ähnlich: Sie haben den Ruf gehört, der an sie erging, und sie sind voller Begeisterung und Eifer ihrer Berufung nachgegangen.

Auch heute sind Berufungen und die Wege, diesen Berufungen nachzugehen, verschieden. Wichtig ist es jedoch auch heute, hinzuhören und offen zu sein für den Ruf Christi, damit es auch uns immer wieder wie Schuppen von den Augen fallen kann (vgl. Apg 9,18), wie unser Weg auszusehen hat.

Kyrie-Rufe

Oder: GL 495,7 · KG 60,6

Herr Jesus Christus, du rufst uns in deine Nachfolge. Herr, erbarme dich.
Du richtest uns auf in unserer Schwäche und im Versagen. Christus, erbarme dich.
Du schenkst uns Menschen, die dein Wort verkünden und uns den Weg zeigen. Herr, erbarme dich.

Gloria (siehe Seite 508)

Tagesgebet

Herr, unser Gott, durch die Apostel Petrus und Paulus hast du in der Kirche den Grund des Glaubens gelegt. Auf ihre Fürsprache hin erhalte und vollende diesen Glauben, der uns zum ewigen Heil führt. Darum bitten wir durch Jesus Christus.

Erste Lesung

Apg 3,1–10

Lesung aus der Apostelgeschichte.

In jenen Tagen gingen Petrus und Johannes um die neunte Stunde zum Gebet in den Tempel hinauf. Da wurde ein Mann herbeigetragen, der von Geburt an gelähmt war. Man setzte ihn täglich an das Tor des Tempels, das man die Schöne Pforte nennt; dort sollte er bei denen, die in den Tempel gingen, um Almosen betteln.

Als er nun Petrus und Johannes in den Tempel gehen sah, bat er sie um ein Almosen. Petrus und Johannes blickten ihn an und Petrus sagte: Sieh uns an! Da wandte er sich ihnen zu und erwartete, etwas von ihnen zu bekommen.

Petrus aber sagte: Silber und Gold besitze ich nicht. Doch was ich habe, das gebe ich dir: Im Namen Jesu Christi, des Nazoräers, geh umher!

Und er fasste ihn an der rechten Hand und richtete ihn auf. Sogleich kam Kraft in seine Füße und Gelenke; er sprang auf, konnte stehen und ging umher. Dann ging er mit ihnen in den Tempel, lief und sprang umher und lobte Gott. Alle Leute sahen ihn umhergehen und Gott loben. Sie erkannten ihn als den, der gewöhnlich an der Schönen Pforte des Tempels saß und bettelte. Und sie waren voll Verwunderung und Staunen über das, was mit ihm geschehen war. |F

Noch relativ zu Beginn der Apostelgeschichte konkretisieren diese Verse aus dem dritten Kapitel das Wirken der Apostel, besonders das Wirken des Apostels Petrus. Was Petrus vollbringt, vollbringt er im Namen Jesu Christi und durch die ihm von Jesus verliehene Vollmacht. Der Grund seines Wirkenkönnens, soviel wird deutlich, ist in Jesus Christus festzumachen. Doch auch die Richtung seines Wirkens orientiert sich an Jesus: Er ist Heil bringend unterwegs. Er unterdrückt nicht oder ignoriert, er richtet auf und bringt bleibendes Heil. Durch dieses Heilbringen bezeugen Petrus und die übrigen Apostel die Botschaft Jesu Christi und dieses Heil bringende Bezeugen wird weitergetragen, indem auch der Geheilte Gott lobend bezeugt.

Diese Eckpunkte des Wirkens der Apostel gelten für Priester, Diakone und alle Christen auch heute. Was wir als Christen erreichen können und wollen, muss im Namen Jesu Christi geschehen. Die Kraft und die Vollmacht, welche uns zugesprochen wurde, stammt von ihm und wir müssen, wie Jesus selbst, für Heil sorgen, indem wir seine Heil bringende Botschaft zu den Menschen tragen.

Antwortpsalm

Ps 19,2–5b (℟: 5a)

℟: Ihre Botschaft geht hinaus in die ganze Welt.

II. Ton – GL 529,6

Die Himmel rühmen die Herrlichkeit Gottes, *
vom Werk seiner Hände kündet das Firmament.
Ein Tag sagt es dem andern, *
eine Nacht tut es der andern kund. – ℟

Ohne Worte und ohne Reden, *
unhörbar bleibt ihre Stimme.
Doch ihre Botschaft geht in die ganze Welt hinaus, *
ihre Kunde bis zu den Enden der Erde. – ℟

Zweite Lesung

Gal 1,11–20

Lesung aus dem Brief an die Galater.

Ich erkläre euch, Brüder: Das Evangelium, das ich verkündigt habe, stammt nicht von Menschen; ich habe es ja nicht von einem Menschen übernommen oder gelernt, sondern durch die Offenbarung Jesu Christi empfangen.

Ihr habt doch gehört, wie ich früher als gesetzestreuer Jude gelebt habe, und wisst, wie maßlos ich die Kirche Gottes verfolgte und zu vernichten suchte. In der Treue zum jüdischen Gesetz übertraf ich die meisten Altersgenossen in meinem Volk und mit dem größten Eifer setzte ich mich für die Überlieferungen meiner Väter ein.

Als aber Gott, der mich schon im Mutterleib auserwählt und durch seine Gnade berufen hat, mir in seiner Güte seinen Sohn offenbarte, damit ich ihn unter den Heiden verkündige, da zog ich keinen Menschen zu Rate.

Ich ging auch nicht sogleich nach Jerusalem hinauf zu denen, die vor mir Apostel waren, sondern zog nach Arabien und kehrte dann wieder nach Damaskus zurück. Drei Jahre später ging ich nach Jerusalem hinauf, um Kephas kennen zu lernen, und blieb fünfzehn Tage bei ihm. Von den anderen Aposteln habe ich keinen gesehen, nur Jakobus, den Bruder des Herrn. Was ich euch hier schreibe – Gott weiß, dass ich nicht lüge. IF

Im Gegensatz zu den Irrlehren, welche die Gemeinde in Galatien verwirren, stammt das Evangelium, welches Paulus verkündigt, nicht von Menschen. Um den göttlichen Ursprung des einzig wahren Evangeliums zu unterstreichen, führt Paulus seine eigene, beeindruckende Berufungsgeschichte an. Zum einen ist seine Berufung, das Evangelium unter den Heiden zu verkünden, so originär und eindeutig, dass er sich bei keinem Menschen Rat holen muss. Zum anderen hat er Kontakt zu Petrus, zu einem Jünger der ersten Stunde, wodurch die Zugehörigkeit der Mission des Paulus zum Auftrag des Herrn an seine Jünger, alle Menschen zu seinen Jüngern zu machen (vgl. Mt 28,19), deutlich wird.

Paulus zeigt mit diesen Versen seines Briefes an die Galater: Er selbst wurde vom gesetzestreuen Christenverfolger zum Verkündiger eines gesetzesfreien Evangeliums. Diese beeindruckende Berufung kommt von Gott, so wie das Evangelium, welches auch die Heiden erreichen soll.

Ruf vor dem Evangelium

Vgl. Joh 21,17

Halleluja. Halleluja.
Herr, du weißt alles; du weißt, dass ich dich liebe.
Halleluja.

Evangelium

Joh 21,1.15–19

Aus dem heiligen Evangelium nach Johannes.

In jener Zeit offenbarte sich Jesus den Jüngern noch einmal. Es war am See von Tiberias und er offenbarte sich in folgender Weise.

Als sie gegessen hatten, sagte Jesus zu Simon Petrus: Simon, Sohn des Johannes, liebst du mich mehr als diese? Er antwortete ihm: Ja, Herr, du weißt, dass ich dich liebe. Jesus sagte zu ihm: Weide meine Lämmer!

Zum zweiten Mal fragte er ihn: Simon, Sohn des Johannes, liebst du mich? Er antwortete ihm: Ja, Herr, du weißt, dass ich dich liebe. Jesus sagte zu ihm: Weide meine Schafe!

Zum dritten Mal fragte er ihn: Simon, Sohn des Johannes, liebst du mich? Da wurde Petrus traurig, weil Jesus ihn zum dritten Mal gefragt hatte: Hast du mich lieb? Er gab ihm zu Antwort: Herr, du weißt alles; du weißt, dass ich dich lieb habe. Jesus sagte zu ihm: Weide meine Schafe!

Amen, amen, das sage ich dir: Als du noch jung warst, hast du dich selbst gegürtet und konntest gehen, wohin du wolltest. Wenn du aber alt geworden bist, wirst du deine Hände ausstrecken und ein anderer wird dich gürten und dich führen, wohin du nicht willst.

Das sagte Jesus, um anzudeuten, durch welchen Tod er Gott verherrlichen würde. Nach diesen Worten sagte er zu ihm: Folge mir nach! IF

Nach der Auferstehung Jesu berichtet das Johannesevangelium von mehreren Erscheinungen des Auferstandenen bei seinen Jüngern. In dieser Erscheinungserzählung fragt Jesus Petrus dreimal, ob er ihn liebt. Dreimal antwortet Petrus ihm, indem er sagt:

»Ich liebe dich, Herr, das weißt du doch.« Fast möchte man sagen: Jesus weiß wohl, dass Petrus ihn liebt, aber er will es auch hören. Die dreimalige Frage Jesu nach der Liebe des Petrus erinnert an das dreimalige Leugnen des Petrus angesichts der Passion Christi (vgl. Joh 18,15–27). Auffällig ist jedoch, dass Jesus dem Petrus nach jeder seiner drei Antworten volles Vertrauen zuspricht: »Weide meine Lämmer!«; »Weide meine Schafe!«; »Weide meine Schafe!« (vgl. Joh 21,15–17). Jesus scheint keinen Zweifel an der Liebe des Petrus zu haben. Vielmehr will er ihm zeigen, dass die Liebe das Wichtigste ist, gerade auch angesichts des Todes. Die Liebe trägt, befähigt und lässt alles Leugnen vergessen.

CREDO (siehe Seite 512)

FÜRBITTEN

Guter Gott, du hast die Apostel Petrus und Paulus berufen, an deiner Kirche zu bauen. Auch wir bauen mit an deiner Kirche, um dein Wort zu den Menschen zu bringen. Wir bitten dich:

A: Wir bitten dich, erhöre uns.

- Für unsere Gemeinden: Dass sie sich durch Sorgen und Zweifel nicht verwirren lassen und auf die Kraft des Evangeliums vertrauen.
- Für alle Kinder und Jugendlichen: Dass sie Menschen begegnen, welche ihnen zeigen, wie sehr sie in ihrem Leben auf deine Kirche bauen können.
- Für alle Menschen, welche versuchen die Kirche zu gestalten: Dass sie Perspektiven und Ideen entwickeln, die in deinem Sinne die Menschen von heute erreichen.
- Für alle Ordensleute: Dass sie in ihrer Berufung glücklich und überzeugend ein Zeugnis deiner Liebe geben können.
- Für unsere Verstorbenen, die in ihrem Leben auf dich vertraut haben: Dass sie jetzt Freude und Heil bei dir finden.

Vater, ohne deine Kraft könnten wir unserem Auftrag, dein Evangelium in die Welt zu tragen, nicht nachkommen. Wir preisen dich für deinen Beistand und danken dir heute und alle Tage unseres Lebens.

Gabengebet

Allmächtiger Gott, das Martyrium der Apostel Petrus und Paulus ist der Ruhm deiner Kirche. An diesem festlichen Tag bringen wir unsere Gaben zu deinem Altar. Wenn wir auf unsere eigene Leistung schauen und den Mut verlieren, dann laß uns auf dein Erbarmen hoffen, das sich an den Aposteln machtvoll erwiesen hat. Darum bitten wir durch Christus, unseren Herrn.

Präfation

Vom Tag

In Wahrheit ist es würdig und recht, dich, allmächtiger Vater, in deinen Heiligen zu preisen und am Fest der Apostel Petrus und Paulus das Werk deiner Gnade zu rühmen. Petrus hat als erster den Glauben an Christus bekannt und aus Israels heiligem Rest die erste Kirche gesammelt. Paulus empfing die Gnade tiefer Einsicht und die Berufung zum Lehrer der Heiden. Auf verschiedene Weise dienten beide Apostel der einen Kirche, gemeinsam empfingen sie die Krone des Lebens. Darum ehren wir beide in gemeinsamer Feier und vereinen uns mit allen Engeln und Heiligen zum Hochgesang von deiner göttlichen Herrlichkeit.

Einladung zum Vaterunser

Gott fragt uns nach unserer Liebe. Er weckt und stärkt sie in uns. So können wir mit den Worten Jesu beten: Vater unser im Himmel …

Einladung zum Friedensgebet

Durch die Liebe zu Gott wachsen wir über unser Versagen hinaus und leben als erlöste Menschen. Deshalb bitten wir: Herr Jesus Christus …

KOMMUNIONVERS Joh 21,15.17

Simon, Sohn des Johannes, liebst du mich mehr, als diese mich lieben? Herr, du weißt alles: Du weißt, dass ich dich liebe.

SCHLUSSGEBET

Allmächtiger Gott, stärke uns durch die heiligen Geheimnisse und erleuchte deine Kirche allezeit durch das Wort der Apostel. Darum bitten wir durch Christus, unseren Herrn.

SCHLUSSSEGEN Von den Aposteln Petrus und Paulus

Seinen Segen gewähre euch der allmächtige Gott, der auf das Bekenntnis des Petrus die Kirche gegründet und durch ihn die Brüder im Glauben gestärkt hat.

Durch Paulus hat er die Heidenvölker zum Glauben geführt; das Beispiel dieses Apostels lehre euch, Menschen für Christus zu gewinnen.

Beide bezeugten den Herrn bis zum Tod: Petrus am Kreuz, Paulus unter dem Schwert; ihre Fürsprache geleite euch zur ewigen Heimat.

Das gewähre euch der dreieinige Gott, der Vater und der Sohn ✝ und der Heilige Geist.

Petrus und Paulus

Der eine folgend von Anfang an,
der andere verfolgend, wie er nur kann.
Der eine zum Fels berufen, beständig,
der andere erst völlig verwandelt für die Botschaft lebendig.
Beide begeistert vom Ziel, das sie schauen:
Um der Liebe Christi willen die Kirche zu bauen.

Jessica Bohn

Hl. Petrus und Hl. Paulus

Am Tag

29. Juni 2012

Die Apostel Petrus und Paulus haben die Kirche begründet;
sie haben den Kelch des Herrn getrunken,
nun sind sie Gottes Freunde.

Bereits seit dem vierten Jahrhundert feiert die Kirche am 29. Juni das Gedächtnis des Todes der Apostel Petrus und Paulus. Wenn die Kirche am heutigen Hochfest der Apostelfürsten gedenkt, ehrt sie Petrus und Paulus voller Bewunderung für den Weg, welchen sie für die Verkündigung und die Kirche mit Konsequenz und Einsatzbereitschaft bis zum Tod gegangen sind. Dieser Weg der Apostelfürsten zeugt, wie uns die Bibel überliefert, auch von Höhen und Tiefen. Sie sahen sich konfrontiert mit Widerständen, Streitigkeiten und Infragestellungen. Sie selber kannten Momente des Leugnens und des Irregehens.

So kann das heutige Hochfest auch uns zu der Frage ermutigen: Wie konsequent bin ich in der Verkündigung der Botschaft Christi? Lasse ich mich schnell aus der Bahn werfen oder trägt meine Begeisterung für das Evangelium mich durch die Höhen und Tiefen meiner Berufungsgeschichte hindurch?

Kyrie-Rufe

Oder: GL 495,7 · KG 60,6

Herr Jesus Christus, in der Taufe hast du uns zu deinen Jüngern berufen. Herr, erbarme dich.
Du bist bei uns und gibst uns die Kraft auf dem Weg. Christus, erbarme dich.
Du schenkst uns deinen Geist, damit wir dich in Worten und Werken bezeugen. Herr, erbarme dich.

Gloria (siehe Seite 508)

TAGESGEBET

Herr, unser Gott, am Hochfest der Apostel Petrus und Paulus haben wir uns in Freude versammelt. Hilf deiner Kirche, in allem der Weisung deiner Boten zu folgen, durch die sie den Glauben und das Leben in Christus empfangen hat, der in der Einheit des Heiligen Geistes mit dir lebt und herrscht in alle Ewigkeit.

ERSTE LESUNG Apg 12,1–11

Lesung aus Apostelgeschichte.

In jenen Tagen ließ der König Herodes einige aus der Gemeinde verhaften und misshandeln. Jakobus, den Bruder des Johannes, ließ er mit dem Schwert hinrichten. Als er sah, dass es den Juden gefiel, ließ er auch Petrus festnehmen. Das geschah in den Tagen der Ungesäuerten Brote. Er nahm ihn also fest und warf ihn ins Gefängnis. Die Bewachung übertrug er vier Abteilungen von je vier Soldaten. Er beabsichtigte, ihn nach dem Paschafest dem Volk vorführen zu lassen. Petrus wurde also im Gefängnis bewacht. Die Gemeinde aber betete inständig für ihn zu Gott.

In der Nacht, ehe Herodes ihn vorführen lassen wollte, schlief Petrus, mit zwei Ketten gefesselt, zwischen zwei Soldaten; vor der Tür aber bewachten Posten den Kerker.

Plötzlich trat ein Engel des Herrn ein und ein helles Licht strahlte in den Raum. Er stieß Petrus in die Seite, weckte ihn und sagte: Schnell, steh auf! Da fielen die Ketten von seinen Händen. Der Engel aber sagte zu ihm: Gürte dich und zieh deine Sandalen an! Er tat es. Und der Engel sagte zu ihm: Wirf deinen Mantel um und folge mir! Dann ging er hinaus und Petrus folgte ihm, ohne zu wissen, dass es Wirklichkeit war, was durch den Engel geschah; es kam ihm vor, als habe er eine Vision.

Sie gingen an der ersten und an der zweiten Wache vorbei und kamen an das eiserne Tor, das in die Stadt führt; es öffnete sich ihnen von selbst. Sie traten hinaus und gingen eine Gasse weit; und auf einmal verließ ihn der Engel.

Da kam Petrus zu sich und sagte: Nun weiß ich wahrhaftig, dass der Herr seinen Engel gesandt und mich der Hand des Herodes entrissen hat und all dem, was das Volk der Juden erhofft hat. |F

Neben dieser Befreiungswundergeschichte, in welcher die Befreiung des Petrus geschildert wird, findet sich in der Apostelgeschichte bereits im fünften Kapitel die Notiz, dass die Apostel durch einen Engel des Herrn aus dem Gefängnis befreit wurden (vgl. Apg 5,17–21a). Im Gegensatz zu diesem Befreiungswunder ist das Wunder der Befreiung des Petrus weitaus dramatischer geschildert. Zunächst wird die Zuspitzung der Verfolgung der Gemeinde deutlich: Mit der Hinrichtung des Jakobus findet der erste der zwölf Apostel den Märtyrertod. Es scheint sich das gleiche Schicksal auch für Petrus anzubahnen, denn auch er wird mit Aussicht auf einen Prozess nach dem Paschafest festgenommen. Mit großer Sorgfalt wird dann das Ausmaß der Bewachung des Petrus geschildert. Für ihn gilt wohl die höchste Sicherheitsstufe, denn 16 Soldaten werden zu seiner Bewachung beordert und mit zwei Ketten gefesselt schläft Petrus sogar zwischen zwei Soldaten, während vor der Tür weitere Wachen ein Entkommen des Apostels verhindern sollen. Die Szenerie ist eindeutig beschrieben: Die Lage ist aussichtslos, denn eine Befreiung des Petrus ist undenkbar. Seine Situation scheint zementiert, verschlossen und ohne Perspektive.

Mit völliger Leichtigkeit wird dann jedoch die Befreiung des Apostels durch einen Engel des Herrn beschrieben: Helles Licht strahlt auf, die Ketten fallen ab, an den Wachen gehen sie einfach vorbei und selbst das eiserne Tor öffnet sich von selbst. Petrus fühlt sich während dieser Befreiung zunächst, als wäre er nicht in der Wirklichkeit, dann jedoch wird ihm die Realität dieses Wunders klar: Durch Gottes Hilfe ist seine Situation befreit, offen und voller Perspektive. Er steht in der Gasse, kann weitergehen und seiner Berufung folgen.

Diese Realität des Beistands Gottes darf auch uns klar sein: Wenn wir auf ihn vertrauen und auf ihn hoffen, können auch wir aus unseren Ausweglosigkeiten befreit werden.

ANTWORTPSALM Ps 34,2–9 (℟: vgl. 5b)

℟: All meinen Ängsten hat mich der Herr entrissen.
IV. Ton – GL 148,2

Ich will den Herrn allezeit preisen; *
immer sei sein Lob in meinem Mund.
Meine Seele rühme sich des Herrn; *
die Armen sollen es hören und sich freuen. – ℟

Verherrlicht mit mir den Herrn, *
lasst uns gemeinsam seinen Namen rühmen.
Ich suchte den Herrn und er hat mich erhört, *
er hat mich all meinen Ängsten entrissen. – ℟

Blickt auf zu ihm, so wird euer Gesicht leuchten *
und ihr braucht nicht zu erröten.
Da ist ein Armer; er rief und der Herr erhörte ihn. *
Er half ihm aus all seinen Nöten. – ℟

Der Engel des Herrn umschirmt alle, die ihn fürchten und ehren, *
und er befreit sie.
Kostet und seht, wie gütig der Herr ist; *
wohl dem, der zu ihm sich flüchtet!– ℟

ZWEITE LESUNG 2 Tim 4,6–8.17–18

Lesung aus dem zweiten Timotheusbrief.

Mein Sohn! Ich werde nunmehr geopfert und die Zeit meines Aufbruchs ist nahe. Ich habe den guten Kampf gekämpft, den Lauf vollendet, die Treue gehalten.

Schon jetzt liegt für mich der Kranz der Gerechtigkeit bereit, den mir der Herr, der gerechte Richter, an jenem Tag geben wird, aber nicht nur mir, sondern allen, die sehnsüchtig auf sein Erscheinen warten.

Der Herr stand mir zur Seite und gab mir Kraft, damit durch mich die Verkündigung vollendet wird und alle Heiden sie hören; und so wurde ich dem Rachen des Löwen entrissen.

Der Herr wird mich allem Bösen entreißen, er wird mich retten und in sein himmlisches Reich führen. Ihm sei die Ehre in alle Ewigkeit. Amen. IF

Im letzten Kapitel des zweiten Timotheusbriefes gibt der Verfasser mit diesen Versen ein Zeugnis für den Beistand des Herrn. Paulus, so erfahren wir, hat den Beistand des Herrn während seiner Arbeit als Apostel erfahren. Der Herr war wirklich bei ihm und gab ihm Kraft, damit das Wort Gottes auch die Heiden erreichen konnte. Gerade angesichts des Märtyrertodes (vgl. 2 Tim 4,6–8) kann dieses Vertrauensbekenntnis gesprochen werden. Neben dem Bezeugen des Beistands umfasst das Bekenntnis auch die feste Hoffnung auf den weiteren Beistand des Herrn im Hinblick auf den Tod und die eschatologische Verheißung. Wie Paulus dürfen alle Christen von diesem Vertrauen auf den Beistand des Herrn geprägt sein (vgl. 2 Tim 4,8).

RUF VOR DEM EVANGELIUM — Mt 16,18

Halleluja. Halleluja.
So spricht der Herr: Du bist Petrus – der Fels, und auf diesen Felsen werde ich meine Kirche bauen, und die Mächte der Unterwelt werden sie nicht überwältigen.
Halleluja.

EVANGELIUM — Mt 16,13–19

Aus dem heiligen Evangelium nach Matthäus.

In jener Zeit, als Jesus in das Gebiet von Cäsarea Philippi kam, fragte er seine Jünger: Für wen halten die Leute den Menschensohn?

Sie sagten: Die einen für Johannes den Täufer, andere für Elija, wieder andere für Jeremia oder sonst einen Propheten.

Da sagte er zu ihnen: Ihr aber, für wen haltet ihr mich?

Simon Petrus antwortete: Du bist der Messias, der Sohn des lebendigen Gottes!

Jesus sagte zu ihm: Selig bist du, Simon Barjona; denn nicht Fleisch und Blut haben dir das offenbart, sondern mein Vater im Himmel. Ich aber sage dir: Du bist Petrus – der Fels – und auf diesen Felsen werde ich meine Kirche bauen und die Mächte der Unterwelt werden sie nicht überwältigen. Ich werde dir die Schlüssel des Himmelreichs geben; was du auf Erden binden wirst, das wird auch im Himmel gebunden sein, und was du auf Erden lösen wirst, das wird auch im Himmel gelöst sein. IF

Was denken die Leute eigentlich von mir und für wen halten sie mich? Eine interessante Frage, welche sich wohl jeder von uns schon einmal gestellt hat. Diese Frage stellt sich auch Jesus – freilich in einem viel umfassenderen Bedeutungskontext – im heutigen Evangelium. Er will wissen: Haben die Menschen schon erfasst, wer ich bin und damit die Perspektive meiner Botschaft vernommen? Die Jünger geben ihm die Antwort, indem sie die Meinungen aus dem Volk aufzählen. Dabei wird deutlich, dass diese Meinungen die Wahrheit über Jesus noch nicht zur Sprache bringen. Dann fordert Jesus eine Antwort der Jünger. Er fragt sie: »Ihr aber, für wen haltet ihr mich?« (Mt 16,15). Jesus fragt die Jünger sehr deutlich, so als ob er fragen würde: »Ihr aber, die ihr meine Jünger seid und so viel von mir wisst, habt ihr verstanden, wer ich bin?« Die Antwort gibt Petrus: »Du bist der Messias, der Sohn des lebendigen Gottes!« (Mt 16,16). Damit hat Petrus in beeindruckender Klarheit und Schlichtheit die volle Wahrheit erfasst, so dass seine Antwort gleichzeitig ein Bekenntnis ist.

Die darauf folgende Antwort Jesu ist ebenfalls mehr als eine Antwort. Jesus sagt nicht lediglich »Du hast Recht, Petrus«, vielmehr preist Jesus Petrus selig ob dieser offenbarten Klarheit im Glauben. Dann verheißt Jesus Petrus die Vollmacht und Verantwortung des Petrusamtes und an Petrus ergeht der Auftrag, diese Verantwortung wahrzunehmen. Angesichts des schlichten, wenn auch tiefen Bekenntnisses des Petrus scheint diese Verheißung Jesu überwältigend. Was für eine Vollmacht und was für eine Verantwortung! Nicht nur bei Petrus zieht das Bekenntnis zu Christus Verantwortung nach sich. Wer sich zu Christus bekennt, muss wissen: Mein Bekenntnis kann und darf nicht ohne Konsequenzen bleiben, denn als Teil der Kirche ergeht auch an mich der Auftrag, die Botschaft Christi zu den Menschen zu bringen.

CREDO (siehe Seite 512)

FÜRBITTEN

Jesus Christus, du hast die Apostel Petrus und Paulus gesandt, deine Botschaft zu verkünden. In unserem Bemühen, Boten deines Wortes zu sein, kommen wir mit unseren Anliegen zu dir.

V: Christus, höre uns. A: Christus, erhöre uns.

- Für unseren Papst N.: Stärke ihn in seinem Amt als Nachfolger des Apostels Petrus und erfülle ihn mit dem Heiligen Geist.
- Für alle Priester und Diakone: Steh ihnen bei in ihrem Dienst und hilf ihnen in ihrer Aufgabe, von deinem Heil zu künden.
- Für die Katecheten, Religionslehrer und alle, die dein Wort zu den Menschen bringen wollen: Erfülle sie mit Kraft und Freude bei der Verkündigung deiner Botschaft.
- Für alle Menschen, die nicht an dich glauben können oder wollen: Schenke ihnen Orientierung für ihr Leben und Momente, in denen sie die Freude des Glaubens erahnen können.
- Für unsere Gemeinden: Segne sie mit Freude am Glauben und Ausdauer, damit sie auch in Zeiten des Umbruchs und der Neuorientierung Orte sind, die deine Liebe bezeugen.

Jesus Christus, deine Botschaft zu verkünden ist nicht immer einfach. Oftmals sind wir unsicher, wenn uns Zweifel oder Widerstände begegnen. Wir danken dir, dass du bei uns bist und mit uns gehst. Wir preisen dich, heute und in Ewigkeit.

GABENGEBET

Herr und Gott, in Gemeinschaft mit den Aposteln Petrus und Paulus bitten wir dich: Heilige unsere Gaben und laß uns mit Bereitschaft und Hingabe das Opfer deines Sohnes feiern, der mit dir lebt und herrscht in alle Ewigkeit.

PRÄFATION

Vom Tag

In Wahrheit ist es würdig und recht, dich, allmächtiger Vater, in deinen Heiligen zu preisen und am Fest der Apostel Petrus und Paulus das Werk deiner Gnade zu rühmen. Petrus hat als erster den Glauben an Christus bekannt und aus Israels heiligem Rest die erste Kirche gesammelt. Paulus empfing die Gnade tiefer Einsicht und die Berufung zum Lehrer der Heiden. Auf verschiedene Weise dienten beide Apostel der einen Kirche, gemeinsam empfingen sie die Krone des Lebens. Darum ehren wir beide in gemeinsamer Feier und vereinen uns mit allen Engeln und Heiligen zum Hochgesang von deiner göttlichen Herrlichkeit.

EINLADUNG ZUM VATERUNSER

Im Bekenntnis zu Jesus Christus haben wir Zugang zum Vater. Wir beten, wie es uns Jesus Christus gelehrt hat: Vater unser im Himmel …

EINLADUNG ZUM FRIEDENSGEBET

Gott steht uns zur Seite, damit auch durch unseren Glauben sein Reich des Friedens und der Gerechtigkeit aufgerichtet wird. Deshalb bitten wir: Herr Jesus Christus …

KOMMUNIONVERS

Mt 16,16.18

Petrus sagte zu Jesus: Du bist der Messias, der Sohn des lebendigen Gottes. Jesus erwiderte ihm: Du bist Petrus, und auf diesen Felsen werde ich meine Kirche bauen.

Schlussgebet

Herr, unser Gott, du hast uns durch das heilige Sakrament gestärkt. Gib, daß wir im Brotbrechen und in der Lehre der Apostel verharren und in deiner Liebe ein Herz und eine Seele werden. Darum bitten wir durch Christus, unseren Herrn.

Schlusssegen

Von den Aposteln Petrus und Paulus

Seinen Segen gewähre euch der allmächtige Gott, der auf das Bekenntnis des Petrus die Kirche gegründet und durch ihn die Brüder im Glauben gestärkt hat.

Durch Paulus hat er die Heidenvölker zum Glauben geführt; das Beispiel dieses Apostels lehre euch, Menschen für Christus zu gewinnen.

Beide bezeugten den Herrn bis zum Tod: Petrus am Kreuz, Paulus unter dem Schwert; ihre Fürsprache geleite euch zur ewigen Heimat.

Das gewähre euch der dreieinige Gott, der Vater und der Sohn ✝ und der Heilige Geist.

Gesandte,
durch alles
Leugnen,
Zweifeln,
Irregehen hindurch.
Gesandte,
mit aller Konsequenz,
gegen alle Widerstände,
überzeugt und überzeugend
bis zum Ende.

Jessica Bohn

13. Sonntag im Jahreskreis
1. Juli 2012

Ihr Völker alle, klatscht in die Hände,
jauchzt Gott zu mit lautem Jubel.
Ps 47,2

Der Sommer wird von vielen sehnlichst erwartet. Die Sonne und die Wärme sind angenehm, sie wecken unsere Lebensgeister und unsere Lebenslust. Zuviel Sonne und Hitze aber kann tödlich sein, wie wir an der Wüste sehen. Der Tod bedroht jeden Tag unser Leben, er verwüstet und zerstört. Und doch hat auch der Tod – das Sterben, das Abschiednehmen – seine notwendige Seite. Oftmals kann Neues nur entstehen, wenn zuvor etwas gestorben ist, so schmerzlich dies auch sein mag. Wenn wir im Leben reifen, müssen wir immer wieder Abschied nehmen, von einer Lebensphase, von Menschen oder Dingen, die uns wichtig und wertvoll sind. Das Sterben, der Tod bergen beides in sich: das Zerstörerische und die Chance des Neuen. Es gibt den von Natur aus vorgegebenen, notwendigen Tod und den unnötigen, oftmals von Menschen herbeigeführten sinnlosen Tod.

Kyrie-Rufe GL 429 · KG 52

Herr Jesus Christus, du hast Kranke geheilt und Tote auferweckt. Herr, erbarme dich.
Durch deine Auferstehung hast du uns den Weg zum ewigen Leben geöffnet. Christus, erbarme dich.
Du bist bei uns, wenn wir durch den Tod zum Leben hinübergehen. Herr, erbarme dich.

Gloria (siehe Seite 508)

Tagesgebet

Gott, unser Vater, du hast uns in der Taufe zu Kindern des Lichtes gemacht. Laß nicht zu, daß die Finsternis des Irrtums über uns Macht gewinnt, sondern hilf uns, im Licht deiner Wahrheit zu bleiben. Darum bitten wir durch Jesus Christus.

Erste Lesung

Weish 1,13–15; 2,23–24

Lesung aus dem Buch der Weisheit.

Gott hat den Tod nicht gemacht und hat keine Freude am Untergang der Lebenden. Zum Dasein hat er alles geschaffen und heilbringend sind die Geschöpfe der Welt. Kein Gift des Verderbens ist in ihnen, das Reich des Todes hat keine Macht auf der Erde; denn die Gerechtigkeit ist unsterblich.

Gott hat den Menschen zur Unvergänglichkeit erschaffen und ihn zum Bild seines eigenen Wesens gemacht. Doch durch den Neid des Teufels kam der Tod in die Welt und ihn erfahren alle, die ihm angehören. ℟

Warum gibt es das Leid? Warum gibt es das Böse? Warum gibt es den Tod? Diese existenziellen Fragen versucht der Verfasser des Buches der Weisheit zu beantworten. Er kommt zu der Überzeugung: »Durch den Neid des Teufels kam der Tod in die Welt.« Neid zerstört alles. Neid ist an eine Person gebunden, neidisch, das sind wir Menschen. Dem anderen etwas gönnen, was ich auch gern hätte, das ist sehr schwer. Der Neid und die Missgunst zerstören die menschlichen Beziehungen, sie töten. Nur Gerechtigkeit lässt Leben gedeihen.

Antwortpsalm

Ps 30,2.4–6.12a.13b (℟: vgl. 2ab)

℟: Herr, du zogst mich empor aus der Tiefe; ich will dich rühmen in Ewigkeit.

II. Ton – GL 527,6

Ich will dich rühmen, Herr, /
denn du hast mich aus der Tiefe gezogen *
und lässt meine Feinde nicht über mich triumphieren.
Herr, du hast mich herausgeholt aus dem Reich des Todes, *
aus der Schar der Todgeweihten mich zum Leben gerufen. – ℟

Singt und spielt dem Herrn, ihr seine Frommen, *
preist seinen heiligen Namen!
Denn sein Zorn dauert nur einen Augenblick, *
doch seine Güte ein Leben lang. – R

Wenn man am Abend auch weint, *
am Morgen herrscht wieder Jubel.
Du hast mein Klagen in Tanzen verwandelt, *
Herr, mein Gott, ich will dir danken in Ewigkeit. – R

ZWEITE LESUNG 2 Kor 8,7.9.13–15

Lesung aus dem zweiten Korintherbrief.

Schwestern und Brüder! Wie ihr an allem reich seid, an Glauben, Rede und Erkenntnis, an jedem Eifer und an der Liebe, die wir in euch begründet haben, so sollt ihr euch auch an diesem Liebeswerk mit reichlichen Spenden beteiligen.

Denn ihr wisst, was Jesus Christus, unser Herr, in seiner Liebe getan hat: Er, der reich war, wurde euretwegen arm, um euch durch seine Armut reich zu machen.

Es geht nicht darum, dass ihr in Not geratet, indem ihr anderen helft; es geht um einen Ausgleich. Im Augenblick soll euer Überfluss ihrem Mangel abhelfen, damit auch ihr Überfluss einmal eurem Mangel abhilft. So soll ein Ausgleich entstehen, wie es in der Schrift heißt: Wer viel gesammelt hatte, hatte nicht zu viel, und wer wenig, hatte nicht zu wenig. F

Die Güter auf der Welt sind ungleich verteilt. Einige wenige haben sehr, sehr viel. Sehr viele Menschen haben sehr, sehr wenig. Wenn es möglich wäre, alles gerecht zu verteilen, zu einem »Ausgleich« zu gelangen, hätten alle genug. Um einen solchen Ausgleich geht es Paulus. Er bittet die Gemeinde in Korinth, von ihrem Überfluss abzugeben für die Gemeinde in Jerusalem, die wesentlich weniger hat. Dabei betont Paulus, dass es nicht darum geht, dass die Gemeinde in Korinth in Not gerät, es geht um einen Ausgleich. Vielleicht ist die Gemeinde in Korinth auch einmal auf einen solchen Ausgleich angewiesen, darauf, etwas vom »Überfluss« einer anderen Gemeinde zu erhalten.

Ruf vor dem Evangelium

Vgl. 2 Tim 1,10

Halleluja. Halleluja.
Unser Retter Jesus Christus hat dem Tod die Macht genommen und uns das Licht des Lebens gebracht durch das Evangelium.
Halleluja.

Evangelium

Mk 5,21–43 (Kf: 5,21–24.35b–43)

Aus dem heiligen Evangelium nach Markus.

In jener Zeit fuhr Jesus im Boot an das andere Ufer des Sees von Galiläa hinüber und eine große Menschenmenge versammelte sich um ihn. Während er noch am See war, kam ein Synagogenvorsteher namens Jaïrus zu ihm. Als er Jesus sah, fiel er ihm zu Füßen und flehte ihn um Hilfe an; er sagte: Meine Tochter liegt im Sterben. Komm und leg ihr die Hände auf, damit sie wieder gesund wird und am Leben bleibt. Da ging Jesus mit ihm.

Viele Menschen folgten ihm und drängten sich um ihn. ◆
Darunter war eine Frau, die schon zwölf Jahre an Blutungen litt. Sie war von vielen Ärzten behandelt worden und hatte dabei sehr zu leiden; ihr ganzes Vermögen hatte sie ausgegeben, aber es hatte ihr nichts genutzt, sondern ihr Zustand war immer schlimmer geworden. Sie hatte von Jesus gehört.

Nun drängte sie sich in der Menge von hinten an ihn heran und berührte sein Gewand. Denn sie sagte sich: Wenn ich auch nur sein Gewand berühre, werde ich geheilt. Sofort hörte die Blutung auf und sie spürte deutlich, dass sie von ihrem Leiden geheilt war.

Im selben Augenblick fühlte Jesus, dass eine Kraft von ihm ausströmte, und er wandte sich in dem Gedränge um und fragte: Wer hat mein Gewand berührt? Seine Jünger sagten zu ihm: Du siehst doch, wie sich die Leute um dich drängen, und da fragst du: Wer hat mich berührt?

Er blickte umher, um zu sehen, wer es getan hatte. Da kam die Frau, zitternd vor Furcht, weil sie wusste, was mit ihr geschehen war; sie fiel vor ihm nieder und sagte ihm die ganze Wahrheit. Er aber sagte zu ihr: Meine Tochter, dein Glaube hat dir geholfen. Geh in Frieden! Du sollst von deinem Leiden geheilt sein.

Während Jesus noch redete, [➡Unterwegs] kamen Leute, die zum Haus des Synagogenvorstehers gehörten, und sagten zu Jaïrus: Deine Tochter ist gestorben. Warum bemühst du den Meister noch länger? Jesus, der diese Worte gehört hatte, sagte zu dem Synagogenvorsteher: Sei ohne Furcht; glaube nur! Und er ließ keinen mitkommen außer Petrus, Jakobus und Johannes, den Bruder des Jakobus. Sie gingen zum Haus des Synagogenvorstehers.

Als Jesus den Lärm bemerkte und hörte, wie die Leute laut weinten und jammerten, trat er ein und sagte zu ihnen: Warum schreit und weint ihr? Das Kind ist nicht gestorben, es schläft nur. Da lachten sie ihn aus.

Er aber schickte alle hinaus und nahm außer seinen Begleitern nur die Eltern mit in den Raum, in dem das Kind lag. Er fasste das Kind an der Hand und sagte zu ihm: Talita kum!, das heißt übersetzt: Mädchen, ich sage dir, steh auf! Sofort stand das Mädchen auf und ging umher. Es war zwölf Jahre alt. Die Leute gerieten außer sich vor Entsetzen.

Doch er schärfte ihnen ein, niemand dürfe etwas davon erfahren; dann sagte er, man solle dem Mädchen etwas zu essen geben.⬅|F

Kaum etwas bringt uns Menschen so aus dem Gleichgewicht wie der bevorstehende Tod eines nahestehenden Menschen. Dies droht dem Synagogenvorsteher. Seine Tochter liegt im Sterben. Er bittet Jesus um Hilfe. – Jesus ist unterwegs zu Jaïrus, als er spürt, dass eine Kraft von ihm ausgeht. Eine Frau hat ihn berührt und sofortige Heilung erfahren. Die Frau war unheilbar krank. Zwölf Jahre litt sie an Blutungen und niemand konnte ihr helfen. Jesus war ihre letzte Hoffnung. Sie wagte es nicht, ihn anzusprechen, sondern berührte ihn heimlich. Schon dieser Glaube genügt. – Es kommen Leute von Jaïrus und vermitteln ihm: »Es ist zu spät. Deine Tochter ist gestorben. Belästige Jesus nicht länger.« Jesus spricht Jaïrus Mut zu und geht zu ihm nach Hause zu der soeben verstorbenen Tochter. Jesus spricht das Mädchen an. Sofort steht sie auf und geht umher. Frauen und Mädchen waren in der damaligen Gesellschaft nicht viel wert. Jaïrus war seiner Tochter zugewandt, sonst hätte er nicht Jesus bemüht, zu kommen. Auch für Jesus ist ein Mädchen nicht wertlos. Das Mädchen ist zwölf Jahre alt. Es steht am Übergang vom Kind zur Frau, am Beginn der Pubertät. Das »Kind« stirbt, es entwickelt sich der erwachsene, eigenständige Mensch. – Die geheilte Frau litt zwölf Jahre an Blutungen, an dem, was das Frausein »mit sich bringt«. Sie wird in ihrem Frausein geheilt. Dem Mädchen wird vermittelt: Du bist wertvoll auch als – heranwachsende – Frau.

Credo (siehe Seite 512)

Fürbitten

Gott, du schaust nicht auf die Person, auf das Geschlecht. Für dich sind alle Menschen wertvoll. Du möchtest, dass alle Menschen heil und gesund sind.

A: Wir bitten dich, schenk uns Heilung.

- Der Neid in uns macht uns krank. Befreie uns von unserem Neid und unserer Habgier.
- Du gibst jedem und jeder von uns das, was wir brauchen. Öffne uns dafür die Augen und mach uns dankbar.
- Die Rohstoffe dieser Welt würden für alle Menschen ausreichen. Mach denjenigen, die Verantwortung tragen, bewusst, dass es um einen Ausgleich dieser Güter geht.
- Die Warenangebote und Versuchungen in unserer Konsumgesellschaft sind groß. Schenk uns die Fähigkeit, das rechte Maß zu halten.

– Schenk unseren Verstorbenen in deinem Reich Heil und Gesundung.

A: Wir bitten dich, schenk uns und ihnen Heilung.

Darum bitten wir dich, der du möchtest, dass aller Neid und alle Krankheit überwunden werden und alle Menschen gesund sind, jetzt und in Ewigkeit. Amen.

GABENGEBET

Herr, unser Gott, in den Geheimnissen, die wir feiern, wirkst du unser Heil. Gib, daß wir den Dienst an diesem Altar würdig vollziehen, von dem wir deine Gaben empfangen. Darum bitten wir durch Christus, unseren Herrn.

PRÄFATION

Sonntage V

In Wahrheit ist es würdig und recht, dir, allmächtiger Vater, zu danken und dich mit der ganzen Schöpfung zu loben. Denn du hast die Welt mit all ihren Kräften ins Dasein gerufen und sie dem Wechsel der Zeit unterworfen. Den Menschen aber hast du auf dein Bild hin geschaffen und ihm das Werk deiner Allmacht übergeben. Du hast ihn bestimmt, über die Erde zu herrschen, dir, seinem Herrn und Schöpfer zu dienen und das Lob deiner großen Taten zu verkünden durch unseren Herrn Jesus Christus. Darum singen wir mit den Engeln und Erzengeln, den Thronen und Mächten und mit all den Scharen des himmlischen Heeres den Hochgesang von deiner göttlichen Herrlichkeit.

EINLADUNG ZUM VATERUNSER

Gott hat uns zum ewigen Leben geschaffen und uns zum Bild seines Wesens gemacht. In Jesus Christus können wir zu ihm als unserem Vater beten: Vater unser im Himmel …

EINLADUNG ZUM FRIEDENSGEBET

Gott will das Leben und das Heil aller Menschen. Er ruft uns zu einem Ausgleich und Frieden auf. Deshalb bitten wir: Herr Jesus Christus …

KOMMUNIONVERS Ps 103,1

Lobe den Herrn, meine Seele! Alles in mir lobe seinen heiligen Namen.

Oder: Joh 17,20–21

Vater, ich bitte für sie, daß sie in uns eins seien, damit die Welt glaubt, daß du mich gesandt hast – so spricht der Herr.

SCHLUSSGEBET

Gütiger Gott, die heilige Opfergabe, die wir dargebracht und empfangen haben, schenke uns neues Leben. Laß uns Frucht bringen in Beharrlichkeit und dir auf immer verbunden bleiben. Darum bitten wir durch Christus, unseren Herrn.

SCHLUSSSEGEN Im Jahreskreis I

Der Herr segne euch und behüte euch; der Herr lasse sein Angesicht über euch leuchten und sei euch gnädig; er wende euch sein Antlitz zu und schenke euch seinen Frieden.

Das gewähre euch der dreieinige Gott, der Vater und der Sohn ✝ und der Heilige Geist.

Es gibt so vieles, worunter wir leiden:
Neid und Missgunst
Körperliche und seelische Krankheit
Materielles Elend und Armut

Du, Gott, willst unsere Heilung,
du willst unser Heil.

Heilsein können wir,
wenn wir unseren Neid überwinden,
wenn wir anderen das Gute,
das sie haben, gönnen.

Heilsein können wir,
wenn wir helfen,
wo unsere Hilfe gefragt und nötig ist.

Heilsein können wir,
wenn wir die Hoffnung auf Heilung nie aufgeben,
wenn wir selbst unser Möglichstes dafür tun,
wenn wir uns öffnen für Hilfe,
wenn wir Glauben und Vertrauen schenken.

Stephanie Abgottspon

14. Sonntag im Jahreskreis

8. Juli 2012

Deiner Huld, o Gott, gedenken wir
in deinem heiligen Tempel.
Wie dein Name, Gott,
so reicht dein Ruhm bis an die Enden der Erde;
deine rechte Hand ist voll von Gerechtigkeit.

Ps 48,10–11

Wir leben in einer demokratischen Gesellschaft mit dem Recht auf freie Meinungsäußerung. Wir hören jeden Tag sehr viele Stimmen, sehr viele Meinungen. In dieser Stimmenvielfalt, in diesem Meinungswirrwarr sind wir aufgefordert, uns unsere eigene Meinung zu bilden. Das ist nicht einfach. Welche Meinung ist nun richtig? Gibt es gar mehrere richtige Meinungen? Welche Stimme spricht uns aus dem Herzen? Welche Stimme spricht im Sinne Gottes? Die Frage nach dem richtigen Propheten, nach der richtigen Stimme beschäftigt die Menschen schon immer. Dabei können wir oft gerade die Stimme von jemandem, den wir von klein auf kennen, nicht akzeptieren. Wir können nicht ertragen, wenn jemand, der auch nichts anderes ist als wir, »plötzlich« in besonderer Weise auftritt und redet. So erging es bereits den Propheten des Alten Testaments, auch Jesus blieb dies nicht erspart.

Kyrie-Rufe GL 433 · KG 53

Herr Jesus Christus, du bist das Wort, das Gott zu uns spricht. Herr, erbarme dich.
Du bist die Wahrheit, die uns frei macht. Christus, erbarme dich.
Du zeigst uns den rechten Weg. Herr, erbarme dich.

Gloria (siehe Seite 508)

Tagesgebet

Barmherziger Gott, durch die Erniedrigung deines Sohnes hast du die gefallene Menschheit wieder aufgerichtet und aus der Knechtschaft der Sünde befreit. Erfülle uns mit Freude über die Erlösung und führe uns zur ewigen Seligkeit. Darum bitten wir durch Jesus Christus.

Erste Lesung Ez 1,28c – 2,5

Lesung aus dem Buch Ezechiel.

In jenen Tagen, als ich die Erscheinung der Herrlichkeit des Herrn sah, fiel ich nieder auf mein Gesicht. Und ich hörte, wie jemand redete. Er sagte zu mir: Stell dich auf deine Füße, Menschensohn; ich will mit dir reden. Als er das zu mir sagte, kam der Geist in mich und stellte mich auf die Füße. Und ich hörte den, der mit mir redete.

Er sagte zu mir: Menschensohn, ich sende dich zu den abtrünnigen Söhnen Israels, die sich gegen mich aufgelehnt haben. Sie und ihre Väter sind immer wieder von mir abgefallen, bis zum heutigen Tag. Es sind Söhne mit trotzigem Gesicht und hartem Herzen. Zu ihnen sende ich dich. Du sollst zu ihnen sagen: So spricht Gott, der Herr.

Ob sie dann hören oder nicht – denn sie sind ein widerspenstiges Volk –, sie werden erkennen müssen, dass mitten unter ihnen ein Prophet war. IF

Häufig werden Klagen laut, »man« – sehr oft ist »die Jugend« gemeint – würde heute nicht mehr glauben. Das ist ein sehr altes Thema. Auch der Prophet Ezechiel ist damit konfrontiert. Er wird deshalb von Gott zu »den abtrünnigen Söhnen Israels« gesandt, um zu ihnen zu reden. Einkalkuliert wird das Risiko, dass sie nicht hören. Dennoch muss zu ihnen geredet werden, damit sie erkennen, ein Prophet war mitten unter ihnen, damit sie sich nicht herausreden können mit den Worten: »Wir wussten es nicht besser, niemand hat uns etwas gesagt.« Aber es sind »Söhne mit trotzigem Gesicht und hartem Herz«. Im Trotz steckt der Widerstand, der Trotz verhindert die Offenheit für das, was gesagt wird, der Trotz lässt das Herz hart werden. Der Trotzige beharrt auf seinem Standpunkt in der Meinung, er allein liege richtig. Gott gibt die Trotzigen nicht auf. Immer wieder schickt er Propheten zu ihnen.

Antwortpsalm

Ps 123 (℟: vgl. 2c)

℟: Unsre Augen schauen auf den Herrn, unsern Gott, bis er uns gnädig ist.

II. Ton – GL 528,4 · KG 631

Ich erhebe meine Augen zu dir, *
der du hoch im Himmel thronst.
Wie die Augen der Knechte auf die Hand ihres Herrn, /
wie die Augen der Magd auf die Hand ihrer Herrin, *
so schauen unsre Augen auf den Herrn, unsern Gott,
bis er uns gnädig ist. – ℟

Sei uns gnädig, Herr, sei uns gnädig! *
Denn übersatt sind wir vom Hohn der Spötter,
übersatt ist unsre Seele von ihrem Spott, *
von der Verachtung der Stolzen. – ℟

Zweite Lesung

2 Kor 12,7–10

Lesung aus dem zweiten Korintherbrief.

Schwestern und Brüder! Damit ich mich wegen der einzigartigen Offenbarungen nicht überhebe, wurde mir ein Stachel ins Fleisch gestoßen: ein Bote Satans, der mich mit Fäusten schlagen soll, damit ich mich nicht überhebe.

Dreimal habe ich den Herrn angefleht, dass dieser Bote Satans von mir ablasse. Er aber antwortete mir: Meine Gnade genügt dir; denn sie erweist ihre Kraft in der Schwachheit.

Viel lieber also will ich mich meiner Schwachheit rühmen, damit die Kraft Christi auf mich herabkommt.

Deswegen bejahe ich meine Ohnmacht, alle Misshandlungen und Nöte, Verfolgungen und Ängste, die ich für Christus ertrage; denn wenn ich schwach bin, dann bin ich stark. ℣

»Wenn ich schwach bin, dann bin ich stark.« Diese Worte des Paulus sind kaum zu verstehen. Bedenken wir, was Paulus alles geleistet hat, so trifft die Charakterisierung »schwach« nicht auf Paulus zu. Paulus war ein ausserordentlich starker Mensch. Seine Stärke kam ihm von Gott zu. Paulus machte die Erfahrung: Je schwächer ich bin, umso mehr Kraft lässt Gott mir zukommen. Paulus hatte mystische Erlebnisse, aber er bildete sich darauf nichts ein. Er litt an einem unheilbaren Leiden und deutete es so, dass Gott ihm gerade damit signalisiert: »Alles was du brauchst, ist meine Gnade.« Nicht Gesundheit ist das Wichtigste auf dieser Welt, obwohl wir, wenn wir gesund sind, dafür sehr dankbar sein können, aber im Ernstfall ist die Gnade, die Zuwendung Gottes zu uns das Wichtigste. Sie tröstet uns über alles andere hinweg.

RUF VOR DEM EVANGELIUM — Vgl. Lk 4,18ab

Halleluja. Halleluja.
Der Geist des Herrn ruht auf mir: Der Herr hat mich gesandt, den Armen die Frohe Botschaft zu bringen.
Halleluja.

EVANGELIUM — Mk 6,1b–6

Aus dem heiligen Evangelium nach Markus.

In jener Zeit kam Jesus in seine Heimatstadt; seine Jünger begleiteten ihn. Am Sabbat lehrte er in der Synagoge. Und die vielen Menschen, die ihm zuhörten, staunten und sagten: Woher hat er das alles? Was ist das für eine Weisheit, die ihm gegeben ist! Und was sind das für Wunder, die durch ihn geschehen! Ist das nicht der Zimmermann, der Sohn der Maria und der Bruder von Jakobus, Joses, Judas und Simon? Leben nicht seine Schwestern hier unter uns? Und sie nahmen Anstoß an ihm und lehnten ihn ab.

Da sagte Jesus zu ihnen: Nirgends hat ein Prophet so wenig Ansehen wie in seiner Heimat, bei seinen Verwandten und in seiner Familie. Und er konnte dort kein Wunder tun; nur einigen Kranken legte er die Hände auf und heilte sie. Und er wunderte sich über ihren Unglauben. Und Jesus zog durch die benachbarten Dörfer und lehrte dort. IF

Jesus führte ungefähr 30 Jahre ein unauffälliges Leben in seiner Heimatstadt. Dann verließ er seine Familie. Er zog als Wanderprediger umher, sprach vom Reich Gottes und heilte Kranke. Sein Weg führte ihn auch einmal in seine Heimatstadt zurück. Alle wundern sich über seine außergewöhnlichen Fähigkeiten. Sie hatten ihn doch aufwachsen sehen, er war doch »nur« einer von ihnen. So lehnen sie ihn mit seinen besonderen Begabungen ab. Sie schenken ihm keinen Glauben. Er kann deshalb nicht so viele Kranke wie sonst heilen, sondern nur einige. Geheilt wird, wer glaubt, wer Vertrauen schenkt. Wer sich und sein Herz verhärtet, sich abschottet gegen den anderen, der kann keine Heilung erfahren. Was lässt das Herz verhärten? Oftmals ist es der Neid, weil der andere/die andere etwas kann, was ich nicht kann, etwas hat, was ich nicht habe? Schade ich mir selbst nicht am meisten mit dieser negativen Haltung?!

CREDO (siehe Seite 512)

FÜRBITTEN

Gott, du hast Propheten geschickt. Du hast deinen Sohn, unseren Herrn Jesus Christus, gesandt. Dennoch hören wir auf viele andere Stimmen, die auf uns einströmen.

A: Wir bitten dich, erhöre uns.

- Lass uns erkennen, durch welche Menschen deine Stimme spricht, damit wir auf sie hören.
- Gib uns die Kraft, den vielen betörenden Stimmen, die zum Schlechten verführen, zu widerstehen.
- Steh den Jugendlichen bei, dass sie auf der Suche nach ihrem Lebensweg den für sie hilfreichen Stimmen Gehör schenken.
- Sprich du zu den Mächtigen dieser Erde durch die Stimme ihres Gewissens, damit sie sich einsetzen zum Wohle der Menschheit.
- Steh deiner Kirche bei, dass sie nicht weltliche Interessen vertritt, sondern dein Wort und deine Botschaft verkündet.

Darum bitten wir dich, der du dich zumeist in leisen und sanften Tönen meldest, jetzt und in Ewigkeit. Amen.

GABENGEBET

Herr, zu deiner Ehre feiern wir dieses Opfer. Es befreie uns vom Bösen und helfe uns, Tag für Tag das neue Leben sichtbar zu machen, das wir von dir empfangen. Darum bitten wir durch Christus, unseren Herrn.

PRÄFATION

Sonntage VI

In Wahrheit ist es würdig und recht, dir, Vater im Himmel, zu danken und dich mit der ganzen Schöpfung zu loben. Denn in dir leben wir, in dir bewegen wir uns und sind wir. Jeden Tag erfahren wir aufs neue das Wirken deiner Güte. Schon in diesem Leben besitzen wir den Heiligen Geist, das Unterpfand ewiger Herrlichkeit. Durch ihn hast du Jesus auferweckt von den Toten und uns die sichere Hoffnung gegeben, daß sich an uns das österliche Geheimnis vollendet. Darum preisen wir dich mit allen Chören der Engel und singen vereint mit ihnen das Lob deiner Herrlichkeit.

EINLADUNG ZUM VATERUNSER

Gott sendet uns seinen Geist, damit wir auf ihn hören und ihm antworten können. Wir beten mit den Worten, die uns Jesus Christus gelehrt hat: Vater unser im Himmel …

EINLADUNG ZUM FRIEDENSGEBET

Gott wirkt in unserer Schwäche mit seiner Kraft. Wir sollen nicht auf unsere Macht vertrauen und versuchen, uns mit ihr durchzusetzen. Deshalb bitten wir: Herr Jesus Christus …

KOMMUNIONVERS

Mt 11,28

Kommt alle zu mir, die ihr euch plagt und unter Lasten stöhnt! Ich will euch Ruhe verschaffen – so spricht der Herr.

Oder: Ps 34,9

Kostet und seht, wie gütig der Herr ist. Selig der Mensch, der bei ihm seine Zuflucht nimmt.

SCHLUSSGEBET

Herr, du hast uns mit reichen Gaben beschenkt. Laß uns in der Danksagung verharren und einst die Fülle des Heils erlangen. Darum bitten wir durch Christus, unseren Herrn.

SCHLUSSSEGEN

Im Jahreskreis II

Der Friede Gottes, der alles Begreifen übersteigt, bewahre eure Herzen und eure Gedanken in der Gemeinschaft mit Christus Jesus.

Das gewähre euch der dreieinige Gott, der Vater und der Sohn † und der Heilige Geist.

Nimm hin, Herr, meine ganze Freiheit,
mein Gedächtnis, meinen Verstand
und meinen ganzen Willen,
meine ganze Habe und meinen Besitz.
Du, Herr, hast sie mir gegeben,
dir gebe ich sie zurück;
alles ist dein, verfüge nach deinem ganzen Willen.
Gib mir deine Liebe und Gnade,
das ist mir genug.

Ignatius von Loyola

15. Sonntag im Jahreskreis
15. Juli 2012

Ich will in Gerechtigkeit dein Angesicht schauen,
mich satt sehen an deiner Gestalt, wenn ich einst erwache.

Ps 17,15

Wir Menschen suchen nach jemandem, an dem wir uns orientieren können, zu dem wir aufschauen können, der uns dennoch nicht unterdrückt und ausnützt. Wir suchen nach jemandem, der »weiss, wo es langgeht«, der den Weg kennt. Gott schickt solche Menschen. Im Alten Testament sind es die Propheten, im Neuen Testament ist es Jesus Christus. In den Lesungen aus dem Brief an die Gemeinde in Ephesus am heutigen Sonntag und an den folgenden Sonntagen werden wir verwiesen auf Jesus Christus. Er ist die Person schlechthin, an der wir uns orientieren können. An ihm können wir unseren Lebenswandel und unsere Gesinnung ausrichten.

Kyrie-Rufe

GL 454 · KG 59

Herr Jesus Christus, in dir offenbart sich Gottes Liebe. Herr, erbarme dich.

Durch dich erkennen wir den Weg zum Vater. Christus, erbarme dich.

Du sendest deine Boten und Zeugen, die alle zu dir führen sollen. Herr, erbarme dich.

Gloria (siehe Seite 508)

Tagesgebet

Gott, du bist unser Ziel, du zeigst den Irrenden das Licht der Wahrheit und führst sie auf den rechten Weg zurück. Gib allen, die sich Christen nennen, die Kraft, zu meiden, was diesem Namen widerspricht, und zu tun, was unserem Glauben entspricht. Darum bitten wir durch Jesus Christus.

Erste Lesung

Am 7,12–15

Lesung aus dem Buch Amos.

In jenen Tagen sagte Amazja, der Priester von Bet-El, zu Amos: Geh, Seher, flüchte ins Land Juda! Iss dort dein Brot und tritt dort als Prophet auf! In Bet-El darfst du nicht mehr als Prophet reden; denn das hier ist ein Heiligtum des Königs und ein Reichstempel.

Amos antwortete Amazja: Ich bin kein Prophet und kein Prophetenschüler, sondern ich bin ein Viehzüchter und ich ziehe Maulbeerfeigen. Aber der Herr hat mich von meiner Herde weggeholt und zu mir gesagt: Geh und rede als Prophet zu meinem Volk Israel! ℣F

Amos war ein gewöhnlicher Mann. Er züchtete Vieh und zog Maulbeerfeigen. Plötzlich trifft ihn der Ruf Gottes, er solle als Prophet auftreten. An den offiziellen Heiligtümern gab es Propheten mit ihren Schülern. Immer wieder in der Geschichte des Alten Testaments beruft Gott Menschen zur Verkündigung seines Wortes, seines Willens, die nicht zu dieser etablierten Gruppe der Propheten gehören. Sie waren unvoreingenommen offen für das Wort Gottes. Es gab und gibt feste Regeln und Vorstellungen, wie Gott zu uns redet, wie Gott handelt. Gott durchbricht immer wieder diese Regeln und Vorstellungen. Er überrascht stets aufs Neue. In unserem Leben erfahren wir Gott vielleicht gerade in Situationen, in denen wir nicht mit ihm rechnen.

Antwortpsalm

Ps 85,9–14 (℟: 8)

℟: Erweise uns, Herr, deine Huld und gewähre uns dein Heil!

II. Ton – GL 528,6 · KG 85,6

Ich will hören, was Gott redet: /
Frieden verkündet der Herr seinem Volk *
und seinen Frommen, den Menschen mit redlichem Herzen.
Sein Heil ist denen nahe, die ihn fürchten. *
Seine Herrlichkeit wohne in unserm Land. – ℟

Es begegnen einander Huld und Treue; *
Gerechtigkeit und Friede küssen sich.
Treue sprosst aus der Erde hervor; *
Gerechtigkeit blickt vom Himmel hernieder. – ℟

Auch spendet der Herr dann Segen *
und unser Land gibt seinen Ertrag.
Gerechtigkeit geht vor ihm her *
und Heil folgt der Spur seiner Schritte. – ℟

ZWEITE LESUNG Eph 1,3–14 (Kf: 1,3–10)

Lesung aus dem Epheserbrief.

Gepriesen sei der Gott und Vater unseres Herrn Jesus Christus: Er hat uns mit allem Segen seines Geistes gesegnet durch unsere Gemeinschaft mit Christus im Himmel.

Denn in ihm hat er uns erwählt vor der Erschaffung der Welt, damit wir heilig und untadelig leben vor Gott; er hat uns aus Liebe im Voraus dazu bestimmt, seine Söhne zu werden durch Jesus Christus und nach seinem gnädigen Willen zu ihm zu gelangen, zum Lob seiner herrlichen Gnade. Er hat sie uns geschenkt in seinem geliebten Sohn; durch sein Blut haben wir die Erlösung, die Vergebung der Sünden nach dem Reichtum seiner Gnade.

Durch sie hat er uns reich beschenkt mit aller Weisheit und Einsicht und hat uns das Geheimnis seines Willens kundgetan, wie er es gnädig im Voraus bestimmt hat: die Fülle der Zeiten heraufzuführen in Christus und alles, was im Himmel und auf Erden ist, in ihm zu vereinen.◆ Durch ihn sind wir auch als Erben vorherbestimmt und eingesetzt nach dem Plan dessen, der alles so verwirklicht, wie er es in seinem Willen beschließt; wir sind zum Lob seiner Herrlichkeit bestimmt, die wir schon früher auf Christus gehofft haben.

Durch ihn habt auch ihr das Wort der Wahrheit gehört, das Evangelium von eurer Rettung; durch ihn habt ihr das Siegel des verheißenen Heiligen Geistes empfangen, als ihr den Glauben annahmt. Der Geist ist der erste Anteil des Erbes, das wir erhalten sollen, der Erlösung, durch die wir Gottes Eigentum werden, zum Lob seiner Herrlichkeit. IF

Dieses Schreiben, das am Ende des 1. Jh.s n. Chr. verfasst wurde, beginnt mit einem großen Lobpreis Gottes. Gott wird gepriesen, weil er sich uns Menschen zuwendet. Im Alltag sind die meisten Menschen eher mit dem beschäftigt, was nicht gut ist, was sie stört, was ihnen nicht gefällt, was alles anders sein sollte. Sehr heilsam ist es, sich regelmässig bewusst zu machen, was alles gut ist im eigenen Leben. Wer beginnt, sich alles Gute vor Augen zu führen, wird staunen, wie viel Gutes es gibt im Leben und auf der Welt. Es gibt mehr als genug Gründe, dankbar zu sein und Gott dafür zu loben und zu preisen.

Ruf vor dem Evangelium — Vgl. Eph 1,17–18

Halleluja. Halleluja.
Der Vater unseres Herrn Jesus Christus erleuchte die Augen unseres Herzens, damit wir verstehen, zu welcher Hoffnung wir berufen sind.
Halleluja.

Evangelium — Mk 6,7–13

Aus dem heiligen Evangelium nach Markus.

In jener Zeit rief Jesus die Zwölf zu sich und sandte sie aus, jeweils zwei zusammen.

Er gab ihnen die Vollmacht, die unreinen Geister auszutreiben, und er gebot ihnen, außer einem Wanderstab nichts auf den Weg mitzunehmen, kein Brot, keine Vorratstasche, kein Geld im Gürtel, kein zweites Hemd und an den Füßen nur Sandalen.

Und er sagte zu ihnen: Bleibt in dem Haus, in dem ihr einkehrt, bis ihr den Ort wieder verlasst. Wenn man euch aber in einem Ort nicht aufnimmt und euch nicht hören will, dann geht weiter und schüttelt den Staub von euren Füßen, zum Zeugnis gegen sie.

Die Zwölf machten sich auf den Weg und riefen die Menschen zur Umkehr auf. Sie trieben viele Dämonen aus und salbten viele Kranke mit Öl und heilten sie. |F

Das Volk Israel rekrutierte sich aus zwölf Stämmen. Jesus berief zwölf Männer in die engere Nachfolge. Diese Zwölf repräsentierten die zwölf Stämme Israels. Jesus stattete sie mit besonderen Fähigkeiten aus: Sie sollten und konnten die unreinen Geister, die Dämonen austreiben, also Kranke heilen. Zu damaliger Zeit wurde jede Krankheit auf einen unreinen Geist zurückgeführt, der Besitz von dem Menschen ergriffen hatte. Wollte man einen Kranken heilen, musste man also diesen Geist austreiben. Dazu beauftragte Jesus. In der Befreiung von der Krankheit erfuhr der Mensch die Gnade Gottes. Wir kennen heute sehr oft die medizinischen Zusammenhänge, aber auch wir können erfahren, dass es ein Geschenk und nicht selbstverständlich ist, wieder gesund zu werden. Mitunter wird jemand gesund, bei dem die Ärzte nicht damit gerechnet haben, und ein anderer wird nicht gesund, obwohl die Ärzte dies vorausgesagt haben. – Jesus sandte die Jünger zu zweit aus. Das war wichtig nach dem jüdischen Zeugenrecht. Im Konfliktfall wurden zwei Zeugen verlangt. Außerdem konnten sie sich gegenseitig helfen und unterstützen.

CREDO (siehe Seite 512)

FÜRBITTEN

Gott, du wählst stets aufs Neue Menschen aus, die deine Botschaft, die eine gute Nachricht ist, uns Menschen nahebringen.

A: Wir preisen dich, wir bitten dich.

- Wir sind oft rat- und hilflos, wissen nicht ein noch aus, nicht vor und zurück. Schick du uns dann wenigstens einen Menschen, durch den wir wieder deine Stimme hören und erkennen, wie es weitergeht.
- Oft halten wir uns für etwas Besseres als jemand anderes, sei es wegen des Alters, des Geschlechts oder der Herkunft.

Öffne unser Herz, unsere Augen und unsere Ohren, wenn du zu uns sprichst durch Menschen, von denen wir deine Botschaft nicht erwartet hätten.

- Viele Menschen stellen sich in der Kirche in deinen Dienst. Gib ihnen die Fähigkeit, den Menschen, zu denen sie gesandt und gerufen sind, etwas von deinem Heil und deiner Gnade zu vermitteln.
- Jesus Christus hat sich für uns Menschen aufgeopfert. Mach den Mächtigen dieser Welt bewusst, dass sie ihre Macht haben, um sich einzusetzen für das Wohl der Menschen in ihrem jeweiligen Staat.

Darum bitten wir dich, der du uns befreist von allem Schlechten und die Verstorbenen schon zu dir heimgeholt hast in deine Herrlichkeit. Amen.

GABENGEBET

Gott, sieh auf dein Volk, das im Gebet versammelt ist, und nimm unsere Gaben an. Heilige sie, damit alle, die sie empfangen, in deiner Liebe wachsen und dir immer treuer dienen. Darum bitten wir durch Christus, unseren Herrn.

PRÄFATION — Sonntage VII

In Wahrheit ist es würdig und recht, dir Vater im Himmel, zu danken und deine Gnade zu rühmen. So sehr hast du die Welt geliebt, daß du deinen Sohn als Erlöser gesandt hast. Er ist uns Menschen gleichgeworden in allem, außer der Sünde, damit du in uns lieben kannst, was du in deinem eigenen Sohne geliebt hast. Durch den Ungehorsam der Sünde haben wir deinen Bund gebrochen, durch den Gehorsam deines Sohnes hast du ihn erneuert. Darum preisen wir das Werk deiner Liebe und vereinen uns mit den Chören der Engel zum Hochgesang von deiner göttlichen Herrlichkeit.

EINLADUNG ZUM VATERUNSER

Jesus vertraut seinen Jüngern seine Botschaft an. Bis heute führen seine Boten die Menschen zum Vater. Mit ihnen verbunden beten wir, wie es uns Jesus Christus gelehrt hat: Vater unser im Himmel ...

EINLADUNG ZUM FRIEDENSGEBET

Durch unsere Gemeinschaft mit Christus segnet uns Gott mit seinen Gaben. Oft verschließen wir uns ihm und können daher seinen Frieden nicht empfangen. Deshalb bitten wir: Herr Jesus Christus ...

KOMMUNIONVERS

Joh 6,56

So spricht der Herr: Wer mein Fleisch isst und mein Blut trinkt, der bleibt in mir, und ich bleibe in ihm.

Oder: Ps 84,4-5

Der Sperling findet ein Haus und die Schwalbe ein Nest für ihre Jungen – deine Altäre, Herr der Heerscharen, mein Gott und mein König! Selig denen, die wohnen in deinem Haus, die dich allezeit loben!

SCHLUSSGEBET

Herr, unser Gott, wir danken dir für die heilige Gabe. Laß deine Heilsgnade in uns wachsen, sooft wir diese Speise empfangen. Darum bitten wir durch Christus, unseren Herrn.

SCHLUSSSEGEN

Im Jahreskreis III

Der allmächtige Gott gewähre euch Segen und Heil; er offenbare euch die Wege seiner Weisheit.

Er stärke euren Glauben durch sein Wort und schenke euch die Gnade, nach seinen Geboten zu leben, damit in allem sein Wille geschehe.

Er lenke eure Schritte auf den Weg des Friedens; er mache euch beharrlich im Guten und vollende euch in der Liebe.

Das gewähre euch der allmächtige Gott, der Vater und der Sohn † und der Heilige Geist.

Sei gepriesen – du hast die Welt erschaffen!
Sei gepriesen für Sonne, Mond und Sterne.
Sei gepriesen für Meer und Kontinente!
Sei gepriesen, denn du bist wunderbar, Herr!

Sei gepriesen für Licht und Dunkelheiten!
Sei gepriesen für Nächte und für Tage!
Sei gepriesen für Jahre und Sekunden!
Sei gepriesen, denn du bist wunderbar, Herr!

Sei gepriesen für Wolken, Wind und Regen!
Sei gepriesen – du lässt die Quellen springen!
Sei gepriesen – du lässt die Felder reifen!
Sei gepriesen, denn du bist wunderbar, Herr!

Sei gepriesen für deine hohen Berge!
Sei gepriesen für Fels und Wald und Täler!
Sei gepriesen für deiner Bäume Schatten!
Sei gepriesen, denn du bist wunderbar, Herr!

Sei gepriesen – du lässt die Vögel kreisen!
Sei gepriesen, wenn sie am Morgen singen!
Sei gepriesen für alle deine Tiere!
Sei gepriesen, denn du bist wunderbar, Herr!

Sei gepriesen – denn du, Herr, schufst den Menschen!
Sei gepriesen – er ist dein Bild der Liebe!
Sei gepriesen für jedes Volk der Erde!
Sei gepriesen, denn du bist wunderbar, Herr!

Sei gepriesen – du selbst bist Mensch geworden!
Sei gepriesen für Jesus, unsern Bruder!
Sei gepriesen – wir tragen seinen Namen!
Sei gepriesen, denn du bist wunderbar, Herr!

Sei gepriesen – er hat zu uns gesprochen!
Sei gepriesen – er ist für uns gestorben!
Sei gepriesen – er ist vom Tod erstanden!
Sei gepriesen, denn du bist wunderbar, Herr!

Sei gepriesen, o Herr, für Tod und Leben!
Sei gepriesen – du öffnest uns die Zukunft!
Sei gepriesen, in Ewigkeit gepriesen!
Sei gepriesen, denn du bist wunderbar, Herr!

Winfried Pilz

16. Sonntag im Jahreskreis
22. Juli 2012

Gott ist mein Helfer, der Herr beschützt mein Leben.
Freudig bringe ich dir mein Opfer dar
und lobe deinen Namen, Herr, denn du bist gütig.
Ps 54,6.8

Fast alle Menschen sehnen sich nach Frieden und Gerechtigkeit. Trotzdem gibt es in unzähligen Ländern Krieg und Terror und in Staaten, die in Frieden leben, herrscht im Alltag in den zwischenmenschlichen Beziehungen oft eine Art Psycho-Krieg, auf menschlich-emotionaler Ebene wird gegeneinander agiert. Das Grundbedürfnis der meisten Menschen ist es dennoch, in Frieden mit sich und den Mitmenschen und in einer gerechten Staats- und Gesellschaftsordnung leben zu können.

Kyrie-Rufe GL 475 · KG 57

Herr Jesus Christus, du bringst uns Gottes Frieden. Herr, erbarme dich.
Du weckst in uns die Sehnsucht nach dem Guten. Christus, erbarme dich.
Du gibt uns die Kraft, auf dich zu hören und dir zu folgen. Herr, erbarme dich.

Gloria (siehe Seite 508)

Tagesgebet

Herr, unser Gott, sieh gnädig auf alle, die du in deinen Dienst gerufen hast. Mach uns stark im Glauben, in der Hoffnung und in der Liebe, damit wir immer wachsam sind und auf dem Weg deiner Gebote bleiben. Darum bitten wir durch Jesus Christus.

ERSTE LESUNG Jer 23,1–6

Lesung aus dem Buch Jeremia.

Weh den Hirten, die die Schafe meiner Weide zugrunde richten und zerstreuen – Spruch des Herrn.

Darum – so spricht der Herr, der Gott Israels, über die Hirten, die mein Volk weiden: Ihr habt meine Schafe zerstreut und versprengt und habt euch nicht um sie gekümmert. Jetzt ziehe ich euch zur Rechenschaft wegen eurer bösen Taten – Spruch des Herrn.

Ich selbst aber sammle den Rest meiner Schafe aus allen Ländern, wohin ich sie versprengt habe. Ich bringe sie zurück auf ihre Weide; sie sollen fruchtbar sein und sich vermehren. Ich werde für sie Hirten bestellen, die sie weiden, und sie werden sich nicht mehr fürchten und ängstigen und nicht mehr verloren gehen – Spruch des Herrn.

Seht, es kommen Tage – Spruch des Herrn –, da werde ich für David einen gerechten Spross erwecken. Er wird als König herrschen und weise handeln, für Recht und Gerechtigkeit wird er sorgen im Land. In seinen Tagen wird Juda gerettet werden, Israel kann in Sicherheit wohnen. Man wird ihm den Namen geben: Der Herr ist unsere Gerechtigkeit. ℞F

Der Text aus dem Jeremia-Buch thematisiert drei wichtige Anliegen. Als erstes werden die damaligen »Hirten«, also die, die Verantwortung tragen, kritisiert. Sie haben sich nicht für das Wohl der ihnen Anvertrauten eingesetzt. Als zweites verheißt Gott, dass er selbst die in alle Winde oder in alle Herren Länder Zerstreuten sammeln und zurückführen wird. Als drittes wird ein König angekündigt, dem endlich die Gerechtigkeit ein Anliegen ist. Die Hoffnung auf den gerechten König zieht sich durch das ganze Alte Testament.

ANTWORTPSALM Ps 23 (℞: 1)

℞: Der Herr ist mein Hirte, nichts wird mir fehlen.

VI. Ton – GL 535,6 · KG 611

Der Herr ist mein Hirte, nichts wird mir fehlen. /
Er lässt mich lagern auf grünen Auen *
und führt mich zum Ruheplatz am Wasser.
Er stillt mein Verlangen; *
er leitet mich auf rechten Pfaden, treu seinem Namen. – ℟

Muss ich auch wandern in finsterer Schlucht, *
ich fürchte kein Unheil;
denn du bist bei mir, *
dein Stock und dein Stab geben mir Zuversicht. – ℟

Du deckst mir den Tisch *
vor den Augen meiner Feinde.
Du salbst mein Haupt mit Öl, *
du füllst mir reichlich den Becher. – ℟

Lauter Güte und Huld *
werden mir folgen mein Leben lang
und im Haus des Herrn *
darf ich wohnen für lange Zeit. – ℟

ZWEITE LESUNG — Eph 2,13–18

Lesung aus dem Epheserbrief.

Schwestern und Brüder! Jetzt seid ihr, die ihr einst in der Ferne wart, durch Christus Jesus, nämlich durch sein Blut, in die Nähe gekommen.

Denn er ist unser Friede. Er vereinigte die beiden Teile – Juden und Heiden – und riss durch sein Sterben die trennende Wand der Feindschaft nieder.

Er hob das Gesetz samt seinen Geboten und Forderungen auf, um die zwei in seiner Person zu dem einen neuen Menschen zu machen. Er stiftete Frieden und versöhnte die beiden durch das Kreuz mit Gott in einem einzigen Leib. Er hat in seiner Person die Feindschaft getötet.

Er kam und verkündete den Frieden: euch, den Fernen, und uns, den Nahen. Durch ihn haben wir beide in dem einen Geist Zugang zum Vater. ℱ

Der gerechte König ist Jesus Christus. Durch ihn ist der Frieden in die Welt gekommen. Er hat uns seinen Frieden gestiftet und uns aufgefordert, selbst Frieden zu stiften. Die Konfliktforschung betont, dass es in einem Konfliktfall wichtig ist, zunächst auf das Gemeinsame, das Verbindende zu schauen und dann erst auf das, was trennt. Die alte Trennung, die Feindschaft zwischen Juden und Heiden ist durch Jesus Christus, durch seinen Tod überwunden worden. Was zählt ist die Verbundenheit. Nicht mehr das Trennende dominiert, sondern das Gemeinsame: der Zugang zum Vater, der uns durch Jesus Christus eröffnet wurde.

RUF VOR DEM EVANGELIUM — Joh 10,27

Halleluja. Halleluja.
So spricht der Herr: Meine Schafe hören auf meine Stimme; ich kenne sie und sie folgen mir.
Halleluja.

EVANGELIUM — Mk 6,30–34

Aus dem heiligen Evangelium nach Markus.

In jener Zeit versammelten sich die Apostel, die Jesus ausgesandt hatte, wieder bei ihm und berichteten ihm alles, was sie getan und gelehrt hatten. Da sagte er zu ihnen: Kommt mit an einen einsamen Ort, wo wir allein sind, und ruht ein wenig aus. Denn sie fanden nicht einmal Zeit zum Essen, so zahlreich waren die Leute, die kamen und gingen.

Sie fuhren also mit dem Boot in eine einsame Gegend, um allein zu sein. Aber man sah sie abfahren und viele erfuhren davon; sie liefen zu Fuß aus allen Städten dorthin und kamen noch vor ihnen an.

Als er ausstieg und die vielen Menschen sah, hatte er Mitleid mit ihnen; denn sie waren wie Schafe, die keinen Hirten haben. Und er lehrte sie lange. IF

Jesus hatte die Jünger ausgesandt, damit sie Dämonen austreiben und die Menschen heilen. Nun kommen die Jünger zurück und berichten Jesus von dem, was sie getan und erlebt haben. Sie pflegen miteinander Austausch und Gespräch. Jesus will sich mit den Jüngern zurückziehen, damit sie sich ausruhen können, aber sehr viele Leute drängen zu ihnen und lassen ihnen keine Ruhe. Jesus hat Mitleid mit ihnen, sie kommen ihm vor wie Schafe, die keinen Hirten haben. Wir Menschen brauchen oft eine Führungsfigur, an der wir uns orientieren können, die uns »den Weg weist«. Dies kann auch missbraucht werden, wie auf der ganzen Welt die Geschichte der verschiedenen Länder zeigt. Nur allzu oft weisen diese Führungsfiguren diktatorisches Verhalten auf. Jesus dagegen ist der »gute Hirt«, die Führungsfigur, die zum Wohle von uns Menschen spricht und handelt. Wenn wir uns an ihm orientieren, befinden wir uns auf dem richtigen Weg.

Credo (siehe Seite 512)

Fürbitten

Gott, du willst Frieden und Gerechtigkeit für alle Menschen. Du willst, dass Feindschaft und Hass überwunden werden. Du willst, dass die Menschen sich auf das allen Gemeinsame, das Menschsein besinnen und sich gegenseitig leben lassen.

A: Wir bitten dich, schenk uns deinen Frieden.

- Konflikte entstehen, weil wir Menschen unterschiedliche Interessen haben. Gib uns in Konfliktsituationen die Fähigkeit, auf das Gemeinsame zu schauen, damit wir gemeinsam zu einer guten Lösung gelangen können.
- Konflikte unter Staaten entstehen, wenn ein Staat Anspruch erhebt auf Land und Besitztum eines anderen Staates. Schenk den Verantwortlichen die Bereitschaft, die eigenen Grenzen und die Grenzen anderer zu respektieren.
- Konflikte unter den Religionen entstehen, wenn jede Religion sich für die allein Richtige hält. Gib den religiösen Führern das Bewusstsein, dass es viele Heilswege zu dir gibt.

- Konflikte unter den Generationen entstehen, weil jede Generation in einer anderen Zeit mit verschiedenen Problemen und Aufgaben aufwächst. Schenk jeder Generation das Verständnis, dass die Zeiten sich ändern und deshalb auch das Verhalten der jeweils anderen Generation.
- Konflikte entstehen, weil die Bereitschaft und Fähigkeit zum konstruktiven Gespräch und zur Selbstkritik oft nicht ausreichend ausgeprägt sind. Lass in uns die Einsicht wachsen, dass jeder und jede sich selbst immer wieder hinterfragen und ändern muss, damit es zu einem guten Gespräch und zu einem fruchtbaren Austausch kommen kann.

Darum bitten wir dich, der du möchtest, dass alles Trennende unter uns Menschen überwunden wird und alle Menschen in Frieden leben können, jetzt und in Ewigkeit. Amen.

GABENGEBET

Herr, du hast die vielen Opfer, die dir je von Menschen dargebracht werden, in dem einen Opfer des Neuen Bundes vollendet. Nimm die Gaben deiner Gläubigen an und heilige sie, wie du einst das Opfer Abels angenommen hast; und was jeder einzelne zu deiner Ehre darbringt, das werde allen zum Heil. Darum bitten wir durch Christus, unseren Herrn.

PRÄFATION — Sonntag VIII

In Wahrheit ist es würdig und recht, dir, allmächtiger Vater, zu danken und dein Erbarmen zu rühmen. Die Sünde hatte die Menschen von dir getrennt, du aber hast sie zu dir zurückgeführt durch das Blut deines Sohnes und die Kraft deines Geistes. Wie du eins bist mit dem Sohn und dem Heiligen Geist, so ist deine Kirche geeint nach dem Bild des dreieinigen Gottes. Sie ist dein heiliges Volk, der Leib Christi und der Tempel des Heiligen Geistes zum Lob deiner Weisheit und Liebe. Darum preisen wir dich in deiner Kirche und vereinen uns mit den Engeln und Heiligen zum Hochgesang von deiner göttlichen Herrlichkeit.

Einladung zum Vaterunser

Jesus Christus ist der Gute Hirt, der uns den Weg zum Vater zeigt. Mit seinen Worten könen wir zu Gott beten: Vater unser im Himmel …

Einladung zum Friedensgebet

Jesus Christus ist unser Friede. In ihm können alle Menschen zu Gott und zueinander finden. Deshalb bitten wir: Herr Jesus Christus …

Kommunionvers

Offb 3,20

So spricht der Herr: Ich stehe an der Tür und klopfe. Wenn einer meine Stimme hört und die Tür öffnet, werde ich bei ihm eintreten und mit ihm Mahl halten, und er mit mir.

Oder: Ps 111,4–5

Ein Gedächtnis seiner Wunder hat der Herr gestiftet, gnädig und barmherzig ist der Herr. Er gibt denen Speise, die ihn fürchten.

Schlussgebet

Barmherziger Gott, höre unser Gebet. Du hast uns im Sakrament das Brot des Himmels gegeben, damit wir an Seele und Leib gesunden. Gib, daß wir die Gewohnheiten des alten Menschen ablegen und als neue Menschen leben. Dar um bitten wir durch Christus, unseren Herrn.

Schlusssegen

Im Jahreskreis VI

Gott, unser Vater, segne euch mit allem Segen des Himmels, damit ihr rein und heilig lebt vor seinem Angesicht.

Er lehre euch durch das Wort der Wahrheit; er bilde euer Herz nach dem Evangelium Christi und gebe euch Anteil an seiner Herrlichkeit.

Er schenke euch jene brüderliche Liebe, an der die Welt die Jünger Christi erkennen soll.

Das gewähre euch der dreieinige Gott, der Vater und der Sohn
† und der Heilige Geist.

Gib uns Frieden jeden Tag. Lass uns nicht allein.
Du hast uns dein Wort gegeben stets bei uns zu sein.
Denn nur du, unser Gott, denn nur du, unser Gott,
hast die Menschen in der Hand. Lass uns nicht allein.

Gib uns Freiheit jeden Tag. Lass uns nicht allein.
Lass für Frieden uns und Freiheit immer tätig sein.
Denn durch dich, unsern Gott, denn durch dich, unsern Gott,
sind wir frei in jedem Land. Lass uns nicht allein.

Gib uns Freude jeden Tag. Lass uns nicht allein.
Für die kleinsten Freundlichkeiten lass uns dankbar sein.
Denn nur du, unser Gott, denn nur du, unser Gott,
hast uns alle in der Hand. Lass uns nicht allein.

Kurt Rommel / Rüdeger Lüders

17. Sonntag im Jahreskreis
29. Juli 2012

Gott ist hier, an heiliger Stätte.
Gott versammelt sein Volk in seinem Haus,
er schenkt ihm Stärke und Kraft.
Ps 68,6–7.36

Rund eine Milliarde Menschen auf der Welt hungern. Trotz großer Bemühungen gelingt es nicht, dass alle Menschen genug zu essen haben. Die Gründe sind vielfältig. Primum vivere, lautet ein lateinisches Sprichwort. Zuerst muss der Mensch schauen, dass er leben kann, also zu essen hat. In der Maslow'schen Hierarchie der Bedürfnisse stehen an unterster Stelle als Basis für unser Leben die biologischen Bedürfnisse. Diese Bedürfnisse müssen befriedigt werden, damit wir Menschen uns ausgeglichen fühlen und uns gut entwickeln können. Entsprechend bitten wir im Vaterunser: Unser tägliches Brot gib uns heute.

Kyrie-Rufe

Oder: GL 499 · KG 388

Herr Jesus Christus, du bist Gottes Gabe, damit wir leben. Herr, erbarme dich.
Du bist das Brot des Lebens. Christus, erbarme dich.
Mit dir will Gott uns alles schenken. Herr, erbarme dich.

Gloria (siehe Seite 508)

Tagesgebet

Gott, du Beschützer aller, die auf dich hoffen, ohne dich ist nichts gesund und nichts heilig. Führe uns in deinem Erbarmen den rechten Weg und hilf uns, die vergänglichen Güter so zu gebrauchen, daß wir die ewigen nicht verlieren. Darum bitten wir durch Jesus Christus.

ERSTE LESUNG 2 Kön 4,42–44

Lesung aus dem zweiten Buch der Könige.

In jenen Tagen kam ein Mann von Baal-Schalischa und brachte dem Gottesmann Elischa Brot von Erstlingsfrüchten, zwanzig Gerstenbrote, und frische Körner in einem Beutel. Elischa befahl seinem Diener: Gib es den Leuten zu essen! Doch dieser sagte: Wie soll ich das hundert Männern vorsetzen?

Elischa aber sagte: Gib es den Leuten zu essen! Denn so spricht der Herr: Man wird essen und noch übrig lassen. Nun setzte er es ihnen vor; und sie aßen und ließen noch übrig, wie der Herr gesagt hatte. ℣F

Wie soll ich das schaffen? Wie soll das gehen? Diese Fragen stellen wir uns vor einer großen Aufgabe oder schwierigen Situation. Solche Fragen hat sich auch der Diener des Propheten Elischa gestellt, als er 20 Brote an 100 Männer verteilen sollte. Auf Befehl des Gottesmannes verteilt er die Brote und es bleibt sogar noch etwas übrig. Wir müssen nicht versuchen, rechnerisch dem Geheimnis auf die Spur zu kommen. Das Entscheidende ist die Botschaft: Es kommt darauf an, auch Situationen, die scheinbar nicht zu bewältigen sind, im Vertrauen auf Gott anzupacken, dann kann es gelingen.

ANTWORTPSALM Ps 145,8–9.15–18 (℟: 16)

℟: Du öffnest deine Hand und sättigst alles, was lebt, nach deinem Gefallen.

I. Ton – GL 758,1

Der Herr ist gnädig und barmherzig, *
langmütig und reich an Gnade.
Der Herr ist gütig zu allen, *
sein Erbarmen waltet über all seinen Werken. – ℟

Aller Augen warten auf dich *
und du gibst ihnen Speise zur rechten Zeit.
Du öffnest deine Hand *
und sättigst alles, was lebt, nach deinem Gefallen. – ℟

Gerecht ist der Herr in allem, was er tut, *
voll Huld in all seinen Werken.
Der Herr ist allen, die ihn anrufen, nahe, *
allen, die zu ihm aufrichtig rufen. – ℟

Zweite Lesung Eph 4,1–6

Lesung aus dem Epheserbrief.

Schwestern und Brüder! Ich, der ich um des Herrn willen im Gefängnis bin, ermahne euch, ein Leben zu führen, das des Rufes würdig ist, der an euch erging. Seid demütig, friedfertig und geduldig, ertragt einander in Liebe und bemüht euch, die Einheit des Geistes zu wahren durch den Frieden, der euch zusammenhält.

E i n Leib und e i n Geist, wie euch durch eure Berufung auch e i n e gemeinsame Hoffnung gegeben ist; e i n Herr, e i n Glaube, e i n e Taufe, e i n Gott und Vater aller, der über allem und durch alles und in allem ist. ℣

»Teile und herrsche«, lautete das Motto eines antiken Herrschers. Wenn Menschen entzweit sind, kann ein anderer leicht seine Macht ausüben. Nur die Einheit, das Zusammenhalten macht stark. Das wird auch in der Tierwelt deutlich, denn viele Tiere leben in der Herde, im Rudel oder im Schwarm. Wir Christen sind zur Einheit aufgerufen. Wir haben einen Gott, einen Herrn, einen Glauben, eine Taufe, eine gemeinsame Hoffnung, einen Geist. Streit, Hochmut, Ungeduld soll es in der christlichen Gemeinde nicht geben. Jeder und jede ist aufgefordert, die Einheit des Geistes zu wahren, sich auf den einen Geist zu konzentrieren, indem man sich so verhält, dass Frieden herrscht in der Gemeinde. Zu der Zeit, da der Epheserbrief verfasst wurde, gab es Differenzen zwischen den Gemeindeangehörigen mit jüdischen Wurzeln und jenen, die nicht in der jüdischen Tradition beheimatet waren. Verschiedene Herkunft mit unterschiedlichen Traditionen kann Menschen trennen. Deshalb ist es wichtig, sich auf das Gemeinsame zu besinnen. Das ist der eine Gott und Vater aller.

RUF VOR DEM EVANGELIUM

Vgl. Lk 7,16

Halleluja. Halleluja.
Ein großer Prophet trat unter uns auf:
Gott nahm sich seines Volkes an.
Halleluja.

EVANGELIUM

Joh 6,1–15

Aus dem heiligen Evangelium nach Johannes.

In jener Zeit ging Jesus an das andere Ufer des Sees von Galiläa, der auch See von Tiberias heißt. Eine große Menschenmenge folgte ihm, weil sie die Zeichen sahen, die er an den Kranken tat. Jesus stieg auf den Berg und setzte sich dort mit seinen Jüngern nieder.

Das Pascha, das Fest der Juden, war nahe. Als Jesus aufblickte und sah, dass so viele Menschen zu ihm kamen, fragte er Philippus: Wo sollen wir Brot kaufen, damit diese Leute zu essen haben? Das sagte er aber nur, um ihn auf die Probe zu stellen; denn er selbst wusste, was er tun wollte. Philippus antwortete ihm: Brot für zweihundert Denare reicht nicht aus, wenn jeder von ihnen auch nur ein kleines Stück bekommen soll.

Einer seiner Jünger, Andreas, der Bruder des Simon Petrus, sagte zu ihm: Hier ist ein kleiner Junge, der hat fünf Gerstenbrote und zwei Fische; doch was ist das für so viele! Jesus sagte: Lasst die Leute sich setzen! Es gab dort nämlich viel Gras. Da setzten sie sich; es waren etwa fünftausend Männer. Dann nahm Jesus die Brote, sprach das Dankgebet und teilte an die Leute aus, so viel sie wollten; ebenso machte er es mit den Fischen.

Als die Menge satt war, sagte er zu seinen Jüngern: Sammelt die übrig gebliebenen Brotstücke, damit nichts verdirbt. Sie sammelten und füllten zwölf Körbe mit den Stücken, die von den fünf Gerstenbroten nach dem Essen übrig waren.

Als die Menschen das Zeichen sahen, das er getan hatte, sagten sie: Das ist wirklich der Prophet, der in die Welt kommen soll. Da erkannte Jesus, dass sie kommen würden, um ihn in ihre Gewalt zu bringen und zum König zu machen. Daher zog er sich wieder auf den Berg zurück, er allein. IF

Fünf Gerstenbrote und zwei Fische werden an fünftausend Männer verteilt. Jeder isst soviel er will, und es bleiben noch zwölf Körbe voll übrig. Das sorgfältige Einsammeln der Reste war beim jüdischen Mahl üblich. Es bringt die Wertschätzung der Schöpfung zum Ausdruck. Die Zahl zwölf symbolisiert die zwölf Jünger und die zwölf Stämme Israels. Wie beim jüdischen Mahl übernimmt Jesus die Rolle des Gastgebers, indem er das Dankgebet spricht und das Brot bricht. Wenn Jesus seine Gaben austeilt, dann erhalten alle genug. Gott gibt genug und Gott will, dass jeder genug hat. Diese wunderbare Brotvermehrung übertrifft das, was nach der Erzählung des Alten Testaments der große Prophet Elischa gewirkt hat. Die Menschen erkennen, dass Jesus ein Prophet ist. Sie wissen aus den Schriften des Alten Testaments, ein wahrer Prophet kann Nahrung geben. Sie wollen ihn sogar zum König machen. Jesus aber zieht sich zurück. Er will nicht aufgrund seiner Zeichen zum König gemacht werden. Nicht die Zeichen oder die Wunder sollen die Menschen zum Glauben bewegen, sondern die Erkenntnis, dass Jesus Christus von Gott gesandt ist.

CREDO (siehe Seite 512)

FÜRBITTEN

Gott, du willst, dass alle Menschen satt werden. Du hast die Welt ausgestattet mit sehr vielen Rohstoffen und Nahrungsmitteln für uns Menschen und für die Tiere. Diese Nahrungsmittel und Rohstoffe sind ungleich verteilt.

A: Wir bitten dich, erhöre uns.

- Wir sind im Alltag so gut versorgt mit allem, was wir täglich brauchen, dass fast immer »etwas übrig bleibt«. Zeige uns, wo und wie wir zu einer gerechteren Verteilung der Rohstoffe und Nahrungsmittel beitragen können.

- Wir werden immer wieder neu zum Kaufen und Konsumieren verführt. Gib uns die Kraft, dieser Verführung zu widerstehen und uns mehr auf das zu konzentrieren, was wir wirklich brauchen.
- In den westlichen Ländern leben wir in einer Wegwerfgesellschaft. Es wird so viel weggeworfen, es bleibt so viel »übrig«, dass es Menschen gibt, die sich bewusst von diesen Abfällen ernähren, um ein Zeichen zu setzen. Schenke uns mehr Sorgfalt im Umgang mit Lebensmitteln und Gebrauchsgegenständen.
- In vielen Staaten bereichern sich die, die – in der gesellschaftlichen Ordnung – »oben« sind zu Lasten derjenigen, die »unten« sind. Steh' den Menschen bei, die den Mut haben, sich gegen diese Ungerechtigkeiten aufzulehnen und sich für mehr soziale Gerechtigkeit einsetzen.
- Du bist der eine Gott und Vater aller Menschen. Schenke allen Menschen den Glauben an dich, den einen Gott, der sich väterlich und mütterlich allen Menschen zuwendet.

Darum bitten wir dich, der du möchtest, dass Hunger und Armut überwunden werden und es allen Menschen gut geht, jetzt und in Ewigkeit. Amen.

Gabengebet

Gütiger Gott, nimm die Gaben an, die wir von deiner Güte empfangen haben. Laß deine Kraft in ihnen wirken, damit sie uns in diesem Leben heiligen und zu den ewigen Freuden führen. Darum bitten wir durch Christus, unseren Herrn.

Präfation

Messen für besondere Anliegen I

Wir danken dir, gütiger Vater, und preisen dich, denn durch die Frohe Botschaft deines Sohnes hast du Menschen aus allen Völkern und Sprachen vereint in der Gemeinschaft der Kirche. Durch sie, die aus der Kraft deines Geistes lebt, führst du alle

Menschen zur Einheit. So bezeugt die Kirche deine Liebe und schenkt allen die Hoffnung auf ewige Vollendung. Sie wird zum Zeichen deiner Treue, die du uns für immer versprochen hast in unserem Herrn Jesus Christus. Darum rühmen dich Himmel und Erde, und mit der ganzen Kirche singen wir das Lob deiner Herrlichkeit.

Einladung zum Vaterunser

Jesus Christus zeigt uns den Reichtum von Gottes Liebe. Im Vertrauen darauf beten wir, wie er es uns gelehrt hat: Vater unser im Himmel …

Einladung zum Friedensgebet

Gottes Friede hält uns als Christen zusammen. Wir bemühen uns um den Frieden und versagen oft dabei. Deshalb bitten wir: Herr Jesus Christus …

Kommunionvers

Mt 5,7-8

Selig, die barmherzig sind; denn sie werden Erbarmen finden.
Selig, die ein reines Herz haben; denn sie werden Gott schauen.

Oder: Ps 103,2

Lobe den Herrn meine Seele und vergiss nicht, was er dir Gutes getan hat!

Schlussgebet

Herr, unser Gott, wir haben das Gedächtnis des Leidens Christi gefeiert und das heilige Sakrament empfangen. Was uns dein Sohn in unergründlicher Liebe geschenkt hat, das werde uns nicht zum Gericht, sondern bringe uns das ewige Heil. Darum bitten wir durch Christus, unseren Herrn.

Schlusssegen

Segensgebet über das Volk, Nr. 4

Gott, unser Vater, gib dem christlichen Volk die Gnade, den Glauben, den es bekennt, immer tiefer zu erfassen und Christus, den wir als das Brot des Himmels empfangen haben, wahrhaft zu lieben, der mit dir lebt und herrscht in alle Ewigkeit.

Der Segen des allmächtigen Gottes, des Vaters und des Sohnes und des Heiligen Geistes, komme auf euch herab und bleibe bei euch allezeit.

Jetzt ist die Stunde,
jetzt wird getan oder vertan,
jetzt wird gesagt oder versagt,
jetzt wird gewirkt oder verwirkt,
jetzt wird geraten oder verraten,
jetzt wird getröstet oder vertröstet,
jetzt wird gelacht oder verlacht,
jetzt wird getagt oder vertagt,
jetzt entscheidet sich,
worauf es ankommt,
wenn ER kommt.

Alois Albrecht

18. Sonntag im Jahreskreis
5. August 2012

Gott, komm mir zu Hilfe; Herr, eile, mir zu helfen.
Meine Hilfe und mein Retter bist du, Herr, säume nicht.
Ps 70,2.6

Im Vaterunser bitten wir regelmäßig um unser Brot, um unsere Nahrung. Interessanterweise ist die Bitte eingeschränkt auf das »tägliche Brot«. In unseren Bitten und Bedürfnissen sollen und dürfen wir uns beschränken auf das, was wir jeweils heute benötigen. Natürlich müssen wir auch einen gewissen Vorrat anlegen, aber die Beschränkung auf das Heute, auf das Tägliche signalisiert: Gott gibt uns jeden Tag, was wir an diesem Tag brauchen.

Kyrie-Rufe

GL 452 · KG 55

Herr Jesus Christus, du bist das Brot, das der Welt das Leben gibt. Herr, erbarme dich.
Du bist unsere Hilfe, auf dich dürfen wir vertrauen. Christus, erbarme dich.
Du beschenkst alle reichlich, die zu dir kommen und an dich glauben. Herr, erbarme dich.

Gloria (siehe Seite 508)

Tagesgebet

Gott, unser Vater, steh deinen Dienern bei und erweise allen, die zu dir rufen, Tag für Tag deine Liebe. Du bist unser Schöpfer und der Lenker unseres Lebens. Erneuere deine Gnade in uns, damit wir dir gefallen, und erhalte, was du erneuert hast. Darum bitten wir durch Jesus Christus.

ERSTE LESUNG Ex 16,2–4.12–15

Lesung aus dem Buch Exodus.

In jenen Tagen murrte die ganze Gemeinde der Israeliten in der Wüste gegen Mose und Aaron. Die Israeliten sagten zu ihnen: Wären wir doch in Ägypten durch die Hand des Herrn gestorben, als wir an den Fleischtöpfen saßen und Brot genug zu essen hatten. Ihr habt uns nur deshalb in diese Wüste geführt, um alle, die hier versammelt sind, an Hunger sterben zu lassen. Da sprach der Herr zu Mose: Ich will euch Brot vom Himmel regnen lassen. Das Volk soll hinausgehen, um seinen täglichen Bedarf zu sammeln. Ich will es prüfen, ob es nach meiner Weisung lebt oder nicht. Ich habe das Murren der Israeliten gehört. Sag ihnen: Am Abend werdet ihr Fleisch zu essen haben, am Morgen werdet ihr satt sein von Brot und ihr werdet erkennen, dass ich der Herr, euer Gott, bin.

Am Abend kamen die Wachteln und bedeckten das Lager. Am Morgen lag eine Schicht von Tau rings um das Lager. Als sich die Tauschicht gehoben hatte, lag auf dem Wüstenboden etwas Feines, Knuspriges, fein wie Reif, auf der Erde. Als das die Israeliten sahen, sagten sie zueinander: Was ist das? Denn sie wussten nicht, was es war. Da sagte Mose zu ihnen: Das ist das Brot, das der Herr euch zu essen gibt. IF

»Wes' Brot ich ess, des' Lied ich sing«, lautet ein altes Sprichwort. Es verdeutlicht die Erfahrung: Der Mensch redet der Person nach dem Mund, die ihn ernährt, die ihn mit Nahrung oder Arbeit versorgt. So erging es den Israeliten, als sie in der Wüste hungerten. Mit knurrendem Magen sich zu Jahwe bekennen, das fiel ihnen schwer. Lieber wären sie wieder in Ägypten, wo sie zwar »das Lied der Ägypter singen müssen«, aber der Magen voll war. Israel sehnt sich zurück nach den berühmten Fleischtöpfen Ägyptens. Aber die Erzählung zeigt: Wer sich an Gott wendet, wer zu Gott schreit, der erhält, was er benötigt. Die Israeliten erhalten Brot vom Himmel und sogar Fleisch für den täglichen Bedarf.

Antwortpsalm

Ps 78,3–4b.23–25.54 (℟: vgl. 24b)

℟: Der Herr gab ihnen Brot vom Himmel.

II. Ton – GL 535,5

Was wir hörten und erfuhren, *
was uns die Väter erzählten,
das wollen wir unseren Kindern nicht verbergen, *
sondern dem kommenden Geschlecht erzählen. – ℟

Er gebot den Wolken droben *
und öffnete die Tore des Himmels.
Er ließ Manna auf sie regnen als Speise, *
er gab ihnen Brot vom Himmel. – ℟

Da aßen die Menschen Wunderbrot; *
Gott gab ihnen Nahrung in Fülle.
Er brachte sie in sein heiliges Land, *
in die Berge, die er erwarb mit mächtiger Hand. – ℟

Zweite Lesung

Eph 4,17.20–24

Lesung aus dem Epheserbrief.

Schwestern und Brüder! Ich sage es euch und beschwöre euch im Herrn: Lebt nicht mehr wie die Heiden in ihrem nichtigen Denken!

Das entspricht nicht dem, was ihr von Christus gelernt habt. Ihr habt doch von ihm gehört und seid unterrichtet worden in der Wahrheit, die Jesus ist. Legt den alten Menschen ab, der in Verblendung und Begierde zugrunde geht, ändert euer früheres Leben und erneuert euren Geist und Sinn!

Zieht den neuen Menschen an, der nach dem Bild Gottes geschaffen ist in wahrer Gerechtigkeit und Heiligkeit. ℣

Wenn das Sonnenlicht sehr stark ist und wir direkt in die Sonne schauen, werden wir so geblendet, dass wir nichts mehr sehen können. Der Verfasser des Epheserbriefs spricht im übertragenen Sinn von Verblendung. Der alte Mensch – vor der Bekehrung zu Jesus Christus – geht in Verblendung und Begierde zugrunde. Wer verblendet ist, sieht nicht die Wahrheit, sieht nicht die Wirklichkeit, wie sie ist. Eine Art von Verblendung ist die Begierde, die Gier nach allerlei Irdisch-weltlichem, das alles vergänglich ist. Die ausschließliche Orientierung daran führt ins Verderben. Angesichts des drohenden Ungemachs, erfolgt ein dringlicher Appell, das Leben zu ändern, die Lebensführung der neuen, christlichen Überzeugung anzupassen.

RUF VOR DEM EVANGELIUM — Vgl. Mt 4,4b

Halleluja. Halleluja.
Nicht nur von Brot lebt der Mensch, sondern von jedem Wort aus Gottes Mund.
Halleluja.

EVANGELIUM — Joh 6,24–35

Aus dem heiligen Evangelium nach Johannes.

In jener Zeit, als die Leute sahen, dass weder Jesus noch seine Jünger dort waren, stiegen sie in die Boote, fuhren nach Kafarnaum und suchten Jesus. Als sie ihn am anderen Ufer des Sees fanden, fragten sie ihn: Rabbi, wann bist du hierher gekommen?

Jesus antwortete ihnen: Amen, amen, ich sage euch: Ihr sucht mich nicht, weil ihr Zeichen gesehen habt, sondern weil ihr von den Broten gegessen habt und satt geworden seid. Müht euch nicht ab für die Speise, die verdirbt, sondern für die Speise, die für das ewige Leben bleibt und die der Menschensohn euch geben wird. Denn ihn hat Gott, der Vater, mit seinem Siegel beglaubigt.

Da fragten sie ihn: Was müssen wir tun, um die Werke Gottes zu vollbringen? Jesus antwortete ihnen: Das ist das Werk Gottes, dass ihr an den glaubt, den er gesandt hat.

Sie entgegneten ihm: Welches Zeichen tust du, damit wir es sehen und dir glauben? Was tust du? Unsere Väter haben das Manna in der Wüste gegessen, wie es in der Schrift heißt: Brot vom Himmel gab er ihnen zu essen.

Jesus sagte zu ihnen: Amen, amen, ich sage euch: Nicht Mose hat euch das Brot vom Himmel gegeben, sondern mein Vater gibt euch das wahre Brot vom Himmel. Denn das Brot, das Gott gibt, kommt vom Himmel herab und gibt der Welt das Leben.

Da baten sie ihn: Herr, gib uns immer dieses Brot! Jesus antwortete ihnen: Ich bin das Brot des Lebens; wer zu mir kommt, wird nie mehr hungern, und wer an mich glaubt, wird nie mehr Durst haben. IF

Mit diesem Evangelium beginnt die Brotrede, aus der auch an den beiden folgenden Sonntagen gelesen wird. Jesus kennt die Menschen. Sie suchen ihn nicht, weil sie die Zeichen gesehen und erkannt haben, sondern weil sie von seinen Broten satt geworden sind, weil er sie versorgt hat und sie sich mehr erhoffen. Jesus weist sie zurecht: Sie sollen sich nicht um die verderbliche Speise mühen, sondern um die unvergängliche, ewige. Die Menschen verstehen nicht viel von dem, was Jesus sagt, aber das Stichwort »Gott« in der Rede Jesu lässt sie doch nach dem fragen, was sie tun müssen, um die Werke Gottes zu vollbringen. Sie erhalten den Hinweis auf den Glauben. Der Glaube an den, den Gott gesandt hat, ist das Zentrale und Entscheidende. Doch auch das begreifen die Menschen nicht, sie fordern nun ein Zeichen. Sie bleiben zu sehr am Vordergründigen, am unmittelbar Sichtbaren hängen. Jesus spricht daraufhin vom wahren Brot und sie wollen dieses Brot, damit sie »ausgesorgt« haben. Jesus offenbart sich ihnen als das Brot des Lebens. Wer zu ihm kommt, wird nie mehr dürsten, wer an ihn glaubt, wird nie mehr hungern – auf seelisch-geistiger Ebene. Das Brot – Jesus – verweist auf den Spender: den Vater im Himmel. Die »Wunder« im Johannesevangelium werden »Zeichen« genannt. Sie verweisen auf das bzw. »den« Dahinter: auf Gott.

CREDO (siehe Seite 512)

FÜRBITTEN

Gott, du bist hinter, über und in allem, was wir sehen und erfahren. Wir haben oft das Gefühl, dass du fern bist, denn deine Gegenwart ist oft nicht zu spüren.

A: Wir bitten dich, lass uns tiefer blicken.

- Wir lassen uns vom Vordergründigen blenden. Gib uns die Fähigkeit, dich in allem wahrzunehmen.
- Oft trügt der äußere Schein und beeindruckt uns. Öffne unsere Augen für das wahre Sein.
- Vor allem junge Menschen lassen sich gerne von Glanz und Glimmer beeindrucken. Lass sie nicht vergessen, dass die Anteilnahme am anderen Menschen das ist, was das Leben lebenswert macht.
- In den Medien dominiert das Showbusiness. Hilf uns, dass wir uns nicht blenden lassen von dem, was uns vorgespielt wird, sondern lass uns erkennen, was echte und wahre Gefühle sind.
- In der Politik gewinnen häufig die, die besonders gut auftreten und reden können. Mach ihnen bewusst, dass es nicht um Machtspiele, sondern um Zuwendung zu den Menschen und Fürsorge um die ihnen Anvertrauten geht.

Darum bitten wir dich durch deinen Sohn Jesus Christus, der uns erkennt, wie wir sind, und tiefer blickt, jetzt und in Ewigkeit. Amen.

GABENGEBET

Barmherziger Gott, heilige diese Gaben. Nimm das Opfer an, das dir im Heiligen Geist dargebracht wird, und mache uns selbst zu einer Gabe, die für immer dir gehört. Darum bitten wir durch Christus, unseren Herrn.

PRÄFATION

Sonntage I

In Wahrheit ist es würdig und recht, dir, Herr, heiliger Vater, allmächtiger, ewiger Gott, immer und überall zu danken durch unseren Herrn Jesus Christus. Denn er hat Großes an uns getan: Durch seinen Tod und seine Auferstehung hat er uns von der Sünde und von der Knechtschaft des Todes befreit und zur

Herrlichkeit des neuen Lebens berufen. In ihm sind wir ein auserwähltes Geschlecht, dein heiliges Volk, dein königliches Priestertum. So verkünden wir die Werke deiner Macht, denn du hast uns aus der Finsternis in dein wunderbares Licht gerufen. Darum singen wir mit den Engeln und Erzengeln, den Thronen und Mächten und mit all den Scharen des himmlischen Heeres den Hochgesang von deiner göttlichen Herrlichkeit.

Einladung zum Vaterunser

Gott hat uns durch Jesus Christus zu dem neuen Menschen gemacht, der nach seinem Bild geschaffen ist. Wir beten mit den Worten Jesu: Vater unser im Himmel …

Einladung zum Friedensgebet

Im Glauben vollbringen wir Gottes Werke. Im Glauben halten wir seinen Frieden. Deshalb bitten wir: Herr Jesus Christus …

Kommunionvers

Joh 6,35

So spricht der Herr:
Ich bin das Brot des Lebens, wer zu mir kommt, wird nicht mehr hungern, und wer an mich glaubt, wird nicht mehr Durst haben.

Oder: Weish 16,20

Herr, du hast uns Brot vom Himmel gegeben, das allen Wohlgeschmack in sich enthält.

Schlussgebet

Barmherziger Gott, in den heiligen Gaben empfangen wir neue Kraft. Bleibe bei uns in aller Gefahr und versage uns nie deine Hilfe, damit wir der ewigen Erlösung würdig werden. Darum bitten wir durch Christus, unseren Herrn.

Schlusssegen

Segensgebet über das Volk, Nr. 14

Strecke aus deine Rechte, Herr, unser Gott, und hilf deinen Gläubigen, damit sie dich von ganzem Herzen suchen und von dir alles erlangen, was sie im Einklang mit deinem Willen erbitten. Darum bitten wir durch Christus unseren Herrn

Der Segen des allmächtigen Gottes, des Vaters und des Sohnes und des Heiligen Geistes, komme auf euch herab und bleibe bei euch allezeit.

Der indische Dichter Tagore hat einmal gesagt: »Glaube ist der Vogel, der singt, wenn die Nacht noch dunkel ist.«

Wenn ich nach einem langen und kalten Winter das erste Vogelgezwitscher höre, dann bin ich glücklich. Die Vögel künden den Frühling an, selbst wenn es noch kalt ist, selbst wenn noch alles weiß von Schnee ist. Das fröhliche und lebhafte Gezwitscher der Vögel versichert: Der Frühling kommt, das ist sicher, auch wenn wir noch nichts oder kaum etwas von ihm spüren und sehen.
Einen solchen Glauben wünsche ich mir!
Ich wünsche mir einen Glauben, der voll Zuversicht in die Zukunft blickt, auch wenn die Zukunft noch im Dunkeln liegt.
Ich wünsche mir einen Glauben, der ganz auf Gott vertraut, auch wenn ich meine, ihn nicht zu spüren.

»Glaube ist der Vogel, der singt, wenn die Nacht noch dunkel ist.«

Ich wünsche mir einen Glauben, der singt, auch wenn es trübe und dunkel ist.

Stephanie Abgottspon

Verklärung des Herrn
6. August 2012

Aus einer leuchtenden Wolke kam die Stimme des Vaters:
Dies ist mein geliebter Sohn,
an dem ich Gefallen gefunden habe:
Auf ihn sollt ihr hören.
Vgl. Mt 17,5

»Verklärung (ist) eine vorweggenommene Auferstehung«, schreibt Erhart Kästner, »denn beides sind Augenblicke, in welchen Christus in seinem Eigentlichen erscheint. Nur die Zeit trennt die beiden verschiedenen Male, also nichts, da es ja gerade die Zertrümmerung der Zeitlichkeit ist. Es ist der Christus der Gleichzeitigkeit, der in diesen Bildern erscheint ... Wenn anders Verklärung der Durchbruch des Eigentlichen durchs Schemenhafte, des Lebendigen durch die Schatten, des Geliebten durchs Ungeliebte ... ist, so weiß jeder, dass solche Momente es sind, um derentwillen wir leben. Verklärung ist Durchschein des Urbilds ... Verklärung gehört zu unserer Erfahrung, sie gehört zu unserem Leben. Und das weiß auch Jeder, dass nur die Liebesblicke es sind, die die Kraft der Verklärung besitzen ... Und selbst wenn es sich wieder entzog, was dem Liebesblick aufschien: da darf man sich nicht irr machen lassen, dass es das Eigentliche, dass es *das Wirkliche* war« (aus: Die Stundentrommel vom heiligen Berg Athos).

Das Lukasevangelium stellt die Verklärung Jesu in einen Zusammenhang mit seinem Gebet. »Während er betete, veränderte sich das Aussehen seines Gesichts ...« (9,29). »Im Gebet scheint also auf einmal das Urbild durch, da wird sichtbar, wer Christus eigentlich ist. Aber was hier in Christus geschieht, das gilt auch für unser Gebet. Auch uns hat Gott das Gebet geschenkt, damit das Eigentliche durchscheint, damit wir in Berührung kommen mit dem unverfälschten Wesen, mit dem Urbild« (Anselm Grün) das in uns angelegt ist.

KYRIE-RUF GL 506,2 · KG 55

Herr Jesus Christus, du geliebter Sohn in der Herrlichkeit des Vaters. Herr, erbarme dich.
Du lebendiges Wort Gottes, auf das wir hören wollen. Christus, erbarme dich.
Du stärkst unseren Glauben, wenn die Gewissheiten verblassen. Herr, erbarme dich.

GLORIA (siehe Seite 508)

TAGESGEBET

Allmächtiger Gott, bei der Verklärung deines eingeborenen Sohnes hast du durch das Zeugnis der Väter die Geheimnisse unseres Glaubens bekräftigt. Du hast uns gezeigt, was wir erhoffen dürfen, wenn unsere Annahme an Kindes Statt sich einmal vollendet. Hilf uns, auf das Wort deines Sohnes zu hören, damit wir Anteil erhalten an seiner Herrlichkeit. Darum bitten wir durch Jesus Christus.

ERSTE LESUNG Dan 7,9–10.13–14

Lesung aus dem Buch Daniel.

Ich, Daniel, sah in einer nächtlichen Vision: Throne wurden aufgestellt und ein Hochbetagter nahm Platz. Sein Gewand war weiß wie Schnee, sein Haar wie reine Wolle. Feuerflammen waren sein Thron und dessen Räder waren loderndes Feuer. Ein Strom von Feuer ging von ihm aus. Tausendmal Tausende dienten ihm, zehntausendmal Zehntausende standen vor ihm. Das Gericht nahm Platz und es wurden Bücher aufgeschlagen.

Immer noch hatte ich die nächtlichen Visionen: Da kam mit den Wolken des Himmels einer wie ein Menschensohn. Er gelangte bis zu dem Hochbetagten und wurde vor ihn geführt. Ihm wurden Herrschaft, Würde und Königtum gegeben. Alle Völker, Nationen und Sprachen müssen ihm dienen. Seine Herrschaft ist eine ewige, unvergängliche Herrschaft. Sein Reich geht niemals unter. IF

Diese Vision des Propheten Daniel vom Endgericht verwendet Jesus, um eine Aussage über sich selbst zu machen. Immer wieder bezeichnet er sich als Menschensohn und bezieht auch das Bild vom »Kommen auf den Wolken des Himmels« (Mt 24,30) auf sich. Verbunden ist damit der Anspruch einer universalen Herrschaft. Jesus bejaht sie, wenn er sagt, sein »Königtum ist nicht von dieser Welt« (Joh 18,36), und zugleich bekennt: »Ich bin ein König« (Joh 18,37). Bei seiner Verklärung auf dem Tabor umgibt die menschliche Gestalt Jesu ein Licht, das aus dieser Sphäre göttlicher Herrschaft kommt.

ANTWORTPSALM

Ps 97,1–2.5–6.8–9 (IR: vgl. 1a.9a)

IR: Der Herr ist König, er ist der Höchste über der ganzen Erde.
V. Ton – GL 149,3

Der Herr ist König. Die Erde frohlocke. *
Freuen sollen sich die vielen Inseln.
Rings um ihn her sind Wolken und Dunkel, *
Gerechtigkeit und Recht sind die Stützen seines Throns. – IR

Berge schmelzen wie Wachs vor dem Herrn, *
vor dem Antlitz des Herrschers aller Welt.
Seine Gerechtigkeit verkünden die Himmel, *
seine Herrlichkeit schauen alle Völker. – IR

Zion hört es und freut sich, *
Judas Töchter jubeln, Herr, über deine Gerichte.
Denn du, Herr, bist der Höchste über der ganzen Erde, *
hoch erhaben über alle Götter. – IR

ZWEITE LESUNG

2 Petr 1,16–19

Lesung aus dem zweiten Petrusbrief.

Schwestern und Brüder! Wir sind nicht irgendwelchen klug ausgedachten Geschichten gefolgt, als wir euch die machtvolle Ankunft Jesu Christi, unseres Herrn, verkündeten, sondern wir waren Augenzeugen seiner Macht und Größe.

Er hat von Gott, dem Vater, Ehre und Herrlichkeit empfangen; denn er hörte die Stimme der erhabenen Herrlichkeit, die zu ihm sprach: Das ist mein geliebter Sohn, an dem ich Gefallen gefunden habe.

Diese Stimme, die vom Himmel kam, haben wir gehört, als wir mit ihm auf dem heiligen Berg waren. Dadurch ist das Wort der Propheten für uns noch sicherer geworden und ihr tut gut daran, es zu beachten; denn es ist ein Licht, das an einem finsteren Ort scheint, bis der Tag anbricht und der Morgenstern aufgeht in eurem Herzen. IF

Wer die Berge liebt, wird unvergessliche Erinnerungen bewahren: mühsame Aufstiege, Gipfelerlebnisse mit seligen Augenblicken, Erfahrungen der Weite, in denen der Himmel nahe war, und schmerzende Abstiege – aber mit verwandeltem Herzen. Auch der Schreiber des zweiten Petrusbriefs erinnert sich: »Wir waren Augenzeugen …« – aber da sagt uns die Bibelwissenschaft, dass dieser Brief sehr viel später geschrieben wurde (Ende des 1. oder Anfang des 2. Jhs). In einer Zeit, als die Wiederkunft Christi in immer größere Ferne rückte, vergewisserte sich die Gemeinde ihres Glaubens und formulierte ihr überliefertes Christusbild noch einmal. Jesus Christus war schon als *der Morgenstern* in *ihren Herzen* aufgegangen durch den Osterglauben, den die Apostel weitergeben hatten. Das Licht Christi breitete sich aus – Paulus wurde von ihm getroffen. Er hat den *Herrn gesehen*, obwohl er dem vorösterlichen Jesus nie begegnet ist (vgl. Apg 9,27; 1 Kor 9,1). »Augenzeugen« gibt es zu jeder Zeit. Wer mit den Augen des Herzen – nur mit ihnen sieht man gut (Antoine de Saint-Exupéry) – auf den Herrn schaut, dem wird er sich zu erkennen geben.

RUF VOR DEM EVANGELIUM

Halleluja. Halleluja.
Aus der leuchtenden Wolke rief die Stimme des Vaters: Das ist mein geliebter Sohn, auf ihn sollt ihr hören.
Halleluja.

EVANGELIUM Mk 9,2–10

Aus dem heiligen Evangelium nach Markus.

In jener Zeit nahm Jesus Petrus, Jakobus und Johannes beiseite und führte sie auf einen hohen Berg, aber nur sie allein. Und er wurde vor ihren Augen verwandelt; seine Kleider wurden strahlend weiß, so weiß, wie sie auf Erden kein Bleicher machen kann.

Da erschien vor ihren Augen Elija und mit ihm Mose und sie redeten mit Jesus.

Petrus sagte zu Jesus: Rabbi, es ist gut, dass wir hier sind. Wir wollen drei Hütten bauen, eine für dich, eine für Mose und eine für Elija. Er wusste nämlich nicht, was er sagen sollte; denn sie waren vor Furcht ganz benommen.

Da kam eine Wolke und warf ihren Schatten auf sie, und aus der Wolke rief eine Stimme: Das ist mein geliebter Sohn; auf ihn sollt ihr hören.

Als sie dann um sich blickten, sahen sie auf einmal niemand mehr bei sich außer Jesus.

Während sie den Berg hinabstiegen, verbot er ihnen, irgendjemand zu erzählen, was sie gesehen hatten, bis der Menschensohn von den Toten auferstanden sei. Dieses Wort beschäftigte sie und sie fragten einander, was das sei: von den Toten auferstehen. IF

Der Verklärungs-Perikope geht unmittelbar die erste Leidensankündigung voraus: »Jesus begann seinen Jüngern zu erklären, er müsse nach Jerusalem gehen und … vieles erleiden; er werde getötet werden, aber am dritten Tag werde er auferstehen« (Mk 8,31). Die Theologie sieht in der »Verklärung das Wetterleuchten der kommenden Auferstehung des Herrn« (Romano Guardini). Dazwischen ist das Kreuz aufgerichtet. Die orthodoxe Liturgie fasst diesen Zusammenhang in ein Gebet: »Auf dem Berg wurdest Du verklärt, Christus Gott, und ließest Deine Jünger, soweit sie dazu fähig waren, Deine Herrlichkeit schauen, damit sie, wenn sie Dich gekreuzigt sähen, das Leiden als ein freiwilliges erkennen würden, der Welt aber verkündeten, dass Du wahrhaft der Abglanz des Vaters bist« (Johannes Damascenus).

Jesu Weg mit den Jüngern steigt an, *hinauf auf einen hohen Berg,* aber sie steigen auch wieder *hinab,* dorthin, wo das Thema Verklärung erst einmal tabu ist. Das kann wie ein Gleichnis für das Auf und Ab des Lebens gelesen werden. Tröstlich: Jesus geht voran zur Herrlichkeit, aber er folgt auch in die Niederungen des Alltags (gleich Mk 9,14ff. berichtet davon, wie sehr die Jünger da auf ihn angewiesen sind).

FÜRBITTEN

Jesus Christus ist in unserem Leben aufgeleuchtet als der wahre Morgenstern. Zu ihm lasst uns beten:

V: Du Sohn des himmlischen Vaters. A: Wir bitten dich, erhöre uns.

- Öffne die Herzen aller gleichgültig gewordenen Christen für dein Wort.
- Stärke die Gläubigen in ihrem schweren Alltag, wo sie als angefeindete Minderheit leben.
- Wecke in der Kirche Propheten und Lehrer, die mutig neue Wege aufzeigen.
- Bewahre die Welt vor atomaren Katastrophen.
- Wecke in vielen Menschen den Sinn für verantwortliches Handeln zum Schutz unseres Planeten Erde.

Im Schauen auf dein Antlitz, Jesus Christus, werden wir verwandelt. Hilf uns, als Kinder des Lichts zu leben, zum Lob deiner Herrlichkeit. Amen.

GABENGEBET

Gott, unser Vater, sende über uns und diese Gaben das Licht deiner Herrlichkeit, das in deinem Sohn aufgestrahlt ist. Es vertreibe das Dunkel der Sünde und mache uns zu Kindern des Lichtes. Darum bitten wir durch Christus, unseren Herrn.

PRÄFATION — Vom Tag

In Wahrheit ist es würdig und recht, dir, Herr, heiliger Vater, allmächtiger, ewiger Gott, immer und überall zu danken durch unseren Herrn Jesus Christus. Denn er enthüllte auf dem Berg der Verklärung seine verborgene Herrlichkeit, er ließ vor auserwählten Zeugen seinen sterblichen Leib im Lichtglanz erstrahlen und gab den Jüngern die Kraft, das Ärgernis des Kreuzes zu tragen. So schenkte er der ganzen Kirche die Hoffnung, vereint mit ihrem Haupt die ewige Verklärung zu empfangen. Darum preisen wir deine Größe und vereinen uns mit den Chören der Engel zum Hochgesang von deiner göttlichen Herrlichkeit.

EINLADUNG ZUM VATERUNSER

Gott hat sich zu seinem Sohn bekannt und steht hinter den Worten Jesu. So beten wir, wir er seine Jünger gelehrt hat: Vater unser im Himmel …

EINLADUNG ZUM FRIEDENGEBET

Die Welt im Licht Gottes zu sehen, macht bereit zum Frieden. Im Schauen auf das verklärte Antlitz des Herrn bitten wir: Herr Jesus Christus …

KOMMUNIONVERS 1 Joh 3,2

Wenn der Herr offenbar wird, werden wir ihm ähnlich sein, denn wir werden ihn sehen, wie er ist.

SCHLUSSGEBET

Herr, unser Gott, in der Verklärung deines Sohnes wurde der Glanz seiner Gottheit offenbar. Laß uns durch den Empfang der himmlischen Speise seinem verherrlichten Leib gleichgestaltet werden. Darum bitten wir durch ihn, Christus, unseren Herrn.

SCHLUSSSEGEN Im Jahreskreis I

Der Herr segne euch und behüte euch; der Herr lasse sein Angesicht über euch leuchten und sei euch gnädig; er wende euch sein Antlitz zu und schenke euch seinen Frieden.

Das gewähre euch der dreieinige Gott, der Vater und der Sohn ✝ und der Heilige Geist.

Tabor

So
hab ich dich
noch nie gesehn

du
mir vertraut
und doch so anders

nun
fällt licht
der propheten auf dich

ganz
im glanz
von großer liebe

und
keine hütte
fasst den glanz

doch
nach dem abstieg
leuchtet alles

Andreas Knapp

19. Sonntag im Jahreskreis
12. August 2012

Blick hin, o Herr, auf deinen Bund
und vergiss das Leben deiner Armen nicht für immer.
Erhebe dich, Gott, und führe deine Sache.
Vergiss nicht das Rufen derer, die dich suchen.

Vgl. Ps 74, 20.19.22.23

»Essen und Trinken halten Leib und Seele zusammen.« Menschen, denen es – seelisch-geistig – nicht gut geht, leiden sehr oft an Appetitlosigkeit, bei jungen Menschen kann dies sogar zur Magersucht führen. Auch körperliche Krankheiten gehen häufig einher mit mangelndem Appetit und Hunger. Ist der Mensch auf dem Weg der Genesung, kommt der Appetit zurück und als Zeichen der fortschreitenden Gesundung wird festgestellt: Er / Sie hat wieder etwas gegessen. Die Verweigerung der Nahrungsaufnahme führt zum Tod. Wenn es dem Leib, dem Körper nicht gut geht, wenn er keine Nahrung aufnimmt, dann geht es der Seele ebenfalls schlecht. Wenn es seelisch-geistig schlecht geht, so leidet auch der Appetit, die Nahrungsaufnahme darunter. Das Erste, worin Gott uns seine Liebe zeigt, ist die Nahrung, die er uns schenkt. Unsere Nahrung stärkt uns körperlich, seelisch und geistig. Sie verbindet uns mit dem Göttlichen, sie verbindet uns untereinander. Am deutlichsten wird das in der Eucharistie. Gott selbst gibt sich uns durch Jesus Christus in Brot und Wein als Nahrung. Er möchte, dass wir ihn in uns aufnehmen, er möchte in uns sein und unser ganzes Leben durchdringen.

Kyrie-Rufe — GL 762,2 · KG 802,1

Herr Jesus Christus, du bist das Brot, das uns Leben schenkt. Herr, erbarme dich.
Du bist zu uns vom Vater gekommen. Christus, erbarme dich.
Du führst alle, die an dich glauben, zum Vater. Herr, erbarme dich.

GLORIA (siehe Seite 508)

TAGESGEBET

Allmächtiger Gott, wir dürfen dich Vater nennen, denn du hast uns an Kindes Statt angenommen und uns den Geist deines Sohnes gesandt. Gib, daß wir in diesem Geist wachsen und einst das verheißene Erbe empfangen. Darum bitten wir durch Jesus Christus.

ERSTE LESUNG 1 Kön 19,4–8

Lesung aus dem ersten Buch der Könige.

In jenen Tagen ging Elija eine Tagereise weit in die Wüste hinein. Dort setzte er sich unter einen Ginsterstrauch und wünschte sich den Tod. Er sagte: Nun ist es genug, Herr. Nimm mein Leben; denn ich bin nicht besser als meine Väter. Dann legte er sich unter den Ginsterstrauch und schlief ein.

Doch ein Engel rührte ihn an und sprach: Steh auf und iss! Als er um sich blickte, sah er neben seinem Kopf Brot, das in glühender Asche gebacken war, und einen Krug mit Wasser. Er aß und trank und legte sich wieder hin.

Doch der Engel des Herrn kam zum zweiten Mal, rührte ihn an und sprach: Steh auf und iss! Sonst ist der Weg zu weit für dich. Da stand er auf, aß und trank und wanderte, durch diese Speise gestärkt, vierzig Tage und vierzig Nächte bis zum Gottesberg Horeb. IF

»Ich mag nicht mehr. Ich kann nicht mehr. Ich habe genug. Am liebsten würde ich sterben.« Solche und ähnliche Gedanken und Gefühle kennen sehr viele Menschen. So mag es dem Propheten Elija ergangen sein. Er hat ein – modern gesprochen – Burnout. Er hat sich aufgerieben im Dienst und in der Arbeit, wollte vieles besser machen als die Vorfahren, muss sich aber eingestehen: »Ich bin nicht besser als meine Väter.« So deprimierend diese Erfahrung sein mag, sie birgt die Chance, für die »Väter« und deren »Fehler« Verständnis zu haben. Elija hat sich soeben gegen die Baalspriester durchgesetzt, nun wird ihm deshalb nach dem Leben getrachtet. Er setzt sich hin und will einfach sterben, aber so einfach stirbt es sich nicht. Zweimal rührt ihn ein Engel des Herrn an und fordert ihn auf, aufzustehen und zu essen. Elija folgt dem, was der Engel sagt. Er wird gestärkt und kann weitergehen auf seinem Lebensweg. Seine nächste Station ist der Gottesberg Horeb. Dort erfährt Elija Gott in einem sanften, leisen Säuseln. – Auch wir benötigen in Burnout-Situationen einen letzten Rest an Offenheit gegenüber der Hilfe, die sich uns bietet.

Antwortpsalm

Ps 34,2–9 (℟: 9a)

℟: Kostet und seht, wie gütig der Herr ist!
VI. Ton – GL 471

Ich will den Herrn allezeit preisen; *
immer sei sein Lob in meinem Mund.
Meine Seele rühme sich des Herrn; *
die Armen sollen es hören und sich freuen. – ℟

Verherrlicht mit mir den Herrn, *
lasst uns gemeinsam seinen Namen rühmen.
Ich suchte den Herrn und er hat mich erhört, *
er hat mich all meinen Ängsten entrissen. – ℟

Blickt auf zu ihm, so wird euer Gesicht leuchten *
und ihr braucht nicht zu erröten.
Da ist ein Armer; er rief und der Herr erhörte ihn. *
Er half ihm aus all seinen Nöten. – ℟

Der Engel des Herrn umschirmt alle,
die ihn fürchten und ehren, *
und er befreit sie.
Kostet und seht, wie gütig der Herr ist; *
wohl dem, der zu ihm sich flüchtet! – ℟

Zweite Lesung

Eph 4,30 – 5,2

Lesung aus dem Epheserbrief.

Schwestern und Brüder! Beleidigt nicht den Heiligen Geist Gottes, dessen Siegel ihr tragt für den Tag der Erlösung.

Jede Art von Bitterkeit, Wut, Zorn, Geschrei und Lästerung und alles Böse verbannt aus eurer Mitte! Seid gütig zueinander, seid barmherzig, vergebt einander, weil auch Gott euch durch Christus vergeben hat. Ahmt Gott nach als seine geliebten Kinder und liebt einander, weil auch Christus uns geliebt und sich für uns hingegeben hat als Gabe und als Opfer, das Gott gefällt. IF

Schicksalsschläge, Ungerechtigkeiten lassen uns zornig und wütend werden, sogar verbittern. Als erste Reaktion auf ein einschneidendes schlimmes Erlebnis sind diese Gefühle »normal«. Wir werden heute aufgefordert, jede Art von Bitterkeit, Wut und Zorn zu verbannen, wir dürfen also nicht bei bitteren, wütenden und zornigen Gefühlen stehen bleiben. Diese Gefühle können über uns kommen, aber sie dürfen nicht zentral werden in unserem Leben. Nehmen diese Empfindungen überhand, so ziehen sie Geschrei, Lästerung und anderes »Böse« nach sich. Das vergiftet das Herz des Menschen und die zwischenmenschlichen Beziehungen. Als Vorbild können wir Gott selbst nehmen. Das Verhalten Gottes uns gegenüber sollten wir nachahmen. Es kommt vor, dass wir ungerecht behandelt werden. Wie Gott uns vergeben hat, so sollten auch wir dann vergeben. Und wie Christus uns geliebt hat, so sollten auch wir einander lieben.

RUF VOR DEM EVANGELIUM — Vgl. Joh 6,51

Halleluja. Halleluja.
So spricht der Herr: Ich bin das lebendige Brot, das vom Himmel gekommen ist. Wer dieses Brot isst, wird in Ewigkeit leben.
Halleluja.

EVANGELIUM — Joh 6,41–51

Aus dem heiligen Evangelium nach Johannes.

In jener Zeit murrten die Juden gegen Jesus, weil er gesagt hatte: Ich bin das Brot, das vom Himmel herabgekommen ist. Und sie sagten: Ist das nicht Jesus, der Sohn Josefs, dessen Vater und Mutter wir kennen? Wie kann er jetzt sagen: Ich bin vom Himmel herabgekommen?

Jesus sagte zu ihnen: Murrt nicht! Niemand kann zu mir kommen, wenn nicht der Vater, der mich gesandt hat, ihn zu mir führt; und ich werde ihn auferwecken am Letzten Tag.

Bei den Propheten heißt es: Und alle werden Schüler Gottes sein. Jeder, der auf den Vater hört und seine Lehre annimmt, wird zu mir kommen.

Niemand hat den Vater gesehen außer dem, der von Gott ist; nur er hat den Vater gesehen. Amen, amen, ich sage euch: Wer glaubt, hat das ewige Leben.

Ich bin das Brot des Lebens. Eure Väter haben in der Wüste das Manna gegessen und sind gestorben. So aber ist es mit dem Brot, das vom Himmel herabkommt: Wenn jemand davon isst, wird er nicht sterben.

Ich bin das lebendige Brot, das vom Himmel herabgekommen ist. Wer von diesem Brot isst, wird in Ewigkeit leben. Das Brot, das ich geben werde, ist mein Fleisch, ich gebe es hin für das Leben der Welt. IF

Im Evangelium lesen und hören wir einen weiteren Teil der johanneischen Brotrede. Das Unverständnis der Menschen, hier der Juden, gegenüber Jesus setzt sich fort. Als Argument gegen Jesus wird angeführt, dass er doch von klein auf bekannt ist, man seinen Vater und Mutter kennt. Man weiß doch: Er ist auch nur einer von ihnen. Wie kann er nun behaupten, er sei vom Himmel gekommen!? Jesus verweist auf den Vater. Zu Jesus kommt nur, wen der Vater zu ihm führt. Ihn wird Jesus auferwecken am Letzten Tag. Diese Verheißung bringt futurische Eschatologie zum Ausdruck. Gleichzeitig entscheidet der Glaube über das ewige Leben. Wer jetzt glaubt, hat schon das ewige Leben. Diese Zusage bekundet den Glauben an eine gegenwärtige (präsentische) Eschatologie. – Wieder offenbart sich Jesus als das Brot des Lebens. Seine Ausführungen lassen an die Eucharistie denken. Wer an der Eucharistie teilnimmt, wird nicht sterben, er wird in Ewigkeit leben. – Zur

Vorsicht mahnt Paulus. Die Teilnahme an der Eucharistie bedingt eine entsprechende Einstellung und ein angemessenes Verhalten (1 Kor 11,26–29).

CREDO (siehe Seite 512)

FÜRBITTEN

Herr Jesus Christus, du bist das Brot des Lebens für uns. Du hast dich für uns hingegeben. Du willst, dass wir eins werden mit dir, dass wir werden wie du, wenn wir »deinen Leib essen und dein Blut trinken«.

A: Wir bitten dich, stärke sie durch deinen Leib und dein Blut.

- Viele Mütter und Väter reiben sich auf im Dienst für ihre Familie, sie geben sich hin für ihre Familie.
- Viele Ärzte setzen sich rund um die Uhr oder noch länger ein für die Kranken, die Hilfe bei ihnen suchen.
- Das Pflegepersonal in Heimen und Krankenhäusern oder im ambulanten Pflegedienst ist oft fast »pausenlos« im Einsatz für die Pflege- und Hilfsbedürftigen.
- Viele Politiker, vor allem in gesellschaftlichen Umbruchssituationen, riskieren mit ihrem Einsatz für die Menschenrechte ihr Leben.

Darum bitten wir dich im Glauben, dass für unsere Verstorbenen deine Verheißung des Lebens in Ewigkeit bereits angebrochen ist, und auch wir dank des Glaubens an dich leben und leben werden, jetzt und in Ewigkeit. Amen.

GABENGEBET

Herr, unser Gott, wir bringen die Gaben zum Altar, die du selber uns geschenkt hast. Nimm sie von deiner Kirche entgegen und mache sie für uns zum Sakrament des Heiles. Darum bitten wir durch Christus, unseren Herrn.

Präfation
Sonntage III

In Wahrheit ist es würdig und recht, dir, Herr, heiliger Vater, allmächtiger, ewiger Gott, immer und überall zu danken. Denn wir erkennen deine Herrlichkeit in dem, was du an uns getan hast: Du bist uns mit der Macht deiner Gottheit zu Hilfe gekommen und hast uns durch deinen menschgewordenen Sohn Rettung und Heil gebracht aus unserer menschlichen Sterblichkeit. So kam uns aus unserer Vergänglichkeit das unvergängliche Leben durch unseren Herrn Jesus Christus. Durch ihn preisen wir jetzt und in Ewigkeit dein Erbarmen und singen mit den Chören der Engel das Lob deiner Herrlichkeit.

Einladung zum Vaterunser
Durch Gottes Speise gestärkt gehen wir im Glauben unseren Weg zu Gott, den wir mit den Worten Jesu schon jetzt als Vater ansprechen dürfen. Wir beten: Vater unser im Himmel …

Einladung zum Friedensgebet
Gott hat uns unsere Sünden vergeben und uns seinen Frieden geschenkt. Auch wir sollen daher vergeben und im Frieden miteinander leben. Deshalb bitten wir: Herr Jesus Christus …

Kommunionvers
Joh 6,51

So spricht der Herr: Das Brot, das ich geben werde, ist mein Fleisch; ich gebe es hin für das Leben der Welt.

Oder: Ps 147,12.14

Jerusalem, preise den Herrn, er sättigt dich mit bestem Weizen.

Schlussgebet
Barmherziger Gott, wir haben den Leib und das Blut deines Sohnes empfangen. Das heilige Sakrament bringe uns Heil, es erhalte uns in der Wahrheit und sei unser Licht in der Finsternis. Darum bitten wir durch Christus, unseren Herrn.

SCHLUSSSEGEN

Im Jahreskreis I

Der Herr segne euch und behüte euch; der Herr lasse sein Angesicht über euch leuchten und sei euch gnädig; er wende euch sein Antlitz zu und schenke euch seinen Frieden.

Das gewähre euch der dreieinige Gott, der Vater und der Sohn ✝ und der Heilige Geist.

Die Engel helfen und hüten uns,
ob wir nun Gerechte oder Sünder sind.
Sind wir Sünder, so mahnen sie uns,
damit wir neu leben;
sind wir Gerechte, weisen sie uns
den Weg des Guten
und tragen dem Herrn unsere Bitten vor.

Albert der Große

Mariä Aufnahme in den Himmel

Am Vorabend

14. August 2012

Großes wird von dir gesagt, Maria:
Der Herr hat dich erhoben
über die Chöre der Engel in seine Herrlichkeit.

Am Fest Mariä Aufnahme in den Himmel scheint es wichtig, nicht nur einen Blick auf den Grund dieses Festes, die vollkommene Vollendung Marias in der himmlischen Herrlichkeit, zu werfen, um eine verständliche Einordnung dieses Festes zu gewährleisten. Wie bei allen Marienfesten und aller Marienverehrung ist Marias besondere Geschichte mit Gott zu bedenken. Was war sie für eine Frau? Was für eine besondere Erwählung wurde ihr zuteil? Wie hat sie auf den Willen Gottes reagiert? Natürlich kann man diese Geschichte Marias mit Gott nicht vollends fassen und verstehen. Dennoch liefert uns in dieser Hinsicht besonders der Evangelist Lukas wichtige Anhaltspunkte. Wir erfahren unter anderem, dass Maria sich vollkommen in den Willen Gottes übergibt (Lk 1,38), dass sie voller Freude das Ausmaß ihrer Erwählung, Mutter des Erlösers zu sein, fassen kann (Lk 1,46–55) und dass sie das, was ihr als Mutter des Erlösers widerfährt, in ihrem Herzen bewahrt und bedenkt (Lk 2,19.51). In diesem Vertrauen Marias, in dieser Ergebenheit in den Willen Gottes, ist Maria vollkommene Magd des Herrn. Ihre besondere Erwählung zur Gottesmutter umgreift ihre gesamte Existenz: Sie ist unbefleckt Empfangene, also frei von jeglicher Sünde und ganz so, wie es dem Willen Gottes entspricht. Sie hat als Jungfrau, in vollkommener Reinheit den Erlöser geboren und sie wurde in ungeteilter Weise, mit Leib und Seele in die Herrlichkeit Gottes aufgenommen.

KYRIE-RUFE
Oder: GL 495,3 · KG 60,2

Herr Jesus Christus, du bist der Sohn der Jungfrau Maria. Herr, erbarme dich.
Du hast deine Mutter zur Vollendung bei Gott geführt. Christus, erbarme dich.
Du führst auch uns in deiner Nachfolge zum Vater. Herr, erbarme dich.

GLORIA (siehe Seite 508)

TAGESGEBET

Allmächtiger Gott, du hast die Jungfrau Maria zur Mutter deines ewigen Sohnes erwählt. Du hast auf deine niedrige Magd geschaut und sie mit Herrlichkeit gekrönt. Höre auf ihre Fürsprache und nimm auch uns in deine Herrlichkeit auf, da du uns erlöst hast durch den Tod und die Auferstehung deines Sohnes, unseres Herrn Jesus Christus, der in der Einheit des Heiligen Geistes mit dir lebt und herrscht in alle Ewigkeit.

ERSTE LESUNG
1 Chr 15,3–4.15–16; 16,1–2

Lesung aus dem ersten Buch der Chronik.

In jenen Tagen berief David ganz Israel nach Jerusalem, um die Lade des Herrn an den Ort zu bringen, den er für sie hergerichtet hatte. Er ließ die Nachkommen Aarons und die Leviten kommen.
Die Leviten hoben die Lade Gottes mit den Tragstangen auf ihre Schultern, wie es Mose auf Befehl des Herrn angeordnet hatte.

Den Vorstehern der Leviten befahl David, sie sollten ihre Stammesbrüder, die Sänger, mit ihren Instrumenten, mit Harfen, Zithern und Zimbeln, aufstellen, damit sie zum Freudenjubel laut ihr Spiel ertönen ließen.

Man trug die Lade Gottes in das Zelt, das David für sie aufgestellt hatte, setzte sie an ihren Platz in der Mitte des Zeltes und brachte Brand- und Heilsopfer vor Gott dar. Als David mit dem

Darbringen der Brand- und Heilsopfer fertig war, segnete er das Volk im Namen des Herrn. |F

Die Bundeslade symbolisiert die Gegenwart Gottes bei seinem Volk. Wir erfahren in diesen Versen des ersten Buchs der Chronik, wie diese hochheilige Lade des Herrn an den für sie bestimmten Ort in Jerusalem gebracht wurde. David berief ganz Israel nach Jerusalem und die Lade wurde mit dem ihr gebührenden Respekt begleitet. Dieser Respekt findet interessanter Weise nicht nur in einer ehrfürchtigen Distanz und dem Darbringen von Opfern seinen Ausdruck. David befiehlt auch lautes Spiel und Freudenjubel angesichts der Heiligkeit und der Verheißungen, welche sie mit sich bringt.

Auch wir sollten heute als Christen immer wieder Freude zum Ausdruck bringen, denn was uns durch Christus verheißen wurde, bietet allen Grund zur Freude.

Antwortpsalm

Ps 132,6–7.9–10.13–14 (R: 8a)

|R: Erheb dich Herr, komm an den Ort deiner Ruhe!
II. Ton – GL 753,1 · KG 632

Wir hörten von der Lade des Herrn in Efrata, *
fanden sie im Gefilde von Jáar.
Lasst uns hingehen zu seiner Wohnung *
und niederfallen vor dem Schemel seiner Füße! – |R

Deine Priester sollen sich bekleiden mit Gerechtigkeit *
und deine Frommen sollen jubeln.
Weil David dein Knecht ist, *
weise deinen Gesalbten nicht ab! – |R

Denn der Herr hat den Zion erwählt, *
ihn zu seinem Wohnsitz erkoren:
»Das ist für immer der Ort meiner Ruhe; *
hier will ich wohnen, ich hab ihn erkoren.« – |R

ZWEITE LESUNG 1 Kor 15,54–57

Lesung aus dem ersten Korintherbrief.

Schwestern und Brüder! Wenn sich dieses Vergängliche mit Unvergänglichkeit bekleidet und dieses Sterbliche mit Unsterblichkeit, dann erfüllt sich das Wort der Schrift:

Verschlungen ist der Tod vom Sieg. Tod, wo ist dein Sieg? Tod, wo ist dein Stachel?

Der Stachel des Todes aber ist die Sünde, die Kraft der Sünde ist das Gesetz. Gott aber sei Dank, der uns den Sieg geschenkt hat durch Jesus Christus, unseren Herrn. |F

Paulus spricht im vorausgegangenen Kontext des ersten Korintherbriefs davon, wie die eschatologische Vollendung vorzustellen ist: »Die Posaune wird erschallen, die Toten werden zur Unvergänglichkeit auferweckt, wir aber werden verwandelt werden« (1 Kor 15,52b). Dann entfaltet er weiter, dass die Gegensätze zwischen Leben und Tod aufgehoben werden: Vergängliches wird unvergänglich und Sterbliches unsterblich, denn der Tod wird existenzlos sein, verschlungen und besiegt. Selbst der Stachel des Todes, die Sünde, wird verschwinden, weil allein die Liebe regieren wird, welche aus sich heraus dazu führt, nichts zu tun, was der Liebe widerspricht. Paulus aber weiß, dass durch Christus dieser Sieg über den Tod bereits errungen ist. Der Tod ist schon jetzt bezwungen und die Tür zu unserer Vollendung ist aufgestoßen. Maria ist in vollkommener Vollendung bei Gott angelangt: In ungeteilter Weise, mit Leib und Seele hat sie die Unvergänglichkeit erreicht.

RUF VOR DEM EVANGELIUM Vgl. Lk 11,28

Halleluja. Halleluja.
Selig, die das Wort Gottes hören und es befolgen.
Halleluja.

Evangelium

Lk 11,27–28

Aus dem heiligen Evangelium nach Lukas.

In jener Zeit, als Jesus zum Volk redete, rief eine Frau aus der Menge ihm zu: Selig die Frau, deren Leib dich getragen und deren Brust dich genährt hat.

Er aber erwiderte: Selig sind vielmehr die, die das Wort Gottes hören und es befolgen. IF

Jene Frau, die im heutigen Evangelium Maria selig preist, will im Grunde eine Wertschätzung Jesu zum Ausdruck bringen. Sie will sagen: Wer einen solchen Sohn hat, der kann sich glücklich schätzen und selig gepriesen werden. Jesus wendet diese Wertschätzung ab. Damit soll jedoch nicht verdeutlicht werden, dass Maria nicht wertzuschätzen sei. Vielmehr will Jesus die Ansicht der Frau weiten, indem er den wahren Grund nennt, der eine Seligpreisung legitimiert: »Selig sind vielmehr die, die das Wort Gottes hören und es befolgen« (Lk 1,28). Jesus zeigt mit diesem Ausspruch den Maßstab auf, an dem die Seligen bemessen werden: Es geht im Letzten darum, das Wort Gottes zu hören und danach zu leben. Natürlich gehört die Mutter Jesu zu diesem Kreis der Seligen, denn auch sie hat das Wort gehört und es mit Leib und Seele befolgt. Deswegen ist sie selig zu preisen.

Credo (siehe Seite 512)

Fürbitten

Herr Jesus Christus, wir feiern die vollkommene Vollendung der seligen Jungfrau Maria. Voller Hoffnung im Hinblick auf unsere eigene Vollendung bitten wir dich:

V: Christus, höre uns. A: Christus, erhöre uns.

- Für alle Menschen, die Kranke pflegen und Sterbende begleiten.
- Für alle einsamen und verlassenen Menschen, die keine Liebe in ihrem Leben erfahren.

- Für alle Eheleute und Paare, die keinen Ausweg aus ihrem Streit finden.
- Für die Länder und Nationen, welche unter Gewalt und Katastrophen leiden.
- Für die Verstorbenen aus unserer Mitte und die trauernden Angehörigen.

Jesus Christus, du hast uns das Geheimnis der Vollendung offenbart. Höre unsere Bitten und steh uns in unseren Fehlern und Schwächen bei. Durch dich preisen wir den Vater in der Gemeinschaft des Heiligen Geistes.

GABENGEBET

Herr und Gott, am Fest der Aufnahme Marias in den Himmel bringen wir das Opfer des Lobes und der Versöhnung dar. Es erwirke uns die Vergebung der Sünden und die Gnade, dir immer zu danken. Darum bitten wir durch Christus, unseren Herrn.

PRÄFATION

Vom Tag

In Wahrheit ist es würdig und recht, dir, allmächtiger Vater, zu danken und das Werk deiner Gnade zu rühmen. Denn heute hast du die jungfräuliche Gottesmutter in den Himmel erhoben, als erste empfing sie von Christus die Herrlichkeit, die uns allen verheißen ist, und wurde zum Urbild der Kirche in ihrer ewigen Vollendung. Dem pilgernden Volk ist sie ein untrügliches Zeichen der Hoffnung und eine Quelle des Trostes. Denn ihr Leib, der den Urheber des Lebens geboren hat, sollte die Verwesung nicht schauen. Darum preisen wir jetzt und in Ewigkeit dein Erbarmen und singen mit den Chören der Engel das Lob deiner Herrlichkeit.

EINLADUNG ZUM VATERUNSER

Wir sind berufen, Gottes Wort zu hören und es zu befolgen. Wir wollen Gott dafür danken und beten mit den Worten Jesu: Vater unser im Himmel …

EINLADUNG ZUM FRIEDENSGEBET

Gott hat uns den Sieg über die Sünde und den Tod geschenkt. Im Glauben daran können wir als neue und erlöste Menschen leben. Deshalb bitten wir: Herr Jesus Christus …

KOMMUNIONVERS

Vgl. Lk 11,27

Selig der Leib der Jungfrau Maria; denn er hat den Sohn des ewigen Gottes getragen.

SCHLUSSGEBET

Herr, unser Gott, am Fest der Aufnahme Marias in den Himmel hast du uns an deinem Tisch versammelt. Erhöre unser Gebet und laß auch uns nach aller Mühsal dieser Zeit zu dir in die ewige Heimat gelangen. Darum bitten wir durch Christus. unseren Herrn.

SCHLUSSSEGEN

Von der seligen Jungfrau Maria

Gott, der allmächtige Vater, segne euch durch den Erlöser der Welt, unseren Herrn Jesus Christus, den Sohn der jungfräulichen Mutter Maria.

Sie hat den Urheber des Lebens geboren; ihre mütterliche Fürsprache erwirke euch Gottes Hilfe.

Euch und allen, die heute das Fest ihrer Aufnahme in den Himmel begehen, schenke Gott die wahre Freude und den ewigen Lohn.

Das gewähre euch der dreieinige Gott, der Vater und der Sohn ✝ und der Heilige Geist.

Maria,
du zeigst uns
auf unserem Weg
die Richtung und das Ziel:
zum Vater hin,
am Ende bei ihm sein,
Heimat finden.
Du zeigst uns,
wie dieser Weg zu gehen ist:
voller Demut und Vertrauen,
voller Bereitschaft,
sich ganz von Gott ergreifen zu lassen.

Jessica Bohn

Mariä Aufnahme in den Himmel

Am Tag

15. August 2012

Ein großes Zeichen erschien am Himmel:
Eine Frau, umgeben von der Sonne,
den Mond unter ihren Füßen
und einen Kranz von zwölf Sternen auf ihrem Haupt.
Offb 12,1

Oder:

Freut euch alle im Herrn am Fest der Aufnahme
der seligsten Jungfrau Maria in den Himmel.
Mit uns freuen sich die Engel und loben Gottes Sohn.

Am 15. August feiert die Kirche bereits seit früher Zeit ein Marienfest. Ungefähr seit dem achten Jahrhundert wurde dieser Festtag mehr und mehr zum Fest der »Aufnahme Mariens«.

Am Fest »Mariä Aufnahme in den Himmel« feiert die Kirche heute, auf der Basis des entsprechenden Dogmas von 1950, dass Maria mit Leib und Seele, also in ungeteilter Weise in die Herrlichkeit Gottes aufgenommen wurde und so zur vollkommenen Vollendung gelangte.

Als Urbild der Kirche zeigt Maria, was die Kirche sein möchte und wonach sie strebt, gerade auch am heutigen Festtag.

Kyrie-Rufe

Oder: GL 495,7 · KG 60,6

Herr Jesus Christus, du bist von der Jungfrau Maria geboren worden. Herr, erbarme dich.
Du hast uns in der Taufe zu Kindern Gottes gemacht. Christus, erbarme dich.
Du zeigst uns, zu welcher Herrlichkeit auch wir berufen sind. Herr, erbarme dich.

GLORIA (siehe Seite 508)

TAGESGEBET

Allmächtiger, ewiger Gott, du hast die selige Jungfrau Maria, die uns Christus geboren hat, vor aller Sünde bewahrt und sie mit Leib und Seele zur Herrlichkeit des Himmels erhoben. Gib, daß wir auf dieses Zeichen der Hoffnung und des Trostes schauen und auf dem Weg bleiben, der hinführt zu deiner Herrlichkeit. Darum bitten wir durch Jesus Christus.

ERSTE LESUNG Offb 11,19a; 12,1–6a.10ab

Lesung aus der Offenbarung des Johannes.

Der Tempel Gottes im Himmel wurde geöffnet und in seinem Tempel wurde die Lade seines Bundes sichtbar. Dann erschien ein großes Zeichen am Himmel: eine Frau, mit der Sonne bekleidet; der Mond war unter ihren Füßen und ein Kranz von zwölf Sternen auf ihrem Haupt. Sie war schwanger und schrie vor Schmerz in ihren Geburtswehen.

Ein anderes Zeichen erschien am Himmel: ein Drache, groß und feuerrot, mit sieben Köpfen und zehn Hörnern und mit sieben Diademen auf seinen Köpfen. Sein Schwanz fegte ein Drittel der Sterne vom Himmel und warf sie auf die Erde herab. Der Drache stand vor der Frau, die gebären sollte; er wollte ihr Kind verschlingen, sobald es geboren war. Und sie gebar ein Kind, einen Sohn, der über alle Völker mit eisernem Zepter herrschen wird. Und ihr Kind wurde zu Gott und zu seinem Thron entrückt. Die Frau aber floh in die Wüste, wo Gott ihr einen Zufluchtsort geschaffen hatte.

Da hörte ich eine laute Stimme im Himmel rufen: Jetzt ist er da, der rettende Sieg, die Macht und die Herrschaft unseres Gottes und die Vollmacht seines Gesalbten. IF

Diese Vision aus der Offenbarung des Johannes schildert in einem großen bildlichen Reichtum den göttlichen Kampf gegen das Böse. Die beschriebene Frau mit dem Kranz von zwölf Sternen auf ihrem Haupt steht für das Volk Israel und seine zwölf Stämme. Die Schwangerschaft der Frau und die Geburt des göttlichen Kindes verweisen darauf, dass die Geschichte des Gottesvolkes durch Jesus Christus entscheidend gewendet wird. Das Kind, der Gesalbte, wird mit Hilfe Gottes unter widrigen Umständen, im Kampf gegen das Böse, welches durch den Drachen symbolisiert wird, geboren. Das Böse überwindend wird Christus zu Gott entrückt, während das Gottesvolk weiterhin auf der Erde verbleibt. Von dem rettenden Sieg Gottes und seines Gesalbten wissend, kann das Volk jedoch voller Hoffnung seinen irdischen Weg weitergehen.

Auch Maria hat unter widrigen Umständen Christus geboren und ihm bei seinem Kampf gegen das Böse als Mutter zur Seite gestanden. Sie ist nach ihrem irdischen Weg in der göttlichen Herrlichkeit angelangt um in der unvergänglichen »Herrschaft unseres Gottes und […] Vollmacht seines Gesalbten« (Offb 12,10b) zu leben.

ANTWORTPSALM Ps 45,11–12.16.18

℟: Selig bist du, Jungfrau Maria, du thronst zur Rechten des Herrn.

IV. Ton – GL 600,1 · KG 770

Höre, Tochter, sieh her und neige dein Ohr, *
vergiss dein Volk und dein Vaterhaus!
Der König verlangt nach deiner Schönheit; *
er ist ja dein Herr, verneig dich vor ihm! – ℟

Man geleitet sie mit Freude und Jubel, *
sie ziehen ein in den Palast des Königs.
Ich will deinen Namen rühmen von Geschlecht zu Geschlecht; *
darum werden die Völker dich preisen immer und ewig. – ℟

ZWEITE LESUNG 1 Kor 15,20–27a

Lesung aus dem ersten Korintherbrief.

Schwestern und Brüder! Christus ist von den Toten auferweckt worden als der Erste der Entschlafenen. Da nämlich durch e i n e n Menschen der Tod gekommen ist, kommt durch e i n e n Menschen auch die Auferstehung der Toten. Denn wie in Adam alle sterben, so werden in Christus alle lebendig gemacht werden.

Es gibt aber eine bestimmte Reihenfolge: Erster ist Christus; dann folgen, wenn Christus kommt, alle, die zu ihm gehören. Danach kommt das Ende, wenn er jede Macht, Gewalt und Kraft vernichtet hat und seine Herrschaft Gott, dem Vater, übergibt.

Denn er muss herrschen, bis Gott ihm alle Feinde unter die Füße gelegt hat. Der letzte Feind, der entmachtet wird, ist der Tod. Sonst hätte er ihm nicht alles zu Füßen gelegt. IF

Paulus spricht zu den Korinthern über das Schicksal der verstorbenen Christen. Dabei geht er auf die eschatologischen Ereignisse und ihre Reihenfolge ein. Als erster wird Christus von den Toten auferweckt und dann alle, die zu ihm gehören, bevor das Ende der Welt eintritt. Der wichtigste Aspekt bei seinem Blick auf die Endereignisse ist die durch Christus errungene Lebendigkeit: In Christus werden alle lebendig gemacht werden! Die paulinische Beschreibung des Endes ist dabei zum Teil schon eingetreten: Christus ist als Erster auferweckt worden und der Tod ist entmachtet. Für uns bedeutet dies, dass die Vollendung auch für uns greifbar ist, denn die Lebendigkeit ist sicher durch Christus errungen. Die Unvergänglichkeit ist uns schon verheißen, aber wir befinden uns noch nicht in ihr. Für Maria, so feiern wir am heutigen Tag, ist diese Verheißung der vollkommenen Unvergänglichkeit bereits wahr geworden.

Ruf vor dem Evangelium

Halleluja. Halleluja.
Aufgenommen in den Himmel ist die Jungfrau Maria.
Die Engel freuen sich und preisen den Herrn.
Halleluja.

EVANGELIUM Lk 1,39–56

Aus dem heiligen Evangelium nach Lukas.

In jenen Tagen machte sich Maria auf den Weg und eilte in eine Stadt im Bergland von Judäa. Sie ging in das Haus des Zacharias und begrüßte Elisabet. Als Elisabet den Gruß Marias hörte, hüpfte das Kind in ihrem Leib. Da wurde Elisabet vom Heiligen Geist erfüllt und rief mit lauter Stimme: Gesegnet bist du mehr als alle anderen Frauen und gesegnet ist die Frucht deines Leibes. Wer bin ich, dass die Mutter meines Herrn zu mir kommt? In dem Augenblick, als ich deinen Gruß hörte, hüpfte das Kind vor Freude in meinem Leib. Selig ist die, die geglaubt hat, dass sich erfüllt, was der Herr ihr sagen ließ.

Da sagte Maria:

Meine Seele preist die Größe des Herrn und mein Geist jubelt über Gott, meinen Retter. Denn auf die Niedrigkeit seiner Magd hat er geschaut. Siehe, von nun an preisen mich selig alle Geschlechter. Denn der Mächtige hat Großes an mir getan und sein Name ist heilig. Er erbarmt sich von Geschlecht zu Geschlecht über alle, die ihn fürchten. Er vollbringt mit seinem Arm machtvolle Taten: Er zerstreut, die im Herzen voll Hochmut sind; er stürzt die Mächtigen vom Thron und erhöht die Niedrigen. Die Hungernden beschenkt er mit seinen Gaben und lässt die Reichen leer ausgehen. Er nimmt sich seines Knechtes Israel an und denkt an sein Erbarmen, das er unsern Vätern verheißen hat, Abraham und seinen Nachkommen auf ewig.

Und Maria blieb etwa drei Monate bei ihr; dann kehrte sie nach Hause zurück. IF

Anschließend an das »Ja« Marias, welches sie zur Verheißung der Geburt Jesu und zu ihrer Erwählung gesprochen hat (vgl. Lk 1,38), zeugen diese Verse des Lukasevangeliums von der überspringenden Freude, welche diese Heilsverheißung zur Folge hat.

Zunächst ist es Johannes, welcher im Leib seiner Mutter Elisabet vor Freude hüpfend den Gruß Marias an Elisabet vernimmt. Schon zu diesem frühen Zeitpunkt seiner Existenz weist Johannes damit auf Jesus als den Grund seiner Freude und seiner Aufgabe hin. Elisabet versteht diesen Hinweis ihres Kindes und erfüllt vom Heiligen Geist stimmt auch sie in die Freude über den kommenden Retter ein. Voller Freude ist Elisabet jedoch auch über das Verhalten Marias: »Selig ist die, die geglaubt hat, dass sich erfüllt, was der Herr ihr sagen ließ« (Lk 1,45). Diese Seligpreisung Marias durch Elisabet ist wie eine Bestätigung der vorangegangenen Hingabe Marias in den Willen Gottes. Maria hat das Ja gesprochen, Elisabet und Johannes nehmen dies voller Freude wahr und veranschaulichen es durch ihr Verhalten. Wie eine Bekräftigung ihrer Hingabe stimmt Maria mit ihrer ganzen Person, mit Seele und Geist, in die Freude über das Kommen des Retters und ihre eigene Erwählung ein.

Das heutige Evangelium spricht also von einem doppelten Grund zur Freude: das Kommen des Retters und das vertrauensvolle Ja Marias.

Credo (siehe Seite 512)

Fürbitten

Allmächtiger Gott, du hast die Jungfrau Maria erwählt, der Welt den Erlöser zu bringen. Voller Freude über die Aufnahme Marias in den Himmel kommen wir mit unseren Bitten zu dir:

A: Wir bitten dich, erhöre uns.

- Für alle Gläubigen: Dass sie durch Maria Orientierung für ihren Glauben finden.
- Für alle Frauen, die einen Dienst in der Kirche übernommen haben: Dass sie mit Freude und Eifer erfüllt werden.
- Für alle Familien: Dass sie für unsere Gesellschaft Orte ansteckender Liebe und Lebendigkeit sind.
- Für alle leidenden, armen und unterdrückten Menschen: Dass sie Kraft und Hoffnung aus ihrem Glauben schöpfen können.
- Für unsere Verstorbenen: Dass sie Heimat und Vollendung bei dir finden.

Vater, wir danken dir für die Gnade der Offenbarung und für das Geschenk des Glaubens. Wir preisen dich, heute und in Ewigkeit.

Gabengebet

Allmächtiger Gott, unser Gebet und unser Opfer steige zu dir empor. Höre auf die selige Jungfrau Maria, die du in den Himmel aufgenommen hast, und entzünde in unseren Herzen das Feuer der Liebe, damit wir dich allezeit suchen. Darum bitten wir durch Christus, unseren Herrn.

Präfation

Vom Tag

In Wahrheit ist es würdig und recht, dir, allmächtiger Vater, zu danken und das Werk deiner Gnade zu rühmen. Denn heute hast du die jungfräuliche Gottesmutter in den Himmel erhoben, als erste empfing sie von Christus die Herrlichkeit, die uns allen verheißen ist, und wurde zum Urbild der Kirche in ihrer ewigen Vollendung. Dem pilgernden Volk ist sie ein untrügliches Zeichen der Hoffnung und eine Quelle des Trostes. Denn ihr Leib, der den Urheber des Lebens geboren hat, sollte die Verwesung nicht schauen. Darum preisen wir jetzt und in Ewigkeit dein Erbarmen und singen mit den Chören der Engel das Lob deiner Herrlichkeit.

Einladung zum Vaterunser

Als Kinder Gottes haben wir schon jetzt Anteil an seinem Reich. Voll Freude und Dankbarkeit beten wir, wie es uns Jesus Christus gelehrt hat: Vater unser im Himmel …

Einladung zum Friedensgebet

Gott vollendet uns in seiner Herrlichketi. Wir sind auf dem Weg zu ihm, wenn wir seinen Willen tun und den Frieden leben. Deshalb bitten wir: Herr Jesus Christus …

Kommunionvers

Lk 1,48–49

Von nun an preisen mich selig alle Geschlechter. Denn der Mächtige hat Großes an mir getan.

SCHLUSSGEBET

Barmherziger Gott, wir haben das heilbringende Sakrament empfangen. Laß uns auf die Fürsprache der seligen Jungfrau Maria, die du in den Himmel aufgenommen hast, zur Herrlichkeit der Auferstehung gelangen. Darum bitten wir durch Christus, unseren Herrn.

SCHLUSSSEGEN

Von der seligen Jungfrau Maria

Gott, der allmächtige Vater, segne euch durch den Erlöser der Welt, unseren Herrn Jesus Christus, den Sohn der jungfräulichen Mutter Maria.

Sie hat den Urheber des Lebens geboren; ihre mütterliche Fürsprache erwirke euch Gottes Hilfe.

Euch und allen, die heute das Fest ihrer Aufnahme in den Himmel begehen, schenke Gott die wahre Freude und den ewigen Lohn.

Das gewähre euch der dreieinige Gott, der Vater und der Sohn ✝ und der Heilige Geist.

Maria,
voller Freude grüßen wir dich,
du Begnadete.
Aus deiner Größe spricht Demut
und dein »Ja« gründet im Vertrauen.
Voller Freude schauen wir auf dich,
du Begnadete,
wenn auch wir versuchen zu sagen:
Vater, mir geschehe, wie du es willst.

Jessica Bohn

20. Sonntag im Jahreskreis
19. August 2012

Gott, du unser Beschützer,
schau auf das Angesicht deines Gesalbten.
Denn ein einziger Tag in den Vorhöfen deines Heiligtums
ist besser als tausend andere.
Ps 84,10–11

Halten wir manchmal inne, um zu danken? Halten wir inne, um uns bewusst zu machen, wofür wir danken können? Wahrscheinlich machen wir dies viel zu selten. Würden wir eine Liste anlegen und jeden Tag eintragen, wofür wir danken können, so würden wir mit der Zeit wahrscheinlich nicht mehr aus dem Staunen herauskommen ob der Vielfalt an guten Dingen und Begebenheiten, an guten Begegnungen mit Menschen, die unseren Alltag bereichern.

Kyrie-Rufe
GL 766,1 · KG 56

Herr Jesus Christus, durch dich erfahren wir Gottes Liebe. Herr, erbarme dich.
Du bist unsere Hilfe an jedem Tag. Christus, erbarme dich.
Du schenkst uns das ewige Leben bei Gott. Herr, erbarme dich.

Gloria (siehe Seite 508)

Tagesgebet

Barmherziger Gott, was kein Auge geschaut und kein Ohr gehört hat, das hast du denen bereitet, die dich lieben. Gib uns ein Herz, das dich in allem und über alles liebt, damit wir den Reichtum deiner Verheißungen erlangen, der alles übersteigt, was wir ersehnen. Darum bitten wir durch Jesus Christus.

ERSTE LESUNG Spr 9,1–6

Lesung aus dem Buch der Sprichwörter.

Die Weisheit hat ihr Haus gebaut, ihre sieben Säulen behauen. Sie hat ihr Vieh geschlachtet, ihren Wein gemischt und schon ihren Tisch gedeckt. Sie hat ihre Mägde ausgesandt und lädt ein auf der Höhe der Stadtburg: Wer unerfahren ist, kehre hier ein.

Zum Unwissenden sagt sie: Kommt, esst von meinem Mahl und trinkt vom Wein, den ich mischte. Lasst ab von der Torheit, dann bleibt ihr am Leben und geht auf dem Weg der Einsicht! ℟

Bei Stellenausschreibungen wird fast immer jemand gesucht mit Erfahrung und Wissen. Vieles an Erfahrung und Wissen kann man sich erst im Laufe des Lebens aneignen. Damit dies tatsächlich gelingt, bedarf es der eigenen Offenheit, der eigenen Fähigkeit, Erlebnisse positiv zu verarbeiten. Wie kann dies gelingen? Im Text aus dem Alten Testament bietet sich die Weisheit an. Sie wirbt und lädt die Unwissenden und die mit wenig Erfahrung zu einem Festmahl ein. Wer der Weisheit folgt und von der Torheit lässt, der bleibt am Leben und geht auf dem Weg der Einsicht. Konkret lesen wir im Buch der Weisheit über die Weisheit: Sie ist nicht neidisch, liebt das Gute, ist »beweglicher als alle Bewegung« (Weish 7,24), »wohltätig« und »menschenfreundlich« (Weish 7,23).

ANTWORTPSALM Ps 34,2–3.10–15 (℟: 9a)

℟: Kostet und seht, wie gütig der Herr ist!

VI. Ton – GL 471

Ich will den Herrn allezeit preisen; *
immer sei sein Lob in meinem Mund.
Meine Seele rühme sich des Herrn; *
die Armen sollen es hören und sich freuen.– ℟

Fürchtet den Herrn, ihr seine Heiligen; *
denn wer ihn fürchtet, leidet keinen Mangel.

Reiche müssen darben und hungern; *
wer aber den Herrn sucht, braucht kein Gut zu entbehren. – ℟

Kommt, ihr Kinder, hört mir zu! *
Ich will euch in der Furcht des Herrn unterweisen.
Wer ist der Mensch, der das Leben liebt *
und gute Tage zu sehen wünscht? – ℟

Bewahre deine Zunge vor Bösem *
und deine Lippen vor falscher Rede!
Meide das Böse und tu das Gute; *
suche Frieden und jage ihm nach! – ℟

ZWEITE LESUNG Eph 5,15–20

Lesung aus dem Epheserbrief.

Schwestern und Brüder! Achtet sorgfältig darauf, wie ihr euer Leben führt, nicht töricht, sondern klug. Nutzt die Zeit; denn diese Tage sind böse. Darum seid nicht unverständig, sondern begreift, was der Wille des Herrn ist.

Berauscht euch nicht mit Wein – das macht zügellos –, sondern lasst euch vom Geist erfüllen! Lasst in eurer Mitte Psalmen, Hymnen und Lieder erklingen, wie der Geist sie eingibt. Singt und jubelt aus vollem Herzen zum Lob des Herrn!

Sagt Gott, dem Vater, jederzeit Dank für alles im Namen Jesu Christi, unseres Herrn! ℉

Zunehmend begegnet in der spirituellen Literatur die Überzeugung, dass Achtsamkeit eine sehr notwendige Tugend ist. Der Verfasser des Briefs fordert uns auf, darauf zu achten, wie wir unser Leben führen, also achtsam zu sein auf das, was wir tun. Eine positive Wirkung der Achtsamkeit ist die Fähigkeit, zu danken. Der Autor des Schreibens gibt den Rat, klug zu sein und Psalmen, Hymnen und Lieder erklingen zu lassen. Singen hat eine große positive Wirkung auf die Befindlichkeit, auch unsere Gedanken und Gefühle werden so positiv beeinflusst. Dann kann es auch gelingen, der nächsten Forderung nachzukommen, nämlich Gott

»jederzeit« Dank zu sagen und schließlich zu singen und zu jubeln zum Lob Gottes.

RUF VOR DEM EVANGELIUM Joh 6,56

Halleluja. Halleluja.
So spricht der Herr: Wer mein Fleisch isst und mein Blut trinkt, der bleibt in mir und ich bleibe in ihm.
Halleluja.

EVANGELIUM Joh 6,51–58

Aus dem heiligen Evangelium nach Johannes.

In jener Zeit sprach Jesus zu der Menge: Ich bin das lebendige Brot, das vom Himmel herabgekommen ist. Wer von diesem Brot isst, wird in Ewigkeit leben. Das Brot, das ich geben werde, ist mein Fleisch, ich gebe es hin für das Leben der Welt.

Da stritten sich die Juden und sagten: Wie kann er uns sein Fleisch zu essen geben?

Jesus sagte zu ihnen: Amen, amen, das sage ich euch: Wenn ihr das Fleisch des Menschensohnes nicht esst und sein Blut nicht trinkt, habt ihr das Leben nicht in euch.

Wer mein Fleisch isst und mein Blut trinkt, hat das ewige Leben, und ich werde ihn auferwecken am Letzten Tag. Denn mein Fleisch ist wirklich eine Speise und mein Blut ist wirklich ein Trank.

Wer mein Fleisch isst und mein Blut trinkt, der bleibt in mir und ich bleibe in ihm. Wie mich der lebendige Vater gesandt hat und wie ich durch den Vater lebe, so wird jeder, der mich isst, durch mich leben.

Dies ist das Brot, das vom Himmel herabgekommen ist. Mit ihm ist es nicht wie mit dem Brot, das die Väter gegessen haben; sie sind gestorben. Wer aber dieses Brot isst, wird leben in Ewigkeit. IF

Das Evangelium beginnt mit einer Wiederholung des letzten Verses des Evangeliums vom vergangenen Sonntag. Charakteristisch für das Johannesevangelium ist ein wiederholender (Schreib- und Denk-)Stil. Repetitio est mater studiorum, mahnt ein lateinisches Sprichwort. »Die Wiederholung ist die Mutter der Studien.« Die Brotrede zeichnet sich aus durch Wiederholungen und einen Stil, der sich wie im Kreise zu drehen scheint. Es wird das Gleiche auf verschiedene Weise mehrfach wiederholt. Jesus ist das lebendige Brot, das vom Himmel gekommen ist. Wer von diesem Brot, von ihm isst, dem gilt die Verheißung ewigen Lebens. Das, was nach unserem Tod kommt, ist verknüpft mit der Teilnahme an der Eucharistie. Die Eucharistie war für die frühen Christen die »Medizin der Unsterblichkeit«. Das Brot, das Jesus gibt, ist sein Fleisch, er gibt es für das Leben der Welt. Jesus gibt sein Leben für das Leben der Welt. Nach seinem Tod können wir, solange wir leben, durch die Teilnahme an der Eucharistie, durch das Essen seines Fleisches, des Brotes, und durch das Trinken seines Blutes, des Weines, Anteil an ihm haben. Wir nehmen ihn »leibhaftig« auf. Auf diese Art bleibt er in uns und wir in ihm. Wenn wir glauben und uns entsprechend verhalten, wird uns durch die Teilnahme an der Eucharistie das ewige Leben geschenkt.

CREDO (siehe Seite 512)

FÜRBITTEN

Herr Jesus Christus, du gibst dich uns hin, du willst, dass wir ganz eins werden mit dir, dass wir so werden wie du.

A: Wir danken dir, wir bitten dich.

- In unserem Alltag dominieren Jammern und Klagen. Lass uns nicht dabei stehen bleiben, sondern schenke uns Dankbarkeit für all das Gute und Schöne, das wir erleben dürfen.
- Es treffen sehr viele schlechte Nachrichten aus aller Welt bei uns ein. Lass uns darüber nicht mutlos werden, sondern gib uns die Kraft, uns einzusetzen für die, die unsere Hilfe benötigen.

- Es geschehen jeden Tag unzählige Unfälle. Schenk allen Menschen, auch uns, mehr Achtsamkeit im Umgang mit der Technik, mit Motoren und vor allem im Umgang mit uns und miteinander.
- Schenk den Kranken und Mutlosen durch dein Brot neue Kraft und neuen Lebenswillen.
- Es gibt sehr viele Naturkatastrophen. Schenke uns allen, vor allem auch denjenigen, die direkt Einfluss nehmen können, mehr Weisheit und Rücksicht im Umgang mit der Natur.
- Schenk uns dereinst und den Verstorbenen jetzt schon das ewige Leben mit dir im Reich deines Vaters.

Du bist erfüllt von Klugheit und Weisheit. Gib uns daran Anteil, jetzt und in Ewigkeit. Amen.

GABENGEBET

Herr, wir bringen unsere Gaben dar für die Feier, in der sich ein heiliger Tausch vollzieht. Nimm sie in Gnaden an und schenke uns dich selbst in deinem Sohn Jesus Christus, der mit dir lebt und herrscht in alle Ewigkeit.

PRÄFATION

Sonntage IV

Wir danken dir, Vater im Himmel, und rühmen dich durch unseren Herrn Jesus Christus. Denn durch seine Geburt hat er den Menschen erneuert, durch sein Leiden unsere Sünden getilgt, in seiner Auferstehung den Weg zum Leben erschlossen und in seiner Auffahrt zu dir das Tor des Himmels geöffnet. Durch ihn rühmen dich deine Erlösten und singen mit den Chören der Engel das Lob deiner Herrlichkeit.

EINLADUNG ZUM VATERUNSER

Gott erfüllt uns mit seinem Geist, so dass wir nach seinem Willen leben. In diesem Geist beten wir voll Freude, wie es uns Jesus Christus gelehrt hat: Vater unser im Himmel …

EINLADUNG ZUM FRIEDENSGEBET

In Jesus Christus finden wir das Leben und den Frieden. Deshalb bitten wir: Herr Jesus Christus …

KOMMUNIONVERS

Joh 6,51

So spricht der Herr: Ich bin das lebendige Brot, das vom Himmel herabgekommen ist. Wer von diesem Brote ißt, wird leben in Ewigkeit.

Oder: Ps 130,7

Beim Herrn ist die Huld, bei ihm ist Erlösung in Fülle.

SCHLUSSGEBET

Barmherziger Gott, im heiligen Mahl schenkst du uns Anteil am Leben deines Sohnes. Dieses Sakrament mache uns auf Erden Christus ähnlich, damit wir im Himmel zur vollen Gemeinschaft mit ihm gelangen, der mit dir lebt und herrscht in alle Ewigkeit.

SCHLUSSSEGEN

Im Jahreskreis II

Der Friede Gottes, der alles Begreifen übersteigt, bewahre eure Herzen und eure Gedanken in der Gemeinschaft mit Christus Jesus.

Das gewähre euch der dreieinige Gott, der Vater und der Sohn ✝ und der Heilige Geist.

Danke, für diesen guten Morgen; danke für jeden neuen Tag;
danke, dass ich all meine Sorgen auf dich werfen mag.

Danke, für alle guten Freunde, danke, o Herr, für jedermann,
danke, wenn auch dem größten Feinde ich verzeihen kann.

Danke, für meine Arbeitsstelle, danke für jedes kleine Glück,
danke, für alles Frohe, Helle und für die Musik.

Danke, für manche Traurigkeiten, danke für jedes gute Wort,
danke, dass deine Hand mich leiten will an jedem Ort.

Danke, dass ich dein Wort verstehe, danke, dass deinen Geist du gibst,
danke, dass in der Fern und Nähe du die Menschen liebst.

Danke, dein Heil kennt keine Schranken, danke, ich halt mich fest daran,
danke, ach Herr, ich will dir danken, dass ich danken kann.

Martin Gotthard Schneider

21. Sonntag im Jahreskreis
26. August 2012

Wende dein Ohr mir zu, erhöre mich, Herr,
hilf deinem Knecht, der dir vertraut,
sei mir gnädig, o Herr.
Den ganzen Tag rufe ich zu dir.
Ps 86,1–3

Momente und Zeiten der Unsicherheit, Krisen gehören zum Leben dazu. Es ist ganz natürlich, die eigene Lebenssituation und womöglich Lebensentscheidung auch ab und zu hinterfragen. Das Wort »Krise« stammt aus dem Griechischen, das Verb »krinein« bedeutet scheiden, unterscheiden, auswählen. In einer Krise entscheidet sich, wie das Leben weitergeht. Eine Krise bietet die Chance, bewusst eine Entscheidung zu treffen. In den biblischen Erzählungen lesen und hören wir sehr oft von Entscheidungssituationen. Im Alltag sind auch wir immer wieder zur Entscheidung aufgerufen.

Kyrie-Rufe
GL 769,1 · KG 807,1

Herr Jesus Christus, du rufst uns in deine Nachfolge. Herr, erbarme dich.
Du hast Worte ewigen Lebens. Christus, erbarme dich.
Du gibst uns die Kraft, uns für dich zu entscheiden. Herr, erbarme dich.

Gloria (siehe Seite 508)

Tagesgebet

Gott, unser Herr, du verbindest alle, die an dich glauben, zum gemeinsamen Streben. Gib, daß wir lieben, was du befiehlst, und ersehnen, was du uns verheißen hast, damit in der Unbeständigkeit dieses Lebens unsere Herzen dort verankert seien, wo die wahren Freuden sind. Darum bitten wir durch Jesus Christus.

ERSTE LESUNG

Jos 24,1–2a.15–17.18b

Lesung aus dem Buch Josua.

In jenen Tagen versammelte Josua alle Stämme Israels in Sichem; er rief die Ältesten Israels, seine Oberhäupter, Richter und Listenführer zusammen und sie traten vor Gott hin.

Josua sagte zum ganzen Volk: Wenn es euch nicht gefällt, dem Herrn zu dienen, dann entscheidet euch heute, wem ihr dienen wollt: den Göttern, denen eure Väter jenseits des Stroms dienten, oder den Göttern der Amoriter, in deren Land ihr wohnt. Ich aber und mein Haus, wir wollen dem Herrn dienen.

Das Volk antwortete: Das sei uns fern, dass wir den Herrn verlassen und anderen Göttern dienen. Denn der Herr, unser Gott, war es, der uns und unsere Väter aus dem Sklavenhaus Ägypten herausgeführt hat und der vor unseren Augen alle die großen Wunder getan hat. Er hat uns beschützt auf dem ganzen Weg, den wir gegangen sind, und unter allen Völkern, durch deren Gebiet wir gezogen sind. Auch wir wollen dem Herrn dienen; denn er ist unser Gott. ℟

Josua ruft die Verantwortlichen Israels zusammen. Wenn sie dem Herrn nicht dienen wollen, diesen Eindruck hat Josua, dann sollen sie entscheiden, welchen Göttern sie dienen wollen: den Göttern von den Vätern jenseits des Stroms oder den Göttern der Amoriter. Es wird deutlich: Eine Entscheidung gegen den einen Herrn und Gott vermittelt nicht, welchen Göttern nun gedient werden soll. Josua bezieht eindeutig Stellung, er und sein Haus wollen dem Herrn dienen. Dieser Entscheidung schließt sich das Volk an mit der Erinnerung an das Urbekenntnis Israels: Gott war es, der aus dem Sklavenhaus Ägyptens herausgeführt hat. Gott ist der Gott der Befreiung. Die Befreiung aus Ägypten ist die religiöse Urerfahrung Israels.

ANTWORTPSALM

Ps 34,2–3.16–23 (℟: 9a)

℟: Kostet und seht, wie gütig der Herr ist!

VI. Ton – GL 471

Ich will den Herrn allezeit preisen; *
immer sei sein Lob in meinem Mund.
Meine Seele rühme sich des Herrn; *
die Armen sollen es hören und sich freuen. – ℟

Die Augen des Herrn blicken auf die Gerechten, *
seine Ohren hören ihr Schreien.
Das Antlitz des Herrn richtet sich gegen die Bösen, *
um ihr Andenken von der Erde zu tilgen. – ℟

Schreien die Gerechten, so hört sie der Herr; *
er entreißt sie all ihren Ängsten.
Nahe ist der Herr den zerbrochenen Herzen, *
er hilft denen auf, die zerknirscht sind. – ℟

Der Gerechte muss viel leiden, *
doch allem wird der Herr ihn entreißen.
Er behütet all seine Glieder, *
nicht eines von ihnen wird zerbrochen. – ℟

Den Frevler wird seine Bosheit töten; *
wer den Gerechten hasst, muss es büßen.
Der Herr erlöst seine Knechte; *
straflos bleibt, wer zu ihm sich flüchtet. – ℟

Zweite Lesung Eph 5,21–32

Lesung aus dem Epheserbrief.

Schwestern und Brüder! Einer ordne sich dem andern unter in der gemeinsamen Ehrfurcht vor Christus. Ihr Frauen, ordnet euch euren Männern unter wie Christus, dem Herrn; denn der Mann ist das Haupt der Frau, wie auch Christus das Haupt der Kirche ist; er hat sie gerettet, denn sie ist sein Leib. Wie aber die Kirche sich Christus unterordnet, sollen sich die Frauen in allem den Männern unterordnen.

Ihr Männer, liebt eure Frauen, wie Christus die Kirche geliebt und sich für sie hingegeben hat, um sie im Wasser und durch das Wort rein und heilig zu machen. So will er die Kirche herrlich vor sich erscheinen lassen, ohne Flecken, Falten oder andere Fehler; heilig soll sie sein und makellos.

Darum sind die Männer verpflichtet, ihre Frauen so zu lieben wie ihren eigenen Leib. Wer seine Frau liebt, liebt sich selbst. Keiner hat je seinen eigenen Leib gehasst, sondern er nährt und pflegt ihn, wie auch Christus die Kirche. Denn wir sind Glieder seines Leibes.

Darum wird der Mann Vater und Mutter verlassen und sich an seine Frau binden und die zwei werden ein Fleisch sein. Dies ist ein tiefes Geheimnis; ich beziehe es auf Christus und die Kirche. IF

In der Form einer antiken Haustafel werden Verhaltensregeln innerhalb der Familie und der Ehe aufgestellt. Die gemeinsame Unterordnung gilt als Ideal für alle Mitglieder der Großfamilie, denn Christus ist im Mitmenschen gegenwärtig. Gut bekannt ist die Forderung, die Frau soll sich dem Mann unterordnen. Das Bemerkenswerte ist, dass vom Mann verlangt wird seine Frau zu lieben wie seinen eigenen Leib. Entgegen der damals weitgehend gängigen Einstellung ist die Frau nicht einfach nur Besitztum des Mannes, sondern ein Teil von ihm, der liebevoll behandelt und gepflegt gehört. Nähren und pflegen nannten auch antike Eheverträge als Pflichten des Ehemanns. Zur Verdeutlichung zitiert unser Autor den zentralen Satz aus der Schöpfungsgeschichte in Bezug auf Frau und Mann (Gen 2,24). Diese exklusive Beziehung überträgt der Verfasser auf die Beziehung zwischen Christus und die Kirche. Christus liebt die Kirche. Er hat sich für sie hingegeben. Die Kirche ist der Leib Christi. Mit dem Gedanken vom Leib findet ein Bild Verwendung, das in der Antike gerne gebraucht wurde für eine größere Gemeinschaft, eine größere »Institution«. Die Kirche als Leib Christi bringt die volle Identifizierung Christi mit der Kirche zum Ausdruck. Anders als noch bei Paulus, der die Gemeinde als ganze als Leib Christi bezeichnet – einige Jahrzehnte früher –, wird im Epheserbrief Christus als das Haupt bezeichnet. Damit wird deutlich: Die Hierarchie innerhalb der Gemeinden und der Gesamtkirche hat sich weiter ausgebildet.

Ruf vor dem Evangelium

Vgl. Joh 6,63b.68c

Halleluja. Halleluja.
Deine Worte, Herr, sind Geist und Leben. Du hast Worte des ewigen Lebens.
Halleluja.

Evangelium

Joh 6,60–69

Aus dem heiligen Evangelium nach Johannes.

In jener Zeit sagten viele der Jünger Jesu, die ihm zuhörten: Was er sagt, ist unerträglich. Wer kann das anhören?

Jesus erkannte, dass seine Jünger darüber murrten, und fragte sie: Daran nehmt ihr Anstoß? Was werdet ihr sagen, wenn ihr den Menschensohn hinaufsteigen seht, dorthin, wo er vorher war? Der Geist ist es, der lebendig macht; das Fleisch nützt nichts.

Die Worte, die ich zu euch gesprochen habe, sind Geist und sind Leben. Aber es gibt unter euch einige, die nicht glauben. Jesus wusste nämlich von Anfang an, welche es waren, die nicht glaubten, und wer ihn verraten würde. Und er sagte: Deshalb habe ich zu euch gesagt: Niemand kann zu mir kommen, wenn es ihm nicht vom Vater gegeben ist.

Daraufhin zogen sich viele Jünger zurück und wanderten nicht mehr mit ihm umher. Da fragte Jesus die Zwölf: Wollt auch ihr weggehen?

Simon Petrus antwortete ihm: Herr, zu wem sollen wir gehen? Du hast Worte des ewigen Lebens. Wir sind zum Glauben gekommen und haben erkannt: Du bist der Heilige Gottes. IF

Die Brotrede endet in einem Eklat. Nicht nur Fernstehende, auch Menschen, die Jesus nachgefolgt sind, nehmen Anstoß an dem, was er sagt. Die Erzählung spiegelt die sog. galiläische Krise wider. Auch für die, die sich Jesus angeschlossen haben, war es nicht immer selbstverständlich, zu ihrer Entscheidung und zu Jesus zu stehen. Etliche, die sich Jesus einmal angeschlossen hatten, haben sich wieder von ihm getrennt. Jesus stellt den Zwölfen die

»Gretchenfrage«: »Wollt auch ihr weggehen?« Stellvertretend für alle antwortet Simon Petrus: »Zu wem sollen wir gehen?« Wer sich einmal wirklich auf Jesus Christus eingelassen hat, für den gibt es keine Alternative mehr, der ist ohne Jesus Christus »heimatlos«. Die Worte Jesu sind Geist und Leben. Der Geist macht lebendig.

CREDO (siehe Seite 512)

FÜRBITTEN

Gott, du bist ein Gott der Befreiung und der Freiheit. Immer wieder werden Menschen unterdrückt, zu Unrecht gefangengenommen und gefoltert. Wir rufen zu dir:

A: Gott der Befreiung, wir rufen zu dir, höre uns.

- In vielen gesellschaftlichen und familiären Systemen werden Menschen unterdrückt und ihrer Freiheit beraubt. Steh ihnen bei und gib ihnen die Kraft, für ihre Freiheit zu kämpfen.
- Eine menschliche Gemeinschaft, die Familie, eine Dorfgemeinschaft, der Staat, kann nur dann gut sein, wenn jeder sich dem anderen in Liebe unterordnet. Gib uns dieses Einsehen und die Kraft, danach zu leben.
- Wir stehen immer wieder vor Entscheidungen. Schenk uns die Erkenntnis, welche Entscheidungen für uns und andere davon Betroffene in deinem Sinne die richtigen sind.
- Es gibt viele moderne Götzen, mitunter vergöttern wir andere Menschen, mitunter fordern Menschen zu viel Verehrung. Schenk uns die Freiheit, dass wir diesen Götzen widerstehen und uns an dir, dem einzig wahren Gott, ausrichten.

Die Ausrichtung an dir befreit uns von dem, was uns unterdrückt und klein macht, jetzt und in Ewigkeit. Amen.

GABENGEBET

Herr und Gott, du hast dir das eine Volk des Neuen Bundes erworben durch das Opfer deines Sohnes, das er ein für allemal dargebracht hat. Sieh gnädig auf uns und schenke uns in deiner Kirche Einheit und Frieden. Darum bitten wir durch Christus, unseren Herrn.

Präfation

Sonntage V

In Wahrheit ist es würdig und recht, dir, allmächtiger Vater, zu danken und dich mit der ganzen Schöpfung zu loben. Denn du hast die Welt mit all ihren Kräften ins Dasein gerufen und sie dem Wechsel der Zeit unterworfen. Den Menschen aber hast du auf dein Bild hin geschaffen und ihm das Werk deiner Allmacht übergeben. Du hast ihn bestimmt, über die Erde zu herrschen, dir, seinem Herrn und Schöpfer zu dienen und das Lob deiner großen Taten zu verkünden durch unseren Herrn Jesus Christus. Darum singen wir mit den Engeln und Erzengeln, den Thronen und Mächten und mit all den Scharen des himmlischen Heeres den Hochgesang von deiner göttlichen Herrlichkeit.

Einladung zum Vaterunser

Gott ruft uns auf, uns für ihn zu entscheiden. In Jesus Christus können wir zu ihm gehen. Wir antworten ihm, wie es uns Jesus gelehrt hat: Vater unser im Himmel …

Einladung zum Friedensgebet

Als Christen sollen wir in Ordnung und in gegenseitiger Liebe leben. In Christus finden wir die Kraft dazu. Deshalb bitten wir: Herr Jesus Christus …

Kommunionvers

Joh 6,54

So spricht der Herr: Wer mein Fleisch isst und mein Blut trinkt, hat das ewige Leben, und ich werde ihn auferwecken am Letzten Tag.

Oder: Vgl. Ps 104,13–15

Herr, von den Früchten deiner Schöpfung werden alle satt. Du schenkst dem Menschen Brot von der Erde und Wein, der sein Herz erfreut.

SCHLUSSGEBET

Herr, unser Gott, schenke uns durch dieses Sakrament die Fülle deines Erbarmens und mache uns heil. Gewähre uns deine Hilfe, damit wir so vor dir leben können, wie es dir gefällt. Darum bitten wir durch Christus, unseren Herrn.

SCHLUSSSEGEN

Im Jahreskreis III

Der allmächtige Gott gewähre euch Segen und Heil; er offenbare euch die Wege seiner Weisheit.

Er stärke euren Glauben durch sein Wort und schenke euch die Gnade, nach seinen Geboten zu leben, damit in allem sein Wille geschehe.

Er lenke eure Schritte auf den Weg des Friedens; er mache euch beharrlich im Guten und vollende euch in der Liebe.

Das gewähre euch der dreieinige Gott, der Vater und der Sohn ✝ und der Heilige Geist.

Oder: Wettersegen

Gott, der allmächtige Vater, segne euch und schenke euch gedeihliches Wetter; er halte Blitz, Hagel und jedes Unheil von euch fern.

Er segne die Felder, die Gärten und den Wald und schenke euch die Früchte der Erde.

Er begleite eure Arbeit, damit ihr in Dankbarkeit und Freude gebrauchet, was durch die Kräfte der Natur und die Mühe des Menschen gewachsen ist.

Das gewähre euch der dreieinige Gott, der Vater und der Sohn ✝ und der Heilige Geist.

Wohin sollen wir gehen, sag uns wohin?
So viele Wege: Welche führen zu dir?

Worauf sollen wir hören, sag uns worauf?
So viele Worte: Welche sind wahr?

Was sollen wir tun, sag uns was?
So viele Möglichkeiten: Welche sind sinnvoll?

Zu dir führen Wege, die heilbringend sind.
Wahr sind Worte, die uns die Augen öffnen für uns,
für dich, für den anderen.
Sinnvoll ist, was Leben und Entwicklung fördert,
was uns wachsen und reifen lässt,
was uns näher bringt zu dir.

Stephanie Abgottspon

22. Sonntag im Jahreskreis
2. September 2012

Sei mir gnädig, o Herr. Den ganzen Tag rufe ich zu dir.
Herr, du bist gütig und bereit, zu verzeihen;
für alle, die zu dir rufen, reich an Gnade.
Ps 86,3.5

Eine gewisse Überheblichkeit gegen Gesetze und Vorschriften ist in unserer Gesellschaft schon zu spüren. Vor allem, wenn es um Verkehrsregeln geht. Aber nicht nur dort. Andrerseits macht sich in der Religion wieder eine Gesetzesfrömmigkeit breit, die wir für überwunden hielten. Eine wichtige Prüfregel lautet deswegen: Dient es dem Menschen? Schadet es dem Menschen, verstößt es gegen seine Würde, dann ist es ungültig – selbst wenn es ein religiöses Gebot wäre. Dazu eine kleine Geschichte:

Eine vornehme Dame, die nur mit einer Haushaltshilfe zusammenlebte, war stolz über ihren unerschütterlichen Glauben. Sie war der Überzeugung, dass sie nach diesem konsequenten Leben direkt in den Himmel komme. Eine Tages wurde sie befragt: »Und ihre Haushaltshilfe?« – »Bei dem Hausmädchen bin ich mir nicht so sicher!«, war ihre Antwort.

Kyrie-Rufe GL 506 · KG 57

Herr Jesus Christus, du hast unter dem religiösen Gesetz deines Volkes gelebt und dir doch die Freiheit bewahrt: Herr, erbarme dich.
Du hast alle Gebote aufgehoben und in dem einen Gebot der Liebe zusammengefasst: Christus, erbarme dich.
Du willst, dass wir durch den Geist der Gottesliebe, der Nächsten- und Selbstliebe alle anderen Gebote und Gesetze erfüllen: Herr, erbarme dich.

Gloria (siehe Seite 508)

Tagesgebet

Allmächtiger Gott, von dir kommt alles Gute. Pflanze in unser Herz die Liebe zu deinem Namen ein. Binde uns immer mehr an dich, damit in uns wächst, was gut und heilig ist. Wache über uns und erhalte, was du gewirkt hast. Darum bitten wir durch Jesus Christus.

Erste Lesung

Dtn 4,1–2.6–8

Lesung aus dem Buch Deuteronomium.

Mose sprach zum Volk: Israel, höre die Gesetze und Rechtsvorschriften, die ich euch zu halten lehre. Hört und ihr werdet leben, ihr werdet in das Land, das der Herr, der Gott eurer Väter, euch gibt, hineinziehen und es in Besitz nehmen. Ihr sollt dem Wortlaut dessen, worauf ich euch verpflichte, nichts hinzufügen und nichts davon wegnehmen; ihr sollt auf die Gebote des Herrn, eures Gottes, achten, auf die ich euch verpflichte.

Ihr sollt auf sie achten und sollt sie halten. Denn darin besteht eure Weisheit und eure Bildung in den Augen der Völker. Wenn sie dieses Gesetzeswerk kennen lernen, müssen sie sagen: In der Tat, diese große Nation ist ein weises und gebildetes Volk. Denn welche große Nation hätte Götter, die ihr so nah sind, wie Jahwe, unser Gott, uns nah ist, wo immer wir ihn anrufen? Oder welche große Nation besäße Gesetze und Rechtsvorschriften, die so gerecht sind wie alles in dieser Weisung, die ich euch heute vorlege? IF

Wer im Gottesdienst die Sätze des Weltkatechismus vorlesen wollte, es sind immerhin fast 3000, würde an vielen Punkten nur noch ein Kopfschütteln ernten. Die Weiterentwicklung der Gesellschaft und der Kultur verlangt nach neuen Antworten. Dennoch: Die Basis aller religiösen Gesetze bleibt unveränderlich. Sie besteht im Glauben an den einen Gott und in der Würde des Menschen. Damit steht und fällt auch das Urteil über jedes Gebot der Kirche.

ANTWORTPSALM Ps 15,2–5 (℟: 1)

℟: Herr, wer darf Gast sein in deinem Zelt, wer darf weilen auf deinem heiligen Berg?

IV. Ton – GL 626,3

Der makellos lebt und das Rechte tut; /
der von Herzen die Wahrheit sagt *
und mit seiner Zunge nicht verleumdet;
der seinem Freund nichts Böses antut *
und seinen Nächsten nicht schmäht; – ℟

der den Verworfenen verachtet, *
doch alle, die den Herrn fürchten, in Ehren hält;
der sein Versprechen nicht ändert, *
das er seinem Nächsten geschworen hat; – ℟

der sein Geld nicht auf Wucher ausleiht *
und nicht zum Nachteil des Schuldlosen
Bestechung annimmt.
Wer sich danach richtet, *
der wird niemals wanken. – ℟

ZWEITE LESUNG Jak 1,17–18.21b–22.27

Lesung aus dem Jakobusbrief.

Meine geliebten Schwestern und Brüder! Jede gute Gabe und jedes vollkommene Geschenk kommt von oben, vom Vater der Gestirne, bei dem es keine Veränderung und keine Verfinsterung gibt.

Aus freiem Willen hat er uns durch das Wort der Wahrheit geboren, damit wir gleichsam die Erstlingsfrucht seiner Schöpfung seien.

Nehmt euch das Wort zu Herzen, das in euch eingepflanzt worden ist und das die Macht hat, euch zu retten. Hört das Wort nicht nur an, sondern handelt danach; sonst betrügt ihr euch selbst.

Ein reiner und makelloser Dienst vor Gott, dem Vater, besteht darin: für Waisen und Witwen zu sorgen, wenn sie in Not sind, und sich vor jeder Befleckung durch die Welt zu bewahren. IF

Wort und Tat, Lehre und Leben müssen zusammenpassen. Die Kirche mit ihren Leitern und Gliedern wird heute mehr denn je danach beurteilt, ob das, was verkündigt wird, auch gelebt wird. Ein Teil der so genannten Kirchenkrise ist eine Glaubwürdigkeitskrise, die geradezu auf Besinnung, Bekehrung und Neubeginn drängt.

RUF VOR DEM EVANGELIUM — Vgl. Jak 1,18

Halleluja. Halleluja.
Durch das Wort der Wahrheit hat uns der Vater das Leben geschenkt und uns zu Erstlingen seiner Schöpfung gemacht.
Halleluja.

EVANGELIUM — Mk 7,1–8.14–15.21–23

Aus dem heiligen Evangelium nach Markus.

In jener Zeit hielten sich die Pharisäer und einige Schriftgelehrte, die aus Jerusalem gekommen waren, bei Jesus auf. Sie sahen, dass einige seiner Jünger ihr Brot mit unreinen, das heißt mit ungewaschenen Händen aßen. Die Pharisäer essen nämlich wie alle Juden nur, wenn sie vorher mit einer Hand voll Wasser die Hände gewaschen haben, wie es die Überlieferung der Alten vorschreibt. Auch wenn sie vom Markt kommen, essen sie nicht, ohne sich vorher zu waschen. Noch viele andere überlieferte Vorschriften halten sie ein, wie das Abspülen von Bechern, Krügen und Kesseln.

Die Pharisäer und die Schriftgelehrten fragten ihn also: Warum halten sich deine Jünger nicht an die Überlieferung der Alten, sondern essen ihr Brot mit unreinen Händen?

Er antwortete ihnen: Der Prophet Jesaja hatte Recht mit dem, was er über euch Heuchler sagte:

Dieses Volk ehrt mich mit den Lippen, sein Herz aber ist weit weg von mir. Es ist sinnlos, wie sie mich verehren; was sie lehren, sind Satzungen von Menschen.

Ihr gebt Gottes Gebot preis und haltet euch an die Überlieferung der Menschen.

Dann rief Jesus die Leute wieder zu sich und sagte: Hört mir alle zu und begreift, was ich sage: Nichts, was von außen in den Menschen hineinkommt, kann ihn unrein machen, sondern was aus dem Menschen herauskommt, das macht ihn unrein.

Denn von innen, aus dem Herzen der Menschen, kommen die bösen Gedanken, Unzucht, Diebstahl, Mord, Ehebruch, Habgier, Bosheit, Hinterlist, Ausschweifung, Neid, Verleumdung, Hochmut und Unvernunft. All dieses Böse kommt von innen und macht den Menschen unrein. IF

Wir kennen die Bibel und den Koran, vielleicht wissen wir noch etwas aus den indischen Veden. Aber erst alle Heiligen Schriften der Völker und der Religionen zusammen bilden das gemeinsame Erbe der Menschheit. Vorbei sollten die Zeiten sein, da beispielsweise die Bibel gegen den Koran ausgespielt wurde, oder wie jüngst, der Koran als einzig wahre religiöse Wahrheit bezeichnet werden kann.

Ich weiß, wie gewagt jetzt folgender Satz auf den ersten Blick ist: Die Vielfalt der Religionen ist Teil des göttlichen Plans. Das beginnen wir erst langsam zu erkennen. Weil Gott es offenbar bunt liebt, brauchen wir eine neue Kultur der Offenheit gegenüber dem Geist Gottes. Er weht, wie Jesus sagt, wo er will, und nicht, wo wir ihn in Religionen und Konfessionen festlegen.

In der Frühzeit des Menschen und der Völker war es wohl richtig, dass religiöse Gesetze für den Zusammenhalt unabdingbar waren. Zweifelhaft wird schon eher, ob deswegen, und noch dazu im Namen Gottes, Kriege geführt werden mussten. Gewalt ist immer ein Zeichen von persönlicher wie völkischer Unreife. In diesem Punkt ist die Welt gerade erst und unter Mühen daran, erwachsen zu werden.

Die Farbigkeit Gottes liegt in der Verschiedenheit. Nur wo die Unterschiede geachtet und nicht etwa aus Angst und Missverständnis verurteilt oder bekämpft werden, kann ein Gespräch stattfinden, ist ein Austausch möglich. Für dieses Gespräch hat der indische Jesuitenpater Sebastian Painadath drei wichtige Elemente entwickelt:

Gott als unfassbares Geheimnis,
Gott als liebende Person,
Gott als heilenden Geist.

In jeder Religion können wir diese drei Elemente, wenn auch mit recht unterschiedlicher Betonung wiederfinden. Aus diesen Unterschieden entstanden Auffassungen, Symbole und Riten, die uns fremd erscheinen wie die Menschen auch, die aus dem entsprechenden Kulturkreis kommen. Und doch verbindet uns die gemeinsame Erfahrung Mensch.

Das für uns Katholiken erlösende Wort hat Johannes Paul II. beim Friedensgebet – 1986 in Assisi, also vor über fünfundzwanzig Jahren – gefunden: »Mit den anderen glaubenden Menschen sind wir mitpilgernde Schwestern und Brüder; wir alle befinden uns auf dem Weg zu dem Ziel, das uns Gott bereitet.«

Wie sehr diese Entwicklung einem göttlichen Plan zu folgen scheint, beweist die Tatsache, dass viele Menschen weniger eine äußere Religiosität suchen, als das früher der Fall war. Sie sind mit Gesetzen, Rechtsvorschriften und Kirchengeboten nicht mehr zufrieden. Sie suchen Antworten auf die Fragen ihres Lebens durch eine innere Spiritualität.

Das bedeutet nicht, dass die Religionen verschwinden oder anders herum gesagt, zu einer Einheit verschmelzen. Vielmehr wird das spirituelle Potential jeder Religion in der Begegnung mit einer anderen spürbarer, bereichender, sicher auch beglückender werden.

CREDO (siehe Seite 512)

FÜRBITTEN

Wo Menschen sich nicht um Gerechtigkeit und Barmherzigkeit mühen, sind alle religiösen Verordnungen sinnlos. Deswegen bitten wir:

A: Wir bitten dich, erhöre uns.

- Für uns alle, die wir ständig mit Gesetzen und Vorschriften zu tun haben, dass wir uns den Geist der Freiheit bewahren können.
- Für die Menschen in den christlichen Kirchen, dass sie nicht überheblich in ihrem Glauben stehen, sondern offen bleiben für die Botschaften anderer Religionen.
- Für Mitmenschen, die der Überzeugung sind, dass die peinlich genaue Erfüllung von religiösen Vorschriften zum Ziel führt, dass sie die erleichternde Kraft des Evangeliums Jesu erfahren.
- Für alle, die als Fremde in unserem Land leben, dass wir das Anderssein auch als positive Herausforderung anerkennen können.

Denn, so sagt Jesus, nichts was von außen an den Menschen heran kommt, macht ihn unrein, sondern was aus dem Menschen heraus kommt. Amen.

GABENGEBET

Herr, unser Gott, diese Opferfeier bringe uns Heil und Segen. Was du jetzt unter heiligen Zeichen wirkst, das vollende in deinem Reich. Darum bitten wir durch Christus, unseren Herrn.

PRÄFATION

Sonntage VI

In Wahrheit ist es würdig und recht, dir, Vater im Himmel, zu danken und dich mit der ganzen Schöpfung zu loben. Denn in dir leben wir, in dir bewegen wir uns und sind wir. Jeden Tag erfahren wir aufs neue das Wirken deiner Güte. Schon in diesem Leben besitzen wir den Heiligen Geist, das Unterpfand ewiger Herrlichkeit. Durch ihn hast du Jesus auferweckt von den Toten und uns die sichere Hoffnung gegeben, daß sich an uns das österliche Geheimnis vollendet. Darum preisen wir dich mit allen Chören der Engel und singen vereint mit ihnen das Lob deiner Herrlichkeit.

EINLADUNG ZUM VATERUNSER

Gott hat uns durch Jesus Christus, das Wort der Wahrheit, als seine Kinder geboren, damit wir ihm gehören. Wir beten, wie es uns Jesus Christus gelehrt hat: Vater unser im Himmel …

EINLADUNG ZUM FRIEDENSGEBET

Gott weiß um das Böse, das es auch in unserem Inneren gibt. Er heilt es, indem er uns durch den Glauben an Jesus Christus erneuert. Deshalb bitten wir: Herr Jesus Christus …

KOMMUNIONVERS Mt 5,9–10

Selig, die Frieden stiften; denn sie werden Söhne Gottes genannt werden. Selig, die um der Gerechtigkeit willen verfolgt werden; denn ihnen gehört das Himmelreich.

Oder: Ps 31,20

Wie groß ist deine Güte, o Herr, die du bereithältst für alle, die dich fürchten und ehren.

SCHLUSSGEBET

Allmächtiger Gott, du hast uns gestärkt durch das lebendige Brot, das vom Himmel kommt. Deine Liebe, die wir im Sakrament empfangen haben, mache uns bereit, dir in unseren Brüdern zu dienen. Darum bitten wir durch Christus, unseren Herrn.

SCHLUSSSEGEN Im Jahreskreis III

Der allmächtige Gott gewähre euch Segen und Heil; er offenbare euch die Wege seiner Weisheit.

Er stärke euren Glauben durch sein Wort und schenke euch die Gnade, nach seinen Geboten zu leben, damit in allem sein Wille geschehe.

Er lenke eure Schritte auf den Weg des Friedens; er mache euch beharrlich im Guten und vollende euch in der Liebe.

Das gewähre euch der dreieinige Gott, der Vater und der Sohn ✝ und der Heilige Geist.

Oder: Wettersegen

Gott, der allmächtige Vater, segne euch und schenke euch gedeihliches Wetter; er halte Blitz, Hagel und jedes Unheil von euch fern.

Er segne die Felder, die Gärten und den Wald und schenke euch die Früchte der Erde.

Er begleite eure Arbeit, damit ihr in Dankbarkeit und Freude gebrauchet, was durch die Kräfte der Natur und die Mühe des Menschen gewachsen ist.

Das gewähre euch der dreieinige Gott, der Vater und der Sohn ✝ und der Heilige Geist.

Die Lehre der Demut

Frau Demut wurde einmal gefragt,
ob sie einem Hochmütigen einen Rat geben könne.
Sie erhob drei Finger und antwortete:

Erstens: Nie einer gegen den anderen.
Zweitens: Nie einer über den anderen.
Drittens: Nie einer ohne den anderen.

Roland Breitenbach

23. Sonntag im Jahreskreis
9. September 2012

Herr, du bist gerecht, und deine Entscheide sind richtig.
Handle an deinem Knecht nach deiner Huld.
Ps 119,137.124

Hinhören lernen, gehorchen können, das sind durchaus moderne Übungen, die zum Trainingsprogramm eines Christenlebens gehören. Wobei gehorchen in unserem Fall so zu verstehen ist, das, was man von Evangelium gehört und verstanden hat, in sein Leben zu übersetzen.

Kyrie-Rufe

Oder: GL 515 · KG 62

Schenk uns dein gutes Wort: Herr, erbarme dich.
Zeig uns den rechten Weg: Christus, erbarme dich.
Lehre uns die alles überwindende Liebe: Herr, erbarme dich.

Gloria (siehe Seite 508)

Tagesgebet

Gütiger Gott, du hast uns durch deinen Sohn erlöst und als deine geliebten Kinder angenommen. Sieh voll Güte auf alle, die an Christus glauben, und schenke ihnen die wahre Freiheit und das ewige Erbe. Darum bitten wir durch Jesus Christus.

Erste Lesung

Jes 35,4–7a

Lesung aus dem Buch Jesaja.

Sagt den Verzagten: Habt Mut, fürchtet euch nicht! Seht, hier ist euer Gott! Die Rache Gottes wird kommen und seine Vergeltung; er selbst wird kommen und euch erretten.

Dann werden die Augen der Blinden geöffnet, auch die Ohren der Tauben sind wieder offen. Dann springt der Lahme wie ein Hirsch, die Zunge des Stummen jauchzt auf. In der Wüste brechen Quellen hervor und Bäche fließen in der Steppe. Der glühende Sand wird zum Teich und das durstige Land zu sprudelnden Quellen. ℞F

Die Frohe Botschaft, die Jesus verkündet, wird von den Propheten oft in der gleichen Sprache angesagt, wie sie Jesus in der Begegnung mit dem Heilung- und Heilsuchenden umsetzt. Die Gefahr dabei: Dass uns die Worte und die Taten zu geläufig werden und uns selber nicht mehr herausfordern.

ANTWORTPSALM Ps 146,6–10 (℞: 1)

℞: Halleluja – oder: Lobe den Herrn, meine Seele!

I. Ton – GL 527,3 · KG 625

Der Herr hat Himmel und Erde gemacht, /
das Meer und alle Geschöpfe; *
er hält ewig die Treue.
Recht verschafft er den Unterdrückten, /
den Hungernden gibt er Brot; *
der Herr befreit die Gefangenen. – ℞

Der Herr öffnet den Blinden die Augen, *
er richtet die Gebeugten auf.
Der Herr beschützt die Fremden *
und verhilft den Waisen und Witwen zu ihrem Recht. – ℞

Der Herr liebt die Gerechten, *
doch die Schritte der Frevler leitet er in die Irre.
Der Herr ist König auf ewig, *
dein Gott, Zion, herrscht von Geschlecht zu Geschlecht. – ℞

ZWEITE LESUNG Jak 2,1–5

Lesung aus dem Jakobusbrief.

Meine Brüder, haltet den Glauben an unseren Herrn Jesus Christus, den Herrn der Herrlichkeit, frei von jedem Ansehen der Person.

Wenn in eure Versammlung ein Mann mit goldenen Ringen und prächtiger Kleidung kommt und zugleich kommt ein Armer in schmutziger Kleidung und ihr blickt auf den Mann in der prächtigen Kleidung und sagt: Setz dich hier auf den guten Platz!, und zu dem Armen sagt ihr: Du kannst dort stehen!, oder: Setz dich zu meinen Füßen! – macht ihr dann nicht untereinander Unterschiede und fällt Urteile aufgrund verwerflicher Überlegungen?

Hört, meine geliebten Brüder: Hat Gott nicht die Armen in der Welt auserwählt, um sie durch den Glauben reich und zu Erben des Königreichs zu machen, das er denen verheißen hat, die ihn lieben? IF

Auch in den ersten christlichen Generationen war nicht alles »Gold, was glänzt«. Jakobus greift ein Verhalten an, das noch heute in der Kirche typisch zu sein scheint: Das Geld, das Ansehen, die Kleidung zählen. Oder machen wir es hier in unserer Gemeinde anders? Besser?

Wo müssten wir ganz neu ansetzen?

Ruf vor dem Evangelium Mt 4,23b

Halleluja. Halleluja.
Jesus verkündete das Evangelium vom Reich und heilte im Volk alle Krankheiten und Leiden.
Halleluja.

Evangelium Mk 7,31–37

Aus dem heiligen Evangelium nach Markus.

In jener Zeit verließ Jesus das Gebiet von Tyrus und kam über Sidon an den See von Galiläa, mitten in das Gebiet der Dekapolis.

Da brachte man einen Taubstummen zu Jesus und bat ihn, er möge ihn berühren. Er nahm ihn beiseite, von der Menge weg, legte ihm die Finger in die Ohren und berührte dann die Zunge des Mannes mit Speichel; danach blickte er zum Himmel auf, seufzte und sagte zu dem Taubstummen: Effata!, das heißt:

Öffne dich! Sogleich öffneten sich seine Ohren, seine Zunge wurde von ihrer Fessel befreit und er konnte richtig reden.

Jesus verbot ihnen, jemand davon zu erzählen. Doch je mehr er es ihnen verbot, desto mehr machten sie es bekannt. Außer sich vor Staunen sagten sie: Er hat alles gut gemacht; er macht, dass die Tauben hören und die Stummen sprechen. IF

Gelegentlich erinnert mich mein Freund, er ist Arzt, durch seine Feststellung: »Heute kann ich leider nicht, ich habe Rufbereitschaft!« an eine Haltung, die wie selbstverständlich von uns Pfarrern erwartet wurde: Jederzeit für den Notfall bereit zu sein, um einen schwerkranken oder einen sterbenden Menschen zu begleiten. Wir sollten das einmal ganz offen aussprechen, auch wenn unsere Bischöfe bis hinauf zum Papst, das Gegenteil behaupten: Der Seelsorger steht nicht mehr zu jeder Zeit zur Verfügung. Er kann es gar nicht mehr; denn vielerorts hat sich durch die Unzahl der zu versorgenden Gemeinde die Verwaltungsarbeit über die Seelsorge gelegt.

Wir hören von der Begegnung Jesu mit dem Taubstummen. In der Antike gehörten solche Menschen zu den Sündern und Ausgeschlossenen, weil man in ihrer Behinderung die Sünde ihrer Eltern oder einen bösen Geist vermutete. Da ist es schon verwunderlich, dass es dennoch Mitmenschen gab, die den Taubstummen zu Jesus brachten, um ihm zu einer Heilungschance zu verhelfen.

Ein Stichwort fällt bei dieser Heilungsgeschichte auf. Jesus sagt nicht zu den tauben Ohren: Ich öffne euch. Er ermutigt den behinderten Menschen: Effata, öffne dich! Tu dich auf! Hab keine Angst! Lerne hören, lerne sprechen, damit du sagen kannst, was du sagen willst und musst.

Ähnlich muss Gott zu allen Zeiten die Propheten ermutigen, zu sprechen, sei es gelegen oder ungelegen, ob man es hören will oder nicht. Dazu rät auch Paulus (2 Tim 4,2) ausdrücklich. Die offene Sprache des Evangeliums ist in unserer Kirche rar geworden. Seit einflussreiche Kreise in der Kirche das 2. Vatikanische Konzil ungeschehen machen möchten, wird es zunehmend schwieriger, die Dinge beim Namen zu nennen, ohne nicht gleich in Generalverdacht zu kommen.

Von dem Geheilten heißt es, er konnte richtig reden. Richtig reden in unserer Zeit heißt, Klartext zu reden, ob es der kirchlichen Verwaltung passt oder nicht. Schon vor über hundert Jahren hat der französische Dichter Léon Bloy gesagt, die Prediger könnten nichts anderes wie »stundenlang zu salbadern und sich mit vollendeter Geschicklichkeit um das Ja und Nein herumzudrücken«.

Klartext heißt für mich noch immer das Evangelium. Komme mir jetzt keiner damit, das sei alles doch nur Auslegungssache. Eine gute Handvoll der Worte Jesu genügen eigentlich, um das Reich Gottes um uns sichtbar und erfahrbar zu machen. Wir brauchen uns nur an die Bergpredigt zu erinnern mit ihren Seligpreisungen, an das Hauptgebot der Liebe, an die Feststellung, was ihr einem der Geringsten getan habt, habt ihr Gott selber getan. Oder auch an die Mahnung Jesu: Maßt euch keine Titel an, lasst euch keine Orden um den Hals hängen, und vor allem: »Bei euch soll es nicht so sein wie bei den Machthabern dieser Welt!«

Das Evangelium Jesu fordert uns nach wie vor heraus. Jede Generation steht ganz neu vor dieser Aufgabe.

CREDO (siehe Seite 512)

FÜRBITTEN

Wir wollen Gott bitten, dass er uns sein Ohr öffne und uns erhöre:

A: Herr, erhöre uns.

… damit wir Wahres von Falschem, Recht von Unrecht unterscheiden können.

… damit wir hinhören, wenn jemand uns etwas sagen will, auch wenn es uns unangenehm erscheint.

… damit wir mit den Worten, die wir sagen, achtsam umgehen und bedenken, was sie beim Hörenden auslösen können.

... damit unser Denken farbig bleibt und nicht in Schwarz-Weiß-Malerei verkommt.

... damit wir den Anruf Gottes nicht nur hören, sondern in unserem Alltag zu verwirklichen suchen.

... damit wir in der Erinnerung an die Schrecken der Kriege im Kleinen und im Großen auf den Frieden achten, soweit es auf uns ankommt.

Wir danken dir für unsere Sinne, heute vor allem für Sprache und Gehör, die uns untereinander verbinden und mit Jesus Christus, der für uns das Wort des Lebens ist. Amen.

Gabengebet

Herr, unser Gott, du schenkst uns den Frieden und gibst uns die Kraft, dir aufrichtig zu dienen. Laß uns dich mit unseren Gaben ehren und durch die Teilnahme an dem einen Brot und dem einen Kelch eines Sinnes werden. Darum bitten wir durch Christus, unseren Herrn.

Präfation

Sonntage VII

In Wahrheit ist es würdig und recht, dir Vater im Himmel, zu danken und deine Gnade zu rühmen. So sehr hast du die Welt geliebt, daß du deinen Sohn als Erlöser gesandt hast. Er ist uns Menschen gleichgeworden in allem, außer der Sünde, damit du in uns lieben kannst, was du in deinem eigenen Sohne geliebt hast. Durch den Ungehorsam der Sünde haben wir deinen Bund gebrochen, durch den Gehorsam deines Sohnes hast du ihn erneuert. Darum preisen wir das Werk deiner Liebe und vereinen uns mit den Chören der Engel zum Hochgesang von deiner göttlichen Herrlichkeit.

Einladung zum Vaterunser

Wer richtig beten will, darf nicht taub sein für die Anliegen der Welt. Im Blick auf die Nöte unserer Mitmenschen sprechen wir: Vater unser im Himmel ...

Einladung zum Friedensgebet

Der Friede kommt auch durch das Hören. Wir folgen den Worten Jesu, wir öffnen uns für die Mitmenschen und bitten: Herr Jesus Christus …

Kommunionvers

Joh 8,12

So spricht der Herr: Ich bin das Licht der Welt. Wer mir nachfolgt, wird nicht in der Finsternis gehen, sondern wird das Licht des Lebens haben.

Oder: Ps 42,2–3

Wie der Hirsch lechzt nach frischem Wasser, so lechzt meine Seele, Gott, nach dir. Meine Seele dürstet nach Gott, nach dem lebendigen Gott.

Schlussgebet

Herr, unser Gott, in deinem Wort und Sakrament gibst du uns Nahrung und Leben. Laß uns durch diese großen Gaben in der Liebe wachsen und zur ewigen Gemeinschaft mit deinem Sohn gelangen, der mit dir lebt und herrscht in alle Ewigkeit.

Schlusssegen

Im Jahreskreis V

Gott, der allmächtige Vater, segne euch; er bewahre euch vor Unheil und Schaden.

Er öffne eure Herzen für sein göttliches Wort und bereite sie für die unvergänglichen Freuden.

Er laße euch erkennen, was zum Heile dient, und führe euch auf dem Weg seiner Gebote zur Gemeinschaft der Heiligen.

Das gewähre euch der dreieinige Gott, der Vater und der Sohn ✝ und der Heilige Geist.

Gerufen – berufen

Ich habe einen Namen,
den niemand sonst hat,
Gott kennt mich, er hat mich gerufen.
Ich habe ein Gesicht,
das niemand sonst hat,
mit meinen Augen soll ich sehen und verstehen.
Ich habe einen Auftrag,
den niemand sonst hat,
er wird erfüllt oder die Seite bleibt leer.
Das hängt ganz allein an mir.

Roland Breitenbach

Kreuzerhöhung
14. September 2012

Wir rühmen uns des Kreuzes unseres Herrn Jesus Christus.
In ihm ist uns Heil geworden und Auferstehung und Leben.
Durch ihn sind wir erlöst und befreit.

Vgl. Gal 6,14

Wir haben diese Messe mit dem Kreuzzeichen begonnen, und das Kreuz ist das Wahr- und Erkennungszeichen der Christen schlechthin. Es steht auf unseren Gräbern und schmückt Todesanzeigen, wir verbinden es mit Leiden und Tod. Aber für uns als Christen, die mit Jesus Christus verbunden sind, ist es eigentlich ein Pluszeichen, das vor unserem Leben steht und alles, was wir Jesus übergeben, ins Positive wendet.

Kyrie-Rufe

Oder: GL 495,1 · KG 60

Herr Jesus Christus, du bist für uns gekreuzigt worden. Herr, erbarme dich.
Du rufst uns in deine Nachfolge. Christus, erbarme dich.
Du hilfst uns, unser Kreuz zu tragen. Herr, erbarme dich.

Gloria (siehe Seite 508)

Tagesgebet

Allmächtiger Gott, deinem Willen gehorsam hat dein geliebter Sohn den Tod am Kreuz auf sich genommen, um alle Menschen zu erlösen. Gib, daß wir in der Torheit des Kreuzes deine Macht und Weisheit erkennen und in Ewigkeit teilhaben an der Frucht der Erlösung. Darum bitten wir durch Jesus Christus.

ERSTE LESUNG Num 21,4–9

Lesung aus dem Buch Numeri.

In jenen Tagen brachen die Israeliten vom Berg Hor auf und schlugen die Richtung zum Schilfmeer ein, um Edom zu umgehen.

Unterwegs aber verlor das Volk den Mut, es lehnte sich gegen Gott und gegen Mose auf und sagte: Warum habt ihr uns aus Ägypten heraufgeführt? Etwa damit wir in der Wüste sterben? Es gibt weder Brot noch Wasser. Dieser elenden Nahrung sind wir überdrüssig.

Da schickte der Herr Giftschlangen unter das Volk. Sie bissen die Menschen und viele Israeliten starben. Die Leute kamen zu Mose und sagten: Wir haben gesündigt, denn wir haben uns gegen den Herrn und gegen dich aufgelehnt. Bete zum Herrn, dass er uns von den Schlangen befreit. Da betete Mose für das Volk.

Der Herr antwortete Mose: Mach dir eine Schlange und häng sie an einer Fahnenstange auf! Jeder, der gebissen wird, wird am Leben bleiben, wenn er sie ansieht. Mose machte also eine Schlange aus Kupfer und hängte sie an einer Fahnenstange auf. Wenn nun jemand von einer Schlange gebissen wurde und zu der Kupferschlange aufblickte, blieb er am Leben. IF

Nicht nur wegen ihrer Nachwirkung im Neuen Testament ist diese Erzählung von der kupfernen Schlange bedeutsam. Dabei mag sie den heutigen Hörer verwirren oder befremden. Zu deutlich sind hier Anklänge an alte magische Vorstellungen eines Abwehrzaubers, bei dem das Heilmittel gegen den Schlangenbiss in dem Bild einer Schlange besteht.

Wir würden heute wohl eher erwarten, dass Gott mit einem Machtwort alle heilt, die von den Schlangen gebissen wurden. Aber Gott lässt Mose ein Zeichen aufrichten, er gibt ein Heilmittel, und er verlangt dabei auch von den Israeliten etwas. Sie müssen zu der Schlange aufblicken. Zu jemandem oder etwas aufblicken, bedeutet aber, es anzuerkennen und Vertrauen zu zeigen.

Einem aufmerksamen Leser oder Hörer kann aber auch noch etwas anderes auffallen. Die Lösung des Problems besteht nicht einfach darin, dass Gott die Schlangen vernichtet. Israel hatte darum gebeten, von den Schlangen befreit zu werden, aber die Schlangen blieben. Sie scheinen auch weiterhin eine Bedrohung für das Volk gewesen zu sein, so dass die kupferne Schlange von Israel auf der Wüstenwanderung mitgenommen wurde. Nicht die Bedrohung wird genommen, sondern das Heilmittel wird gegeben. Wenn die Bedrohung bleibt, ist es aber auch klar, dass das einmalige Machtwort Gottes nicht genügen kann. Das Heilmittel muss mit dem Volk mitziehen, um immer da zu sein, wenn es gebraucht wird. Es ist so bleibende Erinnerung an den Abfall Israels und an die Bedrohung, die daraus entstanden ist, und das Heilmittel, das vor den Folgen der Sünde und des Abfalls des Volkes rettet.

Wenn wir die verschiedenen Elemente dieser Geschichte betrachten, wird deutlich, weshalb die kupferne Schlange ein Vorbild des Gekreuzigten sein kann.

Die Bedrohung durch die Sünde und den Abfall von Gott bleibt für uns Menschen bestehen. Gott nimmt sie nicht einfach weg. Sie bleibt und begleitet uns durch die Geschichte der Menschheit. Aber auch der Gekreuzigte begleitet uns nun durch unsere Geschichte. Er ist das Heilmittel, das uns trotz der Sünde Leben schenkt; und wir machen uns dieses Heilmittel zu eigen, indem wir zu ihm aufblicken, anerkennen, was er für uns getan hat, und uns voll Vertrauen an ihn wenden.

ANTWORTPSALM

Ps 78,1–2.34–38ab.39 (℞: vgl 7b)

℞: Vergesst die Taten Gottes nicht!

IV. Ton – GL 205,1

Mein Volk, vernimm meine Weisung! *
Wendet euer Ohr zu den Worten meines Mundes!
Ich öffne meinen Mund zu einem Spruch; *
ich will die Geheimnisse der Vorzeit verkünden. – ℞

Wenn Gott dreinschlug, fragten sie nach ihm, *
kehrten um und suchten ihn.

Sie dachten daran, dass Gott ihr Fels ist, *
Gott, der Höchste, ihr Erlöser. – ℟

Doch sie täuschten ihn mit falschen Worten *
und ihre Zunge belog ihn.
Ihr Herz hielt nicht fest zu ihm, *
sie hielten seinem Bund nicht die Treue. – ℟

Er aber vergab ihnen voll Erbarmen die Schuld *
und tilgte sein Volk nicht aus.
Denn er dachte daran, dass sie nichts sind als Fleisch, *
nur ein Hauch, der vergeht und nicht wiederkehrt. – ℟

Zweite Lesung

Phil 2,6–11

Lesung aus dem Philipperbrief.

Christus Jesus war Gott gleich, hielt aber nicht daran fest, wie Gott zu sein, sondern er entäußerte sich und wurde wie ein Sklave und den Menschen gleich. Sein Leben war das eines Menschen; er erniedrigte sich und war gehorsam bis zum Tod, bis zum Tod am Kreuz.

Darum hat ihn Gott über alle erhöht und ihm den Namen verliehen, der größer ist als alle Namen, damit alle im Himmel, auf der Erde und unter der Erde ihre Knie beugen vor dem Namen Jesu und jeder Mund bekennt: »Jesus Christus ist der Herr« – zur Ehre Gottes, des Vaters. ℣

Das Kreuz war kein Betriebsunfall, wie es mancher gerne sehen würde. Wenn wir der Lesung folgen, dann ist die Menschwerdung und das Leben Jesu eine große Bewegung, die geradlinig bis zum Kreuz führt. Sie folgt einem Plan, der von Gott ausgeht und wieder zu Gott hinführt.

Diese Bewegung wird als Abstieg, als Selbstentäußerung beschrieben, aber sie führt direkt zur Erhöhung. Erniedrigung und Erhöhung sind hier miteinander verbunden und ineinander verschränkt. Das Kreuz wirkt als Vorzeichen, das die Werte ändert, aus Plus Minus macht und aus Minus Plus.

Der Weg Jesu ist auch der Weg der Christen, da wir in seine Nachfolge berufen sind und er der Weg ist, auf dem wir als Christen gehen. Auch für uns gilt die Umwertung durch das Kreuz, durch die das, was Gewinn war, Verlust wird und wir selbst im Verlust gewinnen können. Benedikt spricht daher im 7. Kapitel seiner Regel in paradoxen Formulierungen von dem »höchsten Gipfel der Demut« und von dem Aufstieg durch den Abstieg in Demut.

Die Solidarität mit den Armen und Schwachen unten in der Gesellschaft, das Sich-Einlassen auf ihre Perspektive mag ein Abstieg sein, der Karriere nicht nützen, aber es ist Nachfolge Jesu und führt uns damit mit ihm auch zur Erhöhung. Durch das Kreuz gewinnen wir eine neue Perspektive, die vieles, was allgemein wertvoll und wichtig erscheint, relativiert und das, was unten oder am Rand liegt, in unserem Leben nach oben setzt und ins Zentrum rückt.

Da Jesus Christus den Weg vor uns gegangen ist, können wir sicher sein, dass auch am Ende dessen, was wie ein Abstieg aussieht, nicht ein Abgrund steht, sondern Gottes Hand uns halten will, die tiefer greift und höher reicht, als wir ermessen können, die uns also, solange wir nur an ihr festhalten, zu Gott erhöhen kann.

Ruf vor dem Evangelium

Halleluja. Halleluja.
Wir beten dich an, Herr Jesus Christus, und preisen dich; denn durch dein heiliges Kreuz hast du die Welt erlöst.
Halleluja.

Evangelium

Joh 3,13–17

Aus dem heiligen Evangelium nach Johannes.

In jener Zeit sprach Jesus zu Nikodemus: Niemand ist in den Himmel hinaufgestiegen außer dem, der vom Himmel herabgestiegen ist: der Menschensohn.

Und wie Mose die Schlange in der Wüste erhöht hat, so muss der Menschensohn erhöht werden, damit jeder, der an ihn glaubt, in ihm das ewige Leben hat.

Denn Gott hat die Welt so sehr geliebt, dass er seinen einzigen Sohn hingab, damit jeder, der an ihn glaubt, nicht zugrunde geht, sondern das ewige Leben hat. Denn Gott hat seinen Sohn nicht in die Welt gesandt, damit er die Welt richtet, sondern damit die Welt durch ihn gerettet wird. |F

Die Schlüsselwörter dieses Evangeliums sind nicht, wie wir beim Kreuz erwarten könnten, Tod, Leiden, Strafe und Gericht. Es sind Erhöhung und Rettung, Erhöhung für den Menschensohn Jesus Christus und Rettung statt Gericht für uns.

Johannes sieht das Kreuz, Ostern und die Rückkehr Jesu zum Vater zusammen. Die Erhöhung folgt nicht erst nachträglich auf das Kreuz. Johannes begreift bereits das Kreuz als Erhöhung, als Verherrlichung Jesu durch den Vater und als Verherrlichung des Vaters durch das, was Jesus für uns tut. Er betont die Heilsmacht des Kreuzes. Wie die von Mose erhöhte Schlange in der Wüste den Israeliten Rettung vor dem Tod und eine Fortführung ihres irdischen Lebens brachte, so bringt Jesus, der am Kreuz erhöhte Menschensohn, allen Rettung vor dem ewigen Tod und das ewige Leben, die an ihn glauben.

Der Heilswille Gottes und die Heilsmacht des Kreuzes ist dabei so groß, dass gar nicht mehr Raum oder Notwendigkeit für ein Einzelgericht bleibt. Jesus Christus besitzt in sich das Leben in Fülle, das ewige Leben. Das wird gerade am Kreuz deutlich, und durch ihn und die Gemeinschaft mit ihm gewinnen auch wir das Leben. Es braucht dazu keine vorherige Prüfung, kein Gericht. Wer in die Gemeinschaft mit Jesus tritt, von Jesus in die Lebensgemeinschaft mit ihm aufgenommen wird, der hat in ihm Leben und Rettung. An der Gemeinschaft mit Jesus entscheidet sich alles. Wer diese Gemeinschaft hat, der ist schon gerettet.

FÜRBITTEN

Wir beten zu Jesus Christus, der uns auf dem Weg des Kreuzes vorangegangen ist:

V: Christus, höre uns. A: Christus, erhöre uns.

- Für alle, die um ihres christlichen Glaubens verfolgt, verleumdet und verlacht werden.
- Für die Bevölkerung in den Staaten mit einem diktatorischen Regime.
- Für die Menschen, die für ihre Karriere alles opfern.
- Für jene, die dauernd auf die Hilfe anderer angewiesen sind.
- Für unsere Verstorbenen und alle, die um sie trauern.

Allmächtiger Gott, du bleibst uns nahe auch in Leiden und Not. Höre unser Gebet durch Christus, unseren Herrn. Amen.

GABENGEBET

Herr, unser Gott, dieses heilige Opfer hat auf dem Altar des Kreuzes die Sünde der ganzen Welt hinweggenommen. Es mache auch uns rein von aller Schuld. Darum bitten wir durch Christus, unseren Herrn.

PRÄFATION

Vom Tag

In Wahrheit ist es würdig und recht, dir, Herr, heiliger Vater, allmächtiger, ewiger Gott, immer und überall zu danken. Denn du hast das Heil der Welt auf das Holz des Kreuzes gegründet. Vom Baum des Paradieses kam der Tod, vom Baum des Kreuzes erstand das Leben. Der Feind, der am Holz gesiegt hat, wurde auch am Holze besiegt durch unseren Herrn Jesus Christus. Durch ihn loben die Engel deine Herrlichkeit, beten dich an die Mächte, erbeben die Gewalten. Die Himmel und die himmlischen Kräfte und die seligen Serafim feiern dich jubelnd im Chore. Mit ihrem Lobgesang laß auch unsere Stimmen sich vereinen und voll Ehrfurcht rufen.

Oder: Vom Leiden des Herrn I

In Wahrheit ist es würdig und recht, dir, allmächtiger Vater, zu danken und das Werk deiner Gnade zu rühmen. Denn das Leiden deines Sohnes wurde zum Heil für die Welt. Seine Erlösungstat bewegt uns, deine Größe zu preisen. Im Kreuz enthüllt sich dein Gericht, im Kreuz erstrahlt die Macht des Retters, der sich für uns dahingab, unseres Herrn Jesus Christus. Durch ihn loben dich deine Erlösten und vereinen sich mit den Chören der Engel zum Hochgesang von deiner göttlichen Herrlichkeit.

EINLADUNG ZUM VATERUNSER

Jesus Christus wendet uns neu dem Vater zu. In seiner Erhöhung haben auch wir Anteil an Gottes Reich. So beten wir mit den Worten Jesu: Vater unser im Himmel …

EINLADUNG ZUM FRIEDENSGEBET

Jesus Christus hat uns am Kreuz Frieden mit Gott geschaffen. Wir stellen uns unter sein Kreuz und empfangen dessen Kraft. Deshalb bitten wir: Herr Jesus Christus …

KOMMUNIONVERS Joh 12,32

So spricht der Herr: Wenn ich von der Erde erhöht bin, werde ich alle an mich ziehen.

SCHLUSSGEBET

Herr Jesus Christus, du hast am Holz des Kreuzes der Welt das ewige Leben erworben. Führe uns durch diese Feier, in der wir deinen geopferten Leib empfangen haben, zur Herrlichkeit der Auferstehung. Der du lebst und herrschst in Ewigkeit.

SCHLUSSSEGEN Vom Leiden des Herrn

Der barmherzige Gott, der seinen Sohn für uns dahingegeben und uns in ihm ein Beispiel der Liebe geschenkt hat, segne euch und mache euch bereit, Gott und den Menschen zu dienen.

Und Christus, der Herr, der uns durch sein Sterben dem ewigen Tode entrissen hat, stärke euren Glauben und führe euch zur unvergänglichen Herrlichkeit.

Und allen, die ihm folgen auf dem Weg der Entäußerung, gebe er Anteil an seiner Auferstehung und an seiner Herrlichkeit.

Das gewähre euch der dreieinige Gott, der Vater und der Sohn ✝ und der Heilige Geist.

Gib einem Kind ein hölzernes Kreuz und sage ihm: »Komm, lass uns fliegen!« Dann wird das Kind das Kreuz nehmen, und es als Flugzeug in die Lüfte erheben.

Sag ihm dann: »Lass uns um die Welt fahren!«
Dann wird das Kind Räder darunter bauen und losbrausen.

Sag ihm dann: »Lass uns zum Meer hinaus fahren!«
Dann wird das Kind das Kreuz nehmen, einen Mast und ein Segel daran bauen und damit über das Meer segeln.

Sag ihm dann: »Lass uns ankern!« Dann wird es das Kreuz an einem Band bis auf den Meeresgrund hinunterlassen und das Schiff festmachen.

Lass auch uns endlich verstehen,
dass du der Anker bist, wenn Sturm ist;
das Schiff, wenn wir auf den Wellen reiten müssen;
und das Fahrzeug, wenn uns die Wege,
die wir gehen müssen, zu weit und zu beschwerlich erscheinen,
um zu laufen.

Karin Müller

24. Sonntag im Jahreskreis
16. September 2012

Herr, gib Frieden denen, die auf dich hoffen,
und erweise deine Propheten als zuverlässig.
Erhöre das Gebet deiner Diener und deines Volkes.
Sir 36,18.21–22

Glaube ohne Tat ist tot. Diese Feststellung ist nicht aus dem Blauen gegriffen. Menschen, die ihren Glauben nicht wie eine Standarte vor sich her tragen, sind weniger von Vorurteilen belastet und vielfach offener und bereiter, anderen zu helfen, sich solidarisch zu zeigen. Vermutlich meinen die so genannten Frommen, es genüge für das Reich Gottes, zu glauben und die religiösen Übungen genau einzuhalten. Hat Jesus gegen eine solche Haltung nicht gesagt: An ihren Früchten werdet ihr sie erkennen? Dazu eine kleine Geschichte:

Ein Mensch, der von sich behauptete, ohne Sünde und Schuld zu sein, wurde nach 70 Erdenjahren vor das Gericht Gottes geladen. Wie in einem Film sah er arbeitslose und obdachlose Menschen, geschlagene und missbrauchte Frauen, Kinder mit Hungerbäuchen. Unser Mensch schüttelte den Kopf: »Sorry! Damit habe ich nichts zu schaffen!« Dann sah er Szenen der Gewalt und des Krieges, sterbende Wälder, verseuchte Flüsse. Wieder schüttelte unser Mensch den Kopf: »Damit habe ich nichts zu tun!« Der höchste Richter antwortete voller Abwehr, Ekel und Zorn: »Eben!«

Kyrie-Rufe

Oder: GL 518 · KG 65

Herr Jesus Christus, du rufst uns in deine Nachfolge. Herr, erbarme dich.
Du gibst uns die Kraft, umzukehren und neu anzufangen. Christus, erbarme dich.
Du lehrst uns, in den Armen und Verachteten dich zu erkennen. Herr, erbarme dich.

Gloria (siehe Seite 508)

Tagesgebet

Gott, du Schöpfer und Lenker aller Dinge, sieh gnädig auf uns. Gib, daß wir dir mit ganzem Herzen dienen und die Macht deiner Liebe an uns erfahren. Darum bitten wir durch Jesus Christus.

Erste Lesung

Jes 50,5–9a

Lesung aus dem Buch Jesaja.

Gott, der Herr, hat mir das Ohr geöffnet. Ich aber wehrte mich nicht und wich nicht zurück. Ich hielt meinen Rücken denen hin, die mich schlugen, und denen, die mir den Bart ausrissen, meine Wangen. Mein Gesicht verbarg ich nicht vor Schmähungen und Speichel.

Doch Gott, der Herr, wird mir helfen; darum werde ich nicht in Schande enden. Deshalb mache ich mein Gesicht hart wie einen Kiesel; ich weiß, dass ich nicht in Schande gerate. Er, der mich freispricht, ist nahe. Wer wagt es, mit mir zu streiten? Lasst uns zusammen vortreten! Wer ist mein Gegner im Rechtsstreit? Er trete zu mir heran.

Seht her, Gott, der Herr, wird mir helfen. IF

Prophet sein ist auch in unseren Tagen keine einfache Sache. Wir brauchen nur an die Frauen und Männer zu denken, die sich zu gängigen Ansichten und Lehrmeinungen quer legen, die offen über ihre Träume und Visionen redeten. Sie mussten mehr als ihren Rücken hinhalten. Oft erfolgte, trotz besserer Einsicht, ihre Rehabilitation spät oder nie. Zum Glück greift Gottes Geist, auf den schon die alten Propheten vertraut haben, auch in unserer Zeit, nicht selten auf überraschende Weise ein.

Antwortpsalm

Ps 116,1–6.8–9 (IR: vgl. 9)

IR: Halleluja – oder: Ich gehe meinen Weg vor Gott im Land der Lebenden.

VI. Ton – GL 528,3 · KG 733,2

Ich liebe den Herrn; *
denn er hat mein lautes Flehen gehört
und sein Ohr mir zugeneigt *
an dem Tag, als ich zu ihm rief. – ℟

Mich umfingen die Fesseln des Todes, /
mich befielen die Ängste der Unterwelt, *
mich trafen Bedrängnis und Kummer.
Da rief ich den Namen des Herrn an: *
»Ach Herr, rette mein Leben!« – ℟

Der Herr ist gnädig und gerecht, *
unser Gott ist barmherzig.
Der Herr behütet die schlichten Herzen; *
ich war in Not und er brachte mir Hilfe. – ℟

Ja, du hast mein Leben dem Tod entrissen, /
meine Tränen getrocknet, *
meinen Fuß bewahrt vor dem Gleiten.
So gehe ich meinen Weg vor dem Herrn *
im Land der Lebenden. – ℟

ZWEITE LESUNG — Jak 2,14–18

Lesung aus dem Jakobusbrief.

Meine Brüder, was nützt es, wenn einer sagt, er habe Glauben, aber es fehlen die Werke? Kann etwa der Glaube ihn retten?

Wenn ein Bruder oder eine Schwester ohne Kleidung ist und ohne das tägliche Brot und einer von euch zu ihnen sagt: Geht in Frieden, wärmt und sättigt euch!, ihr gebt ihnen aber nicht, was sie zum Leben brauchen – was nützt das? So ist auch der Glaube für sich allein tot, wenn er nicht Werke vorzuweisen hat. Nun könnte einer sagen: Du hast Glauben und ich kann Werke vorweisen; zeig mir deinen Glauben ohne die Werke und ich zeige dir meinen Glauben aufgrund der Werke. ℣

Glauben und Tun gehören schlicht und einfach zusammen. Wir alle kennen das traurige Bild der »Betschwester« oder des »Betbruders«; Menschen, die vor lauter Frömmigkeit Not, Leid und Hilfsbedürftigkeit übersehen oder sich in religiöse Übungen flüchten, um keine Gelegenheit zum Helfen zu haben.

Man wird andererseits nicht gleich zu einer Mutter Teresa werden. Aber diese bemerkenswerte Frau zeigt, dass sich Religion und Menschenliebe nicht nur vertragen, sondern dass die Menschensorge geradezu das Kennzeichen einer echten Religion ist. Sie hat gesagt: »Wenn wir glauben, werden wir lieben, denn die Liebe ist eine Frucht des Glaubens, und das Dienen ist eine Frucht der Liebe.«

Das Engagement wird in jeder Zeit anders sein, immer wird es den Menschen meinen, in dessen Gesicht der Handelnde und Helfende nach dem Wort Jesu das Angesicht Gottes sieht. Allerdings, das wäre die Gefahr, darf der Mensch nicht als Mittel zum Zweck der Gottesbegegnung missbraucht werden. Hier leuchtet eine ganz andere Art von Religiosität durch.

Ruf vor dem Evangelium — Gal 6,14

Halleluja. Halleluja.
Ich will mich allein des Kreuzes unseres Herrn Jesus Christus rühmen, durch das mir die Welt gekreuzigt ist und ich der Welt.
Halleluja.

Evangelium — Mk 8,27–35

Aus dem heiligen Evangelium nach Markus.

In jener Zeit ging Jesus mit seinen Jüngern in die Dörfer bei Cäsarea Philippi. Unterwegs fragte er die Jünger: Für wen halten mich die Menschen? Sie sagten zu ihm: Einige für Johannes den Täufer, andere für Elija, wieder andere für sonst einen von den Propheten.

Da fragte er sie: Ihr aber, für wen haltet ihr mich? Simon Petrus antwortete ihm: Du bist der Messias! Doch er verbot ihnen, mit jemand über ihn zu sprechen.

Dann begann er, sie darüber zu belehren, der Menschensohn müsse vieles erleiden und von den Ältesten, den Hohenpriestern und den Schriftgelehrten verworfen werden; er werde getötet, aber nach drei Tagen werde er auferstehen. Und er redete ganz offen darüber.

Da nahm ihn Petrus beiseite und machte ihm Vorwürfe. Jesus wandte sich um, sah seine Jünger an und wies Petrus mit den Worten zurecht: Weg mit dir, Satan, geh mir aus den Augen! Denn du hast nicht das im Sinn, was Gott will, sondern was die Menschen wollen.

Er rief die Volksmenge und seine Jünger zu sich und sagte: Wer mein Jünger sein will, der verleugne sich selbst, nehme sein Kreuz auf sich und folge mir nach.

Denn wer sein Leben retten will, wird es verlieren; wer aber sein Leben um meinetwillen und um des Evangeliums willen verliert, wird es retten. |F

Auch wenn uns sehr vieles vertraut vorkommt: Jesus ist eine der rätselhaftesten Gestalten der menschlichen Geschichte. Das Rätsel wird in der Frage, für wen sollen wir ihn halten, ausgesprochen.

Ist er der Messias, der Sohn Gottes, gewesen, wie es die Kirche von ihm sagt? War Jesus ein sterblicher Mensch, wie wir alle, wenn auch in besonderer Weise begabt? Schließen sich diese beiden Antworten gegenseitig aus?

Wir dürfen – bevor wir vorschnell entscheiden – nicht übersehen, dass Jesus jeden Titel abgelehnt hat. Er würde sich heute unter den Heiligen Vätern, Eminenzen und Exzellenzen, Monsignori und Geistlichen Räten ganz schön fremd vorkommen. Wir wissen, dass diese kirchlichen Titel auf der einen Seite die Heraushebung aus der üblichen Masse der Christen bedeuten, auf der anderen ein ganzes Bündel von Neid bei denen zusammenschnüren, die nicht »nichts geworden« sind. Titel sind so oder so ein Machtmittel, über die die Mächtigen verfügen.

Jesus stellt das ewige Bestreben der Menschen, etwas zu sein oder zu werden, auf den Kopf: »Wer sein Leben retten will, wird es verlieren ...« (vgl. Mk 8,35). Das heißt auch: Wer neurotisch darum besorgt sein muss, von den Obrigkeiten nicht übersehen zu werden, wer etwas gelten will, der lebt nicht wirklich. Er wird gelebt – von all denen, die auf ihn Einfluss nehmen und die ihn dorthin lenken können, wohin sie wollen.

Wer nichts werden will, der ist frei. Es klingt paradox: Wer es fertig gebracht hat, auf seiner persönlichen Stufenleiter einen Endpunkt zu setzen, hat gewonnen: nicht nur seelischen Frieden und Selbstsicherheit. Er hat das Leben gewonnen, das von keiner Sucht mehr abhängig ist. Auch die Titelsucht ist ein falsches Suchen nach Anerkennung; sie führt in die Abhängigkeit und schreit nach mehr.

Die Frage Jesu an seine Freunde geht an uns: Für wen haltet ihr mich? Wer sich einmal ein Bild von ihm gemacht hat – oder richtiger: wem erst einmal ein bestimmtes Bild von Jesus gemalt wurde, steht in der Versuchung, ihn in den Dienst der Vorurteile, Überzeugungen und kirchlichen Erwartungen zu nehmen. Jesus wusste, dass Titel und Anreden ihn einengen oder Menschen auf die falschen Geleise bringen konnten. Schon deswegen hat er auf all das verzichtet.

Wenn Jesus von sich sagt, er sei der Menschensohn, dann betont er die tiefe menschliche Art seiner Beziehung zu uns. Das Menschliche dieser Beziehung herauszustellen, bedeutet nicht, dass sie an der Oberfläche bleiben muss, wie wir »menschlich« manchmal gebrauchen. Petrus war für solch schnelle und unüberlegte Antworten bekannt. Dafür musste er sich von Jesus sagen lassen: »Du hast nicht im Sinn, was Gott will.«

Credo (siehe Seite 512)

Fürbitten

Wir wollen beten wie Menschen, die ihrem Glauben auch Taten folgen lassen wollen:

A: Wir bitten dich, erhöre uns.

- Für die Frauen und Männer, die sich auch stellvertretend für uns, in der Nachbarschaftshilfe einsetzen. Erhalte in ihnen die Freude an ihrem Engagement trotz aller Enttäuschungen.

- Für alle, die Familienangehörige pflegen und mithelfen, dass sie in ihren eigenen vier Wänden bleiben und leben können. Schenke ihnen Kraft zum Aushalten und zum Ertragen auch durch unsere Anerkennung.
- Für die Verantwortlichen in Gesellschaft und Politik, dass die sozialen Anliegen nicht nur vor den Wahlen in den Blick kommen. Gib ihnen den Mut, für die Stimmlosen einzustehen.
- Für uns selbst, dass wir nicht achtlos oder gar verachtungsvoll an Hilfesuchenden vorbeigehen. Lass uns nach Möglichkeiten suchen, angemessen zu helfen.

Immer dann zeigst du uns im Gesicht der Menschen dein Angesicht, das auch uns tröstet und weiterhilft durch Jesus Christus an unserer Seite. Amen.

GABENGEBET

Herr, nimm die Gebete und Gaben deiner Kirche an; und was jeder einzelne zur Ehre deines Namens darbringt, das werde allen zum Heil. Darum bitten wir durch Christus, unseren Herrn.

PRÄFATION

Sonntage VIII

In Wahrheit ist es würdig und recht, dir, allmächtiger Vater, zu danken und dein Erbarmen zu rühmen. Die Sünde hatte die Menschen von dir getrennt, du aber hast sie zu dir zurückgeführt durch das Blut deines Sohnes und die Kraft deines Geistes. Wie du eins bist mit dem Sohn und dem Heiligen Geist, so ist deine Kirche geeint nach dem Bild des dreieinigen Gottes. Sie ist dein heiliges Volk, der Leib Christi und der Tempel des Heiligen Geistes zum Lob deiner Weisheit und Liebe. Darum preisen wir dich in deiner Kirche und vereinen uns mit den Engeln und Heiligen zum Hochgesang von deiner göttlichen Herrlichkeit.

EINLADUNG ZUM VATERUNSER

In Jesus Christus erkennen wir den Vater. Wir treten voll Vertrauen zu Gott hin und beten, wie es uns Jesus Christus gelehrt hat: Vater unser im Himmel …

Einladung zum Friedensgebet

Jesus Christus hat Gottes Willen erfüllt. Wir haben oft genug nicht das im Sinn, was Gott will, sondern was die Menschen wollen. Deshalb bitten wir: Herr Jesus Christus …

Kommunionvers 1 Kor 10,16

Der Kelch des Segens, über den wir den Segen sprechen, ist Teilhabe am Blut Christi. Das Brot, das wir brechen, ist Teilhabe am Leib Christi.

Oder: Ps 36,8

Gott, wie köstlich ist deine Huld. Die Menschen bergen sich im Schatten deiner Flügel.

Schlussgebet

Herr, unser Gott, wir danken dir, daß du uns Anteil am Leib und Blut Christi gegeben hast. Laß nicht unser eigenes Streben Macht über uns gewinnen, sondern gib, daß die Wirkung dieses Sakramentes unser Leben bestimmt. Darum bitten wir durch Christus, unseren Herrn.

Schlusssegen Im Jahreskreis VI

Gott, unser Vater, segne euch mit allem Segen des Himmels, damit ihr rein und heilig lebt vor seinem Angesicht.

Er lehre euch durch das Wort der Wahrheit; er bilde euer Herz nach dem Evangelium Christi und gebe euch Anteil an seiner Herrlichkeit.

Er schenke euch jene brüderliche Liebe, an der die Welt die Jünger Christi erkennen soll.

Das gewähre euch der dreieinige Gott, der Vater und der Sohn ✝ und der Heilige Geist.

Wenn er echt ist,
kann der Ungehorsam zum Gehorsam werden,
zum Hören auf Gottes Ruf.
Bischof Jacques Gaillot

Dann ist die Frage, ob die Kirche Mauern nötig hat.

Ob sie Zäune errichten,
Katechismussätze formulieren,
Dogmen verteidigen,
Gesetze erlassen muss?

Wie, wenn Gottes Wort an alledem vorbei erklingt?

Dann geht hinter den Mauern die Sonne auf,
der Zaun trägt frisches Grün,
der Glaube wird jung,
das Gesetz verwandelt sich in Liebe.

Roland Breitenbach

25. Sonntag im Jahreskreis
23. September 2012

Das Heil des Volkes bin ich – so spricht der Herr.
In jeder Not, aus der sie zu mir rufen, will ich sie erhören.
Ich will ihr Herr sein für alle Zeit.

Diese Frage war ein Knackpunkt für die Frauen und Männer um Jesus und ihre Beziehungen zu ihm: Welche Position würden sie im Reich Gottes einnehmen können? – Wie sie möchten auch wir ganz gerne oben sein. Jesus rät dagegen, das Glück und unsere Zufriedenheit unten zu suchen. Wir möchten groß und angesehen sein; er sagt uns, wir sollen wie Kinder sein. Wir wollen möglichst viel erreichen, Jesus rät uns, die Hände offen zu halten, um viel zu empfangen.

Kyrie-Rufe

Oder: GL 522 · KG 50

Herr Jesus Christus, du schenkst den Mut zum Dienst: Herr, erbarme dich.
Du hast den Jüngern die Füße gewaschen und das Zeichen des selbstlosen Dienstes gegeben: Christus, erbarme dich.
Du gibst den Rat, lieber nach unten zu schauen als nach oben: Herr, erbarme dich.

Gloria (siehe Seite 508)

Tagesgebet

Heiliger Gott, du hast uns das Gebot der Liebe zu dir und zu unserem Nächsten aufgetragen als die Erfüllung des ganzen Gesetzes. Gib uns die Kraft, dieses Gebot treu zu befolgen, damit wir das ewige Leben erlangen. Darum bitten wir durch Jesus Christus.

ERSTE LESUNG Weish 2,1a.12.17–20

Lesung aus dem Buch der Weisheit.

Die Frevler tauschen ihre verkehrten Gedanken aus und sagen: Lasst uns dem Gerechten auflauern! Er ist uns unbequem und steht unserem Tun im Weg. Er wirft uns Vergehen gegen das Gesetz vor und beschuldigt uns des Verrats an unserer Erziehung.

Wir wollen sehen, ob seine Worte wahr sind, und prüfen, wie es mit ihm ausgeht. Ist der Gerechte wirklich Sohn Gottes, dann nimmt sich Gott seiner an und entreißt ihn der Hand seiner Gegner.

Roh und grausam wollen wir mit ihm verfahren, um seine Sanftmut kennen zu lernen, seine Geduld zu erproben. Zu einem ehrlosen Tod wollen wir ihn verurteilen; er behauptet ja, es werde ihm Hilfe gewährt. ℹF

Es ist ein grausames Spiel, andere wegen ihrer Gesinnung oder ihres Glaubens gewaltsam auf die Probe zu stellen. Wir sollten uns daran erinnern lassen, dass es nicht wenigen Christen in vielen Ländern unserer Erde so ergeht. Durch das Nichtwahrnehmen, durch Schweigen machen wir uns mitschuldig.

Andererseits legen die geschundenen, gefolterten, ermordeten Christen Zeugnis für unseren Glauben ab.

ANTWORTPSALM Ps 54,3–6.8–9 (ℹR: 6)

ℹR: Gott ist mein Helfer, der Herr beschützt mein Leben.

III. Ton – GL 716,1 · KG 610

Hilf mir, Gott, durch deinen Namen, *
verschaff mir Recht mit deiner Kraft!
Gott, höre mein Flehen, *
vernimm die Worte meines Mundes! – ℹR

Denn es erheben sich gegen mich stolze Menschen, /
freche Leute trachten mir nach dem Leben; *
sie haben Gott nicht vor Augen.

Doch Gott ist mein Helfer, *
der Herr beschützt mein Leben. – ℟

Freudig bringe ich dir dann mein Opfer dar *
und lobe deinen Namen, Herr; denn du bist gütig.
Der Herr hat mich herausgerissen aus all meiner Not *
und mein Auge kann auf meine Feinde herabsehn. – ℟

Zweite Lesung

Jak 3,16 – 4,3

Lesung aus dem Jakobusbrief.

Schwestern und Brüder! Wo Eifersucht und Ehrgeiz herrschen, da gibt es Unordnung und böse Taten jeder Art. Doch die Weisheit von oben ist erstens heilig, sodann friedlich, freundlich, gehorsam, voll Erbarmen und reich an guten Früchten, sie ist unparteiisch, sie heuchelt nicht. Wo Frieden herrscht, wird von Gott für die Menschen, die Frieden stiften, die Saat der Gerechtigkeit ausgestreut.

Woher kommen die Kriege bei euch, woher die Streitigkeiten? Doch nur vom Kampf der Leidenschaften in eurem Innern. Ihr begehrt und erhaltet doch nichts. Ihr mordet und seid eifersüchtig und könnt dennoch nichts erreichen. Ihr streitet und führt Krieg.

Ihr erhaltet nichts, weil ihr nicht bittet. Ihr bittet und empfangt doch nichts, weil ihr in böser Absicht bittet, um es in eurer Leidenschaft zu verschwenden. ℣

Sprachlich ist Eifersucht aus Ehrgeiz und Krankheit zusammengesetzt. Schon dieser Hinweis zeigt die Gefährlichkeit dieser Leidenschaft. Der Ehrgeiz ist meist verbunden mit dem Streben nach Macht und Ruhm und entsprechendem Einsatz der Ellenbogen. Macht und Ansehen vertragen sich mit einem christlichen Leben nicht, auch wenn wir in der Kirche diese negativen Beispiele oft sehr aufdringlich vorfinden. Dagegen stehen die Mahnungen des Verfassers dieses frühchristlichen Briefs.

RUF VOR DEM EVANGELIUM

Vgl. 2 Thess 2,14

Halleluja. Halleluja.
Durch das Evangelium hat Gott uns berufen zur Herrlichkeit Jesu Christi, unseres Herrn.
Halleluja.

EVANGELIUM

Mk 9,30–37

Aus dem heiligen Evangelium nach Markus.

In jener Zeit zogen Jesus und seine Jünger durch Galiläa. Jesus wollte aber nicht, dass jemand davon erfuhr; denn er wollte seine Jünger über etwas belehren. Er sagte zu ihnen: Der Menschensohn wird den Menschen ausgeliefert und sie werden ihn töten; doch drei Tage nach seinem Tod wird er auferstehen. Aber sie verstanden den Sinn seiner Worte nicht, scheuten sich jedoch, ihn zu fragen.

Sie kamen nach Kafarnaum. Als er dann im Haus war, fragte er sie: Worüber habt ihr unterwegs gesprochen? Sie schwiegen, denn sie hatten unterwegs miteinander darüber gesprochen, wer von ihnen der Größte sei.

Da setzte er sich, rief die Zwölf und sagte zu ihnen: Wer der Erste sein will, soll der Letzte von allen und der Diener aller sein. Und er stellte ein Kind in ihre Mitte, nahm es in seine Arme und sagte zu ihnen: Wer ein solches Kind um meinetwillen aufnimmt, der nimmt mich auf; wer aber mich aufnimmt, der nimmt nicht nur mich auf, sondern den, der mich gesandt hat. ǀF

Die harten Brocken, die Jesus den Frauen und Männern, die sich um ihn geschart hatten, vorlegt, wirken bis heute. Sie sind für alle Generationen Prüfsteine auf die Frage: Wie haltet ihr es mit dem Evangelium? Ich befürchte, die Kirche von heute käme bei ihrem Protz und Prunk, vor allem bei ihren klerikalen Stufenleitern und Rangstreitigkeiten nicht gut weg.

Schon die Menschen um Jesus mussten zugeben, dass sie sich für die Posten im Reich Gottes sehr eigenwillige Gedanken gemacht hatten. Sie mussten sich belehren lassen, dass in der Welt

Gottes andere Gesetze gelten als in der Welt der Menschen. Wir in der Kirche müssen uns daran messen lassen, woran wir mehr Anteil haben, an dieser Welt, die von Geld und Ellenbogen regiert wird, oder an der Welt Gottes, die sich die Offenheit und das Vertrauen, aber auch die Kleinheit und Schwäche eines Kindes zum Beispiel nimmt.

So nahe es auch liegt, ich möchte nicht einen kirchlichen Würdenträger oder mich selbst als Gegenbeispiel zum Wort Jesu disqualifizieren. Wer mit dem Finger auf einen anderen Menschen zeigt, auf den weisen drei Finger zurück! Dennoch muss gesagt werden: Viele Vertreter der Kirche demonstrieren ein Machtgehabe, wie es dem Geist Jesu nach für die christliche Religion nicht gut ist. Seit Kaiser Konstantin, wir schreiben das 4. Jahrhundert, scheut man sich nicht, diese Macht sogar »heilig« zu nennen. Ein raffinierter Missbrauch des Wortes, um sich jeder durchaus auch gut gemeinten Kritik zu entziehen.

Die Kirche ist ja nicht nur eine menschliche Organisation, die nach dem Vorbild der römischen Staatskunst, der Feudalherrschaft des Mittelalters und der absoluten Monarchie entstanden und darin weitgehend stecken geblieben ist. Die Kirche ist, so sagt es Bischof Jacques Gaillot, das Feld, das Gott bestellt, seine Familie, sein Volk. Diese Kirche hat ihre Autorität allein von Jesus Christus und nicht von irgendeinem Menschen, und sei es der Papst persönlich.

Wenn sich bis zum heutigen Tag das Wort Jesu: »Wer der Erste sein will, sei der Diener aller«, so wenig durchgesetzt hat, dann liegt das auch daran, dass im Lauf der Kirchengeschichte das eine Volk Gottes in die Kleriker auf der einen Seite und die so genannten Laien auf der anderen Seite gespalten wurde. Die Kleriker wurden zu Ersten, zu den Aktiven, zu den Bestimmenden, die anderen blieben die Letzten, die Passiven, die Gehorchenden in der Kirche. Und das über viele Jahrhunderte.

Diener aller. Das hat mit einem Dienst zu tun, der die Gleichheit aller, der die Partnerschaft aller und die gegenseitige Verantwortung betont. Und das in jenem kindlichen Vertrauen, das aus dem Glauben an Gott kommt, der zu uns wie ein Vater und eine

Mutter ist. Der Schlüssel dafür liegt in dem anderen Wort Jesu, das genau so wenig beachtet wird wie das heutige: »Ihr sollt euch nicht Rabbi, Meister nennen lassen; denn nur einer ist euer Meister, ihr alle seid Geschwister. Auch sollt ihr niemand auf Erden euren Vater nennen; denn nur einer ist euer Vater, der im Himmel« (Mt 23,8f.). Wozu brauchen wir einen »heiligen Vater« auf Erden, wenn wir einen Vater im Himmel und auf Erden haben?

Credo (siehe Seite 512)

Fürbitten

Jesus geht zu uns auf Augenhöhe auch deswegen, damit wir uns nicht über andere erheben. In dieser Bereitschaft wollen wir beten:

V: Herr, erhöre uns. A: Christus, erhöre uns.

- Für die Männer und Frauen, die in der Kirche ein Amt ausüben, dass sie es mit Freude und im Geist des Dienstes tun, den Jesus vorgelebt hat.
- Für die Frauen und Männer, die sich um ein politisches Mandat bewerben, dass sie vor allem die Schwachen im Land im Auge haben und auf die Würde aller Menschen achten.
- Für uns in dieser Gemeinde, dass wir nicht müde werden, wenn es um den Dienst an Menschen geht, die sich allein nicht helfen können.
- Für die nachwachsenden Generationen, dass sie sich an unserer Art den Glauben ins Leben zu übersetzen, ein Beispiel nehmen können.
- Für uns, die wir diesen Gottesdienst mitfeiern, dass wir uns nicht entziehen, wenn ein Mitmensch unsere Hilfe braucht.

Dann entsteht unter uns eine Gemeinschaft, wie sie Jesus gewollt hat, der uns stützt und stärkt. Amen.

Gabengebet

Herr, unser Gott, nimm die Gaben deines Volkes an und gib, daß wir im Geheimnis der heiligen Eucharistie empfangen, was wir im Glauben bekennen. Darum bitten wir durch Christus, unseren Herrn.

Präfation

Sonntage I

In Wahrheit ist es würdig und recht, dir, Herr, heiliger Vater, allmächtiger, ewiger Gott, immer und überall zu danken durch unseren Herrn Jesus Christus. Denn er hat Großes an uns getan: Durch seinen Tod und seine Auferstehung hat er uns von der Sünde und von der Knechtschaft des Todes befreit und zur Herrlichkeit des neuen Lebens berufen. In ihm sind wir ein auserwähltes Geschlecht, dein heiliges Volk, dein königliches Priestertum. So verkünden wir die Werke deiner Macht, denn du hast uns aus der Finsternis in dein wunderbares Licht gerufen. Darum singen wir mit den Engeln und Erzengeln, den Thronen und Mächten und mit all den Scharen des himmlischen Heeres den Hochgesang von deiner göttlichen Herrlichkeit.

Einladung zum Vaterunser

Wir dürfen Gott unseren Vater nennen und darauf vertrauen, dass er sich unser annimmt und uns der Gewalt des Bösen entreißt. Wir beten mit den Worten Jesu: Vater unser im Himmel …

Einladung zum Friedensgebet

Wenn wir nicht mehr um den ersten Platz kämpfen, sondern dem Beispiel Jesu folgen, haben wir den ersten Schritt auf den Frieden hin getan. Deshalb bitten wir: Herr Jesus Christus …

Kommunionvers

Joh 10,14

So spricht der Herr: Ich bin der Gute Hirt, ich kenne die Meinen, und die Meinen kennen mich.

Oder: Ps 119,4–5

Herr, du hast deine Befehle gegeben, damit man sie genau beachtet. Wären doch meine Schritte fest darauf gerichtet, deinen Gesetzen zu folgen.

Schlussgebet

Gott, du wirkst durch Zeichen und erneuerst uns durch deine Sakramente. Gewähre uns deine Hilfe und mache das Werk der Erlösung, das wir gefeiert haben, auch in unserem Leben wirksam. Darum bitten wir durch Christus, unseren Herrn.

Schlusssegen

Im Jahreskreis I

Der Herr segne euch und behüte euch; der Herr lasse sein Angesicht über euch leuchten und sei euch gnädig; er wende euch sein Antlitz zu und schenke euch seinen Frieden.

Das gewähre euch der dreieinige Gott, der Vater und der Sohn ✝ und der Heilige Geist.

Oder: Wettersegen

Gott, der allmächtige Vater, segne euch und schenke euch gedeihliches Wetter; er halte Blitz, Hagel und jedes Unheil von euch fern.

Er segne die Felder, die Gärten und den Wald und schenke euch die Früchte der Erde.

Er begleite eure Arbeit, damit ihr in Dankbarkeit und Freude gebrauchet, was durch die Kräfte der Natur und die Mühe des Menschen gewachsen ist.

Das gewähre euch der dreieinige Gott, der Vater und der Sohn ✝ und der Heilige Geist.

Normal?
Zuschauen.
Unbeteiligt tun.
Wegschauen.
Nicht wahrnehmen wollen.

Ein Christ!
Zeuge sein.
Verantwortung übernehmen.
Tragen und Mittragen.
Das zählt als Mensch,
erst recht als Christ.

Roland Breitenbach

26. Sonntag im Jahreskreis

30. September 2012

Alles, was du uns getan hast, o Herr,
das hast du nach deiner gerechten Entscheidung getan,
denn wir haben gesündigt,
wir haben dein Gesetz übertreten.
Verherrliche deinen Namen und rette uns
nach der Fülle deines Erbarmens.
Vgl. Dan 3,31.29.30.43.42

Du nicht! Du gehörst nicht dazu! Schon Kinder beherrschen dieses »Spiel«. Ob es in der menschlichen Psyche ein Bedürfnis gibt, andere Menschen auszuschließen? Auch die Bibel kennt Beispiele. So wollen der Herrenbruder Jakobus und die Gemeinde in Jerusalem die »Heiden« aus der Gemeinde ausschließen. Begründung: Diese halten nicht die strengen jüdischen Gesetze ein. Paulus kämpft auf dem »Apostelkonzil« vehement gegen diese Ausgrenzung – mit Erfolg! Ob in der Geschichte der Kirche jedes Ausschlussverfahren notwendig gewesen ist? Vielleicht wäre manchmal mehr Vertrauen in das Wirken des Geistes hilfreich gewesen. Denn der Geist weht, wo er will. Und er wirkt oft in Menschen, bei denen man es nicht erwartet. Vorsicht also, wenn es darum geht, anderen ihr Christsein abzusprechen. Um das Wirken des Geistes zu vernehmen, reicht es nicht, nur darauf zu achten, ob sich jemand mit den Lippen zu Christus bekennt. Die Dynamik des Reiches Gottes bindet Menschen ein, von denen man es nicht erwarten würde. Es gibt sie, die Menschen guten Willens, »in deren Herzen die Gnade unsichtbar wirkt«, wie das II. Vatikanische Konzil formuliert (Gaudium et spes Nr. 22). In diesem Sinn sagt Jesus im heutigen Evangelium: »Wer nicht gegen uns ist, der ist für uns.« Das könnte Christen Gelassenheit geben, wenn sie es mit Anders- oder Ungläubigen zu tun haben. Der Geist wirkt – innerhalb und außerhalb der Kirche!

KYRIE-RUFE

Oder: GL 305 · KG 65

Herr Jesus Christus, du bist das Heil Gottes für alle Menschen. Herr, erbarme dich.
Du willst alles in dir zusammenführen und einen. Christus, erbarme dich.
Du schenkst uns deinen Geist, der in uns wirkt und lebt. Herr, erbarme dich.

GLORIA (siehe Seite 508)

TAGESGEBET

Großer Gott, du offenbarst deine Macht vor allem im Erbarmen und im Verschonen. Darum nimm uns in Gnaden auf, wenn uns auch Schuld belastet. Gib, daß wir unseren Lauf vollenden und zur Herrlichkeit des Himmels gelangen. Darum bitten wir durch Jesus Christus.

ERSTE LESUNG

Num 11,25–29

Lesung aus dem Buch Numeri.

In jenen Tagen kam der Herr in der Wolke herab und redete mit Mose. Er nahm etwas von dem Geist, der auf ihm ruhte, und legte ihn auf die siebzig Ältesten. Sobald der Geist auf ihnen ruhte, gerieten sie in prophetische Verzückung, die kein Ende nahm.

Zwei Männer aber waren im Lager geblieben; der eine hieß Eldad, der andere Medad. Auch über sie war der Geist gekommen. Sie standen in der Liste, waren aber nicht zum Offenbarungszelt hinausgegangen. Sie gerieten im Lager in prophetische Verzückung.

Ein junger Mann lief zu Mose und berichtete ihm: Eldad und Medad sind im Lager in prophetische Verzückung geraten. Da ergriff Josua, der Sohn Nuns, der von Jugend an der Diener des Mose gewesen war, das Wort und sagte: Mose, mein Herr, hindere sie daran!

Doch Mose sagte zu ihm: Willst du dich für mich ereifern? Wenn nur das ganze Volk des Herrn zu Propheten würde, wenn nur der Herr seinen Geist auf sie alle legte! ℟

Josua hält es für unmöglich, dass der göttliche Geist auch außerhalb des Heiligtums wirkt. Er lehnt diese Form der »Demokratisierung« ab. Mose, der große Mittler zwischen Gott und dem Volk, widerspricht ihm. Es ist die einzige Meinungsverschiedenheit, die von den beiden großen Männern erzählt wird. Vielleicht fehlt Josua, dem späteren Nachfolger des Mose, einfach noch die Erfahrung mit einem Volk, das seiner eigenen Geistbegabung nicht vertraut. Dabei taucht das Thema Geistsendung immer wieder in der Bibel auf, vor allem bei den Propheten: »Ich habe meinen Geist über das Haus Israel ausgegossen.«, heißt es bei Ezechiel (Ez 39,29). Noch bekannter ist ein Passus beim Propheten Joël: »Danach aber wird es geschehen, dass ich meinen Geist ausgieße über alles Fleisch. Eure Söhne und Töchter werden Propheten sein« (Joel 3,1). Petrus zitiert den Propheten Joel ausführlich in seiner Pfingstpredigt (Apg 2,17–21). Getaufte und gefirmte Christen können diesem Geist Gottes getrost vertrauen. Damit der Seufzer des Mose seine Aktualität verliert: »Wenn nur der Herr seinen Geist auf sie alle legte!«

Antwortpsalm

Ps 19,8.10.12–14 (℟: 9ab)

℟: Die Befehle des Herrn sind richtig; sie erfreuen das Herz.
II. Ton – GL 465 · KG 629

Die Weisung des Herrn ist vollkommen, *
sie erquickt den Menschen.
Das Gesetz des Herrn ist verlässlich, *
den Unwissenden macht es weise. – ℟

Die Furcht des Herrn ist rein, *
sie besteht für immer.
Die Urteile des Herrn sind wahr, *
gerecht sind sie alle. – ℟

Auch dein Knecht lässt sich von ihnen warnen; *
wer sie beachtet, hat reichen Lohn.
Wer bemerkt seine eigenen Fehler? *
Sprich mich frei von Schuld, die mir nicht bewusst ist! – ℟

Behüte deinen Knecht auch vor vermessenen Menschen; *
sie sollen nicht über mich herrschen.
Dann bin ich ohne Makel *
und rein von schwerer Schuld. – ℟

Zweite Lesung

Jak 5,1–6

Lesung aus dem Jakobusbrief.

Ihr Reichen, weint nur und klagt über das Elend, das euch treffen wird.

Euer Reichtum verfault und eure Kleider werden von Motten zerfressen. Euer Gold und Silber verrostet; ihr Rost wird als Zeuge gegen euch auftreten und euer Fleisch verzehren wie Feuer.

Noch in den letzten Tagen sammelt ihr Schätze. Aber der Lohn der Arbeiter, die eure Felder abgemäht haben, der Lohn, den ihr ihnen vorenthalten habt, schreit zum Himmel; die Klagerufe derer, die eure Ernte eingebracht haben, dringen zu den Ohren des Herrn der himmlischen Heere.

Ihr habt auf Erden ein üppiges und ausschweifendes Leben geführt und noch am Schlachttag habt ihr euer Herz gemästet. Ihr habt den Gerechten verurteilt und umgebracht, er aber leistete euch keinen Widerstand. ℣

Die biblische Kritik am Reichtum ist hart. Sie erklärt sich – wie hier im Jakobusbrief – im Kern aus dem Gegenüber von Reichtum und Armut. Wenn Gott Vater aller Menschen ist, dann sind die Menschen Geschwister. Dann geht es nicht an, dass einige ihren Reichtum horten und die anderen nicht genug zum Leben haben. So heißt es im Magnifikat, dem Lobgesang der Maria: »Die Hungernden beschenkt er mit seinen Gaben, und lässt die Reichen leer ausgehen.«

An Gott zu glauben heißt, den Gedanken universaler Gerechtigkeit und Solidarität nicht aufzugeben. Dass alle leben können und ihre Würde anerkannt wird, das hat Jesus immer wieder in den Bildern und Gleichnissen vom Reich Gottes deutlich gemacht. Heute verfügt das reichste Fünftel der Welt über 82 % des Welteinkommens, das ärmste Fünftel gerade mal etwas mehr als 1 %. Auch wenn diese Verteilung oft als »normal« und unabänderlich angesehen wird: Die biblischen Texte lassen es nicht zu, sich daran zu gewöhnen.

RUF VOR DEM EVANGELIUM — Vgl. Joh 17,17

Halleluja. Halleluja.
Dein Wort, o Herr, ist Wahrheit; heilige uns in der Wahrheit!
Halleluja.

EVANGELIUM — Mk 9,38–43.45.47–48

Aus dem heiligen Evangelium nach Markus.

In jener Zeit sagte Johannes, einer der Zwölf, zu Jesus: Meister, wir haben gesehen, wie jemand in deinem Namen Dämonen austrieb; und wir versuchten, ihn daran zu hindern, weil er uns nicht nachfolgt.

Jesus erwiderte: Hindert ihn nicht! Keiner, der in meinem Namen Wunder tut, kann so leicht schlecht von mir reden. Denn wer nicht gegen uns ist, der ist für uns. Wer euch auch nur einen Becher Wasser zu trinken gibt, weil ihr zu Christus gehört – amen, ich sage euch: er wird nicht um seinen Lohn kommen.

Wer einen von diesen Kleinen, die an mich glauben, zum Bösen verführt, für den wäre es besser, wenn er mit einem Mühlstein um den Hals ins Meer geworfen würde.

Wenn dich deine Hand zum Bösen verführt, dann hau sie ab; es ist besser für dich, verstümmelt in das Leben zu gelangen, als mit zwei Händen in die Hölle zu kommen, in das nie erlöschende Feuer.

Und wenn dich dein Fuß zum Bösen verführt, dann hau ihn ab; es ist besser für dich, verstümmelt in das Leben zu gelangen, als mit zwei Füßen in die Hölle geworfen zu werden.

Und wenn dich dein Auge zum Bösen verführt, dann reiß es aus; es ist besser für dich, einäugig in das Reich Gottes zu kommen, als mit zwei Augen in die Hölle geworfen zu werden, wo ihr Wurm nicht stirbt und das Feuer nicht erlischt. IF

Anderen gegenüber großzügig, sich selbst gegenüber aber konsequent: So könnte man die »Strategie« Jesu auf den Punkt bringen. Es ist nicht Aufgabe der Jünger, darüber zu urteilen, ob »Nichtchristen« im Sinne des Reiches Gottes handeln. Solche Bemühungen gehen in die falsche Richtung. Die Jünger sollten vielmehr auf sich selbst schauen. Halten sie durch ihr Verhalten andere von Jesus fern bzw. verführen sie zum Bösen? Darauf kommt es an. Mit den »Kleinen« sind nicht Kinder gemeint, sondern die Geringen und Unterprivilegierten. Sie sollen aufgrund des Fehlverhaltens der Jünger nicht aus der Gemeinde herausfallen. Das gute Zeugnis, die gelebte Nachfolge der Jünger ist also gefragt und besonders wichtig für die Schwachen. Diese Nachfolge macht aber auch angreifbar, sie kann zu Verfolgung führen. Daher ist ein Glas Wasser, das ihnen ein anderer reicht, mehr als nur ein Glas Wasser: Es ist ein wichtiges Zeichen der Solidarität mit den Jüngerinnen und Jüngern Jesu.

Credo (siehe Seite 512)

Fürbitten

Guter Gott, dein Geist setzt Menschen überall auf der Welt in Bewegung. Wir bitten dich:

A: Wir bitten dich, erhöre uns.

- Für alle, die sich in ihren Gemeinden dafür einsetzen, dass die Menschen die Wirklichkeit des Reiches Gottes erfahren.
- Für diejenigen, die sich für ein gutes Miteinander von Christen und Nichtchristen bemühen.
- Für alle, die sich im Rahmen diakonischer Einrichtungen für die Armen und Schwachen einsetzen.

– Für uns selbst bitten wir, dass wir das Wirken deines Geistes innerhalb und auch außerhalb der Kirche erkennen.

Gott, wir danken dir für den Geist, der uns lebendig macht, durch Christus unseren Herrn. Amen.

Gabengebet

Barmherziger Gott, nimm unsere Gaben an und öffne uns in dieser Feier die Quelle, aus der aller Segen strömt. Darum bitten wir durch Christus, unseren Herrn.

Präfation

Sonntage II

In Wahrheit ist es würdig und recht, dir, allmächtiger Vater, zu danken und das Werk deiner Gnade zu rühmen durch unseren Herrn Jesus Christus. Denn aus Erbarmen mit uns sündigen Menschen ist er Mensch geworden aus Maria, der Jungfrau. Durch sein Leiden am Kreuz hat er uns vom ewigen Tod befreit und durch seine Auferstehung uns das unvergängliche Leben erworben. Darum preisen dich deine Erlösten und singen mit den Chören der Engel das Lob deiner Herrlichkeit.

Einladung zum Vaterunser

Gott ist der Vater aller Menschen. Er wirkt auch verborgen im Inneren des Menschen. Wir beten mit den Worten Jesu: Vater unser im Himmel …

Einladung zum Friedensgebet

Als Christen sollen wir niemanden ausschließen, sondern alle zu Christus führen. Deshalb bitten wir: Herr Jesus Christus …

Kommunionvers

Vgl. 1 Joh 3,16

Die Liebe Gottes haben wir daran erkannt, daß Christus sein Leben für uns gegeben hat. So müssen auch wir das Leben hingeben für die Brüder.

Oder: Ps 119,49–50

Herr, denk an das Wort für deinen Knecht, durch das du mir Hoffnung gabst! Sie ist mein Trost im Elend.

SCHLUSSGEBET

Allmächtiger Gott, in der Feier der Eucharistie haben wir den Tod des Herrn verkündet. Dieses Sakrament stärke uns an Leib und Seele und mache uns bereit, mit Christus zu leiden, damit wir auch mit ihm zur Herrlichkeit gelangen, der mit dir lebt und herrscht in alle Ewigkeit.

SCHLUSSSEGEN

Im Jahreskreis II

Der Friede Gottes, der alles Begreifen übersteigt, bewahre eure Herzen und eure Gedanken in der Gemeinschaft mit Christus Jesus.

Das gewähre euch der dreieinige Gott, der Vater und der Sohn ☩ und der Heilige Geist.

Oder: Wettersegen

Gott, der allmächtige Vater, segne euch und schenke euch gedeihliches Wetter; er halte Blitz, Hagel und jedes Unheil von euch fern.

Er segne die Felder, die Gärten und den Wald und schenke euch die Früchte der Erde.

Er begleite eure Arbeit, damit ihr in Dankbarkeit und Freude gebrauchet, was durch die Kräfte der Natur und die Mühe des Menschen gewachsen ist.

Das gewähre euch der dreieinige Gott, der Vater und der Sohn ☩ und der Heilige Geist.

Wenn nur der Herr
seinen Geist
legte auf alle
die resigniert haben
mutlos geworden sind
keine Ideen mehr haben

Menschen
die von sich absehen
von etwas Größerem gepackt
träumend vom Reich Gottes
zugleich energisch und engagiert
ohne alles besser zu wissen
sich gegenseitig ernst nehmen
ihre Ratlosigkeit teilen
und wenn es sein muss
aufbegehren

Wenn nur der Herr
seinen Geist
legte auf alle
man müsste
es spüren können
vielleicht hat er es
ja längst getan

Guido Groß

27. Sonntag im Jahreskreis
7. Oktober 2012

Deiner Macht ist das All unterworfen, Herr,
und niemand kann sich dir widersetzen;
denn du hast Himmel und Erde gemacht
und alles, was wir unter dem Himmel bestaunen.
Du bist der Herr über alles.
Est 13,9–11 (Vulgata)

Eigentlich, sollte man meinen, braucht Liebe keine Gesetze. Das dachte wohl auch Hermann Hesse, und bekannte doch später: »Als junger Mensch wäre ich ohne weiteres dafür gewesen, dass man eine Ehe weder kirchlich einsegnet noch amtlich beglaubigt, es hätte mir richtiger erschienen, das Leben in der Ehe dem Gewissen jedes Einzelnen zu überlassen. Mit den Jahren habe ich aber gesehen, dass es besser sei, das Schließen oder Wiedertrennen von Ehe nicht einzig der Laune der Liebespaare zu überlassen.« Leider garantieren aber weder staatliche noch kirchliche Ehegesetze, dass das Zusammenleben von Mann und Frau gelingt. Trotz des Scheiterns vieler Ehen (und auch nichtehelicher Gemeinschaften!) tut es gut, sich an die biblischen Texte zu erinnern. Der Schöpfungsbericht macht klar: Gegen die Einsamkeit helfen dem Menschen nicht die Tiere, obwohl sie aus dem gleichen Stoff gemacht sind wie er. Gegen die Einsamkeit hilft nicht einmal Gott, sondern nur ein Wesen, das dem Menschen ebenbürtig ist, »Fleisch von seinem Fleisch«. Erst in diesem Gegenüber wird der Mensch zum Mensch.

Kyrie-Rufe

Oder: GL 524 · KG 60,5

Herr Jesus Christus, du hast die Ehe gesegnet. Herr, erbarme dich.
In dir erkennen wir Gottes Liebe. Christus, erbarme dich.
Du machst uns fähig zu Liebe und Treue. Herr, erbarme dich.

GLORIA (siehe Seite 508)

TAGESGEBET

Allmächtiger Gott, du gibst uns in deiner Güte mehr, als wir verdienen, und Größeres, als wir erbitten. Nimm weg, was unser Gewissen belastet, und schenke uns jenen Frieden, den nur deine Barmherzigkeit geben kann. Darum bitten wir durch Jesus Christus.

ERSTE LESUNG Gen 2,18–24

Lesung aus dem Buch Genesis.

Gott, der Herr, sprach: Es ist nicht gut, dass der Mensch allein bleibt. Ich will ihm eine Hilfe machen, die ihm entspricht.

Gott, der Herr, formte aus dem Ackerboden alle Tiere des Feldes und alle Vögel des Himmels und führte sie dem Menschen zu, um zu sehen, wie er sie benennen würde. Und wie der Mensch jedes lebendige Wesen benannte, so sollte es heißen. Der Mensch gab Namen allem Vieh, den Vögeln des Himmels und allen Tieren des Feldes. Aber eine Hilfe, die dem Menschen entsprach, fand er nicht.

Da ließ Gott, der Herr, einen tiefen Schlaf auf den Menschen fallen, sodass er einschlief, nahm eine seiner Rippen und verschloss ihre Stelle mit Fleisch. Gott, der Herr, baute aus der Rippe, die er vom Menschen genommen hatte, eine Frau und führte sie dem Menschen zu. Und der Mensch sprach: Das endlich ist Bein von meinem Bein und Fleisch von meinem Fleisch. Frau soll sie heißen, denn vom Mann ist sie genommen.

Darum verlässt der Mann Vater und Mutter und bindet sich an seine Frau und sie werden e i n Fleisch. IF

Die Erschaffung der Frau aus der Rippe darf nicht als ein Zeichen der Minderwertigkeit der Frau missverstanden werden. Im Gegenteil: Während der Mensch (später Mann genannt) wie die Tiere aus Erde gemacht ist, ist die Frau aus »edlerem« Stoff geformt. Sie ist das Wesen, »das aus der Wunde seines Herzens Gestalt gewinnt … in allem wie er selbst und dennoch ganz anders« (Drewermann). Im Bild der Rippe kommt also sehr schön zum Ausdruck, warum Mann und Frau so eng aufeinander bezogen sind. Wenn heute der Konkurrenzkampf fast alle Lebensbereiche erreicht, so erinnert der Schöpfungsbericht daran: Es kommt nicht darauf an, immer nur besser und schneller als der andere zu sein. Menschen brauchen einander, sie sind aufeinander angewiesen. Es ist das Schönste, was einem Menschen im Leben passieren kann: einen Partner oder eine Partnerin gefunden zu haben, die ihm oder ihr »entspricht«.

Antwortpsalm

Ps 128 (IR. vgl. 5)

IR: Der Herr segne uns alle Tage unseres Lebens.

V. Ton – GL 477

Wohl dem Mann, der den Herrn fürchtet und ehrt *
und der auf seinen Wegen geht!
Was deine Hände erwarben, kannst du genießen; *
wohl dir, es wird dir gut ergehn. – IR

Wie ein fruchtbarer Weinstock ist deine Frau *
drinnen in deinem Haus.
Wie junge Ölbäume sind deine Kinder *
rings um deinen Tisch. – IR

So wird der Mann gesegnet, der den Herrn fürchtet und ehrt. *
Es segne dich der Herr vom Zion her.
Du sollst dein Leben lang das Glück Jerusalems schauen /
und die Kinder deiner Kinder sehn. *
Frieden über Israel! – IR

Zweite Lesung

Hebr 2,9–11

Lesung aus dem Hebräerbrief.

Schwestern und Brüder! Den, der nur für kurze Zeit unter die Engel erniedrigt war, Jesus, ihn sehen wir um seines Todesleidens willen mit Herrlichkeit und Ehre gekrönt; es war nämlich Gottes gnädiger Wille, dass er für alle den Tod erlitt.

Denn es war angemessen, dass Gott, für den und durch den das All ist und der viele Söhne zur Herrlichkeit führen wollte, den Urheber ihres Heils durch Leiden vollendete.

Denn er, der heiligt, und sie, die geheiligt werden, stammen alle von Einem ab; darum scheut er sich nicht, sie Brüder zu nennen. IF

Der Hebräerbrief wird nicht müde, die Menschlichkeit Jesu zu betonen. Jesus nahm auch die Schwächen und Unvollkommenheiten der Menschen auf sich. Er litt Schmerzen und wurde getötet. In allem war und blieb er solidarisch mit anderen Menschen. Genau das macht ihn zum wahren Mittler zwischen Gott und den Menschen. Keine himmlischen Geistwesen retten den Menschen, sondern Jesus, weil er sich vom Menschlichen nicht ferngehalten hat. Jesus schämte sich nicht, Bruder der Menschen zu sein. Damit hat er unter allen Menschen eine neue Geschwisterlichkeit begründet. Und lädt alle Menschen dazu ein, als Brüder und Schwestern zu leben.

RUF VOR DEM EVANGELIUM 1 Joh 4,12b

Halleluja. Halleluja.
Wenn wir einander lieben, bleibt Gott in uns und seine Liebe ist in uns vollendet.
Halleluja.

EVANGELIUM Mk 10,2–16 (Kf: 10,2–12)

Aus dem heiligen Evangelium nach Markus.

In jener Zeit kamen Pharisäer zu Jesus und fragten: Darf ein Mann seine Frau aus der Ehe entlassen? Damit wollten sie ihm eine Falle stellen.

Er antwortete ihnen: Was hat euch Mose vorgeschrieben? Sie sagten: Mose hat erlaubt, eine Scheidungsurkunde auszustellen und die Frau aus der Ehe zu entlassen.

Jesus entgegnete ihnen: Nur weil ihr so hartherzig seid, hat er euch dieses Gebot gegeben. Am Anfang der Schöpfung aber hat Gott sie als Mann und Frau geschaffen. Darum wird der Mann Vater und Mutter verlassen, und die zwei werden e i n Fleisch sein. Sie sind also nicht mehr zwei, sondern eins. Was aber Gott verbunden hat, das darf der Mensch nicht trennen.

Zu Hause befragten ihn die Jünger noch einmal darüber. Er antwortete ihnen: Wer seine Frau aus der Ehe entlässt und eine andere heiratet, begeht ihr gegenüber Ehebruch. Auch eine Frau begeht Ehebruch, wenn sie ihren Mann aus der Ehe entlässt und einen anderen heiratet. ⬅

Da brachte man Kinder zu ihm, damit er ihnen die Hände auflegte. Die Jünger aber wiesen die Leute schroff ab.

Als Jesus das sah, wurde er unwillig und sagte zu ihnen: Lasst die Kinder zu mir kommen; hindert sie nicht daran! Denn Menschen wie ihnen gehört das Reich Gottes. Amen, das sage ich euch: Wer das Reich Gottes nicht so annimmt, wie ein Kind, der wird nicht hineinkommen. Und er nahm die Kinder in seine Arme; dann legte er ihnen die Hände auf und segnete sie. IF

Irgendwie reden sie aneinander vorbei. Die Pharisäer stellen zur Ehescheidung eine juristische Frage, und Jesus antwortet ihnen theologisch. Natürlich kennt auch Jesus die einschlägigen Bestimmungen. Ehescheidung war nach jüdischem Recht möglich, die Männer hatten dabei die eindeutig besseren Karten. Ein Mann konnte seine Frau wegschicken, wenn er sich von ihr trennen wollte. Um Frauen zumindest ein wenig vor der Willkür der Männer zu schützen, musste der Mann ihr allerdings eine Scheidungsurkunde ausstellen. Eine Frau konnte das umgekehrt nicht so einfach – es sei denn, sie konnte vor Gericht nachweisen, dass der Mann ihren elementaren Bedürfnissen nicht nachgekommen war. Jesus lässt sich erst gar nicht auf einen Gesetzesdisput ein. Gesetze können nun einmal nicht garantieren, dass Menschen so zusammenleben, wie Gott es gemeint hat. Dort, wo Hartherzigkeit regiert, helfen Gesetze sowieso nicht weiter. Jesus ruft die Schöpfungsordnung in Erinnerung: Mann und Frau sind Geschöpfe Gottes, ebenbürtige Gefährten, aufeinander hingeordnet, um in Liebe und Treue eins zu werden – und doch zwei zu bleiben. Diese tiefe Verbundenheit darf der Mensch nicht in Frage stellen. Das entbindet aber die Kirche nicht von der Aufgabe, für diejenigen barmherzige Regelungen zu finden, deren Ehe gescheitert ist.

CREDO (siehe Seite 512)

FÜRBITTEN

Guter Gott, du hast uns Menschen nach deinem Bild geschaffen. Wir bitten dich:

A: Wir bitten dich, erhöre uns.

- Für alle, die ihre Ehe im Zeichen der Treue zu allen Menschengeschwistern leben. Sei ihnen nahe und lass ihre Hoffnungen in Erfüllung gehen.
- Für alle, deren Träume einer Partnerschaft sich nicht erfüllt haben. Lass sie Menschen finden, die sie aufrichtig begleiten.
- Für die Kirchen, die sich auf das Leben, den Tod und die Auferstehung Christi berufen. Lehre sie, ihre jeweiligen Traditionen gemeinsam für den Aufbau des Reiches Gottes einzusetzen.
- Für die Kinder und Jugendlichen, denen seelische und körperliche Gewalt angetan wird. Sende ihnen Menschen, die ihre Leiden spüren und beenden.

Gott, in schwierigen Lebenssituationen vertrauen wir auf deine Güte und Barmherzigkeit. Sei uns Halt und Hoffnung auf unseren Wegen. Amen.

GABENGEBET

Allmächtiger Gott, nimm die Gaben an, die wir nach deinem Willen darbringen. Vollende in uns das Werk der Erlösung und der Heiligung durch die Geheimnisse, die wir zu deiner Verherrlichung feiern. Darum bitten wir durch Christus, unseren Herrn.

Einladung zum Vaterunser

Gott schenkt uns als seinen Kindern sein Reich. Wir wollen es ohne Vorbehalte und in Liebe annehmen und beten mit den Worten Jesu: Vater unser im Himmel …

Einladung zum Friedensgebet

Gott hat uns als eine Familie geschaffen, die zusammenstehen und sich helfen soll. Deshalb bitten wir: Herr Jesus Christus …

Präfation

Sonntage III

In Wahrheit ist es würdig und recht, dir, Herr, heiliger Vater, allmächtiger, ewiger Gott, immer und überall zu danken. Denn wir erkennen deine Herrlichkeit in dem, was du an uns getan hast: Du bist uns mit der Macht deiner Gottheit zu Hilfe gekommen und hast uns durch deinen menschgewordenen Sohn Rettung und Heil gebracht aus unserer menschlichen Sterblichkeit. So kam uns aus unserer Vergänglichkeit das unvergängliche Leben durch unseren Herrn Jesus Christus. Durch ihn preisen wir jetzt und in Ewigkeit dein Erbarmen und singen mit den Chören der Engel das Lob deiner Herrlichkeit.

Kommunionvers

Vgl. 1 Kor 10,17

E i n Brot ist es, darum sind wir viele e i n Leib. Denn wir alle haben teil an dem einen Brot und dem einen Kelch.

Oder: Klgl 3,25

Gut ist der Herr zu dem, der auf ihn hofft, zur Seele, die ihn sucht.

Schlussgebet

Gott und Vater, du reichst uns das Brot des Lebens und den Kelch der Freude. Gestalte uns nach dem Bild deines Sohnes, der im Sakrament unsere Speise geworden ist. Darum bitten wir durch ihn, Christus, unseren Herrn.

SCHLUSSSEGEN

Im Jahreskreis III

Der allmächtige Gott gewähre euch Segen und Heil; er offenbare euch die Wege seiner Weisheit.

Er stärke euren Glauben durch sein Wort und schenke euch die Gnade, nach seinen Geboten zu leben, damit in allem sein Wille geschehe.

Er lenke eure Schritte auf den Weg des Friedens; er mache euch beharrlich im Guten und vollende euch in der Liebe.

Das gewähre euch der dreieinige Gott, der Vater und der Sohn ✝ und der Heilige Geist.

Unter Druck
flexibel sein zu müssen
und ungebunden
wächst die Sehnsucht
ein DU zu finden
für alle Zeit

Auch wenn es
ein Wagnis bleibt
freiwillig abhängig zu sein
sie ist zu schön
die Hoffnung
dass es das geben könnte
füreinander bestimmt
in guten und
bösen Tagen

Ohne Angst
vor Bindung
ohne Angst
zu verlieren
die eigene kleine Freiheit
entschlossen
zu schützen
die Freiheit
des anderen

Welch ein Glück
dem Menschen zugedacht
von Anfang an

Guido Groß

28. Sonntag im Jahreskreis

14. Oktober 2012

Würdest du, Herr, unsere Sünden beachten,
Herr, wer könnte bestehen?
Doch bei dir ist Vergebung, Gott Israels.
Ps 130,3–4

Es gibt Länder, auf die passt das biblische Bild vom reichen Prasser und vom armen Lazarus. El Salvador ist ein solches Land. Wer in einer solchen Situation die extreme soziale Ungleichheit beim Namen nennt, lebt gefährlich. Bischof Oscar Romero war sich jedenfalls der tödlichen Gefahr bewusst, als er in einer Predigt sagte: »Ich klage vor allem die Verabsolutierung des Reichtums an. Das ist das größte Übel in El Salvador: der Reichtum, das Privateigentum als etwas unantastbar Absolutes. Wehe dem, der diese Hochspannungsleitung berührt. Er verbrennt.« Mit solchen Worten zog sich der Bischof die Feindschaft der reichen Oberschicht zu. Er ließ jedoch den Vorwurf, gegen die Reichen zu sein, nicht auf sich sitzen: »Gott möchte auch das Heil der Reichen, doch genau weil er ihr Heil möchte, sagt er ihnen, dass sie nicht gerettet werden können, wenn sie sich nicht zu Christus bekehren, der in den Armen lebt.« Diese Bekehrung zu den Armen hatte er im Lauf der Zeit selbst vollzogen. Sie verlangt wesentlich mehr als Wohltätigkeit und Almosen. Es geht um eine Bekehrung, die die Situation des Armen so ernst nimmt, dass sie mit ganz konkreten Veränderungen verbunden ist. Wie das Beispiel des jungen Mannes im heutigen Evangelium zeigt, ist genau das aber einfacher gesagt als getan.

Kyrie-Rufe — GL 429 · KG 53

Herr Jesus Christus, du rufst alle Menschen zur Umkehr. Herr, erbarme dich.
Du zeigst uns, dass wir alle Geschwister sind. Christus, erbarme dich.
Du willst unsere Solidarität mit den Armen. Herr, erbarme dich.

Gloria (siehe Seite 508)

Tagesgebet

Herr, unser Gott, deine Gnade komme uns zuvor und begleite uns, damit wir dein Wort im Herzen bewahren und immer bereit sind, das Gute zu tun. Darum bitten wir durch Jesus Christus.

Erste Lesung Weish 7,7–11

Lesung aus dem Buch der Weisheit.

Ich betete und es wurde mir Klugheit gegeben; ich flehte und der Geist der Weisheit kam zu mir. Ich zog sie Zeptern und Thronen vor, Reichtum achtete ich für nichts im Vergleich mit ihr.

Keinen Edelstein stellte ich ihr gleich; denn alles Gold erscheint neben ihr wie ein wenig Sand und Silber gilt ihr gegenüber so viel wie Lehm.

Ich liebte sie mehr als Gesundheit und Schönheit und zog ihren Besitz dem Lichte vor; denn niemals erlischt der Glanz, der von ihr ausstrahlt.

Zugleich mit ihr kam alles Gute zu mir, unzählbare Reichtümer waren in ihren Händen.

Wenn sich menschliche Klugheit und göttliche Weisheit verbinden, ist das ein Segen für die Menschen. Das zeigen die biblischen Gestalten Josef und Salomo. Josef betrieb in Ägypten eine kluge Wirtschaftspolitik. König Salomo war für seine klugen Urteile bekannt. Beide hatten einen gesunden Menschenverstand; zugleich aber waren sie Menschen, die sich redlich um göttliche Weisheit bemühten. Diese göttliche Weisheit beginnt für die Bibel mit der Ehrfurcht vor Gott. Ein Mensch, der Gottes Macht und Größe, seine Barmherzigkeit und Güte fürchtet und ehrt, ist kaum mehr verführbar von den Götzen der Welt, ob sie jetzt Reichtum, Schönheit oder Gesundheit heißen. Wer die Ehrfurcht vor Gott also wirklich an die erste Stelle in seinem Leben setzt, darf getrost seinem gesunden Menschenverstand vertrauen. Der moderne Gegensatz, dass ein vernünftiger Mensch nicht an Gott glauben kann, existiert für die Bibel nicht. Für die Bibel trennt die menschliche Vernunft den Menschen nicht von Gott. In Verbindung mit der göttlichen Weisheit ist sie vielmehr eine von Gott geschenkte Gabe, die uns hilft, die Welt nach dem Willen Gottes zu gestalten.

ANTWORTPSALM

Ps 90,12–17 (℟: vgl. 14)

℟: Sättige uns, Herr, mit deiner Huld! Dann werden wir jubeln und uns freuen.

VI. Ton – GL 712,1 · KG 607

Unsre Tage zu zählen, lehre uns! *
Dann gewinnen wir ein weises Herz.
Herr, wende dich uns doch endlich zu! *
Hab Mitleid mit deinen Knechten! – ℟

Sättige uns am Morgen mit deiner Huld! *
Dann wollen wir jubeln und uns freuen all unsre Tage.
Erfreue uns so viele Tage, wie du uns gebeugt hast, *
so viele Jahre, wie wir Unglück erlitten. – ℟

Zeig deinen Knechten deine Taten *
und ihren Kindern deine erhabene Macht!
Es komme über uns die Güte des Herrn, unsres Gottes. /
Lass das Werk unsrer Hände gedeihen, *
ja, lass gedeihen das Werk unsrer Hände! – ℟

ZWEITE LESUNG

Hebr 4,12–13

Lesung aus dem Hebräerbrief.

Lebendig ist das Wort Gottes, kraftvoll und schärfer als jedes zweischneidige Schwert; es dringt durch bis zur Scheidung von Seele und Geist, von Gelenk und Mark; es richtet über die Regungen und Gedanken des Herzens; vor ihm bleibt kein Geschöpf verborgen, sondern alles liegt nackt und bloß vor den Augen dessen, dem wir Rechenschaft schulden.

Der Mensch lebt nicht allein vom Brot (Mt 4,4). Er lebt genauso von jedem Wort, das aus dem Mund Gottes kommt. Drei markante Eigenschaften schreibt der Hebräerbrief diesem Wort Gottes zu. Erstens ist es lebendig. Als Schöpfermacht Gottes ruft es alles ins Leben. Zweitens ist das Wort Gottes kraftvoll. Es gibt dem Leben von Menschen eine völlig neue Richtung, wie das Beispiel des Abraham zeigt. Es heilt Krankheit, wie es im Bekenntnis des römischen Soldat zum Ausdruck kommt: »Sprich nur ein Wort, so wird mein Knecht gesund« (Mt 8,8). Drittens ist das Wort Gottes »scharf«, schärfer als ein Schlachtmesser, wie es wörtlich sogar heißt. Es trennt und unterscheidet. Wo es um das Leben und Überleben von Menschen geht, bleibt Gottes Wort nicht neutral. Es ergreift Partei für Arme und Gebeugte. Es lässt nicht zu, dass Unterdrückung und Ausbeutung das letzte Wort haben. Es stellt die Menschen vor die Wahl, sich entweder für den Gott des Lebens oder die Götzen des Todes zu entscheiden.

RUF VOR DEM EVANGELIUM — Mt 5,3

Halleluja. Halleluja.
Selig, die arm sind vor Gott; denn ihnen gehört das Himmelreich.
Halleluja.

EVANGELIUM — Mk 10,17–30 (Kf: 10,17–27)

Aus dem heiligen Evangelium nach Markus.

In jener Zeit lief ein Mann auf Jesus zu, fiel vor ihm auf die Knie und fragte ihn: Guter Meister, was muss ich tun, um das ewige Leben zu gewinnen?

Jesus antwortete: Warum nennst du mich gut? Niemand ist gut außer Gott, dem Einen. Du kennst doch die Gebote: Du sollst nicht töten, du sollst nicht die Ehe brechen, du sollst nicht stehlen, du sollst nicht falsch aussagen, du sollst keinen Raub begehen; ehre deinen Vater und deine Mutter!

Er erwiderte ihm: Meister, alle diese Gebote habe ich von Jugend an befolgt.

Da sah ihn Jesus an, und weil er ihn liebte, sagte er: Eines fehlt dir noch: Geh, verkaufe, was du hast, gib das Geld den Armen und du wirst einen bleibenden Schatz im Himmel haben; dann komm und folge mir nach! Der Mann aber war betrübt, als er das hörte, und ging traurig weg; denn er hatte ein großes Vermögen.

Da sah Jesus seine Jünger an und sagte zu ihnen: Wie schwer ist es für Menschen, die viel besitzen, in das Reich Gottes zu kommen! Die Jünger waren über seine Worte bestürzt. Jesus aber sagte noch einmal zu ihnen: Meine Kinder, wie schwer ist es, in das Reich Gottes zu kommen! Eher geht ein Kamel durch ein Nadelöhr, als dass ein Reicher in das Reich Gottes gelangt.

Sie aber erschraken noch mehr und sagten zueinander: Wer kann dann noch gerettet werden? Jesus sah sie an und sagte: Für Menschen ist das unmöglich, aber nicht für Gott; denn für Gott ist alles möglich.←

Da sagte Petrus zu ihm: Du weißt, wir haben alles verlassen und sind dir nachgefolgt.

Jesus antwortete: Amen, ich sage euch: Jeder, der um meinetwillen und um des Evangeliums willen Haus oder Brüder, Schwestern, Mutter, Vater, Kinder oder Äcker verlassen hat, wird das Hundertfache dafür empfangen: Jetzt in dieser Zeit wird er Häuser, Brüder, Schwestern, Mütter, Kinder und Äcker erhalten, wenn auch unter Verfolgungen, und in der kommenden Welt das ewige Leben. IF

Reiche können nicht in den Himmel kommen? Die Jünger sind erschrocken und entsetzt. Dabei ist diese Aussage aus dem Mund Jesu nicht wirklich überraschend. Seine kritische Einstellung gegenüber dem Reichtum und den Reichen kommt an vielen Stellen zum Ausdruck. Den Begüterten ruft er zu: »Wehe euch, die ihr reich seid« (Lk 6,24). Das Reich Gottes sagt er den Kleinen und Geringen zu (Mk 10,14). Reichtum macht unmenschlich, weil er das Herz der Menschen fesselt (Mt 6,21). Die Reichen haben ihren Trost schon erhalten (Lk 6,24f.). Am Tag des Gerichts wird der Reichtum wenig nutzen (Lk 12,20). Der einzige Hoffnungsschimmer scheint zu sein, dass bei Gott kein Ding unmöglich ist.

Fraglich ist jedoch, ob sich das auf die Vereinbarkeit von Reichtum und Reich Gottes bezieht. Oder ob nicht ein viel größeres Wunder gemeint ist: dass Gott nämlich es möglich machen kann, dass Menschen sich doch vom Reichtum lösen können, selbst wenn niemand das für möglich hält!

Credo (siehe Seite 512)

Fürbitten

Gott der Gerechtigkeit, du willst, dass allen Menschen deine Güter zugute kommen. So bitten wir dich:

A: Wir bitten dich, erhöre uns.

- Für alle, die Opfer von Unrecht und behördlicher Willkür werden. Schenke ihnen Menschen, die ihre Rechte verteidigen.
- Für Flüchtlinge, die in ihrer Not ihre Familien und ihre Heimat verlassen. Schenke ihnen eine Zukunft mit Lebensmöglichkeiten.
- Für alle, für die nur noch das Geschäft und der finanzielle Nutzen zählt. Lass sie lernen, am Schicksal anderer Anteil zu nehmen und Freude und Leid zu teilen.
- Für alle, die unter dem Alleinsein leiden. Schenke ihnen Menschen, die sie dein Mitgefühl und deine Nähe spüren lassen.

Guter Gott, immer wieder stoßen wir Menschen an unsere Grenzen und wissen nicht weiter. Sei uns nahe, dass wir in allem deinen Willen erfüllen. Amen.

Gabengebet

Herr und Gott, nimm die Gebete und Opfergaben deiner Gläubigen an. Laß uns diese heilige Feier mit ganzer Hingabe begehen, damit wir einst das Leben in der Herrlichkeit des Himmels erlangen. Darum bitten wir durch Christus, unseren Herrn.

PRÄFATION Sonntage IV

Wir danken dir, Vater im Himmel, und rühmen dich durch unseren Herrn Jesus Christus. Denn durch seine Geburt hat er den Menschen erneuert, durch sein Leiden unsere Sünden getilgt, in seiner Auferstehung den Weg zum Leben erschlossen und in seiner Auffahrt zu dir das Tor des Himmels geöffnet. Durch ihn rühmen dich deine Erlösten und singen mit den Chören der Engel das Lob deiner Herrlichkeit.

EINLADUNG ZUM VATERUNSER

Wir dürfen Gott um das tägliche Brot bitten, und wir sollen den Armen dazu verhelfen. So beten wir mit den Worten Jesu: Vater unser im Himmel …

EINLADUNG ZUM FRIEDENSGEBET

In einer Welt von Gier, Haß und Gewalt verheißt Gott den Frieden; denn bei ihm ist alles möglich. Deshalb bitten wir: Herr, Jesus Christus …

KOMMUNIONVERS Ps 34,11

Reiche müssen darben und hungern. Wer aber den Herrn sucht, braucht kein Gut zu entbehren.

Oder: 1 Joh 3,2

Wenn der Herr offenbar wird, werden wir ihm ähnlich sein; denn wir werden ihn sehen, wie er ist.

SCHLUSSGEBET

Allmächtiger Gott, in der heiligen Opferfeier nährst du deine Gläubigen mit dem Leib und dem Blut deines Sohnes. Gib uns durch dieses Sakrament auch Anteil am göttlichen Leben. Darum bitten wir durch Christus, unseren Herrn.

Schlusssegen

Im Jahreskreis IV

Der Gott und Vater unseres Herrn Jesus Christus, der uns tröstet in jeder Not, segne euch und lenke eure Tage in seinem Frieden.

Er bewahre euch vor aller Verwirrung und festige eure Herzen in seiner Liebe.

In diesem Leben mache er euch reich an guten Werken; und im künftigen sei er selbst euer unvergänglicher Lohn.

Das gewähre euch der dreieinige Gott, der Vater und der Sohn † und der Heilige Geist.

Hätten wir Christen
und alle,
die an Dich glauben
in den verschiedenen Religionen,
unseren reichen Brüdern geholfen,
indem wir ihnen
die Augen geöffnet,
ihr Gewissen
geweckt hätten,
die Ungerechtigkeiten
wären nicht
so weit fortgeschritten,
und nicht so schreiend
wäre der Abstand von
Reich zu Arm
Mensch zu Mensch,
Gruppe zu Gruppe,
Land zu Land,
ja sogar
von Kontinent
zu Kontinent.

Bischof Helder Camara

29. Sonntag im Jahreskreis
21. Oktober 2012

Ich rufe dich an, denn du, Gott, erhörst mich.
Wende dein Ohr mir zu, vernimm meine Rede!
Behüte mich wie den Augapfel, den Stern des Auges,
birg mich im Schatten deiner Flügel.

Ps 17,6.8

Gott ist wie ein König, der seinen Thron verlässt und seine königlichen Gewänder ablegt. Er kleidet sich in Lumpen armer Bauern und lebt unter diesen Menschen, ohne aufzufallen. So hat Bischof Oscar Romero (†1980) einmal in einem Bild den Weg Gottes hinein in die Menschwerdung Jesu beschrieben. Denn als Mensch teilt Jesus – wie der Hebräerbrief betont – die vielen Versuchungen, die das Menschsein so beschwerlich machen. Schon im Alten Testament deutet sich diese Bewegung von oben nach unten an: Unter den Völkern sucht Gott sich ausgerechnet ein schwaches und armes aus. Nicht das glorreiche Ägypten, sondern eine Gruppe aus hebräischen Sklavinnen und Sklaven wählt Gott aus, um sich zu offenbaren. Auch die Figur des Gottesknechtes (im Buch des Propheten Jesaja) beschreibt, dass Gott das Schwache erwählt. All das ist für Menschen nur schwer nachvollziehbar. Menschen zieht es nach oben. Sie wollen Karriere machen, zu den besseren Kreisen zählen. Sie suchen Macht und das Rampenlicht. Und entfernen sich auf diesem Weg von Gott. Der Offizier und Lebemann Charles de Foucauld genoss sein Leben – bis er im Alter von 28 Jahren merkte, wie leer sein mondänes Leben war. Von da an folgte er Jesus auf dem Weg nach unten. Sein Ziel war jetzt die »Suche nach einem Leben, das dem deinen (Jesus) ähnlich ist, wo ich deine Niedrigkeit, deine Armut, deine bescheidene Arbeit, deine Verborgenheit, deine Unscheinbarkeit ganz und gar teilen kann«.

KYRIE-RUFE

Oder: GL 485 · KG 30,4

Herr Jesus Christus, du hast dich zum Diener aller gemacht. Herr, erbarme dich.

Du bist deinen Weg bis zum Kreuz gegangen. Christus, erbarme dich.

Du gibst auch uns die Kraft, einander zu dienen. Herr, erbarme dich.

GLORIA (siehe Seite 508)

TAGESGEBET

Allmächtiger Gott, du bist unser Herr und Gebieter. Mach unseren Willen bereit, deinen Weisungen zu folgen, und gib uns ein Herz, das dir aufrichtig dient. Darum bitten wir durch Jesus Christus.

ERSTE LESUNG

Jes 53,10–11

Lesung aus dem Buch Jesaja.

Der Herr fand Gefallen an seinem zerschlagenen Knecht, er rettete den, der sein Leben als Sühnopfer hingab. Er wird Nachkommen sehen und lange leben. Der Plan des Herrn wird durch ihn gelingen.

Nachdem er so vieles ertrug, erblickt er das Licht. Er sättigt sich an Erkenntnis. Mein Knecht, der gerechte, macht die vielen gerecht; er lädt ihre Schuld auf sich. IF

Der leidende Gottesknecht ist eine rätselhafte Gestalt im Buch des Propheten Jesaja. Obwohl er unschuldig ist, nimmt er die Leiden auf sich, die eigentlich andere verschuldet haben. Aufgrund seines Schicksals genießt er kaum Ansehen. Doch Gott selbst ist es, der ihn rettet und seine Ehre wiederherstellt. Die ersten Christen sahen in diesem Gottesknecht Parallelen zum Schicksal des Jesus von Nazaret. Gott wählt ausgerechnet das Schwache und Geringe, um die Welt zu retten. Diese »Entscheidung« Gottes ist nur schwer zu begreifen, sie ist nicht rational zu begründen, sie kann – wenn überhaupt – nur im Glauben »verstanden« werden. Die Sünde kann nicht mit Gewalt überwunden werden. Es braucht Menschen, die wie Jesus bereits sind, die Folgen der Sünde auf sich zu nehmen. Und die darauf vertrauen, dass Gott diese Menschen nicht fallen lassen, sondern aus Leid und Tod erretten wird.

ANTWORTPSALM

Ps 33,4–5.18–20.22 (℟: 22)

℟: Laß deine Güte über uns walten, o Herr, denn wir schauen aus nach dir.

I. Ton – GL 745,1

Das Wort des Herrn ist wahrhaftig, *
all sein Tun ist verlässlich.
Er liebt Gerechtigkeit und Recht, *
die Erde ist erfüllt von der Huld des Herrn. – ℟

Das Auge des Herrn ruht auf allen, die ihn fürchten und ehren, *
die nach seiner Güte ausschaun;
denn er will sie dem Tod entreißen *
und in der Hungersnot ihr Leben erhalten. – ℟

Unsre Seele hofft auf den Herrn; *
er ist für uns Schild und Hilfe.
Lass deine Güte über uns walten, o Herr, *
denn wir schauen aus nach dir. – ℟

ZWEITE LESUNG

Hebr 4,14–16

Lesung aus dem Hebräerbrief.

Schwestern und Brüder! Da wir nun einen erhabenen Hohenpriester haben, der die Himmel durchschritten hat, Jesus, den Sohn Gottes, lasst uns an dem Bekenntnis festhalten. Wir haben ja nicht einen Hohenpriester, der nicht mitfühlen könnte mit unserer Schwäche, sondern einen, der in allem wie wir in Versuchung geführt worden ist, aber nicht gesündigt hat.

Lasst uns also voll Zuversicht hingehen zum Thron der Gnade, damit wir Erbarmen und Gnade finden und so Hilfe erlangen zur rechten Zeit. ℣

Die Menschen, an die sich der Hebräerbrief wendet, haben zu einem guten Teil resigniert. Sie sind der Leiden und Verfolgungen müde. Manche suchen ihr Heil in Kulten, die ihnen den schnellen Weg zu Gott versprechen. So erfreuen sich Engelskulte großer Beliebtheit. In einer kosmischen Liturgie kann man die Mühen der Erde hinter sich lassen und in die himmlischen Regionen hinaufschwingen. Der Hebräerbrief entlarvt diesen Weg als Illusion. Jesus ist näher bei Gott! Und das nicht deshalb, weil er so weit weg ist von den Menschen wie die Engel, sondern, ganz im Gegenteil, weil er so nahe bei den Menschen ist. Gerade weil ihm nichts Menschliches fremd ist, ist er nahe bei Gott! Daher kann man Gott nicht finden, indem man sich aus der Geschichte der Menschen herauszieht. Der Weg zu Gott führt über den Weg, den Jesus gegangen ist. Der, der durch und durch Mensch war und der weiß, was menschliche Schwäche bedeutet, hat erfahren, was göttliche Barmherzigkeit bedeutet. Nur auf einem Weg, der sich der eigenen Schwäche und der Schwäche anderer stellt, kann auch das Erbarmen Gottes erfahren werden.

RUF VOR DEM EVANGELIUM — Vgl. Mk 10,45

Halleluja. Halleluja.
Der Menschensohn ist gekommen, um zu dienen und sein Leben hinzugeben als Lösegeld für viele.
Halleluja.

EVANGELIUM — Mk 10,35–45 (Kf: 10,42–45)

Aus dem heiligen Evangelium nach Markus.

In jener Zeit traten Jakobus und Johannes, die Söhne des Zebedäus, zu Jesus und sagten: Meister, wir möchten, dass du uns eine Bitte erfüllst. Er antwortete: Was soll ich für euch tun? Sie sagten zu ihm: Lass in deinem Reich einen von uns rechts und den andern links neben dir sitzen. Jesus erwiderte: Ihr wisst nicht, um was ihr bittet. Könnt ihr den Kelch trinken, den ich trinke, oder die Taufe auf euch nehmen, mit der ich getauft werde? Sie antworteten: Wir können es. Da sagte Jesus zu ihnen: Ihr werdet den Kelch trinken, den ich trinke, und die Taufe empfangen, mit der ich getauft werde. Doch den Platz zu meiner Rechten und zu meiner Linken habe nicht ich zu vergeben; dort werden die sitzen, für die diese Plätze bestimmt sind.

Als die zehn anderen Jünger das hörten, wurden sie sehr ärgerlich über Jakobus und Johannes. Da [➡In jener Zeit] rief Jesus sie [die Jünger] zu sich und sagte: Ihr wisst, dass die, die als Herrscher gelten, ihre Völker unterdrücken und die Mächtigen ihre Macht über die Menschen missbrauchen. Bei euch aber soll es nicht so sein, sondern wer bei euch groß sein will, der soll euer Diener sein, und wer bei euch der Erste sein will, soll der Sklave aller sein.

Denn auch der Menschensohn ist nicht gekommen, um sich dienen zu lassen, sondern um zu dienen und sein Leben hinzugeben als Lösegeld für viele.⬅ |F

Wer groß sein will, soll Diener sein! Das sind anspruchsvolle Worte. Im Mund Jesu sind es keine leeren Worte. Er hat genauso gelebt. Seine Macht hatte so gar nichts mit weltlicher Macht zu tun. Seine Macht war die Kraft, dem Leben zu dienen, es zu ermutigen, vor allem dort, wo es bedroht ist. Das zeigt am deutlichsten sein Verhalten gegenüber benachteiligten Menschen, etwa Kindern und Frauen, Armen und Kranken. Doch Jesus musste erfahren, wie schnell diese Form von »Herrschaft« in die Nähe des Kreuzes gerät. Sie verlangt auch von Christen einen gewaltigen Sinneswandel und sehr konkrete Folgen. Die Geschichte der Kirche hat gezeigt, wie schwer sich auch Christen tun, der Versuchung der Macht zu widerstehen. Paulus ist in diesem Punkt sehr konkret. Er kritisiert zum Beispiel, dass sich einige Korinther gegenseitig vor weltliche Gerichte schleppen. Sein überraschender Kommentar: »Warum leidet ihr nicht lieber Unrecht? Warum lasst ihr euch nicht lieber ausrauben?« (1 Kor 6,7) So etwas kann man nur schreiben, wenn davon überzeugt ist, dass die Herrschaft Christi wirklich begonnen hat. Im Vertrauen auf seine Herrschaft ist es möglich ist, schon jetzt menschlich zu leben. Menschen müssen sich nicht mehr gegenseitig unterdrücken, sie können füreinander da sein und einander dienen.

Credo (siehe Seite 512)

Fürbitten

Guter Gott, in deinem Sohn hast du uns gezeigt, dass es schon jetzt möglich ist, menschenwürdig miteinander zu leben. Wir bitten dich:

A: Wir bitten dich, erhöre uns.

- Für alle, denen Macht gegeben ist. Lass sie ihre Macht dafür gebrauchen, dass alle Menschen das zum Leben Notwendige erhalten.
- Für die Menschen, deren Alltag vom Überlebenskampf geprägt ist. Lass sie erfahren, dass andere sich mit ihnen solidarisieren.
- Für alle Christen, die aufgrund von Enttäuschungen gleichgültig geworden sind. Gib ihnen neuen Mut und Entschlossenheit, sich für dein Reich einzusetzen.
- Für alle, die deinen Namen leichtfertig gebrauchen. Lass sie erkennen, dass dein Name unauflöslich mit Barmherzigkeit und Gerechtigkeit verbunden sind.

Gott, wir danken dir für alles, was du uns gibst. Lass uns nicht mutlos werden, sondern zeige uns, was wir zu einer Welt nach deinem Willen beitragen können.

Gabengebet

Hilf uns, Herr, daß wir den Dienst am Altar mit freiem Herzen vollziehen. Befreie uns durch diese Feier von aller Schuld, damit wir rein werden und dir gefallen. Darum bitten wir durch Christus, unseren Herrn.

Präfation Sonntage V

In Wahrheit ist es würdig und recht, dir, allmächtiger Vater, zu danken und dich mit der ganzen Schöpfung zu loben. Denn du hast die Welt mit all ihren Kräften ins Dasein gerufen und sie dem

Wechsel der Zeit unterworfen. Den Menschen aber hast du auf dein Bild hin geschaffen und ihm das Werk deiner Allmacht übergeben. Du hast ihn bestimmt, über die Erde zu herrschen, dir, seinem Herrn und Schöpfer zu dienen und das Lob deiner großen Taten zu verkünden durch unseren Herrn Jesus Christus.
Darum singen wir mit den Engeln und Erzengeln, den Thronen und Mächten und mit all den Scharen des himmlischen Heeres den Hochgesang von deiner göttlichen Herrlichkeit.

EINLADUNG ZUM VATERUNSER

Gott schenkt uns unseren Platz in seinem Reich und macht uns zu Geschwistern, die ihn als Vater lieben. Wir beten mit den Worten Jesu: Vater unser im Himmel …

EINLADUNG ZUM FRIEDENSGEBET

Christus ist gekommen, um zu dienen. Sein Reich sind Gerechtigkeit und Frieden. Deshalb bitten wir: Herr Jesus Christus …

KOMMUNIONVERS Mk 10,45

Der Menschensohn ist gekommen, um sein Leben als Lösegeld hinzugeben für viele.

Oder: Ps 33,18–19

Das Auge des Herrn ruht auf allen, die ihn fürchten und ehren, die nach seiner Güte ausschauen.
Denn er will sie dem Tod entreißen und in der Hungersnot ihr Leben erhalten.

SCHLUSSGEBET

Allmächtiger Gott, gib, daß die heiligen Geheimnisse, die wir gefeiert haben, in uns Frucht bringen. Schenke uns Tag für Tag, was wir zum Leben brauchen, und führe uns zur ewigen Vollendung. Darum bitten wir durch Christus, unseren Herrn.

Schlusssegen

Im Jahreskreis V

Gott, der allmächtige Vater, segne euch; er bewahre euch vor Unheil und Schaden.

Er öffne eure Herzen für sein göttliches Wort und bereite sie für die unvergänglichen Freuden.

Er lasse euch erkennen, was zum Heile dient, und führe euch auf dem Weg seiner Gebote zur Gemeinschaft der Heiligen.

Das gewähre euch der dreieinige Gott, der Vater und der Sohn ✝ und der Heilige Geist.

Weil Mächtige
ihre Macht missbrauchen
und die Schwachen
vergeblich rufen

Weil um des Friedens willen
Kriege geführt werden
und für die Überwindung des Elends
nichts mehr übrig bleibt

Weil viele sich
lieber bedienen lassen
und nur wenige dienen

Erinnern wir uns
an Deine Herrschaft
die anders ist
und sind bereit
den ersten Schritt zu tun
und unsere kleine Macht
einzusetzen
für alle
die machtlos sind

Guido Groß

30. Sonntag im Jahreskreis
28. Oktober 2012

Freuen sollen sich alle, die den Herrn suchen.
Sucht den Herrn und seine Macht,
sucht sein Antlitz allezeit.
Ps 105,3–4

Schon die antiken Herrscher wussten, wie leicht man Menschen mit Massenveranstaltungen (»Brot und Spiele«!) beeinflussen kann. In der Masse spielt der Einzelne keine große Rolle mehr, man lässt sich von der gewaltigen Stimmung mitreißen. Bis heute üben Großveranstaltungen eine große Faszination aus – man denke nur an Open Air Konzerte oder volle Fußballstadien. Vor allem junge Menschen schätzen die unglaubliche Stimmung, wenn viele Menschen das Gleiche erleben. Aber ein Massenevent kann auch etwas Bedrohliches haben. In der großen Menge zählt der Einzelne nicht. Man fühlt sich klein und unbedeutend. Man kann in der Masse untergehen. Im Fall einer Massenpanik ist man der Menge sogar hilflos ausgeliefert. Auch Jesus erlebte diese Zweideutigkeit der Masse immer wieder. Wo er auftrat, kam es nicht selten zu Massenaufläufen. Das war einerseits ein ermutigendes Zeichen – es gab viele Menschen, die auf ihn ihre Hoffnung setzten. Sie wollten seine Kraft in ihr Leben mitnehmen. Zugleich aber bestand immer die Gefahr, dass der Einzelne mit seiner Not in dieser Masse unterging, an den Rand gedrängt wurde. Doch Jesus lag gerade der einzelne Mensch in seiner Bedürftigkeit ganz besonders am Herzen. Die Geschichte des blinden Bartimäus ist dafür ein Beispiel.

Kyrie-Rufe

Oder: GL 495,1 · KG 60

Herr Jesus Christus, du wendest dich jedem einzelnen zu. Herr, erbarme dich.

Du übersiehst die Kleinen und Geringen nicht. Christus, erbarme dich.

Du bringst uns Gottes Liebe und Barmherzigkeit. Herr, erbarme dich.

GLORIA (siehe Seite 508)

TAGESGEBET

Allmächtiger, ewiger Gott, mehre in uns den Glauben, die Hoffnung und die Liebe. Gib uns die Gnade zu lieben, was du gebietest, damit wir erlangen, was du verheißen hast. Darum bitten wir durch Jesus Christus.

ERSTE LESUNG Jer 31,7–9

Lesung aus dem Buch Jeremia.

So spricht der Herr: Jubelt Jakob voll Freude zu und jauchzt über das Haupt der Völker! Verkündet, lobsingt und sagt: Der Herr hat sein Volk gerettet, den Rest Israels.

Seht, ich bringe sie heim aus dem Nordland und sammle sie von den Enden der Erde, darunter Blinde und Lahme, Schwangere und Wöchnerinnen; als große Gemeinde kehren sie hierher zurück.

Weinend kommen sie und tröstend geleite ich sie. Ich führe sie an Wasser führende Bäche, auf einen ebenen Weg, wo sie nicht straucheln. Denn ich bin Israels Vater und Efraim ist mein erstgeborener Sohn. IF

Vom Volk Israel kann man lernen, dass wir in der Geschichte unseres Alltags erfahren können, wie Gott uns begegnen will. Das Volk Israel deutet die katastrophalen Niederlagen ebenso wie die erfolgreichen Befreiungen im Zusammenhang mit dem göttlichen Handeln. Das wichtigste Ereignis ist der Auszug aus Ägypten: Gott hat das Schreien seines Volkes gehört und es unter der Führung des Mose aus dem Sklavenhaus in die Freiheit geführt. Ein anderes Ereignis findet sich bei Jeremia: Gott hat Efraim (gemeint ist das Nordreich Israel) aus dem babylonischen Exil wieder zurück in das Land der Väter geführt. Auch heute begegnet uns

Gott in der Geschichte. Ereignisse des Alltags oder der Zeitgeschichte sind nie unbedeutend. Sie sind immer auch Zeichen der Gegenwart Gottes. Es ist ganz wichtig, auf diese »Zeichen der Zeit« in unserem Leben zu achten und sie im Licht des Evangeliums zu deuten.

ANTWORTPSALM Ps 126 (℟: 3)

℟: Großes hat der Herr an uns getan. Da waren wir fröhlich.
II. Ton – GL 753,1 · KG 632

Als der Herr das Los der Gefangenschaft Zions wendete, *
da waren wir alle wie Träumende.
Da war unser Mund voll Lachen *
und unsere Zunge voll Jubel. – ℟

Da sagte man unter den andern Völkern: *
»Der Herr hat an ihnen Großes getan.«
Ja, Großes hat der Herr an uns getan. *
Da waren wir fröhlich. – ℟

Wende doch, Herr, unser Geschick, *
wie du versiegte Bäche wieder füllst im Südland.
Die mit Tränen säen, *
werden mit Jubel ernten. – ℟

Sie gehen hin unter Tränen *
und tragen den Samen zur Aussaat.
Sie kommen wieder mit Jubel *
und bringen ihre Garben ein. ℟

ZWEITE LESUNG Hebr 5,1–6

Lesung aus dem Hebräerbrief.

Jeder Hohepriester wird aus den Menschen ausgewählt und für die Menschen eingesetzt zum Dienst vor Gott, um Gaben und Opfer für die Sünden darzubringen.

Er ist fähig, für die Unwissenden und Irrenden Verständnis aufzubringen, da auch er der Schwachheit unterworfen ist; deshalb muss er für sich selbst ebenso wie für das Volk Sündopfer darbringen. Und keiner nimmt sich eigenmächtig diese Würde, sondern er wird von Gott berufen, so wie Aaron.

So hat auch Christus sich nicht selbst die Würde eines Hohenpriesters verliehen, sondern der, der zu ihm gesprochen hat: Mein Sohn bist du. Heute habe ich dich gezeugt,

wie er auch an anderer Stelle sagt:

Du bist Priester auf ewig nach der Ordnung Melchisedeks. IF

Der Hohepriester war bis zur Zerstörung des Tempels die zentrale Gestalt in Jerusalem. Als oberster Tempelpriester wachte er über die Einhaltung des Kults. Als einziger durfte er einmal im Jahr das Allerheiligste betreten. Politisch einflussreich war er als Vorsitzender des Hohen Rates. Nur er durfte den König salben. Mit alldem hat Jesus nichts zu tun. Er »definiert« die Gestalt des Hohenpriesters ganz neu – und zwar so: Jesus war nicht getrennt von den Menschen, sondern er kam ihnen nahe. Er war kein strenger Aufseher, sondern kannte die menschliche Schwäche und begegnete den Menschen mit Barmherzigkeit. Obwohl er von Anfang Sohn Gottes war, hat er sich auf die Geschichte der Menschen eingelassen – sogar bis zum Tod am Kreuz. Der Weg zu Gott muss jetzt nicht mehr mit dem Blut von Stieren und Böcken geebnet werden. Weil Jesus treu war zu Gott und sich hingab am Kreuz, ist er der Weg zu Gott.

Ruf vor dem Evangelium — Vgl. 2 Tim 1,10

Halleluja. Halleluja.
Unser Retter Jesus Christus hat dem Tod die Macht genommen und uns das Licht des Lebens gebracht durch das Evangelium.
Halleluja.

Evangelium — Mk 10,46b–52

Aus dem heiligen Evangelium nach Markus.

In jener Zeit, als Jesus mit seinen Jüngern und einer großen Menschenmenge Jericho verließ, saß an der Straße ein blinder

Bettler, Bartimäus, der Sohn des Timäus. Sobald er hörte, dass es Jesus von Nazaret war, rief er laut: Sohn Davids, Jesus, hab Erbarmen mit mir! Viele wurden ärgerlich und befahlen ihm zu schweigen. Er aber schrie noch viel lauter: Sohn Davids, hab Erbarmen mit mir!

Jesus blieb stehen und sagte: Ruft ihn her! Sie riefen den Blinden und sagten zu ihm: Hab nur Mut, steh auf, er ruft dich. Da warf er seinen Mantel weg, sprang auf und lief auf Jesus zu. Und Jesus fragte ihn: Was soll ich dir tun? Der Blinde antwortete: Rabbuni, ich möchte wieder sehen können.

Da sagte Jesus zu ihm: Geh! Dein Glaube hat dir geholfen. Im gleichen Augenblick konnte er wieder sehen und er folgte Jesus auf seinem Weg. IF

Wo Jesus auftaucht, strömen die Menschen zusammen. Da geht der Einzelne schnell unter. Das zeigt das Beispiel des blinden Bettlers Bartimäus. Doch der lässt sich nicht so einfach an den Rand drängen, er ruft, er macht auf sich aufmerksam. Die Umstehenden haben dafür kein Verständnis, sie geben ihm zu verstehen: Wer bist du denn schon? Nimm dich mal nicht so wichtig! Halte dich zurück, hier kommt schließlich Jesus, der Messias! Bartimäus lässt sich jedoch so leicht nicht zum Schweigen bringen. Und das Unglaubliche geschieht: Jesus hört in dem Lärm die Schreie des Bartimäus. Er nimmt nicht einfach – wie viele Mächtige damals und heute – ein Bad in der Menge, um seine eigene Größe zu genießen. Ihm geht es um den einzelnen Menschen, vor allem den Menschen, der Hilfe braucht. Diesen Menschen stellt er in den Mittelpunkt. So geht die Aufmerksamkeit weg von Jesus auf einen blinden Bettler. Auf einmal ist ganz wichtig, was dieser Mensch zu einem menschenwürdigen Leben braucht. Jetzt leuchtet auf, was Reich Gottes bedeutet: Ein Mensch geht nicht mehr unter in der Anonymität der Masse. Er wird ernst genommen in seiner Suche nach Leben und Anerkennung!

Credo (siehe Seite 512)

FÜRBITTEN

Guter Gott, in deinem Reich haben alle Menschen Platz. Vor allem die Schwachen und Benachteiligten genießen deine besondere Fürsorge. Wir bitten dich:

V: Herr, erhöre uns. A: Christus, erhöre uns.

- Für alle Menschen, die im Konzert der Großen unterzugehen drohen, weil sie zu schwach sind, um auf sich aufmerksam zu machen. Schenke ihnen Fürsprecher, die sich für ihre Rechte einsetzen.
- Für alle Menschen, die darunter leiden, dass sie nur eingeschränkt sehen können oder ganz blind sind. Sende ihnen Menschen, die ihnen eine Hilfe sind.
- Für alle Menschen, die durch die Flut der Bilder abgestumpft sind. Schenke ihnen die Fähigkeit, diese Welt neu mit deinen Augen zu sehen.
- Für die Schöpfung, die unter dem Zwang zu immer mehr Wachstum seufzt. Lass uns unsere Verantwortung für Tiere und Pflanzen erkennen.

Gott, du bleibst uns und deiner Schöpfung treu. Ermutige uns, diese Welt nach deinem Willen menschenwürdig zu gestalten. Amen.

GABENGEBET

Allmächtiger Gott, sieh gnädig auf die Gaben, die wir darbringen, und laß uns dieses Opfer so feiern, daß es dir zur Ehre gereicht. Darum bitten wir durch Christus, unseren Herrn.

PRÄFATION

Sonntage VI

In Wahrheit ist es würdig und recht, dir, Vater im Himmel, zu danken und dich mit der ganzen Schöpfung zu loben. Denn in dir leben wir, in dir bewegen wir uns und sind wir. Jeden Tag erfahren wir aufs neue das Wirken deiner Güte. Schon in diesem Leben besitzen wir den Heiligen Geist, das Unterpfand ewiger

Herrlichkeit. Durch ihn hast du Jesus auferweckt von den Toten und uns die sichere Hoffnung gegeben, daß sich an uns das österliche Geheimnis vollendet.
Darum preisen wir dich mit allen Chören der Engel und singen vereint mit ihnen das Lob deiner Herrlichkeit.

EINLADUNG ZUM VATERUNSER

Gott rettet sein Volk und sammelt uns in seinem Reich. Wir beten, wie es uns Jesus Christus gelehrt hat: Vater unser im Himmel …

EINLADUNG ZUM FRIEDENSGEBET

Jesus Christus kennt unsere Schwäche und fühlt mit uns, auch wenn wir gegen seinen Frieden verstoßen. Deshalb bitten wir: Herr Jesus Christus …

KOMMUNIONVERS Eph 5,2

Christus hat uns geliebt und sich für uns hingegeben als Gabe und Opfer, das Gott wohlgefällt.

Oder: Ps 20,6

Wir jubeln über die Hilfe des Herrn.
Wir frohlocken im Namen unseres Gottes.

SCHLUSSGEBET

Herr, unser Gott, gib, daß deine Sakramente in uns das Heil wirken, das sie enthalten, damit wir einst als unverhüllte Wirklichkeit empfangen, was wir jetzt in heiligen Zeichen begehen. Darum bitten wir durch Christus, unseren Herrn.

SCHLUSSSEGEN Im Jahreskreis VI

Gott, unser Vater, segne euch mit allem Segen des Himmels, damit ihr rein und heilig lebt vor seinem Angesicht.

Er lehre euch durch das Wort der Wahrheit; er bilde euer Herz nach dem Evangelium Christi und gebe euch Anteil an seiner Herrlichkeit.

Er schenke euch jene brüderliche Liebe, an der die Welt die Jünger Christi erkennen soll.

Das gewähre euch der dreieinige Gott, der Vater und der Sohn ✝ und der Heilige Geist.

Müde
vom Wettbewerb
um Attraktivität
und Erfolg
abgehetzt
von Rivalität
und Konkurrenz

Warten wir auf den
der uns ernst nimmt
so wie wir wirklich sind
der uns in den Mittelpunkt stellt
weil er glaubt
an das Licht in uns
und die Kraft
die schlummert
in uns
unermesslich

Damit wir
verloren
unter vielen
endlich spüren
wie wichtig
wir sind
für diese Welt

Guido Groß

ALLERHEILIGEN
1. November 2012

Freut euch alle im Herrn am Fest aller Heiligen;
mit uns freuen sich die Engel und loben Gottes Sohn.

Ein iranisches Sprichwort sagt: Jeder Heilige hat eine Vergangenheit und jeder Sünder eine Zukunft.

Wenn wir heute unsere Heiligen besonders feiern und ehren, dann nicht in erster Linie wegen ihrer vermeintlich perfekten Lebensführung, sondern wegen ihrer intensiven Suche nach Gottes Spuren in ihrem Leben. Als Menschen sind sie alle, genau wie wir, in ihrer jeweiligen Zeit verwurzelt, von ihrem Lebensmilieu und ihren persönlichen Erfahrungen geprägt; sie haben Ecken und Kanten, zeigen Stärken und Schwächen wie wir auch. Sie zeichnen sich nicht vorrangig durch ihre außergewöhnliche Begabungen oder Fähigkeiten aus, sondern durch ihre brennende Sehnsucht nach Gott, über alle persönlichen Mängel und Irrwege hinaus. Sie haben sich dem Pauluswort der Berufung aller als Heilige, die den Namen Jesu Christi anrufen (1 Kor 1,2), mit Leib und Seele verschrieben und sind für ihre Überzeugung eingestanden, manche buchstäblich mit ihrem Leben.

Der göttliche Ruf, unser eigenes Leben zu heiligen, ergeht auch an uns; er möchte unser Herz (nicht nur) am heutigen Festtag berühren.

KYRIE-RUFE GL 506,2 · KG 59

Herr Jesus Christus, du weckst in uns die Sehnsucht nach Gott. Herr, erbarme dich.
Du hältst und begleitest uns aus unserem Weg. Christus, erbarme dich.
Du erweist deine Kraft in unserer Schwäche. Herr, erbarme dich.

GLORIA (siehe Seite 508)

TAGESGEBET

Allmächtiger, ewiger Gott, du schenkst uns die Freude, am heutigen Fest die Verdienste aller deiner Heiligen zu feiern. Erfülle auf die Bitten so vieler Fürsprecher unsere Hoffnung und schenke uns dein Erbarmen. Darum bitten wir durch Jesus Christus.

ERSTE LESUNG Offb 7,2–4.9–14

Lesung aus der Offenbarung des Johannes.

Ich, Johannes, sah vom Osten her einen anderen Engel emporsteigen; er hatte das Siegel des lebendigen Gottes und rief den vier Engeln, denen die Macht gegeben war, dem Land und dem Meer Schaden zuzufügen, mit lauter Stimme zu: Fügt dem Land, dem Meer und den Bäumen keinen Schaden zu, bis wir den Knechten unseres Gottes das Siegel auf die Stirn gedrückt haben.

Und ich erfuhr die Zahl derer, die mit dem Siegel gekennzeichnet waren. Es waren hundertvierundvierzigtausend aus allen Stämmen der Söhne Israels, die das Siegel trugen.

Danach sah ich: eine große Schar aus allen Nationen und Stämmen, Völkern und Sprachen; niemand konnte sie zählen. Sie standen in weißen Gewändern vor dem Thron und vor dem Lamm und trugen Palmzweige in den Händen. Sie riefen mit lauter Stimme: Die Rettung kommt von unserem Gott, der auf dem Thron sitzt, und von dem Lamm. Und alle Engel standen rings um den Thron, um die Ältesten und die vier Lebewesen. Sie warfen sich vor dem Thron nieder, beteten Gott an und sprachen: Amen, Lob und Herrlichkeit, Weisheit und Dank, Ehre und Macht und Stärke unserem Gott in alle Ewigkeit. Amen.

Da fragte mich einer der Ältesten: Wer sind diese, die weiße Gewänder tragen, und woher sind sie gekommen? Ich erwiderte ihm: Mein Herr, das musst du wissen. Und er sagte zu mir: Es sind die, die aus der großen Bedrängnis kommen; sie haben ihre Gewänder gewaschen und im Blut des Lammes weiß gemacht. |F

Apokalyptein im Griechischen bedeutet *den Schleier lüften,* der sich über normalerweise nicht einsehbare Dinge breitet. Die apokalyptische Literatur der Antike ist visionärer, aber auch prophetischer Art, sie gibt eine Interpretation der Welt und ihrer Geschichte, sie versucht die Erfahrung der sich ständig einander ablösenden weltlichen Machtstrukturen zu verarbeiten und zu deuten; literarisch bedient sie sich verschlüsselter Bilder, die vornehmlich dem eingeweihten Leser zugänglich sind. Diese Geistesströmung ist in den Jahrhunderten kurz vor und nach der Zeitenwende beheimatet.

Die Offenbarung des Johannes hat ihren Ursprung im jüdisch-christlichen Raum, sie ist unverkennbar beeinflusst durch die reiche Bilderwelt des AT, allen voran durch die Visionen der Propheten Ezechiel (Ez 1) und Daniel (Dan 7). Zahlensymbole wie im vorliegenden Text hundertvierundvierzigtausend (12 Stämme Israels mal 12 mal tausend, Zahl der Fülle) oder an anderer Stelle die sieben, Zahl der Perfektion, sind jüdisch geprägten Lesern geläufig, genauso wie die erwähnte Ehrerbietung mit Palmzweigen vor dem Thron Gottes, die an das Motiv des Tempelreinigungsfestes unter Judas Makkabäus um das Jahr 164 v.Chr. anknüpft (s. 2 Makk 10,1ff.).

Die letzten Verse unseres Textabschnitts weisen darauf hin, dass das Buch der Offenbarung seinen geschichtlichen Hintergrund in der Zeit der Christenverfolgungen am Ende des ersten Jahrhunderts unter den Kaisern Nero (um 70 n. Chr.) und Domitian (um 90 n. Chr.) hat. Es möchte seine Leser in ihrer Treue zum Glauben an Gott unterstützen und helfen, sie durch die harten Prüfungen hindurchzutragen. Die Endzeit ist schon angebrochen, ungezählte Menschen leben in der direkten Erwartung des Heils aber auch des Endgerichts. Die dunkle, dramatische Weltuntergangsstimmung behält jedoch nicht das letzte Wort; die Vision eines neuen Himmels und einer neuen Erde in Kapitel 21 und 22 kündigt die absolute Andersartigkeit der erlösten Schöpfung an. Erst wenn die Gottes-Herrschaft Wirklichkeit ist, wird der Schleier endgültig gelüftet sein!

ANTWORTPSALM Ps 24,1–6 (℟: vgl. 6)

℟: Aus allen Völkern hast du sie erwählt, die dein Antlitz suchen, o Herr.

IV. Ton – GL 119,1

Dem Herrn gehört die Erde und was sie erfüllt, *
der Erdkreis und seine Bewohner.
Denn er hat ihn auf Meere gegründet, *
ihn über Strömen befestigt. – ℟

Wer darf hinaufziehn zum Berg des Herrn, *
wer darf stehn an seiner heiligen Stätte?
Der reine Hände hat und ein lauteres Herz, *
der nicht betrügt und keinen Meineid schwört. – ℟

Er wird Segen empfangen vom Herrn *
und Heil von Gott, seinem Helfer.
Das sind die Menschen, die nach ihm fragen, *
die dein Antlitz suchen, Gott Jakobs. – ℟

ZWEITE LESUNG 1 Joh 3,1–3

Lesung aus dem ersten Johannesbrief.

Schwestern und Brüder! Seht, wie groß die Liebe ist, die der Vater uns geschenkt hat: Wir heißen Kinder Gottes und wir sind es. Die Welt erkennt uns nicht, weil sie ihn nicht erkannt hat.

Liebe Brüder, jetzt sind wir Kinder Gottes. Aber was wir sein werden, ist noch nicht offenbar geworden. Wir wissen, dass wir ihm ähnlich sein werden, wenn er offenbar wird; denn wir werden ihn sehen, wie er ist.

Jeder, der dies von ihm erhofft, heiligt sich, so wie Er heilig ist. ℣

Gegen das Jahr 100 n. Chr. wendet sich der Verfasser des ersten Johannesbriefs an Christengemeinden in Kleinasien. Seine Schrift, die gedanklich eng mit dem 4. Evangelium verbunden ist, dreht inhaltlich in konzentrischen Kreisen um den Glauben an die Gemeinschaft mit Gott, die Gewissheit des ewigen Lebens und die Voraussetzungen um letzteres zu erlangen: Glaube an Jesus, Abkehr von der Sünde und Bruderliebe. Sie möchte ihre Adressaten gegen aufkommende Irrlehren im wahren Glauben stärken. Da die Christengemeinden in der Erwartung der nahen Wiederkunft des Herrn leben, legt der Autor besonderen Wert auf die Endzeit-Theologie: Selbst wenn die Gläubigen der Gottes-Kindschaft jetzt schon versichert sein können, werden sie letztere am Ende der Zeiten noch einmal in einem neuen, ungeahnten Sinn erfahren.

RUF VOR DEM EVANGELIUM — Mt 11,28

Halleluja. Halleluja.
So spricht der Herr: Kommt alle zu mir, die ihr euch plagt und schwere Lasten zu tragen habt. Ich werde euch Ruhe verschaffen.
Halleluja.

EVANGELIUM — Mt 5,1–12a

Aus dem heiligen Evangelium nach Matthäus.

In jener Zeit, als Jesus die vielen Menschen sah, die ihm folgten, stieg er auf einen Berg. Er setzte sich, und seine Jünger traten zu ihm. Dann begann er zu reden und lehrte sie.

Er sagte:

Selig, die arm sind vor Gott; denn ihnen gehört das Himmelreich.

Selig die Trauernden; denn sie werden getröstet werden.

Selig, die keine Gewalt anwenden; denn sie werden das Land erben.

Selig, die hungern und dürsten nach der Gerechtigkeit; denn sie werden satt werden.

Selig die Barmherzigen; denn sie werden Erbarmen finden.

Selig, die ein reines Herz haben; denn sie werden Gott schauen.

Selig, die Frieden stiften; denn sie werden Söhne Gottes genannt werden.

Selig, die um der Gerechtigkeit willen verfolgt werden; denn ihnen gehört das Himmelreich.

Selig seid ihr, wenn ihr um meinetwillen beschimpft und verfolgt und auf alle mögliche Weise verleumdet werdet.
Freut euch und jubelt: Euer Lohn im Himmel wird groß sein. IF

In der so genannten Bergpredigt des Matthäusevangeliums sind wir dem Lehrer Jesus sehr nah, nicht in erster Linie, weil wir aus bibelwissenschaftlicher Sicht davon ausgehen können, dass diese Aussagen so oder wenigstens zum Teil auf den historischen Jesus zurückzuführen sind, sondern vor allem, weil Worte und Taten eins sind: Jesus wusste sich ganz in der Obhut Gottes, er tröstete, ermöglichte neues, befreites Leben, er teilte Brot mit den Menschen, er wollte Frieden und Versöhnung stiften, hier und jetzt. Weil es eben nicht nur Worte blieben, sondern in seinen Vergebungs- und Heilungsgesten erfahrbare Wirklichkeit für Menschen wurde, nehmen wir ihm diese starke Rede auch ab.

Matthäus lässt Jesus auf einen Berg steigen, um die Menschen Lebenswichtiges zu lehren. Die gedankliche Verbindung zum Geschehen auf dem Sinai ist unübersehbar, aber mit einem grundlegenden Unterschied: Jesus empfängt nicht wie Mose Weisungen von Gott, sondern, einem Herrscher gleich, setzt er sich zur Verkündigung seiner Botschaft; er verkörpert mit Autorität die vollendete Offenbarung Gottes! Wenn wir im Buch Exodus einer religiös begründeten Gesetzgebung begegnen, so treffen wir hier im Evangelium auf göttliche Verheißung des Heils. Sie richtet sich einerseits an Menschen, die auf irgendeine Weise mühselig und beladen sind, die damals wie heute nach menschlichen Maßstäben nicht in Seligkeit schwelgen, und die wegen ihrer eher darbenden Lebenssituation bedürftiger und zugleich empfänglicher für diese Sinnhaftigkeit sind als die Übersättigten; nicht die Drangsal an sich wird verherrlicht, sondern dem betroffenen Menschen sichert Jesus Gottes Beistand zu, jetzt schon, nicht erst in einem späteren Leben! Andererseits wird die Verheißung des Heils auch denen zuteil, die ihren Mitmenschen gegenüber Barmherzigkeit und Milde walten lassen – sie wissen, dass vor Gott letzten Endes alle arm sind. Martin Luther wird es viel später so formulieren: *Wir sind Bettler. Das ist wahr.*

CREDO (siehe Seite 512)

FÜRBITTEN

Guter Gott, du möchtest, dass alle ein Leben in Fülle haben; wir beten zu dir:

V: Gott unser Heil. A: Wir bitten dich, erhöre uns

- Schenke unseren Herzen immer wieder deinen Frieden, damit wir unser eigenes Leben heiligen und in Freude gestalten können.
- Stärke uns, damit wir fähig sind, uns zum Wohl der Menschen, die mit uns leben, einzusetzen.
- Hilf uns in unserem allzu oft zaghaften Bemühen, an einer gerechteren Welt für alle zu arbeiten.
- Gib uns die Kraft, auch in schweren Stunden unser Leben als sinnvoll und in dir geborgen zu erfahren.

Barmherziger Gott, du hast uns in Jesus gezeigt, was erfülltes Leben im Glauben an dich heißt. Die Heiligen, die wir heute besonders ehren, sind ihm auf diesem Weg gefolgt, jeder in seiner persönlichen Art. Wir bitten dich, stärke uns auf unserem eigenen Weg zu dir. Amen.

GABENGEBET

Herr, unser Gott, nimm die Gaben entgegen, die wir am heutigen Fest darbringen. Wir glauben, daß deine Heiligen bei dir leben und daß Leid und Tod sie nicht mehr berühren. Erhöre ihr Gebet und laß uns erfahren, daß sie uns nahe bleiben und für uns eintreten. Darum bitten wir durch Christus, unseren Herrn.

PRÄFATION Vom Tag

In Wahrheit ist es würdig und recht, dir, allmächtiger Vater, zu danken und dich mit der ganzen Schöpfung zu rühmen. Denn heute schauen wir deine heilige Stadt, unsere Heimat, das himmlische Jerusalem. Dort loben dich auf ewig die verherrlichten Glieder der Kirche, unsere Brüder und Schwestern, die schon zur Vollendung gelangt sind. Dorthin pilgern auch wir im Glauben, ermutigt durch ihre Fürsprache und ihr Beispiel, und gehen freudig dem Ziel der Verheißung entgegen. Darum preisen wir dich in der Gemeinschaft deiner Heiligen und singen mit den Chören der Engel das Lob deiner Herrlichkeit.

EINLADUNG ZUM VATERUNSER

Gott hat uns seine Liebe geschenkt, und so heißen wir Kinder Gottes und sind es. Wir beten, wie es uns Jesus Christus gelehrt hat: Vater unser im Himmel …

EINLADUNG ZUM FRIEDENSGEBET

Jesus preist die selig, die Frieden stiften. Er ist unser Friede und hat uns den Frieden gebracht. Deshalb bitten wir: Herr Jesus Christus …

KOMMUNIONVERS Mt 5,8–10

Selig, die ein reines Herz haben; denn sie werden Gott schauen. Selig, die Frieden stiften; denn sie werden Söhne Gottes genannt werden. Selig, die um der Gerechtigkeit willen verfolgt werden; denn ihnen gehört das Himmelreich.

SCHLUSSGEBET

Gott, du allein bist heilig, dich ehren wir, wenn wir der Heiligen gedenken. Stärke durch dein Sakrament in uns das Leben der Gnade und führe uns auf dem Weg der Pilgerschaft zum ewigen Gastmahl, wo du selbst die Vollendung der Heiligen bist. Darum bitten wir durch Christus, unseren Herrn.

SCHLUSSSEGEN Von allen Heiligen

Der gütige Gott, der die Heiligen zur Vollendung geführt hat, segne euch und bewahre euch vor allem Unheil.

Das Vorbild der Heiligen lehre euch, und ihre Fürsprache helfe euch, Gott und den Menschen zu dienen.

Am heutigen Festtag gedenkt die Kirche in Freude aller Heiligen; Gott führe euch nach diesem Leben zur ewigen Gemeinschaft mit ihnen.

Das gewähre euch der dreieinige Gott, der Vater und der Sohn ✝ und der Heilige Geist.

Jetzt, da ich dieses Kapitel schreibe, türmen sich auf den Regalen über mir humanitätsschwere Bücher und blinken mir mit ihren mattschimmernden, gealterten Einbänden vorwurfsvoll zu, wie Sterne durch Wolkenstreifen: Man darf nichts in der Welt durch Gewalt zu erreichen suchen! Wer zum Schwert, zum Messer, zum Gewehr greift, wird nur zu rasch seinen Henkern und Bedrückern gleich. Und der Gewalt wird kein Ende sein ... Wird kein Ende sein ... Hier am Schreibtisch, im warmen, sauberen Arbeitszimmer, bin ich völlig einverstanden. Doch wer grundlos zu fünfundzwanzig Jahren Arbeitslager verdammt wird, wer seinen Namen verliert und vier Nummern angeheftet bekommt, die Hände immer auf dem Rücken halten muss, jeden Morgen und Abend gefilzt wird, täglich bis zur Erschöpfung robotet, zu Verhören in die BUR (Baracke mit verschärftem Regime) geschleift wird, für immer in diese Erde gestampft wird – für den hören sich alle Reden der großen Menschenfreunde wie das Geschwätz satter Spießer an.

Alexander Solschenizyn

Selig die nach Gerechtigkeit Dürstenden ......
Selig die Verfolgten ......

wir dürfen Fragen zulassen
und müssen Fragen aushalten

Allerseelen
2. November 2012

Wie Jesus gestorben und auferstanden ist,
so wird Gott auch die in Jesus Entschlafenen
mit ihm vereinen.
Denn wie in Adam alle sterben,
so werden in Christus einst alle lebendig gemacht.
1 Thess 4,14; 1 Kor 15,22

Oder:

Herr, gib ihnen die ewige Ruhe,
und das ewige Licht leuchte ihnen.
Vgl. 5 Esra 2,34–35 (apokr.)

Oder:

Gott, der Jesus von den Toten auferweckt hat,
wird auch unseren sterblichen Leib lebendig machen
durch seinen Geist, der in uns wohnt.
Vgl. Röm 8,11

Die Bewusstseinsbildung des Menschen und die existentielle Fragestellung nach seinem Woher und Wohin gehen Hand in Hand – die gegebene Antwort fiel und fällt seit Jahrtausenden recht unterschiedlich aus. Diese Vielfalt zeugt von der Bedeutung, die der Mensch dieser Frage beimisst, aber auch von der einhergehenden Ungewissheit!

In der jüdisch-christlichen Tradition hat der Glaube an ein ewiges Leben bei Gott eine lange Entwicklung durchlaufen. Die Möglichkeit zuzugestehen, dass der einzelne nach seinem biologischen Tod nicht ins Nichts fällt, sondern in seiner Einmaligkeit als Individuum in Gottes Hand geborgen bleibt, hat sich nach und nach während Jahrhunderten entwickelt. Die ersten Christengemeinden haben diesen Glauben an ein Leben bei Gott verdichtet in ihrem Glauben an den Auferweckten Jesus zum Ausdruck gebracht.

Der heutige Festtag Allerseelen fußt auf zwei Säulen, die der »Erinnerung gegen das Vergessen« und die des »Einsatzes für die Zukunft«. Wir stehen an diesem Tag als lebendes Bindeglied zwischen diesen beiden Dimensionen. Unsere Verstorbenen, denen wir heute in besonderem Maße gedenken, sind Teil des endlosen Lebensflusses, aber auch unseres ganz persönlichen Lebenswegs. Sie haben ihn in unterschiedlicher Intensität und sehr vielfältig geprägt; manches mag uns nicht einmal richtig bewusst sein. Gleichzeitig ist dieser Weg für uns eine noch konkret zu gestaltende Zukunft. Erinnerung birgt immer auch Zukunftsorientierung, wenn sie nicht im toten Bereich verharren, sondern lebendig sein will. In unserer jüdisch-christlichen Tradition ist dieses Denken fest verankert: so wie die Erinnerung an die Erfahrung des Exodus für die jüdische Gemeinschaft stets zukunftsweisend war, so hat die Erinnerung an Leiden und Sterben Jesu mit der Auferstehungsdimension immer auch Lebenspendenden Charakter.

KYRIE-RUFE

Oder: GL 495,8 · KG 60,7

Herr Jesus Christus, durch deine Auferstehung hast du den Tod beisiegt. Herr, erbarme dich.
Du lässt unsere Hoffnung nicht zuschanden werden. Christus, erbarme dich.
Du führst uns durch den Tod ins Leben. Herr, erbarme dich.

TAGESGEBET

Formular I

Allmächtiger Gott, wir glauben und bekennen, daß du deinen Sohn als Ersten von den Toten auferweckt hast. Stärke unsere Hoffnung, daß du auch unsere Brüder und Schwestern auferwecken wirst zum ewigen Leben. Darum bitten wir durch ihn, Jesus Christus.

Oder: Formular II

Herr, unser Gott, du bist das Licht der Glaubenden und das Leben der Heiligen. Du hast uns durch den Tod und die Auferstehung deines Sohnes erlöst. Sei deinen Dienern und Dienerinnen gnädig, die das Geheimnis unserer Auferstehung gläubig bekannt haben und laß sie auf ewig deine Herrlichkeit schauen. Darum bitten wir durch Jesus Christus.

Oder: Formular III

Allmächtiger Gott, du hast deinen Sohn als Sieger über den Tod zu deiner Rechten erhöht. Gib deinen verstorbenen Dienern und Dienerinnen Anteil an seinem Sieg über die Vergänglichkeit, damit sie dich, ihren Schöpfer und Erlöser, schauen von Angesicht zu Angesicht. Darum bitten wir durch Jesus Christus.

ERSTE LESUNG

Jes 25,6a.7–9

Lesung aus dem Buch Jesaja.

An jenem Tag wird der Herr der Heere auf diesem Berg – dem Zion – für alle Völker ein Festmahl geben.

Er zerreißt auf diesem Berg die Hülle, die alle Nationen verhüllt, und die Decke, die alle Völker bedeckt. Er beseitigt den Tod für immer. Gott, der Herr, wischt die Tränen ab von jedem Gesicht. Auf der ganzen Erde nimmt er von seinem Volk die Schande hinweg. Ja, der Herr hat gesprochen.

An jenem Tag wird man sagen: Seht, das ist unser Gott, auf ihn haben wir unsere Hoffnung gesetzt, er wird uns retten. Das ist der Herr, auf ihn setzen wir unsere Hoffnung. Wir wollen jubeln und uns freuen über seine rettende Tat. IF

Die Bibelwissenschaft nimmt als Entstehungszeit der literarischen Einheit von Jesaja 24 bis 27 frühestens das 5. Jh. v. Chr. an; somit gehören diese Kapitel zu dem jüngeren Teil der prophetischen Schrift. Sie weisen, wenn auch noch nicht ganz ausgeprägt, Merkmale jüdisch-apokalyptischer Literatur auf, wie bspw. die Ankündigung des Endgerichts, das messianische Festmahl, der endgültige Sieg über den Tod oder das Zerreißen des verhüllenden Schleiers. Der Text spiegelt die Überzeugung, dass Gott fundamental ein Menschen liebender Gott ist, dass er ohne Unterschied alle Völker zu sich ruft und jedem einzelnen seine Zuwendung schenkt. Dieses universalistisch geglaubte Heilsangebot ist in der jüdischen Bibel vielfach belegt, beispielsweise in Jes 2,2f.; 56,6ff. oder auch Sach 8,20, und es wird auch später in den neutestamentlichen Schriften zum Tragen kommen. Der Gott des Lebens wird den Tod für immer beseitigen, das ist unsere Hoffnung.

Antwortpsalm

Ps 23 (℟: 1)

Kehrvers: Der Herr ist mein Hirte, nichts wird mir fehlen.

VI. Ton – GL 535,6 · KG 611

Der Herr ist mein Hirte, nichts wird mir fehlen. /
Er lässt mich lagern auf grünen Auen *
und führt mich zum Ruheplatz am Wasser.
Er stillt mein Verlangen; *
er leitet mich auf rechten Pfaden, treu seinem Namen. – ℟

Muss ich auch wandern in finsterer Schlucht, *
ich fürchte kein Unheil;
denn du bist bei mir, *
dein Stock und dein Stab geben mir Zuversicht. – ℟

Du deckst mir den Tisch *
vor den Augen meiner Feinde.
Du salbst mein Haupt mit Öl, *
du füllst mir reichlich den Becher. – ℟

Lauter Güte und Huld *
werden mir folgen mein Leben lang
und im Haus des Herrn *
darf ich wohnen für lange Zeit. – ℟

Zweite Lesung

1 Kor 15,20–23

Lesung aus dem ersten Korintherbrief.

Schwestern und Brüder! Christus ist von den Toten auferweckt worden als der Erste der Entschlafenen. Da nämlich durch e i n e n Menschen der Tod gekommen ist, kommt durch e i n e n Menschen auch die Auferstehung der Toten. Denn wie in Adam alle sterben, so werden in Christus alle lebendig gemacht werden.

Es gibt aber eine bestimmte Reihenfolge: Erster ist Christus; dann folgen, wenn Christus kommt, alle, die zu ihm gehören. ⅠF

Schon in der jungen Christengemeinde in Korinth gab es Mitglieder, welche den Glauben an die Auferstehung von den Toten ablehnten. Paulus reagiert in Kapitel 15 seiner Schrift auf diese »Missstände«. Er wiederholt die wichtigsten Glaubensinhalte, die er selber empfangen und dann weiter vermittelt hat. Für ihn ist die Auferweckung Jesu die gedankliche Mitte, aus der heraus er seine Verkündigung artikuliert; sie ist Garant für die eigene Auferstehung des Gläubigen. Mit dem Stilmittel der Antithese Adam – Christus (Tod – Auferstehung) verdeutlicht der Apostel uns den Neubeginn, der uns durch das Handeln Jesu geschenkt ist. Interessant zu bemerken ist, dass der Apostel die Auferstehung in einer gewissen Chronologie denkt, wenn er von Christus als Erstem spricht, dann von denen, die zu ihm gehören, und die ihm bei seiner Wiederkunft (deren Zeitpunkt ungewiss ist) in die Auferstehung folgen werden. Im weiteren Verlauf seines Briefs wiederholt er eindringlich, dass letzten Endes das, was wir erleben werden, ein Geheimnis bleibt, von dem wir (nur) glaubend sagen können, dass es Verwandlung ist.

ANTWORTPSALM

Ps 17,1–2.5–6.8.15 (ⅠR: vgl. 15)

ⅠR: Dein Angesicht werde ich schauen, wenn ich erwache.

VI. Ton – GL 528,3 · KG 733,2

Höre, Herr, die gerechte Sache, /
achte auf mein Flehen, *
vernimm mein Gebet von Lippen ohne Falsch!
Von deinem Angesicht ergehe mein Urteil; *
denn deine Augen sehen, was recht ist. – ⅠR

Auf dem Weg deiner Gebote gehn meine Schritte, *
meine Füße wanken nicht auf deinen Pfaden.
Ich rufe dich an, denn du, Gott, erhörst mich.
Wende dein Ohr mir zu, vernimm meine Rede! – ⅠR

Behüte mich wie den Augapfel, den Stern des Auges, *
birg mich im Schatten deiner Flügel!
Ich will in Gerechtigkeit dein Angesicht schauen, *
mich satt sehen an deiner Gestalt, wenn ich erwache. – ℟

RUF VOR DEM EVANGELIUM

Vgl. Joh 11,25a.26b

Christus Sieger, Christus König, Christus Herr in Ewigkeit!
So spricht der Herr: Ich bin die Auferstehung und das Leben.
Jeder, der an mich glaubt, wird auf ewig nicht sterben.
Christus Sieger, Christus König, Christus Herr in Ewigkeit!

EVANGELIUM

Joh 11,17–27

Aus dem heiligen Evangelium nach Johannes.

In jener Zeit, als Jesus in Betanien ankam, fand er Lazarus schon vier Tage im Grab liegen. Betanien war nahe bei Jerusalem, etwa fünfzehn Stadien entfernt.

Viele Juden waren zu Marta und Maria gekommen, um sie wegen ihres Bruders zu trösten.

Als Marta hörte, dass Jesus komme, ging sie ihm entgegen, Maria aber blieb im Haus. Marta sagte zu Jesus: Herr, wärst du hier gewesen, dann wäre mein Bruder nicht gestorben. Aber auch jetzt weiß ich: Alles, worum du Gott bittest, wird Gott dir geben.

Jesus sagte zu ihr: Dein Bruder wird auferstehen.

Marta sagte zu ihm: Ich weiß, dass er auferstehen wird bei der Auferstehung am Letzten Tag.

Jesus erwiderte ihr: Ich bin die Auferstehung und das Leben. Wer an mich glaubt, wird leben, auch wenn er stirbt, und jeder, der lebt und an mich glaubt, wird auf ewig nicht sterben. Glaubst du das?

Marta antwortete ihm: Ja, Herr, ich glaube, dass du der Messias bist, der Sohn Gottes, der in die Welt kommen soll. ℣

Jesus von Nazaret pflegte einen offenen und unkonventionellen Umgang mit seinen Mitmenschen. Der vorliegende Text ist ein Beispiel dafür. Seine einladende Haltung gerade gegenüber weniger angesehenen Personen war für manche irritierend, sogar anstößig.

Ein gläubiger Jude, und umso mehr ein Lehrer, hatte beispielsweise in der Öffentlichkeit größtmögliche Zurückhaltung gegenüber Frauen zu üben! Noch befremdender wird es gewirkt haben, wenn es sich um eine in der Öffentlichkeit geführte theologische Auseinandersetzung handelte, wo doch der offizielle theologische Diskurs einzig Männersache war. Wenn auch die Historizität der Begebenheit unserem heutigen Verständnis nach nicht zu belegen ist, bleibt die Tatsache, dass der Evangelist den Text durch die Formulierung so und nicht anders gewichtet hat!

Genau wie im Gespräch mit der samaritischen Frau am Jakobsbrunnen (Joh 4,7ff.) zielt der Autor mit vorliegendem Dialog zwischen Jesus und Marta auf eine theologische Unterweisung seiner Leser; das ganze Geschehen der Auferweckung des Lazarus ist nicht auf einer geschichtlichen Ebene anzusiedeln, sondern auf einer bildlichen: uns liegt mit ihr eine wohldurchdachte Katechese, eine Unterweisung im rechten Glauben vor. Die Hörer/Leser sollen erkennen: Jesus ist wirklich der seit langem erwartete Messias, der Sohn Gottes (Vers 27), seine Autorität hat er von Gott, weshalb wir ihm volles Vertrauen entgegenbringen können (Vers 22), und dem Menschen, der an ihn glaubt, kann selbst der leibliche Tod nichts mehr anhaben (Vers 25f.). Marta steht exemplarisch für diese Glaubenshaltung; ihr Vertrauen in Gott ist auch durch den schmerzlichen Verlust ihres Bruders nicht zu erschüttern; das letzte gesprochene Wort heißt Leben. Gott vermag es, dieses Wort auch noch nach vier Tagen zu sprechen, dann wenn nach menschlichem Ermessen längst alles zu spät ist – eine sehr eindringliche Beschreibung von seiner grenzenlosen Liebe und Barmherzigkeit.

FÜRBITTEN

Guter Gott, Schöpfer und Erhalter allen Lebens, wir beten zu dir:

V: Gott unser Heil. A: Wir bitten dich, erhöre uns

- Schenke unseren Verstorbenen Leben in Licht und Fülle bei dir.
- Stärke die Menschen, die im Sterben liegen, mit deiner Liebe und lass sie durch andere spüren, dass sie nicht alleingelassen sind.

- Stehe denen bei, die Kranke und Sterbende begleiten, dass sie Zuversicht und Geborgenheit erfahren und weitergeben können.
- Schenke uns Gelassenheit und Vertrauen, damit wir in Freude und Zuversicht leben können.

Barmherziger Gott, wir hoffen auf ein ewiges Leben bei dir. Viele Menschen sind und waren beseelt von diesem Glauben; in ihm haben sie gelebt und gehandelt. Erfülle in deiner Güte ihre und unsere Hoffnung. Amen.

GABENGEBET

Formular I

Herr, unser Gott, schau gütig auf unsere Gaben. Nimm deine Diener und Dienerinnen auf in die Herrlichkeit deines Sohnes, mit dem auch wir durch das große Sakrament der Liebe verbunden sind. Darum bitten wir durch ihn, Christus, unseren Herrn.

Oder: Formular II

Allmächtiger und barmherziger Gott, du hast deine Diener und Dienerinnen durch das Wasser der Taufe geheiligt. Reinige sie im Blute Christi von ihren Sünden und führe sie voll Erbarmen zur letzten Vollendung. Darum bitten wir durch Christus, unseren Herrn.

Oder: Formular III

Herr, unser Gott, nimm die Gabe an, die wir darbringen für deine Diener und Dienerinnen und für alle, die in Christus entschlafen sind. Befreie durch dieses einzigartige Opfer unsere Verstorbenen aus den Fesseln des Todes und schenke ihnen das unvergängliche Leben. Darum bitten wir durch Christus, unseren Herrn.

PRÄFATION I

Verstorbene I

In Wahrheit ist es würdig und recht, dir, Herr, heiliger Vater, allmächtiger, ewiger Gott, immer und überall zu danken durch unseren Herrn Jesus Christus. In ihm erstrahlt uns die Hoffnung, daß wir zur Seligkeit auferstehn. Bedrückt uns auch das

Los des sicheren Todes, so tröstet uns doch die Verheißung der künftigen Unsterblichkeit. Denn deinen Gläubigen, o Herr, wird das Leben gewandelt, nicht genommen. Und wenn die Herberge der irdischen Pilgerschaft zerfällt, ist uns im Himmel eine ewige Wohnung bereitet. Darum singen wir mit den Engeln und Erzengeln, den Thronen und Mächten und mit all den Scharen des himmlischen Heeres den Hochgesang von deiner göttlichen Herrlichkeit.

Oder: Verstorbene II

Wir danken dir, Vater im Himmel, und rühmen dich durch unseren Herrn Jesus Christus. Denn er ist der Eine, der den Tod auf sich nahm für uns alle, damit wir im Tode nicht untergehn. Er ist der Eine, der für uns alle gestorben ist, damit wir bei dir in Ewigkeit leben. Durch ihn preisen dich deine Erlösten und singen mit den Chören der Engel das Lob deiner Herrlichkeit.

Oder: Verstorbene III

In Wahrheit ist es würdig und recht, dir, allmächtiger Vater, zu danken durch unseren Herrn Jesus Christus. Denn er ist das Heil der Welt, das Leben der Menschen, die Auferstehung der Toten. Durch ihn rühmen dich Himmel und Erde, Engel und Menschen und singen wie aus einem Munde das Lob deiner Herrlichkeit.

Oder: Verstorbene IV

In Wahrheit ist es würdig und recht, dir, Herr, heiliger Vater, allmächtiger, ewiger Gott, immer und überall zu danken. Denn in deinen Händen ruht unser Leben: Nach deinem Willen werden wir geboren und durch deine Führung geleitet. Nach deiner Verfügung empfangen wir den Sold der Sünde und kehren zurück zur Erde, von der wir genommen sind. Doch du hast uns erlöst durch das Kreuz deines Sohnes, darum erweckt uns einst dein Befehl zur Herrlichkeit der Auferstehung mit Christus. Durch ihn preisen wir jetzt und in Ewigkeit dein Erbarmen und singen mit den Chören der Engel das Lob deiner Herrlichkeit.

Oder: Verstorbene V

In Wahrheit ist es würdig und recht, dir, Herr, heiliger Vater, allmächtiger, ewiger Gott, immer und überall zu danken. Durch die Sünde kam der Tod in die Welt, und niemand kann ihm entrinnen. Doch deine Liebe hat die Macht des Todes gebrochen und uns gerettet durch den Sieg unseres Herrn Jesus Christus, der uns aus der Vergänglichkeit hinüberführt in das ewige Leben. Durch ihn rühmen dich Himmel und Erde. Engel und Menschen und singen wie aus einem Munde das Lob deiner Herrlichkeit.

EINLADUNG ZUM VATERUNSER

Gott wird unsere Hoffnung nicht enttäuschen. In Christus haben wir das Leben und die Gemeinschaft mit Gott. Wir beten mit seinen Worten: Vater unser im Himmel …

EINLADUNG ZUM FRIEDENSGEBET

Gott will mit uns sein Reich errichten. Er schenkt uns seinen Frieden und führt uns zum ewigen Leben. Deshalb bitten wir: Herr Jesus Christus …

KOMMUNIONVERS Joh 11,25–26

So spricht der Herr: Ich bin die Auferstehung und das Leben; wer an mich glaubt, wird leben, auch wenn er stirbt, und jeder, der lebt und an mich glaubt, wird in Ewigkeit nicht sterben.

Oder: Vgl. 5 Esra 2,35.34 (apokr.)

Das ewige Licht leuchte ihnen, o Herr, bei deinen Heiligen in Ewigkeit; denn du bist unser Vater. Herr, gib ihnen die ewige Ruhe, und das ewige Licht leuchte ihnen; denn du bist unser Vater.

Oder: Phil 3,20–21

Wir erwarten den Retter, den Herrn Jesus Christus, der unseren armseligen Leib verwandeln wird in die Gestalt seines verherrlichten Leibes.

SCHLUSSGEBET

Formular I

Barmherziger Gott, wir haben das Gedächtnis des Todes und der Auferstehung Christi gefeiert für unsere Brüder und Schwestern. Führe sie vom Tod zum Leben, aus dem Dunkel zum Licht, aus der Bedrängnis in deinen Frieden. Darum bitten wir durch Christus, unseren Herrn.

Oder: Formular II

Herr, unser Gott, wir haben das Mahl deines Sohnes gefeiert, der sich für uns geopfert hat und in Herrlichkeit auferstanden ist. Erhöre unser Gebet für deine Diener und Dienerinnen. Läutere sie durch das österliche Geheimnis Christi und laß sie auferstehen zur ewigen Freude. Darum bitten wir durch Christus, unseren Herrn.

Oder: Formular III

Barmherziger Gott, wir haben das Opfer dargebracht, das du in Gnaden annimmst. Erbarme dich unserer Verstorbenen. Du hast sie in der Taufe als deine Kinder angenommen; schenke ihnen in der Freude des Himmels das verheißene Erbe. Darum bitten wir durch Christus, unseren Herrn.

SCHLUSSSEGEN

Für Verstorbene

Die Gnade seines Segens schenke euch der Gott allen Trostes, der uns aus Liebe erschaffen und uns in Christus die Hoffnung auf die selige Auferstehung geschenkt hat.

Den Lebenden gewähre er die Verzeihung der Sünden, die Verstorbenen führe er in sein Licht und seinen Frieden.

Der Lebenden und der Toten erbarme sich Christus, der wahrhaft aus dem Grabe erstanden ist.

Das gewähre euch der dreieinige Gott, der Vater und der Sohn ✝ und der Heilige Geist.

Wenn es sie gibt
die Auferstehung zum Leben
die wir sagen
wir glaubten

wenn es Gott gibt
den wir sagen
wir glaubten
und
ein Ewiges Leben bei ihm

wenn es solches gibt
ist das nicht einfach nur tröstlich –
vielmehr
ist Gott dann definitiv auf der Seite des Lebens
und es gilt der ultimative Anspruch
unser aller Leben
hier und jetzt
ausnahmslos und ganz
zu heiligen

Gaby Faber-Jodocy

31. Sonntag im Jahreskreis
4. November 2012

Herr, verlaß mich nicht, bleib mir nicht fern, mein Gott!
Eile mir zu Hilfe, Herr, du mein Heil.
Ps 38,22–23

Damit menschliches Zusammenleben überhaupt funktionieren kann, sind allgemein anerkannte Vorschriften, geschriebene oder mündlich tradierte, unerlässlich; sie führen aus Chaos und Beliebigkeit heraus, sie geben dem Einzelnen eine gewisse Sicherheit und sind maßgeblich an Gestaltung und Erhalt des Ganzen beteiligt. Sie gewähren Kontinuität, müssen aber gleichzeitig auch neuen Gegebenheiten Rechnung tragen, denn nur, wenn sie diesen Spagat schaffen, sind sie auf lange Sicht wirklich tragfähig!

In den heutigen Schriftlesungen geht es um Inhalt und Begrifflichkeit von jüdischem und frühchristlichem Gesetz. Religiöse Gesetzgebungen sagen immer auch etwas über das jeweilige Gottesbild der betreffenden Gemeinschaft und deren Erfahrungsschatz mit ihrem Gott aus, dafür sind die Texte aus den Büchern Deuteronomium, Hebräerbrief und Markusevangelium beredte Beispiele. Sie laden uns ein, diesen mehr als zweieinhalb Jahrtausende alten Schatz zu meditieren.

Kyrie-Rufe

Oder: GL 311 · KG 64

Herr Jesus Christus, du hast das Gesetz erfüllt. Herr, erbarme dich.
Du lehrst uns die Liebe zu Gott und zu den Menschen. Christus, erbarme dich.
In dir hat Gott seine Liebe zu uns vollendet. Herr, erbarme dich.

Gloria (siehe Seite 508)

Tagesgebet

Allmächtiger, barmherziger Gott, es ist deine Gabe und dein Werk, wenn das gläubige Volk dir würdig und aufrichtig dient.

Nimm alles von uns, was uns auf dem Weg zu dir aufhält, damit wir ungehindert der Freude entgegeneilen, die du uns verheißen hast. Darum bitten wir durch Jesus Christus.

ERSTE LESUNG Dtn 6,2–6

Lesung aus dem Buch Deuteronomium.

Mose sprach zum Volk: Wenn du den Herrn, deinen Gott, fürchtest, indem du auf alle seine Gesetze und Gebote, auf die ich dich verpflichte, dein ganzes Leben lang achtest, du, dein Sohn und dein Enkel, wirst du lange leben.

Deshalb, Israel, sollst du hören und darauf achten, alles, was der Herr, unser Gott, mir gesagt hat, zu halten, damit es dir gut geht und ihr so unermesslich zahlreich werdet, wie es der Herr, der Gott deiner Väter, dir zugesagt hat, in dem Land, wo Milch und Honig fließen.

Höre, Israel! Jahwe, unser Gott, Jahwe ist einzig. Darum sollst du den Herrn, deinen Gott, lieben mit ganzem Herzen, mit ganzer Seele und mit ganzer Kraft.

Diese Worte, auf die ich dich heute verpflichte, sollen auf deinem Herzen geschrieben stehen. IF

Ob das *Höre Israel* von Anfang an als Bekenntnis zum strikten Monotheismus verstanden wurde, oder ob es ursprünglich Jahwe »nur« den ersten Platz einräumte, ohne die Existenz anderer Götter generell abzustreiten, ist eine interessante religionsgeschichtliche Fragestellung. Wir wissen heute, dass der Weg in Israel von der Verehrung vieler Götter über die Herausstellung Jahwes als wichtigste Gottheit bis hin zur Annahme, dass es überhaupt nur einen einzigen Gott gibt, eine lange Entwicklungszeit von vielen Jahrhunderten benötigt hat. Was aber in viel größerem Maße die Faszination der vorliegenden Verse ausmacht, ist ihr bezaubernder und zugleich beschwörender Tonfall. Wenn wir sie in unserem inneren Ohr klingen lassen, erinnern sie uns an einen Liebesschwur, so wie im Hohelied der Liebe, wenn in Kapitel 6, Vers 8–9 der Mann seine Geliebte mit folgenden Worten preist: *Sechzig Königinnen hat Salomo, achtzig Ne-*

benfrauen und Mädchen ohne Zahl. Doch einzig ist meine Taube, die Makellose, die einzige ihrer Mutter, die Erwählte ihrer Gebärerin. Leidenschaft, Liebe und Exklusivität sprechen aus beiden Texten; hier geht es um das, was den Menschen in seinem Tiefsten berührt, was ihm lebenswichtig ist, was ihn unbedingt angeht!

ANTWORTPSALM Ps 18,2–4.47.51.50 (℟: 2a)

℟: Ich will dich lieben, Herr, meine Stärke.
II. Ton – GL 528,4 · KG 631

Ich will dich lieben, Herr, meine Stärke, *
Herr, du mein Fels, meine Burg, mein Retter,
mein Gott, meine Feste, in der ich mich berge, *
mein Schild und sicheres Heil, meine Zuflucht. – ℟

Ich rufe: Der Herr sei gepriesen!, *
und ich werde vor meinen Feinden gerettet.
Es lebt der Herr! Mein Fels sei gepriesen. *
Der Gott meines Heils sei hoch erhoben. – ℟

Seinem König verlieh er große Hilfe, /
Huld erwies er seinem Gesalbten, *
David und seinem Stamm auf ewig.
Darum will ich dir danken, Herr, vor den Völkern, *
ich will deinem Namen singen und spielen. – ℟

ZWEITE LESUNG Hebr 7,23–28

Lesung aus dem Hebräerbrief.

Schwestern und Brüder! Im Alten Bund folgten viele Priester aufeinander, weil der Tod sie hinderte zu bleiben; Jesus aber hat, weil er auf ewig bleibt, ein unvergängliches Priestertum.

Darum kann er auch die, die durch ihn vor Gott hintreten, für immer retten; denn er lebt allezeit, um für sie einzutreten.

Ein solcher Hoherpriester war für uns in der Tat notwendig: einer, der heilig ist, unschuldig, makellos, abgesondert von den Sündern und erhöht über die Himmel; einer, der es nicht Tag für Tag nötig hat, wie die Hohenpriester zuerst für die eigenen Sünden Opfer darzubringen und dann für die des Volkes; denn das hat er ein für alle Mal getan, als er sich selbst dargebracht hat.

Das Gesetz nämlich macht Menschen zu Hohenpriestern, die der Schwachheit unterworfen sind; das Wort des Eides aber, der später als das Gesetz kam, setzt den Sohn ein, der auf ewig vollendet ist. IF

Beim namentlich unbekannten Autor des Hebräerbriefs können wir eine klare judenchristliche Prägung ausmachen; seine Schrift datiert wohl aus dem letzten Viertel des 1. Jh. Es ist die einzige im Kanon des Neuen Testaments, die Christus den Titel Hohepriester gibt. Sie zeugt damit von einer gewollten gedanklichen Verbindung zwischen biblischer Kulttradition und christlichem Glaubensbekenntnis. Jesus gehörte nicht der Priesterklasse an und seine Kreuzigung war kein Ritus sondern eine Schmach! Aber dadurch, dass Jesus im Kreuz das Leiden frei angenommen und sein Leben vollkommen hingegeben hat (der Schreiber betont explizit das reelle Leben und Leiden des Herrn!), hat er vollkommene Sühne geleistet. Als makelloser, unsterblicher Priester vermag er durch sein vollkommenes Opfer die Menschen ganz zu Gott hinzuziehen. Der Verfasser hebt den Ritusbegriff aus seinem engeren Verständnis heraus; für ihn ist die Priester- und Opfertheologie des Alten Bundes durch das Geschehen in Jerusalem zur Vollendung geführt; Christus ist als der Hohepriester schlechthin anzuerkennen.

RUF VOR DEM EVANGELIUM — Vgl. Joh 14,23

Halleluja. Halleluja.
So spricht der Herr: Wer mich liebt, hält fest an meinem Wort.
Mein Vater wird ihn lieben und wir werden bei ihm wohnen.
Halleluja.

EVANGELIUM — Mk 12,28b–34

Aus dem heiligen Evangelium nach Markus.

In jener Zeit ging ein Schriftgelehrter zu Jesus hin und fragte ihn: Welches Gebot ist das erste von allen? Jesus antwortete:

Das erste ist: Höre, Israel, der Herr, unser Gott, ist der einzige Herr. Darum sollst du den Herrn, deinen Gott, lieben mit ganzem Herzen und ganzer Seele, mit all deinen Gedanken und all deiner Kraft. Als zweites kommt hinzu: Du sollst deinen Nächsten lieben wie dich selbst. Kein anderes Gebot ist größer als diese beiden.

Da sagte der Schriftgelehrte zu ihm: Sehr gut, Meister! Ganz richtig hast du gesagt: Er allein ist der Herr, und es gibt keinen anderen außer ihm, und ihn mit ganzem Herzen, ganzem Verstand und ganzer Kraft zu lieben und den Nächsten zu lieben wie sich selbst, ist weit mehr als alle Brandopfer und anderen Opfer.

Jesus sah, dass er mit Verständnis geantwortet hatte, und sagte zu ihm: Du bist nicht fern vom Reich Gottes. Und keiner wagte mehr, Jesus eine Frage zu stellen. IF

Zur Zeit Jesu wurde die Hierarchie der göttlichen Gebote von den Thoralehrern öffentlich diskutiert. 613 heilige Vorschriften, welche ist die wichtigste? Einer stellt Jesus die Frage. Und wie so oft, antwortet dieser souverän und selbstbewusst. Er reiht sich in die jüdische Glaubenstradition ein, indem er das von jedem frommen Juden täglich gebetete *Höre Israel* aus Dtn 6,5 und die Anweisung zu sozialem Verhalten aus Lev 19,18 zitiert. Er baut auf Bestehendem auf, er will das, was sich längst als richtig erwiesen und als gut bewährt hat, bewahren und gleichzeitig mit neuem Leben füllen. Er setzt sich über die Engführung der Frage hinweg, indem er eine Doppelantwort gibt. Das inhaltlich Neue ist, dass Jesus beide bestehenden Gebote, das der Gottes- und das der Nächstenliebe direkt miteinander verknüpft, sie als gleich wichtig nebeneinander stellt, ohne dass eins das andere ersetzen könnte, und alle anderen Bestimmungen diesem Doppelgebot unterordnet! Wenn dem so ist, dann kann eine Heilung am Sabbat ebenso wenig als Verstoß gegen das Gesetz interpretiert werden wie der unbefangene Umgang und das Mahlhalten mit Außenseitern. Die rechte Gottesliebe misst sich nach Jesu Verständnis nicht am verbal geäußerten Glauben des einzelnen, sondern an dessen von Herzen gelebten Nächstenliebe.

Der Evangelist Lukas wird die Frage nach dem wichtigsten Gebot mit der Erzählung des barmherzigen Samariters verknüpfen. Auf die Frage des Gesetzeslehrers, wer denn nun sein Nächster sei, den er zu lieben habe, antwortet Jesus mit diesem Gleichnis, und er lässt aufhorchen, indem er den Blickwinkel verändert: Der Nächste ist nicht der Hilfsbedürftige, sondern der Handelnde wird zum Nächsten, und dieser Nächste ist durchaus nicht nur in den eigenen Reihen zu sehen! Genau das ist Jesu Vision: als Nächster uneigennützig und über bestehende gesellschaftliche oder kulturelle Grenzen hinweg an den anderen handeln!

CREDO (siehe Seite 512)

FÜRBITTEN

Herr Jesus Christus, du hast uns mit deinem Leben gezeigt, wie Gottes- und Nächstenliebe zusammengehören, wir bitten dich:

A: Wir bitten dich, erhöre uns.

- Schenke allen Menschen guten Willens, die ihr Leben ihrem Glauben nach ausrichten möchten, deinen Geist der Stärke, damit sie in ihren Bemühungen um eine bessere und gerechtere Welt trotz mancher Schwierigkeiten nicht nachlassen.
- Schenke denen, die überzeugt sind, dass sie ihre Ansichten mit Gewalt durchsetzen müssten, deinen Geist der Einsicht, damit sie erkennen, dass Zwang, Willkür und Zerstörung dich den Menschen nicht näherbringen.
- Schenke allen, die ihre Freiheit eingebüßt haben und unschuldig in Gefängnissen harren, deinen Geist der Zuversicht, damit sie den Lebensmut nicht verlieren, und schenke denen, die in Schuld verstrickt sind, deinen Geist der Einsicht, damit sie die Kraft zur Umkehr finden.

– Schenke allen, die in Gesellschaft und Kirche Gesetze und Verordnungen ausarbeiten und für ihr Einhalten Sorge tragen, deinen Geist der Brüderlichkeit, damit sie sich an erster Stelle um das Wohl der Menschen sorgen, vor aller Buchstabengerechtigkeit.

Herr Jesus Christus, du warst zeitlebens vom Geist Gottes tief beseelt. Seine große Liebe zu den Menschen hat in dir Gestalt angenommen. An ihn glauben, an dich glauben, bedeutet für uns, uns Tag für Tag in der Gottes- und Nächstenliebe zu üben, dazu erhoffen und erbitten wir deinen Beistand. Amen.

GABENGEBET

Heiliger Gott, diese Gabe werde zum reinen Opfer, das deinen Namen groß macht unter den Völkern. Für uns aber werde sie zum Sakrament, das uns die Fülle deines Erbarmens schenkt. Darum bitten wir durch Christus, unseren Herrn.

PRÄFATION

Sonntage VII

In Wahrheit ist es würdig und recht, dir Vater im Himmel, zu danken und deine Gnade zu rühmen. So sehr hast du die Welt geliebt, daß du deinen Sohn als Erlöser gesandt hast. Er ist uns Menschen gleichgeworden in allem, außer der Sünde, damit du in uns lieben kannst, was du in deinem eigenen Sohne geliebt hast. Durch den Ungehorsam der Sünde haben wir deinen Bund gebrochen, durch den Gehorsam deines Sohnes hast du ihn erneuert. Darum preisen wir das Werk deiner Liebe und vereinen uns mit den Chören der Engel zum Hochgesang von deiner göttlichen Herrlichkeit.

EINLADUNG ZUM VATERUNSER

Gott macht uns zu seinen Kindern. Er schenkt uns die Liebe zu ihm als Vater und zu allen Menschen als unseren Geschwistern. Wir beten mit den Worten Jesu: Vater unser im Himmel …

EINLADUNG ZUM FRIEDENSGEBET

In der Liebe zu Gott und den Nächsten leben wir den Frieden, wie Gott ihn uns schenken will. Deshalb bitten wir: Herr Jesus Christus …

KOMMUNIONVERS Joh 6,57

So spricht der Herr: Wie mich der lebendige Vater gesandt hat und wie ich durch den Vater lebe, so wird jeder, der mich isst, durch mich leben.

Oder: Ps 16,11

Herr, du zeigst mir den Pfad zum Leben; vor deinem Angesicht herrscht Freude in Fülle.

SCHLUSSGEBET

Gütiger Gott, du hast uns mit dem Brot des Himmels gestärkt. Laß deine Kraft in uns wirken, damit wir fähig werden, die ewigen Güter zu empfangen, die uns in diesen Gaben verheißen sind. Darum bitten wir durch Christus, unseren Herrn.

SCHLUSSSEGEN Im Jahreskreis I

Der Herr segne euch und behüte euch; der Herr lasse sein Angesicht über euch leuchten und sei euch gnädig; er wende euch sein Antlitz zu und schenke euch seinen Frieden.
Das gewähre euch der dreieinige Gott, der Vater und der Sohn ✝ und der Heilige Geist.

Gerechtigkeit
heißt nicht
Buchstabentreue
zum Gesetz
ist mehr
als gleicher Lohn
für gleiche Arbeit
ist anders
als angemessene Strafe
für getane Fehler
Gerechtigkeit
ist uneingeschränkte
Wertschätzung
des Anderen
ist geschenkte
Möglichkeit
der Begegnung
Gerechtigkeit
ist niemals
quantifizierbar
sie ist kein Tun
sie ist Haltung
sie hält
Türen der Zukunft
offen
vielleicht
geht niemand durch.

Gaby Faber-Jodocy

Weihetag der Lateranbasilika
9. November 2012

Ich sah die heilige Stadt, das neue Jerusalem,
von Gott her aus dem Himmel herabkommen.
Sie war bereit wie eine Braut,
die sich für ihren Mann geschmückt hat.
Offb 21,2

Schon 311 hatte Kaiser Galerius ein erstes Toleranzedikt erlassen, da die Erfolglosigkeit der Christenverfolgungen offenkundig und die Verbreitung der Lehre nicht aufzuhalten war. Die Anhänger der neuen Religion sollten fortan für sein Wohlergehen und das des Staates zu ihrem Gott beten dürfen. Mit dem Toleranzedikt Kaiser Konstantins im Jahr 313 begann endgültig eine neue Epoche: Nach mehr als zwei Jahrhunderten der z. T. sehr grausamen Verfolgungen im römischen Reich konnten die Christen von nun an ihre Religion frei ausüben.

Ob Konstantin aus echter christlicher Überzeugung oder eher aus politischem Kalkül gehandelt hat, können wir so nicht mehr nachvollziehen; wahrscheinlich flossen, wie so oft im Leben, beide Überlegungen in seine Entscheidungsfindung hinein! Fest steht jedoch, dass das Geschenk des Laterans aus den Händen des Kaisers an den Bischof von Rom im Jahr 324, und viele weitere Privilegien, für die Christengemeinden damals in erster Linie das Ende unsäglicher Not bedeuteten und sie die neue Situation durchweg begrüßten. Gleichzeitig aber waren die Weichen für die anschließende Entwicklung in Richtung einer unglückseligen Verquickung von Kirche und Staat, mit allem dazugehörigen zerstörerischen Machtpotenzial, unweigerlich gestellt – letztendlich bezahlte die Kirche die neue Freiheit mit Abhängigkeit. Es gab jedoch auch damals schon kritische Stimmen, wie z. B. Bischof Hilarius von Poitiers, der Kaiser Konstantius in einer Streitschrift einen schmeichelnden Feind nennt, der den Christen nicht das Rückgrat bricht, sie liebkost, ihnen aber die Herzen stiehlt, der ihren Körper nicht mit dem Schwert, dafür ihre Seele mit Gold mordet. Aber diese Stimmen fanden kaum Gehör.

Der heutige Festtag lädt uns ein darüber nachzudenken, ob, wie und wo unser gelebter Glaube, unser Gottes-Dienst, verortet ist, weit über steinerne Mauern eines religiösen Gebäudes, uralte Riten oder gesellschaftliche Konventionen hinaus!

KYRIE-RUFE

Oder: GL 485 · KG 30,4

Herr Jesus Christus, du hast uns in der Taufe in deine Kirche eingegliedert. Herr, erbarme dich.
Du baust uns auf zu Gottes Tempel. Christus, erbarme dich.
Du sendest uns deinen Geist, der in uns wohnt. Herr, erbarme dich.

GLORIA (siehe Seite 508)

TAGESGEBET

Erhabener Gott, du erbaust dir aus lebendigen und erlesenen Steinen ein ewiges Haus. Mache die Kirche reich an Früchten des Geistes, den du ihr geschenkt hast, und laß alle Gläubigen in der Gnade wachsen, bis das Volk, das dir gehört, im himmlischen Jerusalem vollendet wird. Darum bitten wir durch Jesus Christus.

Oder:

Allmächtiger Gott, du hast gewollt, daß dein Volk Kirche heiße, denn wir sind das Haus, in dem deine Herrlichkeit wohnt. Gib, daß die Gläubigen, die sich in deinem Namen versammeln, dich ehren, dich lieben und dir gehorchen, damit sie unter deiner Führung das ewige Erbe erlangen. Darum bitten wir durch Jesus Christus.

ERSTE LESUNG

Ez 47,1–2.8–9.12

Lesung aus dem Buch Ezechiel.

Der Mann, der mich begleitete, führte mich zum Eingang des Tempels und ich sah, wie unter der Tempelschwelle

Wasser hervorströmte und nach Osten floss; denn die vordere Seite des Tempels schaute nach Osten. Das Wasser floss unterhalb der rechten Seite des Tempels herab, südlich vom Altar. Dann führte er mich durch das Nordtor hinaus und ließ mich außen herum zum äußeren Osttor gehen. Und ich sah das Wasser an der Südseite hervorrieseln.

Er sagte zu mir: Dieses Wasser fließt in den östlichen Bezirk, es strömt in die Araba hinab und läuft in das Meer, in das Meer mit dem salzigen Wasser. So wird das salzige Wasser gesund. Wohin der Fluss gelangt, da werden alle Lebewesen, alles, was sich regt, leben können und sehr viele Fische wird es geben. Weil dieses Wasser dort hinkommt, werden die Fluten gesund; wohin der Fluss kommt, dort bleibt alles am Leben.

An beiden Ufern des Flusses wachsen alle Arten von Obstbäumen. Ihr Laub wird nicht welken und sie werden nie ohne Frucht sein. Jeden Monat tragen sie frische Früchte; denn das Wasser des Flusses kommt aus dem Heiligtum. Die Früchte werden als Speise und die Blätter als Heilmittel dienen. |F

Für den leidenschaftlichen Exil-Propheten Ezechiel ist der Tempel als Kultstätte und jüdisches Identifikationselement unverzichtbar. Ihm räumt er in seiner Vision vom Aufbau des neuen Israels einen zentralen Platz ein: Über viele Kapitel (40–48) befasst er sich mit seinem Wiederaufbau, den Maßen, der Ausrichtung und der inneren Ausstattung, mit der Priesterschaft und dem Kult. Genauso unverzichtbar aber ist für Ezechiel die innere Erneuerung der Gläubigen: ein neuer Geist und ein neues Herz sollen sie beseelen. Diese werden ihnen von Gott geschenkt, damit alle erkennen können, dass Gott der Herr ist. Gott hat das letzte Wort, er bestimmt den Gang aller Dinge, er ist derjenige der Leben nimmt und Leben gibt.

So sieht ihn Ezechiel in seiner ganzen Herrlichkeit, der aufgehenden Sonne gleich, von Osten her in den Tempel einziehen (Kapitel 43). Diese wie rauschende Wassermassen eintretende Herrlichkeit Gottes fließt etwas später in vorliegendem Text wieder nach Osten ab. Überall auf ihrem Weg ermöglicht die Tempelquelle Leben in Fülle, sie macht gesund, was krank war, und verwandelt sogar das unfruchtbare Tote Meer in fischreiches Gewässer. Die göttliche Kraft schenkt dem Menschen Leben und Heil in Fülle!

Die Wirkungsgeschichte dieses alttestamentlichen Textes können wir bis in die johannäische Literatur verfolgen, die im Leib Jesu den neuen Tempel erkennt (Joh 2,21), aus dem das Lebenswasser entströmt (Joh 4,14; 7,37ff; 19,34), und die in Offb 22,1f. das Wasser des Lebens ausgehend von Gottes Thron und vom Lamm schaut.

ANTWORTPSALM Ps 46,2–3.5–6.8–9 (℞: vgl. 5)

℞: Des Stromes Wasser erquicken die Gottesstadt, des Höchsten heilige Wohnung.

VIII. Ton – GL 645,2

Gott ist uns Zuflucht und Stärke, *
ein bewährter Helfer in allen Nöten.
Darum fürchten wir uns nicht, wenn die Erde auch wankt, *
wenn Berge stürzen in die Tiefe des Meeres. – ℞

Die Wasser eines Stromes erquicken die Gottesstadt, *
des Höchsten heilige Wohnung.
Gott ist in ihrer Mitte, darum wird sie niemals wanken; *
Gott hilft ihr, wenn der Morgen anbricht. – ℞

Der Herr der Heerscharen ist mit uns, *
der Gott Jakobs ist unsre Burg.
Kommt und schaut die Taten des Herrn, *
der Furchtbares vollbringt auf der Erde. – ℞

ZWEITE LESUNG 1 Kor 3,9c–11.16–17

Lesung aus dem ersten Korintherbrief.

Schwestern und Brüder! Ihr seid Gottes Bau. Der Gnade Gottes entsprechend, die mir geschenkt wurde, habe ich wie ein guter Baumeister den Grund gelegt; ein anderer baut darauf weiter. Aber jeder soll darauf achten, wie er weiterbaut. Denn einen anderen Grund kann niemand legen als den, der gelegt ist: Jesus Christus.

Wisst ihr nicht, dass ihr Gottes Tempel seid und der Geist Gottes in euch wohnt? Wer den Tempel Gottes verdirbt, den wird Gott verderben. Denn Gottes Tempel ist heilig, und der seid ihr. IF

Für Paulus ist die christliche Gemeinde der wahre, in der Nachfolge Jesu spirituelle Tempel des Neuen Bundes; sie löst somit den von Menschenhand gebauten, materiellen Jerusalemer Tempel ab. In ihr wohnt der Geist Gottes, dementsprechend ist sie als Gegenwartsort Gottes zu heiligen. Für das alltägliche Leben der Gemeinde als ganzes, aber auch der einzelnen Mitglieder ist die Messlatte der Lebensführung dementsprechend anzulegen! Auf der einen Seite wiegt dieser Anspruch sehr schwer, auf der anderen Seite setzt er eine Würde des Menschen voraus, wie sie grundlegender nicht sein könnte: Der Mensch, jeder einzelne der Gemeinschaft, ist geheiligt weil der Geist Gottes in ihm beheimatet ist! Dieser Geist ist es, der den Gläubigen in der Theologie des Apostels vom Kleben am Buchstaben des Gesetzes befreit und ihn zu erwachsenem, selbständigen und brüderlichen Denken und Handeln ermutigt und befähigt.

RUF VOR DEM EVANGELIUM — Vgl. 2 Chr 7,16

Halleluja. Halleluja.
So spricht Gott, der Herr: Ich habe dieses Haus erwählt und geheiligt, damit mein Name hier sei auf ewig.
Halleluja.

EVANGELIUM — Joh 2,13–22

Aus dem heiligen Evangelium nach Johannes.

Das Paschafest der Juden war nahe und Jesus zog nach Jerusalem hinauf. Im Tempel fand er die Verkäufer von Rindern, Schafen und Tauben und die Geldwechsler, die dort saßen.

Er machte eine Geißel aus Stricken und trieb sie alle aus dem Tempel hinaus, dazu die Schafe und Rinder; das Geld der Wechsler schüttete er aus und ihre Tische stieß er um.

Zu den Taubenhändlern sagte er: Schafft das hier weg, macht das Haus meines Vaters nicht zu einer Markthalle! Seine Jünger erinnerten sich an das Wort der Schrift: Der Eifer für dein Haus verzehrt mich.

Da stellten ihn die Juden zur Rede: Welches Zeichen lässt du uns sehen als Beweis, dass du dies tun darfst?

Jesus antwortete ihnen: Reißt diesen Tempel nieder, in drei Tagen werde ich ihn wieder aufrichten.

Da sagten die Juden: Sechsundvierzig Jahre wurde an diesem Tempel gebaut und du willst ihn in drei Tagen wieder aufrichten? Er aber meinte den Tempel seines Leibes.

Als er von den Toten auferstanden war, erinnerten sich seine Jünger, dass er dies gesagt hatte, und sie glaubten der Schrift und dem Wort, das Jesus gesprochen hatte. IF

Das Johannesevangelium versteht und deutet Jesus von Anfang an aus der Osterperspektive heraus als Verherrlichten. Zugleich begegnen wir in zahlreichen Textstellen einem Jesus mit tiefen menschlichen Regungen, so z. B. in Joh 11, wo der Tod des Freundes Lazarus, vor allem aber der Unglaube der Menschen ihn sehr erschüttern, oder in Joh 13, wo er seinen Freunden den ausgefallen demütigen Liebesdienst des Füßewaschens erweist, oder auch in Joh 8, wo er vollkommen in sich ruhend und eins mit seinem geliebten Gott der Ehebrecherin ein neues Leben schenkt. Mit der gleichen Intensität konnte in ihm leidenschaftlicher Zorn entbrennen, nämlich dann, wenn ihm der sichtbar gelebte Glaube seiner Mitmenschen vor allen Dingen äußerlich-materiell und nicht wahrhaftig-spirituell vorkam! Diesem heiligen Zorn begegnen wir in so manchen Aussagen, im vorliegenden Schriftauszug nun in konkreter Tat! Die Begebenheit lässt aufhorchen, weil sie so gar nicht in unser z.T. arg verniedlichtes Christusbild passt, aber auch weil sie die institutionalisierte Religion auf das Empfindlichste trifft!

Die Episode der Tempelreinigung ist in allen vier Evangelien überliefert, was die ihr beigemessene Bedeutung und ihren Bekanntheitsgrad in den ersten Christengemeinden unterstreicht! Eine eindeutige Antwort auf die historische Frage nach dem tatsächlichen damaligen Geschehen ist nicht auszumachen, da die vier Schriften sowohl Unterschiede in ihrer inneren Chronologie als auch in ihrer Akzentsetzung aufweisen. Der gedankliche Einfluss der ersten Christengemeinden, die sich im letzten Drittel des ersten Jahrhunderts schon von der jüdischen Muttergemeinde losgesagt und somit auch vom Tempelkult wegentwickelt hatten, ist deutlich spürbar, ganz abgesehen von dem Impakt der tatsächlichen Zerstörung des Tempels durch die Römer im Jahre 70 n. Chr. auf die Endredaktion der Schriften. Wir kennen Jesus aus den Schriften als tief gläubigen Juden, dem jüdisch-religiöses Brauchtum nicht nur geläufig war, sondern wirklich am Herzen lag. Deshalb können wir davon ausgehen, dass er nicht den Opferbrauch im Tempel an sich, sondern den Tempelbetrieb, die Vermarktung Gottes anprangerte. Für ihn war Gott vollendete Barmherzigkeit und Güte – seine Zuneigung kann man nur als Geschenk empfangen, aber nie käuflich erwerben! Deshalb bleibt die jesuanische Infragestellung des institutionalisierten Tempelkults bis heute aktuell!

FÜRBITTEN

Herr Jesus Christus, für dich waren Gottesdienst und Dienst am Menschen unlösbar miteinander verbunden, wir bitten dich

V: Christus höre uns. A: Christus erhöre uns.

- Stärke die Verantwortlichen in unseren Kirchen, dass sie den Mut zu rechten Worten finden, um Missstände zu benennen, und die Kraft, neue und befreiende Wege zu gehen.
- Berühre uns mit deinem Geist der Einheit, der tiefer greift als Institutionen und Ämter, und der über Unterschiede und Eigenheiten hinweg die wahre Einheit der Herzen und Seelen aller Gläubigen schenkt.

- Stehe den Menschen bei, die in einer schwierigen Lebenslage um die richtige Entscheidung ringen.
- Lege uns die Sehnsucht ins Herz, dich in unserem täglichen Leben zu suchen und aus deinem Frieden zu schöpfen.

Herr Jesus Christus, du warst zeitlebens vom Geist Gottes tief beseelt. Seine große Liebe hat in dir Gestalt angenommen. An ihn glauben, an dich glauben, bedeutet für uns, uns Tag für Tag in der Gottes- und Nächstenliebe zu üben, dazu erbitten und erhoffen wir deinen Beistand. Amen.

GABENGEBET

Herr und Gott, nimm unsere Gaben an, schenke uns durch deine Sakramente Kraft und Zuversicht und erhöre alle, die an deiner heiligen Stätte zu dir beten. Darum bitten wir durch Christus, unseren Herrn.

PRÄFATION

Jahrgedächtnis einer Kirchweihe B

In Wahrheit ist es würdig und recht, dir, Vater im Himmel, zu danken und deine Größe zu rühmen. In jedem Haus des Gebetes wohnst du als Spender der Gnade, als Geber alles Guten: Denn du erbaust uns zum Tempel des Heiligen Geistes, dessen Glanz im Leben der Gläubigen aufstrahlt. Im sichtbaren Bau erkennen wir das Bild deiner Kirche, die du zur Braut deines Sohnes erwählt hast. Du heiligst sie Tag für Tag, bis du sie, unsere Mutter, in die Herrlichkeit aufnimmst mit der unzählbaren Schar ihrer Kinder. Darum preisen wir dich in deiner Kirche und vereinen uns mit allen Engeln und Heiligen zum Hochgesang von deiner göttlichen Herrlichkeit.

EINLADUNG ZUM VATERUNSER

Jesus Christus ist der Grund unseres Lebens. Auf diesem Fundament bauen wir, um Gottes Reich zu errichten. Wir beten mit den Worten Jesu: Vater unser im Himmel …

Einladung zum Friedensgebet

Gott sendet uns seinen Geist, den Geist seines Sohnes, der uns Frieden schafft und die Kirche auferbaut. Deshalb bitten wir: Herr Jesus Christus …

Kommunionvers

1 Petr 2,5

Lasst euch als lebendige Steine zu einem geistigen Haus aufbauen, zu einer heiligen Priesterschaft.

Schlussgebet

Allmächtiger Gott, du hast uns in der Kirche auf Erden ein Abbild des himmlischen Jerusalem geschenkt. Mache uns durch diese heilige Kommunion zum Tempel deiner Gnade und laß uns dorthin gelangen, wo deine Herrlichkeit thront. Darum bitten wir durch Christus, unseren Herrn.

Schlusssegen

Am Kirchweihfest

Den Reichtum seines Segens schenke euch der Herr des Himmels und der Erde, der uns versammelt hat zum Weihefest der Lateranbasilika.

Er hat Christus zum Eckstein seiner Kirche gemacht; er füge euch darin ein als lebendige Steine.

Der Heilige Geist wohne in euren Herzen und mache sie zum Tempel Gottes, damit ihr einst wohnen dürft im himmlischen Jerusalem.

Das gewähre euch der dreieinige Gott, der Vater und der Sohn ✝ und der Heilige Geist.

Gegen das Jahr 520 v. Chr. – es ist die Zeit nach der Rückkehr aus dem Babylonischen Exil, der Wiederaufbau des Jerusalemer Tempels wird in Angriff genommen – verleiht der Prophet in Jesaja Kapitel 66 Gott seine Stimme:

Der Himmel ist mein Thron
und die Erde der Schemel für meine Füße.
Was wäre das für ein Haus,
das ihr mir bauen könntet?
Was wäre das für ein Ort,
an dem ich ausruhen könnte?
Denn all das hat meine Hand gemacht;
Es gehört mir ja schon – Spruch des Herrn.
Ich blicke auf den Armen und Zerknirschten
und auf den, der zittert vor meinem Wort.

unsere Kathedralen
und Gotteshäuser
aller Zeiten und Stilrichtungen
mit all ihren Wertgegenständen
und Schätzen
müssen dieser Relativierung
und vor allem diesem Anspruch
standhalten
heute
und für immer

Gaby Faber-Jodocy

32. Sonntag im Jahreskreis
11. November 2012

Herr, lass mein Gebet zu dir dringen,
wende dein Ohr meinem Flehen zu.

Ps 88,3

Riten, Gebete und Opfergaben bringen unseren Glauben punktuell zum Ausdruck, aber wahrer Gottesdienst erschöpft sich nicht in diesen äußerlichen Bekundungen. Unser Leben in der Welt und der Glaube an Gott bilden ein Ganzes in dem Sinn, dass das zweite durch das erste weder unterbunden noch durch Aktionismus einfach belegt werden kann; der handelnde Glaube lässt das Leben auf Gott hin durchscheinend werden. Dies ist prophetische Verkündigung, wie wir sie von Elija über Jesus von Nazaret bis in unsere Zeit hinein kennen.

Für den Glaubenden ist Gottes Wirken dem Weltgeschehen inhärent; im jüdisch-christlichen Raum ist Gott fundamental ein im und am Menschen Handelnder; seine Wege können durchaus erstaunlich und ungewohnt sein.

Kyrie-Rufe

GL 405 · KG 164

Herr Jesus Christus, du hast uns berufen, Gottes Kinder zu sein. Herr, erbarme dich.
Du gibst uns die Kraft, Gottes Willen zu tun. Christus, erbarme dich.
Du hilfst uns, wenn wir am Reich Gottes mitwirken. Herr, erbarme dich.

Gloria (siehe Seite 508)

Tagesgebet

Allmächtiger und barmherziger Gott, wir sind dein Eigentum, du hast uns in deine Hand geschrieben. Halte von uns fern, was uns gefährdet, und nimm weg, was uns an Seele und Leib bedrückt, damit wir freien Herzens deinen Willen tun. Darum bitten wir durch Jesus Christus.

Erste Lesung 1 Kön 17,10–16

Lesung aus dem ersten Buch der Könige.

In jenen Tagen machte sich der Prophet Elija auf und ging nach Sarepta. Als er an das Stadttor kam, traf er dort eine Witwe, die Holz auflas. Er bat sie: Bring mir in einem Gefäß ein wenig Wasser zum Trinken! Als sie wegging, um es zu holen, rief er ihr nach: Bring mir auch einen Bissen Brot mit!

Doch sie sagte: So wahr der Herr, dein Gott, lebt: Ich habe nichts mehr vorrätig als eine Hand voll Mehl im Topf und ein wenig Öl im Krug. Ich lese hier ein paar Stücke Holz auf und gehe dann heim, um für mich und meinen Sohn etwas zuzubereiten. Das wollen wir noch essen und dann sterben.

Elija entgegnete ihr: Fürchte dich nicht! Geh heim und tu, was du gesagt hast. Nur mache zuerst für mich ein kleines Gebäck und bring es zu mir heraus! Danach kannst du für dich und deinen Sohn etwas zubereiten; denn so spricht der Herr, der Gott Israels: Der Mehltopf wird nicht leer werden und der Ölkrug nicht versiegen bis zu dem Tag, an dem der Herr wieder Regen auf den Erdboden sendet.

Sie ging und tat, was Elija gesagt hatte. So hatte sie mit ihm und ihrem Sohn viele Tage zu essen. Der Mehltopf wurde nicht leer und der Ölkrug versiegte nicht, wie der Herr durch Elija versprochen hatte. IF

Sein Name ist Programm: El-i-ja heißt mein Gott ist Jahwe. So wird dieser Prophet als unverzagter Verfechter des Jahweglaubens beschrieben in einem Land, in dem manch andere Götter ebenfalls verehrt wurden, so wie es in der damaligen Zeit vielfach üblich war. Im Nordreich des 9. Jahrhunderts v. Chr. herrschte König Ahab, dessen Frau Isebel – wie ihr Name schon andeutet – dem Baalskult huldigte. Von Elija wird in 1 Kön 18 erzählt, dass er es nicht scheute, allein den Kampf gegen vierhundertfünfzig Baalspriester (und damit implizit gegen die offizielle Politik des Königshofs) aufzunehmen, um sie als Anhänger einer nichtigen Gottheit bloßzustellen und Jahwe als den einzigen, wahren Gott zu bezeugen. Das Kapitel 17 des ersten Buch der Könige beschreibt eine lebensbedrohende Dürrekatastrophe, die alles Leben im Land zu zerstören droht. Aber Elija, der als Regenmacher gilt, widersetzt sich dem König und weigert sich entschieden, seine Fähigkeiten zugunsten des Landes einzusetzen. Sein Handeln ist durchaus als Machtprobe mit dem König zu verstehen; soll dieser doch zeigen, dass seine Götzen die stärkeren sind, die das Volk vor dem sicheren Untergang retten! Elija selbst leidet auch unter der Hungersnot, wird dann aber auf wunderbare Weise von Gott ernährt, zuerst am Bach Kerit durch Raben, dann in der phönizischen Stadt Sarepta von einer Witwe, deren Sohn er wenig später vom Tod erwecken wird. Die Bibel kennt ungezählte wundersame Speisungs- und Erweckungsgeschichten; sie stehen immer für das gütige, Leben spendende Handeln Gottes am Menschen. Auch der wortgewaltige und furchtlose Kämpfer Elija muss sein Leben aus Gottes Hand annehmen, und sei es durch Raben, die als Aasfresser für unrein galten, oder durch die Hilfe einer heidnischen Frau. Gottes Tun heiligt alles, und wenn wir unser Leben in Gottes Hand geborgen wissen, gilt auch uns des Propheten Zuspruch: Fürchte dich nicht!

ANTWORTPSALM Ps 146,6–10 (℟: 1a)

℟: Halleluja – oder: Lobe den Herrn, meine Seele!

I. Ton – GL 527,3 · KG 625

Der Herr hat Himmel und Erde gemacht, /
das Meer und alle Geschöpfe; *
er hält ewig die Treue.
Recht verschafft er den Unterdrückten, /
den Hungernden gibt er Brot; *
der Herr befreit die Gefangenen. – ℟

Der Herr öffnet den Blinden die Augen, *
er richtet die Gebeugten auf.

Der Herr beschützt die Fremden *
und verhilft den Waisen und Witwen zu ihrem Recht. – ℞

Der Herr liebt die Gerechten, *
doch die Schritte der Frevler leitet er in die Irre.
Der Herr ist König auf ewig, *
dein Gott, Zion, herrscht von Geschlecht zu Geschlecht. – ℞

Zweite Lesung

Hebr 9,24–28

Lesung aus dem Hebräerbrief.

Christus ist nicht in ein von Menschenhand errichtetes Heiligtum hineingegangen, in ein Abbild des wirklichen, sondern in den Himmel selbst, um jetzt für uns vor Gottes Angesicht zu erscheinen; auch nicht, um sich selbst viele Male zu opfern, denn er ist nicht wie der Hohepriester, der jedes Jahr mit fremdem Blut in das Heiligtum hineingeht; sonst hätte er viele Male seit der Erschaffung der Welt leiden müssen. Jetzt aber ist er am Ende der Zeiten ein einziges Mal erschienen, um durch sein Opfer die Sünde zu tilgen.

Und wie es dem Menschen bestimmt ist, ein einziges Mal zu sterben, worauf dann das Gericht folgt, so wurde auch Christus ein einziges Mal geopfert, um die Sünden vieler hinwegzunehmen; beim zweiten Mal wird er nicht wegen der Sünde erscheinen, sondern um die zu retten, die ihn erwarten. ℣

Der judenchristliche Glaubenshintergrund des Hebräerbriefs ist unverkennbar: Der Autor stellt das Handeln Jesu, dem er als einziger neutestamentlicher Schriftsteller den Titel Hoherpriester verleiht, den alten Opferriten Israels gegenüber. Die Schrift wurde gegen das Ende des ersten Jahrhunderts verfasst. In seiner Denklogik ist Jesu Sterben am Kreuz ein freiwilliger Opfertod, der leiblich sowie geistig reinigt und erlöst, der außerdem in seiner Einmaligkeit alles überbietet und folglich jegliche weiteren Opfer überflüssig werden lässt. Die rituellen Handlungen im Jerusalemer Tempel sind nicht mehr nur unmöglich, weil der Tempel seit vielen Jahren von den Römern zerstört ist (70 n. Chr.), sondern sie erübrigen sich ganz einfach. Diese menschlichen Handlungen sind durch das göttliche Handeln in Jesus ein für allemal überboten worden. Vorliegender Text ist ein schönes Beispiel dafür, wie religiöse Prägung uns sowohl Denk- und Interpretationsmuster als auch Sprache bietet, um Erlebtes und Erzähltes zu verarbeiten und in unserem Leben zu neuer Bedeutung zu bringen.

Ruf vor dem Evangelium Mt 5,3

Halleluja. Halleluja.
Selig, die arm sind vor Gott; denn ihnen gehört das Himmelreich.
Halleluja.

Evangelium Mk 12,38–44 (Kf: 12,41–44)

Aus dem heiligen Evangelium nach Markus.

In jener Zeit lehrte Jesus eine große Menschenmenge und sagte: Nehmt euch in Acht vor den Schriftgelehrten! Sie gehen gern in langen Gewändern umher, lieben es, wenn man sie auf den Straßen und Plätzen grüßt, und sie wollen in der Synagoge die vordersten Sitze und bei jedem Festmahl die Ehrenplätze haben. Sie bringen die Witwen um ihre Häuser und verrichten in ihrer Scheinheiligkeit lange Gebete. Aber umso härter wird das Urteil sein, das sie erwartet.

Als Jesus einmal [➡In jener Zeit, als Jesus im Tempel] dem Opferkasten gegenübersaß, sah er zu, wie die Leute Geld in den Kasten warfen. Viele Reiche kamen und gaben viel. Da kam auch eine arme Witwe und warf zwei kleine Münzen hinein. Er rief seine Jünger zu sich und sagte: Amen, ich sage euch: Diese arme Witwe hat mehr in den Opferkasten hineingeworfen als alle andern. Denn sie alle haben nur etwas von ihrem Überfluss hergegeben; diese Frau aber, die kaum das Nötigste zum Leben hat, sie hat alles gegeben, was sie besaß, ihren ganzen Lebensunterhalt.⬅|F

Aus unserer gemeinsamen jüdisch-christlichen Geschichte kennen wir die unheilvollen Folgen der enggeführten Interpretation von Jesusworten gegen Schriftgelehrte und Pharisäer; pauschale Verurteilungen sind immer todbringend. Die diesbezüglichen Aussagen in den Evangelien spiegeln eher das Selbstverständnis der ersten Christengemeinden des ausgehenden ersten Jahrhunderts, und ihre – wohl zum Teil überlebensnotwendige – Abgrenzung gegenüber der jüdischen Mutterreligion wider, als dass sie genuine Jesusaussagen darstellten. Was Jesus aber gewiss am Herzen lag, war echte, tiefe, ehrliche Frömmigkeit, war im Alltag gelebter Glaube, war eine auf Gott hin ausgerichtete Lebenshaltung, die Wort und Tat eins werden ließ, ganz nach alttestamentlicher Prophetentradition. So können wir ihn uns vorstellen, wie er im Tempelhof zu Jerusalem sitzt, das dortige Treiben kritisch beobachtet, und die heuchlerische Lebenshaltung, die Scheinheiligkeit mancher entlarvt und vehement anprangert. Nicht auf die objektiv messbare Quantität unseres Gebens kommt es an, sondern auf die innere Gesinnung des Einzelnen in seinem Teilen!

Credo (siehe Seite 512)

Fürbitten

Guter Gott, wir glauben dich als Vater aller Menschen, deren Heil dir am Herzen liegt.

A: Wir bitten dich, erhöre uns.

- Lege uns die Sehnsucht ins Herz, bei allen zwischenmenschlichen Divergenzen die Gemeinsamkeiten zu suchen und zu fördern, damit menschliches Zusammenleben gelingen kann.
- Schenke allen Menschen, die in ihrem Leben nach der göttlichen Spur suchen, Kraft, in ihrem Ringen um eine bessere Welt für alle nicht nachzulassen.
- Erhöre die Gebete der Menschen in tiefer Not, Armut, Einsamkeit, Krankheit und Verzweiflung; lass sie Trost und Angenommensein durch ihre Mitmenschen erfahren.

– Hilf uns, das rechte Maß und die rechte Gesinnung beim Teilen mit anderen zu finden.

Ein chinesisches Sprichwort sagt: ***Nicht die Blumen und Bäume, nur der Garten ist unser Eigentum.*** Barmherziger Gott, wir wissen, auch den Garten haben wir nur auf bestimmte Zeit geliehen, eigentlich gehört alles dir. Stärke uns in unserem Bemühen, mit dem großartigen Geschenk des Lebens sanft und liebevoll umzugehen. Amen.

GABENGEBET

Gott, unser Vater, nimm unsere Opfergaben gnädig an und gib, daß wir mit gläubigem Herzen das Leidensgeheimnis deines Sohnes feiern, der mit dir lebt und herrscht in alle Ewigkeit.

PRÄFATION

Sonntage VIII

In Wahrheit ist es würdig und recht, dir, allmächtiger Vater, zu danken und dein Erbarmen zu rühmen. Die Sünde hatte die Menschen von dir getrennt, du aber hast sie zu dir zurückgeführt durch das Blut deines Sohnes und die Kraft deines Geistes. Wie du eins bist mit dem Sohn und dem Heiligen Geist, so ist deine Kirche geeint nach dem Bild des dreieinigen Gottes. Sie ist dein heiliges Volk, der Leib Christi und der Tempel des Heiligen Geistes zum Lob deiner Weisheit und Liebe. Darum preisen wir dich in deiner Kirche und vereinen uns mit den Engeln und Heiligen zum Hochgesang von deiner göttlichen Herrlichkeit.

EINLADUNG ZUM VATERUNSER

Gott ist der gute Vater, den wir bitten dürfen und der uns geben will, was wir brauchen. Wir beten, wie es uns Jesus Christus gelehrt hat: Vater unser im Himmel …

EINLADUNG ZUM FRIEDENSGEBET

Gott macht uns zu neuen Menschen, die ihm in der Gesinnung und der Haltung des Friedens dienen. Deshalb bitten wir: Herr Jesus Christus …

Kommunionvers

Ps 23,1–2

Der Herr ist mein Hirte, nichts wird mir fehlen. Er lässt mich lagern auf grünen Auen und führt mich zum Ruheplatz am Wasser.

Oder: Lk 24,35

Die Jünger erkannten den Herrn Jesus, als er das Brot brach.

Schlussgebet

Wir danken dir, gütiger Gott, für die heilige Gabe, in der wir die Kraft von oben empfangen. Erhalte in uns deinen Geist und laß uns dir stets aufrichtig dienen. Darum bitten wir durch Christus, unseren Herrn.

Schlusssegen

Im Jahreskreis II

Der Friede Gottes, der alles Begreifen übersteigt, bewahre eure Herzen und eure Gedanken in der Gemeinschaft mit Christus Jesus.

Das gewähre euch der dreieinige Gott, der Vater und der Sohn ✝ und der Heilige Geist.

Was könnte ich dir geben
was dir nicht schon längst gehört
was müsste ich verachten
weil es nur Menschen, und nicht dich ehrt
wie sollte ich unterscheiden
akribisch Punkt für Punkt
zwischen dies und jenem

vielleicht einfach
das Leben heiligen
das meine, das deine
sorgend
wie für die Ewigkeit
dein Bild
in mir zum tragen bringen
Sehnsuchtsfunken gleich

und alles rückt
wie von selbst
in anderes Licht

Gaby Faber-Jodocy

33. Sonntag im Jahreskreis
18. November 2012

So spricht der Herr:
Ich sinne Gedanken des Friedens und nicht des Unheils.
Wenn ihr mich anruft, so werde ich euch erhören
und euch aus der Gefangenschaft
von allen Orten zusammenführen.
Jer 29,11.12.14

Unser Kirchenjahr neigt sich dem Ende zu, aber wir wissen um den kommenden Neuanfang. Die menschliche Erfahrung, dass das Leben immer weitergeht, trotzdem Trauer und Tod unsere ständigen Begleiter sind, hat sich tief in unser Bewusstsein eingeprägt. So ist schon seit Jahrtausenden belegt, dass der Mensch, unabhängig von seinen kulturellen und religiösen Wurzeln, sich nicht einfach mit seinem irdischen Tod abfindet, sondern dass er eine zufriedenstellende Antwort auf diese existenzielle Infragestellung sucht, dass er vielfach dem sicheren Tod die Hoffnung auf unbegrenztes Leben entgegensetzt.

Ausharren, Hoffen, Vorbereiten und Erwarten sind wesentliche Komponenten des vertrauenden Glaubens; mit dem heutigen Streifzug durch die alt- und neutestamentliche Literatur sind wir eingeladen, uns auf diese Jahrtausende alte Glaubenssuche einzulassen, den eigenen Glaubensspuren nachzugehen – und dem lebendigen Gott das letzte Wort zuzutrauen. Er ist es, von dem wir bekennen, dass er Jesus nicht im Tod gelassen hat, und dass er für alle Menschen ohne Ausnahme ein ganzes, heiles Leben möchte.

Kyrie-Rufe — GL 506 · KG 58

Herr Jesus Christus, durch deine Auferstehung rufst du auch uns zum Leben. Herr, erbarme dich.
Du bleibst bei uns alle Tage bis ans Ende der Welt. Christus, erbarme dich.

Du wirst wiederkommen, um alles im Vater zu vollenden. Herr, erbarme dich.

GLORIA (siehe Seite 508)

TAGESGEBET

Gott, du Urheber alles Guten, du bist unser Herr. Laß uns begreifen, daß wir frei werden, wenn wir uns deinem Willen unterwerfen, und daß wir die vollkommene Freude finden, wenn wir in deinem Dienst treu bleiben. Darum bitten wir durch Jesus Christus.

ERSTE LESUNG Dan 12,1-3

Lesung aus dem Buch Daniel.

In jener Zeit tritt Michael auf, der große Engelfürst, der für die Söhne deines Volkes eintritt. Dann kommt eine Zeit der Not, wie noch keine da war, seit es Völker gibt, bis zu jener Zeit. Doch dein Volk wird in jener Zeit gerettet, jeder, der im Buch verzeichnet ist.

Von denen, die im Land des Staubes schlafen, werden viele erwachen, die einen zum ewigen Leben, die anderen zur Schmach, zu ewigem Abscheu.

Die Verständigen werden strahlen, wie der Himmel strahlt; und die Männer, die viele zum rechten Tun geführt haben, werden immer und ewig wie die Sterne leuchten. IF

Der eben gehörte Auszug ist neben 2 Makk 7,9f. eine der wenigen Stellen des Alten Testaments, die ganz eindeutig von einer leiblichen Auferstehung des Menschen sprechen. Die Entstehungszeit beider Texte wird allgemein gegen das Jahr 150 v. Chr. angenommen. Dieser Glaube an eine Auferstehung »im Fleisch« wird in der Folgezeit trotzdem nicht durchgehend von allen Gläubigen angenommen – es bleibt eine Glaubenssicht unter mehreren. Der Text macht ganz klar die Trennung zwischen den Geretteten und den auf ewig Verdammten. Die spätere, zum Teil bedrückende Wirkungsgeschichte dieser endgültigen Aussage im Christentum stimmt nachdenklich. Die ursprüngliche Absicht der Vision war wohl, die Menschen, die sich in rechtem Tun übten, in ihrem Bestreben zu ermuntern, ihnen die Sicherheit zu vermitteln, dass ihre Anstrengungen nicht umsonst seien und Gott am Ende aller Mühsal Leben schenkt.

Antwortpsalm

Ps 16,5.8.–10.2.11 (℟: vgl. 1)

℟: Behüte mich, Gott, denn ich vertraue auf dich.
IV. Ton – GL 527,7

Du, Herr, gibst mir das Erbe und reichst mir den Becher; *
du hältst mein Los in deinen Händen.
Ich habe den Herrn beständig vor Augen. *
Er steht mir zur Rechten, ich wanke nicht. – ℟

Darum freut sich mein Herz und frohlockt meine Seele; *
auch mein Leib wird wohnen in Sicherheit.
Denn du gibst mich nicht der Unterwelt preis; *
du lässt deinen Frommen das Grab nicht schauen. – ℟

Ich sage zum Herrn: »Du bist mein Herr; *
mein ganzes Glück bist du allein.«
Du zeigst mir den Pfad zum Leben. /
Vor deinem Angesicht herrscht Freude in Fülle, *
zu deiner Rechten Wonne für alle Zeit. – ℟

Zweite Lesung

Hebr 10,11–14.18

Lesung aus dem Hebräerbrief.

Jeder Priester steht Tag für Tag da, versieht seinen Dienst und bringt viele Male die gleichen Opfer dar, die doch niemals Sünden wegnehmen können.

Dieser aber hat nur ein einziges Opfer für die Sünden dargebracht und sich dann für immer zur Rechten Gottes gesetzt; seitdem wartet er, bis seine Feinde ihm als Schemel unter die Füße gelegt werden. Denn durch ein einziges Opfer hat er die, die geheiligt werden, für immer zur Vollendung geführt.

Wo aber die Sünden vergeben sind, da gibt es kein Sündopfer mehr. IF

Die Infragestellung der Schlacht- und Brandopfer, die vollzogen wurden in der Absicht, sich in irgendeiner Weise der Gunst oder des Erbarmens Gottes zu versichern, hat Tradition im Alten Testament. Wir lesen solche Texte z.B. in Jes 1,11ff.; Jer 6,20; Hos 6,6; Am 5,21ff.; Mi 6,6ff. Die Propheten übten harsche Kritik vor allem an der Äußerlichkeit dieser Opfer, da mit ihnen nicht immer die von Gott geforderte Lebensgesinnung einherging, nämlich Recht und Gerechtigkeit den anderen Menschen gegenüber walten zu lassen. Der vorliegende Auszug aus dem Hebräerbrief betont auf der einen Seite die absolute Wertlosigkeit all dieser Opfer, gleichzeitig bleibt er auf der anderen Seite gedanklich eng mit der Opfertheologie verbunden, wenn er den Tod Jesu als Opfergabe versteht; dieses ist allerdings einmalig, nicht überbietbar und für immer gültig; es führt die, die an ihn glauben, zum ewigen, wirklichen Leben.

RUF VOR DEM EVANGELIUM — Vgl. Lk 21,36

Halleluja. Halleluja.
Wacht und betet allezeit, damit ihr hintreten könnt vor den Menschensohn.
Halleluja.

EVANGELIUM — Mk 13,24–32

Aus dem heiligen Evangelium nach Markus.

In jener Zeit sprach Jesus zu seinen Jüngern: In jenen Tagen, nach der großen Not, wird sich die Sonne verfinstern und der Mond wird nicht mehr scheinen; die Sterne werden vom Himmel fallen und die Kräfte des Himmels werden erschüttert werden.

Dann wird man den Menschensohn mit großer Macht und Herrlichkeit auf den Wolken kommen sehen.

Und er wird die Engel aussenden und die von ihm Auserwählten aus allen vier Windrichtungen zusammenführen, vom Ende der Erde bis zum Ende des Himmels.

Lernt etwas aus dem Vergleich mit dem Feigenbaum! Sobald seine Zweige saftig werden und Blätter treiben, wisst ihr, dass der Sommer nahe ist. Genauso sollt ihr erkennen, wenn ihr all das geschehen seht, dass das Ende vor der Tür steht.

Amen, ich sage euch: Diese Generation wird nicht vergehen, bis das alles eintrifft. Himmel und Erde werden vergehen, aber meine Worte werden nicht vergehen.

Doch jenen Tag und jene Stunde kennt niemand, auch nicht die Engel im Himmel, nicht einmal der Sohn, sondern nur der Vater. IF

Im alten Israel sind Weinstock und Feigenbaum Symbole des guten, erfüllten Lebens. Der Feigenbaum verliert im Winter alle Blätter, an ihm kann man eindeutig erkennen, wann das Leben wieder Überhand gewinnt. Jesus bedient sich mit Vorliebe Metaphern aus dem täglichen Leben, um die Menschen zu erreichen. Der Feigenbaum, der neues Leben treibt, steht für diejenigen, die ein offenes Ohr für seine Verkündigung haben – sie sind somit Zeichen für das heranbrechende Reich Gottes.

Die Naherwartung dieses Reiches mit seiner Neuordnung war auch innerhalb der ersten Christengemeinden überall gegenwärtig. Für die Glaubenden ging dem Kommen resp. der Wiederkunft des Menschensohnes eine Zeit gewaltiger Not voraus, und so waren für sie auch eindeutige Anzeichen in Land und Gesellschaft für den baldigen Eintritt dieser Endzeit auszumachen: man denke an Krieg, Hungersnöte, Verfolgungen und auch an die Tempelzerstörung durch die Römer im Jahre 70 n. Chr. Die Rede Jesu in Mk 13 gestaltet sich genau in dieser Tradition mit Akzent auf der Unberechenbarkeit des Termins. Die Engel im Himmel und selbst der Sohn wissen nicht um den Zeitpunkt, der ist Gott allein vorbehalten. Für den Evangelisten ist die Endzeit eindeutig angebrochen, nicht zuletzt durch das Wirken, den Tod und die Auferstehung Jesu; bis zur definitiven Offenbarung allerdings müssen sich die Gläubigen noch etwas gedulden. Aber sie sind keinesfalls wegen überschwänglicher Endzeitgefühle von ihrer Verantwortung im aktuellen irdischen Leben entbunden. Wenn der Herr zurückkommt, möchte er wache Menschen finden!

CREDO (siehe Seite 512)

FÜRBITTEN

Guter Gott, dich bekennen wir als den Schöpfer und Erhalter allen Lebens. In Christus hast du uns gezeigt, wie Liebe und Gottvertrauen den Menschen auf vielfältige Weise zum Leben führen

A: Gott unser Heil – wir bitten dich, erhöre uns.

- Schenke uns die nötige Kraft, unser zeitlich bemessenes Leben bewusst und in Freude zu gestalten.
- Stärke die Sehnsucht in unseren Herzen nach einem heilen Leben, und gib uns die Kraft, an einem gerechteren Miteinander zu arbeiten.
- Beseele uns mit Ausdauer, damit wir über Schwierigkeiten und Rückschläge hinweg nach neuen Wegen und Lösungen suchen.
- Stehe den Menschen bei, die ihr Leben nur mehr als Last empfinden und in Hoffnungslosigkeit versinken. Lass sie durch andere erfahren, dass ein Aufstehen immer wieder möglich ist.

Barmherziger Gott, auch wenn wir viele Fragen haben und manches Mal Unsicherheit verspüren, dir trauen wir zu, uns endgültig zum ganzen, heilen Leben zu erretten. Wir bitten dich, stärke uns in diesem Vertrauen. Amen.

GABENGEBET

Herr, unser Gott, die Gabe, die wir darbringen, schenke uns die Kraft, dir treu zu dienen, und führe uns zur ewigen Gemeinschaft mit dir. Darum bitten wir durch Christus, unseren Herrn.

Präfation

Sonntage II

In Wahrheit ist es würdig und recht, dir, allmächtiger Vater, zu danken und das Werk deiner Gnade zu rühmen durch unseren Herrn Jesus Christus. Denn aus Erbarmen mit uns sündigen Menschen ist er Mensch geworden aus Maria, der Jungfrau. Durch sein Leiden am Kreuz hat er uns vom ewigen Tod befreit und durch seine Auferstehung uns das unvergängliche Leben erworben. Darum preisen dich deine Erlösten und singen mit den Chören der Engel das Lob deiner Herrlichkeit.

Einladung zum Vaterunser

Gott verheißt uns sein Reich. Voll Vertrauen beten wir darum, wie es uns Jesus Christus gelehrt hat: Vater unser im Himmel …

Einladung zum Friedensgebet

In aller Not und aller Bedrängnis will Gott uns retten und uns seinen Frieden schenken. Deshalb bitten wir: Herr Jesus Christus …

Kommunionver

Ps 73,28

Gott nahe zu sein ist mein Glück. Ich setze mein Vertrauen auf Gott, den Herrn.

Oder: Mk 11,23–24

So spricht der Herr: Amen, ich sage euch: Betet und bittet, um was ihr wollt, glaubt nur, daß ihr es schon erhalten habt, dann wird es euch zuteil.

Schlussgebet

Barmherziger Gott, wir haben den Auftrag deines Sohnes erfüllt und sein Gedächtnis begangen. Die heilige Gabe, die wir in dieser Feier empfangen haben, helfe uns, daß wir in der Liebe zu dir und unseren Brüdern Christus nachfolgen, der mit dir lebt und herrscht in alle Ewigkeit.

SCHLUSSSEGEN

Im Jahreskreis III

Der allmächtige Gott gewähre euch Segen und Heil; er offenbare euch die Wege seiner Weisheit.

Er stärke euren Glauben durch sein Wort und schenke euch die Gnade, nach seinen Geboten zu leben, damit in allem sein Wille geschehe.

Er lenke eure Schritte auf den Weg des Friedens; er mache euch beharrlich im Guten und vollende euch in der Liebe.

Das gewähre euch der allmächtige Gott, der Vater und der Sohn † und der Heilige Geist.

ich möchte es glauben
dass du mich beim Namen gerufen hast

ich möchte es leben
dass ich dir gehöre

ich möchte ihn spüren in mir
deinen lebendigen Geist
der mich durch reißende Wasser
und brennende Flammen trägt
der meine Verzagtheit in Stärke
und meinen Kleinmut in Kraft
verwandelt
der in mir
die Sehnsucht nach Dir stärkt

deinen Geist
der mich gegen den Tod
am Leben erhält

Gaby Faber-Jodocy

Christkönigssonntag
25. November 2012

Würdig ist das Lamm, das geschlachtet ist,
Macht zu empfangen,
Reichtum und Weisheit, Kraft und Ehre.
Ihm sei die Herrlichkeit und die Herrschermacht in Ewigkeit.
Offb 5,12; 1,6

Mit Königtum verbinden wir gegensätzliche Inhalte und zwiespältige Gefühle: auf der einen Seite sind das positive Gedanken und Erfahrungen wie etwa Einheit, Schutz, Führung und Rechtsprechung, auf der anderen Seite aber auch Unterdrückung, Ausbeutung und menschenverachtende Machtausübung. Zu allen Zeiten gab es Könige, die lebendiges Beispiel waren für diese Ambivalenz; auch aus dem alten Israel sind uns manche flammende Reden der Propheten gegen diese unwürdigen Herrscher erhalten.

Trotzdem ging in alten Kulturen vom Königtum eine Faszination aus, die bis in unsere Zeit weiterlebt, wenn auch eher ansatzweise und öfters umstritten. Seine Legitimierung und damit auch die Ausübung seiner Macht lagen letztlich immer im Göttlichen begründet.

Der Begriff Messias, der Gesalbte, wurde im alten Judentum exklusiv als Titel für den König der davidischen Linie verwendet: Der König war Herrscher auf Erden, mit Gottes Segen und Vollmacht ausgestattet. Schon in den Evangelien bringen sowohl die Anhänger Jesu als auch seine Gegner die Titel Messias und König für den Mann aus Nazaret ins Spiel, sei es anerkennend, in Frage stellend oder verspottend. Für Christen ist dieser Jesus nicht ein weiterer König unter vielen, sondern der auf transzendenter Ebene wahre, weil sie mit ihm und seiner Herrschaft absolute, endgültige Werte wie Gottessohnschaft, Frieden, Gerechtigkeit und Heil verbinden.

KYRIE-RUFE

Oder: GL 524 · KG 435

Herr Jesus Christus, du bist der König, auf den die Welt hofft. Herr, erbarme dich.
Du bist der treue Zeuge, der uns zur Wahrheit führt. Christus, erbarme dich.
Du herrschst vom Kreuz in der Macht des Dienens. Herr, erbarme dich.

GLORIA (siehe Seite 508)

TAGESGEBET

Allmächtiger, ewiger Gott, du hast deinem geliebten Sohn alle Gewalt gegeben im Himmel und auf Erden und ihn zum Haupt der neuen Schöpfung gemacht. Befreie alle Geschöpfe von der Macht des Bösen, damit sie allein dir dienen und dich in Ewigkeit rühmen. Darum bitten wir durch Jesus Christus.

ERSTE LESUNG

Dan 7,2a.13b–14

Lesung aus dem Buch Daniel.

Ich, Daniel, hatte während der Nacht eine Vision: Da kam mit den Wolken des Himmels einer wie ein Menschensohn. Er gelangte bis zu dem Hochbetagten und wurde vor ihn geführt. Ihm wurden Herrschaft, Würde und Königtum gegeben. Alle Völker, Nationen und Sprachen müssen ihm dienen. Seine Herrschaft ist eine ewige, unvergängliche Herrschaft. Sein Reich geht niemals unter. IF

Das Buch Daniel liegt in seiner aktuellen Version gegen 160 v. Chr. vor. Obwohl es aus zeitlich und inhaltlich verschiedenen Quellen schöpft (man kann einen in aramäischer Sprache verfassten Textkern und spätere Erweiterungen in hebräischer und auch griechischer Sprache ausmachen), präsentiert es sich in seiner Endredaktion als zusammenhängende Schrift. Seine Geschichtsschreibung ist keine wissenschaftliche, sondern eine im Glauben deutende: Israel hat seinen Glauben an den einen Gott, der sein

Volk aus Ägypten in die Freiheit geführt hatte, immer wieder neu gegen die verschiedensten fremden Götter und Kulte bezeugt.

Wie in der jüdisch-apokalyptischen Literatur üblich, stellt das Buch die vergänglichen weltlichen Reiche und Machthaber, unter deren Fremdherrschaft Israel oft zu leiden hatte, der unvergänglichen Herrschaft Gottes gegenüber, die sich am Ende der Zeiten als die wahre und endgültige zeigen wird. Für diese Treue zu dem wahren, einzigen Herrn, und für diese Botschaft unerschütterlicher Hoffnung auf die Gerechtigkeit Gottes steht die Person des Daniel. Kapitel 7 des Buchs beschreibt uns Daniels Schau des himmlischen Thronsaals. Es ist das einzige Mal in der Schrift, dass der Herr als Hochbetagter umschrieben wird – die Vorstellung hat aber in der späteren christlichen Ikonographie weit verbreiteten Niederschlag gefunden. Die Symbolfigur des Menschensohnes (der aus den himmlischen Sphären kommt, im Gegensatz zu den vier Tieren, welche dem aufgewühlten Meer entsteigen) steht für die Gemeinschaft der Heiligen, die an der endgültigen Herrschaft Gottes teilhaben werden. Eine spätere Deutung sieht nicht mehr ein Kollektiv in der Figur des Menschensohnes, sondern den erwarteten Messias davidischer Linie; die christliche Lektüre identifiziert sie mit Jesus von Nazaret.

ANTWORTPSALM

Ps 93 (℟: 1a)

℟: Der Herr ist König, bekleidet mit Hoheit.

VIII. Ton – GL 529,8 · KG 622

Der Herr ist König, bekleidet mit Hoheit; *
der Herr hat sich bekleidet und mit Macht umgürtet.
Der Erdkreis ist fest gegründet, *
nie wird er wanken. – ℟

Dein Thron steht fest von Anbeginn, *
du bist seit Ewigkeit.
Fluten erheben sich, Herr, /
Fluten erheben ihr Brausen, *
Fluten erheben ihr Tosen. – ℟

Gewaltiger als das Tosen vieler Wasser, /
gewaltiger als die Brandung des Meeres *
ist der Herr in der Höhe.
Deine Gesetze sind fest und verlässlich; /
Herr, deinem Haus gebührt Heiligkeit *
für alle Zeiten. – IR

ZWEITE LESUNG Offb 1,5b–8

Lesung aus der Offenbarung des Johannes.

Jesus Christus ist der treue Zeuge, der Erstgeborene der Toten, der Herrscher über die Könige der Erde. Er liebt uns und hat uns von unseren Sünden erlöst durch sein Blut; er hat uns zu Königen gemacht und zu Priestern vor Gott, seinem Vater. Ihm sei die Herrlichkeit und die Macht in alle Ewigkeit. Amen.

Siehe, er kommt mit den Wolken, und jedes Auge wird ihn sehen, auch alle, die ihn durchbohrt haben; und alle Völker der Erde werden seinetwegen jammern und klagen. Ja, amen.

Ich bin das Alpha und das Omega, spricht Gott, der Herr, der ist und der war und der kommt, der Herrscher über die ganze Schöpfung. IF

Apokalyptische Literatur arbeitet immer mit gewaltigen, endzeitlichen Bildern; diese wirken zum Teil dunkel und dramatisch, beinhalten aber gleichzeitig auch das erlösende Moment. Im vorliegenden Auszug wird Gott alle Macht und Herrlichkeit zugesprochen, er ist der absolute Herrscher über Raum und Zeit. Das Bekenntnis *der ist und der war und der kommt* lesen wir wiederholt in Off 1,4.8; 4,8; 11,17; 16,5. Es erinnert an die Offenbarung des Gottesnamen auf dem Sinai in Ex 3, 14 und verdeutlicht deren theologische Weiterentwicklung. Auch auf Jesus, den Christus, wird im Text diese dreigegliederte Beschreibung angewandt: seine Passion, seine Auferstehung und seine Wiederkunft in Herrlichkeit entsprechen in ihrer Formulierung einer frühen schriftlichen Fixierung elementarer christlicher Glaubensinhalte. Er ist wirklich der von Gott Gesandte, an dem die Gläubigen ihr Leben orientieren können.

RUF VOR DEM EVANGELIUM

Mk 11,9-10

Halleluja. Halleluja.
Gesegnet sei, der kommt im Namen des Herrn! Gesegnet sei das Reich unseres Vaters David, das nun kommt.
Halleluja.

EVANGELIUM

Joh 18,33b-37

Aus dem heiligen Evangelium nach Johannes.

In jener Zeit fragte Pilatus Jesus: Bist du der König der Juden? Jesus antwortete: Sagst du das von dir aus oder haben es dir andere über mich gesagt? Pilatus entgegnete: Bin ich denn ein Jude? Dein eigenes Volk und die Hohenpriester haben dich an mich ausgeliefert. Was hast du getan?

Jesus antwortete: Mein Königtum ist nicht von dieser Welt. Wenn es von dieser Welt wäre, würden meine Leute kämpfen, damit ich den Juden nicht ausgeliefert würde. Aber mein Königtum ist nicht von hier.

Pilatus sagte zu ihm: Also bist du doch ein König? Jesus antwortete: Du sagst es, ich bin ein König. Ich bin dazu geboren und dazu in die Welt gekommen, dass ich für die Wahrheit Zeugnis ablege. Jeder, der aus der Wahrheit ist, hört auf meine Stimme. IF

Der johannäische Passionsbericht legt nicht so sehr den Akzent auf die historische Tatsache des Leidens und Sterbens Jesu, sondern auf dessen theologische Deutung im Sinne von Erhöhung und Verherrlichung. Die Geschichte Jesu ist im 4. Evangelium im Endeffekt eine Geschichte des Sieges, ganz so wie der leidende Gottesknecht in Jes 52,13ff. zum Schluss siegreich ist. Doch die Herrschaft, das Königtum Jesu sind definitiv nicht von dieser Welt – in der Auseinandersetzung zwischen dem Mann aus Nazaret und Pilatus wird sehr deutlich, dass es nicht um eine politische Messianität geht, selbst wenn der Anklagepunkt von Jesu Gegner darauf hinausläuft! Weil nun sein Anspruch kein irdischer ist, kann er letztlich nicht ausgelöscht werden, auch nicht durch das

Kreuz. Im Gegenteil, gerade am Kreuz leuchtet der Gottesglanz in ihm auf. Es ist eine radikale Umkehrung der gemeinhin angenommenen Werte: Seine Krone ist nicht edelsteingeschmückt und seine Herrschaft vollzieht sich nicht in einer irgendwie gearteten Gewalt. Dies ist und bleibt für die einen wegweisend und für andere unverständlich.

CREDO (siehe Seite 512)

FÜRBITTEN

Herr Jesus Christus, Du bist für uns Weg, Wahrheit und Leben, wir bitten dich:

V: Christus höre uns. A: Christus erhöre uns.

- Schenke denen, die in Staat und Kirche die Macht haben, unsere Zukunft entscheidend mitzuprägen, deinen Geist der Einsicht, damit nicht kurzsichtiger Profit für einige ein gelingendes Leben für alle zuschanden macht.
- Schenke uns, wenn wir in irgendeiner Weise über das Wohl anderer (mit)bestimmen, in der Familie, auf dem Arbeitsplatz, in der Gesellschaft, deinen Geist der Liebe, damit wir achtsam und wohlwollend mit den uns Anvertrauten umgehen.
- Schenke den kranken, abhängigen und behinderten Mitmenschen deinen Geist der Stärke, damit sie sich ihrer uneingeschränkten Würde bewusst bleiben und ihr Leben aus deiner Hand annehmen können.
- Schenke uns deinen Geist der Kraft, wenn wir Unrecht erleben, an uns selber und an anderen, damit wir die nötige Geduld und Weitsicht aufbringen, in Güte aber auch in Festigkeit dagegen anzugehen.

Gott unser Vater, du hast uns in Jesus Christus einen gangbaren Weg der Liebe und der Zuversicht gezeigt. Wir bitten dich, uns im Vertrauen auf dein Wort zu stärken. Amen.

GABENGEBET

Herr, unser Gott, wir bringen das Opfer deines Sohnes dar, das die Menschheit mit dir versöhnt. Er, der für uns gestorben ist, schenke allen Völkern Einheit und Frieden, der mit dir lebt und herrscht in alle Ewigkeit.

PRÄFATION

Vom Tag

In Wahrheit ist es würdig und recht, dir, Herr, heiliger Vater, immer und überall zu danken. Du hast deinen eingeborenen Sohn, unseren Herrn Jesus Christus, mit dem Öl der Freude gesalbt zum ewigen Priester und zum König der ganzen Schöpfung. Als makelloses Lamm und friedenstiftendes Opfer hat er sich dargebracht auf dem Altar des Kreuzes, um das Werk der Erlösung zu vollziehen. Wenn einst die ganze Schöpfung seiner Herrschaft unterworfen ist, wird er dir, seinem Vater, das ewige, alles umfassende Reich übergeben: das Reich der Wahrheit und des Lebens, das Reich der Heiligkeit und der Gnade, das Reich der Gerechtigkeit, der Liebe und des Friedens. Durch ihn rühmen dich Himmel und Erde, Engel und Menschen und singen das Lob deiner Herrlichkeit.

EINLADUNG ZUM VATERUNSER

In der Hand Jesu liegen Anfang und Ende. Gott hat ihm alles übergeben, um alle zum Vater zu führen. Wir beten mit den Worten Jesu: Vater unser im Himmel …

EINLADUNG ZUM FRIEDENSGEBET

Jesu Königtum ist eine Herrschaft der Wahrheit und des Friedens. Voll Sehnsucht warten wir, dass es auch uns offenbar wird. Deshalb bitten wir: Herr Jesus Christus …

KOMMUNIONVERS

Ps 29,10-11

Der Herr thront als König in Ewigkeit. Der Herr segne sein Volk mit Frieden.

Schlussgebet

Allmächtiger Gott, du hast uns berufen, Christus, dem König der ganzen Schöpfung, zu dienen. Stärke uns durch diese Speise, die uns Unsterblichkeit verheißt, damit wir Anteil erhalten an seiner Herrschaft und am ewigen Leben. Darum bitten wir durch ihn, Christus, unseren Herrn.

Schlusssegen

Im Jahreskreis I

Der Herr segne euch und behüte euch; der Herr lasse sein Angesicht über euch leuchten und sei euch gnädig; er wende euch sein Antlitz zu und schenke euch seinen Frieden.
Das gewähre euch der dreieinige Gott, der Vater und der Sohn ✝ und der Heilige Geist.

Du bist der Trost der ganzen Welt
sag das den Armen

Du herrschst mit starkem Arm
sag das den Unterdrückten

Du verkündest Freiheit
sag das den Versklavten

Du sammelst unter deinem Schutz
sag das den Verfolgten

Du spendest Segen
sag das den Hoffnungslosen

Du bringst uns Erlösung
sag das den Leidenden

Vielleicht
müssten wir es tun

damit dein Wort Wahrheit ist

Gaby Faber-Jodocy

Pastorale Konstitution »Gaudium et spes« über die Kirche in der Welt von heute (Auszug)

Vorwort

1. Die engste Verbundenheit der Kirche mit der ganzen Menschheitsfamilie

Freude und Hoffnung, Trauer und Angst der Menschen von heute, besonders der Armen und Bedrängten aller Art, sind auch Freude und Hoffnung, Trauer und Angst der Jünger Christi. Und es gibt nichts wahrhaft Menschliches, das nicht in ihren Herzen seinen Widerhall fände.

Ist doch ihre eigene Gemeinschaft aus Menschen gebildet, die, in Christus geeint, vom Heiligen Geist auf ihrer Pilgerschaft zum Reich des Vaters geleitet werden und eine Heilsbotschaft empfangen haben, die allen auszurichten ist.

Darum erfährt diese Gemeinschaft sich mit der Menschheit und ihrer Geschichte wirklich engstens verbunden.

2. Wen das Konzil hier anspricht

Daher wendet sich das Zweite Vatikanische Konzil nach einer tieferen Klärung des Geheimnisses der Kirche ohne Zaudern nicht mehr bloß an die Kinder der Kirche und an alle, die Christi Namen anrufen, sondern an alle Menschen schlechthin in der Absicht, allen darzulegen, wie es Gegenwart und Wirken der Kirche in der Welt von heute versteht. Vor seinen Augen steht also die Welt der Menschen, das heißt die ganze Menschheitsfamilie mit der Gesamtheit der Wirklichkeiten, in denen sie lebt; die Welt, der Schauplatz der Geschichte der Menschheit, von ihren Unternehmungen, Niederlagen und Siegen geprägt; die Welt, die nach dem Glauben der Christen durch die Liebe des Schöpfers begründet ist und erhalten wird; die unter die Knechtschaft der Sünde geraten, von Christus aber, dem Gekreuzigten und Auferstandenen, durch Brechung der Herrschaft des Bösen befreit wurde; bestimmt, umgestaltet zu werden nach Gottes Heilsratschluß und zur Vollendung zu kommen.

3. Der Auftrag zum Dienst am Menschen

Gewiß ist die Menschheit in unseren Tagen voller Bewunderung für die eigenen Erfindungen und die eigene Macht; trotzdem wird sie oft ängstlich bedrückt durch die Fragen nach der heutigen Entwicklung der Welt, nach Stellung und Aufgabe des Menschen im Universum, nach dem Sinn seines individuellen und kollektiven Schaffens, schließlich nach dem letzten Ziel der Dinge und Menschen. Als Zeuge und Künder des Glaubens des gesamten in Christus geeinten Volkes Gottes kann daher das Konzil dessen Verbundenheit, Achtung und Liebe gegenüber der ganzen Menschheitsfamilie, der dieses ja selbst eingefügt ist, nicht beredter bekunden als dadurch, daß es mit ihr in einen Dialog eintritt über all diese verschiedenen Probleme; daß es das Licht des Evangeliums bringt und daß es dem Menschengeschlecht jene Heilskräfte bietet, die die Kirche selbst, vom Heiligen Geist geleitet, von ihrem Gründer empfängt. Es geht um die Rettung der menschlichen Person, es geht um den rechten Aufbau der menschlichen Gesellschaft.

Der Mensch also, der eine und ganze Mensch, mit Leib und Seele, Herz und Gewissen, Vernunft und Willen steht im Mittelpunkt unserer Ausführungen.

Die Heilige Synode bekennt darum die hohe Berufung des Menschen, sie erklärt, daß etwas wie ein göttlicher Same in ihn eingesenkt ist, und bietet der Menschheit die aufrichtige Mitarbeit der Kirche an zur Errichtung jener brüderlichen Gemeinschaft aller, die dieser Berufung entspricht.

Dabei bestimmt die Kirche kein irdischer Machtwille, sondern nur dies eine: unter Führung des Geistes, des Trösters, das Werk Christi selbst weiterzuführen, der in die Welt kam, um der Wahrheit Zeugnis zu geben (1); zu retten, nicht zu richten; zu dienen, nicht sich bedienen zu lassen (2).

Einführung

Die Situation des Menschen in der heutigen Welt

4. Hoffnung und Angst

Zur Erfüllung dieses ihres Auftrags obliegt der Kirche allzeit die Pflicht, nach den Zeichen der Zeit zu forschen und sie im Licht des Evangeliums zu deuten. So kann sie dann in einer jeweils einer Generation angemessenen Weise auf die bleibenden Fragen der Menschen nach dem Sinn des gegenwärtigen und des zukünftigen Lebens und nach dem Verhältnis beider zueinander Antwort geben. Es gilt also, die Welt, in der wir leben, ihre Erwartungen, Bestrebungen und ihren oft dramatischen Charakter zu erfassen und zu verstehen. Einige Hauptzüge der Welt von heute lassen sich folgendermaßen umschreiben. Heute steht die Menschheit in einer neuen Epoche ihrer Geschichte, in der tiefgehende und rasche Veränderungen Schritt um Schritt auf die ganze Welt übergreifen. Vom Menschen, seiner Vernunft und schöpferischen Gestaltungskraft gehen sie aus; sie wirken auf ihn wieder zurück, auf seine persönlichen und kollektiven Urteile und Wünsche, auf seine Art und Weise, die Dinge und die Menschen zu sehen und mit ihnen umzugehen. So kann man schon von einer wirklichen sozialen und kulturellen Umgestaltung sprechen, die sich auch auf das religiöse Leben auswirkt.

Wie es bei jeder Wachstumskrise geschieht, bringt auch diese Umgestaltung nicht geringe Schwierigkeiten mit sich.

So dehnt der Mensch seine Macht so weit aus und kann sie doch nicht immer so steuern, daß sie ihm wirklich dient. Er unternimmt es, in immer tiefere seelische Bereiche einzudringen, und scheint doch oft ratlos über sich selbst. Schritt für Schritt entdeckt er die Gesetze des gesellschaftlichen Lebens und weiß doch nicht, welche Ausrichtung er ihm geben soll. Noch niemals verfügte die Menschheit über soviel Reichtum, Möglichkeiten und wirtschaftliche Macht, und doch leidet noch ein ungeheurer Teil der Bewohner unserer Erde Hunger und Not, gibt es noch unzählige Analphabeten.

Niemals hatten die Menschen einen so wachen Sinn für Freiheit wie heute, und gleichzeitig entstehen neue Formen von gesellschaftlicher und psychischer Knechtung.

Die Welt spürt lebhaft ihre Einheit und die wechselseitige Abhängigkeit aller von allen in einer notwendigen Solidarität und wird doch zugleich heftig von einander widerstreitenden Kräften auseinandergerissen. Denn harte politische, soziale, wirtschaftliche, rassische und ideologische Spannungen dauern an; selbst die Gefahr eines Krieges besteht weiter, der alles bis zum Letzten zerstören würde.

Zwar nimmt der Meinungsaustausch zu; und doch erhalten die gleichen Worte, in denen sich gewichtige Auffassungen ausdrücken, in den verschiedenen Ideologien einen sehr unterschiedlichen Sinn.

Man strebt schließlich unverdrossen nach einer vollkommeneren Ordnung im irdischen Bereich, aber das geistliche Wachstum hält damit nicht gleichen Schritt.

Betroffen von einer so komplexen Situation, tun sich viele unserer Zeitgenossen schwer, die ewigen Werte recht zu erkennen und mit dem Neuen, das aufkommt, zu einer richtigen Synthese zu bringen; so sind sie, zwischen Hoffnung und Angst hin und her getrieben, durch die Frage nach dem heutigen Lauf der Dinge zutiefst beunruhigt.

Dieser verlangt eine Antwort vom Menschen. Ja er zwingt ihn dazu.

5. Der tiefgehende Wandel der Situation

Die heute zu beobachtende Unruhe und der Wandel der Lebensbedingungen hängen mit einem umfassenden Wandel der Wirklichkeit zusammen, so daß im Bildungsbereich die mathematischen, naturwissenschaftlichen und anthropologischen Disziplinen, im praktischen Bereich die auf diesen Disziplinen aufbauende Technik ein wachsendes Gewicht erlangen. Diese positiv-wissenschaftliche Einstellung gibt der Kultur und dem Denken des Menschen ein neues Gepräge gegenüber früheren

Zeiten. Schon geht die Technik so weit, daß sie das Antlitz der Erde selbst umformt, ja sie geht schon an die Bewältigung des planetarischen Raumes. Auch über die Zeit weitet der Geist des Menschen gewissermaßen seine Herrschaft aus; über die Vergangenheit mit Hilfe der Geschichtswissenschaft; über die Zukunft durch methodisch entwickelte Voraussicht und Planung. In ihrem Fortschritt geben Biologie, Psychologie und Sozialwissenschaften dem Menschen nicht nur ein besseres Wissen um sich selbst; sie helfen ihm auch, in methodisch gesteuerter Weise das gesellschaftliche Leben unmittelbar zu beeinflussen. Gleichzeitig befaßt sich die Menschheit in immer steigendem Maß mit der Vorausberechnung und Steuerung ihres eigenen Bevölkerungswachstums. Der Gang der Geschichte selbst erfährt eine so rasche Beschleunigung, daß der Einzelne ihm schon kaum mehr zu folgen vermag. Das Schicksal der menschlichen Gemeinschaft wird eines und ist schon nicht mehr aufgespalten in verschiedene geschichtliche Abläufe. So vollzieht die Menschheit einen Übergang von einem mehr statischen Verständnis der Ordnung der Gesamtwirklichkeit zu einem mehr dynamischen und evolutiven Verständnis. Die Folge davon ist eine neue, denkbar große Komplexheit der Probleme, die wiederum nach neuen Analysen und Synthesen ruft.

6. *Wandlungen in der Gesellschaft*

Damit aber erfahren die überlieferten örtlichen Gemeinschaften, wie patriarchalische Familien, Clans, Stämme, Dörfer, die verschiedenen Gruppen und sozialen Verflochtenheiten einen immer tiefer greifenden Wandel. Es breitet sich allmählich der Typ der Industriegesellschaft aus; einige Nationen gelangen durch ihn zu wirtschaftlichem Wohlstand; zugleich gestaltet er in Jahrhunderten gewordene Denk- und Lebensformen der Gesellschaft völlig um. Entsprechend nimmt die Verstädterung zu, teils infolge des Wachstums der Städte und ihrer Einwohnerzahl, teils durch das Ausgreifen der städtischen Lebensart auf die Landbevölkerung. Die neuen und immer mehr vervollkommneten sozialen Kommunikationsmittel tragen dazu bei, daß man über das Zeitgeschehen informiert wird und daß sich Ansichten und Einstellungen rasch und weit verbreiten mit all den damit verbundenen Kettenreaktionen. Nicht zu unterschätzen ist die Bedeutung der Tatsache, daß Menschen, aus verschiedenen Gründen zur Wanderung veranlaßt, dadurch ihre Lebensart ändern. So nehmen unablässig die Verflechtungen der Menschen untereinander zu und führt die »Sozialisation« zu immer neuen Verflechtungen, ohne aber immer eine entsprechende Reifung der Person und wirklich personale Beziehungen (»Personalisation«) zu fördern. Diese Entwicklung zeichnet sich klarer ab in den durch wirtschaftlichen und technischen Fortschritt begünstigten Nationen; sie ergreift aber auch die Entwicklungsländer, die auch für ihre Gegenden die Vorteile der Industrialisierung und städtischen Kultur erringen möchten. Gleichzeitig erfahren diese Völker, besonders jene mit alten Überlieferungen, eine Bewegung hin zu einem entwickelteren und persönlicheren Vollzug der Freiheit.

7. Psychologische, sittliche und religiöse Wandlungen

Die Wandlungen von Denkweisen und Strukturen stellen häufig überkommene Werte in Frage, zumal bei der jüngeren Generation, die nicht selten ungeduldig, ja angsthaft rebellisch wird und im Bewußtsein der eigenen Bedeutung im gesellschaftlichen Leben rascher daran teilzuhaben beansprucht.

Von daher erfahren Eltern und Erzieher bei der Erfüllung ihrer Aufgabe immer größere Schwierigkeiten.

Die von früheren Generationen überkommenen Institutionen, Gesetze, Denk- und Auffassungsweisen scheinen aber den wirklichen Zuständen von heute nicht mehr in jedem Fall gut zu entsprechen. So kommt es zu schweren Störungen im Verhalten und sogar in den Verhaltensnormen. Die neuen Verhältnisse üben schließlich auch auf das religiöse Leben ihren Einfluß aus. Einerseits läutert der geschärfte kritische Sinn das religiöse Leben von einem magischen Weltverständnis und von noch vorhandenen abergläubischen Elementen und fordert mehr und mehr eine ausdrücklicher personal vollzogene Glaubensentscheidung, so daß nicht wenige zu einer lebendigeren Gotteserfahrung kommen. Andererseits geben breite Volksmassen das religiöse Leben praktisch auf. Anders als in früheren Zeiten sind die Leugnung Gottes oder der Religion oder die völlige Gleichgültigkeit ihnen gegenüber keine Ausnahme und keine Sache nur von Einzelnen mehr.

Heute wird eine solche Haltung gar nicht selten als Forderung des wissen schaftlichen Fortschritts und eines sogenannten neuen Humanismus ausgegeben.

Das alles findet sich in vielen Ländern nicht nur in Theorien von Philosophen, sondern bestimmt in größtem Ausmaß die Literatur, die Kunst, die Deutung der Wissenschaft und Geschichte und sogar das bürgerliche Recht. Die Verwirrung vieler ist die Folge.

8. Die Störungen des Gleichgewichts in der heutigen Welt

Ein so rascher Wandel der Zustände, der oft ordnungslos vor sich geht, und dazu ein schärferes Bewußtsein für die Spannungen in der Welt erzeugen oder vermehren Widersprüche und Störungen des Gleichgewichts. Schon in der Einzelperson entsteht öfters eine Störung des Gleichgewichts zwischen dem auf das Praktische gerichteten Bewußtsein von heute und einem theoretischen Denken, dem es nicht gelingt, die Menge der ihm angebotenen Erkenntnisse selber zu bewältigen und sie hinlänglich in Synthesen zu ordnen.

Eine ähnliche Störung des Gleichgewichts entsteht ferner zwischen dem entschlossenen Willen zu wirkmächtigem Handeln und den Forderungen des sittlichen Gewissens, aber oft auch zwischen den kollektiven Lebensbedingungen und den Voraussetzungen für ein persönliches Denken oder sogar eines besinnlichen Lebens.

Endlich entsteht eine Störung des Gleichgewichts zwischen der Spezialisierung des menschlichen Tuns und einer umfassenden

Weltanschauung. In der Familie entstehen Spannungen unter dem Druck der demographischen, wirtschaftlichen und sozialen Situation, aus den Konflikten zwischen den aufeinanderfolgenden Generationen, aus den neuen gesellschaftlichen Beziehungen zwischen Mann und Frau. Große Spannungen entstehen auch zwischen den Rassen, sogar zwischen den verschiedenartigen Gruppen einer Gesellschaft, zwischen reicheren und schwächeren oder notleidenden Völkern, schließlich zwischen den internationalen Institutionen, die aus der Friedenssehnsucht der Völker entstanden sind, und der rücksichtslosen Propaganda der eigenen Ideologie samt dem Kollektivegoismus in den Nationen und anderen Gruppen.

Die Folge davon sind gegenseitiges Mißtrauen und Feindschaft, Konflikte und Notlagen. Ihre Ursache und ihr Opfer zugleich ist der Mensch.

9. Das umfassendere Verlangen der Menschheit

Gleichzeitig wächst die Überzeugung, daß die Menschheit nicht nur ihre Herrschaft über die Schöpfung immer weiter verstärken kann und muß, sondern daß es auch ihre Aufgabe ist, eine politische, soziale und wirtschaftliche Ordnung zu schaffen, die immer besser im Dienst des Menschen steht und die dem Einzelnen wie den Gruppen dazu hilft, die ihnen eigene Würde zu behaupten und zu entfalten. Daher erheben sehr viele heftig Anspruch auf jene Güter, die ihnen nach ihrer tief empfundenen Überzeugung durch Ungerechtigkeit oder falsche Verteilung vorenthalten werden.

Die aufsteigenden Völker, wie jene, die erst jüngst unabhängig geworden sind, verlangen ihren Anteil an den heutigen Kulturgütern nicht nur auf politischem, sondern auch auf wirtschaftlichem Gebiet und wollen frei ihre Rolle in der Welt spielen, während andererseits zugleich ihr Abstand und häufig auch ihre wirtschaftliche Abhängigkeit von den reicheren Völkern wächst, die sich schneller weiterentwickeln.

Die vom Hunger heimgesuchten Völker fordern Rechenschaft von den reicheren Völkern.

Die Frauen verlangen für sich die rechtliche und faktische Gleichstellung mit den Männern, wo sie diese noch nicht erlangt haben. Die Arbeiter und Bauern wollen nicht bloß das zum Lebensunterhalt Notwendige erwerben können, sondern durch ihre Arbeit auch ihre Persönlichkeitswerte entfalten und überdies an der Gestaltung des wirtschaftlichen, gesellschaftlichen, politischen und kulturellen Lebens ihren Anteil haben. Zum erstenmal in der Geschichte der Menschheit haben alle Völker die Überzeugung, daß die Vorteile der Zivilisation auch wirklich allen zugute kommen können und müssen.

Hinter allen diesen Ansprüchen steht ein tieferes und umfassenderes Verlangen: die Einzelpersonen und die Gruppen begehren ein erfülltes und freies Leben, das des Menschen würdig ist, indem sie sich selber alles, was die heutige Welt ihnen so reich darzubieten vermag, dienstbar machen.

Die Völker streben darüber hinaus immer stärker nach einer gewissen alle umfassenden Gemeinschaft.

Unter diesen Umständen zeigt sich die moderne Welt zugleich stark und schwach, in der Lage, das Beste oder das Schlimmste zu tun; für sie ist der Weg offen zu Freiheit oder Knechtschaft, Fortschritt oder Rückschritt, Brüderlichkeit oder Haß. Zudem wird nun der Mensch sich dessen bewußt, daß es seine eigene Aufgabe ist, jene Kräfte, die er selbst geweckt hat und die ihn zermalmen oder ihm dienen können, richtig zu lenken.

Wonach er fragt, ist darum er selber.

10. Die tieferen Fragen der Menschheit

In Wahrheit hängen die Störungen des Gleichgewichts, an denen die moderne Welt leidet, mit jener tiefer liegenden Störung des Gleichgewichts zusammen, die im Herzen des Menschen ihren Ursprung hat. Denn im Menschen selbst sind viele widersprüchliche Elemente gegeben. Einerseits erfährt er sich nämlich als Geschöpf vielfältig begrenzt, andererseits empfindet er sich in seinem Verlangen unbegrenzt und berufen zu einem Leben höherer Ordnung. Zwischen vielen Möglichkeiten, die ihn anrufen, muß er dauernd unweigerlich eine Wahl treffen und so auf dieses oder jenes verzichten. Als schwacher Mensch und Sünder tut er oft das, was er nicht will, und was er tun wollte, tut er nicht (3).

So leidet er an einer inneren Zwiespältigkeit, und daraus entstehen viele und schwere Zerwürfnisse auch in der Gesellschaft. Freilich werden viele durch eine praktisch materialistische Lebensführung von einer klaren Erfassung dieses dramatischen Zustandes abgelenkt oder vermögen unter dem Druck ihrer Verelendung sich nicht mit ihm zu beschäftigen. Viele glauben, in einer der vielen Weltdeutungen ihren Frieden zu finden.

Andere wieder erwarten vom bloßen menschlichen Bemühen die wahre und volle Befreiung der Menschheit und sind davon überzeugt, daß die künftige Herrschaft des Menschen über die Erde alle Wünsche ihres Herzens erfüllen wird. Andere wieder preisen, am Sinn des Lebens verzweifelnd, den Mut derer, die in der Überzeugung von der absoluten Bedeutungslosigkeit der menschlichen Existenz versuchen, ihr nun die ganze Bedeutung ausschließlich aus autonomer Verfügung des Subjekts zu geben.

Dennoch wächst angesichts der heutigen Weltentwicklung die Zahl derer, die die Grundfragen stellen oder mit neuer Schärfe spüren: Was ist der Mensch?

Was ist der Sinn des Schmerzes, des Bösen, des Todes – alles Dinge, die trotz solchen Fortschritts noch immer weiterbestehen?

Wozu diese Siege, wenn sie so teuer erkauft werden mußten?

Was kann der Mensch der Gesellschaft geben, was von ihr erwarten?

Was kommt nach diesem irdischen Leben?

Die Kirche aber glaubt: Christus, der für alle starb und auferstand (4), schenkt dem Menschen Licht und Kraft durch seinen Geist, damit er seiner höchsten Berufung nachkommen kann; es ist kein anderer Name unter dem Himmel den Menschen gegeben, in dem sie gerettet werden sollen (5).

Sie glaubt ferner, daß in ihrem Herrn und Meister der Schlüssel, der Mittelpunkt und das Ziel der ganzen Menschheitsgeschichte gegeben ist. Die Kirche bekennt überdies, daß allen Wandlungen vieles Unwandelbare zugrunde liegt, was seinen letzten Grund in Christus hat, der derselbe ist gestern, heute und in Ewigkeit (6).

Im Licht Christi also, des Bildes des unsichtbaren Gottes, des Erstgeborenen vor aller Schöpfung (7), will das Konzil alle Menschen ansprechen, um das Geheimnis des Menschen zu erhellen und mitzuwirken dabei, daß für die dringlichsten Fragen unserer Zeit eine Lösung gefunden wird.

I. Hauptteil

Die Kirche und die Berufung des Menschen

11. Antworten auf die Antriebe des Geistes

Im Glauben daran, daß es vom Geist des Herrn geführt wird, der den Erdkreis erfüllt, bemüht sich das Volk Gottes, in den Ereignissen, Bedürfnissen und Wünschen, die es zusammen mit den übrigen Menschen unserer Zeit teilt, zu unterscheiden, was darin wahre Zeichen der Gegenwart oder der Absicht Gottes sind. Der Glaube erhellt nämlich alles mit einem neuen Licht, enthüllt den göttlichen Ratschluß hinsichtlich der integralen Berufung des Menschen und orientiert daher den Geist auf wirklich humane Lösungen hin.

Das Konzil beabsichtigt, vor allem jene Werte, die heute besonders in Geltung sind, in diesem Licht zu beurteilen und auf ihren göttlichen Ursprung zurückzuführen.

Insofern diese Werte nämlich aus der gottgegebenen Anlage des Menschen hervorgehen, sind sie gut. Infolge der Verderbtheit des menschlichen Herzens aber fehlt ihnen oft die notwendige letzte Ausrichtung, so daß sie einer Läuterung bedürfen.

Was denkt die Kirche vom Menschen?

Welche Empfehlungen erscheinen zum Aufbau der heutigen Gesellschaft angebracht?

Was ist die letzte Bedeutung der menschlichen Tätigkeit in der gesamten Welt?

Auf diese Fragen erwartet man Antwort. Von da wird klarer in Erscheinung treten, daß das Volk Gottes und die Menschheit, der es eingefügt ist, in gegenseitigem Dienst stehen, so daß die Sendung der Kirche sich als eine religiöse und gerade dadurch höchst humane erweist.

KAPITEL I
DIE WÜRDE DER MENSCHLICHEN PERSON
12. Der Mensch nach dem Bild Gottes

Es ist fast einmütige Auffassung der Gläubigen und der Nichtgläubigen, daß alles auf Erden auf den Menschen als seinen Mittel- und Höhepunkt hinzuordnen ist.

Was ist aber der Mensch?

Viele verschiedene und auch gegensätzliche Auffassungen über sich selbst hat er vorgetragen und trägt er vor, in denen er sich oft entweder selbst zum höchsten Maßstab macht oder bis zur Hoffnungslosigkeit abwertet, und ist so unschlüssig und voll Angst.

In eigener Erfahrung dieser Nöte kann die Kirche doch, von der Offenbarung Gottes unterwiesen, für sie eine Antwort geben, um so die wahre Verfassung des Menschen zu umreißen und seine Schwäche zu erklären, zugleich aber auch die richtige Anerkennung seiner Würde und Berufung zu ermöglichen.

Die Heilige Schrift lehrt nämlich, daß der Mensch »nach dem Bild Gottes« geschaffen ist, fähig, seinen Schöpfer zu erkennen und zu lieben, von ihm zum Herrn über alle irdischen Geschöpfe gesetzt (1), um sie in Verherrlichung Gottes zu beherrschen und zu nutzen (2).

»Was ist der Mensch, daß du seiner gedenkst? Oder des Menschen Kind, daß du dich seiner annimmst?

Wenig geringer als Engel hast du ihn gemacht, mit Ehre und Herrlichkeit ihn gekrönt und ihn über die Werke deiner Hände gesetzt. Alles hast du ihm unter die Füße gelegt« (Ps 8,5–7).

Aber Gott hat den Menschen nicht allein geschaffen: denn von Anfang an hat er ihn »als Mann und Frau geschaffen« (Gen 1,27); ihre Verbindung schafft die erste Form personaler Gemeinschaft.

Der Mensch ist nämlich aus seiner innersten Natur ein gesellschaftliches Wesen; ohne Beziehung zu den anderen kann er weder leben noch seine Anlagen zur Entfaltung bringen.

Gott sah also, wie wir wiederum in der Heiligen Schrift lesen, »alles, was er gemacht hatte, und es war sehr gut« (Gen 1,31).

13. Die Sünde

Obwohl in Gerechtigkeit von Gott begründet, hat der Mensch unter dem Einfluß des Bösen gleich von Anfang der Geschichte an durch Auflehnung gegen Gott und den Willen, sein Ziel außerhalb Gottes zu erreichen, seine Freiheit mißbraucht.

»Obwohl sie Gott erkannten, haben sie ihn nicht als Gott verherrlicht, sondern ihr unverständiges Herz wurde verfinstert, und sie dienten den Geschöpfen statt dem Schöpfer« (3).

Was uns aus der Offenbarung Gottes bekannt ist, steht mit der Erfahrung in Einklang: der Mensch erfährt sich, wenn er in sein Herz schaut, auch zum Bösen geneigt und verstrickt in vielfältige Übel, die nicht von seinem guten Schöpfer herkommen können.

Oft weigert er sich, Gott als seinen Ursprung anzuerkennen; er durchbricht dadurch auch die geschuldete Ausrichtung auf sein letztes Ziel, zugleich aber auch seine ganze Ordnung hinsichtlich seiner selbst wie hinsichtlich der anderen Menschen und der ganzen Schöpfung.

So ist der Mensch in sich selbst zwiespältig.

Deshalb stellt sich das ganze Leben der Menschen, das einzelne wie das kollektive, als Kampf dar, und zwar als einen dramatischen, zwischen Gut und Böse, zwischen Licht und Finsternis.

Ja, der Mensch findet sich unfähig, durch sich selbst die Angriffe des Bösen wirksam zu bekämpfen, so daß ein jeder sich wie in Ketten gefesselt fühlt.

Der Herr selbst aber ist gekommen, um den Menschen zu befreien und zu stärken, indem er ihn innerlich erneuerte und

»den Fürsten dieser Welt« (Joh 12,31) hinauswarf, der ihn in der Knechtschaft der Sünde festhielt (4).

Die Sünde mindert aber den Menschen selbst, weil sie ihn hindert, seine Erfüllung zu erlangen. Im Licht dieser Offenbarung finden zugleich die erhabene Berufung wie das tiefe Elend, die die Menschheit erfährt, ihre letzte Erklärung.

14. Der Wesensstand des Menschen

In Leib und Seele einer, vereint der Mensch durch seine Leiblichkeit die Elemente der stofflichen Welt in sich: Durch ihn erreichen diese die Höhe ihrer Bestimmung und erheben ihre Stimme zum freien Lob des Schöpfers (5).

Das leibliche Leben darf also der Mensch nicht geringachten; er muß im Gegenteil seinen Leib als von Gott geschaffen und zur Auferweckung am Jüngsten Tage bestimmt für gut und der Ehre würdig halten.

Durch die Sünde aber verwundet, erfährt er die Widerstände seiner Leiblichkeit.

Daher verlangt die Würde des Menschen, daß er Gott in seinem Leibe verherrliche (6) und ihn nicht den bösen Neigungen seines Herzens dienen lasse.

Der Mensch irrt aber nicht, wenn er seinen Vorrang vor den körperlichen Dingen bejaht und sich selbst nicht nur als Teil der Natur oder als anonymes Element in der menschlichen Gesellschaft betrachtet, denn in seiner Innerlichkeit übersteigt er die Gesamtheit der Dinge.

In diese Tiefe geht er zurück, wenn er in sein Herz einkehrt, wo Gott ihn erwartet, der die Herzen durchforscht (7), und wo er selbst unter den Augen Gottes über sein eigenes Geschick entscheidet. Wenn er daher die Geistigkeit und Unsterblichkeit seiner Seele bejaht, wird er nicht zum Opfer einer trügerischen Einbildung, die sich von bloß physischen und gesellschaftlichen Voraussetzungen herleitet, sondern erreicht er im Gegenteil die tiefe Wahrheit der Wirklichkeit.

15. Die Würde der Vernunft, die Wahrheit und die Weisheit

In Teilnahme am Licht des göttlichen Geistes urteilt der Mensch richtig, daß er durch seine Vernunft die Dingwelt überragt.

In unermüdlicher Anwendung seiner Geistesanlagen hat er im Lauf der Zeit die empirischen Wissenschaften, die Technik und seine geistige und künstlerische Bildung sehr entwickelt. In unserer Zeit aber hat er mit ungewöhnlichem Erfolg besonders die materielle Welt erforscht und sich dienstbar gemacht.

Immer jedoch suchte und fand er eine tiefere Wahrheit.

Die Vernunft ist nämlich nicht auf die bloßen Phänomene eingeengt, sondern vermag geistig-tiefere Strukturen der Wirklichkeit mit wahrer Sicherheit zu erreichen, wenn sie auch infolge der Sünde zum Teil verdunkelt und geschwächt ist. Die zuerstrebende Vollendung der Vernunftnatur der menschlichen Person ist die Weisheit, die den Geist des Menschen sanft zur Suche und Liebe des Wahren und Guten hinzieht und den durch sie geleiteten Menschen vom Sichtbaren zum Unsichtbaren führt.

Unsere Zeit braucht mehr als die vergangenen Jahrhunderte diese Weisheit, damit humaner wird, was Neues vom Menschen entdeckt wird. Es gerät nämlich das künftige Geschick der Welt in Gefahr, wenn nicht weisere Menschen entstehen. Zudem ist zu bemerken, daß viele Nationen an wirtschaftlichen Gütern verhältnismäßig arm, an Weisheit aber reicher sind und den übrigen hervorragende Hilfe leisten können.

Dank der Gabe des Heiligen Geistes kommt der Mensch im Glauben zu Erkenntnis und innerem Einverständnis des Geheimnisses des göttlichen Ratschlusses (8).

16. Die Würde des sittlichen Gewissens

Im Innern seines Gewissens entdeckt der Mensch ein Gesetz, das er sich nicht selbst gibt, sondern dem er gehorchen muß und dessen Stimme ihn immer zur Liebe und zum Tun des Guten und zur Unterlassung des Bösen anruft und, wo nötig, in den Ohren des Herzens tönt: Tu dies, meide jenes.

Denn der Mensch hat ein Gesetz, das von Gott seinem Herzen eingeschrieben ist, dem zu gehorchen eben seine Würde ist und gemäß dem er gerichtet werden wird (9). Das Gewissen ist die verborgenste Mitte und das Heiligtum im Menschen, wo er allein ist mit Gott, dessen Stimme in diesem seinem Innersten zu hören ist (10).

Im Gewissen erkennt man in wunderbarer Weise jenes Gesetz, das in der Liebe zu Gott und dem Nächsten seine Erfüllung hat (11). Durch die Treue zum Gewissen sind die Christen mit den übrigen Menschen verbunden im Suchen nach der Wahrheit und zur wahrheitsgemäßen Lösung all der vielen moralischen Probleme, die im Leben der Einzelnen wie im gesellschaftlichen Zusammenleben entstehen. Je mehr also das rechte Gewissen sich durchsetzt, desto mehr lassen die Personen und Gruppen von der blinden Willkür ab und suchen sich nach den objektiven Normen der Sittlichkeit zu richten. Nicht selten jedoch geschieht es, daß das Gewissen aus unüberwindlicher Unkenntnis irrt, ohne daß es dadurch seine Würde verliert.

Das kann man aber nicht sagen, wenn der Mensch sich zuwenig darum müht, nach dem Wahren und Guten zu suchen, und das Gewissen durch Gewöhnung an die Sünde allmählich fast blind wird.

17. Die hohe Bedeutung der Freiheit

Aber nur frei kann der Mensch sich zum Guten hinwenden.

Und diese Freiheit schätzen unsere Zeitgenossen hoch und erstreben sie leidenschaftlich. Mit Recht. Oft jedoch vertreten sie sie in verkehrter Weise, als Berechtigung, alles zu tun, wenn es nur gefällt, auch das Böse.

Die wahre Freiheit aber ist ein erhabenes Kennzeichen des Bildes Gottes im Menschen: Gott wollte nämlich den Menschen »in der Hand seines Entschlusses lassen« (12), so daß er seinen Schöpfer aus eigenem Entscheid suche und frei zur vollen und seligen Vollendung in Einheit mit Gott gelange.

Die Würde des Menschen verlangt daher, daß er in bewußter und freier Wahl handle, das heißt personal, von innen her bewegt und geführt und nicht unter blindem innerem Drang oder unter bloßem äußerem Zwang. Eine solche Würde erwirbt der Mensch, wenn er sich aus aller Knechtschaft der Leidenschaften befreit und sein Ziel in freier Wahl des Guten verfolgt sowie sich die geeigneten Hilfsmittel wirksam und in angestrengtem Bemühen verschafft. Die Freiheit des Menschen, die durch die Sünde verwundet ist, kann nur mit Hilfe der Gnade Gottes die Hinordnung auf Gott zur vollen Wirksamkeit bringen.

Jeder aber muß vor dem Richterstuhl Gottes Rechenschaft geben von seinem eigenen Leben, so wie er selber Gutes oder Böses getan hat (13).

18. Das Geheimnis des Todes

Angesichts des Todes wird das Rätsel des menschlichen Daseins am größten.

Der Mensch erfahrt nicht nur den Schmerz und den fortschreitenden Abbau des Leibes, sondern auch, ja noch mehr die Furcht vor immerwährendem Verlöschen.

Er urteilt aber im Instinkt seines Herzens richtig, wenn er die völlige Zerstörung und den endgültigen Untergang seiner Person mit Entsetzen ablehnt.

Der Keim der Ewigkeit im Menschen läßt sich nicht auf die bloße Materie zurückführen und wehrt sich gegen den Tod. Alle Maßnahmen der Technik, so nützlich sie sind, können aber die Angst des Menschen nicht beschwichtigen. Die Verlängerung der biologischen Lebensdauer kann jenem Verlangen nach einem weiteren Leben nicht genügen, das unüberwindlich in seinem Herzen lebt. Während vor dem Tod alle Träume nichtig werden, bekennt die Kirche, belehrt von der Offenbarung Gottes, daß der Mensch von Gott zu einem seligen Ziel jenseits des irdischen Elends geschaffen ist. Außerdem lehrt der christliche Glaube, daß der leibliche Tod, dem der Mensch, hätte er nicht gesündigt, entzogen gewesen wäre (14), besiegt wird, wenn dem

Menschen sein Heil, das durch seine Schuld verlorenging, vom allmächtigen und barmherzigen Erlöser wiedergeschenkt wird. Gott rief und ruft nämlich den Menschen, daß er ihm in der ewigen Gemeinschaft unzerstörbaren göttlichen Lebens mit seinem ganzen Wesen anhange. Diesen Sieg hat Christus, da er den Menschen durch seinen Tod vom Tod befreite, in seiner Auferstehung zum Leben errungen (15).

Jedem also, der ernsthaft nachdenkt, bietet daher der Glaube, mit stichhaltiger Begründung vorgelegt, eine Antwort auf seine Angst vor der Zukunft an; und zugleich zeigt er die Möglichkeit, mit den geliebten Brüdern, die schon gestorben sind, in Christus Gemeinschaft zu haben in der Hoffnung, daß sie das wahre Leben bei Gott erlangt haben.

19. Formen und Wurzeln des Atheismus

Ein besonderer Wesenszug der Würde des Menschen liegt in seiner Berufung zur Gemeinschaft mit Gott.

Zum Dialog mit Gott ist der Mensch schon von seinem Ursprung her aufgerufen: er existiert nämlich nur, weil er, von Gott aus Liebe geschaffen, immer aus Liebe erhalten wird; und er lebt nicht voll gemäß der Wahrheit, wenn er diese Liebe nicht frei anerkennt und sich seinem Schöpfer anheimgibt. Viele unserer Zeitgenossen erfassen aber diese innigste und lebensvolle Verbindung mit Gott gar nicht oder verwerfen sie ausdrücklich. So muß man den Atheismus zu den ernstesten Gegebenheiten dieser Zeit rechnen und aufs sorgfältigste prüfen. Mit dem Wort Atheismus werden voneinander sehr verschiedene Phänomene bezeichnet.

Manche leugnen Gott ausdrücklich; andere meinen, der Mensch könne überhaupt nichts über ihn aussagen; wieder andere stellen die Frage nach Gott unter solchen methodischen Voraussetzungen, daß sie von vornherein sinnlos zu sein scheint. Viele überschreiten den Zuständigkeitsbereich der Erfahrungswissenschaften und erklären, alles sei nur Gegenstand solcher naturwissenschaftlicher Forschung, oder sie verwerfen umgekehrt jede Möglichkeit einer absoluten Wahrheit. Manche sind, wie es scheint, mehr interessiert an der Bejahung des Menschen als an der Leugnung Gottes, rühmen aber den Menschen so, daß ihr Glaube an Gott keine Lebensmacht mehr bleibt.

Andere machen sich ein solches Bild von Gott, daß jenes Gebilde, das sie ablehnen, keineswegs der Gott des Evangeliums ist. Andere nehmen die Fragen nach Gott nicht einmal in Angriff, da sie keine Erfahrung der religiösen Unruhe zu machen scheinen und keinen Anlaß sehen, warum sie sich um Religion kümmern sollten. Der Atheismus entsteht außerdem nicht selten aus dem heftigen Protest gegen das Übel in der Welt oder aus der unberechtigten Übertragung des Begriffs des Absoluten auf gewisse menschliche Werte, so daß diese an Stelle Gottes treten. Auch die heutige Zivilisation kann oft, zwar nicht von ihrem Wesen her, aber durch ihre einseitige Zuwendung zu den irdischen Wirklichkeiten, den Zugang zu Gott erschweren.

Gewiß sind die, die in Ungehorsam gegen den Spruch ihres Gewissens absichtlich Gott von ihrem Herzen fernzuhalten und religiöse Fragen zu vermeiden suchen, nicht ohne Schuld; aber auch die Gläubigen selbst tragen daran eine gewisse Verantwortung.

Denn der Atheismus, allseitig betrachtet, ist nicht eine ursprüngliche und eigenständige Erscheinung; er entsteht vielmehr aus verschiedenen Ursachen, zu denen auch die kritische Reaktion gegen die Religionen, und zwar in einigen Ländern vor allem gegen die christliche Religion, zählt.

Deshalb können an dieser Entstehung des Atheismus die Gläubigen einen erheblichen Anteil haben, insofern man sagen muß, daß sie durch Vernachlässigung der Glaubenserziehung, durch mißverständliche Darstellung der Lehre oder auch durch die Mängel ihres religiösen, sittlichen und gesellschaftlichen Lebens das wahre Antlitz Gottes und der Religion eher verhüllen als offenbaren.

20. Der systematische Atheismus

Der moderne Atheismus stellt sich oft auch in systematischer Form dar, die, außer anderen Ursachen, das Streben nach menschlicher Autonomie so weit treibt, daß er Widerstände gegen jedwede Abhängigkeit von Gott schafft. Die Bekenner dieses Atheismus behaupten, die Freiheit bestehe darin, daß der Mensch sich selbst Ziel und einziger Gestalter und Schöpfer seiner eigenen Geschichte sei. Das aber, so behaupten sie, sei unvereinbar mit der Anerkennung des Herrn, des Urhebers und Ziels aller Wirklichkeit, oder mache wenigstens eine solche Bejahung völlig überflüssig.

Diese Lehre kann begünstigt werden durch das Erlebnis der Macht, das der heutige technische Fortschritt dem Menschen gibt. Unter den Formen des heutigen Atheismus darf jene nicht übergangen werden, die die Befreiung des Menschen vor allem von seiner wirtschaftlichen und gesellschaftlichen Befreiung erwartet. Er behauptet, daß dieser Befreiung die Religion ihrer Natur nach im Wege stehe, insofern sie die Hoffnung des Menschen auf ein künftiges und trügerisches Leben richte und ihn dadurch vom Aufbau der irdischen Gesellschaft abschrecke.

Daher bekämpfen die Anhänger dieser Lehre, wo sie zur staatlichen Macht kommen, die Religion heftig und breiten den Atheismus aus, auch unter Verwendung, vor allem in der Erziehung der Jugend, jener Mittel der Pression, die der öffentlichen Gewalt zur Verfügung stehen.

21. Die Haltung der Kirche zum Atheismus

Die Kirche kann, in Treue zu Gott wie zu den Menschen, nicht anders, als voll Schmerz jene verderblichen Lehren und Maßnahmen, die der Vernunft und der allgemein menschlichen Erfahrung widersprechen und den Menschen seiner angeborenen Größe entfremden, mit aller Festigkeit zu verurteilen, wie sie sie auch bisher verurteilt hat (16). Jedoch sucht die Kirche die tiefer in der atheistischen Mentalität liegenden Gründe für die Leugnung Gottes zu erfassen und ist im Bewußtsein vom Gewicht der Fragen, die der Atheismus aufgibt, wie auch um der Liebe zu allen Menschen willen der Meinung, daß diese Gründe ernst und gründlicher geprüft werden müssen. Die Kirche hält daran fest, daß die Anerkennung Gottes der Würde des Menschen keineswegs widerstreitet, da diese Würde eben in Gott selbst gründet und vollendet wird. Denn der Mensch ist vom Schöpfergott mit Vernunft und Freiheit als Wesen der Gemeinschaft geschaffen; vor allem aber ist er als dessen Kind zur eigentlichen Gemeinschaft mit Gott und zur Teilnahme an dessen eigener Seligkeit berufen. Außerdem lehrt die Kirche, daß durch die eschatologische Hoffnung die Bedeutung der irdischen Aufgaben nicht gemindert wird, daß vielmehr ihre Erfüllung durch neue Motive unterbaut wird.

Wenn dagegen das göttliche Fundament und die Hoffnung auf das ewige Leben schwinden, wird die Würde des Menschen aufs schwerste verletzt, wie sich heute oft bestätigt, und die Rätsel von Leben und Tod, Schuld und Schmerz bleiben ohne Lösung, so daß die Menschen nicht selten in Verzweiflung stürzen. Jeder Mensch bleibt vorläufig sich selbst eine ungelöste Frage, die er dunkel spürt. Denn niemand kann in gewissen Augenblicken, besonders in den bedeutenderen Ereignissen des Lebens, diese Frage gänzlich verdrängen.

Auf diese Frage kann nur Gott die volle und ganz sichere Antwort geben; Gott, der den Menschen zu tieferem Nachdenken und demütigerem Suchen aufruft. Das Heilmittel gegen den Atheismus kann nur von einer situationsgerechten Darlegung der Lehre und vom integren Leben der Kirche und ihrer Glieder erwartet werden. Denn es ist Aufgabe der Kirche, Gott den Vater und seinen menschgewordenen Sohn präsent und sozusagen sichtbar zu machen, indem sie sich selbst unter der Führung des Heiligen Geistes unaufhörlich erneuert und läutert (17); das wird vor allem erreicht durch das Zeugnis eines lebendigen und gereiften Glaubens, der so weit herangebildet ist, daß er die Schwierigkeiten klar zu durchschauen und sie zu überwinden vermag.

Ein leuchtendes Zeugnis dieses Glaubens gaben und geben die vielen Märtyrer.

Dieser Glaube muß seine Fruchtbarkeit bekunden, indem er das gesamte Leben der Gläubigen, auch das profane, durchdringt und sie zu Gerechtigkeit und Liebe, vor allem gegenüber den Armen, bewegt.

Dazu, daß Gott in seiner Gegenwärtigkeit offenbar werde, trägt schließlich besonders die Bruderliebe der Gläubigen bei, wenn sie in einmütiger Gesinnung zusammenarbeiten für den Glauben an das Evangelium (18) und sich als Zeichen der Einheit erweisen. Wenn die Kirche auch den Atheismus eindeutig verwirft, so bekennt sie doch aufrichtig, daß alle Menschen, Glaubende und Nichtglaubende, zum richtigen Aufbau dieser Welt, in der sie gemeinsam leben, zusammenarbeiten müssen. Das kann gewiß nicht geschehen ohne einen aufrichtigen und klugen Dialog. Deshalb beklagt sie die Diskriminierung zwischen Glaubenden und Nichtglaubenden, die gewisse Staatslenker in Nichtachtung der Grundrechte der menschlichen Person ungerechterweise durchführen. Für die Glaubenden verlangt die Kirche Handlungsfreiheit, damit sie in dieser Welt auch den Tempel Gottes errichten können. Die Atheisten aber lädt sie schlicht ein, das Evangelium Christi unbefangen zu würdigen.

Denn sehr genau weiß die Kirche, daß ihre Botschaft dann dem tiefsten Verlangen des menschlichen Herzens entspricht, wenn sie die Würde der menschlichen Berufung verteidigt und denen, die schon an ihrer höheren Bestimmung verzweifeln, die Hoffnung wiedergibt.

Ihre Botschaft mindert nicht nur den Menschen nicht, sondern verbreitet, um ihn zu fördern, Licht, Leben und Freiheit; und außer ihr vermag nichts dem Menschenherzen zu genügen: »Du hast uns auf dich hin gemacht«, o Herr, »und unruhig ist unser Herz, bis es Ruhe findet in dir« (19).

22. Christus, der neue Mensch

Tatsächlich klärt sich nur im Geheimnis des fleischgewordenen Wortes das Geheimnis des Menschen wahrhaft auf.

Denn Adam, der erste Mensch, war das Vorausbild des zukünftigen (20), nämlich Christi des Herrn.

Christus, der neue Adam, macht eben in der Offenbarung des Geheimnisses des Vaters und seiner Liebe dem Menschen den Menschen selbst voll kund und erschließt ihm seine höchste Berufung.

Es ist also nicht verwunderlich, daß in ihm die eben genannten Wahrheiten ihren Ursprung haben und ihren Gipfelpunkt erreichen. Der »das Bild des unsichtbaren Gottes« (Kol 1,15) (21) ist, er ist zugleich der vollkommene Mensch, der den Söhnen Adams die Gottebenbildlichkeit wiedergab, die von der ersten Sünde her verunstaltet war.

Da in ihm die menschliche Natur angenommen wurde, ohne dabei verschlungen zu werden (22), ist sie dadurch auch schon in uns zu einer erhabenen Würde erhöht worden.

Denn er, der Sohn Gottes, hat sich in seiner Menschwerdung gewissermaßen mit jedem Menschen vereinigt.

Mit Menschenhänden hat er gearbeitet, mit menschlichem Geist gedacht, mit einem menschlichen Willen hat er gehandelt (23), mit einem menschlichen Herzen geliebt. Geboren aus Maria, der Jungfrau, ist er in Wahrheit einer aus uns geworden, in allem uns gleich außer der Sünde (24). Als unschuldiges Opferlamm hat er freiwillig sein Blut vergossen und uns Leben erworben. In ihm hat Gott uns mit sich und untereinander versöhnt (25) und der Knechtschaft des Teufels und der Sünde entrissen. So kann jeder von uns mit dem Apostel sagen: Der Sohn Gottes »hat mich geliebt und sich selbst für mich dahingegeben« (Gal 2,20). Durch sein Leiden für uns hat er uns nicht nur das Beispiel gegeben, daß wir seinen Spuren folgen (26), sondern er hat uns auch den Weg gebahnt, dem wir folgen müssen, damit Leben und Tod geheiligt werden und neue Bedeutung erhalten.

Der christliche Mensch empfängt, gleichförmig geworden dem Bild des Sohnes, der der Erstgeborene unter vielen Brüdern ist (27), »die Erstlingsgaben des Geistes« (Röm 8,23), durch die er fähig wird, das neue Gesetz der Liebe zu erfüllen (28).

Durch diesen Geist, der das »Unterpfand der Erbschaft« (Eph 1,14) ist, wird der ganze Mensch innerlich erneuert bis zur »Erlösung des Leibes« (Röm 8,23): »Wenn der Geist dessen, der Jesus von den Toten erweckt hat, in euch wohnt, wird er, der Jesus Christus von den Toten erweckt hat, auch eure sterblichen Leiber lebendig machen wegen des in euch wohnenden Geistes« (Röm 8,11) (29).

Auch auf dem Christen liegen ganz gewiß die Notwendigkeit und auch Pflicht, gegen das Böse durch viele Anfechtungen hindurch anzukämpfen und auch den Tod zu ertragen; aber dem österlichen Geheimnis verbunden und dem Tod Christi gleichgestaltet, geht er, durch Hoffnung gestärkt, der Auferstehung entgegen (30).

Das gilt nicht nur für die Christgläubigen, sondern für alle Menschen guten Willens, in deren Herzen die Gnade unsichtbar wirkt (31). Da nämlich Christus für alle gestorben ist (32) und da es in Wahrheit nur eine letzte Berufung des Menschen gibt, die göttliche, müssen wir festhalten, daß der Heilige Geist allen die Möglichkeit anbietet, diesem österlichen Geheimnis in einer Gott bekannten Weise verbunden zu sein.

Solcher Art und so groß ist das Geheimnis des Menschen, das durch die christliche Offenbarung den Glaubenden aufleuchtet. Durch Christus und in Christus also wird das Rätsel von Schmerz und Tod hell, das außerhalb seines Evangeliums uns überwältigt. Christus ist auferstanden, hat durch seinen Tod den Tod vernichtet und uns das Leben geschenkt (33), auf daß wir, Söhne im Sohn, im Geist rufen: Abba, Vater! (34)

...

Auf die Wiedergabe der Anmerkungen wird aus Raumgründen verzichtet.

Konstitution über die heilige Liturgie »Sacrosanctum Concilium« (Auszug)

Vorwort

1. Das Heilige Konzil hat sich zum Ziel gesetzt, das christliche Leben unter den Gläubigen mehr und mehr zu vertiefen, die dem Wechsel unterworfenen Einrichtungen den Notwendigkeiten unseres Zeitalters besser anzupassen, zu fördern, was immer zur Einheit aller, die an Christus glauben, beitragen kann, und zu stärken, was immer helfen kann, alle in den Schoß der Kirche zu rufen. Darum hält es das Konzil auch in besonderer Weise für seine Aufgabe, sich um Erneuerung und Pflege der Liturgie zu sorgen.

2. In der Liturgie, besonders im heiligen Opfer der Eucharistie, »vollzieht sich« »das Werk unserer Erlösung« (1), und so trägt sie in höchstem Maße dazu bei, daß das Leben der Gläubigen Ausdruck und Offenbarung des Mysteriums Christi und des eigentlichen Wesens der wahren Kirche wird, der es eigen ist, zugleich göttlich und menschlich zu sein, sichtbar und mit unsichtbaren Gütern ausgestattet, voll Eifer der Tätigkeit hingegeben und doch frei für die Beschauung, in der Welt zugegen und doch unterwegs; und zwar so, daß dabei das Menschliche auf das Göttliche hingeordnet und ihm untergeordnet ist, das Sichtbare auf das Unsichtbare, die Tätigkeit auf die Beschauung, das Gegenwärtige auf die künftige Stadt, die wir suchen (2). Dabei baut die Liturgie täglich die, welche drinnen sind, zum heiligen Tempel im Herrn auf, zur Wohnung Gottes im Geist (3) bis zum Maße des Vollalters Christi (4). Zugleich stärkt sie wunderbar deren Kräfte, daß sie Christus verkünden. So stellt sie denen, die draußen sind, die Kirche vor Augen als Zeichen, das aufgerichtet ist unter den Völkern (5). Unter diesem sollen sich die zerstreuten Söhne Gottes zur Einheit sammeln (6), bis eine Herde und ein Hirt wird (7).

3. Darum beschließt das Heilige Konzil, für die Förderung und Erneuerung der Liturgie folgende Grundsätze ins Gedächtnis zu rufen und praktische Richtlinien aufzustellen. Unter diesen Grundsätzen und Richtlinien sind manche, die sowohl auf den römischen Ritus wie auf alle Riten angewandt werden können und müssen. Indes sind die folgenden praktischen Richtlinien

so zu verstehen, daß sie nur für den römischen Ritus gelten, es sei denn, es handle sich um Normen, die aus der Natur der Sache auch die anderen Riten angehen.
4. Treu der Überlieferung erklärt das Heilige Konzil schließlich, daß die heilige Mutter Kirche allen rechtlich anerkannten Riten gleiches Recht und gleiche Ehre zuerkennt. Es ist ihr Wille, daß diese Riten in Zukunft erhalten und in jeder Weise gefördert werden, und es ist ihr Wunsch, daß sie, soweit es not tut, in ihrem ganzen Umfang gemäß dem Geist gesunder Überlieferung überprüft und im Hinblick auf die Verhältnisse und Notwendigkeiten der Gegenwart mit neuer Kraft ausgestattet werden.

KAPITEL I
ALLGEMEINE GRUNDSÄTZE ZU ERHEBUNG UND FÖRDERUNG DER HEILIGEN LITURGIE

I. Das Wesen der heiligen Liturgie und ihre Bedeutung für das Leben der Kirche

5. Gott, der »will, daß alle Menschen gerettet werden und zur Erkenntnis der Wahrheit gelangen« (1 Tim 2,4), »hat in früheren Zeiten vielfach und auf vielerlei Weise durch die Propheten zu den Vätern gesprochen« (Hebr 1,1). Als aber die Fülle der Zeiten kam, sandte er seinen Sohn, das Wort, das Fleisch angenommen hat und mit dem Heiligen Geist gesalbt worden ist, den Armen das Evangelium zu predigen und zu heilen, die zerschlagenen Herzens sind (8), »den Arzt für Leib und Seele« (9), den Mittler zwischen Gott und den Menschen (10). Denn seine Menschheit war in der Einheit mit der Person des Wortes Werkzeug unseres Heils. So ist in Christus »hervorgetreten unsere vollendete Versöhnung in Gnaden, und in ihm ist uns geschenkt die Fülle des göttlichen Dienstes« (11). Dieses Werk der Erlösung der Menschen und der vollendeten Verherrlichung Gottes, dessen Vorspiel die göttlichen Machterweise am Volk des Alten Bundes waren, hat Christus, der Herr, erfüllt, besonders durch das Pascha-Mysterium: sein seliges Leiden, seine Auferstehung von den Toten und seine glorreiche Himmelfahrt. In diesem Mysterium »hat er durch sein Sterben un-

seren Tod vernichtet und durch sein Auferstehen das Leben neugeschaffen« (12). Denn aus der Seite des am Kreuz entschlafenen Christus ist das wunderbare Geheimnis der ganzen Kirche hervorgegangen (13).

6. Wie daher Christus vom Vater gesandt ist, so hat er selbst die vom Heiligen Geist erfüllten Apostel gesandt, nicht nur das Evangelium aller Kreatur zu verkünden (14), die Botschaft, daß der Sohn Gottes uns durch seinen Tod und seine Auferstehung der Macht des Satans entrissen (15) und in das Reich des Vaters versetzt hat, sondern auch das von ihnen verkündete Heilswerk zu vollziehen durch Opfer und Sakrament, um die das ganze liturgische Leben kreist. So werden die Menschen durch die Taufe in das Pascha-Mysterium Christi eingefügt. Mit Christus gestorben, werden sie mit ihm begraben und mit ihm auferweckt (16). Sie empfangen den Geist der Kindschaft, »in dem wir Abba, Vater, rufen« (Röm 8,15) und werden so zu wahren Anbetern, wie der Vater sie sucht (17). Ebenso verkünden sie, sooft sie das Herrenmahl genießen, den Tod des Herrn, bis er wiederkommt (18). Deswegen wurden am Pfingstfest, an dem die Kirche in der Welt offenbar wurde, »diejenigen getauft, die das Wort« des Petrus »annahmen«. Und »sie verharrten in der Lehre der Apostel, in der Gemeinschaft des Brotbrechens, im Gebet … sie lobten Gott und fanden Gnade bei allem Volk« (Apg 2,41–47). Seither hat die Kirche niemals aufgehört, sich zur Feier des Pascha-Mysteriums zu versammeln, dabei zu lesen, »was in allen Schriften von ihm geschrieben steht« (Lk 24,27), die Eucharistie zu feiern, in der »Sieg und Triumph seines Todes dargestellt werden« (19), und zugleich »Gott für die unsagbar große Gabe dankzusagen« (2 Kor 9,15), in Christus Jesus »zum Lob seiner Herrlichkeit« (Eph 1,12). All das aber geschieht in der Kraft des Heiligen Geistes.

7. Um dieses große Werk voll zu verwirklichen, ist Christus seiner Kirche immerdar gegenwärtig, besonders in den liturgischen Handlungen. Gegenwärtig ist er im Opfer der Messe sowohl in der Person dessen, der den priesterlichen Dienst vollzieht – denn »derselbe bringt das Opfer jetzt dar durch den Dienst der Priester, der sich einst am Kreuz selbst dargebracht hat« (20) –, wie vor al-

lem unter den eucharistischen Gestalten. Gegenwärtig ist er mit seiner Kraft in den Sakramenten, so daß, wenn immer einer tauft, Christus selber tauft (21). Gegenwärtig ist er in seinem Wort, da er selbst spricht, wenn die heiligen Schriften in der Kirche gelesen werden. Gegenwärtig ist er schließlich, wenn die Kirche betet und singt, er, der versprochen hat:

»Wo zwei oder drei versammelt sind in meinem Namen, da bin ich mitten unter ihnen« (Mt 18,20).

In der Tat gesellt sich Christus in diesem großen Werk, in dem Gott vollkommen verherrlicht und die Menschheit geheiligt werden, immer wieder die Kirche zu, seine geliebte Braut. Sie ruft ihren Herrn an, und durch ihn huldigt sie dem ewigen Vater. Mit Recht gilt also die Liturgie als Vollzug des Priesteramtes Jesu Christi; durch sinnenfällige Zeichen wird in ihr die Heiligung des Menschen bezeichnet und in je eigener Weise bewirkt und vom mystischen Leib Jesu Christi, d.h. dem Haupt und den Gliedern, der gesamte öffentliche Kult vollzogen. Infolgedessen ist jede liturgische Feier als Werk Christi, des Priesters, und seines Leibes, der die Kirche ist, in vorzüglichem Sinn heilige Handlung, deren Wirksamkeit kein anderes Tun der Kirche an Rang und Maß erreicht.

8. In der irdischen Liturgie nehmen wir vorauskostend an jener himmlischen Liturgie teil, die in der heiligen Stadt Jerusalem gefeiert wird, zu der wir pilgernd unterwegs sind, wo Christus sitzt zur Rechten Gottes, der Diener des Heiligtums und des wahren Zeltes (22). In der irdischen Liturgie singen wir dem Herrn mit der ganzen Schar des himmlischen Heeres den Lobgesang der Herrlichkeit. In ihr verehren wir das Gedächtnis der Heiligen und erhoffen Anteil und Gemeinschaft mit ihnen. In ihr erwarten wir den Erlöser, unseren Herrn Jesus Christus, bis er erscheint als unser Leben und wir mit ihm erscheinen in Herrlichkeit (23).

9. In der heiligen Liturgie erschöpft sich nicht das ganze Tun der Kirche; denn ehe die Menschen zur Liturgie hintreten können, müssen sie zu Glauben und Bekehrung gerufen werden: »Wie sollen sie den anrufen, an den sie nicht glauben? Wie sollen sie an den glauben, von dem sie nichts gehört haben? Wie sollen sie aber hören ohne Prediger? Doch wie sollen sie predigen, wenn sie

nicht gesandt sind?« (Röm 10,14–15). Darum verkündet die Kirche denen, die nicht glauben, die Botschaft des Heils, damit alle Menschen den allein wahren Gott erkennen und den, den er gesandt hat, Jesus Christus, und daß sie sich bekehren von ihren Wegen und Buße tun (24). Denen aber, die schon glauben, muß sie immer wieder Glauben und Buße verkünden und sie überdies für die Sakramente bereiten. Sie muß sie lehren, alles zu halten, was immer Christus gelehrt hat (25), und sie ermuntern zu allen Werken der Liebe, der Frömmigkeit und des Apostolates. Durch solche Werke soll offenbar werden, daß die Christgläubigen zwar nicht von dieser Welt sind, daß sie aber Licht der Welt sind und den Vater vor den Menschen verherrlichen.

10. Dennoch ist die Liturgie der Höhepunkt, dem das Tun der Kirche zustrebt, und zugleich die Quelle, aus der all ihre Kraft strömt. Denn die apostolische Arbeit ist darauf hingeordnet, daß alle, durch Glauben und Taufe Kinder Gottes geworden, sich versammeln, inmitten der Kirche Gott loben, am Opfer teilnehmen und das Herrenmahl genießen. Andererseits treibt die Liturgie die Gläubigen an, daß sie, mit den »österlichen Geheimnissen« gesättigt, »in Liebe eines Herzens sind« (26); sie betet, daß sie »im Leben festhalten, was sie im Glauben empfangen haben« (27); wenn der Bund Gottes mit den Menschen in der Feier der Eucharistie neu bekräftigt wird, werden die Gläubigen von der drängenden Liebe Christi angezogen und entzündet. Aus der Liturgie, besonders aus der Eucharistie, fließt uns wie aus einer Quelle die Gnade zu; in höchstem Maß werden in Christus die Heiligung der Menschen und die Verherrlichung Gottes verwirklicht, auf die alles Tun der Kirche als auf sein Ziel hinstrebt.

11. Damit aber dieses Vollmaß der Verwirklichung erreicht wird, ist es notwendig, daß die Gläubigen mit recht bereiteter Seele zur heiligen Liturgie hinzutreten, daß ihr Herz mit der Stimme zusammenklinge und daß sie mit der himmlischen Gnade zusammenwirken, um sie nicht vergeblich zu empfangen (28). Darum sollen die Seelsorger bei liturgischen Handlungen darüber wachen, daß nicht bloß die Gesetze des gültigen und erlaubten Vollzugs beach-

tet werden, sondern auch daß die Gläubigen bewußt, tätig und mit geistlichem Gewinn daran teilnehmen.
12. Das geistliche Leben deckt sich aber nicht schlechthin mit der Teilnahme an der heiligen Liturgie. Der Christ ist zwar berufen, in Gemeinschaft zu beten, doch muß er auch in sein Kämmerlein gehen und den Vater im Verborgenen anbeten (29), ja ohne Unterlaß beten, wie der Apostel mahnt (30). Der gleiche Apostel lehrt uns, daß wir allezeit das Sterben Jesu an unserem Leibe tragen, auf daß auch das Leben Jesu offenbar werde an unserem sterblichen Fleische (31). Deshalb flehen wir beim Opfer der Messe zum Herrn, daß er »die geistliche Gabe annehme und sich uns selbst zu einem ewigen Opfer« vollende (32).
13. Die Andachtsübungen des christlichen Volkes werden sehr empfohlen, sofern sie den Vorschriften und Regeln der Kirche entsprechen. Das gilt besonders, wenn sie vom Apostolischen Stuhl angeordnet sind. Besonderer Würde erfreuen sich auch die gottesdienstlichen Feiern der Teilkirchen, die gemäß Gewohnheit oder nach rechtlich anerkannten Büchern in bischöflichem Auftrag gehalten werden. Diese Übungen und Feiern sollen indes die liturgische Zeit gebührend berücksichtigen und so geordnet sein, daß sie mit der heiligen Liturgie zusammenstimmen, gewissermaßen aus ihr herausfließen und das Volk zu ihr hinführen; denn sie steht von Natur aus weit über ihnen.

II. Liturgische Ausbildung und tätige Teilnahme

14. Die Mutter Kirche wünscht sehr, alle Gläubigen möchten zu der vollen, bewußten und tätigen Teilnahme an den liturgischen Feiern geführt werden, wie sie das Wesen der Liturgie selbst verlangt und zu der das christliche Volk, »das auserwählte Geschlecht, das königliche Priestertum, der heilige Stamm, das Eigentumsvolk« (1 Petr 2,9; vgl. 2,4–5) kraft der Taufe berechtigt und verpflichtet ist. Diese volle und tätige Teilnahme des ganzen Volkes ist bei der Erneuerung und Förderung der heiligen Liturgie aufs stärkste zu beachten, ist sie doch die erste und unentbehrliche Quelle, aus der die Christen wahrhaft christlichen Geist schöpfen

sollen. Darum ist sie in der ganzen seelsorglichen Arbeit durch gebührende Unterweisung von den Seelsorgern gewissenhaft anzustreben. Es besteht aber keine Hoffnung auf Verwirklichung dieser Forderung, wenn nicht zuerst die Seelsorger vom Geist und von der Kraft der Liturgie tief durchdrungen sind und in ihr Lehrmeister werden. Darum ist es dringend notwendig, daß für die liturgische Bildung des Klerus gründlich gesorgt wird …

…

19. Die Seelsorger sollen eifrig und geduldig bemüht sein um die liturgische Bildung und die tätige Teilnahme der Gläubigen, die innere und die äußere, je nach deren Alter, Verhältnissen, Art des Lebens und Grad der religiösen Entwicklung. Damit erfüllen sie eine der vornehmsten Aufgaben des treuen Spenders der Geheimnisse Gottes. Sie sollen ihre Herde dabei nicht bloß mit dem Wort, sondern auch durch das Beispiel führen.

III. Die Erneuerung der heiligen Liturgie

21. Damit das christliche Volk in der heiligen Liturgie die Fülle der Gnaden mit größerer Sicherheit erlange, ist es der Wunsch der heiligen Mutter Kirche, eine allgemeine Erneuerung der Liturgie sorgfältig in die Wege zu leiten. Denn die Liturgie enthält einen kraft göttlicher Einsetzung unveränderlichen Teil und Teile, die dem Wandel unterworfen sind. Diese Teile können sich im Laufe der Zeit ändern, oder sie müssen es sogar, wenn sich etwas in sie eingeschlichen haben sollte, was der inneren Wesensart der Liturgie weniger entspricht oder wenn sie sich als weniger geeignet herausgestellt haben. Bei dieser Erneuerung sollen Texte und Riten so geordnet werden, daß sie das Heilige, dem sie als Zeichen dienen, deutlicher zum Ausdruck bringen, und so, daß das christliche Volk sie möglichst leicht erfassen und in voller, tätiger und gemeinschaftlicher Teilnahme mitfeiern kann …

Auf die Wiedergabe der Anmerkungen wird aus Raumgründen verzichtet.

Verzeichnis der Präfationen

FESTE UND HOCHFESTE DER HEILIGEN

SONNTAGE IM JAHRESKREIS

VERSCHIEDENE FEIERN

PRÄFATIONEN DER HOCHGEBETE

Verzeichnis der Schlusssegen

Verzeichnis der Schrifttexte

Stichwortregister der Meditationen

Namenstagsverzeichnis

Die mit (g), (G), (F) oder (H) markierten Heiligen sind entsprechend ihrem liturgischen Rang im römischen Generalkalender bzw. deutschsprachigen Regionalkalender erwähnt.

Achilleus 12. 5. *(g)*
Adalbert 23. 4. *(g)*
Adam 24. 12.
Adelgund 30. 1.
Adelheid 16. 12.
Adolph Kolping 4. 12. *(g)*
Agatha 5. 2. *(G)*
Agnes 21. 1. *(g)*
Agritius 19. 1.
Albert der Große 15. 11. *(g)*
Alexander 10. 7.
Alexander I. 3. 5.
Alfons Maria von Liguori 1. 8. *(G)*
Alfred 28. 10.
Aloysius Gonzaga 21. 6. *(G)*
Alwin 26. 5.
Ambrosius 7. 12. *(G)*
Amos 16. 5.
Anastasia 25. 12.
Andreas 30. 11. *(F)*
Andreas Dung-Lac 24. 11. *(G)*
Andreas Kim Taegon 20. 9. *(G)*
Angela Merici 27. 1. *(g)*
Angela von Foligno 4. 1.
Anna 26. 7. *(G)*
Anno 5. 12. *(g)*
Anselm 21. 4. *(g)*
Ansgar 3. 2. *(g)*
Antonius 17 .1. *(G)*
Antonius Maria Claret 24. 10. *(g)*
Antonius Maria Zaccaria 5. 7. *(g)*
Antonius von Padua 13. 6. *(G)*
Apollinaris 20. 7. *(g)*
Arnold 18. 7.
Athanasius 2. 5. *(G)*
Augustinus 28. 8. *(G)*
Augustinus von Canterbury 27. 5. *(g)*
Augustinus Zhao Rong 9. 7. *(g)*

Balthasar 6. 1.
Barbara 4. 12. *(g)*
Barnabas, 11. 6. *(G)*
Bartholomäus 24. 8. *(F)*
Basilius der Große 2. 1. *(G)*
Beatrix 30. 7.
Beatus 28. 7.
Beda der Ehrwürdige 25. 5. *(g)*
Benedikt Josef Labre 16. 4.
Benedikt von Nursia 11. 7. *(F)*
Benno 16. 6. *(g)*
Bernadette Soubirous 16. 4.
Bernhard von Baden 15. 7.
Bernhard von Clairvaux 20. 8. *(G)*
Bernhardin von Siena 20. 5. *(g)*
Bernward 20. 11.

Berta 28. 11.
Berthold 14. 12.
Birgitta von Schweden 23. 7. *(F)*
Blasius 3. 2. *(g)*
Bonaventura 15. 7. *(G)*
Bonifatius 5. 6. *(F)*
Britto 6. 5.
Bruno 6. 10. *(g)*
Bruno von Querfurt 9. 3. *(g)*
Burkhard 14. 10.

Cäcilia 22. 11. *(G)*
Charlotte 17. 7.
Christa 4. 6.
Christian 4. 2.
Christian von Galatien 14. 5.
Christiane von Georgien 15. 12.
Christine 24. 7.
Christophorus 24. 7. *(g)*
Christophorus Magallanes 21. 5. *(g)*
Claudia 18. 8.
Claudius 6. 6.
Cyprian 16. 9. *(G)*
Cyrill 14. 2. *(F)*
Cyrill von Alexandrien 27. 6. *(g)*
Cyrill von Jerusalem 18. 3. *(g)*

Damasus I .11. 12. *(g)*
Damian 26. 9. *(g)*
Dionysius 9. 10. *(g)*
Dominikus 8. 8. *(G)*
Dominikus Savio 9. 3.
Dorothea 6. 2.
Drutmar 15. 2.

Eberhard von Salzburg 22. 6.
Edgar 8. 7.
Edith Stein 9. 8. *(F)*
Edmund 20. 11.
Eduard 18. 3.
Edwin 12. 10.
Egon 15. 7.
Ekkehard 28. 6.
Elegius 1. 12.
Eleonore 25. 6.
Elfriede 20. 5.
Elija 20. 7.
Elisabeth von Portugal 4. 7. *(g)*
Elisabeth von Thüringen 19. 11. *(G)*
Elischa 14. 6.
Elke 19. 11.
Elmar 28. 8.
Elvira 25. 8.
Engelbert von Köln 7. 11.
Ephräm der Syrer 9. 6. *(g)*
Erentrud 30. 6.
Erhard 8. 1.
Erich 10. 7. *(g)*
Ernst 7. 11.
Erwin 25. 4.
Esther 24. 5.
Eucharius 9. 12.
Eugen I. 2. 6.
Eusebius 2. 8. *(g)*
Eva 24. 12.
Ewald 3. 10.

Fabian 20. 1. *(g)*
Fabiola 27. 12.
Felix I. 30. 12.
Felizitas 7. 3. *(G)*
Ferdinand 30. 5.
Fidelis von Sigmaringen 24. 4. *(g)*
Florian 4. 5. *(g)*
Franz von Assisi 4. 10. *(G)*
Franz von Paola 2. 4. *(g)*
Franz von Sales 24. 1. *(G)*
Franz Xaver 3. 12. *(G)*
Franziska 9. 3. *(g)*
Fridolin von Säckingen 6. 3. *(g)*
Frieda 8. 12.
Friedrich 3. 3.

Gabriel 29. 9. *(F)*
Gallus 16. 10. *(g)*
Gebhard 26. 11. *(g)*

Genovefa 3. 1.
Georg 23. 4. *(g)*
Gereon 10. 10.
Gerhard 24. 9.
Gerold 19. 4.
Gertrud von Altenberg 13. 8.
Gertrud von Helfta 17. 11. *(g)*
Gertrud von Nivelles 17. 3. *(g)*
Gilbert 4. 2.
Gisbert 7. 11.
Gisela 7. 5.
Godehard 5. 5. *(g)*
Gottfried von Kappenberg 13. 1.
Gregor VII. 25. 5. *(g)*
Gregor der Große 3. 9. *(G)*
Gregor von Nazianz 2. 1. *(G)*
Gregor von Utrecht 26. 8.
Gudula 8. 1.
Guido 4. 5.
Gunther 8. 10.
Gunthild 21. 2.
Gustav 10. 3.

Habakuk 15. 1.
Hagar 21. 12.
Hannah 2. 2.
Harald 1. 11.
Hartmut 23. 1.
Hartwich 5. 12.
Hatto 4. 7.
Hedwig von Andechs 16. 10. *(g)*
Heimerad von Messkirch 27. 6.
Heinrich II. 13. 7. *(g)*
Heinrich Seuse 23. 1. *(g)*
Helene 18. 8.
Hemma von Gurk 27. 6. *(g)*
Heribert 30. 8.
Hermann Josef 21. 5. *(g)*
Herta 12. 4.
Hieronymus 30. 9. *(G)*
Hieronymus Ämiliani 8. 2. *(g)*
Hilarius 13. 1. (g)
Hildegard von Bingen 17. 9. *(g)*
Hildegund 6. 2.
Hiltrud 27. 9.
Hippolyt 13. 8. *(g)*
Horst 13. 7.
Hubert 3. 11. *(g)*
Hugo von Grenoble 1. 4.

Ida von Herzfeld 4. 9.
Ignatius von Antiochien 17. 10. *(G)*
Ignatius von Loyola 31. 7. *(G)*
Ingeborg 30. 7.
Ingrid 2. 9.
Irenäus 28. 6. *(G)*
Irene von Thessaloniki 5. 4.
Iris 4. 9.
Irmgard 19. 2.
Irmina 3. 1.
Isaak 6. 10.
Isaak Jogues 19. 10. *(g)*
Isabella 22. 2.
Isidor 4. 4. *(g)*
Ivo Hélory 19. 5.
Ivo von Chartres 20. 5.

Jakobus der Ältere 25. 7. *(F)*
Jakobus der Jüngere 3. 5. *(F)*
Januarius 19. 9. *(g)*
Jeanne d'Arc 30. 5.
Joachim 26. 7. *(G)*
Johanna Franziska von Chantal 12. 8. *(g)*
Johannes, Evangelist 27. 12. *(F)*
Johannes I. 18. 5. *(g)*
Johannes Baptist de La Salle 7. 4. *(G)*
Johannes Bosco 31. 1. *(G)*
Johannes Chrysostomus 13. 9. *(G)*
Johannes de Brébeuf 19. 10. *(g)*
Johannes der Täufer 24. 6. *(H)*
Johannes Eudes 19. 8. *(g)*
Johannes Leonardi 9. 10. *(g)*
Johannes Maria Vianney 4. 8. *(G)*
Johannes Nepomuk 16. 5. *(g)*
Johannes vom Kreuz 14. 12. *(G)*

Johannes von Capestrano 23. 10. *(g)*
Johannes von Damaskus 4. 12. *(g)*
Johannes von Gott 8. 3. *(g)*
Johannes von Krakau 23. 12. *(g)*
John Fisher 22. 6. *(g)*
Jolanda 17. 12.
Jona 22. 9.
Josaphat 12. 11. *(G)*
Josef 19. 3. *(H)*
Josef von Calasanz 25. 8. *(g)*
Josefine Bakhita 8. 2. (g)
Juan Diego Cuauhtlatoatzin 9. 12. *(g)*
Judas 28. 10. *(F)*
Judith 29. 6.
Julia von Kathargo 22. 5.
Julius 12 .4.
Justin 1. 6. *(G)*
Jutta 22. 12.

Kajetan 7. 8. *(g)*
Kallistus 14. 10. *(g)*
Kamillus von Lellis 14. 7. *(g)*
Karl Borromäus 4. 11. *(G)*
Karl der Große 28. 1.
Karl Lwanga 3. 6. *(G)*
Kasimir 4. 3. *(g)*
Kaspar 6. 1.
Kastor 13. 2.
Katharina von Alexandrien 25. 11. *(g)*
Katharina von Siena 29. 4. *(F)*
Kilian 8. 7. *(g)*
Klara 11. 8. *(G)*
Klemens I. 23. 11. (g)
Klemens Maria Hofbauer 15. 3. *(g)*
Klothilde 4. 6.
Knud 10. 7. *(g)*
Kolumban 23. 11. *(g)*
Konrad 26. 11. *(g)*
Konrad von Parzham 21. 4. *(g)*
Korbinian 20. 11.
Kordula 22. 10.
Kornelius 16. 9. *(G)*
Kosmas 26. 9. *(g)*
Kunibert 12. 11.
Kunigunde 13. 7. *(g)*

Lambert 18. 9. *(g)*
Larissa 26. 3.
Laurentius 10. 8. *(F)*
Laurentius von Brindisi 21. 7. *(g)*
Lea 22. 3.
Leo IX. 19. 4. *(g)*
Leo der Große 10. 11. *(G)*
Leonhard 6. 11. *(g)*
Leopold 15. 11. *(g)*
Lioba 28. 9. *(g)*
Liudger 26. 3. *(g)*
Liutwin 23. 9.
Lorenzo Ruiz 28. 9. *(g)*
Lothar 29. 12.
Lubentius 13. 10.
Ludwig 25.8. *(g)*
Ludwig Maria Grignion de Montfort 28. 4. *(g)*
Lukas 18. 10. *(F)*
Luzia 13. 12. *(g)*
Luzius 2. 12. *(g)*

Magdalena Sophie Barat 24. 5.
Magnerich 27. 7.
Manfred 28. 1.
Marcel Callo 19. 4. *(g)*
Marcellinus 2. 6. *(g)*
Margareta Maria Alacoque 16. 10. *(g)*
Margareta von Antiochien 20. 7. *(g)*
Margareta von Schottland 16. 11. *(g)*
Maria 12. 9. *(g)*
Maria Goretti 6. 7. *(g)*
Maria Magdalena 22. 7. *(G)*
Maria Magdalena von Pazzi 25. 5. *(g)*
Marina 17. 7.
Marius 19. 1.
Markus 25. 4. *(F)*
Marta von Betanien 29. 7. *(G)*
Martin I. 13. 4. *(g)*
Martin von Porres 3. 11. *(g)*

Martin von Tours 11. 11. *(G)*
Martina 30. 1.
Maternus 11. 9.
Mathilde 14. 3.
Matthäus 21. 9. *(F)*
Matthias 24. 2. *(F)*
Mauritius 22. 9. *(g)*
Maximin 29. 5.
Maximilian Maria Kolbe 14. 8. *(G)*
Mechthild von Magdeburg 15. 8.
Meinrad 21. 1. *(g)*
Melanie 31. 12.
Melitta 15. 9.
Methodius 14. 2. *(F)*
Michael 29. 9. *(F)*
Mildred 13.7.
Modesta 6. 11.
Monika 27. 8. *(G)*

Natalie 1. 12.
Nepomuk Neumann 5. 1. *(g)*
Nereus 12. 5. *(g)*
Nicetius 3. 10.
Niklaus von Flüe 25. 9. *(g)*
Nikolaus 6. 12. *(g)*
Norbert von Xanten 6. 6. *(g)*
Notburg 15. 9.

Odilia 13. 12. *(g)*
Odo von Cluny 18. 11.
Olaf 10. 7. *(g)*
Olga 11. 7.
Oliver Plunket 11. 7.
Oranna 15. 9.
Oskar 3. 2.
Oswald 5. 8.
Otmar von St Gallen 16. 11.
Otto 30. 6. *(g)*

Pankratius 12. 5. *(g)*
Patrick 17. 3. (g)
Paul Chong Hasan 20. 9. *(G)*
Paul Miki 6. 2. *(G)*
Paul vom Kreuz 19. 10. *(g)*
Paulinus von Nola 22. 6. *(g)*
Paulinus von Trier 31. 8. *(g)*
Paulus 29. 6. *(H)*
Pelagius 1. 9.
Perpetua 7. 3. *(G)*
Peter Chanel 28. 4. *(g)*
Petronilla 31. 5.
Petrus, Apostel 29. 6. *(H)*
Petrus Chrysologus 30. 7. *(g)*
Petrus Claver 9. 9. *(g)*
Petrus Damiani 21. 2. *(g)*
Petrus Fourrier 10. 12 .
Petrus Julianus Eymard 2. 8. *(g)*
Petrus Kanisius 27. 4. *(g)*
Petrus von Rom 2. 6. *(g)*
Philipp Neri 26. 5. *(G)*
Philippus 3. 5. *(F)*
Pio da Pietrelcina 22. 9. *(G)*
Pirmin 3. 11. *(g)*
Pius V. 30. 4. *(g)*
Pius X. 21. 8. *(G)*
Polykarp 23. 2. *(G)*
Pontianus 13. 8. *(g)*

Rabanus Maurus 4. 2. *(g)*
Raimund Nonnatus 31. 8.
Raimund von Penafort 7. 1. *(g)*
Rachel 11. 7.
Rafael 29. 9. *(F)*
Rebekka 30. 8.
Regina 22. 8.
Reiner von Arnsberg 14. 1.
Reinhard 7. 3.
Reinhild 30. 5.
Reinhold 7. 1.
Remigius 1. 10.
Renate 22. 5.
Richard 30. 12.
Rita von Cascia 22. 5. *(g)*
Robert Bellarmin 17. 9. *(g)*
Roland 15. 9.
Romuald 19. 6. *(g)*
Rosa von Lima 23. 8. *(g)*
Roswitha 5. 9.

Rudolf 17. 4.
Rupert 24. 9. *(g)*
Ruth 1. 9.

Sabina 29. 8.
Sara 9. 10.
Sascha 3. 5.
Saskia 3. 5.
Scharbel Mahluf 24. 7. *(g)*
Scholastika 10. 2. *(G)*
Sebastian 20. 1. *(g)*
Severin 8. 1. *(g)*
Siegfried 15. 2.
Sigismund 2. 5.
Sigrid 7. 1.
Silvester I. 31. 12. *(g)*
Simeon von Trier 1. 6.
Simon 28. 10. *(F)*
Sophia 15. 5.
Stanislaus 11. 4. *(G)*
Stephan von Ungarn 16. 8. *(g)*
Stephanus 26. 12. *(F)*
Susanna 11. 8.

Thea 25. 7.
Thekla 23. 9.
Theodor 19. 9.
Theresia Benedicta vom Kreuz 9. 8. *(F)*
Theresia von Jesus (von Avila) 15. 10. *(G)*
Theresia vom Kinde Jesus 1. 10. *(G)*
Thomas 3. 7. *(F)*
Thomas Becket 29. 12. *(g)*
Thomas Morus 22. 6. *(g)*
Thomas von Aquin 28. 1. *(G)*
Timotheus 26. 1. *(G)*
Titus 26. 1. *(G)*
Tobias 13. 9.
Trudpert von Breisgau 26. 4.
Turibio von Mongrovejo 23. 3. *(g)*

Ulrich von Augsburg 4. 7. *(g)*
Ulrich von Zell 14. 7.
Ursula 21. 10. *(g)*

Valentin 7. 1. *(g)*
Valerius 29. 1.
Vanessa 1. 11.
Vera 24. 1.
Verena 1. 9.
Veronika 4. 2.
Viktor 10. 10.
Viktoria 23. 12.
Vinzenz 22. 1. *(g)*
Vinzenz Ferrer 5. 4. *(g)*
Vinzenz Pallotti 22. 1.
Vinzenz von Paul 27. 9. *(g)*
Virgil 24. 9. *(g)*
Vitus 15. 6. *(g)*
Volker 7. 3.

Walburga 25. 2. *(g)*
Walter vom Mondsee 17. 5.
Waltraud 9. 4.
Wendelin 20. 10. *(g)*
Wenzel 28. 9. (g)
Werner von Oberwesel 19. 4.
Wilfrid 24. 4.
Wilhelm von Aquitanien 28. 5.
Willibald 7. 7. *(g)*
Willibrord 7. 11. *(g)*
Wiltrud 6. 1.
Wolfgang 31. 10. *(g)*
Wolfram 25. 1.

Xaver 3. 12. *(G)*
Xystus II. 7. 8. *(g)*

Yvonne 13. 1.

Zacharias 15. 3.
Zefanja 6. 12.
Zeno 12. 4.
Zenzi 5. 4.
Zita 27. 4.

Verzeichnis der Schriftlesungen des Direktoriums an den Wochentagen für das Kirchenjahr 2011/12

Berücksichtigt sind die Eigentexte der Heiligenfeste, die rot markiert sind. Ein Verzeichnis dieser Feste finden Sie auf Seite 958. Die Lesungen der Hochfeste und Herrenfeste sind auf den angegebenen Seiten dieser Messbuch-Ausgabe zu finden.

1. ADVENTSWOCHE

Mo 28. 11. Jes 2,1–5 | Mt 8,5–11
Di 29. 11. Jes 11,1–10 | Lk 10,21–24
Mi 30. 11. Röm 10,9–18 | Mt 4,18–22
Do 1. 12. Jes 26,1–6 | Mt 7,21.24–27
Fr 2. 12. Jes 29,17–24 | Mt 9,27–31
Sa 3. 12. Jes 30,19–21.23–26 | Mt 9,35 – 10,1.6–8

2. ADVENTSWOCHE

Mo 5. 12. Jes 35,1–10 | Lk 5,17–26
Di 6. 12. Jes 40,1–11 | Mt 18,12–14
Mi 7. 12. Jes 40,25–31 | Mt 11,28–30
Do 8. 12. *s. Seite 34 ff.*
Fr 9. 12. es 48,17–19 | Mt 11,16–19
Sa 10. 12. Sir 48,1–4.9–11 | Mt 17,9a.10–13

3. ADVENTSWOCHE

Mo 12. 12. Num 24,2–7.15-17a | Mt 21,23–27
Di 13. 12. Zef 3,1–2.9-13 | Mt 21,28–32
Mi 14. 12. Jes 45,6b–8.18.21b–25 | Lk 7,18b–23
Do 15. 12. Jes 54,1–10 | Lk 7,24–30
Fr 16. 12. Jes 56,1–3a.6–8 | Joh 5,33–36
Sa 17. 12. Gen 49,1–2.8–10 | Mt 1,1–17

4. ADVENTSWOCHE

Mo 19. 12. Ri 13,2–7.24–25a | Lk 1,5–25
Di 20. 12. Jes 7,10–14 | Lk 1,26–38
Mi 21. 12. Hld 2,8–14 oder Zef 3,14–17 | Lk 1,39–45
Do 22. 12. 1 Sam 1,24–28 | Lk 1,39–45
Fr 23. 12. Mal 3,1–4.23–24 | Lk 1,57–66
Sa 24. 12. 2 Sam 7,1–5.8b–12.14a.16 | Lk 1,67–79

WEIHNACHTSZEIT

Mo 26. 12. *s. Seite 104 ff.*
Di 27. 12. *s. Seite 114 ff.*
Mi 28. 12. *s. Seite 122 ff.*
Do 29. 12. 1 Joh 2,3–11 | Lk 2,22–35
Fr 30. 12. *s. Seite 129 ff.*
Sa 31. 12. 1 Joh 2,18–21 | Joh 1,1–18
Mo 2. 1. 1 Joh 2,22–28 | Joh 1,19–28
Di 3. 1. 1 Joh 2,29 – 3,6 | Joh 1,29–34
Mi 4. 1. 1 Joh 3,7–10 | Joh 1,35–42
Do 5. 1. 1 Joh 3,11–21 | Joh 1,43–51
Fr 6. 1. *s. Seite 148 ff.*
Sa 7. 1. 1 Joh 3, 22 – 4,6 | Mt 4,12–17.35–25

1. WOCHE IM JAHRESKREIS

Mo 9. 1. 1 Sam 1,1–8 | Mk 1,14–20
Di 10. 1. 1 Sam 1,9–20 | Mk 1,21–28
Mi 11. 1. 1 Sam 3,1–10.19–20 | Mk 1,29–39
Do 12. 1. 1 Sam 4,1b–11 | Mk 1,40–45
Fr 13. 1. 1 Sam 8,4–7.10–22a | Mk 2,1–12
Sa 14. 1. 1 Sam 9,1–4.17–19; 10,1 | Mk 2,13–17

2. WOCHE IM JAHRESKREIS

Mo 16. 1. 1 Sam 15,16–23 | Mk 2,18–22
Di 17. 1. 1 Sam 16,1–13 | Mk 2,23–28
Mi 18. 1. 1 Sam 17,32–33.37.40–51 | Mk 3,1–6

Do 19. 1. 1 Sam 18,6–9; 19,1–7 | Mk 3,7–12
Fr 20. 1. 1 Sam 24,3–21 | Mk 3,13–19
Sa 21. 1. 2 Sam 1,1–4.11–12.17.19.23–27 | Mk 3,20–21

3. Woche im Jahreskreis

Mo 23. 1. 2 Sam 5,1–7.10 | Mk 3,22–30
Di 24. 1. 2 Sam 6,12b–12.17–19 | Mk 3,31–35
Mi 25. 1. Apg 22,1a.3–16 oder Apg 9,1–22 | Mk 16,15–18
Do 26. 1. 2 Tim 1,1–18 oder Tit 1,1–5 | Mk 3,31–35
Fr 27. 1. 2 Sam 11,1–4a.c.5–10a.13–17 | Mk 4,26–34
Sa 28. 1. 2 Sam 12,1–7a.10–17 | Mk 4,35–41

4. Woche im Jahreskreis

Mo 30. 1. 2 Sam 15,13–14.30; 16,5–13a | Mk 5,1–20
Di 31. 1. 2 Sam 18,6.9–10.14b.24–25ab.30 – 19,3 | Mk 5,21–43
Mi 1. 2. 2 Sam 24,2.9–17 | Mk 6,1b–6
Do 2. 2. *s. Seite 197 ff.*
Fr 3. 2. Sir 47,2–11 | Mk 6,14–29
Sa 4. 2. 1 Kön 3,4–13 | Mk 6,30–34

5. Woche im Jahreskreis

Mo 6. 2. 1 Kön 8,1–7.9–13 | Mk 6,53–56
Di 7. 2. 1 Kön 8,22–23.27–30 | Mk 7,1–13
Mi 8. 2. 1 Kön 10,1–10 | Mk 7,14–23
Do 9. 2. 1 Kön 11,4–13 | Mk 7,24–30
Fr 10. 2. 1 Kön 11,29–32; 12,19 | Mk 7,31–37
Sa 11. 2. 1 Kön 12,26–32; 13,33–34 | Mk 8,1–10

6. Woche im Jahreskreis

Mo 13. 2. Jak 1,1–11 | Mk 8,11–13
Di 14. 2. Apg 13,46–49 | Lk 10,1–9
Mi 15. 2. Jak 1,19–27 | Mk 8,22–26
Do 16. 2. Jak 2,1–9 | Mk 8,27–33
Fr 17. 2. Jak 2,14–24.26 | Mk 8,34 – 9,1
Sa 18. 2. Jak 3,1–10 | Mk 9,2–13

7. Woche im Jahreskreis

Mo 20. 2. Jak 3,13–18 | Mk 9,14–29
Di 21. 2. Apg 4,1–10 | Mk 9,30–37

Aschermittwoch bis Samstag

Mi 22. 2. *s. Seite 236 ff.*
Do 23. 2. Dtn 30,15–20 | Lk 9,22–25
Fr 24. 2. Apg 1,15–17.20ac–26 | Joh 15,9–17
Sa 25. 2. Jes 58,9b–14 | Lk 5,27–32

1. Fastenwoche

Mo 27. 2. Lev 19,1–2.11–18 | Mt 25,31–46
Di 28. 2. Jes 55,10–11 | Mt 6,7–15
Mi 29. 2. Jona 3,1–10 | Lk 11,29–32
Do 1. 3. Est 4,17k.17l–m.17r–t | Mt 7,7–12
Fr 2. 3. Ez 18,21–28 | Mt 5,20–26
Sa 3. 3. Dtn 26,16–19 | Mt 5,43–48

2. Fastenwoche

Mo 5. 3. Dan 9,4b–10 | Lk 6,36–38
Di 6. 3. Jes 1,10.16–20 | Mt 23,1–12
Mi 7. 3. Jer 18,18–20 | Mt 20,17–28
Do 8. 3. Jer 17,5–10 | Lk 16,19–31
Fr 9. 3. 1 Gen 37,3–4.12–13a.17b–28 | Mt 21,33–43.45–46
Sa 10. 3. Mi 7,14–15.18–20 | Lk 15,1–3.11–32

3. Fastenwoche

Mo 12. 3. 2 Kön 5,1–15a | Lk 4,24–30
Di 13. 3. Dan 3,25.34–43 | Mt 18,21–35
Mi 14. 3. Dtn 4,1.5–9 | Mt 5,17–19
Do 15. 3. Jer 7,23–28 | Lk 11,14–23
Fr 16. 3. Hos 14,2–10 | Mk 12,28b–34
Sa 17. 3. Hos 6,1–6 | Lk 18,9–14

4. Fastenwoche

Mo 19. 3. *s. Seite 280 ff.*
Di 20. 3. Ez 47,1–9.12 | Joh 5,1–16

Mi 21. 3. Jes 49,8–15 | Joh 5,17–30
Do 22. 3. Ex 32,7–14 | Joh 5,31–47
Fr 23. 3. Weish 2,1a.12–22 | Joh 7,1–2.10.25–30
Sa 24. 3. Jer 11,18–20 | Joh 7,40–53

5. Fastenwoche

Mo 26. 3. *s. Seite 298 ff.*
Di 27. 3. Num 21,4–9 | Joh 8,21–30
Mi 28. 3. Dan 3,14–21.49a.91–92.95 | Joh 8,31–42
Do 29. 3. Gen 17,1a.3–9 | Joh 8,51–59
Fr 30. 3. Jer 20,10–13 | Joh 10,31–42
Sa 31. 3. Ez 37,21–28 | Joh 11,45–57

Karwoche

Mo 2. 4. Jes 42,5a.1–7 | Joh 12,1–11
Di 3. 4. Jes 49,1–6 |Joh 13,21–33.36–38
Mi 4. 4. Jes 50,4–9a | Mt 26,14–25
Do 5. 4. *s. Seite 324 ff.*
Fr 6. 4. *s. Seite 334 ff.*

Osteroktav

Mo 9. 4. *s. Seite 401 ff.*
Di 10. 4. Apg 2,14a.36–41 | Mt 28,8–15 oder Joh 20,11–18
Mi 11. 4. Apg 3,1–10 | Joh 20,11–18 oder Lk 24,13–35
Do 12. 4. Apg 3,11–26 | Lk 24,35–48
Fr 13. 4. Apg 4,1–12 | Joh 21,1–14
Sa 14. 4. Apg 4,13–21 | Mk 16,9–15

2. Woche der Osterzeit

Mo 16. 4. Apg 4,23–31 | Joh 3,1–8
Di 17. 4. Apg 4,32–37 | Joh 3,7–15
Mi 18. 4. Apg 5,17–26 | Joh 3,16–21
Do 19. 4. Apg 5,27–33 | Joh 3,31–36
Fr 20. 4. Apg 5,34–42 | Joh 6,1–15
Sa 21. 4. Apg 6,1–7 | Joh 6,16–21

3. Woche der Osterzeit

Mo 23. 4. Apg 6,8–15 | Joh 6,22–29
Di 24. 4. Apg 7,51 – 8,1a | Joh 6,30–35
Mi 25. 4. 1 Petr 5,5b–14 | Mk 16,15–20
Do 26. 4. Apg 8,26–40 | Joh 6,44–51
Fr 27. 4. Apg 9,1–20 | Joh 6,52–59
Sa 28. 4. Apg 9,31–42 | Joh 6,60–69

4. Woche der Osterzeit

Mo 30. 4. Apg 11,1–18 | Joh 10,11–18
Di 1. 5. Apg 11,19–26 | Joh 10,22–30
Mi 2. 5. Apg 12,24 – 13,5 | Joh 12,44–50
Do 3. 5. 1 Kor 15,1–8 | Joh 14,6–14
Fr 4. 5. Apg 13,26–33 | Joh 14,1–6
Sa 5. 5. Apg 13,44–52 | Joh 14,7–14

5. Woche der Osterzeit

Mo 7. 5. Apg 14,5–18 | Joh 14,21–26
Di 8. 5. Apg 14,19–28 | Joh 14,27–31a
Mi 9. 5. Apg 15,1–6 | Joh 15,1–8
Do 10. 5. Apg 15,7–21 | Joh 15,9–11
Fr 11. 5. Apg 15,22–31 | Joh 15,12–17
Sa 12. 5. Apg 16,1–10 | Joh 15,18–21

6. Woche der Osterzeit

Mo 14. 5. Apg 16,11–15 | Joh 15,26–16,4a
Di 15. 5. Apg 16,22–34 | Joh 16,5–11
Mi 16. 5. Apg 17,15.22 – 18,1 | Joh 16,12–15
Do 17. 5. *s. Seite 451 ff.*
Fr 18. 5. Apg 18,9–18 | Joh 16,20–23a
Sa 19. 5. Apg 18,23–28 | Joh 16,23b–28

7. Woche der Osterzeit

Mo 21. 5. Apg 19,1–8 | Joh 16,29–33
Di 22. 5. Apg 20,17–27 | Joh 17,1–11a
Mi 23. 5. Apg 20,28–38 | Joh 17,6a.11b–19
Do 24. 5. Apg 22,30; 23,6–11 | Joh 17,20–26
Fr 25. 5. Apg 25,13–21 | Joh 21,1.15–19
Sa 26. 5. Apg 28,16–20.30–31 | Joh 21,20–25

8. Woche im Jahreskreis

Mo 28. 5. *s. Seite 492 ff.*
Di 29. 5. 1 Petr 1,10–16 | Mk 10,28–31
Mi 30. 5. 1 Petr 1,18–25 | Mk 10,32–45
Do 31. 5. 1 Petr 2,2–5.9–12| Mk 10,46–52

Fr 1. 6. 1 Petr 4,7–13 | Mk 11,11–25
Sa 2. 6. Jud 17,20b–25 | Mk 11,27–33

9. Woche im Jahreskreis

Mo 4. 6. 2 Petr 1,2–7 | Mk 12,1–12
Di 5. 6. Apg 26,19–23 | Joh 15,14–16a.18–20 oder Joh 10,11–16
Mi 6. 6. 2 Tim 1,1–3.6–12 | Mk 12,18–27
Do 7. 6. *s. Seite 585 ff.*
Fr 8. 6. 2 Tim3,10–17 | Mk 12,35–37
Sa 9. 6. 2 Tim 4,1–8 | Mk 12,38–44

10. Woche im Jahreskreis

Mo 11. 6. Apg 11,21b–26; 13,1–3 | Mt 5,1–12
Di 12. 6. 1 Kön 17,7–16 | Mt 5,13–16
Mi 13. 6. 1 Kön 18,20–39 | Mt 5,17–19
Do 14. 6. 1 Kön 18,41–46 | Mt 5,20–26
Fr 15. 6. *s. Seite 603 ff.*
Sa 16. 6. 1 Kön 19,19–21 | Lk 2,41–51

11. Woche im Jahreskreis

Mo 18. 6. 1 Kön 21,1–16 | Mt 5,38–42
Di 19. 6. 1 Kön 21,17–29 | Mt 5,43–48
Mi 20. 6. 2 Kön 2,1.4b.6–14 | Mt 6,1–6.16–18
Do 21. 6. Sir 48,1–14 | Mt 6,7–15
Fr 22. 6. 2 Kön 11,1–4.9–18.20 | Mt 6,19–23
Sa 23. 6. 2 Chr 24,17–25 | Mt 6,24–34

12. Woche im Jahreskreis

Mo 25. 6. 2 Kön 17,5–8.13–15a.18 | Mt 7,1–5
Di 26. 6. 2 Kön 19,9b–11.14–21.31–35a.36 | Mt 7,6.12–14
Mi 27. 6. 2 Kön 22,8–13; 23,1–3 | Mt 7,15–20
Do 28. 6. 2 Kön 24,8–17 | Mt 7,21–29
Fr 29. 6. *s. Seite 639 ff.*
Sa 30. 6. Klgl 2,2.10–14.18–19 | Mt 8,5–17

13. Woche im Jahreskreis

Mo 2. 7. Zef 3,14–18 oder Röm 12,9–16b | Lk 1,39–56
Di 3. 7. Eph 2,19–22 | Joh 20,24–29
Mi 4. 7. Am 5,14–15.21–24 | Mt 8,28–34
Do 5. 7. Am 7,10–17 | Mt 9,1–8
Fr 6. 7. Am 8,4–6.9–12 | Mt 9,9–13
Sa 7. 7. Am 9,11–15 | Mt 9,14–17

14. Woche im Jahreskreis

Mo 9. 7. Hos 2,16b.17b–18.21–22 | Mt 9,18–26
Di 10. 7. Hos 8,4–7.11–13 | Mt 9,32–38
Mi 11. 7. Spr 2,1–9 | Mt 19,27–29
Do 12. 7. Hos 11,1–4.8a.c–9 | Mt 10,7–15
Fr 13. 7. Hos 14,2–10 | Mt 10,16–23
Sa 14. 7. Jes 6,1–8 | Mt 10,24–33

15. Woche im Jahreskreis

Mo 16. 7. Jes 1,10–17 | Mt 10,34 – 11,1
Di 17. 7. Jes 7,1–9 | Mt 11,20–24
Mi 18. 7. Jes 10,5–7.13–16 | Mt 11,25–27
Do 19. 7. Jes 26,7–9.12.16–19 | Mt 11,28–30
Fr 20. 7. Jes 38,1–6.21–22.7–8 | Mt 12,1–8
Sa 21. 7. Mi 2,1–5 | Mt 12,14–21

16. Woche im Jahreskreis

Mo 23. 7. Gal 2,19–20 | Joh 15,1–8
Di 24. 7. Mi 7,14–15.18–20 | Mt 12,46–50
Mi 25. 7. 2 Kor 4,7–15 | Mt 20,20–28
Do 26. 7. Jer 2,1–3.7–8.12–13 | Mt 13,10–17
Fr 27. 7. Jer 3,14–17 | Mt 13,18–23
Sa 28. 7. Jer 7,1–11 | Mt 13,24–30

17. Woche im Jahreskreis

Mo 30. 7. Jer 13,1–11 | Mt 13,31–35
Di 31. 7. Jer 14,17b–22 | Mt 13,36–43
Mi 1. 8. Jer 15,10.16–21 | Mt 13,44–46

Do 2. 8. Jer 18,1–6 | Mt 13,47–52
Fr 3. 8. Jer 26,1–9 | Mt 13,54–58
Sa 4. 8. Jer 26,11–16.24 | Mt 14,1–12

18. Woche im Jahreskreis

Mo 6. 8. *s. Seite 705 ff.*
Di 7. 8. Jer 30,1–2.12–15.18–22 | Mt 14,22–36 oder Mt 15,1–2.10–14
Mi 8. 8. Jer 31,1–7 | Mt 15,21–28
Do 9. 8. Est 4,17k.–17l–m.17r–t | Joh 4,19–24
Fr 10. 8. 2 Kor 9,6–10 | Joh 12,24–26
Sa 11. 8. Hab 1,12 – 2,4 | Mt 17,14–20

19. Woche im Jahreskreis

Mo 13. 8. Ez 1,2–5.24–28c | Mt 17,22–27
Di 14. 8. Ez 2,8 – 3,4 | Mt 18,1–5.10.12–14
Mi 15. 8. *s. Seite 721 ff.*
Do 16. 8. Ez 12,1–12 | Mt 18,21–19,1
Fr 17. 8. Ez 16,1–15.60.63 oder Ez 16,59–63 | Mt 19,3–12
Sa 18. 8. Ez 18,1–10.13b.30–32 | Mt 19,13–15

20. Woche im Jahreskreis

Mo 20. 8. Ez 24,15–24 | Mt 19,16–22
Di 21. 8. Ez 28,1–10 | Mt 19,23–30
Mi 22. 8. Ez 34,1–11 | Mt 20,1–16a
Do 23. 8. Ez 36,23–28 | Mt 22,1–14
Fr 24. 8. Offb 21,9b–14 | Joh 1,45–51
Sa 25. 8. Ez 43,1–7a | Mt 23,1–12

21. Woche im Jahreskreis

Mo 27. 8. 2 Thess 1,1–5.11–12 | Mt 23,13–22
Di 28. 8. 2 Thess 2,1–3a.14–17 | Mt 23,23–26
Mi 29. 8. 2 Thess 3,6–10.16–18 | Mk 6,17–29
Do 30. 8. 1 Kor 1,1–9 | Mt 24,42–51
Fr 31. 8. 1 Kor 1,17–25 | Mt 25,1–13
Sa 1. 9. 1 Kor 1,26–31 | Mt 25,14–30

22. Woche im Jahreskreis

Mo 3. 9. 1 Kor 2,1–5 | Lk 4,16–30
Di 4. 9. 1 Kor 2,10b–16 | Lk 4,31–37
Mi 5. 9. 1 Kor 3,1–9 | Lk 4,38–44
Do 6. 9. 1 Kor 3,18–23 | Lk 5,1–11
Fr 7. 9. 1 Kor 4,1–5 | Lk 5,33–39
Sa 8. 9. Mi 5,1–4a oder Röm 8,28–30 | Mt 1,1–16.18–23

23. Woche im Jahreskreis

Mo 10. 9. 1 Kor 5,1–8 | Lk 6,6–11
Di 11. 9. 1 Kor 6,1–11 | Lk 6,12–19
Mi 12. 9. 1 Kor 7,25–31 | Lk 6,20–26
Do 13. 9. 1 Kor 8,1b–7.11–13 | Lk 6,27–38
Fr 14. 9. *s. Seite 771 ff.*
Sa 15. 9. 1 Kor 10,14–22 | Joh 19,25–27 oder Lk2,33–35

24. Woche im Jahreskreis

Mo 17. 9. 1 Kor 11,17–26.33 | Lk 7,1–10
Di 18. 9. 1 Kor 12,12–14.27–31a | Lk 7,11–17
Mi 19. 9. 1 Kor 12,31 – 13,13 | Lk 7,31–35
Do 20. 9. 1 Kor 15,1–11 | Lk 7,36–50
Fr 21. 9. Eph 4,1–7.11–13 | Mt 9,9–13
Sa 22. 9. 1 Kor 15,35–37.42–49 | Lk 8,4–15

25. Woche im Jahreskreis

Mo 24. 9. Spr 3,27–35 | Lk 8,16–18
Di 25. 9. Spr 21,1–6.10–13 | Lk 8,19–21
Mi 26. 9. Spr 30,5–9 | Lk 9,1–6
Do 27. 9. Koh 1,2–11 | Lk 9,7–9
Fr 28. 9. Koh 3,1–11 | Lk 9,18–22
Sa 29. 9. Dan 7,9–10.13–14 oder Offb 12,7–12a | Joh 1,47–51

26. Woche im Jahreskreis

Mo 1. 10. Ijob 1,6–22 | Lk 9,46–50
Di 2. 10. Ijob 3,1–3.11–17.20–23 | Mt 18,1–5.10
Mi 3. 10. Ijob 9,1–12.14–16 | Lk 9,57–62
Do 4. 10. Ijob 19,21–27 | Lk 10,1–12

Fr 5. 10. Ijob 38,1.12–21; 40,3–5 | Lk 10,13–16
Sa 6. 10. Ijob 42,1–3.5–6.12–17 | Lk 10,17–24

27. Woche im Jahreskreis

Mo 8. 10. Gal 1,6–12 | Lk 10,25–37
Di 9. 10. Gal 1,13–24 | Lk 10,38–42
Mi 10. 10. Gal 2,1–2.7–14 | Lk 11,1–4
Do 11. 10. Gal 3,1–5 | Lk 11,5–13
Fr 12. 10. Gal 3,6–14 | Lk 11,14–26
Sa 13. 10. Gal 3,22–29 | Lk 11,27–28

28. Woche im Jahreskreis

Mo 15. 10. Gal 4,22–24.26–27.31 – 5,1 | Lk 11,29–32
Di 16. 10. Gal 5,1–6 | Lk 11,37–41
Mi 17. 10. Gal 5,18–25 | Lk 11,42–46
Do 18. 10. 2 Tim 4,10–17b | Lk 10,1–9
Fr 19. 10. Eph 1,11–14 | Lk 12,1–7
Sa 20. 10. Eph 1,15–23 | Lk 12,8–12

29. Woche im Jahreskreis

Mo 22. 10. Eph 2,1–10 | Lk 12,13–21
Di 23. 10. Eph 2,12–22 | Lk 12,35–38
Mi 24. 10. Eph 3,2–12 | Lk 12,39–48
Do 25. 10. Eph 3,14–21 | Lk 12,49–53
Fr 26. 10. Eph 4,1–6 | Lk 12,54–59
Sa 27. 10. Eph 4,7–16 | Lk 13,1–9

30. Woche im Jahreskreis

Mo 29. 10. Eph 4,32 – 5,8 | Lk 13,10–17
Di 30. 10. Eph 5,21–33 | Lk 13,18–21
Mi 31. 10. Eph 6,1–9 | Lk 13,22–30
Do 1. 11. *s. Seite 840 ff.*
Fr 2. 11. *s. Seite 849 ff.*
Sa 3. 11. Phil 1,18b–26 | Lk 14,1.7–11

31. Woche im Jahreskreis

Mo 5. 11. Phil 2,1–4 | Lk 14,12–14
Di 6. 11. Phil 2,5–11 | Lk 14,15–24
Mi 7. 11. Phil 2,12–18 | Lk 14,25–33
Do 8. 11. Phil 3,3–8a | Lk 15,1–10
Fr 9. 11. *s. Seite 870 ff.*
Sa 10. 11. Phil 4,10–19 | Lk 16,9–15

32. Woche im Jahreskreis

Mo 12. 11. Tit 1,1–9 | Lk 17,1–6
Di 13. 11. Tit 2,1–8.11–14| Lk 17,7–10
Mi 14. 11. Tit 3,1–7 | Lk 17,11–19
Do 15. 11. Phlm 7–20 | Lk 17,20–25
Fr 16. 11. 2 Joh 4–9 | Lk 17,26–37
Sa 17. 11. 3 Joh 5–8 | Lk 18,1–8

33. Woche im Jahreskreis

Mo 19. 11. Offb 1,1–4; 2,1–5a | Lk 18,35–43
Di 20. 11. Offb 3,1–6.14–22 | Lk 19,1–10
Mi 21. 11. Offb 4,1–11 | Lk 19,11–28
Do 22. 11. Offb 5,1–10 | Lk 19,41–44
Fr 23. 11. Offb 10,8–11 | Lk 19,45–48
Sa 24. 11. Offb 11,4–12 | Lk 20,27–40

34. Woche im Jahreskreis

Mo 26. 11. Offb 14,1–3.4b–5 | Lk 21,1–4
Di 27. 11. Offb 14,14–19 | Lk 21,5–11
Mi 28. 11. Offb 15,1–4 | Lk 21,12–19
Do 29. 11. Offb 18,1–2.21–23; 19,1–3.9a | Lk 21,20–28
Fr 30. 11. Röm 10,9–18 | Mt 4,18–22
Sa 1. 12. Offb 22,1–7 | Lk 21,34–36

Verzeichnis der Heiligenfeste im Kirchenjahr 2011/12

NOVEMBER
30. Heiliger Andreas

DEZEMBER
26. Heiliger Stephanus *s. Seite 104 ff.*
27. Heiliger Johannes *s. Seite 114 ff.*
28. Unschuldige Kinder *s. Seite 122 ff.*

JANUAR
25. Bekehrung des heiligen Apostel Paulus

FEBRUAR
14. Heiliger Cyrill und heiliger Methodius
24. Heiliger Matthias

MÄRZ
19. Heiliger Josef *s. Seite 280 ff.*

MAI
25. Heiliger Markus

JUNI
5. Heiliger Bonifatius
11. Heiliger Barnabas
24. Heiliger Johannes der Täufer *s. Seite 620 ff.*
29. Heiliger Petrus und heiliger Paulus *s. Seite 639 ff.*

JULI
2. Mariä Heimsuchung
3. Heiliger Thomas
11. Heiliger Benedikt
23. Heilige Birgitta von Schweden
25. Heiliger Jakobus

AUGUST
9. Heilige Theresia Benedicta vom Kreuz (Edith Stein)
10. Heiliger Laurentius
24. Heiliger Bartholomäus

SEPTEMBER
8. Mariä Geburt
21. Heiliger Matthäus
29. Heiliger Michael, heiliger Gabriel, heiliger Rafael

OKTOBER
18. Heiliger Lukas

NOVEMBER
1. Allerheiligen *s. Seite 840 ff.*
30. Heiliger Andreas

Quellennachweis

Die *Ständige Kommission für die Herausgabe der gemeinsamen liturgischen Bücher* im deutschen Sprachgebiet erteilt für die aus diesem Büchern entnommenen Texte die Abdruckerlaubnis. Die darin enthaltenen biblischen Texte sind Bestandteil der von der Bischofskonferenzen des deutschen Sprachgebietes approbierten Einheitsübersetzung der Hl. Schrift.

Die neue *Rechtschreibung* der Texte aus den Lektionaren entspricht der von der Deutschen Bischofskonferenz genehmigten Weise. Für die aus dem Messbuch entnommenen Texte lag bis zur Drucklegung keine Fassung in neuer Rechtschreibung vor.

Das *Deutsche Liturgische Institut* erteilte für die aus »Fünf Hochgebete« entnommenen Texte die Abdruckerlaubnis.

Der *Verein zur Förderung des Deutschen Liturgischen Instituts e.V. (VzF)* erteilte für die aus »Wort-Gottes-Feier. Werkbuch für die Sonn- und Festtage« entnommenen Texte die Abdruckerlaubnis.

Seite 24: Hans Bernoulli; © Schweizerischer Kirchengesangsbund, Zürich | **Seite 33:** aus: Lothar Zenetti, Auf Seiner Spur. Texte gläubiger Zuversicht (Topos Plus 327); © Matthias-Grünewald-Verlag der Schwabenverlag AG, Ostfildern, 4. Auflage 2006 | **Seite 42:** Kurt Marti, Leichenreden; © 2001 Nagel Kimche im Carl Hanser Verlag München | **Seite 50:** Karl Rahner, »Ich bin Deine Freude...«, aus: Ders., Werkausgabe in 32 Bänden; © Verlag Herder GmbH, Freiburg im Breisgau, 1996-2012 | **Seite 58:** Andrea Schwarz, Vielleicht war es ein Engel, aus: Dies., Wenn ich meinem Dunkel traue, Auf der Suche nach Weihnachten; © Verlag Herder GmbH, Freiburg im Breisgau, 8. Gesamtauflage 2001, S. 72 | **Seite 91:** © Wilhelm Bruners | Seite 121: © Rolf-Dieter Seemann | **Seite 262:** Said, Psalmen; Verlag C.H. Beck oHG, München | **Seite 271:** © Immanuel Jacobs | **Seite 279:** Manfred Siebald; © 1989 SCM Hänssler, 71087 Holzgerlingen | **Seite 297:** Andrea Schwarz, Hingabe, aus: Dies., Und jeden Tag mehr leben; © Verlag Herder GmbH, Freiburg im Breisgau, 2. Auflage, 2008. S. 134 | **Seite 305:** © Josef Dirnbeck | **Seite 426:** Andrea Schwarz, Damit eure Freude vollkommen wird, aus: Anselm Grün / Andrea Schwarz, Und alles lassen, weil Er mich nicht lässt, Berufen, das Evangelium zu leben; © Verlag Herder GmbH, Feiburg im Breisgau 2006, S. 27 | **Seite 433 / 594:** Silja Walter, Gesamtausgabe, Band 10; © Paulusverlag, Freiburg Schweiz, 2005 | **Seite 619:** Martin Buber, Die Erzählungen der Chassidim; © 1949 Manesse Verlag, Zürich, in der Verlagsgruppe Random House GmbH, München | **Seite 638:** Basil Kardinal Hume, Gott suchen, Johannes Verlag Einsiedeln, Freiburg 5. Auflage 2002, S. 226 und 228 | **Seite 679f.:** © Winfried Pilz | **Seite 688:** Rüdeger Lüders / Kurt Rommel; © Gustav Bosse Verlag, Kassel | **Seite 696:** © Alois Albrecht | **Seite 712:** aus: Andreas Knapp, Weiter als der Horizont; © Echter Verlag Würzburg 6. Auflage 2009 S. 44 | **Seite 744:** Martin Gotthard Schneider; © Gustav Bosse Verlag, Kassel | **Seite 779:** © Karin Müller | **Seite 823:** Hélder Câmara: Haben ohne festzuhalten; © 2009 Pendo Verlag in der Piper Verlag GmbH, München und Zürich | **Seite 848:** Alexander Solschenizyn, Der Archipel Gulag, Band III; Scherz Verlag, Bern, München, 1976. Alle Rechte vorbehalten S. Fischer Verlag GmbH, Frankfurt am Main.

Bei einigen Texten war es trotz gründlicher Recherchen nicht möglich, den Rechtsinhaber ausfindig zu machen. Honorar-Ansprüche bleiben bestehen. Für entsprechende Rückmeldungen an die Redaktion LAACHER MESSBUCH, ars liturgica Buch- & Kunstverlag (Benediktinerabtei, D-56653 Maria Laach) sind wir sehr dankbar.

Benutzungshinweise

Kyrie-Rufe

Den einzelnen Nennungen der Kyrie-Litanei folgt der Ruf Herr, erbarme dich (Kyrie, eleison) bzw. entsprechend Christus, erbarme dich (Christe, eleison), der von der Gemeinde wiederholt wird. Diese Rufe können anhand der Vorschläge aus dem GL bzw. KG gesungen werden. Gelegentlich wird auch eine musikalische Alternative als Kyrie-Litanei angegeben.

Kurzfassungen der Schrifttexte

Einige Schrifttexte bieten die Möglichkeit zur Kurzfassung (Kf). Sie werden durch ➡ (Beginn bzw. Fortsetzung) und ⬅ (Unterbrechung bzw. Ende) markiert. Evtl. erforderliche Textanpassungen sind in Rot gedruckt. Eine Kurzfassung, die direkt am Anfang des Textes beginnt, wird dort nicht eigens angezeigt.

Anredeformen bei den Lesungen

Anstelle der Anrede Brüder können bei den Anfangsworten der meisten Lesungen auch die Worte Brüder und Schwestern bzw. Schwestern und Brüder gebraucht werden. Diese Anredeformen sind – soweit möglich – im LAACHER MESSBUCH berücksichtigt.